JN150918

編集復刻版

「秋丸機関」関係資料集成

第11巻

牧野邦昭 編

不二出版

〈編集復刻にあたって〉

一、使用した底本の所蔵館については、「全巻収録内容」に記載しております。ご協力に感謝申し上げます。

一、本編集復刻版の解説（牧野邦昭）は、第5回配本に別冊として付します。

一、資料の収録順については、牧野邦昭と不二出版の判断により分類毎に分けた上で、資料のシリーズ、作成年月日を元に整序しました。

一、本編集復刻版は、原本を適宜縮小し、白黒、四面付方式にて収録しました。ただし資料中、色がついていないと内容を理解することが出来ない部分に関してはカラーで収録しました。

一、本編集復刻版は、できるかぎり副本を求めましたが、頁の欠落、破損などを補充できなかった部分があります。また、より鮮明な印刷になるよう努めましたが、原本自体の状態によって、印字が不鮮明あるいは判読不可能な箇所があります。判読不可能な箇所については、不二出版の組版によって内容を補った場合があります。

一、資料の中には、人権の視点から見て不適切な語句・表現・論もありますが、歴史的資料の復刻という性質上、そのまま収録しました。

（不二出版）

[第11巻　収録内容]

資料番号——資料名●発行年月——復刻版頁

【全巻収録内容】

Ⅰ　機関動向・総論

配本	巻	資料番号	資料名	分類	発行年月	底本所蔵館
第１回配本	第１巻	一	秘　経研目録第一号　資料月報	機関動向	一九四〇年四月	福島大学食農学類
		二	経研目録第三号　資料目録	機関動向	一九四〇年六月	福島大学食農学類
		三	経研目録第四号　資料目録	機関動向	一九四〇年七月	福島大学食農学類
		四	経研日年第一号　資料年報	機関動向	一九四〇年一二月	牧野邦昭所有
		五	秘　班報　第一号	機関動向	一九四〇年八月	福島大学食農学類
		六	秘　班報　第二号	機関動向	一九四〇年九月	福島大学食農学類
		七	班報　第三号	機関動向	一九四〇年一〇月	福島大学食農学類
		八	秘　経研訳第四号　マックス・ウエルナア著　列強の抗戦力	総論	一九四〇年七月	牧野邦昭所有
	第２巻	九	経研資料工作第二号　第一次欧州戦争ニ於ケル主要交戦国経済統制法令輯録	総論	一九四〇年八月	東京大学経済学部資料室
		一〇	経研資料工作第二号　第二次欧州戦争ニ於ケル交戦各国経済統制法令輯録	総論	一九四〇年八月	東京大学経済学部資料室
		一一	極秘　第一　物的資源力ヨリ見タル各国経済抗戦力ノ判断	総論		福島大学食農学類
		一二	経研資料工作第一号　第二次欧州戦争に於ける経済戦関係日誌　第一年度（自一九三九年九月一日至一九四〇年八月三一日）	総論	一九四〇年九月	東京大学経済学図書館
	第３巻	一三	経研資料工作第一号ノ二　第二次欧州戦争に於ける経済戦関係日誌　第二年度（自一九四〇年九月一日至一九四一年八月三一日）	総論	一九四一年九月	東京大学経済学図書館
		一四	経研資料工作第一号ノ三　第二次欧州戦争に於ける経済戦関係日誌　第三年度（自一九四一年九月一日至一九四二年八月三一日）	総論	一九四二年九月	東京大学経済学図書館
第２回配本		一五	経研資料調第四号　主要各国国際収支要覧	総論	一九四〇年一一月	国立公文書館
		一六	秘　経研報告第一号（中間報告）　経済戦争の本義	総論	一九四一年三月	防衛省防衛研究所
		一七	重要記事索引上ノ準拠項目一覧表（七、二九）	総論		防衛省防衛研究所
	第４巻	一八	極秘　経研資料調第十一号　抗戦力より観たる各国統治組織の研究	総論	一九四一年四月	東京大学経済学部資料室
		一九	秘　抗戦力判断資料第一号　抗戦力より観たる列強の統治組織	総論	一九四一年四月	北海道大学附属図書館
		二〇	部外秘　経研情報第一七号　海外経済情報　昭和十六年四月十五日	総論	一九四一年四月	国立公文書館
		二一	部外秘　経研情報第二二号　海外経済情報　昭和十六年六月三十日	総論	一九四一年六月	国立公文書館
		二二	部外秘　経研情報第二三号　海外経済情報　昭和十六年七月十五日	総論	一九四一年七月	国立公文書館
		二三	経研資料調第二十七号　レオン・ドーデの「総力戦」論	総論	一九四一年九月	東京大学経済学部資料室
		二四	経研資料調第三七号　経済戦争史の研究	総論	一九四一年一二月	防衛省防衛研究所

Ⅱ　連合国

配本	巻	資料番号	資料名	分類	発行年月	底本所蔵館
第３回配本	第５巻	二五	英国の農産資源力	イギリス		福島大学食農学類
		二六	経研資料工第五号　第一次大戦に於ける英国の戦時貿易政策	イギリス	一九四一年　一月	東京大学経済学部資料室
		二七	極秘　経研資料調第十四号　英国に於ける統帥と政治の連絡体制	イギリス	一九四一年　五月	東京大学経済学部資料室
		二八	秘　抗戦力判断資料第二号（其一）　経済的抗戦要素としての印度及緬甸	イギリス	一九四一年　八月	防衛省防衛研究所
	第６巻	二九	秘　抗戦力判断資料第二号（其二）　経済的抗戦要素としての印度及緬甸	イギリス	一九四一年　八月	防衛省防衛研究所
		三〇	秘　抗戦力判断資料第二号（其三）　経済的抗戦要素としての印度及緬甸	イギリス	一九四一年　八月	防衛省防衛研究所
		三一	秘　抗戦力判断資料第二号（其四）　経済的抗戦要素としての印度及緬甸	イギリス	一九四一年　八月	防衛省防衛研究所
		三二	極秘　第一部　物的資源力ヨリ見タル英国ノ抗戦力	イギリス	一九四〇年一一月	福島大学食農学類
		三三	［英国　綿花・大麻・亜麻・黄麻・ヒマシ油・桐油・生綿・生護謨］	イギリス		福島大学食農学類
	第７巻	三四	秘　抗戦力判断資料第四号（其一）　第一編　物的資源力より見たる英国の抗戦力	イギリス	一九四一年一二月	東京大学経済学部資料室
		三五	秘　抗戦力判断資料第四号（其二）　第二編　人的資源より見たる英国の抗戦力	イギリス	一九四二年　二月	東京大学経済学部資料室
		三六	抗戦力判断資料第四号（其三）　第三編　資本力より見たる英国の抗戦力	イギリス	一九四二年　九月	北海道大学附属図書館
	第８巻	三七	抗戦力判断資料第四号（其四）　第四編　生産機構より見たる英国の抗戦力	イギリス	一九四二年　一月	北海道大学附属図書館
		三八	部外秘　抗戦力判断資料第四号（其五）　第五編　貿易及び配給機構より見たる英国の抗戦力	イギリス	一九四二年　七月	防衛省防衛研究所
		三九	抗戦力判断資料第四号（其六）　第六編　交通機構より見たる英国の抗戦力	イギリス	一九四二年　八月	北海道大学附属図書館
第４回配本	第９巻	四〇	秘　経研資料調第三九号　濠洲の政治経済情況	イギリス	一九四二年　一月	国立公文書館
		四一	秘　経研資料調第四〇号　生産機構ヨリ見タル濠洲及新西蘭ノ抗戦力	イギリス	一九四二年　一月	国立公文書館
		四二	秘　経研資料調第六九号　南阿連邦経済力調査	イギリス	一九四二年　四月	国立公文書館
		四三	秘　経研資料調第七〇号　南阿連邦政治経済研究	イギリス	一九四二年　四月	東京大学経済学部資料室
		四四	アメリカ合衆国の農産資源力	アメリカ		福島大学食農学類
		四五	極秘　経研資料調第十六号　一九四〇年度米国貿易の地域的考察並に国別、品種別	アメリカ	一九四一年　五月	東京大学経済学部資料室
		四六	極秘　第一部　物的資源力ヨリ見タル米国ノ抗戦力	アメリカ	一九四〇年一二月	福島大学食農学類
		四七	抗戦力判断資料第五号（其一）　第一編　物的資源力より見たる米国の抗戦力	アメリカ	一九四二年　三月	東京大学経済学部資料室
	第10巻	四八	抗戦力判断資料第五号（其二）　第二編　人的資源より見たる米国の抗戦力	アメリカ	一九四二年　三月	東京大学経済学部資料室
		四九	秘　抗戦力判断資料第五号（其三）　第三編　生産機構より見たる米国の抗戦力	アメリカ	一九四二年　四月	防衛省防衛研究所
		五〇	抗戦力判断資料第五号（其四）　第四編　資本力より見たる米国の抗戦力	アメリカ	一九四二年　六月	北海道大学附属図書館
		五一	抗戦力判断資料第五号（其五）　第五編　配給及貿易機構より見たる米国の抗戦力	アメリカ	一九四二年　六月	北海道大学附属図書館
		五二	抗戦力判断資料第五号（其六）　第六編　交通機構より見たる米国の抗戦力	アメリカ	一九四二年　八月	北海道大学附属図書館
		五三	経研報告第一号　英米合作経済抗戦力調査（其一）	英米	一九四一年　七月	東京大学経済学部資料室
		五四	極秘　経研報告第二号　英米合作経済抗戦力調査（其二）	英米	一九四一年　七月	東京大学経済学部資料室
		五五	極秘　経研報告第二号別冊　英米合作経済抗戦力戦略点検討表	英米	一九四一年　七月	大東文化大学図書館

配本	巻	資料番号	資料名	分類	発行年月	底本所蔵館
第５回配本（Ⅱ　連合国）	第11巻	五六	極秘　ソ連経済抗戦力判断研究関係書綴	ソ連	一九四一年二月	防衛省防衛研究所
		五七	極秘　経研資料工作第十三号　極東ソ領占領後ノ通貨・経済工作案	ソ連	一九四一年八月	防衛省防衛研究所
		五八	極秘　経研資料工作第一八号　東部蘇連ニ於ケル緊急通貨工作案	ソ連	一九四二年三月	防衛省防衛研究所
		五九	極秘　経研資料調第七二号　蘇連邦経済力調査	ソ連	一九四二年五月	防衛省防衛研究所
		六〇	極秘　経研資料調第七三号（其二）　蘇連邦経済調査資料（下巻）	ソ連	一九四二年四月	石巻専修大学図書館
		六一	部外秘　経研資料調第七四号　ソ連農産資源の地理的分布の調査	ソ連	一九四二年五月	防衛省防衛研究所
	第12巻	六二	経研資料工作第四号　支那事変経済戦関係日誌　第一輯	中国	一九四一年三月	一橋大学経済研究所資料室
		六三	経研資料工作第一六号　支那事変経済戦関係日誌　第二輯	中国	一九四二年一月	静岡大学附属図書館
		六四	極秘　経研資料調第十二号　支那民族資本の経済戦略的考察	中国	一九四一年四月	東京大学経済学部資料室
		六五	秘　経研資料調第二〇号　支那沿岸密貿易の実証的研究	中国	一九四一年六月	国立国会図書館
		六六	秘　経研資料工作第一七号　上海市場ノ再建方策	中国	一九四二年三月	防衛省防衛研究所
第６回配本（Ⅲ　枢軸国）	第13巻	六七	極秘　［独逸組］研究項目、分担者、委嘱者の表	ドイツ		福島大学食農学類
		六八	独逸の農産資源力	ドイツ		福島大学食農学類
		六九	極秘　第一部　物的資源力ヨリ見タル独逸ノ抗戦力	ドイツ	一九四〇年一一月	福島大学食農学類
		七〇	抗戦力判断資料第三号（其一）　第一編　物的資源力より見たる独逸の抗戦力	ドイツ	一九四一年一〇月	東京大学経済学部資料室
		七一	秘　抗戦力判断資料第三号（其二）　第二編　人的資源力より見たる独逸の抗戦力	ドイツ	一九四二年二月	東京大学経済学部資料室
		七二	秘　抗戦力判断資料第三号（其三）　第三編　資本力より見たる独逸の抗戦力	ドイツ	一九四二年一月	牧野邦昭所有
	第14巻	七三	秘　抗戦力判断資料第三号（其四）　第四編　生産機構より見たる独逸の抗戦力	ドイツ	一九四二年二月	東京大学経済学部資料室
		七四	秘　抗戦力判断資料第三号（其五）　第五編　配給及び貿易機構より見たる独逸の抗戦力	ドイツ	一九四二年一月	東京大学経済学部資料室
		七五	秘　抗戦力判断資料第三号（其六）　第六編　交通機構より見たる独逸の抗戦力	ドイツ	一九四二年三月	東京大学経済学部資料室
	第15巻	七六	経研資料調第一七号　独逸食糧公的管理の研究（要約篇）―戦時食糧経済の防衛措置―	ドイツ	一九四一年六月	国立公文書館
		七七	経研資料調第一八号　独逸食糧公的管理の研究	ドイツ	一九四一年六月	東京大学経済学図書館
		七八	経研資料調第二一号　独逸の占領地区に於ける通貨工作	ドイツ	一九四一年七月	東京大学経済学部資料室
		七九	極秘　経研報告第三号　独逸経済抗戦力調査	ドイツ	一九四一年七月	静岡大学附属図書館
		八〇	経研資料調第二十八号　独逸戦時に活躍するトッド工作隊	ドイツ	一九四一年一〇月	東京大学経済学部資料室
		八一	経研資料調第三五号　第一次大戦に於ける独逸戦時食糧経済	ドイツ	一九四一年一二月	東京大学経済学部資料室
		八二	秘　経研資料調第六五号　独逸大東亜圏間の相互的経済依存関係の研究　―物資交流の視点に於ける―	ドイツ	一九四二年三月	東京大学経済学図書館

Ⅲ　枢軸国

配本	巻	資料番号	資料名	分類	発行年月	底本所蔵館
第７回配本	第16巻	八三	部外秘　経研資料調第六八号（其一）　独逸に於ける労働統制の立法的研究（上巻）	ドイツ	一九四二年四月	東京大学経済学図書館
		八四	部外秘　経研資料調第六八号（其二）　独逸に於ける労働統制の立法的研究（下巻）	ドイツ	一九四二年四月	東京大学経済学図書館
	第17巻	八五	部外秘　経研資料調第八九号　ナチス独逸に於ける人口並に厚生政策立法の研究	ドイツ	一九四二年一一月	昭和館
	第18巻	八六	秘　経研資料調第三三号　伊国経済抗戦力調査	イタリア	一九四一年一二月	国立国会図書館
		八七	経研資料調第八八号　ファシスタイタリアの国家社会機構の研究　第二部　政治編	イタリア	一九四二年一一月	東京大学経済学図書館
		八八	経研資料調第二三号　全体主義国家に於ける権利法の研究	独伊	一九四一年七月	東京大学東洋文化研究所
		八九	経研資料調査第一号　貿易額ヨリ見タル我国ノ対外依存状況	日本	一九四〇年九月	東京大学経済学部資料室
		九〇	秘　経研資料調第二四号　日米貿易断交ノ影響ト其ノ対策	日本	一九四一年七月	東京大学経済学図書館
第８回配本	第19巻	九一	経研資料調第三〇号　南方諸地域兵要経済資料	日本	一九四一年一二月	防衛省防衛研究所
		九二	極秘　経研資料調第五一号　占領地幣制確立方策	日本	一九四二年二月	東京大学経済学図書館
		九三	部外秘　経研資料工作第二三号　南方労力対策要綱	日本	一九四二年六月	東京大学東洋文化研究所
		九四	極秘　経研資料調第七九号　昭和十七年度ニ於ケル南方物資流入ニヨル帝国物的国力推移ノ具体的検討	日本	一九四二年六月	防衛省防衛研究所
	第20巻	九五	経研資料調第九〇号ノ一　東亜共栄圏の政治的経済的基本問題研究（上巻）	日本	一九四二年一二月	一橋大学附属図書館
		九六	経研資料調第九〇号ノ二　東亜共栄圏の政治的経済的基本問題研究（下巻）	日本	一九四二年一二月	一橋大学附属図書館
		九七	経研資料調第九一号　大東亜共栄圏の国防地政学	日本	一九四二年一二月	昭和館
		九八	経研資料調第三四号　戦争指導と政治の関係研究	全体	一九四一年一二月	専修大学図書館

※極秘、秘等の表記については、底本とした資料の記載に拠りました。
※収録順は、牧野邦昭と不二出版の判断により分類毎に分けた上で、資料のシリーズ、作成年月日を元に整序しました。
※第五回配本、第六回配本の巻割りに一部変更がございます。
※刊行開始後に発見された資料を資料番号九八として追加収録しました。

昭和十六年二月二十二日

ソ聯経済抗戦力判断研究関係書綴

研究部第四分科

極秘

極秘

部内第　號

陸軍

ソ聯經濟抗戰力判斷研究計畫　（昭和十六年二月二十八日）

一、與件

A、對外關係

a、修好關係

B、地理的條件

a、經濟的相對的廣サ（一体的カ分散的カ）

b、封鎖可能性

c、世界經濟ニ於ケル地理的位置

d、國防的立地

e、戰略的位地

二、現勢力　現在ノ軍備、戰爭用貯藏等

三、潜勢力

A、供給力

(一)基本的要因（大サヲ決定スル要因）

a、人口力　性別、年齢別構成

イ、兵力

ロ、勞力——女子勞働力

b、動力

イ、電力—火力、水力（立地）

ロ、石油—人造石油（勞力立地）

ハ、石炭—原料、火力、消費構成

c、原料供給力

イ、鑛產

Ⅰ　能力—輸出、國内

Ⅱ　偏在性—（釣合ヒ）

Ⅲ　貯藏

Ⅳ　代替性（勞力）

ロ、農產

Ⅰ　能力—輸出、國内

Ⅱ　偏在性—（釣合ヒ）

Ⅲ　貯藏

Ⅳ　代替性（勞力）

d、工業生產力

イ、發達程度

Ⅰ　生產財

1、冶金工業—輕金屬、特殊鋼

2、兵器工業

3、機械工業—工作機械

4、化學工業

5、造船工業

陸軍

Ⅱ　消費財
1、食糧工業
2、繊維工業
ロ、生産能力　國內、國外
ハ、工業勞働力　豫備勞力、產業分布
ニ、生產性　就業者一人當リ生產高
勞働一時間當リ生產高
ホ、操業率（三八年度）Reserve Capacity
(二)時間的要因（速度ヲ決定スル要因）
a、交通力
イ、陸運
ロ、海運
Ⅰ　船腹……油槽船、普通船
Ⅱ　航路——貨物ノ動キ

Ⅲ　港灣設備—設備、集散量
Ⅲ　船員
b、輸入力
イ、輸出代金ニ依ルモノ——產金（勞力）
ロ、保有外貨ニ依ルモノ——現金、クレヂット（勞力、原料
設備、節約）
ハ、輸入必要物資——容積、船腹
c、經濟組織ト準備
イ、構造
Ⅰ　經營規模
ロ、配給機構（貯藏）配給機構完備—貯藏少シ
〃　不完—ストック多シ
ハ、準備
Ⅰ　貯藏　食料、原料
Ⅱ　動員計畫
B、安定力

(一)生活資料自給力
a、食糧
イ、農業
Ⅰ　經營形態—機械、肥料、勞力
Ⅱ　農業勞力（人佃）
ロ、食料品工業
b、衣料（工業）
(二)財政力——金融物價ヲ中心トシテ
a、擔稅力
b、公債消化力（貯蓄）
c、インフレ阻止限度
(三)消費規正
a、消費構成　衣食（動物性
植物性）
（三八年度）

b、最低生活費（金額
物資）
c、節約額　國民所得、最低生活費
C、持久力
(一)自然力
a、自給率
イ、軍需
ロ、軍需並生產擴充品
ハ、軍需生產擴充品並ニ民需
b、適應率
イ、銷却—延期
ロ、擴張
ハ、轉換
Ⅰ　農工業內
Ⅱ　各部門內　勞力、生產設備

(二)再生産
(三)國民的團結
a、民族構成
b、勞働ノ社會素質、勞働運動
c、政治組織、指導機關ノ問題

6

報告書作製ノ方式

一、抗戰要素ト作戰トノ關聯
二、抗戰要素ト經濟戰略トノ關聯
（イ）短期戰ノ場合
1 供給力中基本的要因ノ最高數
2 時間的要素ノ綜合的最高力
（ロ）長期戰ノ場合
(イ)(ロ)ハ諸項目ノ關聯ヲ考察ノ上抗戰力ノ弱點ガドノ部面ニ現レルカヲ測定ス
三、ソノ弱點ニツイテ經濟戰略ヲ樹テルコト
四、報告書記載要領
1 事實ヲ擧ゲ（數量等）判斷（强弱點ヲ摘出）シ理由ヲ附スルコト
2 前記ノ際條件アラバコレヲ指摘スルコト

陸軍

3 資料ノ何頁（出所）ヨリ摘出セルカヲ明記スルコト
4 報告書ノ枚數ハ出來ルダケ簡單ニスルコト

2

ソ聯経済抗戦力判断研究計画（昭和十六年二月二十五日）

一、與件（地位・各分野）
A、對外関係
a 同盟関係……武力的援助 経済的援助等
b 敵対関係
B、地理的条件
a 絶對的相對的廣さ（一体的力分散的力）
b 封鎖可能性
c 世界経済於ケル地理的位置
d 國防的立地
e 戰略的位地

二、現勢力
現在ノ軍備、戰争用貯蔵等

三、潜勢力
A 供給力
一、基本的要因（大サヲ決定スル要因）
a、人口力 性別、年齢的構成
イ 兵力 ― 勞力（如何ナル程度ニ兵力ヲ勞力ヨリ取リ得ルヤ）（女子ヲ以テ補ヒ得ルヤ否ヤ）
ロ 勞力 ― 女子勞働力
b、動力
イ 電力 ― 火力、水力（立地）
ロ、石油 ― 人造石油（勞力及立地）（何倍以上要スル勞力）
ハ 石炭 ― 原料、火力、消費構成
c 原料供給力
イ 鉱産
Ⅰ 能力 ― 輸出、國內（消費ヲ制限シテ…）（輸入率）
Ⅱ 偏在性（鉱含ム）

3.

Ⅱ 野菜……準備ニモ関係シアリ
Ⅲ 代替性（勞力）……
ロ 農産……
Ⅰ 鉱産ト
Ⅱ 同じコト
Ⅲ
Ⅳ
d 工業生産力
イ 發達程度（生産力ト消費ノ関係ヲ見ル事）（生産力ト工業ノ発達ノ程度ヲ見ル）（国内ト外国ノ比較）
Ⅰ 生産能
1、冶金工業 ― 軽金属 特殊鋼
2、兵器工業
3、機械工業 ― 工作機械
4、化学工業
5、造船工業
Ⅱ、消費能
1、食糧工業
2 纖維工業
ロ 生産能力 國內、予外
ハ 工業勞働力 予備勞力、產業分布
ニ 生產性 就業者一人当リ生産高 Reserve capacity 勞働一時間当リ生産高
ホ 操業率（三ヶ月）
㈡ 時間的要因（速サヲ決定スル要因）
a 交通力
(イ) 陸運
(ロ) 海運
Ⅰ 船腹……油槽船、普通船
Ⅱ 航路 ― 貨物動向

44

外資料ニ依ルコト

Ⅲ 港湾設備ー設備、集積量
Ⅳ 船員

b 輸入力
イ 輸出代金ニ依ルモノー産金（労力）
ロ 保有外貨ニヨルモノー埋金、クレジット（労力、材料、設備、節約）
ハ 輸入ノ為必要ナル貿易ー容積、船腹

c 経済組織ト準備
イ 機構
Ⅰ 経営管理
~~Ⅱ 経済統制機構~~
ロ 配給機構（貯蔵）
イ 配給機構支備ー貯蔵
ロ 流通ー[illegible]
ハ 準備
Ⅰ 貯蔵 食料、原料
Ⅱ 動員計画

B、安定力
(一) 生活資料自給力
a 食糧
イ 農業
Ⅰ 経営形態ー機械、肥料、労力
Ⅱ 農業労力
ロ 食糧品工業
b 衣料
(二) 戦費力ー 貯蓄、物価ヲ中心トシテ
a 担税力
b 公債消化力（貯蓄）
c インフレ阻止能力
(三) 消費規正
a 消費構成（[illegible]）　衣食（[illegible]）

陸軍

45

b 最低生活費
c 節約額（[illegible]）ー国民所得、最低生活費

C 持久力
(一) 自給力
a 自給率
(イ) 軍需
ロ 軍需並生産拡充
ハ 軍需生産拡充並ニ民需
b 適応率
(イ) 鋳部ー延期
ロ 拡張
ハ 転換
Ⅰ 農工業間
Ⅱ 各部門内 労力、生産設備
(二) 西[illegible]生産
(三) 国民的団結
a 民族構成
b 労働ノ社会的資質、労働運動
c 政治組織、指導機関ノ問題

別紙トス

報告書作製ノ方式
一、抗戦要素ト作戦トノ関係
二、抗戦要素ト経済的各々ノ関係
(イ) 短期戦ノ場合
イ 供給力中[illegible]的要因ノ[illegible]
ロ 時間的要素ノ綜合的生産力
(ロ) 長期戦ノ場合
(イ)(ロ)(ハ)諸項目ノ重要度ヲ考ヘ且抗戦力ノ弱点ハ何レノ部面ニ現ハルルカヲ判定ス
三、ソノ結果ニツキ経済戦争ヲ判定スルコト
四、報告書記載要領
1、事実ヲ[illegible]（数量的）判断（[illegible]）ニ理由ヲ附スルコト
2、前記ノ条件アルコトヲ指摘スルコト
3、弱点ノ所在（方向）ヲ指摘セルカヲ明記スルコト
4、報告書[illegible]

陸軍

5

（除ク）

一、綜合目標ノ作戦戦争遂行案

二、要件 ― 弱点ト持久力

1、弱点 ― 抗戦要素ノ個別的把握

2、持久力 ― [illegible]的把握

3、弱点ト持久力トノ関聯

三、方式

1、要素ト構成

2、基本力 ― 供給力　需要力　持久力 ― 綜合ノ抗戦力

3、前提 ― 対外地位、軍備 ― 広義抗戦力 ― 1 要件　2 [illegible]力　3 [illegible]力

陸軍

極秘

三部

3部作製

[illegible]

ソ聯経済抗戦力判断研究計画（昭和十六年二月二十一日）

（一）方針

1、ソ聯経済抗戦力ノ最大弱点ヲ探究スル如ク（二）ノ型体ニ綜合シ研究ヲ完成セントス

2、研究ノ結果ハ可能ノ限度ニ於テ務メテ図式化シ以テ一目瞭然タラシム

陸軍

3部内第1部

ソ聯經濟抗戰力判斷研究計畫　（昭和十六年二月二十一日）

（一）方針

1. ソ聯經濟抗戰力ノ最大弱點ヲ探究スル如ク（二）ノ型体ニ綜合シ研究ヲ完成セントス

2. 研究ノ結果ハ可能ノ限度ニ於テ務メテ圖式化シ以テ一目瞭然タラシム

陸軍

（二）綜合判斷ノ型体

項目＼着眼	潜在力ノ構成的弱點	補强可能限度	外國援助ノ可能限度	對戰持久力	判決
一、政治的要素 一、統治機構 二、行政組織 三、修好關係					
二、人的要素 一、量的要素 1 人口構成 2 勞働力ノ需給關係 3 戰時動員可能人口 二、質的要素 1 能率 2 技術ノ培養 3 國民生活程度					
三、技術的要素 一、物的要素 1 資源力 (イ)工業原料 (ロ)食糧資源 2 生産力 (イ)動力 (ロ)設備 二、組織的要素 1 生産組織 2 交通組織					
四、金融的要素 一、戰費捻出力					
五、時間的要素（利用度）					
判決					

（三）實施要領

一、人員及業務分擔

人名	業務
一、川岸大尉（主任主查）	一、全般ノ統轄、綜合判斷 二、經濟的潜在力ノ構成的弱點 三、戰時補强可能限度 四、部外依頼者ノ選定
二、家永囑託（主事）	一、外國援助ノ期待ノ可能限度 二、對戰持久力ノ判定 三、部外依頼者トノ連絡事項 四、整理其ノ他庶務的事項
三、部外依頼者	必要ニ應ジ定ムルモノトス

四、部外者ヘノ地圖及統計表作製依頼ハ其ノ具體樣式ノ構想ヲ明示ス

（四）研究ノ進度

	三月				四月				五月			
	第一週	第二〃	第三〃	第四〃	第五〃	第六〃	第七〃	第八〃	第九〃	第一〇〃	第一一〃	第一二〃
研究項目	人的要素 ←	技術的要素 ←		金融 ←	時間的要素 ←		政治 ←	豫備 ←	整備 ←		豫備 ←	
報告時期											報告提出	
備考	一、研究項目ノ細部ハ主任決定シ主事ニ分擔セシム 二、地圖、統計等ハ概ネ進度ヲ合致セシム											

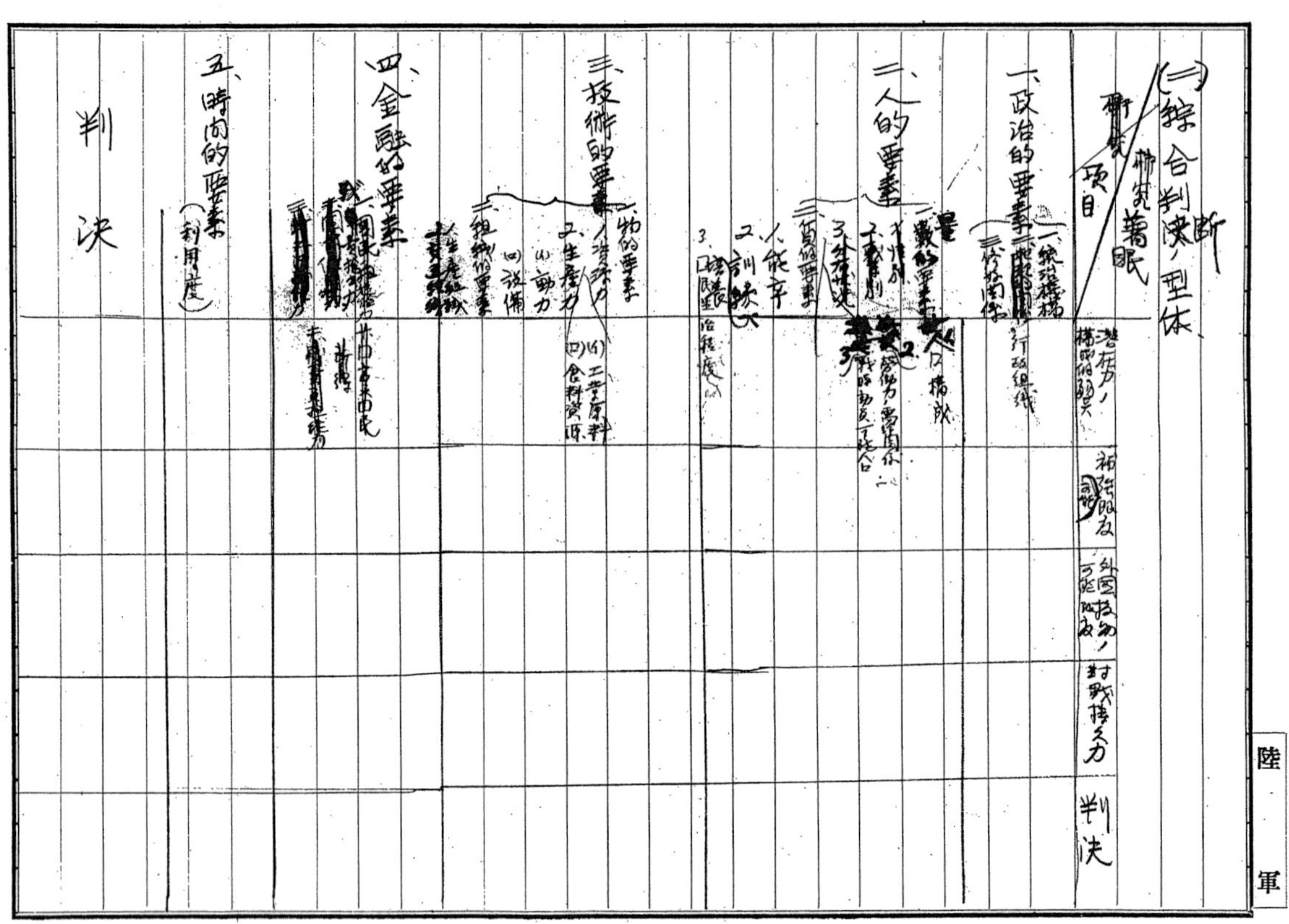

（二）綜合判断ノ型体

研究着眼／項目

潜在力ノ構成的要素／補強可能限度／外国援助ノ可能限度／対戦持久力／判決

一、政治的要素　一、統治機構　行政組織

二、人的要素　一、数的要素　二、[illegible]　三、[illegible]　人能率　2 訓練　3 [illegible]

三、技術的要素　一、物的要素　2 生産力　（イ）動力　（ロ）設備　組織的要素

四、金融的要素

五、時間的要素（利用度）

判決

陸軍

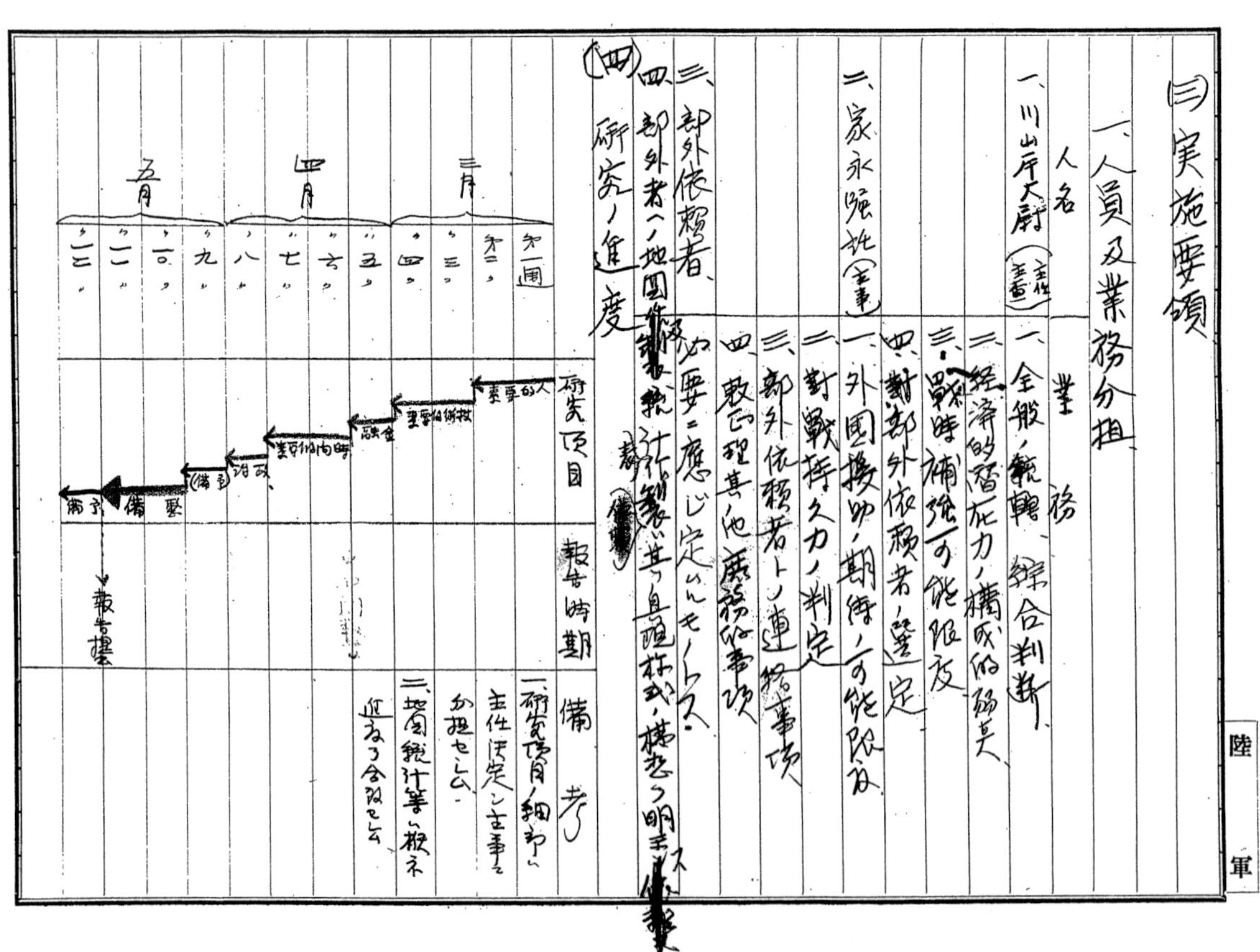

（三）実施要領

一、人員及業務分担

人名	業務
一、川山大尉（主任）（主査）	一、全般ノ統轄、綜合判断　二、経済的潜在力ノ構成的要素　三、戦時補強ノ可能限度　四、対部外依頼者ノ鑑定
二、家永[illegible]（主事）	一、外国援助ノ期待ノ可能限度　二、対戦持久力ノ判定　三、部外依頼者トノ連絡事項　四、整理其他庶務的事項
三、部外依頼者、	
四、部外者ヘノ地図[illegible]統計ノ製作並ニ其ノ[illegible]様式ノ構想ヲ明示ス	必要ニ応ジ定ムルモノトス

（四）研究ノ進度

月	三月				四月				五月			
週	第一週	〃二	〃三	〃四	〃五	〃六	〃七	〃八	〃九	〃一〇	〃一一	〃一二
研究項目	要素的人	要素的技術		資金	要素的時間		政治		（備考）	備考		整理
報告時期												報告提出

備考

一、研究項目ノ細部ハ主任決定シ之ヲ分担セシム

二、地図統計等ハ概ネ[illegible]

陸軍

ソ聯經濟抗戰力判斷研究計畫　（昭和十六年二月二十一日）

（一）方針

1. ソ聯經濟抗戰力ノ最大弱點ヲ探究スル如ク（二）ノ型体ニ綜合シ研究ヲ完成セントス
2. 研究ノ結果ハ可能ノ限度ニ於テ務メテ圖式化シ以テ一目瞭然タラシム

陸軍

（二）綜合判斷ノ型体

項目＼着眼		潜在力ノ構成的弱點	補強可能限度	外國援助ノ可能限度	對戰持久力	判決
一、政治的要素	一、統治機構 二、行政組織 三、修好關係					
二、人的要素	一、量的要素 1 人口構成 2 勞働力ノ需給關係 3 戰時動員可能人口 二、質的要素 1 能率 2 熟練培養 3 國民生活程度					
三、技術的要素	一、物的要素 1 資源力 (イ) 工業原料 (ロ) 食料資源 2 生産力 (イ) 勞働力 (ロ) 設備 二、組織的要素 1 生産組織 2 交通組織					
四、金融的要素	一、戰費捻出力					
五、時間的要素	（利用度）					
判決						

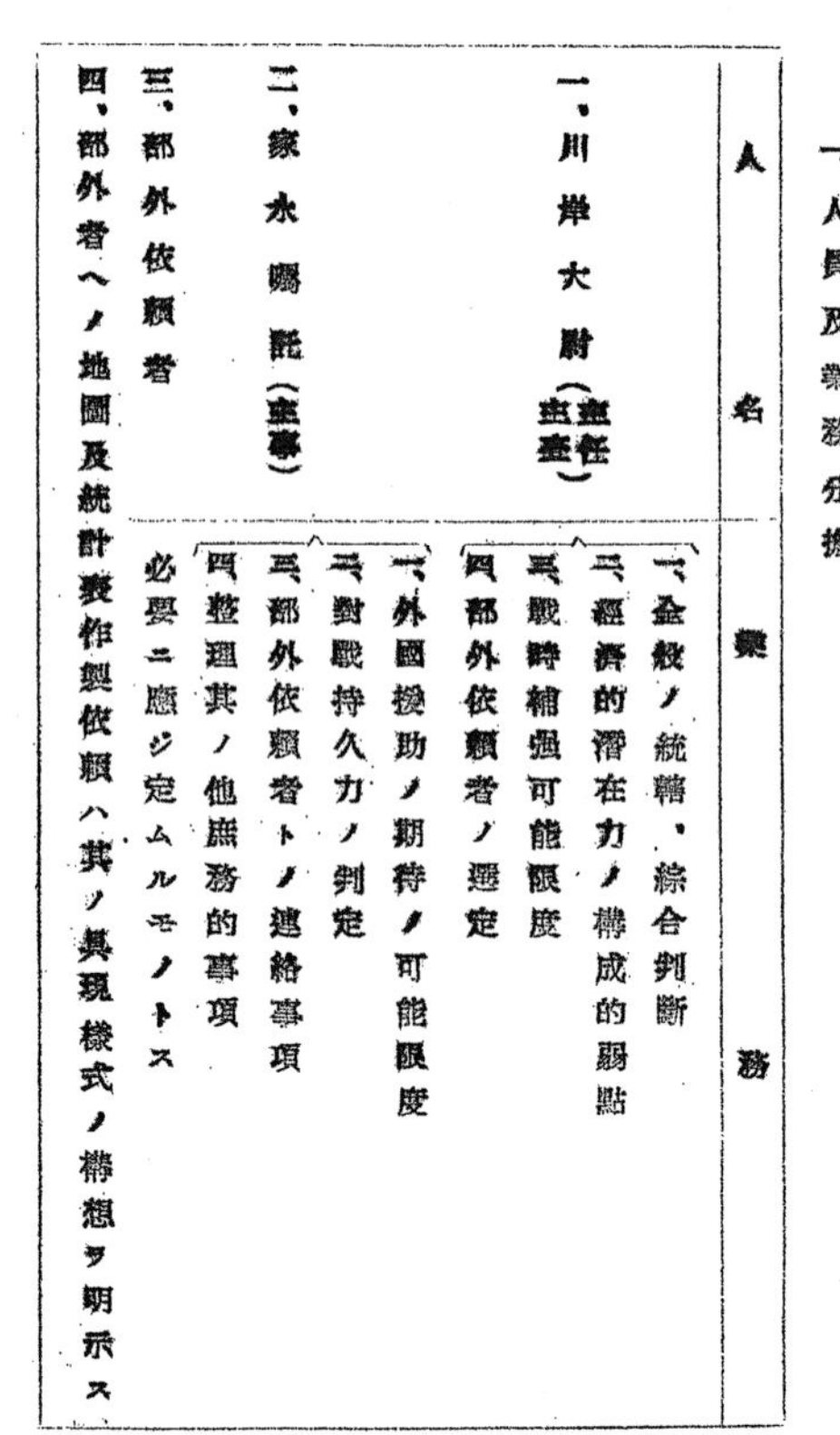

(三) 實施要領

一、人員及業務分擔

人名	業務
一、川岸大尉（主任主査）	一、全般ノ統轄、綜合判断 二、經濟的潛在力ノ構成的弱點 三、戰時補強可能限度 四、部外依頼者ノ選定
二、家永囑託（主事）	一、外國援助ノ期待ノ可能限度 二、對戰持久力ノ判定 三、部外依頼者トノ連絡事項 四、整理其ノ他庶務的事項 必要ニ應ジ定ムルモノトス
三、部外依頼者	

四、部外者ヘノ地圖及統計表作製依頼ハ其ノ具現様式ノ構想ヲ明示ス

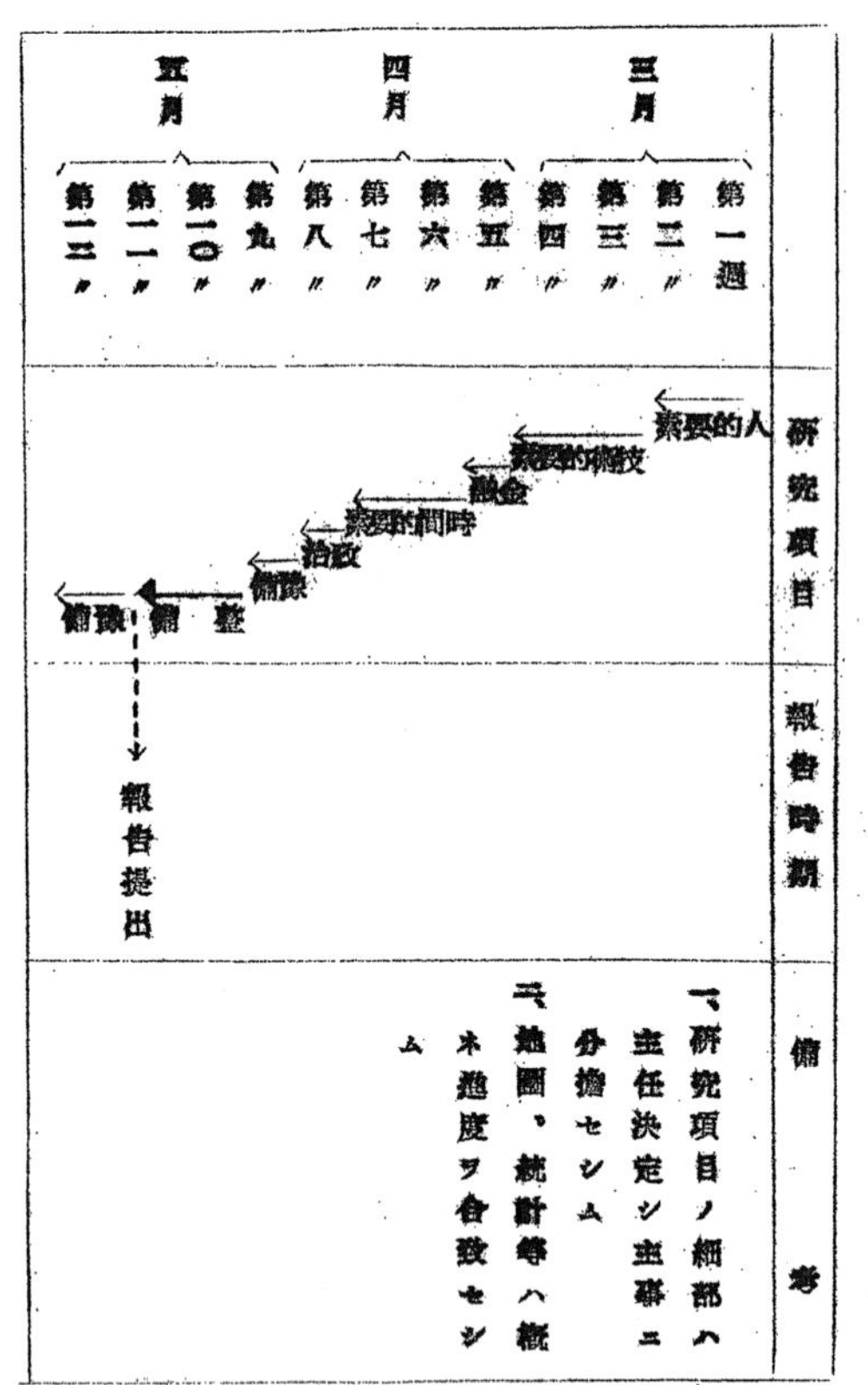

(四) 研究ノ進度

	研究項目	報告時期	備考
三月 第一週	人的要素		一、研究項目ノ細部ハ主任決定シ主事ニ分擔セシム 二、地圖、統計等ハ概ネ進度ヲ合致セシム
〃 第二〃			
〃 第三〃	技術的要素		
〃 第四〃	金融		
四月 第五〃	時間的要素		
〃 第六〃	政治		
〃 第七〃	[illegible]		
〃 第八〃	整		
五月 第九〃			
〃 第一〇〃			
〃 第一一〃	備	報告提出	
〃 第一二〃	[illegible]		

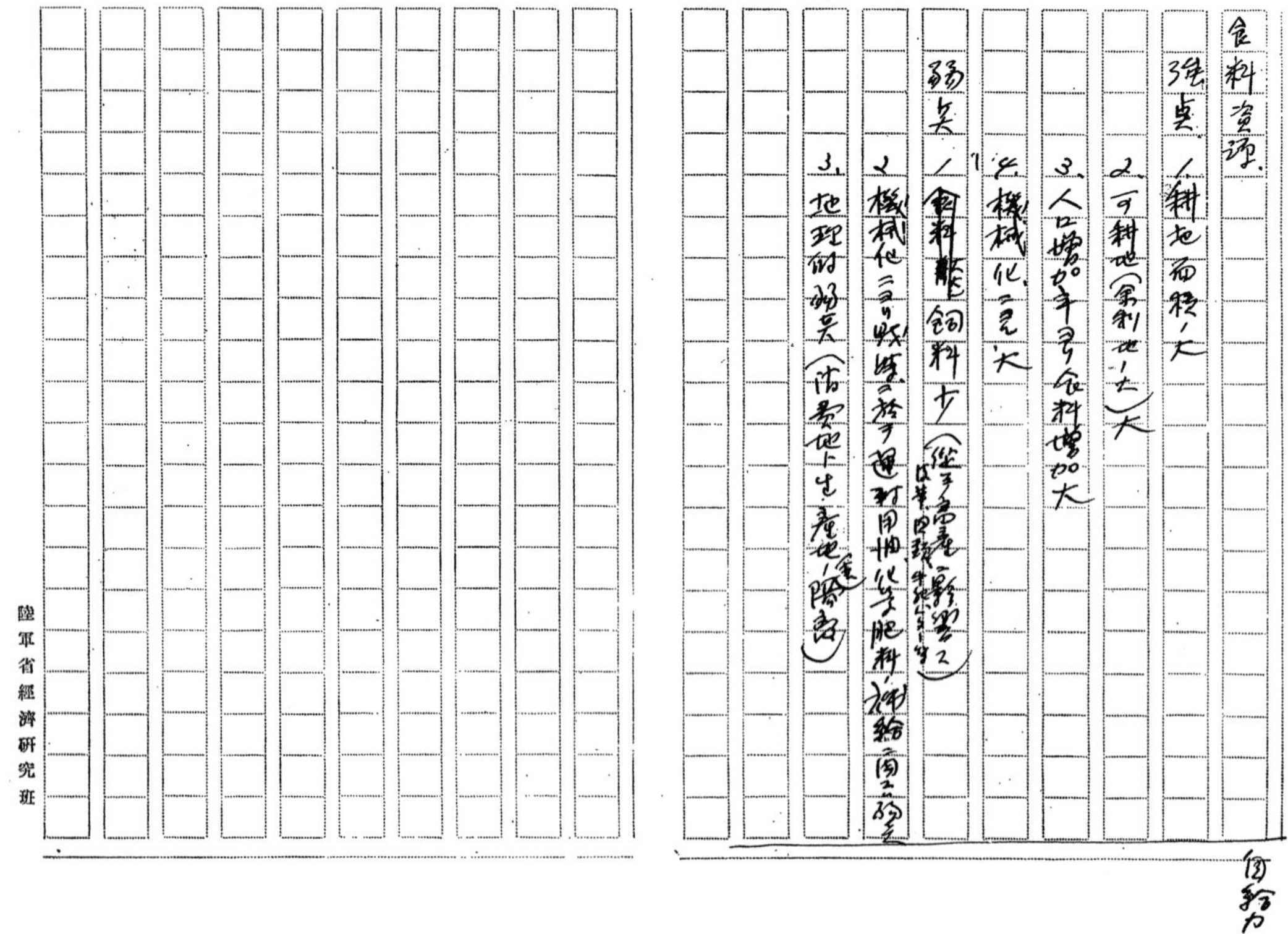

食料資源

強点 1. 耕地面積ノ大

2. 可耕地（未利用地ノ大）大

3. 人口増加ニヨリ食料増加大

4. 機械化ニ[illegible]大

弱点 1. 飼料少（従テ畜産ニ影響ス）

2. 機械化ニヨリ戦時ニ於テ運転用燃料化学肥料ノ補給面ニ弱キ

3. 地理的弱点（消費地ト生産地ノ隔離）

陸軍省経済研究班

大100 — 80 — 軍　60%
70 — 60 ---- 90%
30倍

(一)生活資料自給力

a、食糧

陸軍

輸出穀物量ト飼料、食料ノ関係 (4頁)

畜産ト地方別表 (5頁)

動物性植物性ノ関係 (6頁)

羊毛自給率(白露迄十ヶ年70%累) (4)

毛織物ノ不足 (5頁)

綿業ノ概要(地方別関係) (6頁)

陸軍

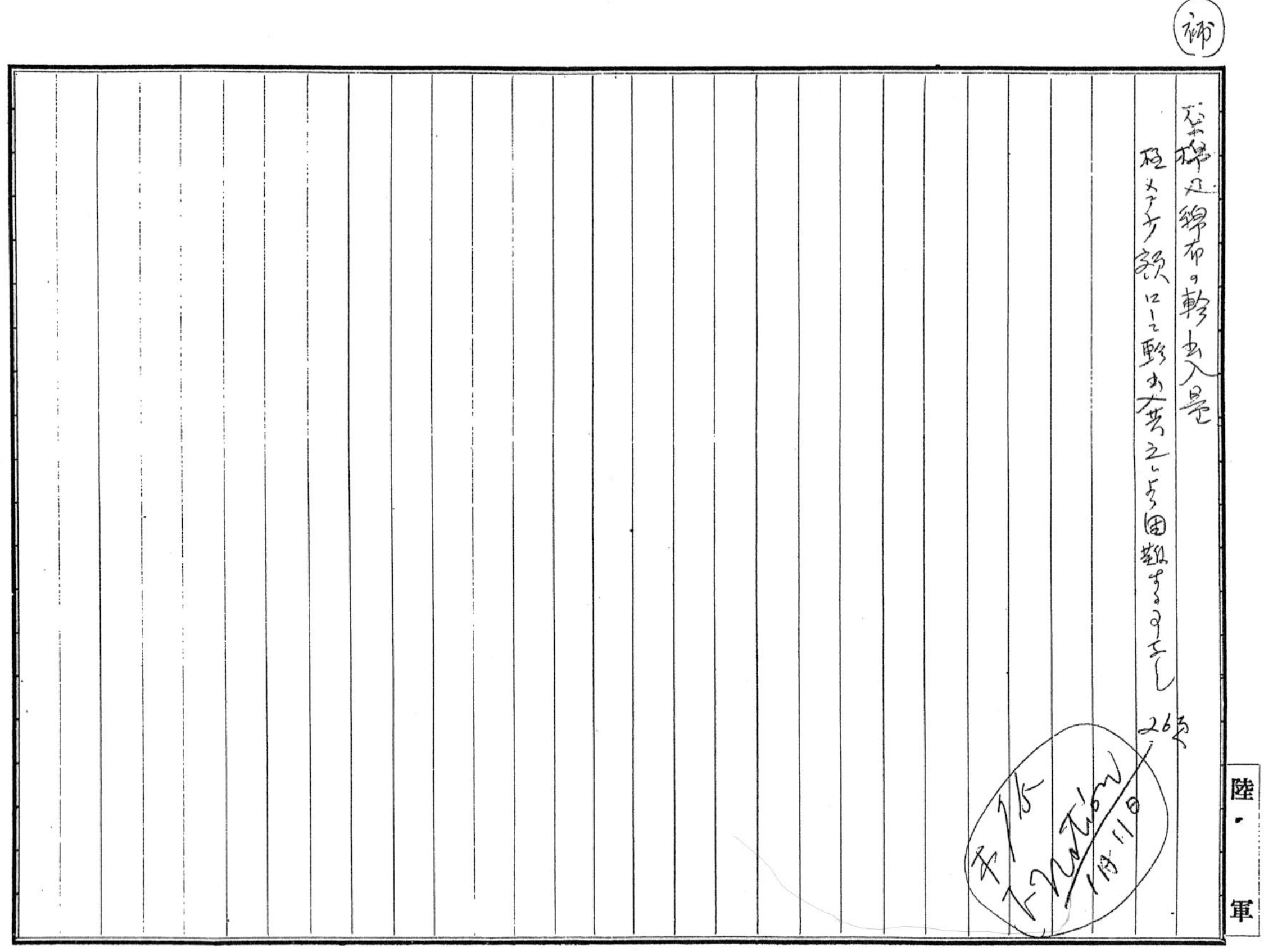

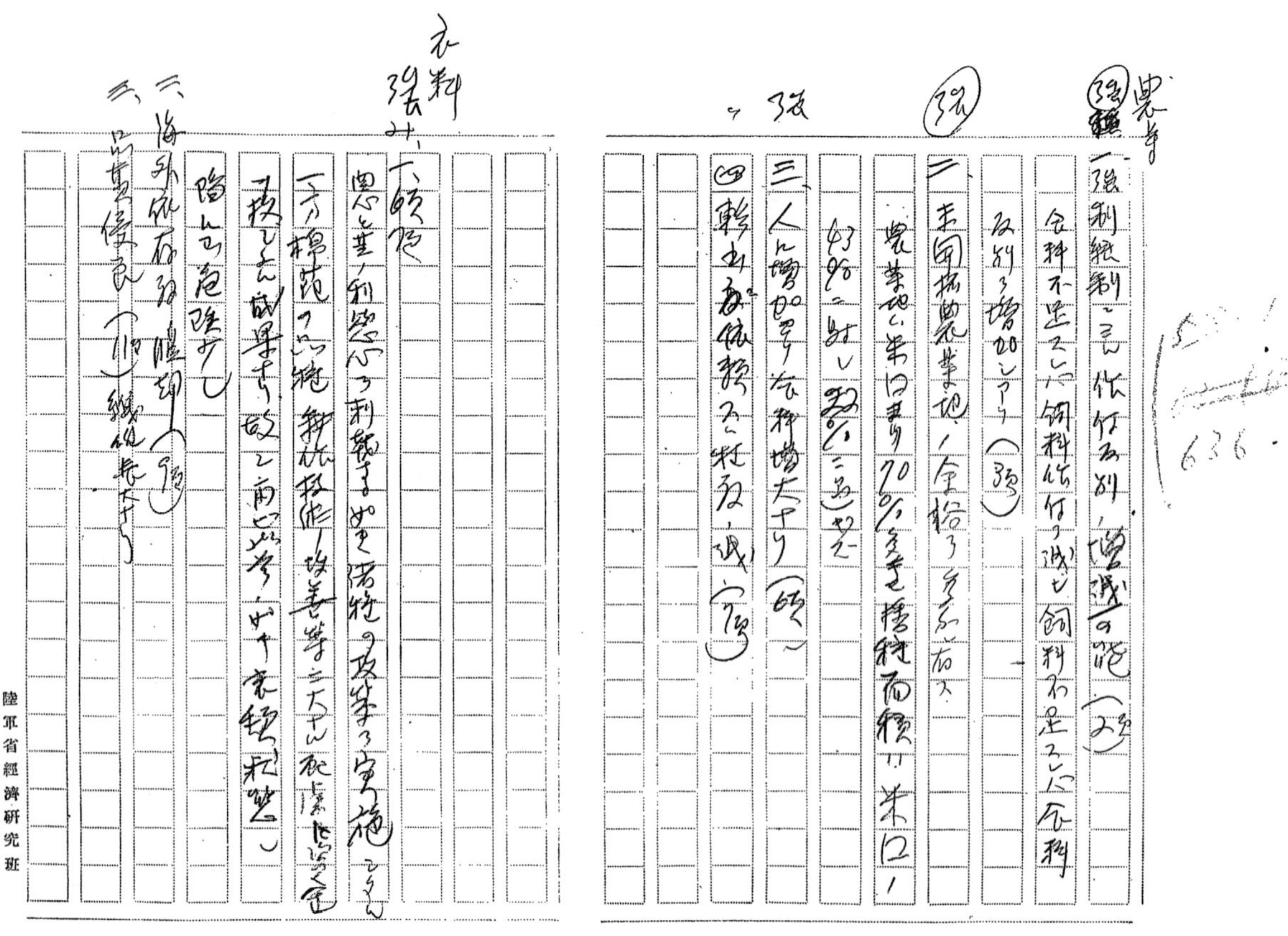

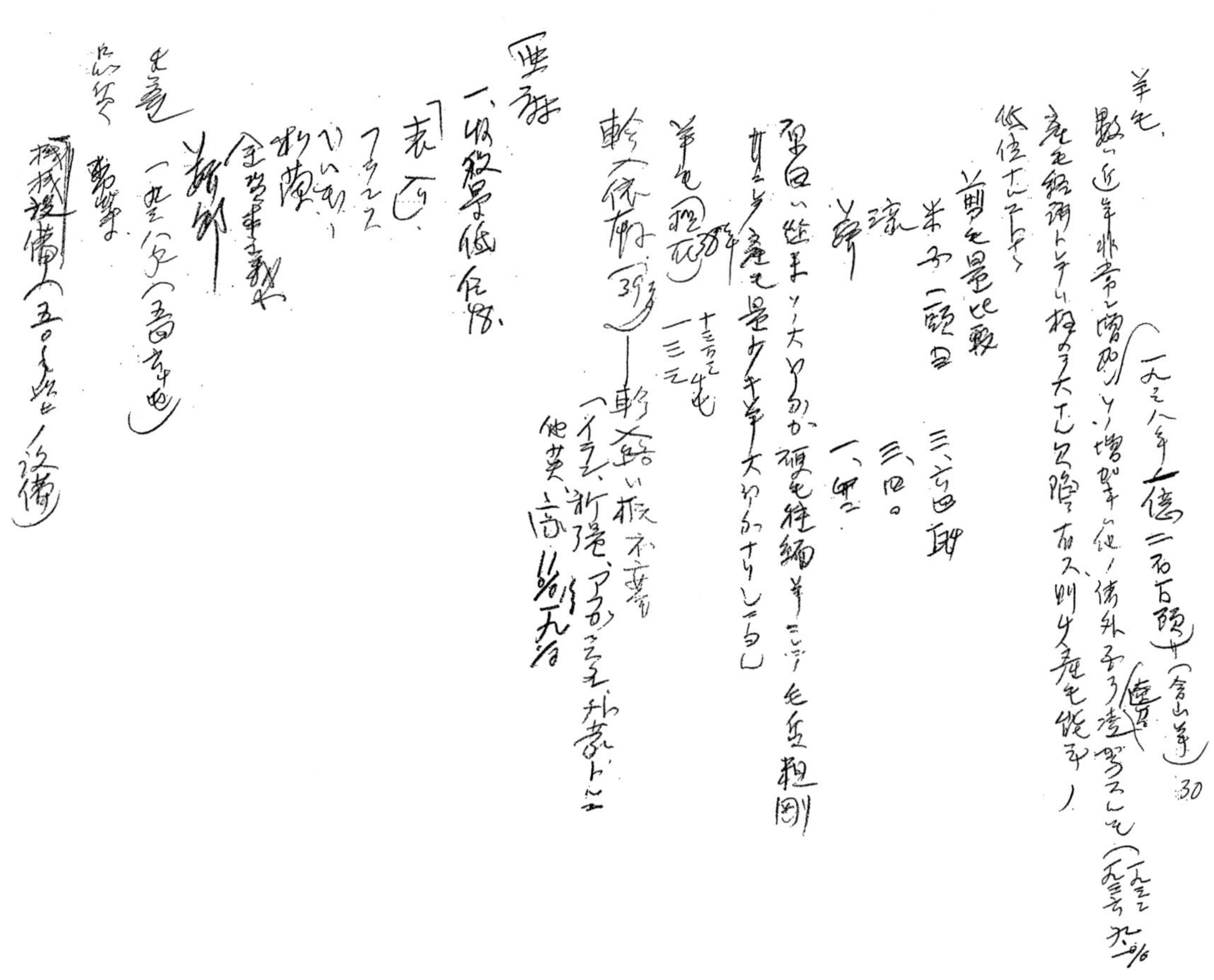

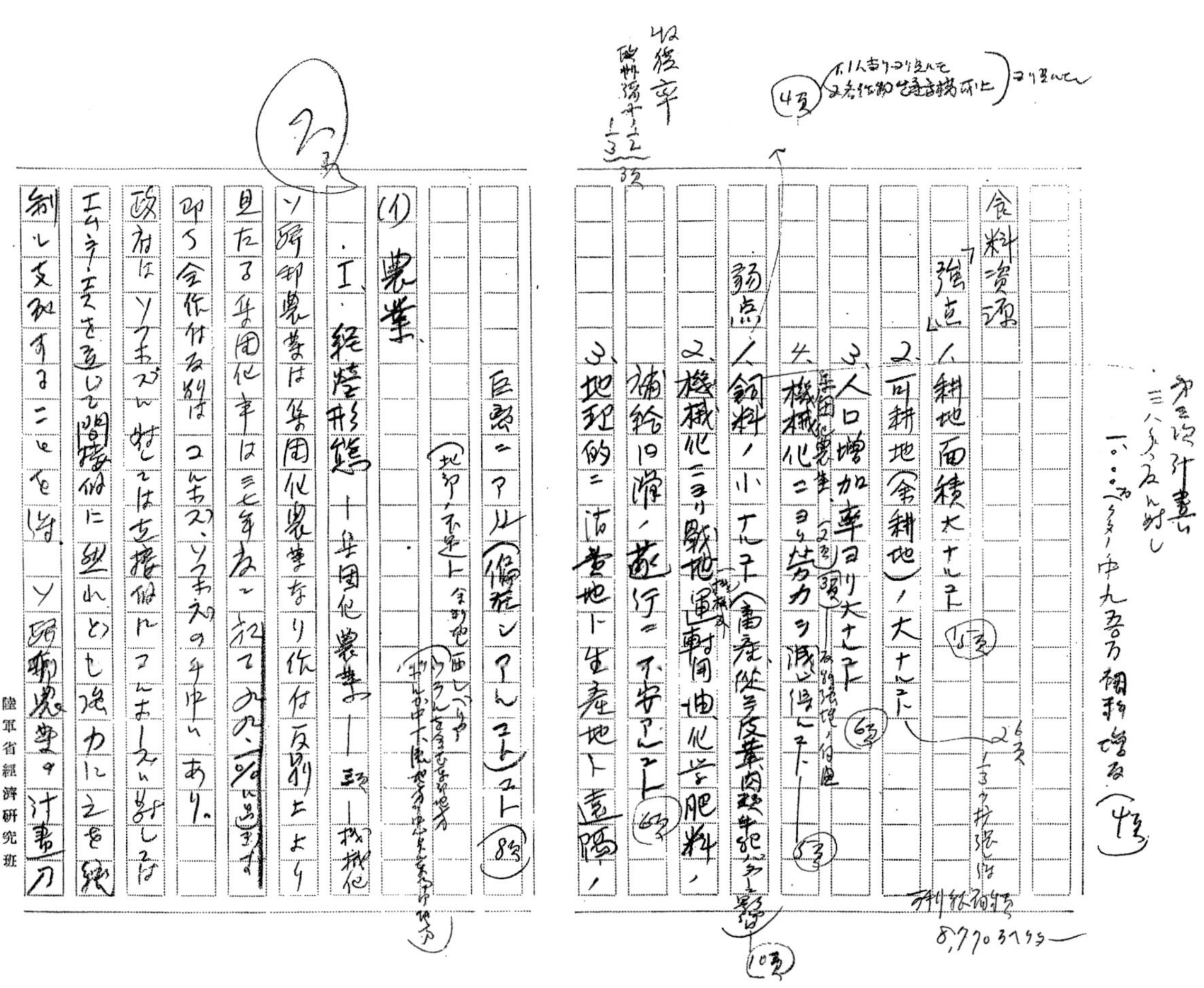

食料資源

強点　1、耕地面積大ナルコト

2、可耕地（含耕地）ノ大ナルコト

3、人口増加率ヨリ大ナルコト

4、機械化ニヨリ労力ヲ減ジ得ルコト

弱点　1、飼料ノ小ナルコト（畜産従テ皮革肉類等ノ不足）

2、機械化ニヨリ戦地運転用油化学肥料ノ補給円滑ノ遂行ニ不安アルコト

3、地理的ニ消費地ト生産地ト遠隔ノ

巨歩ニアルモ（偏在シアル）コト

（1）農業

I、経営形態 ― 集団化農業 ― 機械化

ソ聯邦農業は集団化農業なり作付反別上より見たる集団化率は三七年度に於て九九、六%に達せり

即ち全作付反別はコルホーズ、ソホーズの手中にあり。

政府はソホーズに対しては直接的にコルホーズに対してはエムテーエスを通じて間接的に組織的に之を統制し支配することを得。ソ聯邦農業の計画力

陸軍省経済研究班

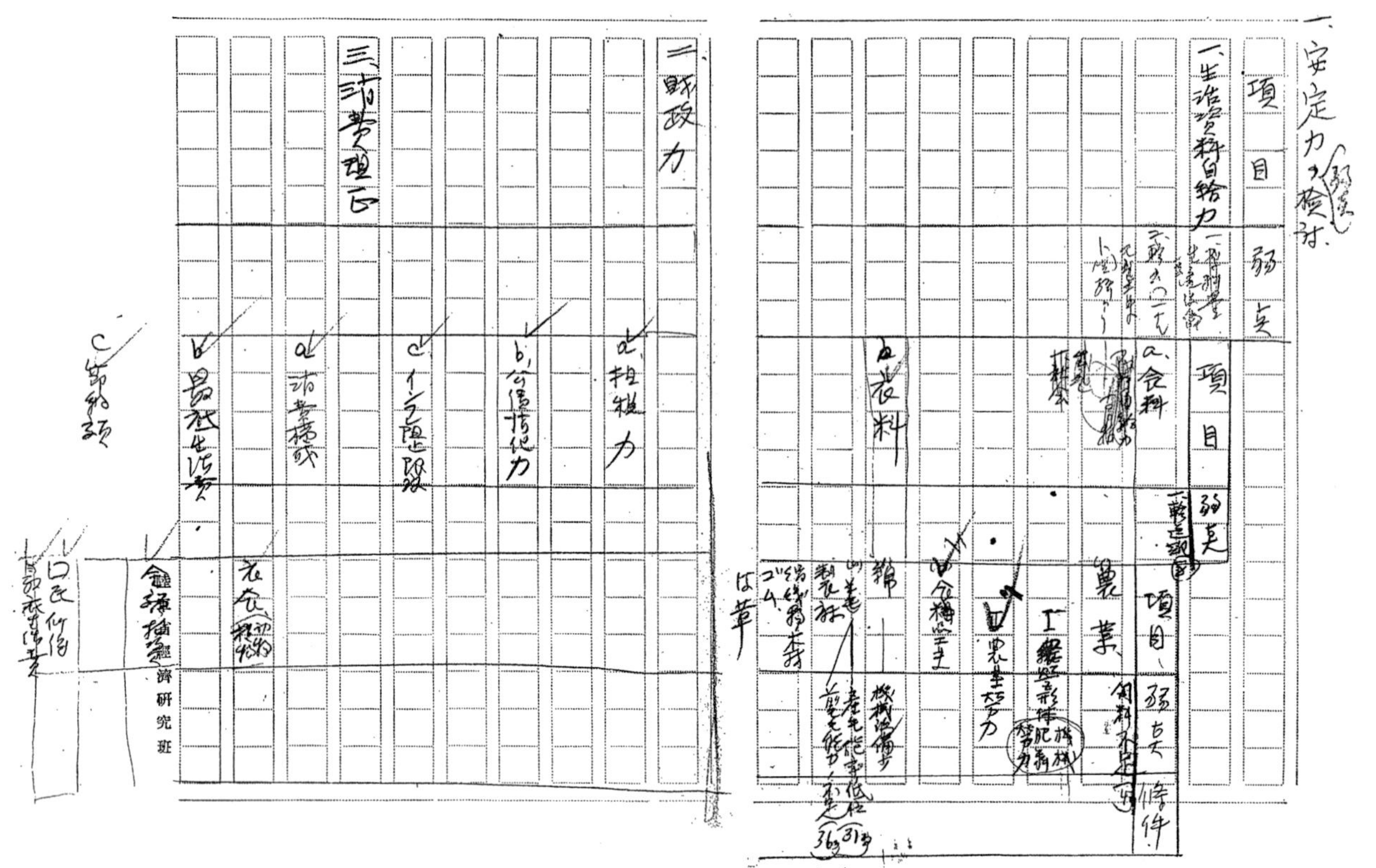

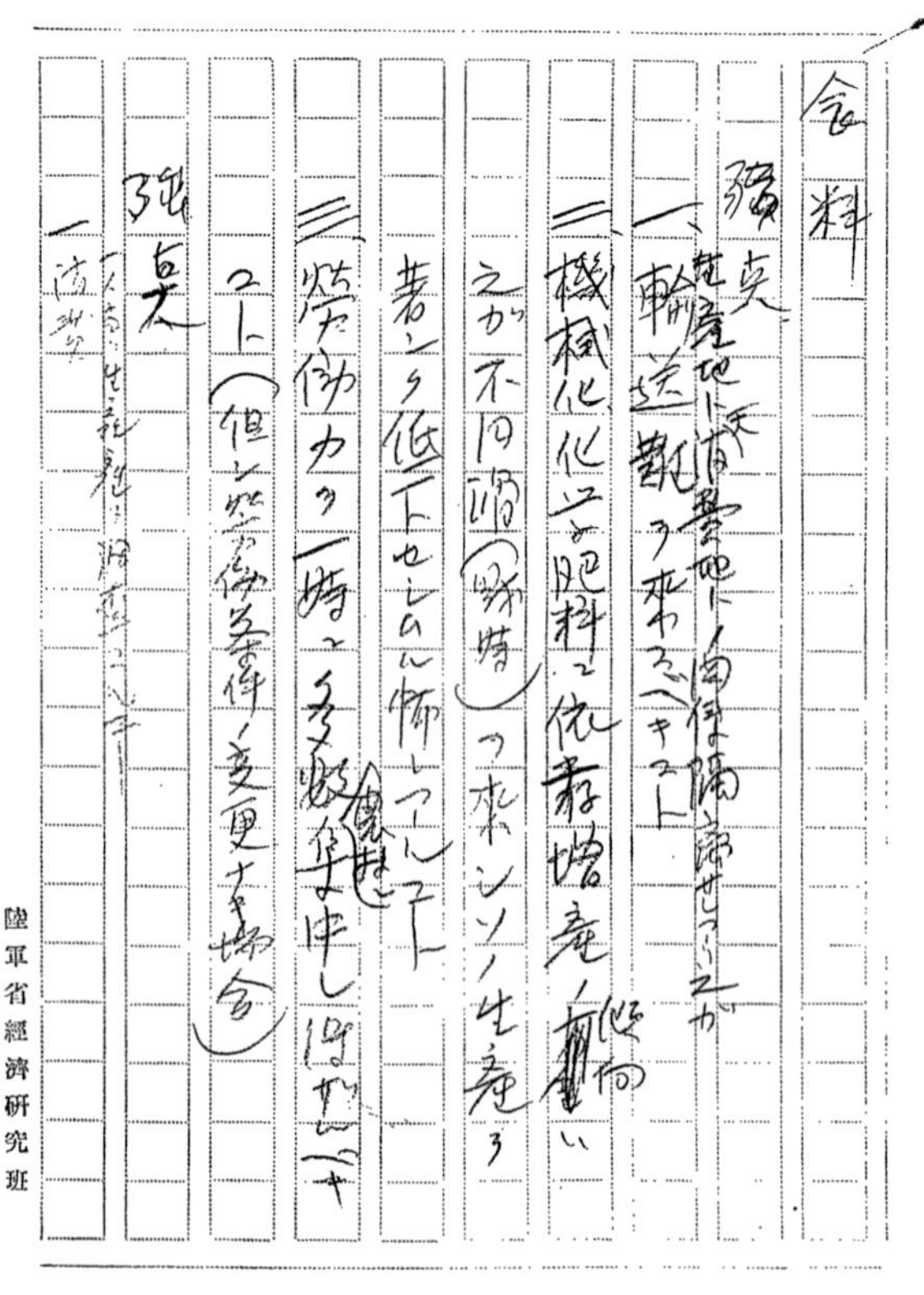

農業、

強点

(一)強制統制ニ依ル作付反別ノ増殖可能（2p）

(二)未開拓農業ノ余裕ヲ多分ニ有ス

(三)人口増加率ヨリ食料生産率大ナリ（5p）

(四)輸出ニ依頼シ外貨獲得ノ程度減（7p）

(五)機械化ニヨリ化学肥料ヲ増大シ労働力ヲ必要小ナルコト（但シ平時円滑ノ場合）

弱点

(一)飼料不足

(二)機械化、化学肥料ニ依存ノ結果（但シ戦時ノ場合）之ガ運転ノ円滑ヲ（燃料、生産ニ於テ）期シ難シ

(三)以上両[illegible]シ一時ニ労働力ヲ必要トスルコト

陸軍省經濟研究班

	一九一三	一九三三	一九三七
機械発動機	〇・八	二二・二	六四・二
内訳			
トラクター	〇・〇	一二・九	二〇・五
貨物自動車	—	一・七	一四・五
コンバイン	—	二・九	一三・〇
内燃機関		四・三	四・〇
移動式蒸気発動機	〇・八	—	〇・四
発電設備	—	〇・四	一・八
役畜（機械力換算）	九九・二	七七・八	三五・八
動力合計	一〇〇・〇	一〇〇・〇	一〇〇・〇

陸軍省經濟研究班

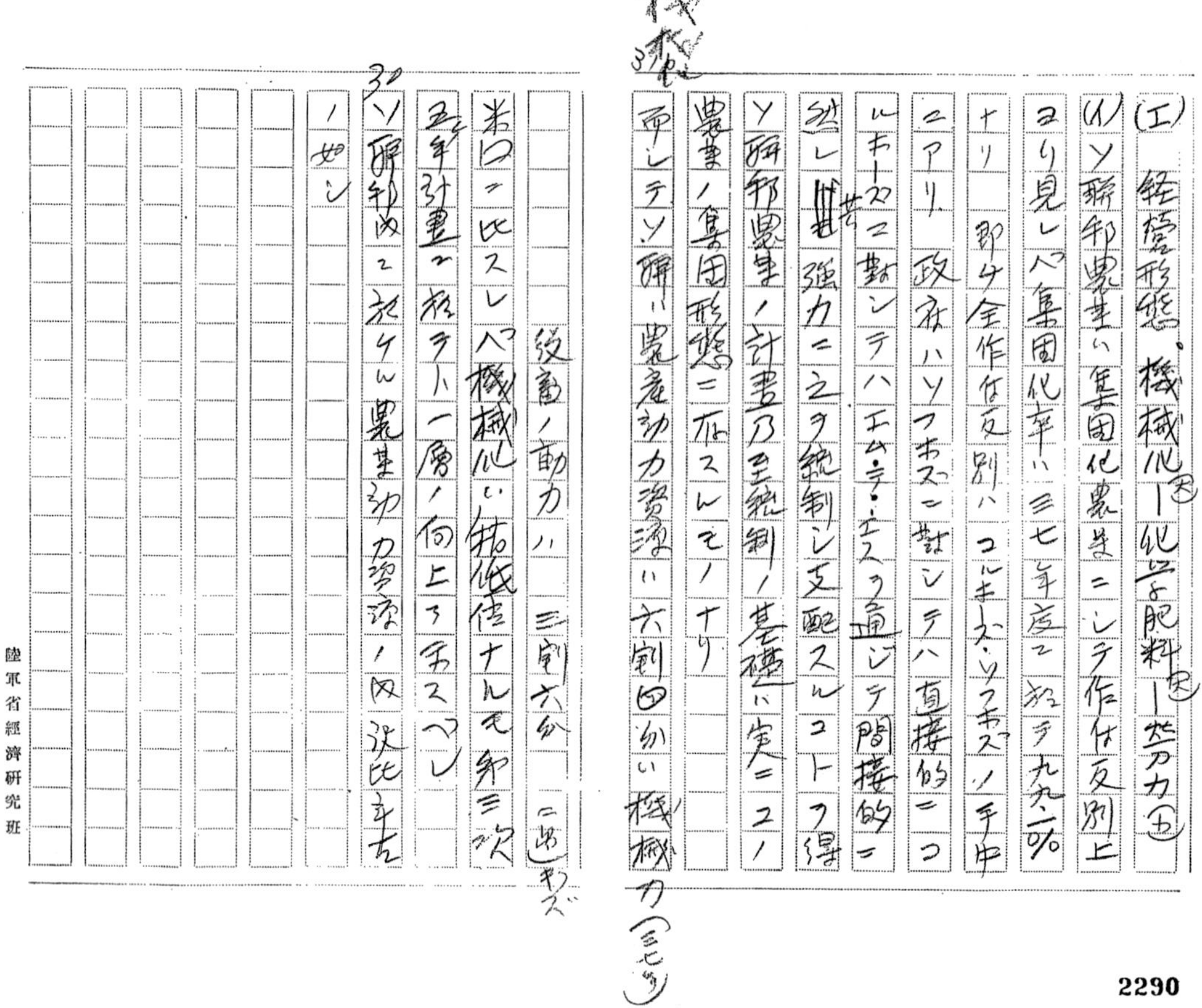

(エ) 経営形態、機械化(大)、化学肥料(大)、労力(大)

(1) ソ聯邦農業ハ集団化農業ニシテ作付反別上ヨリ見レハ集団化率ハ三七年度ニ於テ九九・一%ナリ　即チ全作付反別ハコルホーズ、ソフホーズノ手中ニアリ　政府ハソフホーズニ対シテハ直接的ニコルホーズニ対シテハエム・テ・エスヲ通ジテ間接的ニ然レ共強力ニ之ヲ統制シ支配スルコトヲ得

ソ聯邦農業ノ計画乃至統制ノ基礎ハ実ニ此ノ農業ノ集団形態ニ存スルモノナリ

而シテソ聯ハ農産動力資源ハ六割四分ハ機械力(三七年)役畜ノ動力ハ三割六分ニ過ギズ

米国ニ比スレハ機械化ハ極低位ナルモ第三次五ケ年計画ニ於テハ一層ノ向上ヲ示スベシ

ソ聯邦内ニ於ケル農業動力資源ノ状況比率左ノ如シ

陸軍省経済研究班

2290

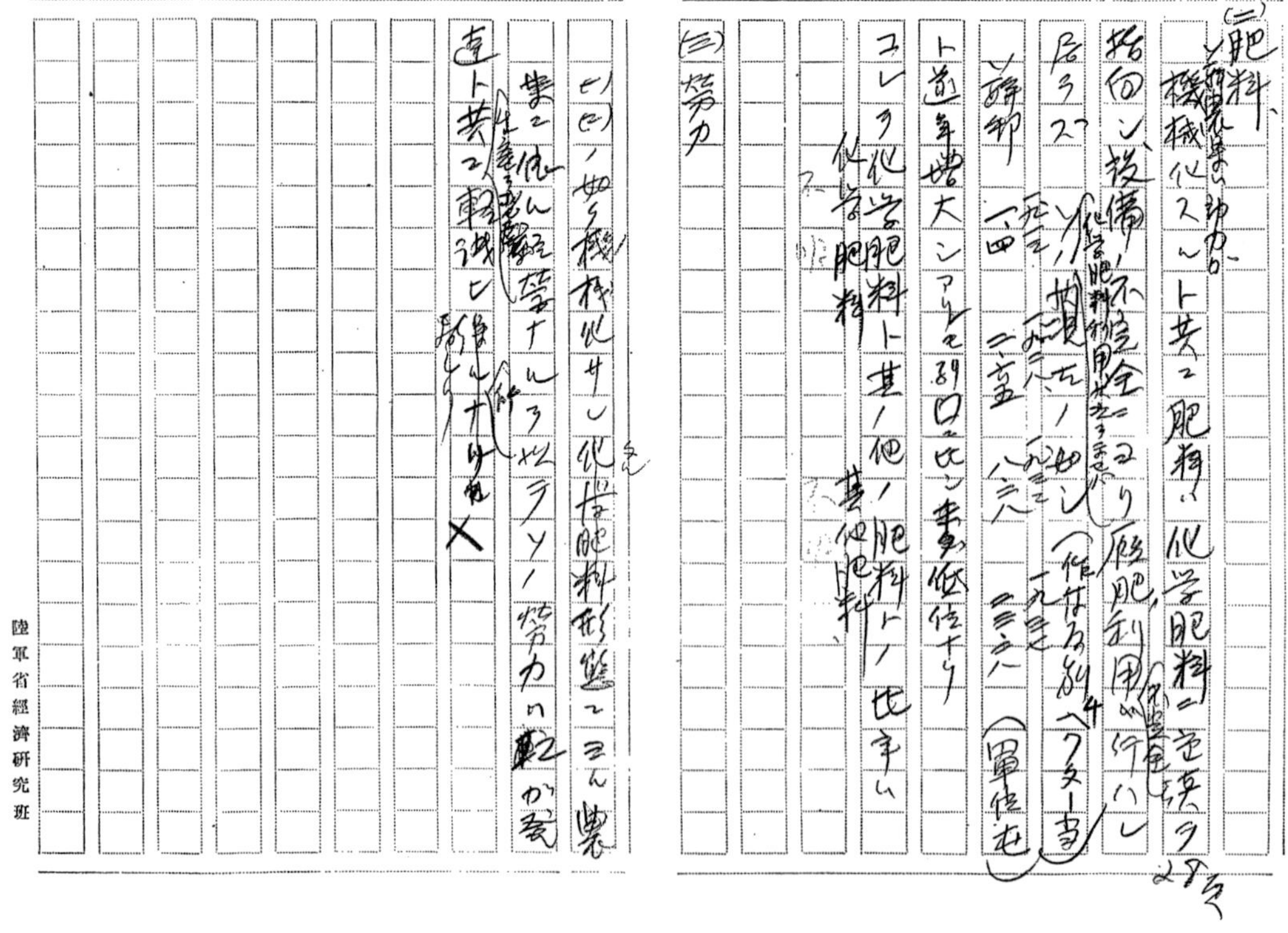

(二) 肥料

機械化スルト共ニ肥料ハ化学肥料ニ注意ヲ払フモ設備ノ不足 [illegible] ヨリ廐肥利用ニ [illegible] 居ラズ　ソノ如キ [illegible]

ソ聯邦　一四　二五　八六八　二三八　(単位千t)

ト逐年増大シアルモ列国ニ比シ甚ダ低位ナリ

コレヲ化学肥料ト其ノ他ノ肥料トノ比率ハ

(三) 労力

(1)(2)ノ如ク機械化サレ化学肥料形態ニヨル農業ニ依ル経営ナルヲ以テソノ労力ハ [illegible] 農業ト共ニ転換シ得ルナリ

陸軍省経済研究班

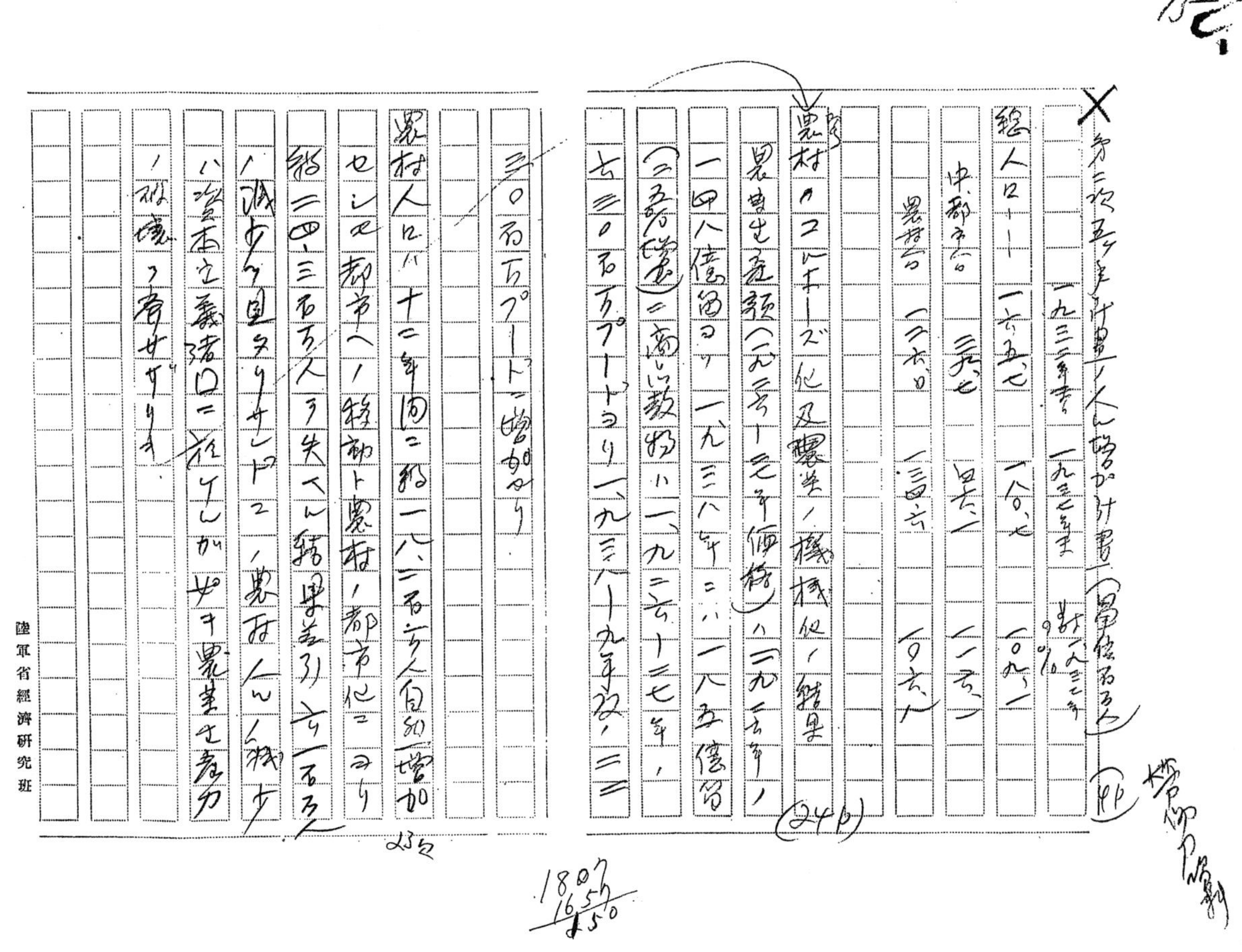

第二次五ヶ年計画ノ人口増加計画（単位百万人）（41P）

	一九三二年末	一九三七年末	対一九三二年 %
総人口	一六五、七	一八〇、七	一〇九、一
中、都市	三九、七	四六、一	一一六、一
農村	一二六、〇	一三四、六	一〇六、八

増加ノ比率

農村ノコルホーズ化及農業ノ機械化ノ結果農業生産額（一九二六—二七年価格）ハ一九三二年ノ一四八億留ヨリ一九三八年ニハ一八五億留（二五％増）ニ商品穀物ハ一九二六—二七年ノ六二〇百万プードヨリ一九三八—九年度ノ二三〇百万プードニ増加セリ（24P）

農村人口ハ十二年間ニ約一八、二百六人自然増加セルモ都市ヘノ移動ト農村ノ都市化ニヨリ約二四、三百万人ヲ失ヘル結果差引六一百万人ノ減少ヲ見タリサレドコノ農村人口ノ減少ハ資本主義諸国ニ於ケルガ如キ農業生産力ノ破壊ヲ齎サザリキ。

25p

1807
1657
150

陸軍省經濟研究班

II 農業労力

ソ聯国民経済ハ計画経済ニシテ戦争遂行ニウ大目的ナリシテモ産業構成、労働力ノ配置ニ於テ統制ノ必要アレバナリ。カクテソ聯ハコノ点極メテ有利ナル地位ニアリト云フベシ

食料品工業部門ノ労務人員ハ

一、九三六年　約八〇万人（大工業部門ノ一六%）

全国民経済中工業ニ次グ部門ハ農業部門（ソフホーズ、M・T・C等）ニシテ一九三五年ニ全部門ノ労務人員数ノ一三%ヲ占メ居レリ

一九三五年

	（単位千人）	比率（各経済部門）
農林漁業労務人員	四四〇一、九	一七、八%
農業	三、九七三、九	一二、〇
ソフホーズ	二、五三三、六	一〇、三
M・T・C	三〇三、七	一、二
林業	一、三〇〇、〇	五、三
漁業	一二八、〇	〇、五

第十五表

44p　43p

陸軍省經濟研究班

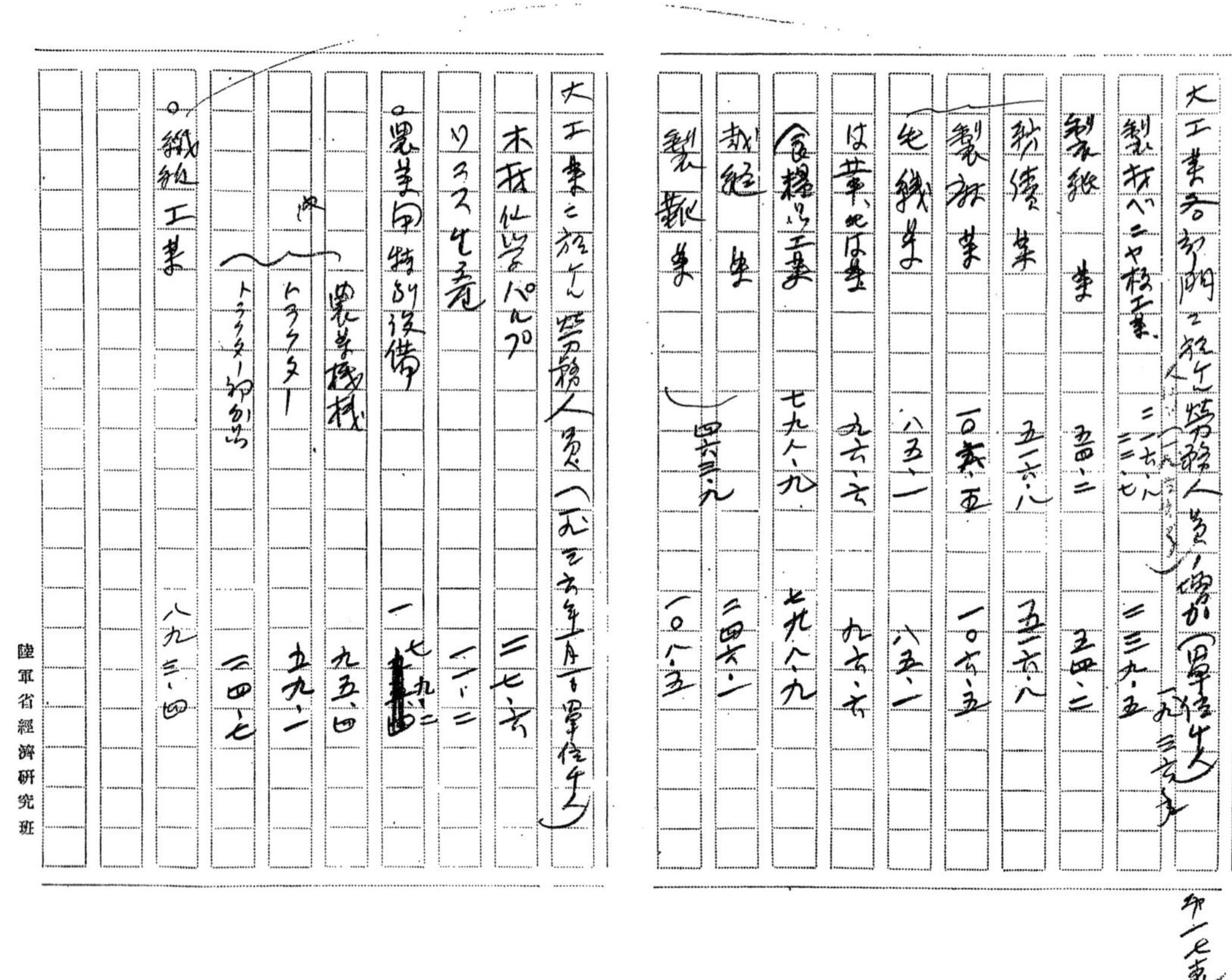

第一七表

大工業各部門ニ於ケル勞務人員ノ増加（單位千人）

製材ベニヤ板工業	二一二七	二三九・五
製紙業	二三四・二	二五四・二
紡績業	五一六・八	五一六・八
製材業	一〇六・五	一〇六・五
毛織業	八五・一	八五・一
皮革・皮は工業	九六・六	九六・六
食糧品工業	七九八・九	七九八・九
裁縫業	四六三・九	二四六・一
製靴業		一〇八・五

大工業ニ於ケル勞務人員（一九三六年一月一日　單位千人）

木材化学パルプ	二七・六
リス生産	一一・二
農業用特別設備	一七・九二
農業機械	九五・四
トラクター	五九・一
トラクター部分品	二四・七
○繊維工業	八九三・四

陸軍省經濟研究班

3、

十九表

二十一表

勞務人員ノ經營部門別配置（單位千人）（一九三五年）

農村 社会的部門	四三九三・五	九九・八％
運輸 私営部門	八・四	〇・二％
総計	四四〇一・九	一〇〇・〇％

全国民経済部門ニ於ケル婦人勞務人員表（一九三七年四月　單位千人）

国民経済全体	九、三五七	三五・四
内		
農業	五四五	二五・七

（全労働者中婦人労働者ノ占ムル%）

81/3

第三次計画ニ於ケル新規需要勞務人員ハ約（一九三八年迄 三、二〇〇萬）

七九〇万人ト見積リ得ベシ

而シテ該需要勞働力補給源泉トシテハ

一、専門学校、実業学校ノ卒業生　三七〇万人

都市ノ主婦　八〇万人

二、農村ヨリ　計　四五〇万人

ヨリ都市部ヘ　三四〇万人

カクシテ今次計画ニ於ケル勞働力補給ノ主要（内三二〇万人ハ一九三三年）

源泉ハ依然トシテ農村勞働力ニアリ

陸軍省經濟研究班

4

81p

又現在猶ホ農業労働力ニ余力存在シ且ツ工業部門ニ於テモ労働生産性引上ゲノ可能性存スルトハ言ヘ、コレ等ノ可能性ヲ現実化スルコトハ種々ノ困難ヲ伴ヒ且ツ欧洲動乱後ノソ聯ノ軍事動員、一般ニ国際情勢ノ緊迫化ニツレソ聯ニ於ケル労働力不足ガ益々深刻ノ問題トシテ激化シツツアルハ容易ニ想像シ得ル所ナリ

陸軍省經濟研究班

61p

食料品工業

ソ聯邦ニ於ケル製粉工業ノ中心ハウクライナ共和国、アゼルバイジャン共和国、北コーカサスノ各州及地方、沿ヴォルガ特ニヴォルガ中流ノ黒土地方、タタール自治共和国、バシキール自治共和国、チェリャビンスク、オムスク、東部シベリヤ等ノ穀倉地方、アルタイ、ハバロフスク、沿海州地方ノ穀物地方ニアリ。尤モカリーニン、ルイビンスク、ヤロスラヴリ、キネシマ、ゴーリキイ等ノ如キヴォルガ上流ノ非穀物地方ニモ製粉工業ノ配置ヲ見ル。是等諸都市ニ於ケル製粉ハヴォルガ河ノ水流ヲ利用シテ到着セル穀物ニ加工シ一部ヲ当該諸都市ニ於テ消費シ他ハ鉄道輸送ニ依リ他地方ヘ発送スルニアリ。

62p

他地方ヨリ輸送サレル穀物ニ依ル製粉業ノ中心トシテハバクー及タシケントヲ挙ゲ得ベシ。

バクーノ製粉業ハ鉄道ニ依リ到着スル北コーカサス及ウクライナヨリノ穀物及カスピ海運ニ依ルヴォルガ沿岸地方ノ穀物ヲ加工シザカフカースノ大部分ヘ製品ヲ供給シ　タシケント

陸軍省經濟研究班

ハ主トシテカザフスタン及ウオルガ沿岸地方ヨリノ穀物ヲ加工シテ之ヲ中央アジヤニ供給シ居レリ。

一、元来、食料品工業ハ帝政時代ヨリ極メテ多種類ニ上リ、且ツ大量生産ガ行ハレシガ生産ノ技術的水準ノ高カリシハ政府ノ支持アリシウオッカ、精糖、煙草ノ諸工業ノミナリキ。然ルニソ聯政府以来凡ユル種類ノ食料品工業ノ改善進歩ヲ見、最新ノ技術装置ヲ備ヘテ幾十ノ食料品工場ノ新設アリ。主トシテ消費地

新興工業中心地ニ配置サレルニ至レリ。尚精肉工業ハ僅々十年間ノ歴史ヲ有スルニ過ギズト雖モ一九三三年以来大規模ノ結合企業（コンビナート）ノ建設ヲ見、例ヘバモスクワ、レニングラードノソレノ如キハ大量生産並技術装置其他多クノ点ニ於テ世界的精肉工業中心地ト称セラレルアメリカノシカゴノ諸工場ヲ凌駕スト自負シ居ルモノノ如シ。而シテ両次ノ五ケ年計画ノ間ニ三十ケ所ニ達スル精肉コンビナートノ全国主要都市ニ建設セラル、アリ。尚精肉コンビナートノ

陸軍省経済研究班

b

63p

配置ハ畜産地方ヲ主トシテカザフスタン及キルギースナド多シ

罐詰工業ハ両次ノ五ケ年計画ノ間ニ異常ノ発展ヲ示シ、ポヲ以テ近ク九十以上ノ工場ヲ算ヘ主トシテ牧畜地方、水産地方並ニ果樹栽培地方ニ立地集中セラレタリ。漁業ハ帝政時代ヨリバレンツ海ノムルマンスク沿岸地方、ウオルガカスピ、黒海、アゾフ等ヲ中心トセルモ現在ニ於テハコレラノ基地ニ加ヘテ新ナル漁業中心地ノ配備ヲ見タリ。特ニ吾人ノ注目ニ値スルハ

極東ノコムソモリスク及ペロフスク、カムチヤツカ、オホーツク、アヤヒエラナドニ於ケル漁業ノ発展ナリ。ソ聯邦ニ於ケル製糖業ノ中心ハ依然トシテウクライナ及中央黒土地方ニ集中セラレ居ルモ甜菜生産ノ進展ニ伴ヒ東部地方ニモ工場ノ建設ヲ見タリ。即チキルギース共和国、カザフ共和国、西シベリヤ、極東、外バイカル共和国等ニモ製糖工場建設セラレタリ、コレラ新建設ノ諸工場ハ前述ノウクライナ及中央地方ノ旧来ノ製糖業中心地ヨリ約千粁ノ遠隔地ニアルコトニ注目ヲ

要ス

陸軍省経済研究班

c

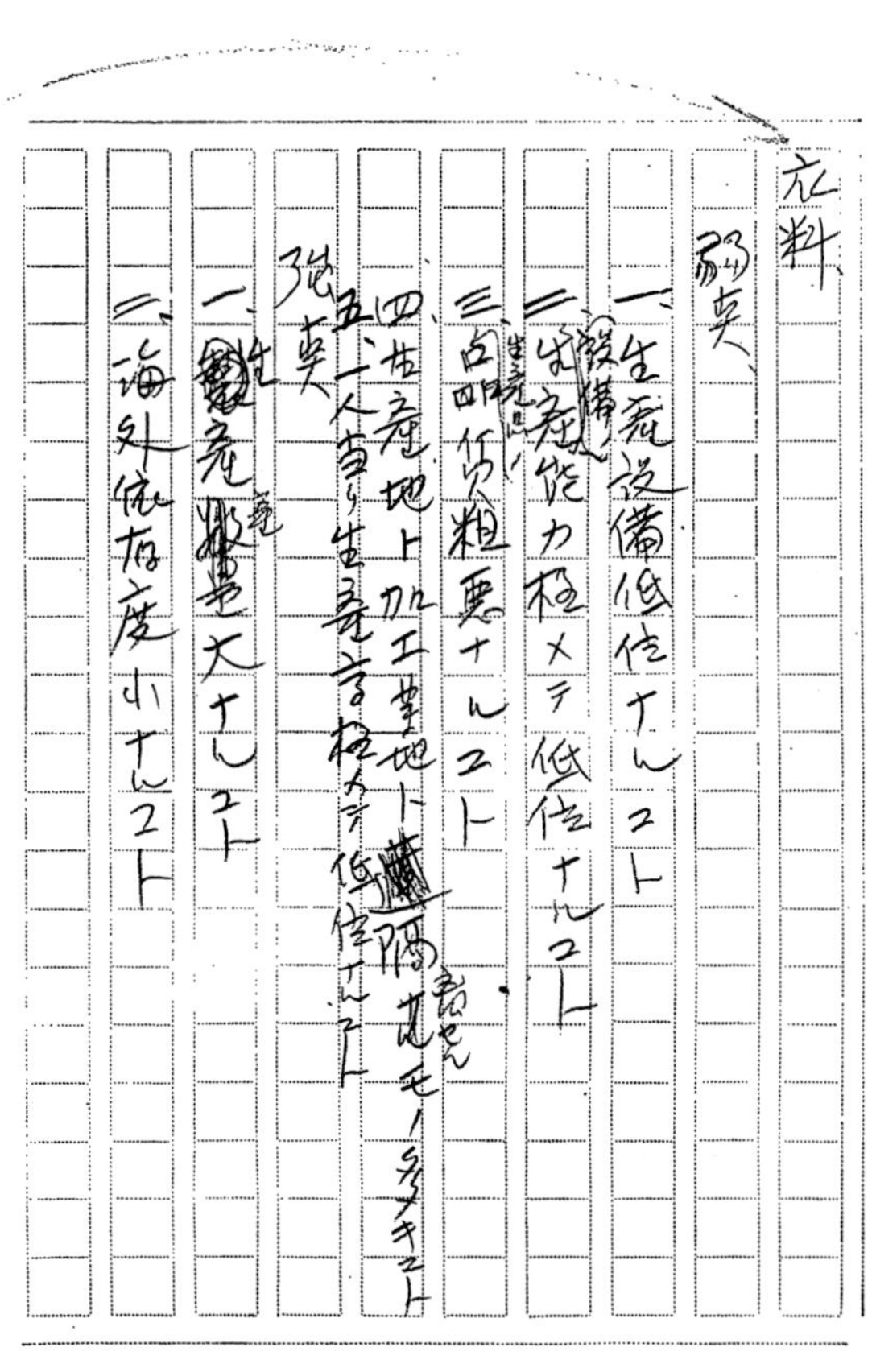
衣料、
弱点、
一、生産設備低位ナルコト
二、生産能力極メテ低位ナルコト
三、品質（生産品ノ）粗悪ナルコト
四、生産地ト加工業地ト隔絶セルモノ多キコト
五、一人当リ生産高極メテ低位ナルコト
強点、
一、生産増大ナルコト
二、海外依存度小ナルコト

原料トノ関係ヲ見ルコト

綿工業(28p) 自給力
綿業ノ生産設備ハソノ保有紡錘数英国ノ半
米国ノ1/3以下、日本ノ六割五分以下ニシテソ
ノ増加亦甚ダ緩慢ナリ、即チ
国別(14p)（一九三八年）
ソ聯 八、二〇〇（千錘）
英国 三六、三七九
米国 二六、三七六
日本 一二、五五〇
設備ヲ近代化指摘ノ上ヨリ見ルトキハ之レ
亦何レモ先進諸国ニ比シ立後レ設備ノ生産
力余力ハ枯渇状態ニ存ス即チ
リング 七八%（比率）
ミュール 二二%（註 前者ハミュールノ六割、能率ナリ）
（米国ハ一%日本〇、六%印度七%ナリ）
綿工業地ハモスコー、イワノヴォ、レニングラード等ノ
北部ニ集中セラレ原料産地ヨリ著シク遠隔
ニテ一弱点ヲナス(13p)

陸軍省経済研究班

羊毛工業（4P）自給力　一

一、羊毛工業ノ設備ノ現状ハ発表サレ非ザルモ洗毛能力不足ニテ生産拡充ノ一大障碍ヲ形成シアリ　羊毛ノ一部ハ水洗セズ又ハ機械的方法ニ依ラザル状況ナリ

一九二九年ノ状況　二工場（洗毛工場）　三基（同機械台数）

一九三八年ノ　〃（増加分）　三　〃　九　〃

羊毛紡錘数ハ

一、九三三—三四　四三四千（万）ナリ

（世界ニ於ケル比率ソ聯一、七％（第八位）英二六、二％米一五、三％独一四、七％仏一二、四％、ナヨラ（?）、伊、沽（?）、日各五—三％）

織機台数

一、九三三—三五　一三、四九（世界ノ二、六％第九位）

右ノ如ク羊毛工業生産力ニ於ケルソ聯邦ノ地位ハ著シク低位ナリ

二、原料不足ハ羊毛工業ノ第二ノ弱点ナリ（4P）

故ニ毛織物ハ主要軍需品ノ一ナルニ之ガ立後レハ明カニソ聯戦時経済ノ一大弱点ヲ形成ス

立地ノ個性、羊毛工業ニ於テ（?）13ヱ　羊毛産地ハ全国ニ広ク分散シ居ルニ対シ加工業地ハ殆ド中部ニ集中セル部ニ偏在ノ形ナルモ輸送ニ依ル（?）不合理性軽微ナリ

陸軍省経済研究班

2

製麻工業（5P）自給力十分（?）

亜麻工業ハ年々計画不遂行ナルガ之ガ最大ノ原因ハ~~生産設備ノ老朽~~

（一）生産設備ノ老朽ニシテ損耗率高キ機械大部分ナリ

（二）生産能力（紡績錘数）英仏ニ劣ル

（三）生産力ノ拡張ノ見ルベキモノナシ

以上ニヨリ原料ノ一大産出国ニ拘ラズ成果上ラザルモノトス（別4）

（一）亜麻工業管理局管下ノ諸工場ニ於テハ英式製紡機ノ四八、八％ハ五〇年以上以前ノモノ

（二）損耗率低キ（一〇％乃至二〇％）精紡機ハ全体ノ能力ニ一四％ニ過ギズ他ハ凡テ損耗度甚大（?）高率ナリ（?）

（三）新設備ハ平均約一五％

紡錘数

ソ聯　四二二、四（一九三五年頃）

英　一一二〇、〇（一九三六年）

仏　五五五、〇（一九三六年）

日　八四、九（一九三八年）

又亜麻ハ品質低劣ニシテ黄麻、サイザール等ノ

陸軍省経済研究班

3

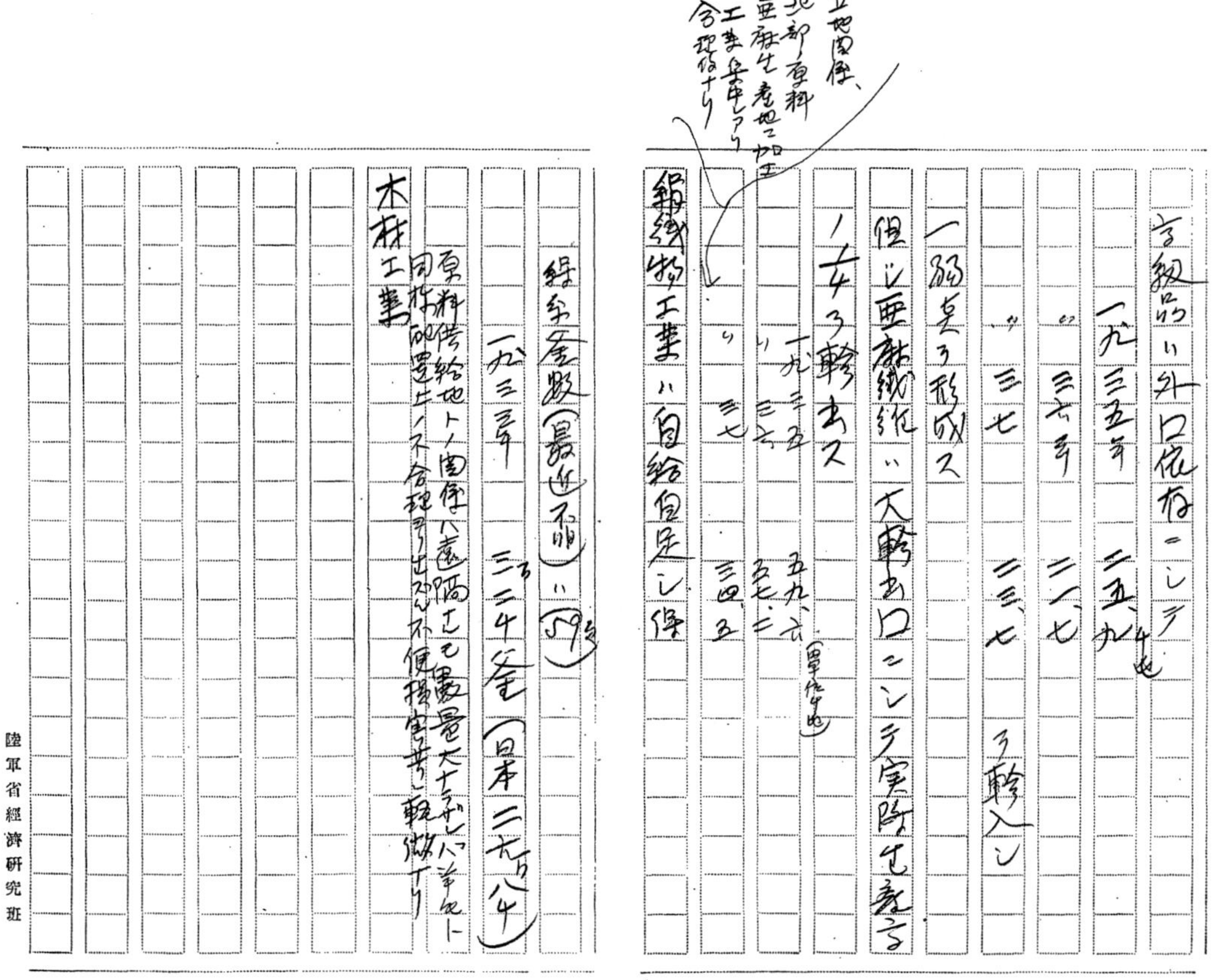
立地関係、北部原料亜麻生産地ニ加工工業立地セシメ合理的ナリ

文級品ハ外口依存ニシテ
一九三五年　二五、九（千屯）
〃三六年　二八、七
〃三七　二三、七　ヲ輸入シ
一部ヲ形成ス
但シ亜麻織維ハ大輸出口ニシテ実際モ産ス
ノ大ヲ輸出ス
〃一九三五　五九、六（単位千屯）
〃三六　五七、二
〃三七　三四、五
紡織工業ハ自給自足シ得

木材工業　原料供給地ト工業地トノ関係ハ甚隔セモ最量大ナルハ半ト同時ニ運上ノ不合理ヲ出シ不便損害ヲ輕減ナリ

紙ノ全数（最近不明）ハ
一九三三年　三三六千屯（日本二九〇八千）

陸軍省経済研究班

4

(B) 安定力、

ソ聯ノ経済ノ安定力ハ安定シアリ
弱点トシテ挙グレバ左ノ如シ
(一) 社会（政治的）不安
(二) 運輸機関ノ不備ニヨル需給ノ不円滑
(三) 技術及生産設備ノ低位

ソ聯邦ハ
(一) 金属資料ニ於テハ世界ニ冠タル生産額ヲ有シ而モ其ノ農業経営ハ機械化シ

肥料ニ依ル極メテ統制力強キ全国経営ニ依リソノ努力ヲ減ジ得
・戦時生産力ガ戦時不円滑ヲ来スコトキ弱点ヲ有ス、ト其ノ労力ニ於テハ充分ノ余裕アリ其ノ如何ニ可能性アリ
(二) 政治経済的観点ニ於テハ
他ノ列国ト異ル国情経済ニアリテ凡テガ国家経営ト云フ不可能ナル戦争指
出力ハ膨大ナル茲ニ弱点ヲ
見出ストコト困難ナリ、唯政治的、

現在ハ二〇%ナルモ八〇%ニ迄スルモ治安切レ

陸軍省経済研究班

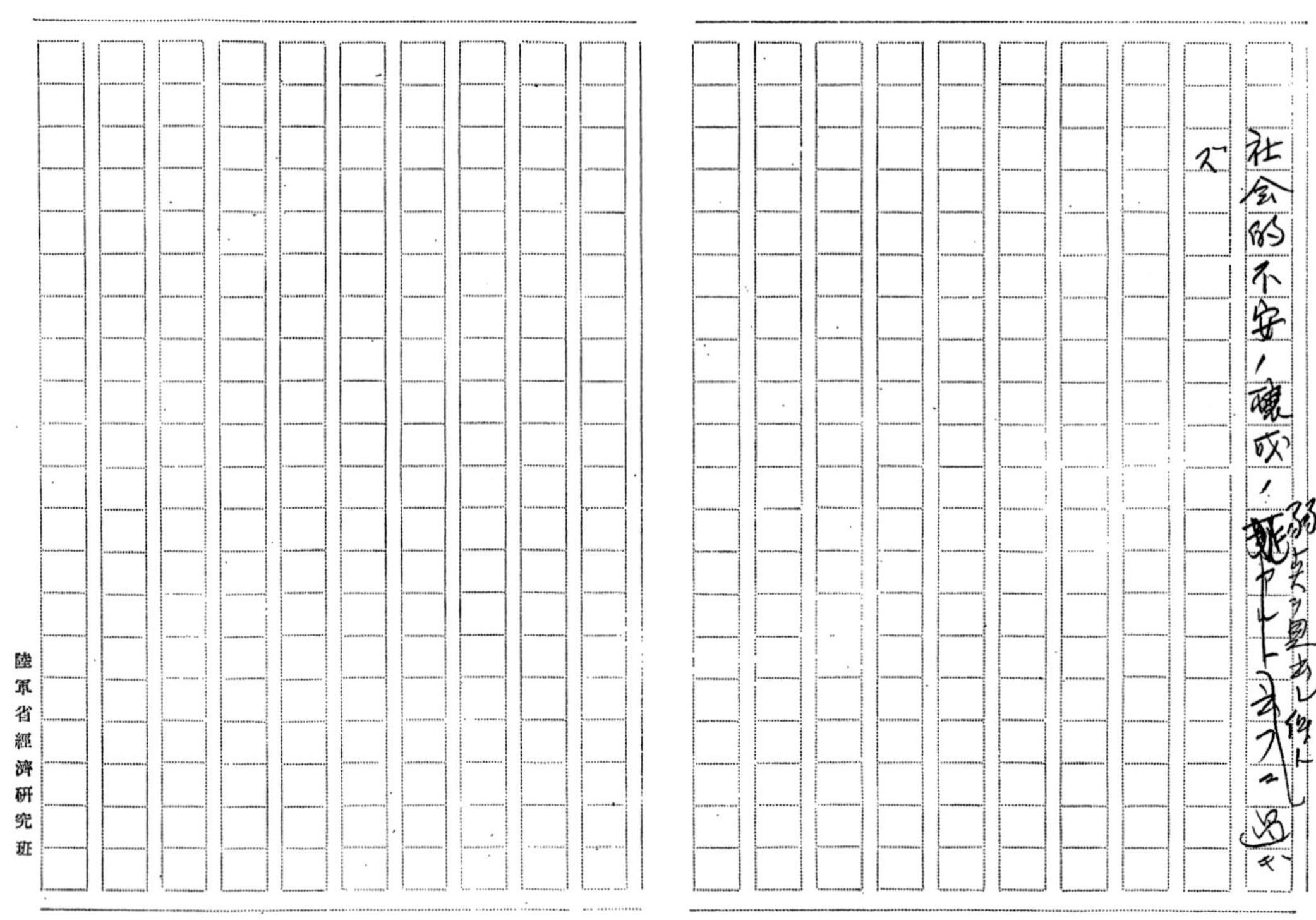

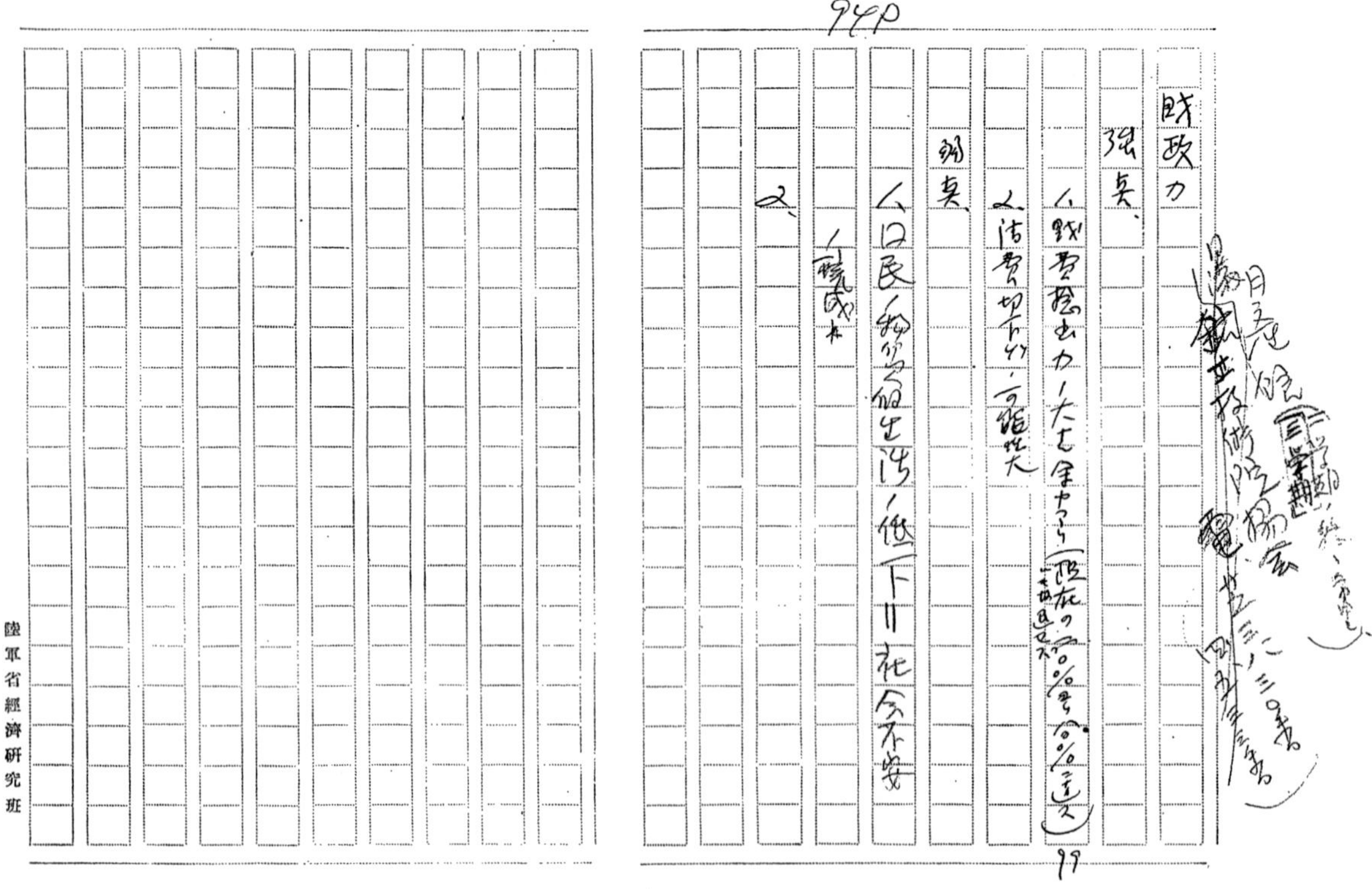

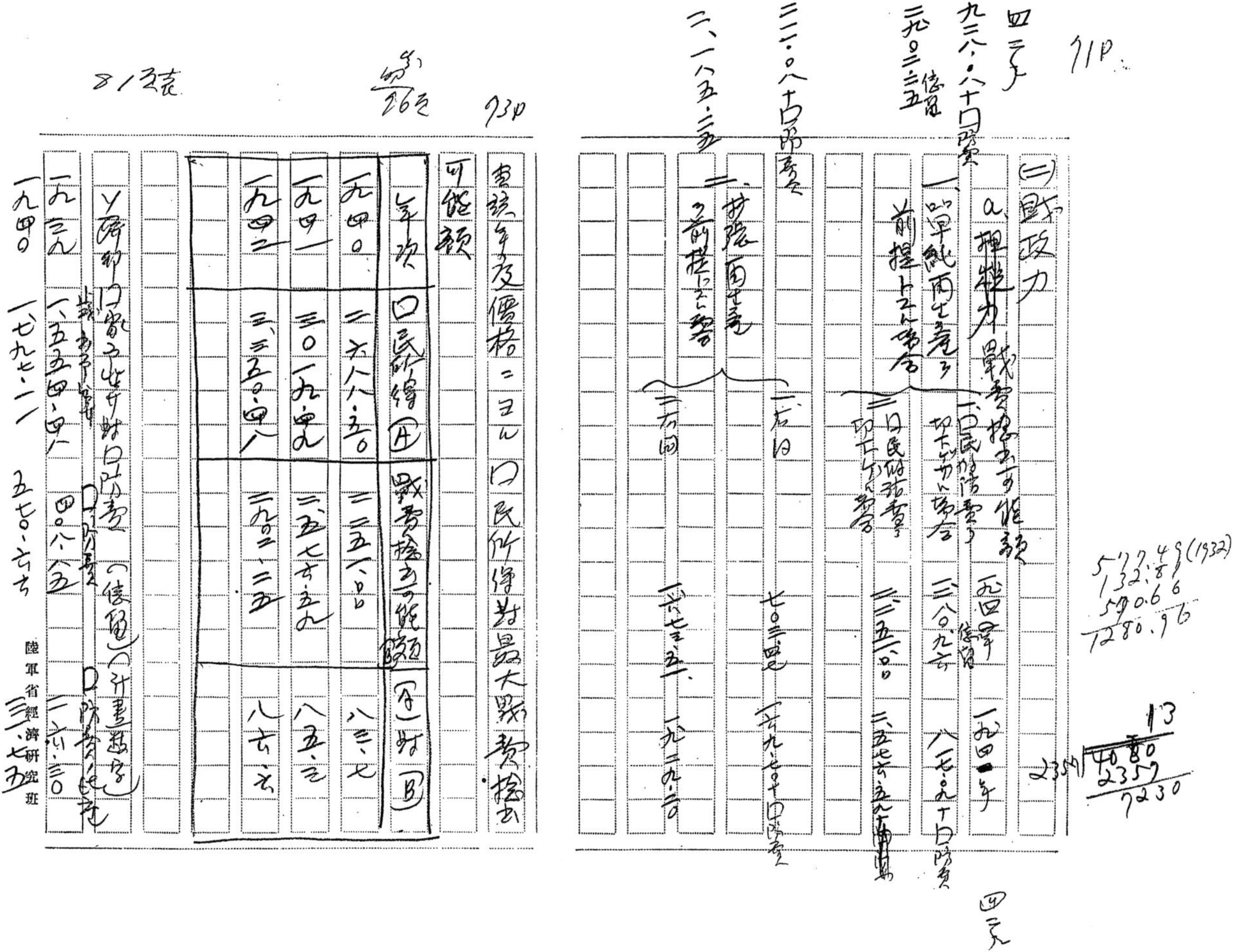

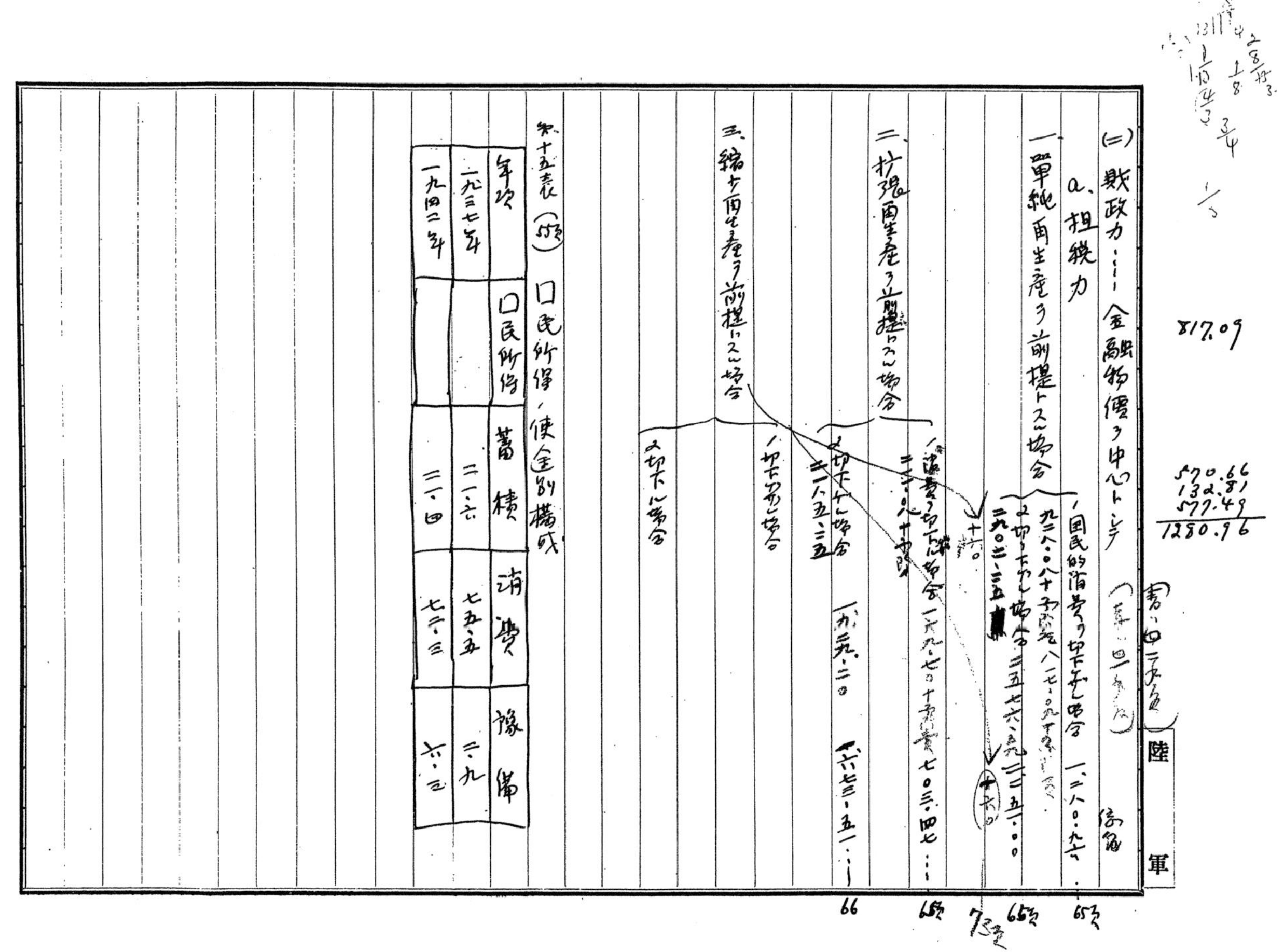

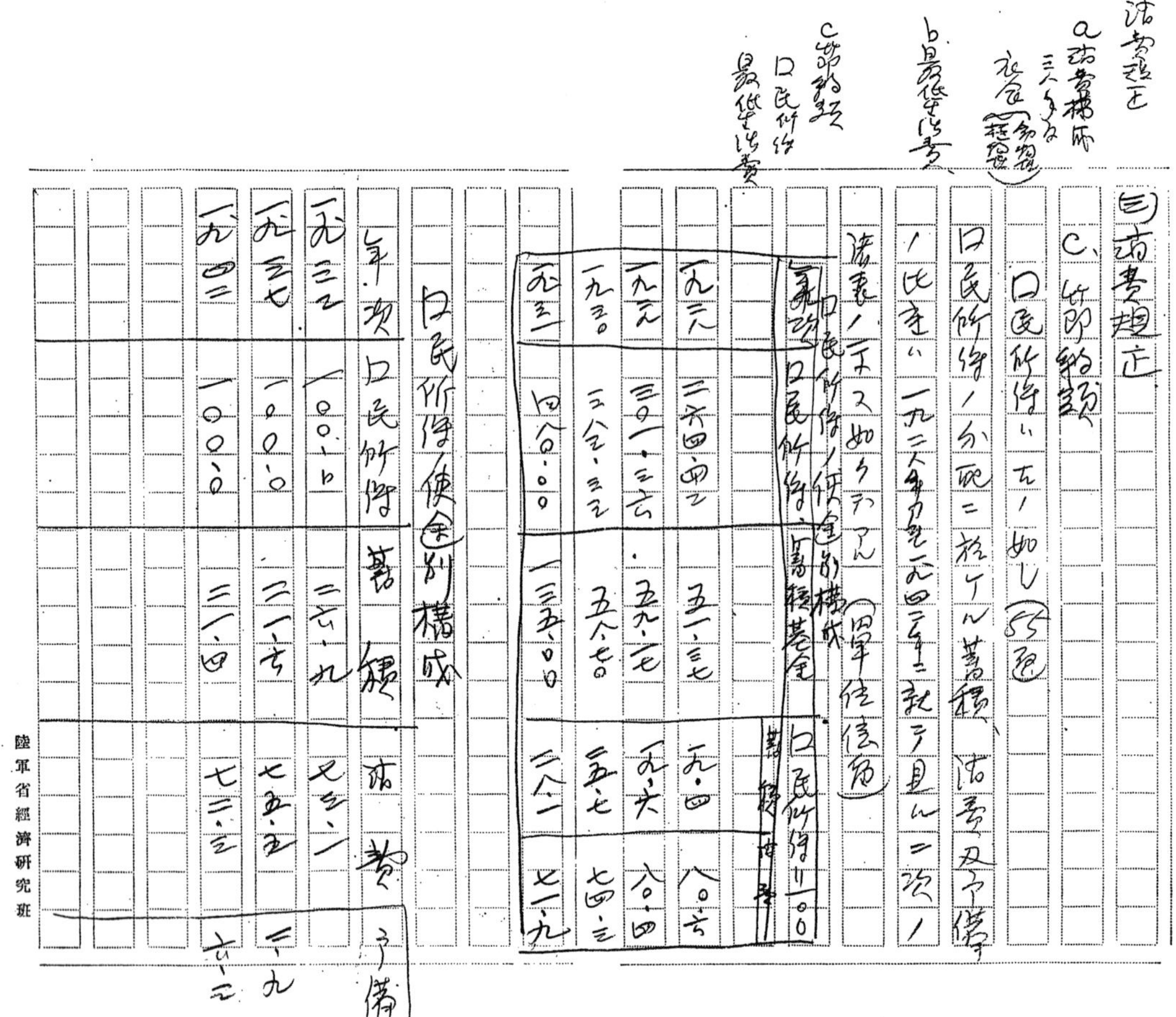

消費趨勢
a 消費構成 三八年度 衣食（分類 蓄積）
b 最低生活費
c 労働給与 国民所得 最低生活費

(三) 消費趨勢

C、労働給与

国民所得ハ左ノ如シ（85頁）

国民所得ノ分配ニ於ケル蓄積、消費及予備ノ比率ハ一九二八年乃至一九四二年ニ就テ見レバ次ノ如クナル（単位億留）

年次	国民所得	国民所得ノ蓄積基金	国民所得ヲ一〇〇（蓄積）	（消費）
一九二八	二六四・四二	五一・三七	一九・四	八〇・六
一九二九	三〇一・三六	五九・七	一九・六	八〇・四
一九三〇	三八〇・三二	五八・七〇	二五・七	七四・三
一九三二	四八〇・〇〇	一三五・〇〇	二八・一	七一・九

国民所得ノ使途（金）別構成

年次	国民所得	蓄積	消費	予備
一九三二	一〇〇・〇	二六・九	七三・一	
一九三七	一〇〇・〇	二一・六	七五・五	二・九
一九四二	一〇〇・〇	二一・四	七二・三	六・三

陸軍省経済研究班

A

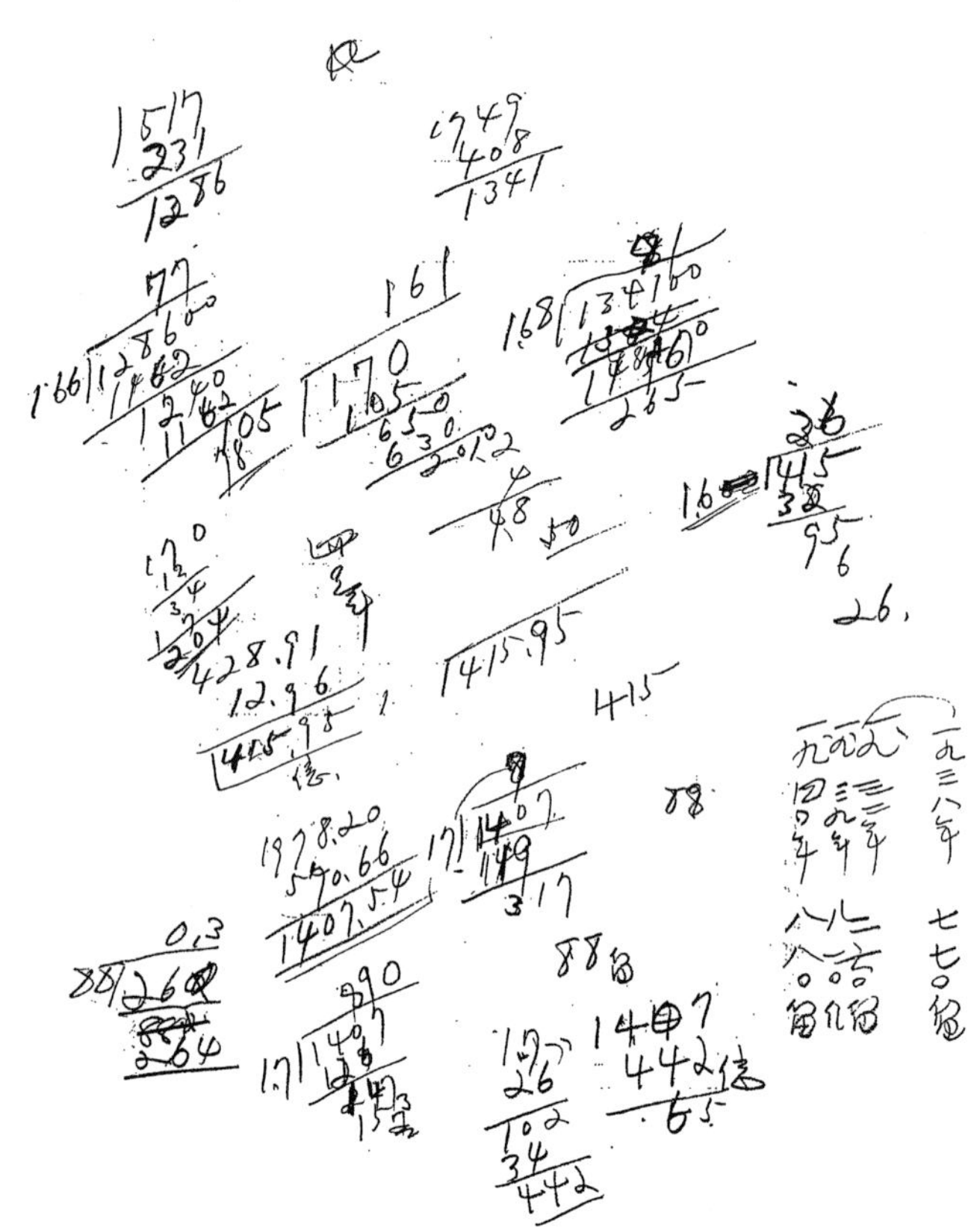

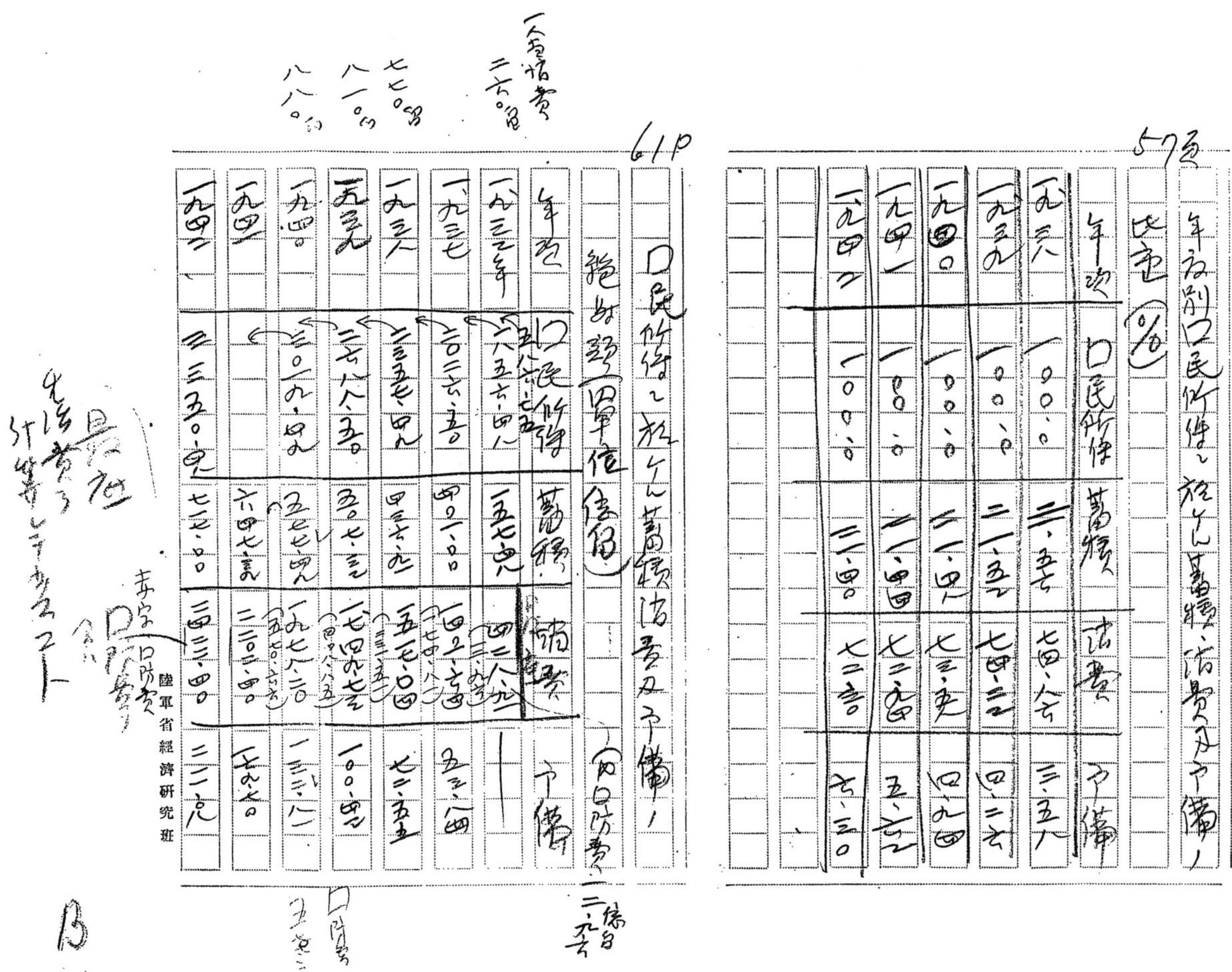

61P

国民所得ニ於ケル蓄積消費及予備ノ絶対額（単位億留）

年次	国民所得	蓄積	消費	予備
一九三二年	一八五六・四八（五八六・七五）	一五七・九八	四二八・九	
一九三七	二〇二六・三〇	四〇一・〇〇	四五二・三〇（一七四・八）	五三・八四
一九三八	二三五七・四九	四三六・九	一五七〇・〇四（三二二・五）	七二・五五
一九三九	二六八八・五〇	五〇七・三二	一七四九・七三（四八八・八五）	一〇〇・四三
一九四〇	三〇一九・四九	五七七・四九	一九七八・二〇（五七〇・六六）	一三三・八一
一九四一		六四七・三五	二二〇二・四〇	一七九・七〇
一九四二	三三五〇・四九	七七七・〇〇	二四二三・四〇	二一一・六八

57頁

年次別国民所得ニ於ケル蓄積、消費及予備ノ比率（%）

年次	国民所得	蓄積	消費	予備
一九三八	一〇〇・〇	二一・五六	七四・八六	三・五八
一九三九	一〇〇・〇	二一・五二	七四・三二	四・一六
一九四〇	一〇〇・〇	二一・四八	七三・五八	四・九四
一九四一	一〇〇・〇	二一・四四	七二・九四	五・六二
一九四二	一〇〇・〇	二一・四〇	七二・三〇	六・三〇

陸軍省経済研究班

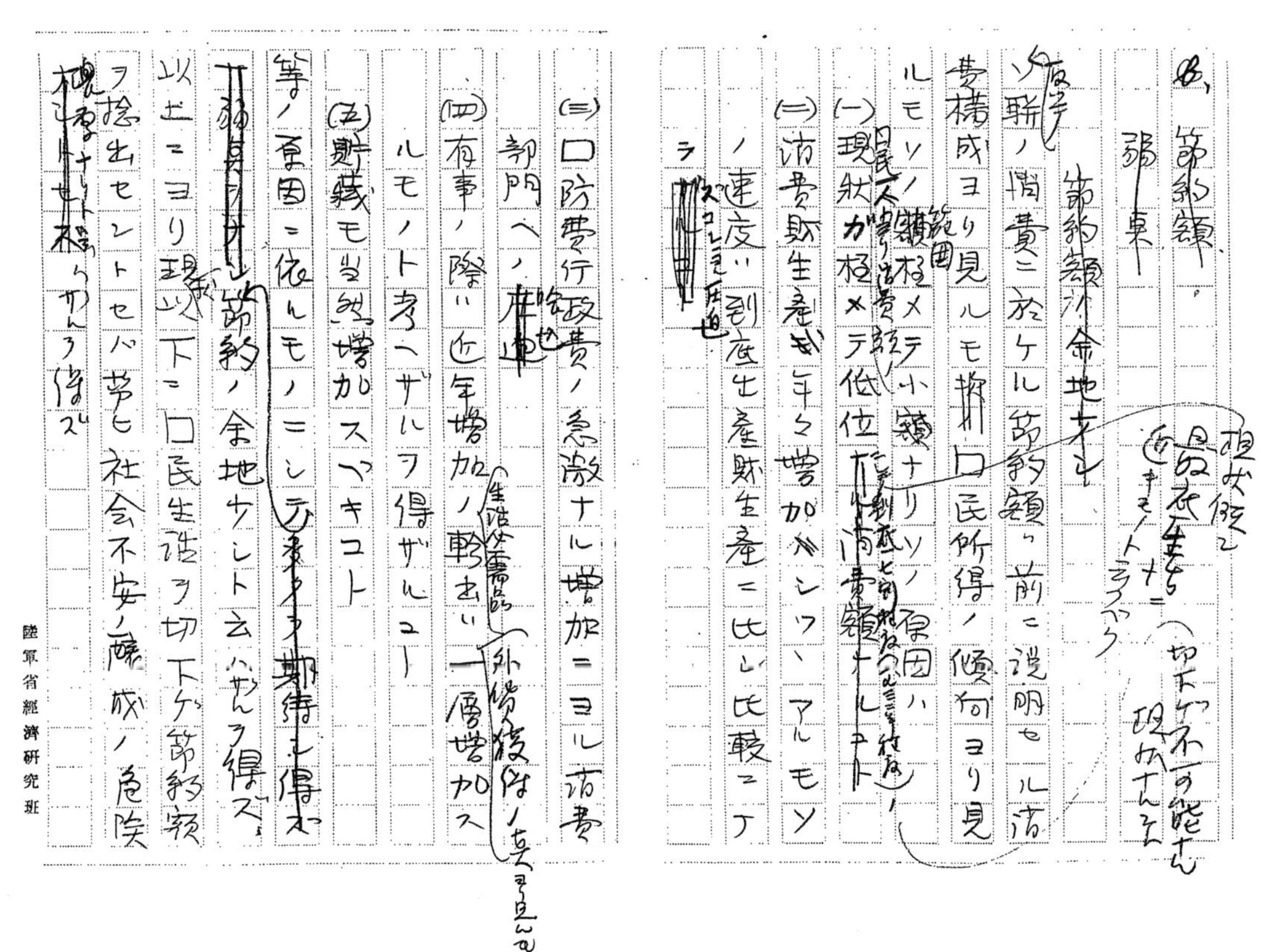

八、節約額

弱点

節約額ハ余地ナシ

ソ聯ノ消費ニ於ケル節約額ハ前ニ説明セル消費構成ヨリ見ルモ将又国民所得ノ傾向ヨリ見ルモ其ノ範囲極メテ小額ナリ、ソノ原因ハ

(一)現状ガ極メテ低位ナル消費額ナルコト

(二)消費財生産ガ年々増加シツヽアルモソノ速度ハ到底生産財生産ニ比シ比較ニナラズ

(三)国防費行政費ノ急激ナル増加ニヨル消費部門ヘノ圧迫

(四)有事ノ際ハ近年増加ノ趨勢ハ一層増加スルモノト考ヘザルヲ得ザルコト

(五)貯蔵モ当然増加スベキコト

等ノ要因ニ依ルモノニシテ多クヲ期待シ得ズ

以上ニヨリ現状以下ニ国民生活ヲ切下ゲ節約額ヲ捻出セントセバ却テ社会不安ノ醸成ノ危険

陸軍省経済研究班

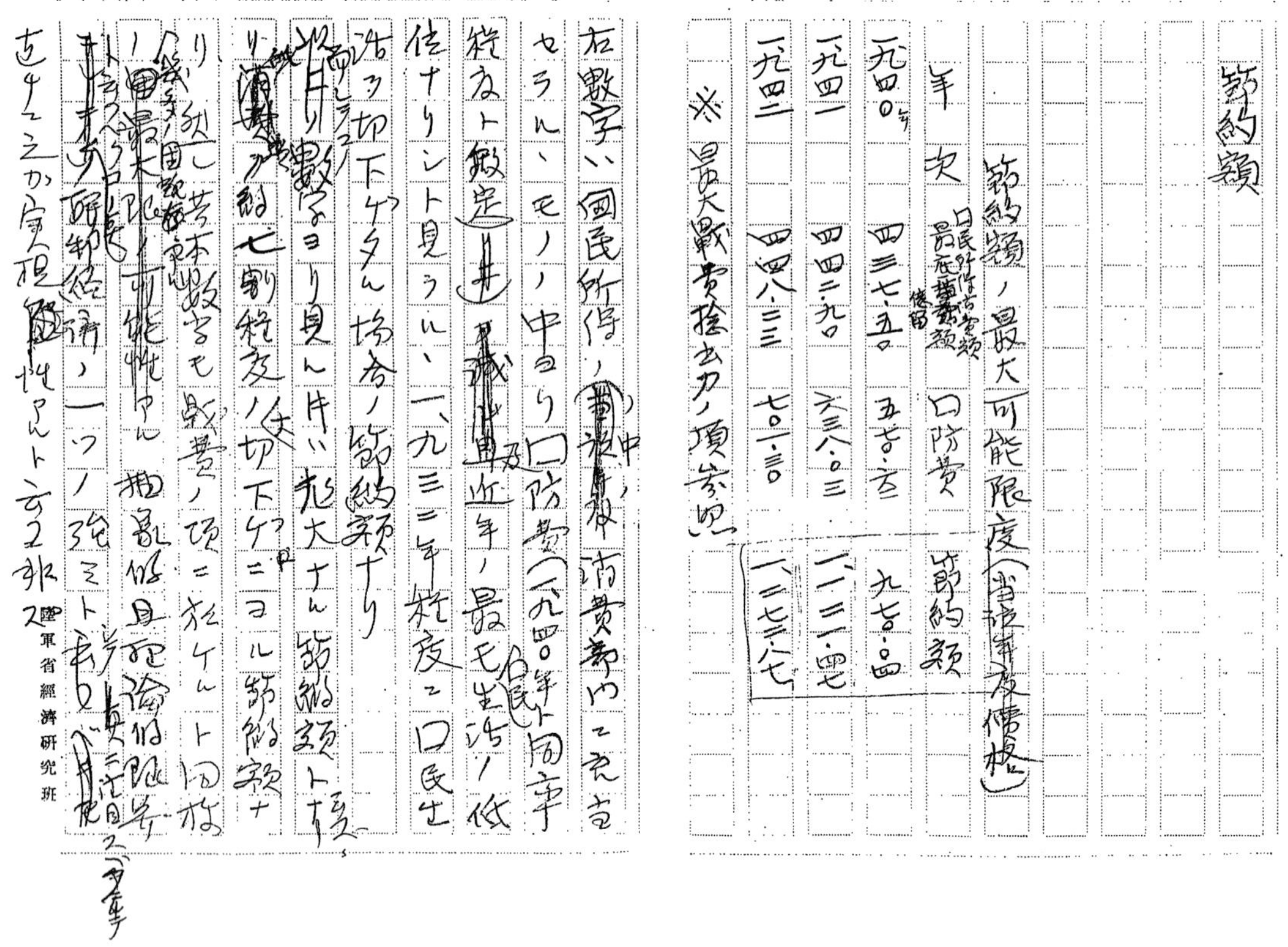

節約額

節約額ノ最大可能限度（当該年度価格）

年次	国民所得中消費額最低生活額控除後	国防費	節約額
一九四〇年	四三七・五〇	五七〇・六六	九七〇・〇四
一九四一	四四二・九〇	六三八・〇三	一、一一一・四七
一九四二	四四八・三三	七〇一・二〇	一、一七二・八七

※最大戦費捻出力ノ項参照

右数字ハ国民所得ノ中、消費額[illegible]ノ内ニ於テ[illegible]セラル、モノノ中ヨリ国防費（一九四〇年ト同率）[illegible]程度ト[illegible]近年ノ最モ生活ノ低位ナリシト見ラル、一九三三年程度ニ国民生活ヲ切下ゲタル場合ノ節約額ナリ

[illegible]数字ヨリ見ル時ハ尨大ナル節約額ト[illegible]ノ約七割程度ノ切下ゲニヨル節約額ナリ。[illegible]消費ノ項ニ於ケルト同様[illegible]ノ可能性アル[illegible]理論的限界[illegible]一ツノ論ミト[illegible]近キ之カ実現[illegible]性アルト云フ非ス

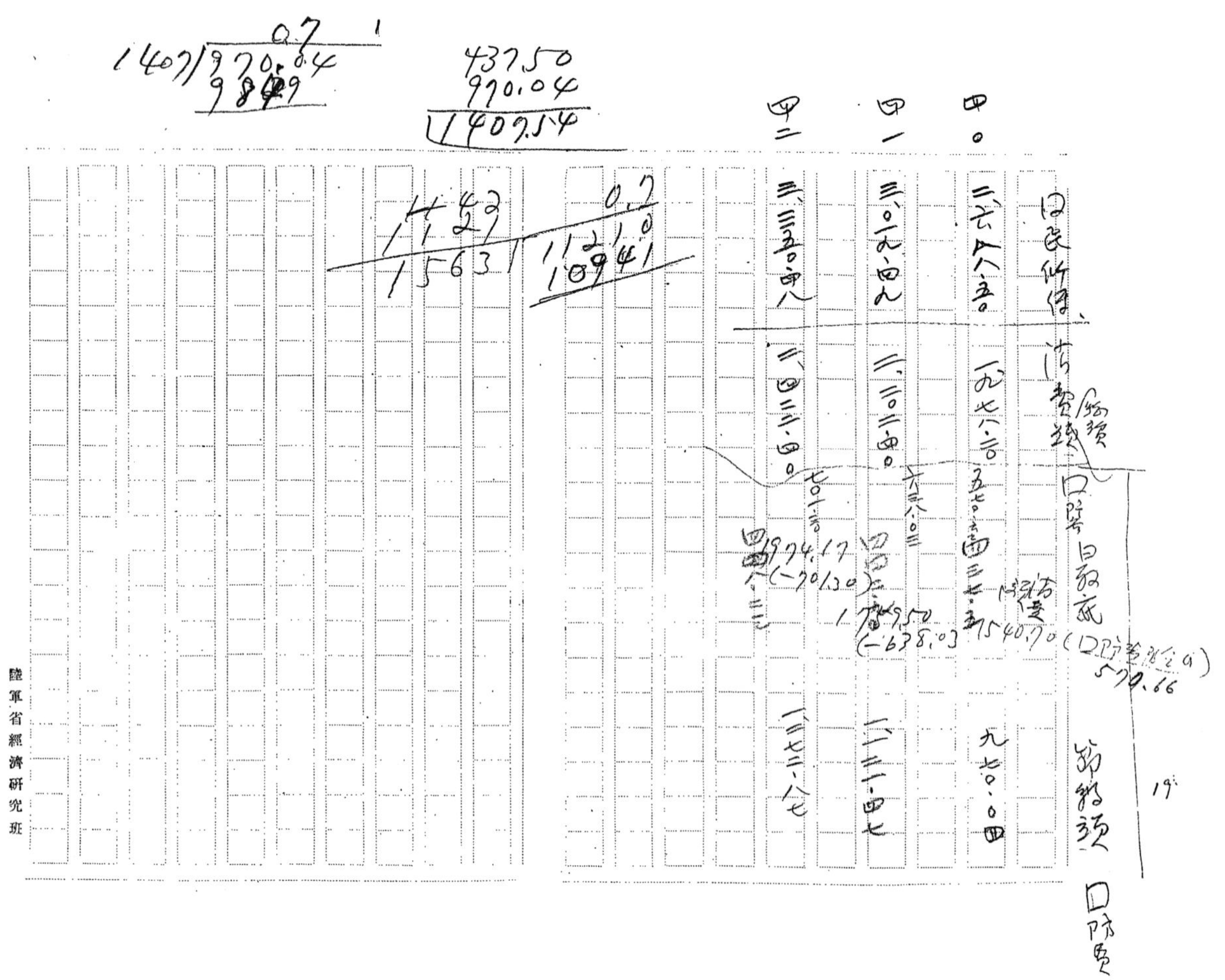

1407/970.04　0.7
　　984.9

437.50
970.04
1407.54

	国民所得	消費額（物資）	国防費	節約額
四〇	二六八八・五〇	一九七六・一〇	五七〇・六六	九七〇・〇四
四一	三〇九〇・四九	二一二一・〇四	六三八・〇三	一一一一・四七
四二	三三五〇・四八	二四三二・四〇	七〇一・二〇	一一七二・八七

當該年度價格ニ依ル口民所得對最大戰費捻出額（單位億留）

年次	口民所得	戰費捻出可能額	比率
一九四〇	二六八八五・〇	二二三五一・〇〇	八三・七％
一九四一	三〇二〇九・四九	二五七六九・七九	八五・三％
一九四二	三三五〇四・八	二九〇二一・二五	八六・六％

以上ヨリ見ル時ハソ聯ノ戰費捻出力ハ尨大ニシテ強大ナルモノノ如キモ果シテ良ク口民ノ耐エ得ル處ナリヤ否ヤ、即チ生活切下ゲ等ノ点ヲ消費部門ノ規正関係方面ヨリ見ルトキ一種ノプランニ過ギズシテ反ツテカクノ如キ戰費ヲ捻出セントセバ社会不安ヲ起シテ政治的動揺ノ恐ナシトセザルナリ

陸軍省經濟研究班

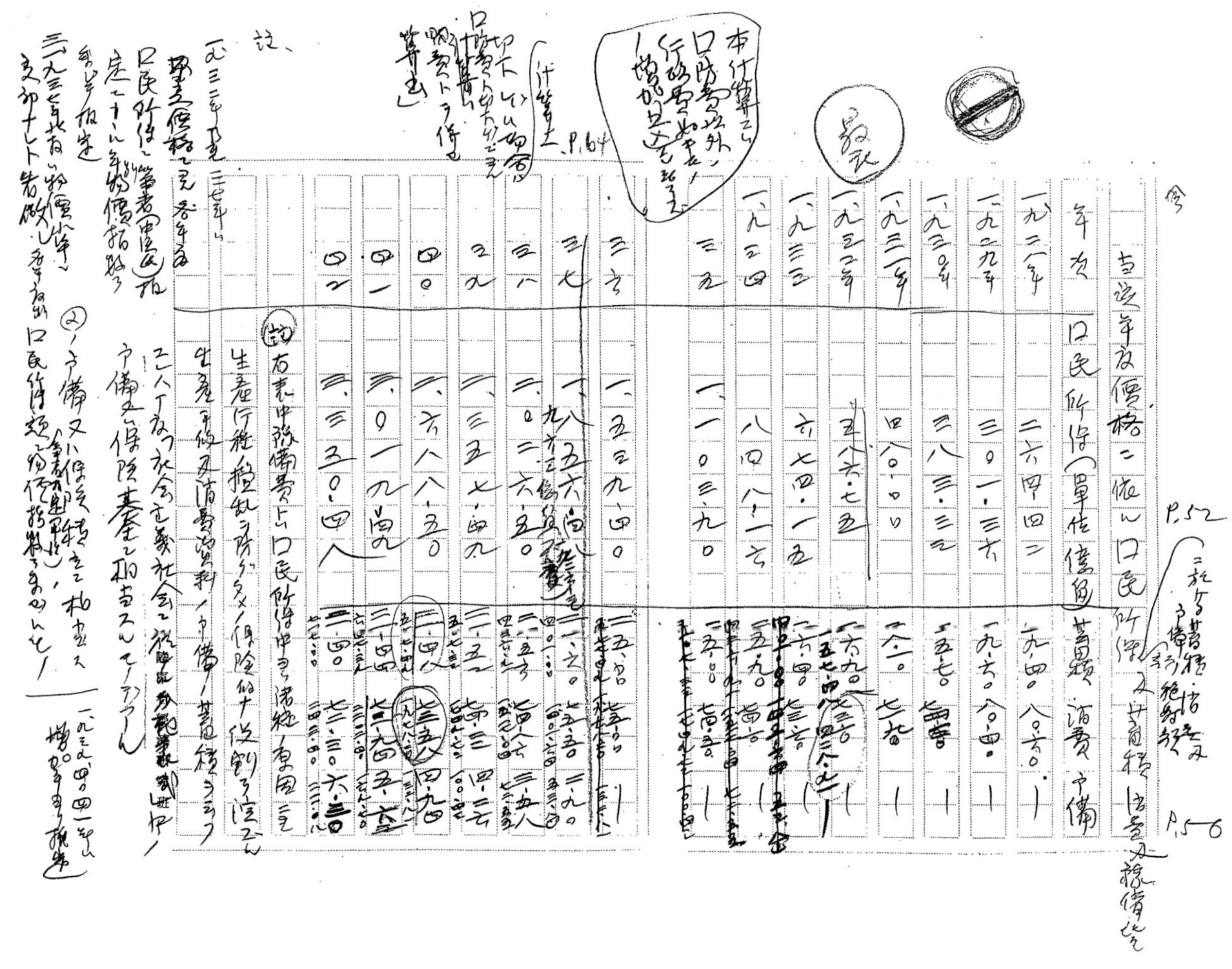

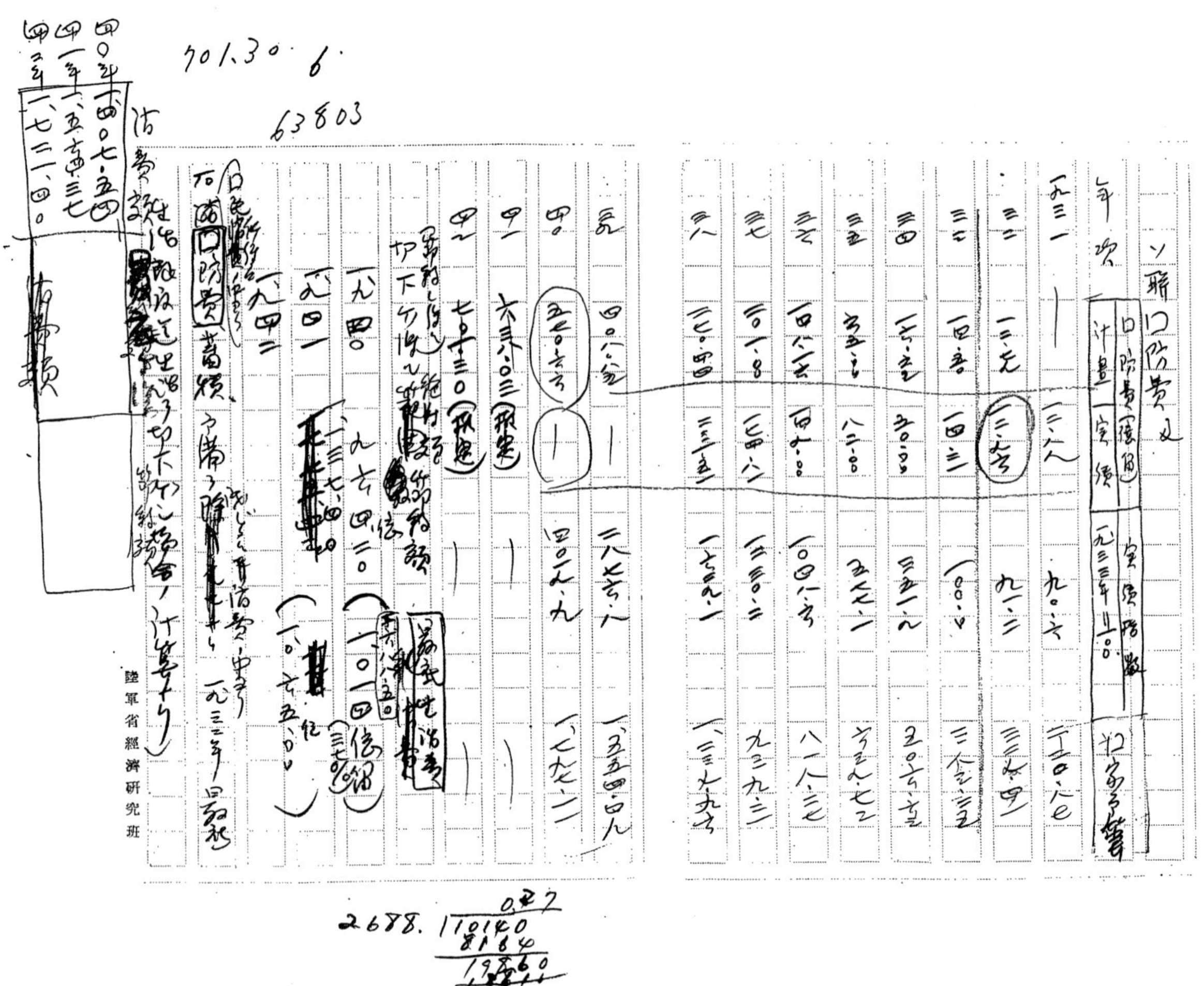
ソ聯国防費

年次

陸軍省経済研究班

節約額

陸軍省経済研究班

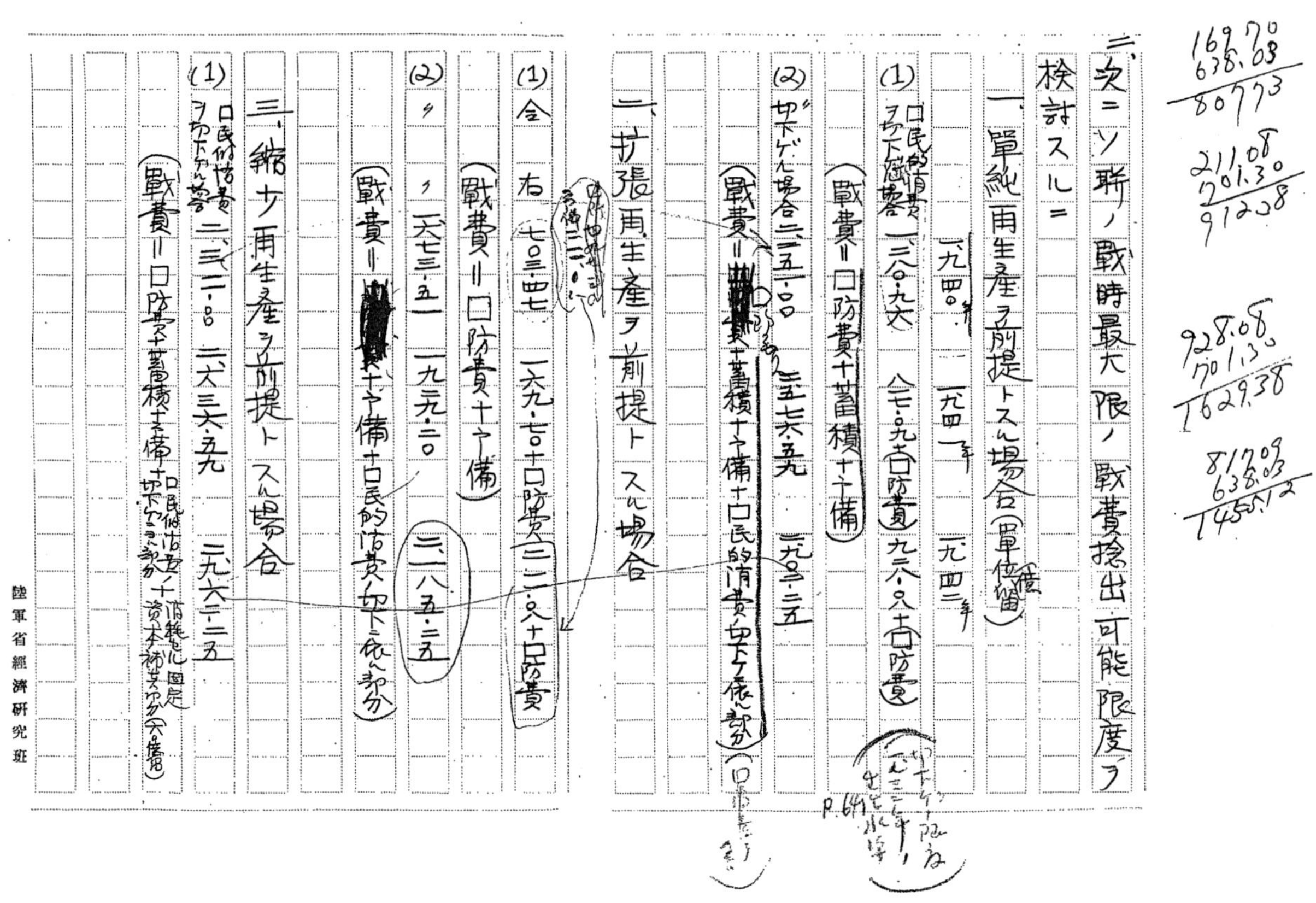

二、次ニソ聯ノ戰時最大限ノ戰費捻出可能限度ヲ検討スル＝

一、單純再生産ヲ前提トスル場合（單位億）

一九四〇年　一九四一年　一九四二年

(1) 國民的消費ヲ切下ゲザル場合　一三〇・九六　八七・九六＋國防費　九六・〇八＋國防費

（戰費＝國防費＋蓄積＋予備）

(2) 切下ゲル場合　二二五・〇〇　二五七・五九　二九二・二五

（戰費＝國防費＋蓄積＋予備＋國民的消費ノ切下ゲ部分）

二、拡張再生産ヲ前提トスル場合

(1) 全　右　七〇三・四七　一六九・七〇＋國防費　二一二・〇八＋國防費

（戰費＝國防費＋予備）

(2) 〃　〃　一六七三・五一　一九九九・二〇　二二八五・二五

（戰費＝[illegible]＋予備＋國民的消費切下ニ依ル部分）

三、縮少再生産ヲ前提トスル場合

(1) 國民的消費ヲ切下ゲル場合　二三二・〇〇　二六三六・五九　二九六六・二五

（戰費＝國防費＋蓄積＋予備＋國民的消費ノ切下ゲ部分＋消耗セル固定資本補充部分（六億））

169.70
638.03
807.73

211.08
701.30
912.38

928.08
701.30
1629.38

817.09
638.03
1455.12

P.64

陸軍省經濟研究班

表第一

一九三七年度生活必需品人口一人當生産（瓩）及消費高

品目	ソ聯邦	アメリカ	ドイツ	イギリス	フランス
食用穀物（小麦）					
小麦A	二七六				
裸麦A	一七五				

ソ聯邦ガ絶對的物量ニ於テ列国ニ優越シテ居ルノハ穀物ノミニシテ他ハ凡テ列国ヨリ低シ

特ニ畜産品ニ関シテハ列国ノ半以下ナリ食料品ノ構成ハ通常生活程度ガ高マルニツレ穀物消費ガ減ジ肉及脂肪及牛乳ノ消費増ガスルモノナルモ右表ハソ聯ノ生活程度ガ如何ニ低キカヲ明示シテ居リ又砂糖ノ消費量ハソノ国ノ文化ノ程度ヲ現ハスト言ハレテ居ルモソ聯一人当リノ消費量ハ列国ノ三分ノ一乃至四分ノ一以下ナリ

(ロ) 生産高ト消費高ノ接近

ソ聯ハ国民ノ消費ヲ犠牲トシ所謂飢餓輸出ヲ

ヤメレトコロ　例ヘバ一九三二年ニ一人当生産

五七四.九瓩ナルトコロ一千萬瓩以上ノ穀物ヲ輸出シテ居リ

然シ又一人当リ消費高ハ四九八瓩トナルトコロ一九三八年ニ

一人当生産高五五七.八瓩ニ対シ輸出ハ二〇〇万瓩ニ過ギズ

一人当リ消費高ハ五四六.六瓩トナリ又ソノ一人一二年ヲ通ジテ

上迫リアリ

陸軍省經濟研究班

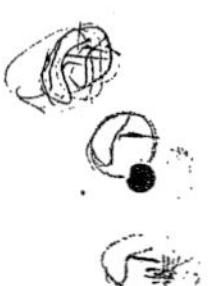

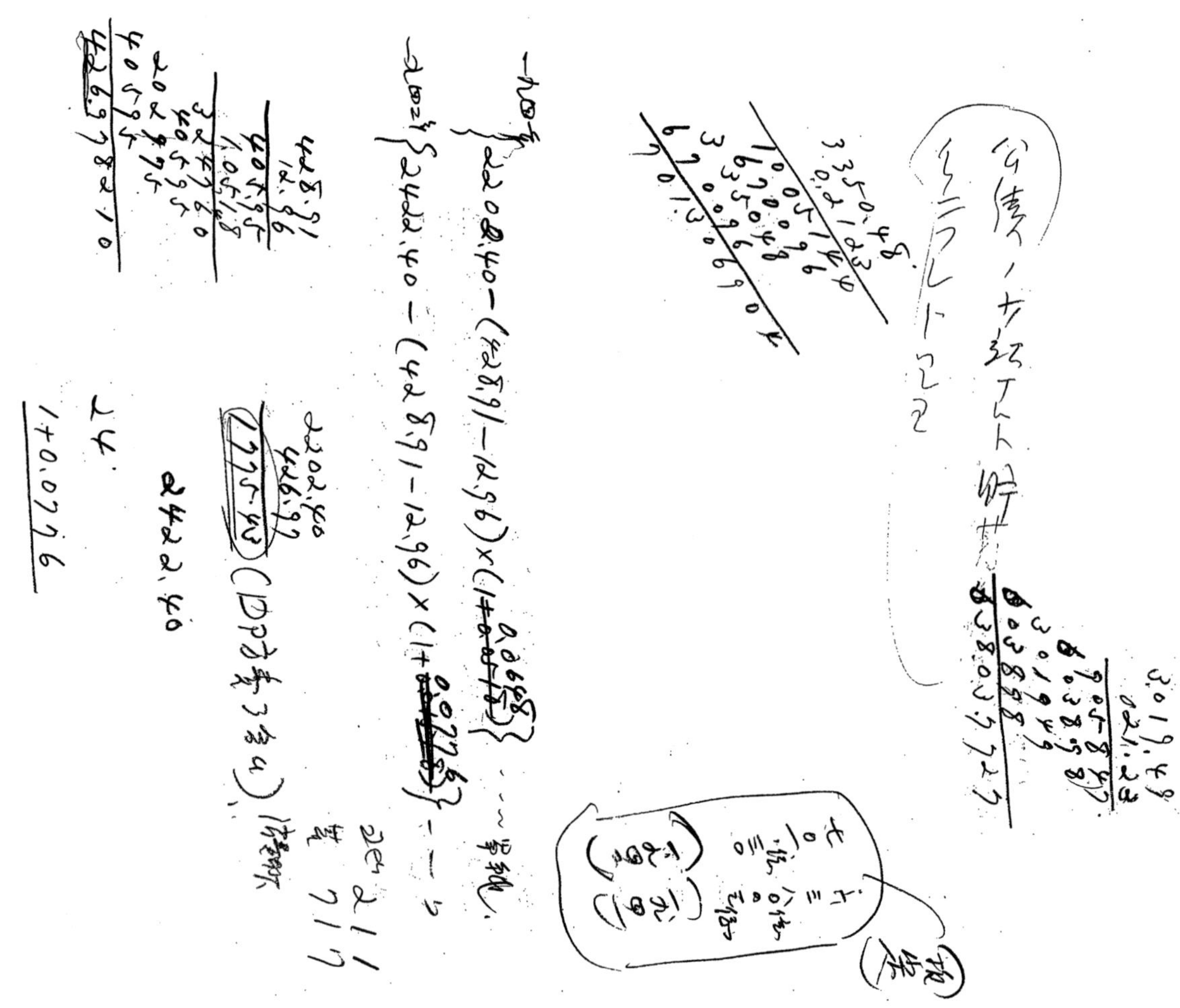

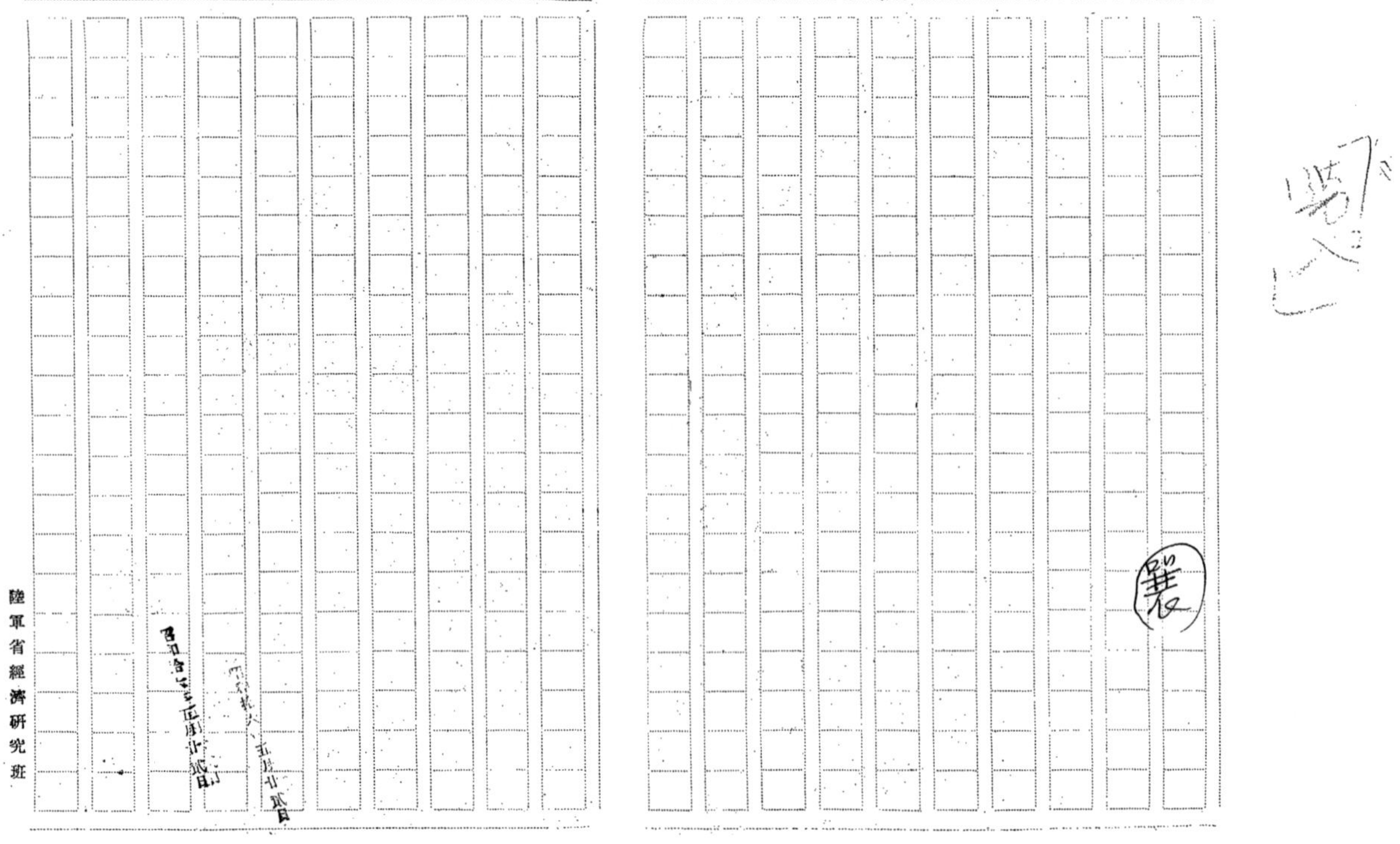
陸軍省経済研究班

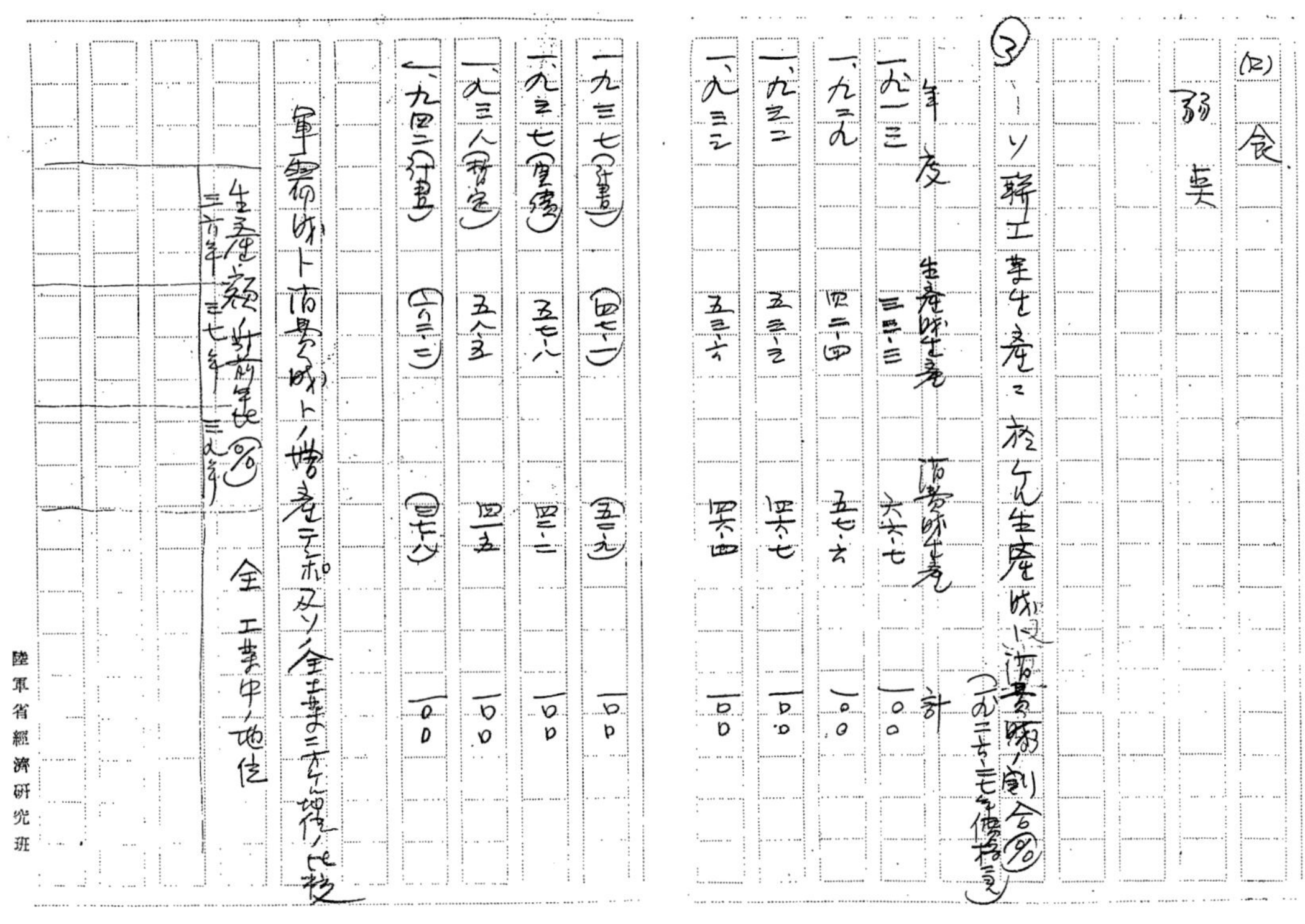

(ロ) 食

穀 類

③ ソ聯工業生産ニ於ケル生産財及消費財ノ割合(%)（一九二六―二七年価格）

年度	生産財生産	消費財生産	計
一九一三	三三・三	六六・七	一〇〇
一九二八	四二・四	五七・六	一〇〇
一九三二	五三・三	四六・七	一〇〇
一九三三	五三・六	四六・四	一〇〇
一九三七（計画）	（四七・一）	（五二・九）	一〇〇
一九三七（実績）	五七・八	四二・二	一〇〇
一九三八（推定）	五八・五	四一・五	一〇〇
一九四二（計画）	（六二・三）	（三七・七）	一〇〇

軍需品以下消費財トノ増産ヲ知ル及ソノ全工業ニ於ケル地位ノ比較

生産額ニ於ケル比(%)			全工業中ノ地位
三六年	三七年	三九年	

陸軍省経済研究班

1941年1分

405.95
× 1.0648
324760
162380
243570
40595
432.2515960

2202.40
432.25
1770.15 億
(内DP含)

節約額 ~~1,068.85~~ 1,132.12

1942年1分

405.95
1.0776
243570
284165
284165
40595
437.45172

2422.40
437.45
1984.95 億

1,283.65 億

2913
~~2996~~

1942.
2422

2251億中

577.49 ― 蓄積
132.81 ―
710.30 億

2251.00
710.30 ― 消費額（セアスナ 121万人）
1540.70
570.66
970.04

項目 二、財政力
弱点 一、国防費増大ニ伴フ経済機関乃至企業自体ニ対スル歳入軒嫁ニ依ル産業阻害

項目 a 担税力
弱点 一、国防費増加ニ伴フ国民経費削減
二、益税増徴ニ依ル企業ノ発展遅滞（牧益税ノ増徴ハ僅ナル依然取引税ニ依存傾向ノ多）
三、取引税ノ増加ハ却ッテ物価又ハ闇売価格ノ引上ゲヲ招来スルコト

b 公債消化力
一、強制的割当ニヨル不円滑
二、戦費ノ調達財源トシテ弾力性ニ乏シ

c インフレ阻止限度
一、取引税ハ消費財ニ主トシテ課セラレ生産財ニ軽キ……
イ……ノ能力ニ於テ弱点ヲ係スル

項目 三、消費規正
弱点 一、国民一人当リ国民所得ノ極メテ低位ナルコト（節約ノ余地……）

a、消費構成
一、国防、行政費ノ膨脹ニ依ル国民諸費ノ圧迫ニヨル消費額ノ減少
二、……消費財生産ノ増加ノ……
増加著シ

(イ) 衣
一、国民一人当リ消費量極メテ低位ナリ
（先進諸国ニ比シ……）

(ロ) 食
一、畜産食料ノ消費量極メテ少ナシ

b 最低生活費

(イ) 金額

c、節約額
一、節約ノ余地少ナシ

(イ) 国民所得
(ロ) 最低生活費

陸軍省経済研究班

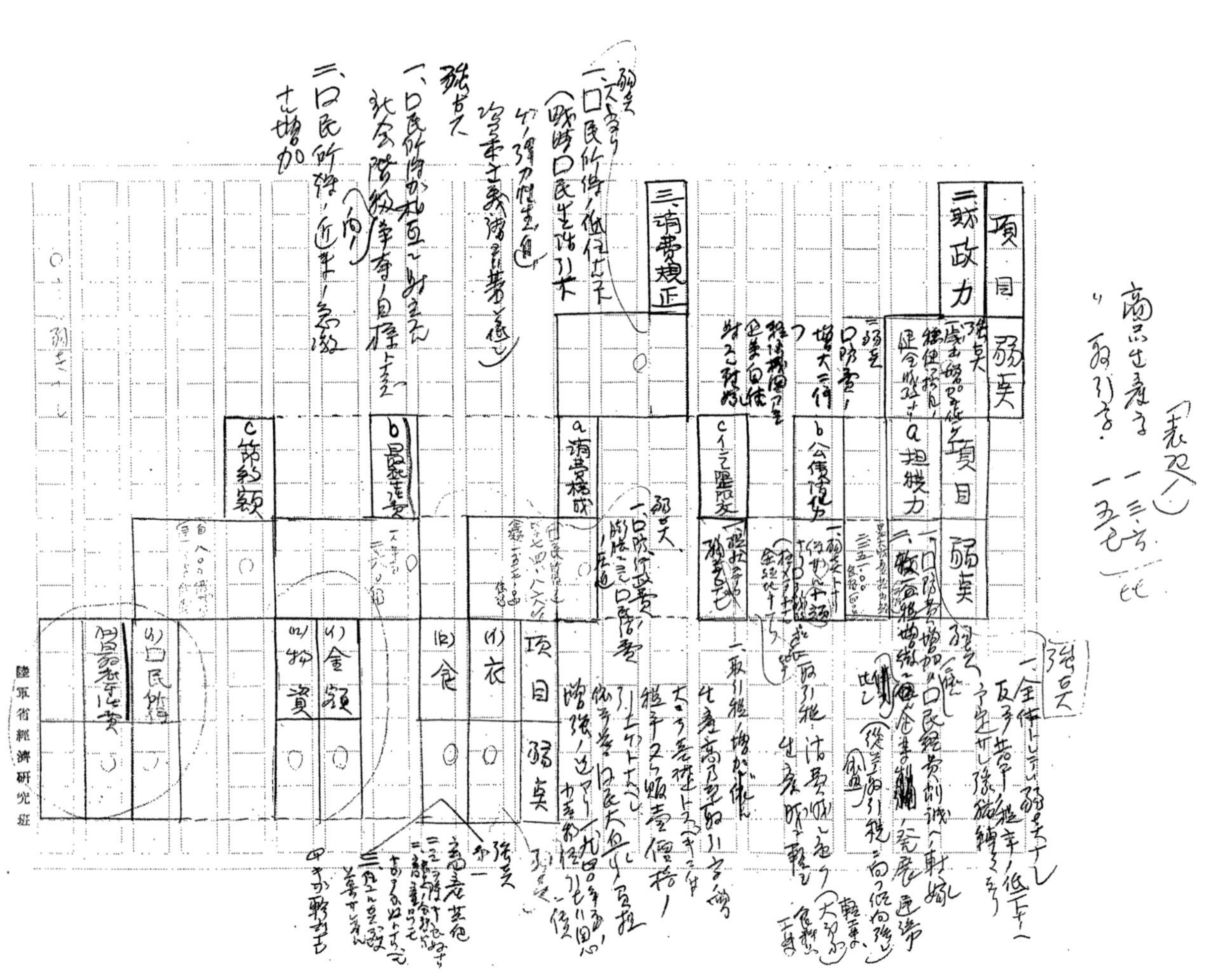

(二)戦力（戦費負担能力）

ソ聯ノ国家運行（組織ハ）ハ他ノ列国ト異ルモノアリ丸テカ国家経営トモ称スベキ状態ニシテソノ戦費負担能力ハ次ノ如シ

則チ一九三九年ニ於テハ国民所得（国防費ヲ）ノ約一三％歳出予算（一、五五四・四八保留）ノ二六・三〇％（四〇八・八五億）ニ過ギズ

一九四〇年ニ於テモ歳出予算（一七九七・二保留）ノ三三・七五％（五七〇・六六）ニシテ之ガ戦時最大限ノ戦費捻出可能限度ヲ検討スルニ左ノ如ク国民所得ノ八六・六％ニ達ス

一、単純再生産ヲ前提トスル場合（単位億留）

	一九四〇年	一九四一年	一九四二年
(1)国民的消費ヲ切下ゲザル場合	一、二八〇・九六	八一七・〇九＋国防費	九二八・〇八＋国防費
戦費＝国防費＋蓄積＋予備			
(2)切下ゲル場合	二、三五一・〇〇	二、五七六・五九	二、九〇二・二五
戦費＝国防費＋蓄積＋予備＋国民的消費ノ切下ゲニ依ル部分			

二、拡張再生産ヲ前提トスル場合

	一九四〇年	一九四一年	一九四二年
(1)仝　右	七三四・七	一六九・七〇＋国防費	二一一・〇八＋国防費
戦費＝国防費＋予備			
(2)〃	一、六七三・五	一、九一九・二〇	二、一八五・二五
戦費＝国防費＋予備＋国民的消費ノ切下ゲニ依ル部分			

(C)縮少再生産ヲ前提トスル場合

	一九四〇年	一九四一年	一九四二年
一、(2)	二、三一一・〇〇	二、六三六・五九	二、九六二・二五

戦費＝国防費＋蓄積＋予備＋国民的消費ノ切下ゲニ依ル部分＋消耗セル固定資本ノ補填部分（六十億留）

当該年度価格ニヨル国民所得対最大戦費捻出可能額（単位億留）

年次	国民所得(A)	戦費捻出可能額(B)	(A)対(B)
一九四〇	二六八八・五〇	二三五一・〇〇	八三・七％
一九四一	三〇一九・四九	二五七六・五九	八五・三％
一九四二	三三五〇・四七	二九〇二・二五	八六・六％

以上ニヨリソ聯ノ戦費捻出力ハ極メテ強大ニシテ強点タルコト勿論ナルモカヽル戦費捻出ガ果シテヨク国民ノ耐エ得ルトコロナリヤ否ヤ

弱点一、則チ生活切下ゲニヨル生活窮乏ニヨル社会不安延ヒテ政治的動揺ノ怖ナシトセズ　内情ヲ考慮ニ入ルヽ時一ノ弱点ヲ形成ス

（三）消費規正

（a）消費構成

国民所得ノ分配ニ於ケル蓄積、消費及予備ノ比重ハ一九三八年乃至一九四二年ニ就テ見ルニ次ノ表ノ如シ（%）

年次	国民所得	蓄積	消費	予備
一九三八	一〇〇・〇	二一・五六	七四・八六	三・五八
一九三九	一〇〇・〇	二一・五二	七四・一二	四・三六
一九四〇	一〇〇・〇	二一・四八	七三・五八	四・九四
一九四一	一〇〇・〇	二一・四四	七二・九四	五・六二
一九四二	一〇〇・〇	二一・四〇	七二・三〇	六・三〇

ニシテ絶対額ヲ示セバ次ノ如シ（単位億留）

年次	国民所得	蓄積	消費	予備
一九三二	五八六・七五	一五七・四八	四二八・九一	—
一九三七	一八五六・四八	四〇一・〇〇	一四〇一・六四	五三・八四
一九三八	二〇二六・五〇	四三六・九一	一五一七・〇四	七二・五五
一九三九	二三五七・四九	五〇七・三三	一七四九・七三	一〇〇・四二
一九四〇	二六八八・五〇	五七七・四九	一九七八・二〇	一三二・八一
一九四一	三〇一九・四九	六四七・三九	二二〇二・四〇	一六九・七〇
一九四二	三三五〇・四八	七一七・〇〇	二四二二・四〇	二一一・〇八

（b）最低生活費

最低生活費ハ前表ノ示セルガ如ク年々ノ国防費ノ増加ニ拘ラズ国民所得ノ増加ハ次第ニソノ程度ヲ高メ一九三二年ヲ最低トシ向上シアリ

年次	一人当年消費額（留）
一九三二年	二六〇
一九三八年	七七〇
一九三九年	八一〇
一九四〇年	八八〇

右ニヨリ判明スルガ如ク一九三二年程度ニ近生活費ヲ切下ゲ得ルモノトセバソノ余裕ハ相当ニ存シ一ノ強点タリ

（c）節約額

消費構成ノ表ノ如ク国民所得ハ逐年増加シソノ蓄積、予備モ増加シ生活費ノ切下ヲソノ最底近切リ下グルコトニヨリ生ジ得ベキ節約額ハ最高一、〇〇〇億留ノ巨額ニ達ス

陸軍省経済研究班

以上ノ財政力及消費規正ニ於テハ何モソ聯ハ強点ヲ
示シ弱点ト見ルベキモノハ之ガ現実ノ問題
トシテ之ガ実施セラルヽ場合国民ノ物質的
生活ノ低下ハ社会不安ノ醸成ヲ見シ得ルヤ
ノ点ニアリ。

弱点

蘇聯ノ国民生活

一九三三年頃カラ一九三九年ニ至ル迄ソ聯国民ノ物質的生活状態
ハ農業及軽工業ノ生産増加ニ伴ヒテ一般ニ相当程度ニ改善セラ
レテ来タ。ソノコトハ［illegible］即チ一九三八年ニ於ケルソ聯邦ノ
国民所得ハ一九一三年ノ五倍
一九三三年ノ二倍強ニ増加シタ
又ソ聯邦ニ於ケル農業及軽工業ノ国民一人当リ生産額ハ
（一九二六、二七年ノ固定価格デ）一九三六年ノ
二四留ヨリ一九三七年ニハ三五九留ニ
約七割方増加シタ。コノコトハ国政上ソ聯ノ主要ナ
強点ノ一ツデアル
理由 一、国民相互ノ間ノ平等的ナ［illegible］ノ財産ノ活動
但シソ聯国民ノ物質的生活状態ノ絶対的水準ハ未ダ
極メテ低ク国民所得ノ国民一人当リ生産ニ於テソ聯ハ
アメリカ合衆国ノ三分ノ一、ドイツノ二分ノ一以下デアル
殊ニ国防ノ強化ニ要スル消費ノ国民一人当リ生産高ニ於テ
ソ聯ガ先進列国ノ一九三七年ノ水準ニ到達スルニハ猶
多額的ナ［illegible］ヲ要シ（一九三七年ヲ起算トシテ）
七年乃至十七年ヲ要スルデアラウ
カク如キ国民生活ノ絶対的ナ低サガ戦時ソ聯経済
並ビニ政治ノ重大弱点トナルコトハ云フ迄モナイ
又ソノ社会文化施設ノ発達ガ国民ノ物質生活ノ貧シサヲ
多少補ヒテ居ルコトハ見逃スコトガ出来ナイ

蘇聯領土　第二次大戦前　二千百二十七万一千九百平方粁
全世界陸地面積ノ一五、九％（六分ノ一）
第二次大戦以降　一九四〇年八月三十一日現在
バルト三国、ポーランド東部、ルーマニアノベッサラビヤ北部ブコヴィナノ割譲　二千二百十七万平方粁

2217,
2127,1900
89,8100
増加 方

陸軍

二、消費規正、

弱点

口民一人當口民所得極メテ低位ニシテ節約ノ余地ナシ

ソ聯ノ消費規正ハ次項ノ如ク

(一)口民所得一人當額ハ先進列口ニ比シ極メテ低位ナリ

(二)消費構成ニ於テ明瞭ナル如ク次第ニ口防費行政費ノ膨脹ニヨル圧迫

(三)消費財生産ノ物價高賃金兼ニヨルインフル抑制

等ニヨリソノ節約ハ

陸軍省経済研究班

	軍費総額	蓄積	予備	口防費	切下ノ部分
四〇	二三五一.〇〇	五七七.四九	(三二.八)	五七〇.六六	九七〇.〇四
四一	二五七六.五九	六四七.三九	(一六九.六〇)	六三八.〇三	(一三一.四七)
四二	二九〇二.二五	七一七.〇〇	三一一.〇八	七〇一.三〇	(二七三.八七)

消費

ソ聯[illegible]公債九五億発行を決定
其ノ[illegible]ハ償還[illegible]ヲ含ムト[illegible]ス
[illegible]

第三次五ヶ年計画公債発行（第四年度発行）に関するソ聯邦人民委員会議決定は六月二日スターリン及チャダーエフより[illegible]報（~~[illegible]~~）

経済、文化建設諸任務完遂のために人民の貯蓄を誘引し、国家的余力を強化し又ソヴェート聯邦国防力を今後とも強化する目的を以てソ聯邦人民委員会議は次の如く決定す

一、第三次五ヶ年計画公債（第四年度発行）総額九五億留を発行す

二、本国債償還期限は一九四一年十一月一日より一九六一年十一月一日に至る二十年とし、これが年利は四分とす

三、本国債証書及び割増金をも含む同証書よりの収入は国税並に地方税の課税を免がる

四、ソ聯邦財務人民委員より提出せられたる第三次五年計画公債発行（第四年度発行）条件を確認す

ソ聯邦人民委員会議長　スターリン

ソ〃〃会議事務総長　チャダーエフ

（一九四一年六月二日）

未定

(ロ) 最低生活費、

弱点

重要食料品口民一人当消費高

一、耕種農業生産物（単位瓩）

年度	全穀物	其ノ他食料穀物	馬鈴薯	植物油原料向[illegible]
一九〇九―一三年	三九二・二	二六〇・七	一四六・七	五・六
一九一三年	四九六・八	―	―	―
一九二七―二八年	四七五・〇	三〇〇・一	二五八・二	一三・九
一九三二年	四二二・四	二九六・一	二六〇・二	一三・七
一九三三年	五四四・七	三六八・五	一九九・三	一四・三
一九三七年	七〇七・一	四九七・七	四三八・一	一二・三
一九三八年	五四六・六	三七五・三	四〇〇・九	一一・一

二、畜産物（単位瓩）

年度	肉	牛乳
一九一六	二四・四	―
一九二八―一九	二五・二	一九二・八
一九二九―三〇	二八・二	―
一九三四	九・四	一二五・〇
一九三七	一四・三	一四八・三

三、食料品工業重要生産物

品目	一九一三	一九二八年	一九三三	一九三七
砂糖(百万瓩)	六・七	五・一	五・〇	一四・一
塩(〃)	一・五	—	—	二五・八
植物油(〃)	一・六	一・七	一・六	二・九
動物油(〃)	—	—	—	—
魚類(〃)	九・七	六・〇	八・二	九・六
茶(瓩)	—	—	一・七	一五・〇

口民ガ消費スル品数ノ生産物ヲ網羅シソノ間ノウエイトヲ附シソノ最低ヲ決スルコトハ甚ダシク困難ナルヲ以テ前掲消費ノ部ニ掲ゲタ品目及本表ヲ以テ最モ重要ナリト思料セラル、若干ヲ選出シソノ消費高ヲ総量デ把握シ以テ大体ノ傾向ヲ見出スニ止メル以外ナシ

陸軍省経済研究班

二、財政力

ソ聯邦ノ口家予算ハ単ニ口家ノ財政計画ナルノミナラズ又全般的ニ国民所得ノ再分配ノ手段トシテ社会主義建設ノタメノ資金ヲ集積シ之ヲ再分配スル基本的槓杆ナリ

ソ聯ノ口家予算ハ歳出入共ニ年々急激ナル増加ヲ示シ左表ニヨリ明カナル如ク其ノ歳出入ノ増大額ハ極メテ尨大ナルモ其ノ増加率ハ先行ノ諸年ニ比シ何等特異ナル躍進ノ跡ヲ示サズ殊ニ歳出ノ増加率ハ却ツテ次第ニ減少ヲ示シ諸年ノ中ニ於テ最モ低率ニシテ四〇億留ノ歳入超過ハ一九三三年以来ノ最大額ナリ而シテコノ歳出入ノ総額ニヨリテ判ズル限リ一九四〇年度ノソ聯邦財政ハ甚ダ穏健ニシテ極メテ健全ナル健全財政ト云フベキナリ

ソ聯邦統合予算（口家予算及地方予算）（単位十億留）

年度別	歳入	歳出	歳入超過	増加額	増加率
一九三三年	四四・二	三九・九	四・四	—	—
一九三四年	五五・〇	五二・五	二・五	一一・六	二二・六
一九三五年	七一・七	七〇・六	一・一	一八・一	三四・五
一九三六年	八六・五	八六・七	一・八	一六・一	二二・八
一九三七年	一〇四・二	一〇三・一	一・〇	一六・一	一八・九
一九三八年	一三二・六	一三一・一	一・五	二八・〇	二七・二
一九三九年	一五五・六	一五四・九	〇・七	二三・八	一八・二
一九四〇	一八三・九	一七九・九	四・〇	二五・〇	一六・一

（注）一九三六年迄ハ決算額、以降ハ予算額

陸軍省経済研究班

ソ聯邦ノ口家予算ハ周知ノ如ク聯邦予算、共和国予算、地方予算ノ三者ヲ総括セル統合予算ヨリ成リ、而シテ其ノ主要ナル財源ハ国民経済会計ヨリ[illegible]

[illegible]

歳出予算ニ於ケル主要費目ノ比率変化及増加率

年度別	歳出総額	国民経済費	社会文化費	国防費			
一九三三	三八・九	[illegible]	[illegible]	[illegible]	…	…	…
一九三四	五二・五	[illegible]	[illegible]	[illegible]	[illegible]	[illegible]	[illegible]
一九三五	七〇・六	[illegible]	[illegible]	[illegible]	五・七	六・七	[illegible]
一九三六	八六・七	[illegible]	[illegible]	[illegible]	一九・〇	[illegible]	[illegible]
一九三七	（一〇三・一）	[illegible]	[illegible]	[illegible]	[illegible]	三一・四	一八・二
一九三八	（一二一・一）	[illegible]	[illegible]	[illegible]	一八・一	三三・七	五四・七
一九三九	一五五・四	[illegible]	[illegible]	[illegible]	一四・四	九・二	五・一
一九四〇	（一七九・七）	[illegible]	[illegible]	[illegible]	二・二	二五・六	

右表ノ如ク果シテ二ノ最大ナル国防費ガ他ノ如何ナル費目ノ犠牲ニ於テ膨脹シ且其ノ犠牲費目ガ其ノ[illegible]ナリヤ否ヤヲ見ルニ其ノ[illegible]ニ該当セズ又ハ該当セシトスルモ国民経済費社会文化費ナルコトハ右表ニヨリ明白ナリ

国民経済費ト社会文化費トハ国民所得ノ再分配形式トシテノソ聯国家予算ノ特性ヲ集約スル主要費目ナルモ両者ハ一九三九年ヨリ一九四〇年ニ於テ著シク其ノ比率ヲ減少セリ

p.43　別紙一、

国民経済費ノ比率ノ増加率ノ減少ハ勿論国防費ノ増大ヲ唯一ノ原因トスルモノニアラズ、殊ニ国民経済ノ一般的発展ニ応ジ適当ニ減少セル[illegible]モ、重要ナル国防費ノ増大ハ相対的ニ国民経済費乃至社会文化費ノ増進ヲ抑止シタルコトハ否認シ得ザル一因ナルコト明白ナリ

国民経済費ノ減少ハ一般ニ其ノ拡大再生産ノ規模ト速度トニ影響ヲ与フル[illegible]

而シテ別紙ヲ参照[illegible]

財政ハ経済機関乃至企業自体ニ対スル負担ニ於テ大ナルヲ見ル。果シテ其ノ負担ガ企業自ラノ必要ニ応ジテ蓄積ト貯蔵トニヨリ資金ヲ徴収シ得ル[illegible]能力ノ範囲ニ於テ之ヲ実施シ得[illegible]原料ノ節約、労力ノ生産性ノ向上其他ニ依ル生産費ノ逓減ノ可能性ヲ前提トシテ強化セシメ又ハ其ノ能力ヲ強化セシメ生ジ国民大衆ノ消費ノ負担ヲ意味スル

~~九表ニ[illegible]~~

陸軍省経済研究班

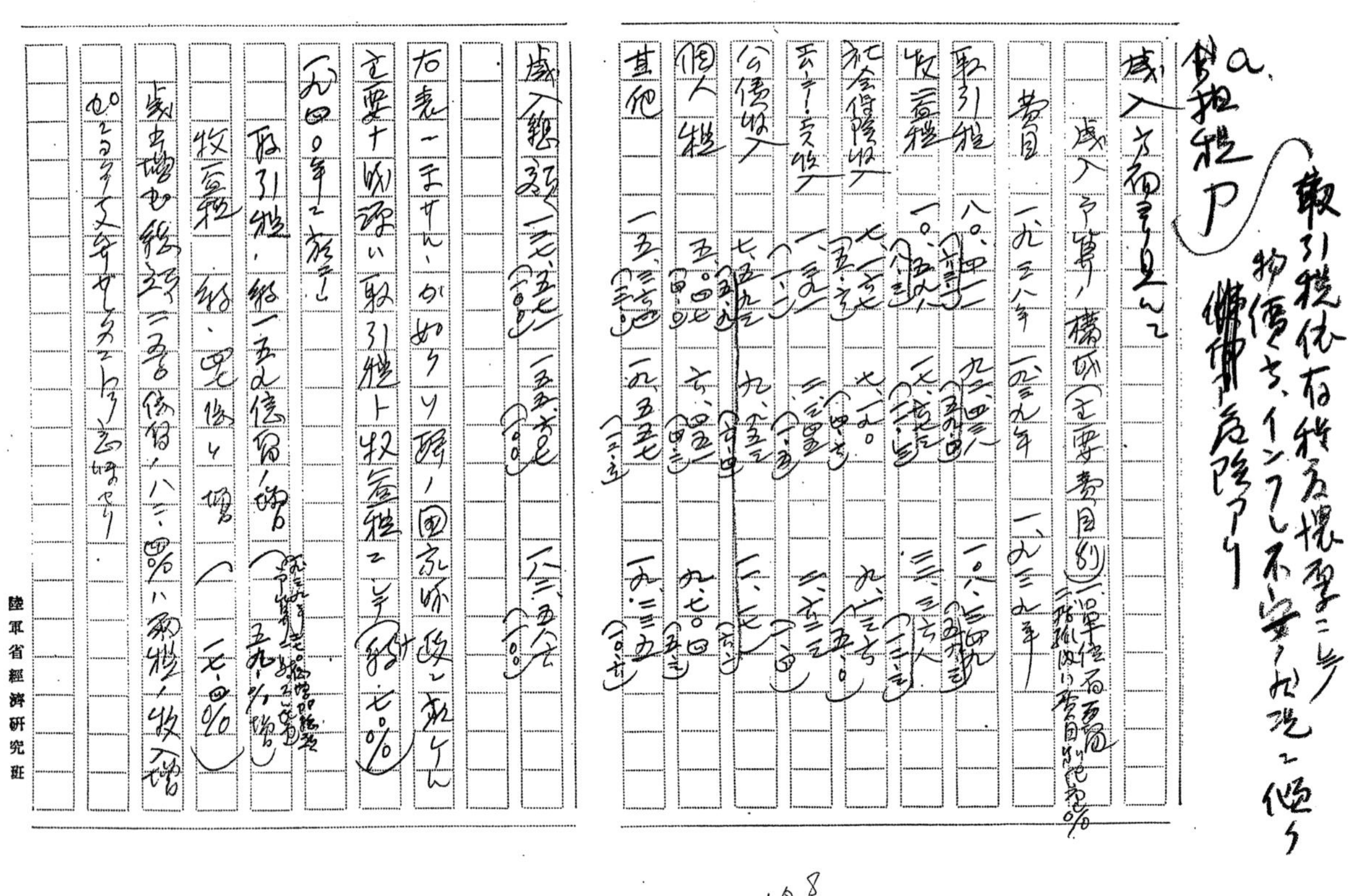

a. 賦租税

歳入予算ヨリ見ルニ

歳入予算ノ構成（主要費目別）

費目	一九三八年	一九三九年	一九四〇年
取引税	八〇、[illegible]	九六、[illegible]	一〇八、[illegible]
收益税	一〇、[illegible]	一七、[illegible]	二一、[illegible]
社会保険収入	七、[illegible]	七、五〇	九、[illegible]
其他	一五、[illegible]	一九、五[illegible]	一九、[illegible]
公債収入	[illegible]	[illegible]	[illegible]
個人税	[illegible]	[illegible]	[illegible]
歳入総額	一二七、[illegible]	一五五、[illegible]	一八〇、[illegible]

右表ニテ知ルガ如ク、ソ聯ノ国家収入ニ於ケル主要ナル財源ハ取引税ト收益税ニシテ約七〇%

一九四〇年ニ於テハ取引税ハ約一五億留ノ増、收益税ハ約二〇億留ノ増（一七・四%）

取引税依存ノ財源構成ハ物価ニインフレ不安ヲ孕ミ危険アリ

従ツテ公債ノ如キハ約六%乃至七%ニ過ギズ

ニ足ラズ問題トスルニ足ラズ　前記取引税及收益

税ニ関シ注目セザルベカラズ

果ニ於テ如上ノ両税ハ総額ニ於テ金額ニ従ヒヤヤ下ルモ

一取引税ノ比重ノ減少ニ対シ收益税ノ比重増加ハ

如何ナル表ニヨリ著シク得ルモ之ハ当方ニ企業利

潤ノ発展ヲ基礎トスル收益税ニ向ヒツツアル

蓄積準備ノ移行ヲ確認スルニヨリ

併注目スベキハ一九三九年度ニ於テモ前年度

予算ニ対シ八六・三%ノ予算実績ニ対シテハ一〇七%

トシ收益税ノ増加ハ予定ニ於テ実績ハ三倍

的ノ未徴税額ヲ残シ増加率四五・三%ニ終リ

却テ取引税ノ増收ニ依リ補ハレツツアリ

取引税及收益税ノ計画ト実績（単位十億留）

	一九三八年 計画	一九三八年 実績	一九三九年 計画	一九三九年 実績	一九四〇年 計画
取引税	八三・三（七三・四%）	八〇・四（六二・[illegible]）	九二・七（五九・[illegible]）	九六・六	一〇八・三（五八・[illegible]）
收益税	九・五（八・二%）	一〇・一（八・[illegible]）	二七・七（一三・二%）	一五・四（九・[illegible]）	三二・四（二一・二%）

註　括弧内ノ%ハ歳入総額ニ対スル比率

陸軍省経済研究班

・取引税ノ歩合（計画額）ノ対前年増加率

	一九三八年	一九三九年	一九四〇年
対前年計画額	八．五％	一一．二％	一五．七％
〃　実現額	（不明）	一五．三％	一二．九％

商品生産ノ
商品取引ノ
増大ハ取引税ノ増大ヲ伴フコト勿論自明ナルモ
取引税ト生産ヲ並ニ取引ノ増加率自体ハ
必ズシモ一致セズ[illegible]生産[illegible]ニ[illegible]比シ[illegible]
從テ一九三九年ノ工業生産ノ実績ハ数字[illegible]明
工業ノ発展ヲ示シ同年度ノ対前年増加率

一四・七％ハ専ラ軍需品ノ生産増加ニ依ル[illegible]
ノ増加率ハ平均約一〇％～一五％ナリ
（而シテ又一九三九年ノ取引税増加ハ何等カノ税
率ノ引上ゲ又ハ税制改革ノ方策ヲ採リシニ依リ
実ニ然リ）
一九四〇年モ一九三九年度ト同様ノ生産力ノ
趨勢トセバ[illegible]取引税収入ノ[illegible]基礎ハ
経済ニ[illegible]一般国民生活ノ
物価高ヲ招キ[illegible]不安ノ状態ニ陥ル危険
アリ（ソノ弱点未ダ[illegible]）

陸軍省経済研究班

5

P.95

b 公債消化力

一、弱点、一、強制的割当[illegible]不増（一種ノ税ノ形態）〔ト担定購買力ノ吸収〕
ソ聯ノ公債ハ全額ニ就テ其ノ比率ヲ[illegible]
ニシテ毎年六月至七月ニ発行シ[illegible]
取引税及公租ニ依存シ居ルモ[illegible]
基ヅキ一般公募ト称スルモ実質的ニハ強制的割当
ノ性質ヲ多分ニ有シ行政的手段ニ依ルモノ多ク
叫ビ[illegible]団体応募ノ形態ヲ残シ公
債ノ払込ハ八十ヶ月ノ分割払ニシテ各人ノ受クル
収入ノ中ヨリ天引セシ[illegible]ノ担保貸付外
云所謂市場価値ニ乏シキ状況ニシテ応募者ヨリ
見レバ所得税ノ一種[illegible]
ソ聯政府当局ハ之ヲ公募スルニ際シテ[illegible]
見ズシテ[illegible]利用
シ現在ソノ数額五十募集責任者ニ五〇％ノアリ
カヽル傾向ハ甚ノ都度[illegible]
リ或ハ[illegible]一般的
一般物価ノ[illegible]公債[illegible]
高[illegible]

P.65.

又其ノ戦後債券ノ特異性ヲ見ルニ中戦費調達時
期ニ於テハ弾力性乏シキ利率アリ以テ国民資金ノ動
員ハ大衆的消費力ノ制限、有効需要ノ吸収ニアリタ
ル国債ナル消極的戦費調達手段タルニ過ギザリ
積極的戦費ノ調達ハ依然トシテ社会化経済収
入ノ中ニ求メラルルコト ~~困難~~ 多タリ

歳入総額中ニ於ケル公債収入ノ地位（単位百万留）

年度	歳入総額	公債収入	歳入総額ニ対スル比率%
一九三三	四〇、一五三	三、三三四	八、〇
一九三四	五〇、八一五	三、四四二	六、九
一九三五	六七、四〇八	三、七七七	五、六
一九三六	七八、七七五	三、九八〇	五、〇
一九三七	九八、〇六九	五、九七五	六、一
一九三八	一二七、五七一	七、五九三	六、六
一九三九	一五五、六〇七	九、九五二	六、四

新経済政策ノ初期ニハ赤字財政ノ補填ヲ行ヒタ
ルモ年々多額ノ公債（主トシテ強制公債）ガ発行サレタ
ルハ五ヶ年計画以後ノソ聯公債ハ一般ニ生産用
途ノ経済運用上ノ資金ヲ得ル目的ヲ有シ一般
諸国ニ於ケルガ如キ軍備戦争等ノ不生産的経費ニ
向ケラレ而シテ赤字補填ヲ主眼トスルモノニ
アラザル趣ヲ異ニセリ而シテ五ヶ年計画中ニ於ケル公債収入
ハ五〇億留ニ達セル計（一九三九五、三三）ニシテアルモ右ハ特別資金ハ

次表ニ見ル如ク固定資本トシテ国民経済方面ニ投下サ
レタルモノナリ

固定資本投下総額中ニ於ケル公債収入ノ占ムル比率（単位十億留）

	第一次五年計画	第二次五年計画
国民経済投資総額	五二、〇	一三七、五
公債収入額	五、九	一九、〇
公債収入ノ投資総額ニ対スル比率	一一、五%	一三、八%

附言 総ジテ近来ノ傾向トシテ
（一九三三—一九三八）10ノ状況ヲ見ルニ公債ノ整理借換ニ
依リ長期低利ノ政策ヘノ移行ノ成功ヲ見タ
ル一般ニ ~~即~~ 即チ十年以内ノ短期ナリシモノヲ二〇年
トシ金利一割ヲ八分乃至四分ニ引下ゲ総額十数
億ノ大額ニ上ル整理ノ簡易化ヲ行ヒ ~~成功~~ 整理ヲ
~~[illegible]~~

a 消費構成

弱点

一、国防費行政費ノ膨脹ニヨル国民消費部分ノ圧迫（消費額ノ減少）

二、（消費財生産ノ増加テンポニ比シ生産財生産著シ[illegible]）

衣料ノ不足

ソ聯ニ於ケル消費構成ノ状況ヲ見ルニ

年度	国民所得額（単位十億留）	消費	蓄積	対前年度%	対一九一三年%
一九一三年	二一・〇			—	一〇〇・〇
一九二一	八・〇			—	三八・一
一九二四－二五	一六・八			—	八〇・〇
一九二六	二一・七			—	一〇三・三
一九二七	二三・〇			一〇六・〇	一〇九・五
一九二八	二五・〇	一九・四	八〇・六	一〇八・七	一一九・〇
一九二九	二八・九			一一五・六	一三七・六
一九三〇	三五・〇			一二一・一	一六六・七
一九三一	四〇・九	二八・一	七一・九	一一六・九	一九四・八
一九三二	四五・五	二六・九	七三・一	一一一・二	二一六・七
一九三三	四八・五			一〇六・六	二三一・〇
一九三四	五五・八			一一五・一	二六五・七
一九三五	六六・五			一一九・二	三一六・七
一九三六年	八六・〇			一三一・三	四〇九・五
一九三七年	九六・三	二六・一	七三・九	一一二・〇	四五八・六
一九三八（豫定）	一〇五・〇			一〇九・〇	五〇〇・〇
一九四二（計画）	一七三・六			—	八二六・六

陸軍省経済研究班

之ハ何ヲ意味スルヤ？

第一ニ、ネップ末期迄ハ消費ガ国民所得ノ巨大ナ部分ヲ占メ居リシコト生産拡張ハ余リ定[illegible]加速ガレザリシコトヲ意味ス

第二、第一次五ケ年計画ニハ生産拡張ニ主要力ガ集中セラレ国民ノ消費ハ約一〇%比率ヲ低下ス

第三、一九三二年頃ヨリ消費部分ノ増加ニ転換シ始ム

第四ソレニモ拘ラズ第二次五年計画ノ終リニハ再ビ蓄積ノ増大消費ノ縮少現ハル

以上ヨリ察知セラレ得ル如ク第一次計画ニ於テ生産拡張ヲ主トシ国民生活ヲ犠牲ニ供セルソ聯ハ第二次五年計画ニ於テ国民生活ノ回復ト向上ニ重点ヲ転換セントセルモ国際情勢ノ緊迫

陸軍省経済研究班

p.43

ニ伴フ生産拡張ノ必要ニ迫ラレ結果トシテハ依然国民所得ノ蓄積部分ノ比率ノ増大ヲ来セルナリ　更ニ将来ハ蓄積部分ノ比率ノ増加ニ従ツテ生産拡張ヲマスマス強行スベク予定セリナリ

第三次五年計画ニ於ル蓄積ト消費ノ割合（一九三七年度 [illegible]%）

年度	蓄積	消費	全国民所得
一九三七	二四五	七五五	一〇〇
一九四二	二七七	七二三	一〇〇

前掲ノ表ト本表ノ一九三七年度ノ割合ノ相違スル理由ハ一九三二年ヨリ三七年迄ニ消費財ノ物価ガヨリ多ク騰貴セルコトニアリト考ヘラル

消費部分ト云フモ凡テガ国民ノ個人的消費ナルニ非ズ之ノ中ニハ

第一ニ国防費、行政費ヲ含ム

第二　文化社会施設ノ如キ共同消費ノ部分

第三　ガ国民ノ個人的消費ナリ

問題ハ第一ノ部分ガ国民ノ純消費部分内ニ幾何喰ヒ込ムカニ存ス第一ノ部分ガ多ケレバ多イ程物質的生活状態ハ窮迫ス

陸軍省経済研究班

②　参考

年度	国民所得	蓄積	純消費	国防費	予備
一九三二	五八六六・七五	一五七四八（二六%）	四二五五五（七〇%）	一二九八（四%）	―
一九三七	一八五六四八	四四〇〇〇（二四%）	一三三六八二（六六%）	一七四八一（[illegible]%）	一五三四〇（[illegible]%）
一九三八	一〇六六五〇	四三六九（二一%）	一三六五五二（[illegible]%）	一三三五一（[illegible]%）	七三三五（[illegible]%）
一九三九	一三三五七・四九	五〇七三三（二一%）	一三四〇八八（[illegible]%）	四八八・八五（[illegible]%）	一〇〇四三（[illegible]%）
一九四〇	二六八八〇五	五七〇九（二三%）	一四四七五四（[illegible]%）	五七〇六六（二一%）	一三三六八（[illegible]%）
一九四一	三〇六四九	六四七三（二一%）	二七[illegible]（[illegible]%）	―	一九七〇（[illegible]%）
一九四二	三三五〇八	七一七〇〇（三三%）	二四三二一〇（七二%）	―	二一〇（[illegible]%）

国防、行政費ハ要スルニ国家予算中ヨリソレニヨツテ示サルヽモソ聯ハ各当該年度価格ニヨル

国民所得額ヲ公表[illegible]ヲ以テ国防、行政費ガ国民所得ノ何パーセントヲ占メ居ルヤ明カナラズ然シ若シソ聯ノ国家予算ハ国民所得ノ大部分ヲ再分配スルモノナルヲ以テ予算面ヨリ国防行政費ノ動態ノミヲ以テシテモ国民所得ト相関関係ノ大体ノ傾向ヲ知ルハ可能ナリ

ソ聯国家予算中ノ国防、行政費（四年往百万留　当該年度価格）　総支出ニ対スル%

年度	国防、行政費	総支出ニ対スル%
一九二八―二九年	一五八〇一	九八
一九三三年	三四五六〇	八七
一九三八年（予定）	三二七七三〇	二六四

一九二八―二九年ニ対スル一九三八年%　二、〇六三七

一九三三年ニ対スル一九三八年%　九四八・三

陸軍省経済研究班

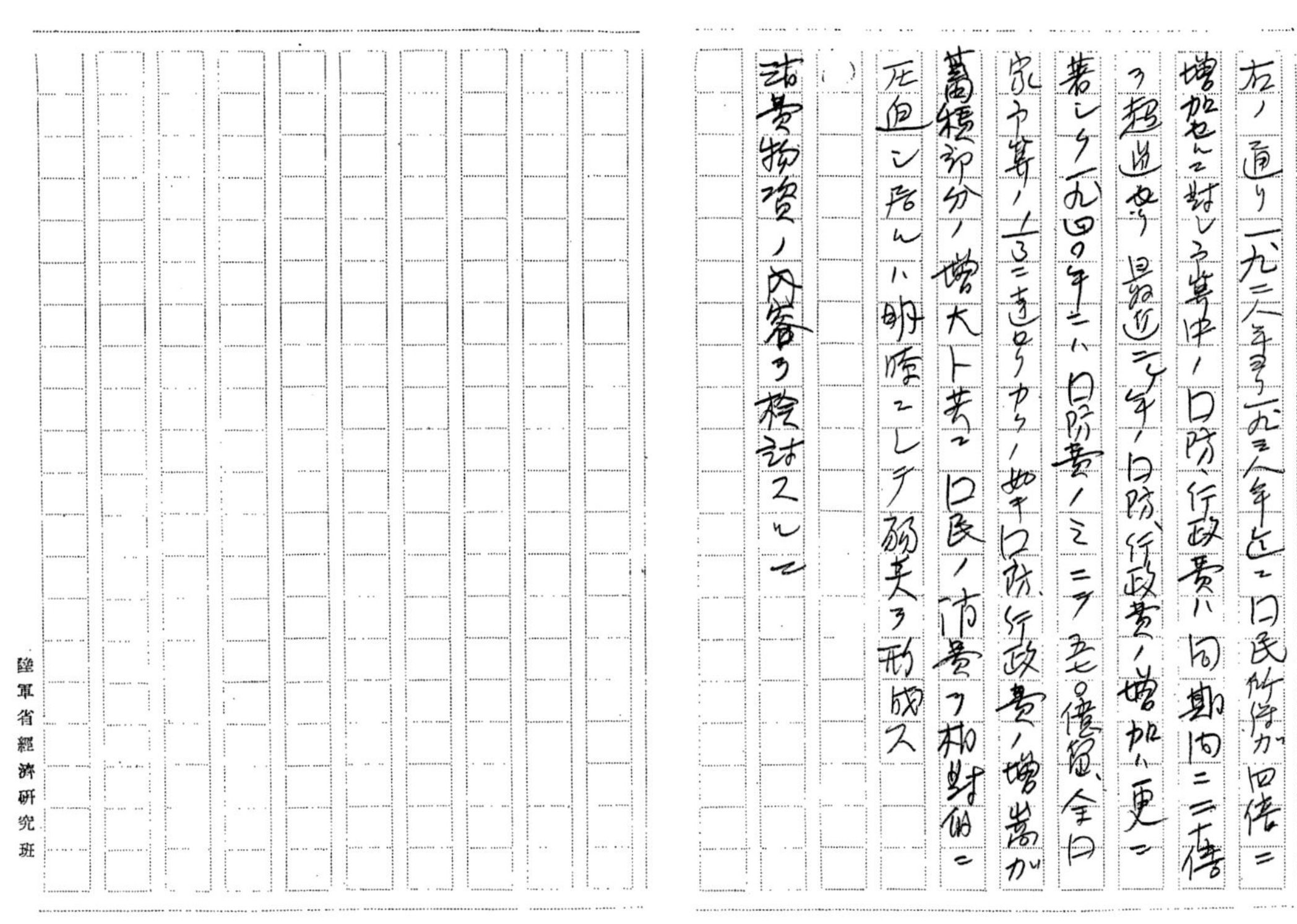
右ノ通リ一九二八年ヨリ一九三八年迄ニ国民所得ガ四倍ニ増加セルニ対シテ其中ノ国防、行政費ハ同期間ニ二十倍ヲ超過セリ　最近二ケ年ノ国防、行政費ノ増加ハ更ニ著シク一九四〇年ニハ国防費ノミニテ五七〇億留、全国家予算ノ1/3ニ達セリカクノ如キ国防、行政費ノ増嵩ガ蓄積部分ノ増大ト共ニ国民ノ消費ヲ相対的ニ圧迫シ居ルハ明瞭ニシテ窮乏ヲ形成ス

（）

諸費物資ノ内容ヲ検討スルニ

陸軍省経済研究班

衣

列強各国ニ比シソノ生産、消費ノ絶対的低位、

重要衣料品国民一人当生産高

品目	一九二八年	一九三三年	一九三七年	一九三八年
綿織物（米）	二〇・一	一六・三	二〇・五	二〇・五
毛織物（米）	〇・六二	〇・五四	〇・六〇	〇・七七
亜麻織物（米）	一・二三	〇・八〇	一・五九	一・五九
絹織物（千人当米）	〇・六二	一・三九	二・四四	三・四六
靴（足）	〇・一九	〇・五二	一・三四	一・二五

華紡ニ於テハドイツ[illegible] 2.6

アメリカ

綿織物ニ於テハソ聯ハドイツヲ除ク米[illegible]シ毛織物ニ於テハ[illegible]アメリカノ[illegible]

織物ニ於テハソ聯ハ特ニ英独ニ優越シアラズ一九三八年ドイツニ[illegible]

衣料品ハ絹織物及ビ靴ヲ除キテ重要衣料品ハ凡テ一九三三年前後ニ生産ヲ低下シ其ノ後回復シ来リ居ルモ未ダ一九二八年ノ水準ヲ僅カニ上廻リ居ルニ過ギズ、全体トシテ衣料品ノ供給ハ食料品程ニハ改善サレ居ラズト云フヲ得ベシ

一九三二—三八年ニ於ケル英独及ビソ聯織物生産指数（一九三二＝一〇〇）

年度	イギリス	ドイツ	ソ聯 綿織物	ソ聯 毛織物
一九三二年	一〇〇	一〇〇	一〇〇	一〇〇
一九三三	一〇六	一一五	一〇二	九七
一九三四	一〇八	一一五	一〇二	八八
一九三五	一一四	一一五	九八	一二四
一九三六	一三一	一二四	一二一	一三一
一九三七	一三五	一二七	一二八	一二一
一九三八	|	一三六	一三〇	一三八

陸軍省経済研究班

p.45

（備考）

一、ソ聯国民所得中ニ於ケル蓄積ト消費ノ割合（％）

年次	蓄積	消費	全国民所得
一九二八年	一九・四	八〇・六	一〇〇
一九三一年	二八・一	七一・九	一〇〇
一九三二年	二六・九	七三・一	一〇〇
一九三七年	二七・一	七二・九	一〇〇

（註）各当該年次価格ニ依ル　但シ一九三七年ハ一九三二年次価格

価格ニ

表ニ於テ第一ニ従来消費ニ重点ガ向ケラレ来タ蓄積ニ重点ガ注ガレツツアリシコト

第二ニ諸費カ却ッテ生産拡張ニ集中セシメラレタルコト

二ノ傾向ハ次表ニ見テモ愈々明瞭ナリ

第三次五ヶ年計画ニ於ケル蓄積ト消費ノ割合（一九三七年度価格）

年次	蓄積	消費	全国民所得
一九三七年	二四・五	七五・五	一〇〇
一九四二年	二七・七	七二・三	一〇〇

右指標ト一九三七年ノ相違スル理由ハ一九三二年ヨリ三七年迄ニ消費財価格ガヨリ多ク騰貴セシ為デアルト考ヘラレル

而シテ右消費ノ中ハ次ニ掲ゲル構成セラレテ居ル

第一　一般行政費（国防費ヲ含ム）

第二　文化社会施設等経費（共同消費）

第三　個人的消費

△

問題ハ第三ノ個人消費ガアル。第一ノ部分ガ多ケレバ多イ程国民ノ将来的生活ハ犠牲ニサレル

国防行政費ハ要スルニ国家予算中ニ示サレルガ

ソ聯ニ於テハ各当該年度価格ニ依リ国民所得額ヲ発表スルモ国防行政費ガ国民所得ノ何パーセントニ当ルカハ不明ナリ。然シソ聯ノ国家予算ハ国民所得ノ大部分ヲ再分配スルモノナルコトヨリ推ヨリ得ル国防行政費ノ比較ヲナシテミルコトニ依ッテモ国民所得ト相関関係ノ傾向ノ大体ヲ知リ得ル

比ベレ

ソ聯国家予算中ノ国防行政費

年度	国防行政費（単位百万留）（予算ニ於ケル経費総額）	総予算ニ対スル%
一九二八─二九年	一五八八・一	一九・八
一九三三	三四五六・〇	八・七
一九三八（予定）	三三七七三・〇	二一・四
一九二八─一九三三年ニ対スル一九三八年%	二〇六三・七	
一九三三年ニ対スル一九三八年%	九四八・二	

右通リ一九二八年ヨリ一九三八年迄ニ国民所得ノ四倍ノ増加ニ対シ国防行政費ハ二〇倍ニ達シ一九四〇年ハ国防費ダケデ五六倍ニ全予算ノ1/3ニ達シ蓄積部分ヲ増大セシメ国民ノ消費ヲ相対的ニ圧迫シツツアリ

従ッテソノ国民生活ハ絶対的ニ悪化シツツアル

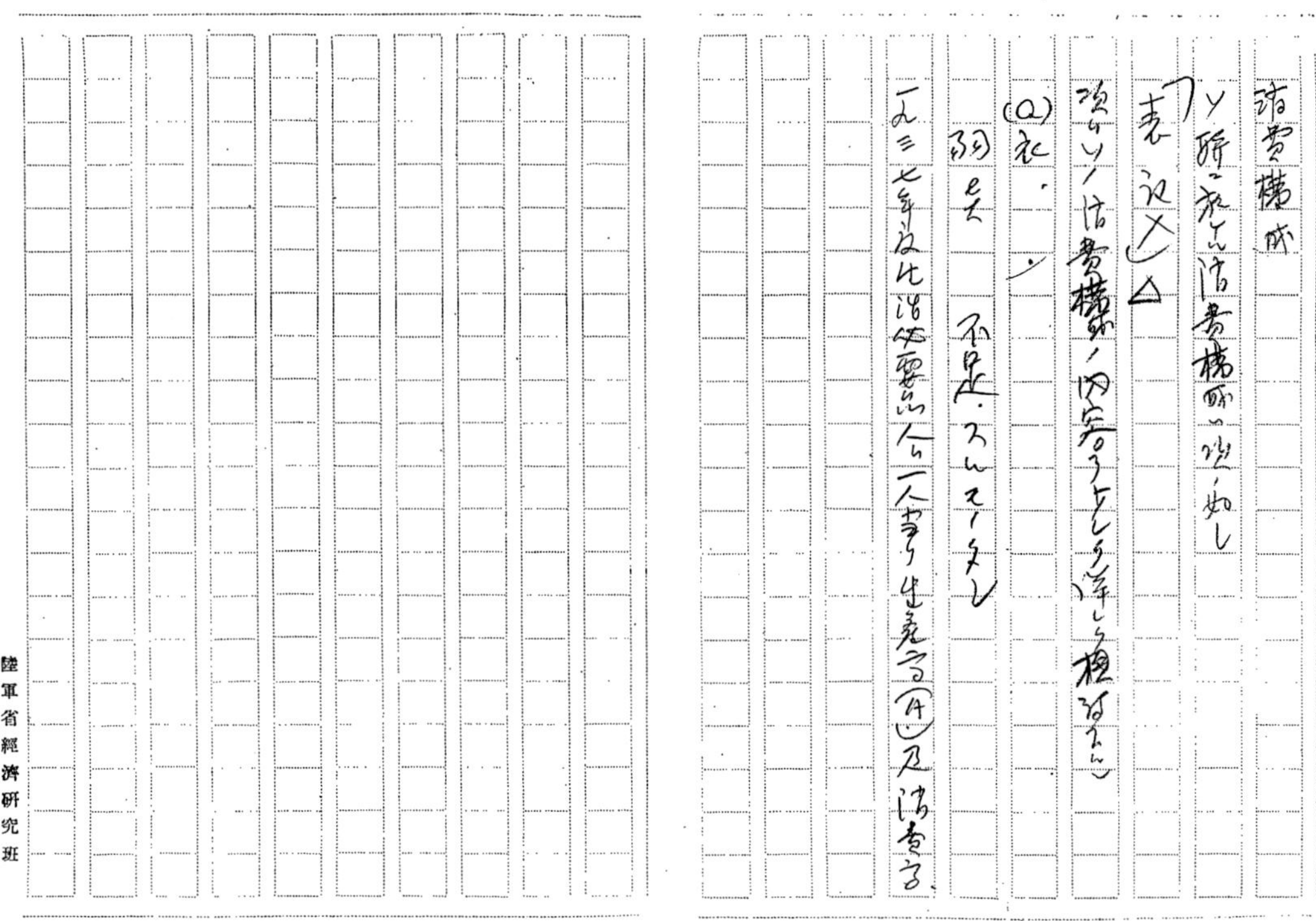

消費構成

ソ聯ニ於ケル消費構成ハ次ノ如シ

表 記入△

次ニソノ消費構成ノ内容ニ付キ若干ノ検討ヲ加ヘン

(a) 衣・

弱点 不足スルモノゝ如シ

一九三七年ニ於ケル生活必要品人口一人当リ生産高(A)及消費高

陸軍省経済研究班

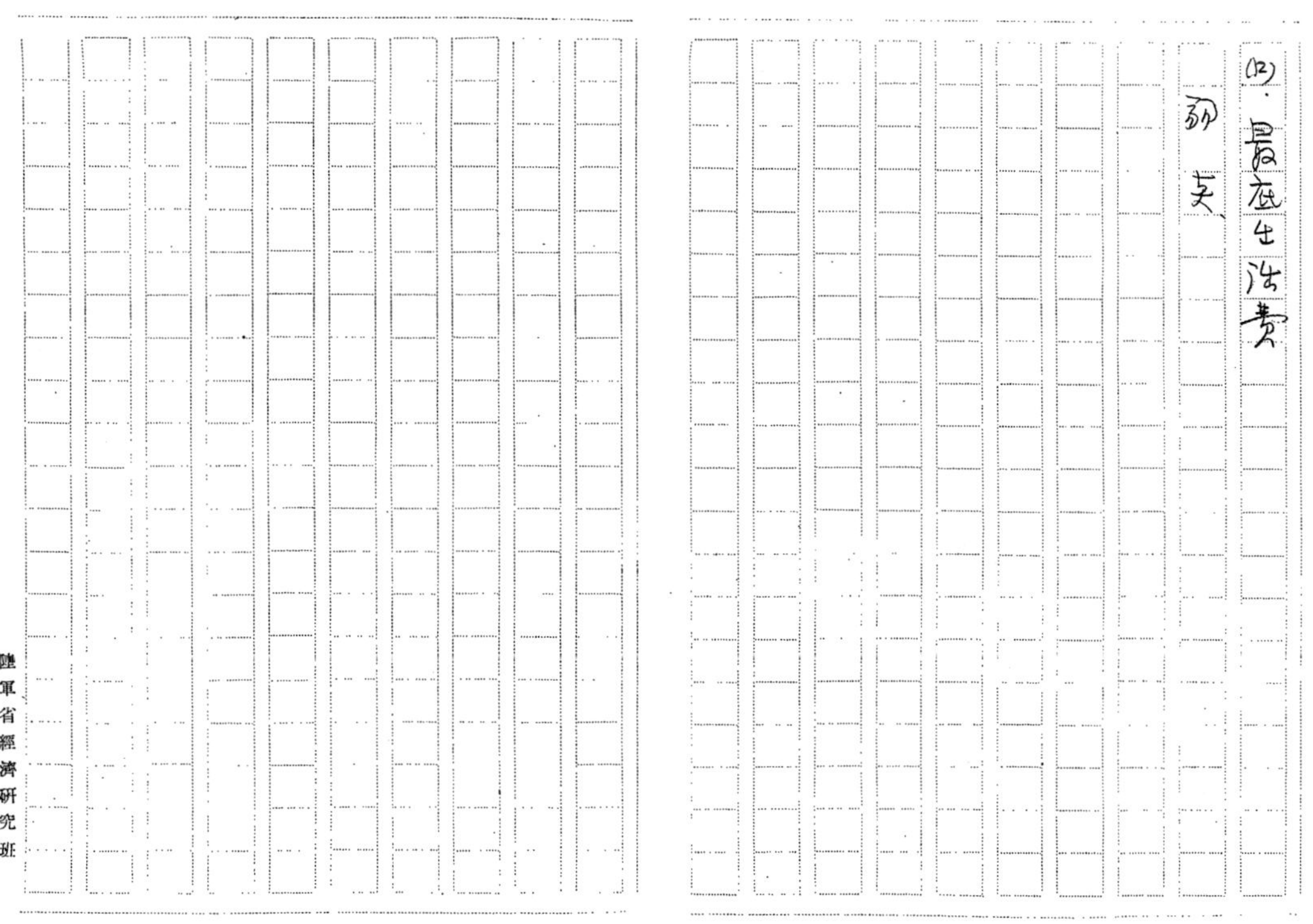

(ロ)・最低生活費

弱点、

陸軍省経済研究班

（イ）、口民所得

弱点

戦時引下ケ得ヘキ口民生活ノ弾力性、先進資本主義諸国ニ比シ著シク少ナシ

（一）ソ聯、アメリカ、ドイツノ口民所得ノ動向（一九二九年ニ対スル%）

口別	一九一三年	一九二九年	一九三三年	一九三七年
ソ聯（二六・三〇億留）	七三・七	一〇〇	一六七・八	三三三・二
アメリカ（二九年億弗）	一	一〇〇	六一・三	九一・三
ドイツ（三八年億馬）	九一・九	一〇〇	七三・〇	一〇五・一

（二）ソ聯、アメリカ、ドイツノ口民所得総額（単位十億留　一九三七年価格）

口別	年度	口民所得	ソ聯口民所得ニ対スル%
ソ聯邦	一九三七	九六・三	一〇〇・〇
アメリカ	一九二九	二〇六・八	二一四・七
ドイツ	一九三七	五一・五	五三・五

（三）ソ聯、アメリカ、ドイツニ於ケル人口一人当リ口民所得生産額（不変価格 [illegible]）

口別	年度	一人当口民所得	ソ聯ニ対スル%
ソ聯邦	一九三七	五六六	一〇〇・〇
アメリカ	一九二九	一、七〇二	三〇〇・七
ドイツ	一九三七	七六〇	

右ノ表ニ現レタルガ如ク口民所得ノ絶対額ニ於テアメリカニ劣リ口民一人当口民所得生産額ニ於テ米独ニ著シク劣レリ。

カクノ如クソ聯ノ口民所得ハアメリカノ二分ノ一以下人口一人当僅ノ三ナリ　又総額ヲ比較スレハドイツノ約二倍ナルモ人口一人当リハ半ニ満タズ、口民所得殊ニ人口一人当リノ口民所得ガ大体ニ於テ口民ノ物質的生活水準ヲ現スモノトセハソ聯ノ口民生活水準ハ如何ニ低キカ之ヲ以テモ明瞭ニシテコノ事ハソ聯邦ノ生産力ノ低サヲ反映スルモノニシテ戦時引下ケ得ヘキ口民生活ノ弾力性先進資本主義諸国ヨリ著シク少ナキヲ意味シ重要ナル弱点ヲ有スルナリ

強（実）

（二）口民所得増加ノ急速

口民所得ガ相互ニ対立スル社会階級ノ間ノ争奪ノ目標トナラズ分配サル、

以上ノ二事実ソ聯邦ノ特殊性ヨリ一ノ強点ト認メ得ベシ

綿業（23）

綿業の生産設備につきては其の保有紡錘数ハ英国の1/4、米国の1/3以下、我国の六割五分以下ナリ。

紡錘ノ増加ハ甚ダ緩慢ナリ、設備ノ近代化ハ指摘

ノ上ヨリ見ルニ工業ハ何レモ先進諸国ニ比シテ立後レ

テシ設備ノ生産力余力ハ枯渇状態ニ在ス

羊毛工業（48）

羊毛工業の設備ニ於ては近代化能力不足ニシテ

生産振興ノ一大障碍ヲ形成シツツアリ。羊毛工業生産力

ニ於テハソ聯邦ノ地位ハ著シク低位ニシテ世界第六位

ナリ

原料不足ハ羊毛工業ノ癌ナリ。（49）

毛織物ハ主要軍需品ノ一ナリ。コレガ生産ニ後レハ

以テソ聯戦時経済ノ一大弱点ヲ形成ス

製革工業（52）

製革工業ハ年々計画不遂行ナルガ之ガ最大ノ

要因ハ生産設備老朽ニシテ損耗率ノ高度ニ達

シ之レ機械ガ大部分ガ古ク且ツ旧式ナル故ナリ

ソ聯邦ハ原料ノ一大産地タルニ拘ラズ原料

陸軍省経済研究班

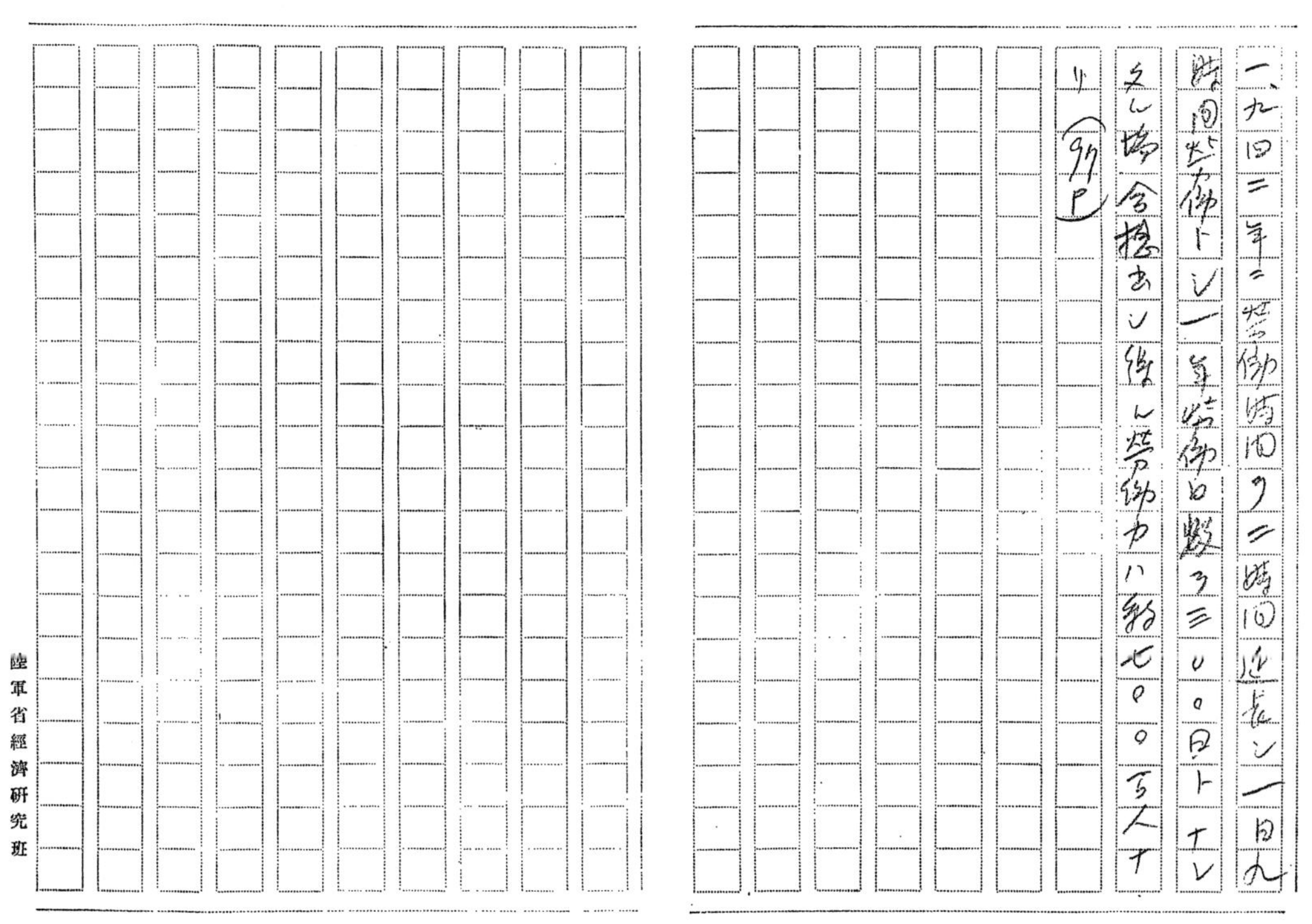

一、九四二年ニ労働時間ヲ二時間延長シ一日九時間労働トシ一年労働日数ヲ三〇〇日トナレル場合換算シ得ル労働力ハ約七〇〇万人ナリ（97P）

陸軍省経済研究班

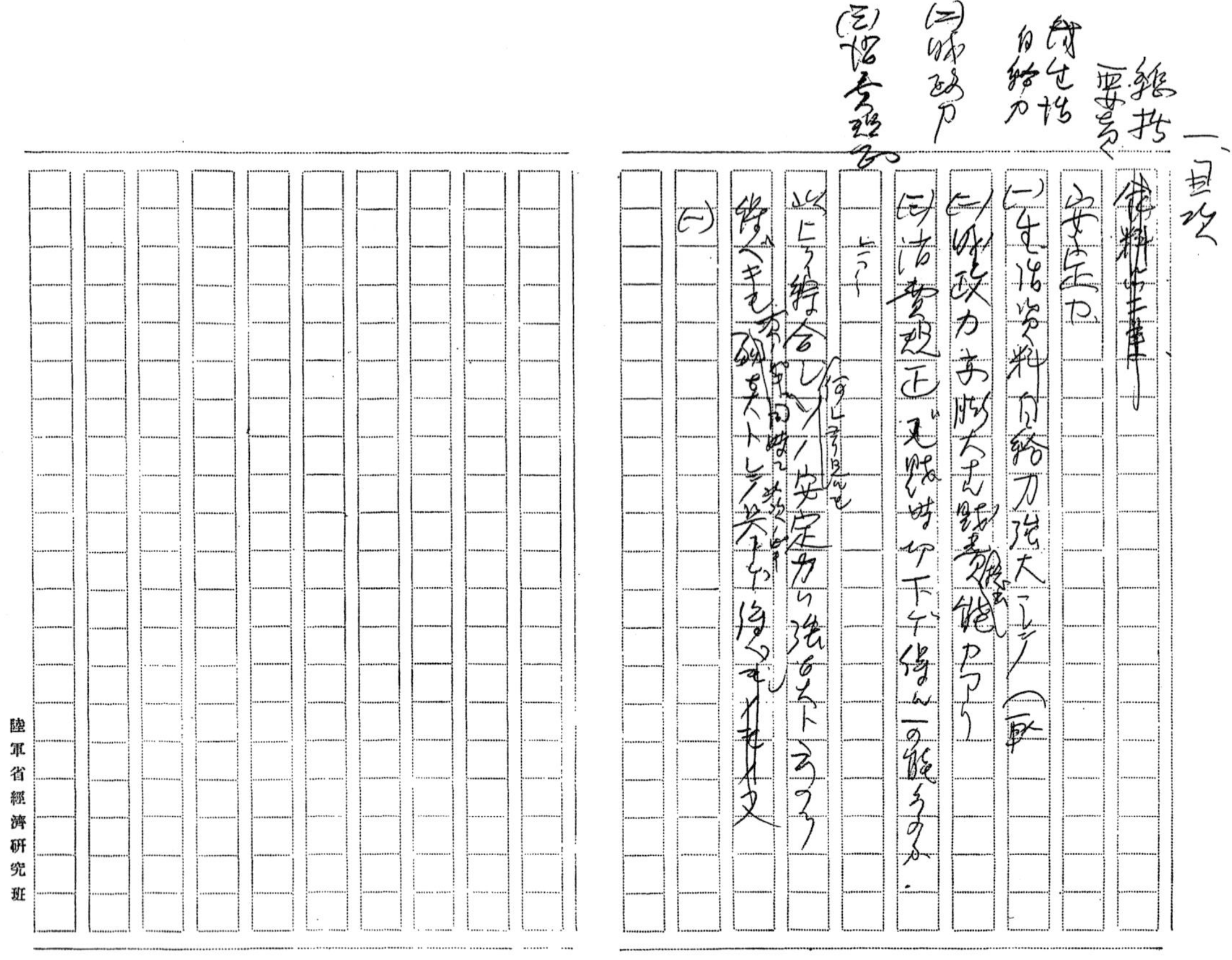

一、目次

総括要旨

~~食料品工業~~

安定力

(一)生活資料自給力強大ナルコト（自給力）

(二)財政力ノ膨大ナル點ト強化能力アリ（財政力）

(三)治安確保正ニ戦時ト雖モ下ケ得ル一ノ能力アル。（治安確保）

ト云フ

以上ヲ綜合シ（併シ…）ソノ安定力ハ強大ナリト云フヘシ

然シ乍ラ…

(一)

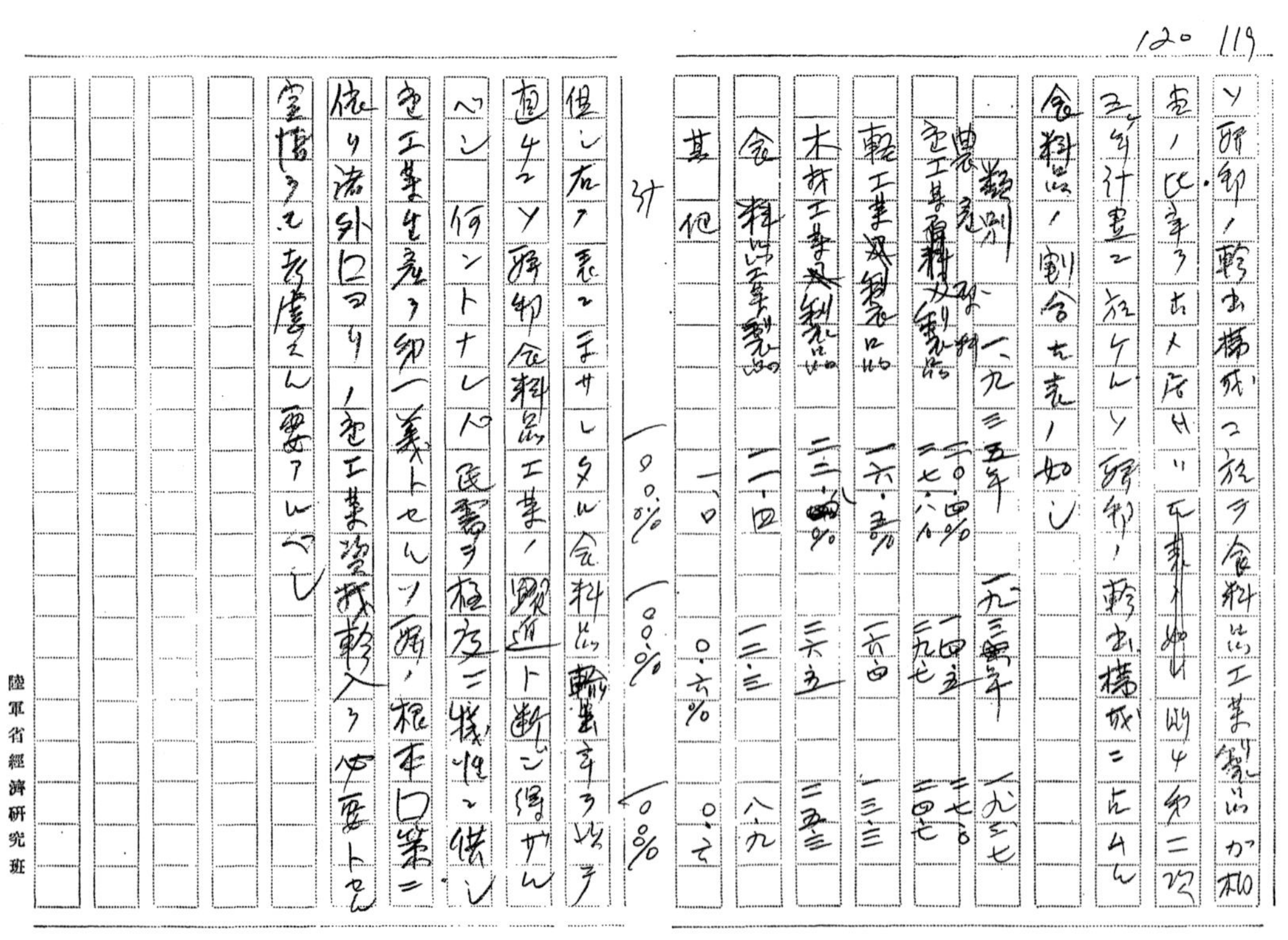

ソ聯邦ノ輸出構成ニ於テ食料品工業製品ガ相当ノ比率ヲ占メ居リ即チ第二次五ヶ年計画ニ於ケルソ聯邦ノ輸出構成ニ占ムル食料品ノ割合ハ左表ノ如シ

類別	一九三五年	一九三六年	一九三七
農産原料及製品	二〇・四%	一四・五	二七・〇
重工業原料及製品	二七・八%	二九・七	二四・七
軽工業原料及製品	一六・五%	一六・四	一三・三
木材工業原料及製品	二三・八%	三六・五	三五・三
食料品工業製品	一一・四	一三・三	八・九
其他	一・〇	〇・六%	〇・六
計	一〇〇・〇%	一〇〇・〇%	一〇〇%

但シ右ノ表ニ示サレタル食料品輸出率ヲ以テ直チニソ聯邦食料品工業ノ発達ト断ジ得ザルベシ 何ントナレバ民需ヲ極度ニ犠牲ニ供シ重工業生産ヲ第一義トセルソ聯ノ根本国策ニ依リ海外ヨリノ重工業資材輸入ヲ必要トセル実情ヲモ考慮スル要アルベシ

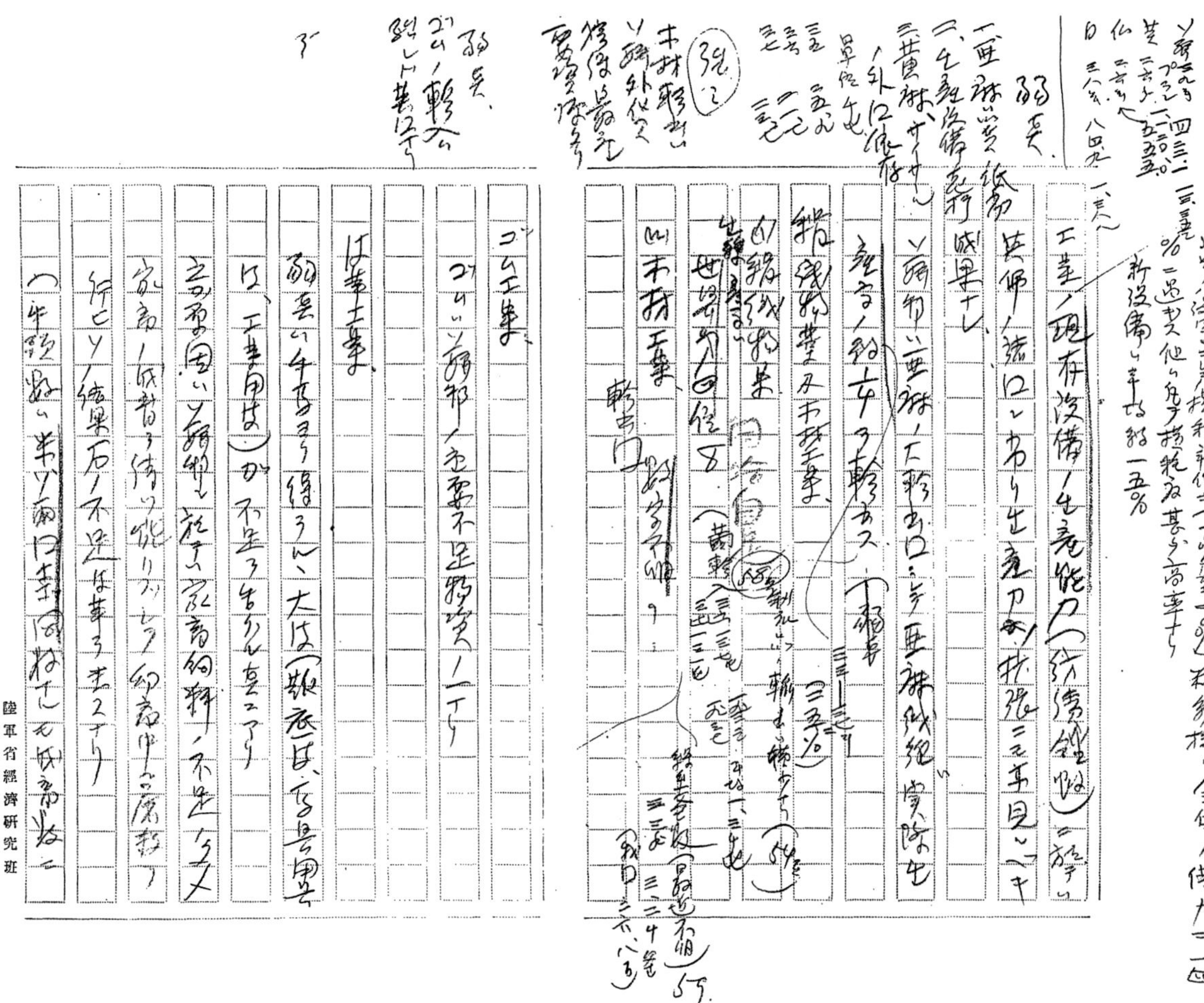

陸軍省経済研究班

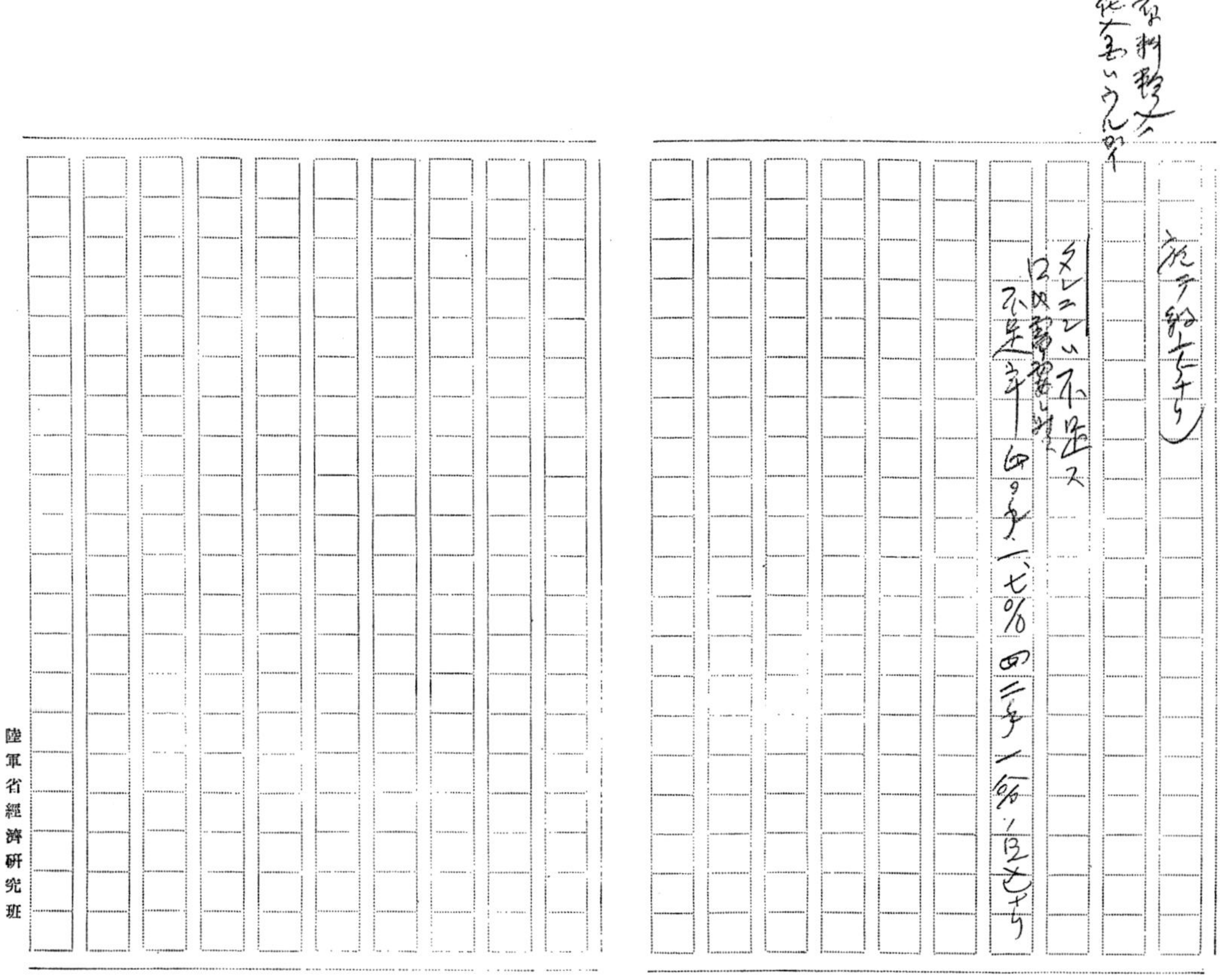

陸軍省経済研究班

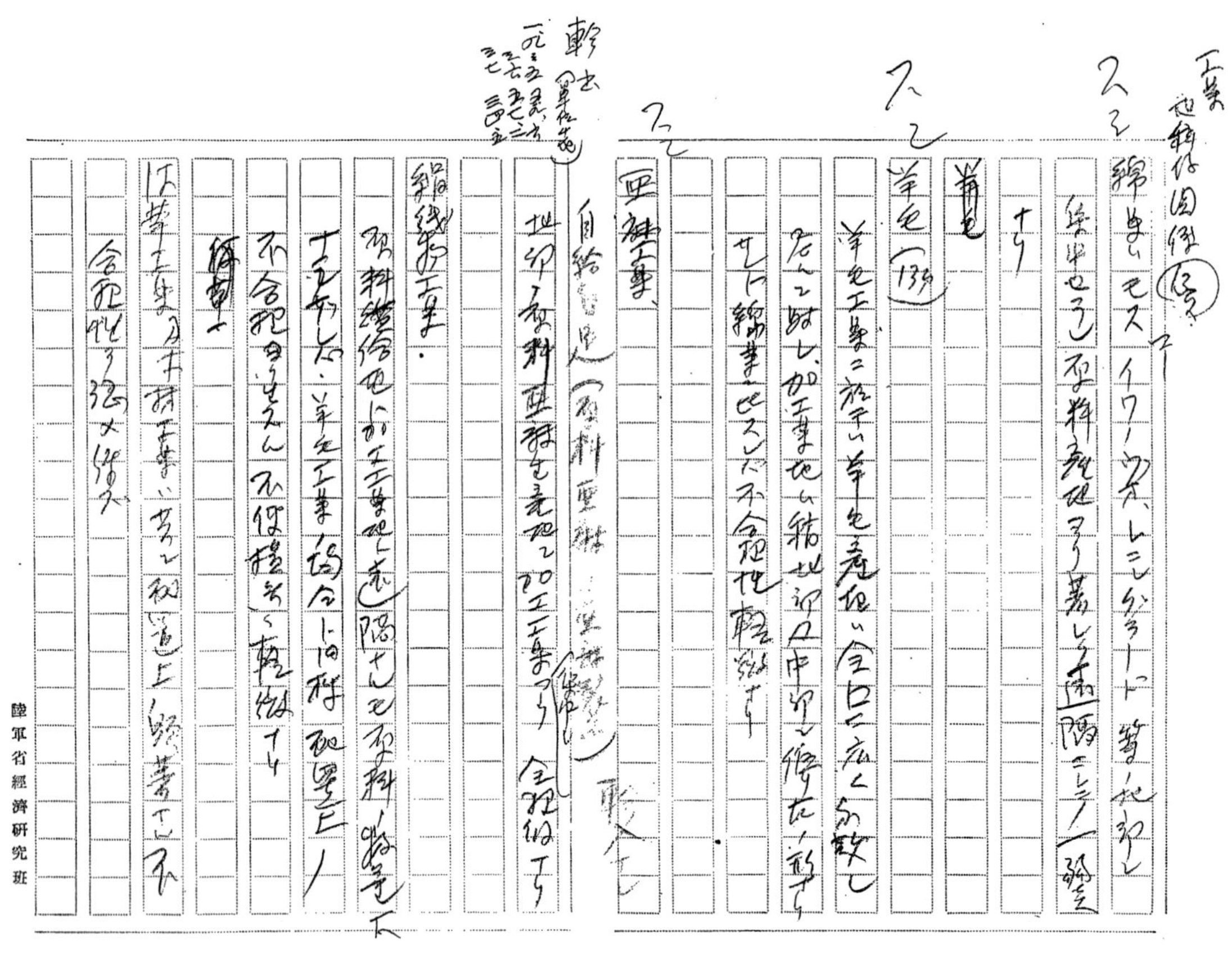

至緊要の基礎は実に二の農業の集団化形態に
在するものなり。集団化が完成の域に近づき
たる現在にありてはソ聯邦の農業計画は全く
新重性を帯ぶるに至りたるものと云ふべし

⑪ 収穫高ノ低位（15頁）

肥料

	作付反別千（ヘクタール）	施肥量（瓩） 一九二八年	一九三二年	一九三七年
ソ聯	一〇〇	二、六五	八、八	三三、八
米国	一、一	三四、四	二七、六	四一、二（三）
独乙	一、一	二〇二、七（三）	一二一、八	一九〇、一（三）

肥料は設備ノ不完全ニヨリ厩肥利用性行は小
すべて化学肥料とす
四二年及肥料者さは三七年及に対し
燐酸肥料　二三六％
窒素肥料　二四〇％
加里肥料　二一五％　の増産計画
現在は低位なり（殊に耕地は非黒土地帯の農業生産に依存する所益大を加ふるものなる故肥料の重要性は一層増大するものと云ふべし

陸軍省経済研究班

30了

農業機械入手困難、
　肥料と並んで戦時に於て補給の大なる困難を予想せらる、は農業機械なり　戦時に於ては農業機械そのものゝ生産減少のみならず機械運転に必要なる石油の補給難も亦起るべくこれによる農業生産の支障は機械化率の高きなる農業ほど大なるべきは言を俟たざる所なりとす、
　ソ研部に於ける農業動力源の内訳比率左の如し

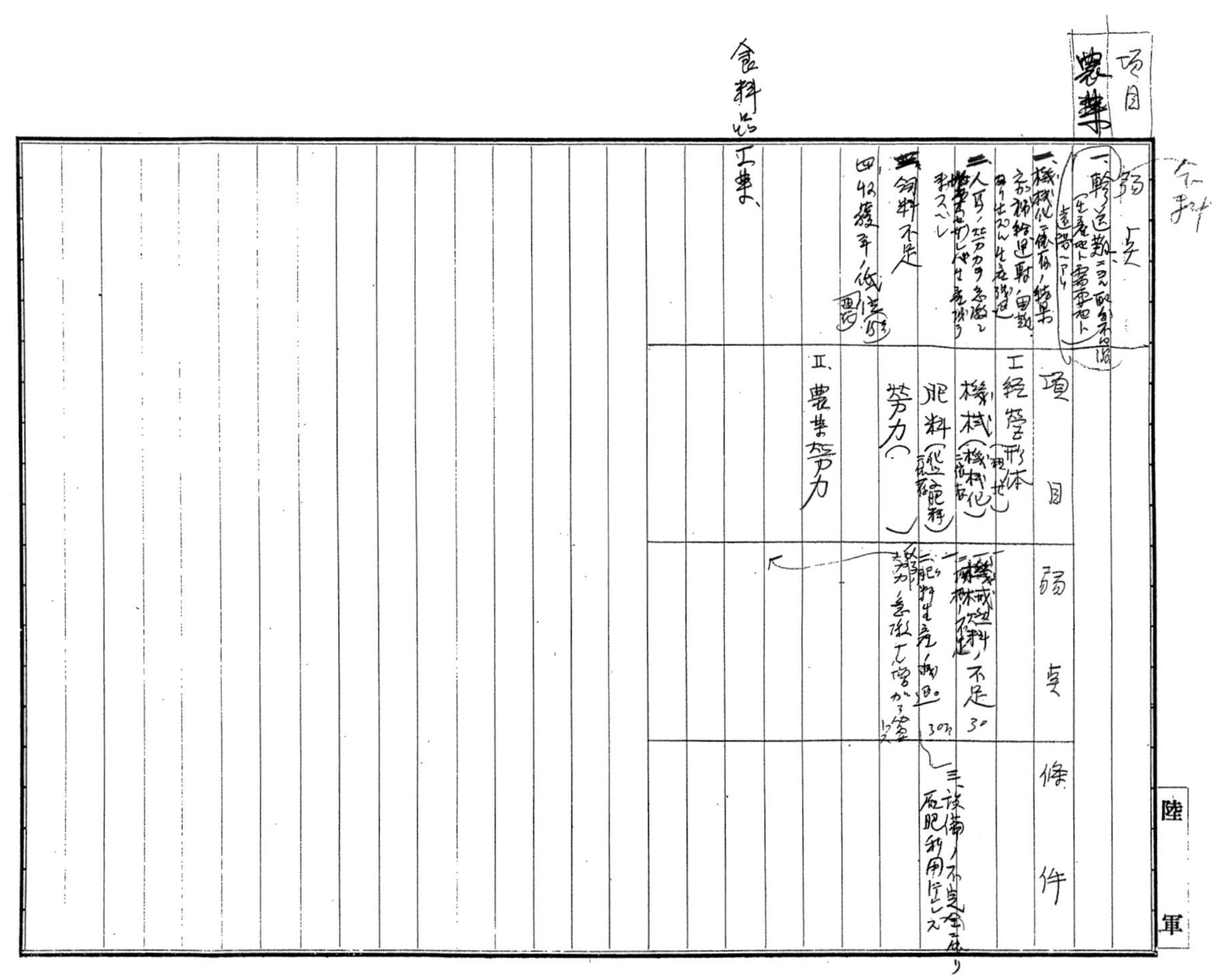

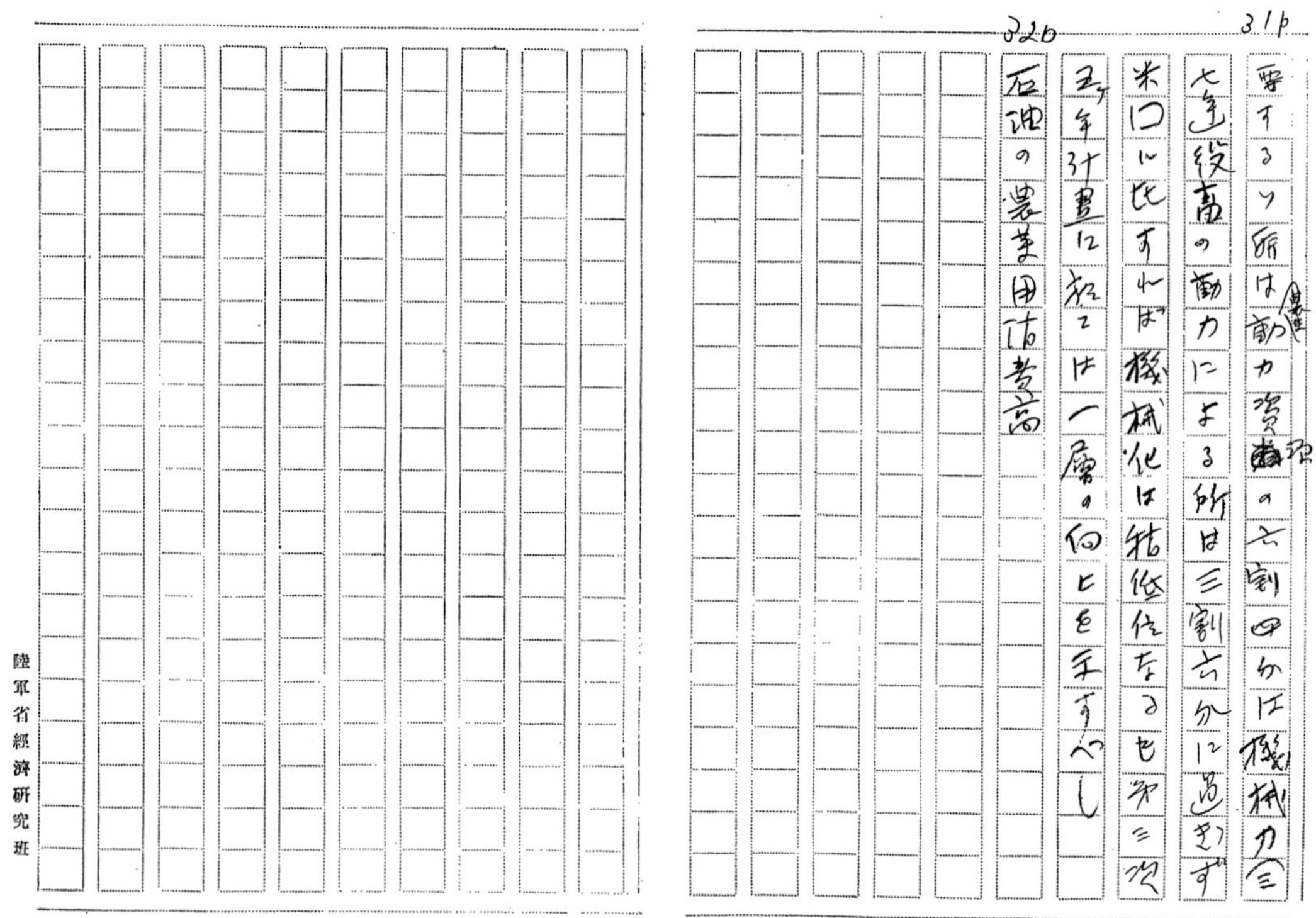

31p

要スルニソ聯ハ農業動力資源ノ六割四分ハ機械力（三七年）役畜ノ動力ニヨル所ハ三割六分ニ過ギズ米国ニ比スレバ機械化ハ稍低位ナルモ第三次五ヶ年計画ニ於テハ一層ノ向上ヲ示スベシ

32b

石油ノ農業用消費高

陸軍省経済研究班

諸費

一九三七年度ニ於ケル各国ノ主要消費財人口一人当リ生産高（一九三七年）101頁

品名	ソ聯	米国	独逸	英国	仏国
小麦	二七六	一八二	〇.六五	〇.三三	一.一七
裸麦	一.七五	〇.一〇	一.〇一	―	〇.一七
肉類脂（瓩）	三.一	五六.九	五五.六	二八.七	三四.一
牛乳（瓩）	一六九.六	三七三.八	三六三	一四三.一	三四三.一
砂糖（瓩）	一四.〇	一二.〇	二九.〇	八.〇	二一.〇
石鹸（瓩）	三.〇	一二.〇	七.〇	一〇.〇	一〇.〇
綿織物（平方米）	一六.〇	五八.〇	不明	六〇.〇	三〇.〇
毛織物（平方米）	〇.六	二.八	不明	七.四	不明
革靴（足）	一.〇	二.六	一.一	二.二	不明

右ノ如クソ聯ニトツテ人口一人当主要消費財生産量ハ大資本主義諸国ニ比シ勘キヲ示ス

陸軍省経済研究班

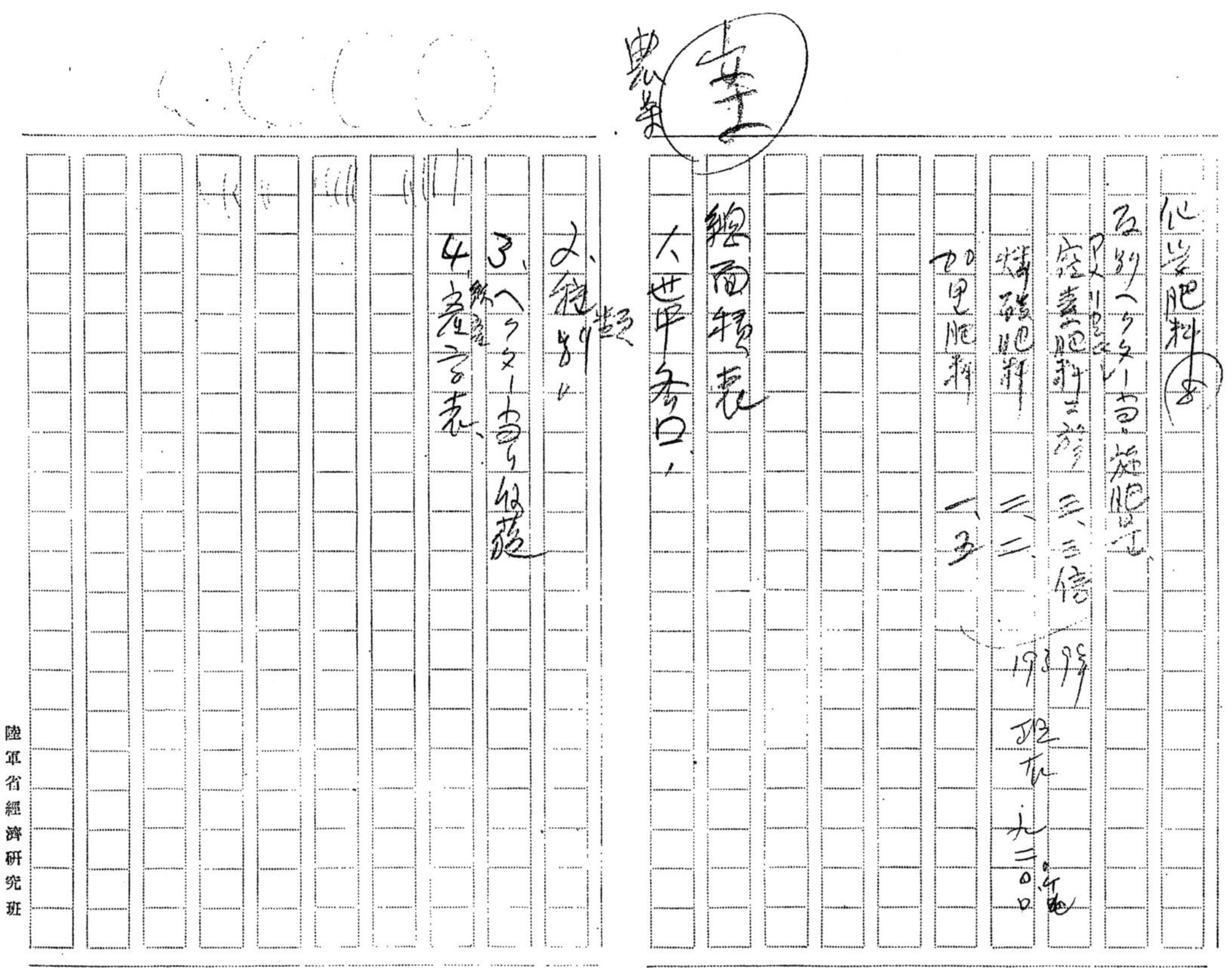

農業

化学肥料

各州ヘクタール当施肥量（別紙）

窒素肥料　三、三倍　193?年　現在　九二〇〇

燐酸肥料　二、二

加里肥料　一、3

総面積表

1、世界各国、

2、種別（生産）、

3、ヘクタール当り収穫（耕地）

4、生産表、

陸軍省経済研究班

極秘

經研資料工作第十三號

部内第48號

極東ソ領占領後ノ通貨・經濟工作案

昭和十六年八月
陸軍省主計課別班

例言

一、本案ニ於テ「極東ソ領」トハヤークト自治共和國ヲ含ムバイカル湖以東ノ地域ヲ指シ皇軍占領後直チニ該地域ニ軍政ヲ布ク場合ヲ想定セリ

二、本案ハ通貨工作ノ見地ヨリスル經濟建設ノ一般ニ及ブモノニシテ謂ハバ經濟工作ノ基礎案ナルモ固ヨリ文獻資料ニ基ク一試案ニ過ギサルヲ以テ具体的實施ニハ現狀ニ即シ、專門家ノ獻策ニ依リ處理スベキモノナルコトヲ附言ス。

昭和十六年八月十九日

陸軍省主計課別班

第一、判決

一、皇軍極東ソ領占領後ニ於ケル統治ハ軍政ノ下ニ現在機構ヲ速急ニ修正變革スルコトナク、寧ロ之ヲ利用シテ住民ノ生活安定ヲ圖ルト共ニ皇軍ノ現地自活ニ役立タシムル方針ヲ採ルベシ。

之ガタメ皇軍占領後混亂狀態ニアル現機構ノ復舊及ビ經營ニ任スベキ機關ヲ豫メ準備シ機ヲ失セズ現地ニ派遣スルヲ要ス

二、占領直後ノ通貨トシテ新留紙幣（留建軍票ニシテ豫メ我方ニ於テ印刷シ置クモノ）ヲ行使ス。新留紙幣ハ先ヅ、農民ヨリノ農産物ノ買上、勞働者ニ對スル賃銀ノ支拂ニ放出シ占領地ノ物的生産ト連結シテ通貨ノ價値維持ヲ圖ルモノトス。

三、他方、新留紙幣ノ所持者ニ對シテハ、優先的ニ各種商品ヲ販賣シ飲食物ヲ給付シ、之ヲ以テ新留紙幣回收ノ主要ルートトナシ通貨ノ機能ヲ發揮シ價値維持ニ努ム。

四、通貨統一ノ手段トシテ各商品ニ就テ新留建及ビ舊留建ノ公定ニ重價格制ヲ設ケ、後者ハ漸次ソノ價格ヲ引上ゲ、結局ハ舊留紙幣ニ對シテハ商品ヲ賣却セザルコト、シ、成ルベク短期間内ニ新留紙幣ヲ以テ統一ヲ圖ル。

五、治安回復後、軍管理ノ下ニ新中央銀行ヲ設立シ、新留紙幣ニ關スル一切ノ事務ヲ繼續セシメ、現行ソ聯國立銀行ニ準シ業務ヲ營マシム。

六、占領地域ニ於テハ嚴重ナル爲替管理ヲ行ヒ、新留紙幣ノ機能ヲ阻害スベキアラユル外部的影響ヲ排除ス

七、皇軍ノ現地物資調達ノタメニハ現行税制ヲ踏襲シテ現ニ國防費ニ充當シツ、アル財源ヲ我ガ戰費ニ轉用スルコトヲ得ベシ。

第二、説　明

一、占領地統治ノ基本方針

極東ソ領占領後ノ通貨工作ノ基本方針ヲ立テルニ當ツテ、先ヅ第一ニ留意スベキコトハ、ソ聯ノ經濟機構ハ他ノ諸國ノソレトハ全然異レルコトデアル。周知ノ如ク、ソ聯ニ於テハ私人ノ企業ハ殆ンドソノ存在ヲ認メラレズ、土地、工場、機械等ノ生産手段ハ國有化サレ或ハ社會化サレ、全經濟ハ國家ノ手ニヨツテ計畫的ニ遂行サレテキル。三次ニ亘ル五箇年計畫ハ、カ、ル機構ヲ強化スルコトニヨツテ、生産力ノ増進ヲ圖ツタモノデアツテ、ソノ成果ニ就テハ吟味スベキ點ガアルニセヨ、兎ニ角相當ノ成績ヲ擧ゲタコトハ何人モコレヲ否定シ得ナイデアラウ。試ミニ世界工業生産ニ於ケルソ聯ノ地位ノ進歩ヲ示セバ次ノ通リデアル。

2.

	一九二八年	一九三二年	一九三七年
石炭	第六位	第四位	第四位
石油	第三位	第二位	第二位
銅鐵	第五位	第四位	第三位
過燐酸	第十八位	第九位	第三位
自動車數	第十二位	第七位	第五位

從ツテ皇軍占領後、カ、ル生産機構ヲ急激ニ變革シ資本主義的トスルナラバ、發展途上ニアルソ聯ノ經濟ハソノ根底カラ覆サレルコトトナリ、ソノ混亂ニヨツテ生産ノ大減退ヲ見ルニ至ルハ明カデアル。

ソ聯デハ國民生活水準ノ向上ヲ犠牲シテキルガ、事實上ソレハ容易ニ實現サレズ、國民ハ非常ニ貧シイ生活ヲ強要サレ、カクシテ生ズル生産力ノ餘剩ハ悉ク國家ノ用ニ供セラレ、國防強化ノタメニ使ハレテキル。ソ聯ノ國防費ガ次ノ如ク飛躍的ニ増大シ得タノハ、コレガタメニ外ナラナイ。

一九三三年	一五億留
一九三四年	五〇億留
一九三五年	八二億留
一九三六年	一四八億留
一九三七年	二〇一億留
一九三八年	二七四億留
一九三九年	四〇八億留
一九四〇年	五七〇億留
一九四一年（豫算）	七〇九億留

右ノ中デ、極東地方ノ歳入カラ國防費ニ充テラレル割合ガ幾許ナリヤハ之ヲ知ルコトガ出來ヌガ、假リニ全体ノ三分ノ一ト假定スレバ、本年度ハソノ額、二百三十億留以上ニ達スル。又四分ノ一トシテモ百

3

七十七億留デアル。從ツテ現在ノ極東ソ領ノ經濟機構ガ、皇軍占領後モ維持サレルモノトスレバ、少クトモコレダケノ額ハ我軍ガ自由ニ處分シ得ルコト、ナルベク、コレニヨツテ現地デ充分ニ軍需ヲ充シ得ルモノデアル。カクノ如キハ、ソ聯ノ現經濟組織ニ於テノミ可能デアリ、而モソレハソ聯ノ民衆ニ今日ニ於ケルヨリ以上ノ負擔ヲ强スルコト、ハナラナイノデアル。之ニ反シテ現機構ヲ修正變革スル場合ニハ、國家經濟ハ混亂ニ陥リ急速ニカクノ如キコトヲ望ムコトハ出來ナイ。サレバ我國トシテハ、占領後モソ聯ノ現機構ヲ利用スル方針ニ出ヅベキデアル。

二、國防費ノ調達源泉ト皇軍ヘノ轉用

然ラバソ聯ニ於テ以上ノ如キ厖大ナ國防費ガ、現在如何ニシテ調達サレツ、アルカト云フニ、一九四一年度ソ聯國家歳出入豫算ハ次ノ通リデアル。

		對歳入總額割合
歳入總額	二一六、一六一百万留	一〇〇・〇%
内　取引税	一二四、五〇〇 〃	五七・六 〃
收益税	三一、二五九 〃	一四・四 〃
社會保險收入	九、九九八 〃	四・六 〃
機械トラクター配給所收入	二、六〇三 〃	一・二 〃
國債	一三、二三〇 〃	六・一 〃
國民諸税及集團農場所得税	一二、四五一 〃	五・八 〃
其他	二二、一二〇 〃	一〇・一 〃

		對歳出總額割合
歳出總額	二一五、三七三百万留	一〇〇・〇%
内　國民經濟費	七二、八七五百万留	三三・八%
社會文化施設費	四七、八〇三 〃	二二・二 〃
國防費	七〇、八六五 〃	三二・九 〃
司法行政費	七、一四二 〃	三・三 〃
國債費	三、三五〇	一・六 〃
其他	一三、三三八 〃	六・二 〃

4.

ソ聯ニ於ケル主要歳入財源ハ取引税デアツテ、取引税ハ國營企業ガ生産シ或ハ國家買上機關ガ買上ゲタ諸財ガ、商業機關ニ販賣サレルトキ、ソノ卸賣價格ニヨル賣上高ニ應ジテ課セラレルモノデアツテ、ソレハ結局一般消費者ニ轉嫁サレル。ソノ税率ハ次ノ如ク生産手段タルモノニ輕ク、消費物資、就中、食糧品ニ對シテハ重イ。

小麥	一ツエントネルニ付	一〇九留
肉	卸値段ニ對シ	六六%
ウォツカ	卸値段ニ對シ	九三・四%
煙草	〃	八九・四%
鹽	〃	七七・一 〃
砂糖	〃	都市ハ 六六 〃
		農村ハ 七〇・三 〃
バター	〃	四八・五 〃
石油	〃	七七 〃
紙	〃	五—一〇 〃
靴	〃	一三—一七 〃
機械	〃	二—五 〃

ソ聯ニ於ケル第二ノ主要財源タル收益税ハ、國營企業ノ純益ニ對シテ課セラレルモノデアツテ、金融機關及商業機關ヲ除イテ、ソノ税率ハ一般ニ純益ノ一割トナツテキル。

5.

取引税ト收益税トヲ合スレバ、ソノ額ハ歳入總額ニ對シテ七割以上ニ達スル。コレラノ財源ハ、各企業ニ自治會計制ガ行ハレ、恰モ我國特別會計ニ於ケル官業ノ如ク、國營ノ企業モソレゾレ自巳ノ獨立セル採算ニ於テ經營ニ從事セルタメ、表面上ハ課税ニヨル收入ノ如クナッテヰルガ、實質上ハ國家ガ私人ノ企業家及ビ資本家ヲ排除スルコトニ依テ獲得スル賣買差益ニ外ナラナイ。即チ國家ハ農民カラ農産物ヲ安ク買上ゲ、勞働者ニハ低賃銀ヲ支拂ヒ、カクシテ生産サレタ諸財ヲ、農民勞働者、等ニ高ク賣リツケ、ソノ差益ヲ國防費其他ニ充當スルノデアル。

從ッテ取引税ト收益税トハ、皇軍占領後モ、軍ガ現在ノソ聯國家ノ如クアラユル物資ノ配給ヲ管理スルコトニヨッテ、容易ニ實施サレ得ルトコロデアルカラ、コレラノ税制ハ現行ノマヽ踏襲サルベキデアル。

極東ソ領ニツイテノ本年度歳出入ノ割合ハ不明デアルガ、併シ以上カラ推シテ、取引税ト收益税トヲ合スレバ、恐ラク國民經濟費ト國防費トヲ賄ヒ得ルデアラウ。尚國民經濟費ハ資本建設費ヲソノ主タル内容トスルノデアルカラ、占領後税收ノ程度如何ニヨッテハコレヲ削減シテモ差支ナク、カクシテ國防費ヲソノマヽ皇軍ニ於テ轉用スレバ、現地自活モ決シテ困難デハアルマイト豫想サレル。

三、占領地經濟經營機關ノ準備

凡ソ一國ノ經濟抗戰力ハ、ソノ國内ニ於ケル人的、物的資源ノミニヨッテ決セラレルモノデハナク、占領地ニ於ケル資源利用ノ巧拙遲速ニヨッテモ亦著シク相違スル。若シ占領地ニ於テ軍ガ萬般ノ物資ニツイテ自給シ得ルナラバ、經濟抗戰力ガ甚ダ大トナルコトハ云フマデモナイ。極東ソ領ヲ皇軍ガ占領シ、ソノ經濟ヲ現機構ノマヽ、軍管理ノ下ニ置クナラバ、現地ニ於テ皇軍戰費ヲ充分ニ調達シ得ル可能性ノ存スルコトハ前述ノ通リデアル。從ッテ皇軍占領後、先ヅ第一ニ着手スベキ經濟工作ハ、戰爭ニヨッテ攪亂破壞サレタ現機構ノ復舊デアラネバ

6

ナラヌ。ソノタメニハ逃避シタル農民ト勞働者ヲ速カニソレゾレ從來ノ仕事ニ就カシメルコトヲ要スル。獨逸軍ガ去ル六月三十日ソ領ヤボロウ（ルヴオウ北西五十キロ）占領直後ニ發シタ布告ノ中ニ、「職場ヘ還ラザル者ハサボタージユトシテ銃殺ス」ト云フ箇條ガ見ラレルノハ、適宜ノ處置ト稱スベキデアル。ソ聯ニ於ケル貨幣ハ、資本制經濟組織ニ於ケル貨幣ト異リ、次ニ述ベルガ如キ性格ヲモツカラ、經濟機構サヘ復舊スレバ、通貨問題ハ比較的簡單ニ處理サレ得ル。之ガタメニハ占領後時ヲ移サス經濟管理及ビ經營ニ任ズベキ特殊機關ヲ開戰ニ先立チ豫メ準備スルコト肝要デアル。

四、ソ聯ニ於ケル貨幣ノ職能ト通貨工作

ソ聯人口ノ階級別構成ヲ見ルニ、全人口ノ中デ勞働者ト農民ノ占メル割合ハ九十%以上ニ及ブ。從ッテソ聯國民ノ大多數ヲ形成スルコレラノ勞働者ト農民ガ、如何ナル過程ヲ經テ貨幣ヲ收受シ又支出スルカヲ知ルナラバ、ソ聯經濟ニ於テ貨幣ガ如何ナル職能ヲモツモノデアルカガ明ラカニサレルデアラウ。

ソ聯ノ農業形態ニハ、國營農場（ソフホーズ）、集團農場（コルホーズ）、個人農業ノ三ツガアリ、農民ガ貨幣ヲ收得スル經路ハソレゾレ異ッテキル。

先ヅ國營農場デハ、當該農場ノ勘定デ農業機械器具等ヲ購入シ、收穫物ハ一定價格デ國家ニ納入スルノデアルガ、農民ハ國營農場ト單ナル雇傭契約ヲ結ブニ過ギナイノデアッテ、工場勞働者ト同樣ニ賃銀トシテ一定額ノ貨幣ヲ受取ルノデアル。ソノ賃銀ハ毎年收穫見積高及ビ收益豫想高ニ基イテ定メラレ、日割制ニヨッテ支拂ハレルノデアルガ、ソ聯工業ノ現狀デハ農業機械類ノ品質ガ優秀デナク、從ッテ破損率、消耗率ガ甚ダ大キイ。ソノ上、收穫物ヲ國家ヘ納入スル價格ハ低イカラ、大多數ノ國營農場ハ缺損トナリ、ソノ損失ハ國庫カラノ補助金ニ

7

ヨッテ賃ハレル。

集団農場ニ於テハ、ソノ収穫物ハ次ノ五ツノ部分ニ分割サレル。即チソノ一部ハ㈠低価格デ国家ヘ義務納付スル。㈡集団農場ハ農業機械ヲ所有セズ、コレラヲ国営ノ機械トラックター配給所（ＭＴＳ）カラ借入レルカラ、ソノ使用料ヲ収穫物ノ中カラ現物デ支払フ。以上ノ残余ノ中、一部ヲ㈢義務納付価格ニ特定率ノプレミアムヲ附シタ価格デ国家ニ売却シ、又一部ヲ㈣翌年必要ナル種子及ビ飼料トシテ保留シ、㈤更ニソノ残余ヲ労働日数ニヨッテ各農民ニ分配スル。以上ノ中、㈠ト㈢ニヨッテ貨幣ガ獲得サレルノデアルガ、ソノ中カラ租税、保険払込金、経費、等ヲ差引キ、更ニ不可分基金ト称スル積立金ヲ控除シ、残余ハ各農民ニ労働日数ニヨッテ分配サレル。結局、集団農場ノ農民ノ所得ハ、㈤ノ現物所得ト、最後ノ貨幣所得トカラ成ルワケデアル。

個人農業デハ、農民ハ国家カラ土地ノ貸与ヲ受ケ、ソノ収穫物ノ大部分ハ、コレヲ一定価格デ売却スルコトニヨッテ貨幣ヲ取得スル。

次ニ労働者ハ、ソノ代表機関タル職業組合ト国営企業或ハ協同組合企業トノ間ニ成立セル団体契約及ビ労働法ニ悖ラヌ限リ、ソレラノ保障ノ下ニ各企業ト労働契約ヲ結ビ、賃銀其他ノ条件ヲ定メルコトニナッテヰルガ、賃銀ハ大体、仕事ノ出来高及ビ時間制ニヨリ、労働ノ質ト量トヲ考慮シテ決定サレル。コレラノ労働者ニヨッテ生産サレタ生産物ハ、国営企業ニアッテハ直接ニ商業機関ニ売渡サレ、協同組合企業ニアッテハ一旦国家買上機関ニヨッテ買取ラレ、ソノ買上機関カラ商業機関ニ売渡サレル。

カクノ如ク、ソ聯ニ於テハ農民モ労働者モスベテ国家機関カラ貨幣ヲ受取ルノデアルガ、ソノ貨幣デ、農民ヤ労働者ガ各自ノ必要トスル財貨ヲ購ヒ、需要ヲ充ス所ハ、大別シテ、㈠国営商店、㈡協同組合商店、㈢社会食堂、ノ三ツデアル。コレラノ販売店ハ何レモ、国営商業ノ最高経済機関タル国内商業人民委員会ニヨッテ統制サレ、物資ノ配給ニ就テ管理サレテヰル。カクシテ国家カラ農民ヤ労働者ニ支払ハレタ貨

8

幣ハ、再ビ国家ノ手ニ回収サレルコト、ナル。若シ残余ヲ生ズルガ如キ場合ニハ、国家ハ公債ノ買入又ハ貯蓄ヲ強制スルコトニヨッテ、貨幣ガ民衆ノ手ニ残留スルコトヲ阻止スル。

従ッテソ聯ニ於ケル貨幣ハ、各人ガ国家ニ提供シタル労働ニ対シ、ソノ代償トシテ国家カラ諸財ノ供給ヲ受ケ得ル切符タル性格ヲモツモノデアリ、云ハバ、国家ノ発行スル商品券ニ外ナラナイ。ソノ貨幣ハ、資本主義的経済組織ニ於ケル貨幣ノ如ク、私人ノ許ニ於テ蓄積サレ資本トシテ作用シ得ルモノデハナク、又ソノ貨幣ニヨッテ外国カラ物資ヲ購ヒ得ルモノデハナイ。

ソ聯ニ於テ貨幣ノ数量ヲ決定スルモノハ、国内ノ生産量デアッテ、ソレハ正貨準備或ハ在外資金トハ無関係デアル。尤モソ聯ノ法律ハ、国立銀行券ノ発行ニ関シテ、通常ノ場合、発行額ノ二十五%ニ相当スル金準備又ハ保証準備ヲ必要トスル旨ヲ定メテヰルガ、併シ政府ハ国立銀行券トハ別ニ、ソレト等シキ価値ヲモツ政府紙幣ヲ発行シテヰルノデアッテ、ソノ政府紙幣ノ発行額ハ、一九二四年二月ノ法令デハ、発行月初メノ国立銀行券発行額ノ五十%ヲ超ユルコトヲ得ナイトサレタガ、一九二八年八月ニハソレガ七十五%ニ引上ラレ、更ニ一九三〇年九月ニハ百%ニ引上ラレタ。而モコレマデノ統計ヲ見ルト、実際ニハコレサヘ遵守サレテヰナイノデアッテ、コレニヨッテモソ聯デハ発行準備ニ関スル規定ハ、全ク空文ニ過ギナイコトガワカル。

ソレデハソ聯ニ於テ政府ノ発行スル紙幣ガ、配給切符タル職能ヲツクシ得ルノハ何故デアルカト云ヘバ、ソレハ生産ガスベテ国家ノ計画ニ基イテ行ハレ、配給ガスベテ国家ニヨッテ管理サレテヰルカラデアル。即チソ聯ニ於ケル貨幣ハ、ソノ経済機構カラ分離シテハ存続シ得ナイモノデアル。

サレバ皇軍占領後、現経済機構ガ維持サレル限リ、我方ノ発行スル紙幣モ、ソノ機構ソレ自体ニヨッテ必然的ニ通用スルニ至ルベク、支那ニ於ケル如ク通貨ノ価値維持ノタメニ種々ノ工作ヲ行フ必要ハ存シ

9

ナイデアラウ。從ツテ何ヨリモ先ヅ重要ナコトハ、戰爭ニヨツテ攪亂サレタ經濟機構ヲ速カニ復舊再建スルコトデアリ、ソレヲ達成スルコトガトリモナホサズ主要ナ通貨工作タルノ意義ヲモツモノデアル。

五、占領地ニ於ケル各種通貨ノ利害

占領地ニ於テ皇軍ガ如何ナル通貨ヲ使用スベキカニ就テハ、(一)日本銀行券、(二)朝鮮銀行券、(三)滿洲中央銀行券、(四)圓建ノ軍票、(五)現在ノ留紙幣、(六)我國ニテ造出シタル新留紙幣、等ガ考ヘラレル。

大正七年ノ西比利亞出兵ノ際ニハ、皇軍ハ最初ハ專ラ圓建軍票ヲ用ヒ、後ニハ主トシテ朝鮮銀行券ヲ使用シタガ、ソノ流通ハ必ズシモ圓滑デハナク、ソノタメニ或ハ金兌換ヲ行ヒ、或ハ交換所ヲ設ケテ露貨ト自由ニ引換ヘルコトニヨツテ、價値維持ヲ圖ラネバナラナカツタ。西比利亞ニ於ケル經濟機構ガ當時ト今日トデハ根本的ニ變化シタコトカラシテモ、コノ先例ヲソノマヽ踏襲スルワケニユカナイコトハ云フマデモナイ。

圓系通貨ヲ占領地ニ於テ使用スルコトガ得策ト考ヘラレルノハ、占領地ノ經濟ヲ日本內地ノ經濟ノ中ニ同化統合シ、直チニ日滿經濟ブロツクノ建設ヲ企圖スル場合ニ於テヾアル。ソノ場合ニハ先ヅ第一ニ貨幣的結合ガ必要デアルカラ、占領地ヘハ圓系通貨ヲ進出セシメネバナラヌ。併シ日本トソ聯ノ如キ經濟機構ノ全然相違セルモノヲ、カクノ如ク急速ニ同質化スルコトハ、徒ラニ混亂ヲ惹起スルノミデアツテ、所期ノ目的ヲ達スル所以デハナイ。ソレノミナラズ、ソ聯經濟ノ現機構ヲ存續セシメルコトニハ、前述ノ如キ便益ガ存スルノデアルカラ、占領地ノ經濟ハ日本經濟カラ一應分離シ、現在ノ通リソノ封鎖性ヲ保タシメタ方ガ、却テ經濟工作ヲ容易ナラシメルノデアル。カクノ如キ見地カラ、占領地經濟ニソノ獨自性ヲ認メル場合ニハ、圓系通貨ヲ占領地ニ於テ使用スルコトハ、無意味トナルバカリデナク、更ニ次ノ如

10

キ三ツノ缺點ヲ伴フコトニナル。

第一ニ、國庫ノ負擔ヲ增スコト。占領地デ例ヘバ、日銀券ヲ使用スルタメニハ、政府ハ日本銀行ニ於ケル政府預金ヲ引出シテ、日銀券ヲ取得セネバナラヌノデアルガ、政府ガ日本銀行ニ預金ヲモツニハ、國債ヲ發行スルコトヲ要シ、國債ヲ發行シ得ルタメニハ、ソノ額ハ豫算ニ計上セネバナラヌ。鮮銀券、滿銀券ニツイテモ同樣デアリ、ソレヲ增發セシメテ現地デ使用スルガタメニハ、ソノ代償トシテ朝鮮銀行或ハ滿洲中央銀行ニ對シ、政府ハ日銀券ヲ支拂ハネバナラヌカラ、結局ソレダケハ國庫ノ負擔トナル。

第二、圓系通貨ニ闇相場ヲ生ズルコト。爲替管理下ニアル國內通貨ヲ外地ニ放出スルトキハ、當然ソノ價値ハ下落シ、國內ニ於ケルトハ異リタル爲替相場ニヨツテ取引サレルコトニナル。ソノコトハ支那ニ於ケル實例ニ徵シテモ明カデアル。カヽル闇相場ハ圓系通貨ノ對外信用ヲ脅スモノデアリ、ソレガ及ボス惡影響ハ輕視サレ得ザルモノガアル。

第三、圓ト留トノ間ノ適正換算率ヲ確定シ難キコト。一九三六年四月一日カラソ聯デハ留ノ對外貨換算率ヲ縮テ一留ニ付キ三フラン替トシ、フラン以外ノ外貨ニツイテハ、右換算率ニ準ジテ計算スルコトニシタ。更ニ同年十月一日ニハフランノ平價切下ニ應ジテ、ソノ換算率ヲ改メテ一留ニ付キ四・二五フラントシタ。コレニヨレバ、一留ハ大体七十錢見當トナルノデアルガ、併シコレハソ聯ガ一方的ニキメタ公定相場デアツテ、全ク名目的ナモノニ過ギナイ。實際ノ相場ニ就テハ、或ハ一留ハ十二錢ト見積ルモノアリ、或ハ十五錢位トスルモノアリ、更ニ高ク二十五錢ヲ以テ留ノ眞ノ相場デアルト說クモノモアツテ、ソノ歸一スルトコロヲ知ラナイ有樣デアル。カクノ如キハ、留ガ完全ナ國內通貨デアツテ、國際的ニ何等ノ關聯モ持タザルコトニヨルノデアリ、換言スレバ、ソ聯經濟ハ一般的ニハ封鎖經濟デアリ、貿易ハ國家ガ獨占シテキルカラ、通常ノ意味ニ於ケル爲替相場ガ存シナイコトニ

11

起因スルノデアル。從ツテ極東ソ領占領後、蘇系通貨ヲ使用スルトキニハ、諸々ノ價格ヲ如何ナル基準ニヨツテ定メルカニツイテ、種々ノ困難ニ遭遇シ、甚シキ混亂ヲ生ズル惧レガアル。又ソ聯ノ民衆ニ從來親シミノナイ圓ナル貨幣單位ヲ新タニ導入スルコトハ、流通ヲ圓滑ナラシメル上ニ不都合デアル。

コノ第三ノ點カラシテ、圓建ノ軍票モ亦適當デアルトハ云ヘナイ。

次ニ現在流通シテキル留紙幣ハ、我方ニ於テコレヲ獲得スルコトガ困難デアルノミナラズ、ソノ發行ハソ聯側ノ自由ニナルノデアルカラ、占領地經濟ヲ攪亂スルタメ、ソレガ如何ナル謀略ニ用ヒラレルカモ測リ難イ。從ツテ、現在ノ留紙幣ノ使用ニモ難點ガアル。

カクシテ殘サレタモノハ、新留紙幣ノ造出ノミデアル。コレハ以上ニ見タ何レノ缺點モ持タナイモノデアツテ、ソノ性質ハ、無償デ物資ヲ買上ゲルタメニ使ハレル點カラ見レバ、留建ノ軍票ニ類似シテキルガ、併シソレト同時ニ占領地ノ民衆モコレニヨツテ諸々ノ商品ヲ購ヒ得ルノデアリ、又後ニハ新中央銀行ニヨツテソノ發行ガ繼承サレルコトヽナルカラ、ソノ點カラ云ヘバ、軍票トハ異ナリ、寧ロ銀行券ニ近イ。タヾソレハ發行準備ヲモタナイ點デ、通常ノ所謂銀行券トハソノ性質ヲ異ニスル。

カヽル紙幣ヲ占領地ノ通貨タラシメヨウトスルノハ、現在ノ留紙幣モ、ソノ本質ニ於テ、コレト殆ンド相違スルトコロナク、從ツテコレコソソ聯ノ經濟機構ニ最モヨク適應セルモノト思ハレルカラデアル。

六、新留紙幣ノ價値維持策（ソノ一）

我方ノ造出スル新留紙幣ヲシテ、ヨク通貨タルノ機能ヲツクサシメルタメニハ、ソレガ占領地ニ於ケル諸財ノ生産及消費ト不可離ノ關係ヲ保ツヤウニ工夫サレネバナラヌ。即チ新留紙幣ハ占領地ニ於テ常ニ物ニヨツテ裏ヅケラレルコトヲ要スルノデアルガ、ソノタメニハ占

12

領地ニ於テ諸財ガ生産サレルニ應ジテ、新留紙幣ガ流通場裡ニ放出サレ、又諸財ガ消費サレルニツレテ、ソレガ流通場裡カラ回收サルベキ機構ヲ確立スルコトヲ急務トスル。

ソコデ先ヅ生産關係ニツイテ云ヘバ、現在ノ國營工場ト國營農場トハ、占領後、軍經營トシ、協同組合工業ト集團農場トハ軍管理ノ下ニ置キ、速カニ生産ノ回復ヲ圖ラネバナラヌ。蓋シ、ソ聯ニハ私人ノ企業者ハ存セザルガ故ニ、軍ノ指導ニヨツテ生産ニ着手サレザル限リ、生産ハ何時マデモ休止ノ狀態ヲツヾケ、ソレガ自然ニ復舊スルガ如キコトハナイカラデアル。從ツテ軍ハコレラノ經營、管理ニ關シ、日本內地ノ技術家專門家ヲ現地ニ派遣スル必要ヲ生ズベク。コレガ徴用ニツイテ萬般ノ準備ヲ整ヘテ置カネバナラヌ。

カクシテ集團農場カラノ農產物ノ買上、軍經營企業ニ於ケル勞働者ノ賃銀ノ支拂ニ、新留紙幣ガ用ヒラレ、コレガ新留紙幣放出ノ主要ナ源トナルナラバ、新留紙幣ノ放出高ハソレダケノ生産ガ軍ノ手ニ於テ行ハレタコトヲ表スモノトナリ、新留紙幣ハ完全ニ物ニヨツテ裏ヅケラレルニ至ル。

協同組合工業ニ於テモ、新留紙幣ヲ以テ賃銀ヲ支拂ハシメルタメニ、必要ニ應ジ、軍ハ協同組合ニ新留紙幣ヲ貸付ケ、ソノ製品ヲ買上ゲルトキニ貸付金ヲ返済セシメルコトニスル。

尙如何ナル都市町村ニ於テモ、軍ハ占領ト同時ニ、貯藏倉庫、國營商店、協同組合店、等ニ殘存セル物資ヲ、速カニ接收シ、管理スルコトヲ要スルノデアルガ、コレラノ物資ハ何レモソ聯國家或ハ半官半民ノ協同組合ノ所有ニ屬スルモノデ、私有財產デハナイカラ、ソノ代價トシテ新留紙幣ヲ支拂フ必要ハナイ。コノ點、他ノ國ニ於ケルトハ全ク事情ヲ異ニスルカラ、特ニ注意スベキデアル。

七、新留紙幣ノ價値維持策（ソノ二）

13

次ニ消費關係ニ就テ云ヘバ、現在ノ國營商店及ビ國營ノ社會食堂ヲ軍經營トシ、協同組合商店及ビ協同組合經營ノ社會食堂ヲ軍管理ノ下ニ置キ、新留紙幣ノ所持者ニ對シコレラノ商店及ビ食堂ニ於テ各種商店ヲ販賣シ、飲食物ヲ供給スル。

コノ販賣ハ通貨工作上重要ナ意義ヲモツモノデアツテ、コレニヨツテ(新留紙幣ガ物ニヨツテ裏ヅケラレタ健全ナ通貨タルコトガ實證サレルト同時ニ、諸財ノ消費ニツレテ民衆ノ手カラ新留紙幣ガ回收サレル機構ガ確立サレ、物ト新留紙幣トノ間ノ平行關係ガ完全ニ保タレルコトニナル。

販賣ニ供セラレル物資ハ、農民カラ買上ゲタ農産物、軍經營企業ニ於テ生産サレタ諸財、協同協合企業カラ買上ゲタ商品デアツテ、前述ノ如ク、新留紙幣ノ發行高ニ相應スルダケハ、コレラノ物資ガ既ニ軍所有ノ下ニアル筈デアルカラ、販賣品ノ不足スルガ如キコトハ絶對ニアリ得ナイ。ソレノミデナク、軍ハ取引税其他ノ名目ニヨツテ、生産原價或ハ買上原價ヨリモ遙カニ高イ價格デコレラノ物資ヲ販賣スルノデアルカラ、ソノ税收ノ大部分ニ相當スルダケノモノハ、軍需及ビ將兵ノ消費ニ供セラレ得ル。軍ノ經費ヲ占領地ニ於テ獨立會計トシ、企業ノ經營及ビ管理ノ會計ト別個ノモノニスルナラバ、現在ノ國防費ニ相當スルダケハ、軍ノ經費トシテ生産ト無關係ニ新留紙幣ヲ發行シテモ、物資ノ需給ガ均衡ヲ失スルコトハナイ。換言スレバ、經濟機構ガ復舊スレバ、現地生産物資ノ中カラ軍ノ必要トスル物資ヲ控除シタ殘餘ノモノダケデ、占領地ノ民衆ノ需要ニ充分ニ應ジ得ル。

問題ハ占領直後、生産機構ガ混亂シ物資拂底ノ間ハ、到底コノヤウナコトヲ期待スルコトハ出來ナイ。生産ニハ相當ノ期間ヲ要シ、何レノ商品モ一日ニシテ生來上ルモノデハナイ。從テ最初ノ中ハ販賣物資ガ未ダ出廻ラナイノニ、新留紙幣ノミガ先ニ購買力トシテ現ハレ、兩者ノ間ニ齟齬ヲ來スデアラウ。併シ軍經營及ビ管理ノ商店及ビ食堂ニ於テ、諸財ノ供給ガ不足スルガ如キコトガアツテハ、新留紙幣ノ信用

14

ヲ害スルコト甚シク、通貨工作上一頓挫ヲ來スカラ、コノヤウナコトガ起ラナイヤウニ、暫クノ間ハ日本內地カラ食糧品其他ヲ補給シテ、新留紙幣ノ所持者ニ安心ヲ與ヘルコトガ肝要デアル。

併シソレハ新留紙幣ヲ日本內地ノ物資ニヨツテ裏ヅケル意味デハナク、占領地ニ於ケル生産ト消費トノ間ノ時間的開キヲ充スタメニ過ギナイノデアルカラ、云ハヾ日本カラノ一時的ナ貸與ニ外ナラナイ。一生産期間サヘ經過スレバ、占領地ノ經濟ハ內地カラノ補給ヲ返濟シ得ルダケノ餘裕ヲ生ズルカラ、補給ヲ要スルソハ單ニ一時的ノコトデアリ、從ツテ日本經濟ニ持續的ナ負擔ヲ課スルモノデハ決シテナイ。

八、新留紙幣ニ通貨統一ノ方法

通貨工作ノ終極ノ目標ハ、占領地一帶ノ通貨ヲ新留紙幣ヲ以テ統一スルニアル。併シ新留紙幣ガ未ダ一般ニ行キ亘ラナイ間ニ、現在ノ留紙幣ノ流通ヲ禁止スルトキハ、日用品ノ購入ガ全然不能トナル物ガ續出シ、ソノタメニ民衆ノ間ニ不穩ノ氣ヲ生ズル恐レナシトシナイ。サレバト云ツテ、占領後直チニ新舊留紙幣ノ引換ヲ行ヒ、新留紙幣ニ對シ一樣ニ商品ヲ販賣スルコトニナレバ、物資不足ノタメ、公定價格ヲ法外ニ高ク引上ゲルカ、然ラザレバ一日ノ販賣數量ヲ制限スルカ、ソノ何レカノ方法ヲ採ラネバナラヌ。併シカクノ如キコトハ、新留紙幣ニ對スル一般ノ信認ヲ失ハシメル結果トナルデアラウ。コレラノ不都合ヲ避ケ、流通機構ヲ整備シテ行ク最モ適當ナ方法ト考ヘラレルノハ、新留建及ビ舊留建ノ二重ノ公定販賣價格ヲ設定スルコトデアル。例ヘバ砂糖一瓩ニ付キ新紙幣ナレバ十留、舊紙幣ナレバ二十留トスルガ如キデアル。

軍經營企業ニ於テ生産サレタモノ、或ハ軍管理企業カラ買上ゲタモノハ、新留紙幣ニ對シテ賣却サルベキデアリ、舊留紙幣ハ單ニ占領直後、軍ガ接收シタル物資ニ對應スルモノニ過ギナイカラ、若シ舊留紙

15

幣ニ對シテ軍ノ生產又ハ買上ゲニカヽル物資ヲ賣却スルナラバ、新留紙幣ヲ裏ヅケル物資ハソレダケ不足スルコトヽナリ、需給ノ均衡ガ破レルニ至ル。從ツテ舊留建ノ價格ハ、接收物資ノ量ト睨合セテ定メルコトヲ要シ、若シソノ量ノ僅少ナトキハ、舊留建價格ハ相當高ク公定サルベキデアル。又農民ヤ勞働者ガ占領地域カラ非占領地域ヘ移動スルコトヲ防グタメニ、新留建ノ價格ハ非占領地ノ價格ヨリハ若干低クセバナラヌ。

カクシテ占領地ニ於テ、新留紙幣ニ對シテハ、數量ニ制限ナク優先的ニ物資ヲ販賣シ、又舊留建價格ハ次第ニコレヲ引上ゲテ行クコトニスレバ、民衆ハ新紙幣ノ價値ヲ高ク評價スルニ至ルノミナラズ、農民ハ新紙幣ヲ得ルタメニ進ンデ農產物ヲ軍ニ納付スベク、勞働者モ新紙幣デ賃銀ヲ受取ルタメニソレゾレ軍經營又ハ管理ノ工場デ働クコトニナリ、生產ニモ好影響ヲ及ボスデアラウ。

カクテ新留紙幣ガ民衆ノ間ニ普及スルニ至ルヲ俟ツテ、二重價格制ヲ廢シテ新留一本建トシ、舊留紙幣ニ對シテハ最早ヤ商品ヲ販賣シナイコトニスレバ、通貨ハ完全ニ統一サレルコトヽナル。

九、新中央銀行ノ設立及機能

治安回復ト共ニ、紙幣ノ發行及ビ回收並ニ各企業間ノ支拂決濟ノ事務ヲ統轄スル機關トシテ、新中央銀行ヲ設立スル。コノ銀行ハ當分ノ間、占領地ニ於ケル皇軍ノ會計本部タル性質ヲモツニ過ギナイカラ、通常ノ中央銀行ニ於ケル如キ正貨準備其他紙幣發行ニ關スル規定ハ、コレヲ設ケル必要ハナイ。

新中央銀行設立ト同時ニ、ソレマデニ軍ノ放出シタ新留紙幣ノ總額ヲ同行ノ負債トシ、又ソノ時ニ軍所有ノ下ニアル諸財、即チ各工場ニ於ケル原料、半製品、完成品、販賣店ニ於ケル手持品等ノ總額ヲ、軍ニ對スル貸付トシテ同行ノ資產勘定ニ計上シ、カクシテ新留紙幣ニ關

16

スル事務ノ一切ヲ同行ニ繼承セシメル。

其後、例ヘバ、軍經營ノ商店デ商品ヲ販賣シテ回收シタ新留紙幣ヲ同行ニ引渡セバ、同行ノ借方勘定ニアル軍ニ對スル貸付ハソレダケ減ズルト同時ニ、他方、貸方勘定ノ紙幣發行高モ同額ダケ減ズルコトニナル。

又農產物ノ買上、賃銀ノ支拂等ノタメニ或ル占領地區ニ於テ資金ノ必要ナ場合ニハ、ソノ地區ノ軍ノ經營責任者ガ新中央銀行ニ對シテ所要額ヲ請求スレバ、同行ハソノ請求書ニヨツテ、當該地區ノ軍ニ對スル貸付勘定トシテ借方ニ記入スルト共ニ、貸方ノ紙幣發行高ヲソレダケ增加シタル上、請求書ニ紙幣ヲ交付スル。次デソノ經營責任者ガソノ農產物又ハ製品ヲ、當該地區ノ軍經營ノ販賣店ニ引渡シタ時ハ、ソノ報告ニ基イテ銀行ハ貸付勘定ノ振替ヲナシ、前ノ貸付ハ返濟サレタモノトシ、新タニ當該販賣店ニ對シテ貸付ヲ行ツタ如ク、帳簿上デ處理スル。

新中央銀行ハ軍經營ノ各企業ニ對シテノミナラズ、協同組合ノ各企業ニ對シテモ口座ヲ開キ、正當ナ理由ノ存スルトキニハ、ソレラノ企業ニ對シテ短期貸付ヲモ行ヒ、カクシテ次第ニソノ業務ノ範圍ヲ擴充シ、結局ハコノ銀行ニ現在ノソ聯國立銀行ト略々同樣ナ地位ヲ與フベキデアル。

十、新留ノ價值基準ノ決定ト爲替管理

新留紙幣ハ純然タル國內通貨デアツテ、國際通貨デハナイ。併シ新留ト日本ノ圓及ビ第三國ノ貨幣單位トノ間ノ換算率ヲ決定シナイトキニハ、計算上種々ノ不便ヲ免レナイカラ、新中央銀行ハ速カニソノ換算率ヲ定メネバナラヌ。ソノ場合ニ比率決定ノ基礎タルベキモノハ、日本內地ノ物價ト占領地ノ物價トノ間ノ比デアリ、例ヘバ小麥粉ガ日本內地デハ一圓、占領地デハ十留、砂糖ガ日本內地デハ八十錢、占領

17

地デハ十四留ト假定スレバ、平均物價ハ日本內地デハ九十錢、占領地デハ十三留トナルカラ、ソノ比ヲトッテ一圓ニツキ一三・三三留ト決メルガ如キデアル。第三國貨幣トノ間ノ換算率ハ、コノ圓ト新留トノ間ノ換算率ニモトヅキ、我國ノ基準相場、百圓ニ付キ對米二十三弗十六分ノ七カラ割出スコトニスル。

占領前ニハ、前述ノ如ク、未定ノマヽニ放置シタコノ換算率ヲ、占領後、經濟機構ノ整備ヲ俟ッテ確定セントスルノハ、一ハ我國ノ物價トソ聯ノ物價トノ比較ガ、現在デハ困難ナコトニヨルノデアルガ、又一ハ戰爭ノタメニ彼地ノ物價ハ甚シク變動スルモノト豫想サレルガ故ニ、占領前ニコノ換算率ヲ豫定シテ置クコトハ無意味トナルカラデアル。

以上ノ如キ換算率ハ單ニ計算上ノ便宜ノタメニ設ケルモノデアッテ、コレニヨッテ實際ニ彼我貨幣ノ交換ヲ自由ニ行フノデハナイ。占領地ノ經濟ハ、現在ノソ聯ニ於ケル如ク、自足自給ヲソノ根本トスル計畫的ナ封鎖經濟デアルカラ、日本內地カラノ渡航者或ハ第三國ニ對シテソレゾレノ貨幣ト新留紙幣トヲ無制限ニ引換ヘルナラバ、占領地經濟ノ計畫性ハ忽チ消滅シ、物資需給ノ均衡ニ破綻ヲ生ズルコトハ明カデアル。又新留紙幣ガ占領地外ニ帶出サレルナラバ、恐ラクソレニツイテ闇相場ヲ生ジ、ソノ信用ヲ阻害スルニ至ルデアラウ。從ッテ占領地ニ於テハ、嚴重ナル爲替管理ヲ行フト共ニ、ソノ經濟ノ封鎖性ヲ出來得ル限リ完全ニ維持スルヤウニ努メネバナラヌ。即チ、第三國人商社ハ勿論、邦人商社ニ對シテモ占領地ヘノ進出ヲ禁止シ、渡航者ニモ嚴重ナ制限ヲ設ケ、占領地ニ於ケル軍經營企業ヲ指導スル技術者、其他眞ニ必要止ムヲ得ザルモノヲ除イテ、占領地ヘノ出入ハ一般ニコレヲ許可セザル方針ヲ採ルベキデアル。支那ニ於ケル通貨工作ノ苦キ經驗ニ徵シテモ、コノ取締ガ如何ニ必要デアルカハ明カデアル。

對外貿易ニツイテハ、コレヲ軍ノ獨占トシ、原則トシテバーター制ニヨルコトニスル。即チ第三國ニ對シテモ、軍需品ニシテ占領地デ生

18

産サレザルモノヲ輸入シ得ル限リ、輸出ヲ行フコトニスベキデアッテ、今日ノ狀勢ニ於テハ單ナル外貨獲得ノタメニ輸出ニ努力スル必要ハ最早ヤ存シナイ。

日本內地ニ對シテハ、軍ノ現地自給ニ差支ナイ限リ、日本側ノ必要トスル物資、例ヘバ、石油、石炭、金、鐵鑛、マンガン鑛、加里鹽、燐灰石、等ヲ優先的ニ輸出シ、ソノ對價トシテハ、日本內地デ對第三國貿易杜絕ノ結果、滯貨トナレルモノ、例ヘバ、生糸、人絹、綿布、茶等ヲ輸入シ、ソレラヲ軍經營ノ販賣店ヲ通ジテ、占領地ノ民衆ニ賣却スル。更ニ占領地ノ生産機構ガ整備シタル上ハ、日本側ノ物動計畫ニ應ジテ、占領地ニ於テ生産計畫ヲ樹立シ、東亞共榮圈ノ重要ナル一環タルコトヲ期スベキデアル。

カクノ如ク、占領地ノ封鎖經濟ノ維持ヲ重視スル所以ノモノハ、占領地ノ經濟ヲ日本ノ經濟ト全然無關係ノモノタラシメンガタメデハナク、ソレトハ反對ニ兩者ヲ密接ナ關係ニ置クコトニヨッテ、日本經濟

以下原資料における欠落のため、収録することが出来なかった。
不二出版

極秘

經研資料工作第一八號

東部蘇聯ニ於ケル緊急通貨工作案

昭和十七年三月
陸軍省主計課別班

例言

一、本案ハ軍政ノ施カレテキル過渡期ニ於テ行ハルベキ緊急通貨工作案デアリ、別ニ提出サルベキ緊急工作案ト對應スルモノデアル。軍政ノ解カレタル後ノ段階ニ於テ行ハルベキ恒久工作案ハ後日提出セラレル豫定デアル。

一、本案ニ於テ「東部蘇聯」ト言フノハ、バイカル湖以東ノ地域ニシテ概ネ蘇聯現行行政區劃ニ於ケル左ノ地方ヲ指稱スル。

東方
- 沿海地方
- ハバロフスク地方

東部シベリア地方
- チタ州
- ブリヤート蒙古自治共和國
- イルクーツク洲

目次

一、要旨

第一 方針

一、占領地ニ於ケル作戰軍ノ支拂手段並ニ一般通貨ハ留蘇軍票ヲ使用スルモノトス。

第二 要領

一、留蘇軍票ト圓系通貨トノ交換ハ原則トシテ之ヲ認メナイ。但シ左記ノ場合ハ例外トシテ軍ニ於テ許可スル。其際ノ交換比率ハ駐屯軍司令官ガ指定スルガ、大體作戰前ニ於ケル舊留貨ノ購買力ト圓系通貨ノ購買力トノ比率ニヨル。

左記

1 ノ個人僅少額並ニ野戰郵便貯金ニ從屬スル企業體内ノ日滿人等ガソノ家族ニ送金スル場合

2

2 企業體ガソノ經營上必要トスル場合

3 其他軍ニ於テ適當ト認メタル場合

二、留蘇軍票ト舊留貨トノ關係ハ原則トシテ之ヲ遮斷スル。從ツテ舊留貨ニ對シテハ作戰軍ノ支配下ニ在ル如何ナル物資ノ購買ヲモ許サナイ。又舊留貨ヲ所持スル者ニ對シテ一定ノ期間ヲ限リ舊留貨ヲ留蘇軍票ト取替ヘルコトモシナイ。併シ占領地ノ在來民ガ自分達ノ間デ舊留貨ヲ使用スルコトハ當分ノ間許可スル。而シテ在來民ノ間デ生ズベキ留蘇軍票ト舊留貨ノ交換比率ハ自然ノ成行ニ委ス。

三、占領地ニ於テハ一般價格ヲ公定シ重要物資ニ就テ切符制度ヲ施行スル。

四、留蘇軍票ノ發行ハ作戰遂行上及ビ占領地處理上必要ナ最少限度ニ抑制シ、左記ノ方法ニヨリ極力之ヲ回收スルコトトスル。

左記

1 押收又ハ沒收セル物品ノ拂下

2 土地建物其他國有財產ノ使用權ノ讓渡

3 國營企業ノ委託經營ノ場合ニ於ケル使用料ノ徵收又ハ經營權ノ讓渡

4 國營企業其他之ニ準ズル財產ノ使用料ノ徵收

5 公課等

第三 理由

一、占領地ニ於ケル緊急通貨工作ハ、占領地ノ經濟狀態ニ適應スルモノデナケレバナラヌ。ソレ故本案ハ特ニ占領地ノ經濟狀態ノ次ノ特殊性ヲ考慮ニ入レテ作成サレタルモノデアル。

(い)占領地ハ戰前ニ於テ既ニ經濟的自給度ガ極メテ低イ上ニ、蘇聯軍ハ敗戰ニ際シ徹底的破壞工作ヲ行ヒ、總テノ物資ヲ破壞シ去ル爲、作戰軍ハ占領地ノ物資ヲ利用スルコトガ出來ヌ。作戰軍ノ必要トスル殆ド一切ノ物資ハ、日滿兩國カラ之ヲ持チ込マネバナラヌ。

3

(2)占領地ノ住民ノウチ勞働ニ堪エ得ル者ハ殆ド總テ非占領地帶ニ撤退スルカ、ゲリラ部隊ニ編入サレル爲、作戰軍ハ占領地ニ於テ捕虜以外ニハ殆ド勞働力ヲ見出スコトガ出來ヌ。作戰軍ノ必要トスル勞働力ハ殆ド總テ日滿兩國カラ持チ込マレネバナラヌ。

(3)占領地ニ殘留スル住民ハ、蘇聯政府ノ徹底的謳歌者デアリ、戰爭ハ終局ニ於テハ蘇聯ノ勝利ニ終ルモノト確信シ、占領地ハ間モナク蘇聯軍ニヨツテ奪還サレルコトヲ期待スル爲、在來貨幣ノ價値ヲ信ジ、我通貨工作ニハ積極的協力ヲ示サナイ。

二、占領地ニ於ケル通貨工作ハ、日滿兩國ノ通貨金融狀態ニ攪亂的影響ヲ及ボサナイヨウニ作成サレネバナラヌ。ソレ故本案ハ占領地ノ通貨工作ガ日滿兩國ノインフレ的傾向ヲ促進シナイヨウニ留意シテ作成サレテキル。

三、占領地ガ未ダ軍政下ニ在ル過渡段階ニ於ケル緊急對策ハ、次ノ平和的統治ノ段階ニ於ケル恒久對策ヲ豫想シソレニ發展シ得ルモノデナケレバナラヌ。ソレ故本案ハ占領地ガ將來滿洲國ニ編入サレルコトヲ豫想シテ作成サレテキル。

以上ノ三點ガ本案ノ眼目デアル。

二、細說

第一節　通貨工作案作成ノ方針ニ就テ

占領地ニ於ケル緊急的通貨工作ハ次ノ三ツノ條件ヲ備ヘタモノデナケレバナラヌ。第一ニソレハ占領地ノ經濟ノ特殊性ニ適應シタモノデナケレバナラヌ。第二ニソレハ本國若クハソノ屬領ノ通貨制度ニ攪亂的影響ヲ及ボスモノデアツテハナラヌ。第三ニソレハ軍政ノ廢止後ニ行ハルベキ恒久的通貨工作ニ發展シ得ルモノデナケレバナラヌ。此等ノ條件ヲ具備セザル緊急的通貨工作ハ、必然的ニ失敗セザルヲ得ナイデアラウ。ソレ故我々ハ上掲ノ提案ニ於テ此等ノ三條件ヲ具備スルヨウニ特別ノ注意ヲ拂ツタノデアル。

(一)　占領地ノ經濟ノ特殊性

東部蘇聯ニ於ケル占領地經濟ノ特殊性ハ、

(イ)戰前ニ於テ既ニ經濟的自給度ガ極メテ低イ上ニ、蘇聯軍ハ敗退ニ際シテ徹底的ナ破壞工作ヲ行フ結果、作戰軍ハ占領地ノ物資ヲ殆ド全ク利用スルコトガ出來ズ、從ツテ作戰軍ノ必要トスル殆ド一切ノ物資ハ、日滿兩國カラ之ヲ持チ込マネバナラナイコト、

(ロ)占領地ノ住民ノ中勞働ニ堪エ得ル者ハ殆ド總テ非占領地帶ニ撤退スルカゲリラ部隊ヲ編成シテ抗戰ヲ繼續スル結果、作戰軍ハ現地ニ於テハ捕虜以外ニハ殆ド勞働力ヲ見出シ得ズ、從ツテ作戰軍ガ必要トスル勞働力ハ、殆ド總テ日滿兩國カラ供給サレネバナラナイコト

(ハ)占領地ニ殘留スル住民ハ主トシテ老幼婦女子ヲ主トスル者カラ成立ツモノト思ハレルガ、彼等ハ恐ラク蘇聯政府ノ徹底的ナ謳歌者デアリ、戰爭ハ終局ニ於テ蘇聯ノ勝利ニ終ルモノト確信シ占領地ハ間モナク蘇聯軍ニヨツテ奪還サレルコトヲ期待スル爲、在來ノ留貨幣ノ價値ヲ信ジ作戰軍ガ發行スル留軍票ノ價値ヲ信ジナイコト、

ニアル。以下此等ノ諸點ニ就テ稍々立チ入ツテ說明スル。

イ、東部蘇聯ノ經濟的自給度

東部蘇聯ハ何ヨリモ先ヅソノ自然的條件ノ不良性ニヨッテソノ經濟的發展ヲ限害サレテキル。卽チ東部蘇聯ハ蘇聯ノ農工業中心地ヨリ遠ク離レ、ソレ自體世界隨一ノ酷寒地帯デアルノミナラズ、コレヲ圍繞スルモノハ、東ハ半年氷雪ノ閉ザス海洋デアリ、北ハ人煙稀ナルヤクート共和國デアリ、南ハ對立關係ニアル滿洲國デアル。シカモ西方欧露及ビ中部蘇聯トハ一本ノシベリア鐵道ニヨッテ僅カニ連絡シテキルニ過ギズ、ソノ企業的立地條件ハ甚ダシク不利デアル。

次ニ勞働力ニ就テ見ルニ、最近ハ欧露方面ヨリ盛ニ移住ガ行ハレテキルガ、尚ホ勞働力ハ甚ダシク不足ヲ告ゲテキル。東部蘇聯ノ人口ハ一九三九年一月現在、都市人口二三四萬八一六三人、農村人口二九七萬八二七六人、合計五三二萬六四三九人デアッテ、一平方粁當リ密度ハ僅カニ一・一二人ニ過ギナイ。（第一表參照）。シカモソノ質的技術的水準ハ尚ホ未ダ甚ダシク低位ニアル。

第一表　東部蘇聯ノ面積及人口表（一九三九年一月現在）

行政區劃別		面積（平方粁）	都市人口（人）	農村人口（人）	人口合計（人）	一平方粁當人口（人）
東部地方	沿海地方	二〇六、〇〇〇	四六四、五〇九	四四三、七一一	九〇三、二二〇	四・三九
	ハバロフスク地方	二、五七二、〇〇〇	六四七、六五三	七八三、二二二	一、四三〇、八七五	〇・五五
	（内ユダヤ自治州）	（三六、八〇〇）	（七一、六三四）	（三六、七八五）	（一〇八、四一九）	（二・六七）
東部シベリア地方	チタ州	七二〇、〇〇〇	五一〇、九〇〇	六四八、五七八	一、一五九、四七八	一・六一
	ブリヤート蒙古共和國	三三一、四〇〇	一六三、三二五	三七八、七四五	五四二、一七〇	一・六三
	イルクーツク州	九二二、四〇〇	五六一、六七六	七二五、〇二〇	一、二八六、六九六	一・三九
計		四、七五二、四〇〇	二、三四八、一六三	二、九七八、二七六	五、三二六、四三九	一・一二

備考一　東部蘇聯ノ面積ハ蘇聯總面積（二一、一七五、二〇〇平方粁）ノ二二%、滿洲國ノ三倍半弱、本邦全領土ノ七倍弱ニ當ル。

6

備考二　一九三九年現在ニ於ケル蘇聯邦ノ全人口ハ一七〇、四六七、一八六人ニシテ、一平方粁當リ密度ハ八・〇五人デアル。

備考三　本表ハ滿鐵調査部「極東・東部シベリア要覽」（昭和十六年版）ニ據ル。

カクテ東部蘇聯ノ生産力ハ未ダ十分ニ發展スルヲ得ズ、各種物資ノ自給度ハ概ネ甚ダシク劣弱デアル。殊ニ自然的條件ノ制約ヲ受クルコトノ多キ農業生産ニ於テソノ最モ甚ダシキヲ見ル。（第二表參照）。又鑛産資源ハ埋藏量ハ豐富デアルガ、僻遠ノ地域ニ存在スルモノ多ク交通不便ノ爲ニ開發極メテ不十分デアル。（第三表參照）。カクテ主要資源ニ於テ辛ジテ自給性ヲ確保シ得ルモノハ、薪材採取アルノミデアッテ石炭ノ九九%ヲ別トスレバ、近キ將來ニ於テ自給ノ域ニ達シ得ルモノハ、コレヲ發見スルコトガ殆ド困難ナル有樣デアル。（第二表參照）。

第二表　東部蘇聯ニ於ケル主要物資需給關係

物資名	年度	生産量（瓩）	消費量（瓩）	過不足（瓩）	自給率（%）
食用穀物	一九四〇年一月	八五八、〇三九	一、二五〇、〇〇〇	（−）三九一、〇〇〇	六八・六
ライ麥		一三八、五三九			
小麥		六六七、九四二			
蕎麥		三六、三九六			
黍		五、二六三			
米		九、九二六			
飼料穀物	一九四〇年一月	五〇九、一〇三	七二六、〇〇〇	（−）二一七、〇〇〇	七〇・一
大麥		五三、三九〇			
燕麥		四五二、二一二			
玉蜀黍		三、七一八			
馬鈴薯	一九四〇年一月	七五九、七二八	八六六、〇〇〇	（−）一〇九、〇〇〇	八七・六

7

蔬菜	一九四〇年一月	四〇六、六二〇	四一一、〇〇〇	(一)一〇四、〇〇〇	七四・七
魚類	一九三七年	三九三、〇〇〇			
獸肉類	一九四〇年	五八、七四七	七六、〇〇〇	(一)一七、〇〇〇	七七・六
牛肉		一六、二九八			
豚肉		三五、九二二			
羊肉		六、五二七			
鹽	一九三六年	一〇、〇〇〇	二七、〇〇〇	(一)一七、〇〇〇	三七・〇
砂糖	一九三六年	五、〇〇〇	二六、〇〇〇	(一)二一、〇〇〇	一九・二
石炭	一九四〇年	三、七二九、〇〇〇	三、八一五、〇〇〇	(一)二三、〇〇〇	九九・三
石油	一九三八年	三六〇、〇〇〇	一、〇〇〇、〇〇〇	(一)六四〇、〇〇〇	三六・〇
セメント	一九三七年	一六四、〇〇〇立方米	四二〇、〇〇〇	(一)二五六、〇〇〇	三九・〇
薪材	一九三七年	六、八九六、六〇〇立方米	六、七八〇、二〇〇立方米	(一)一一六、四〇〇立方米	一〇一・七

備考　本表ハ關東軍及ビ滿鐵ノ諸調査ヲ參照シテ作成ス

第三表　主要鑛物ノ埋藏及ビ採掘概況

品目別	埋藏量	對全ソ比重(%)	採掘高	年度	對全ソ比重(%)
金	一万瓲	六〇	一七〇瓲	一九三七年	六五
鐵	三一億瓲	二六	七〇〇〃	一九三七年	〇・〇三
鉛	八一万瓲	一九	六五、〇〇〇〃	一九三八年	八
亞鉛	一三八万瓲	一四	二万〃	一九三六年	一七
錫	一	一	五、〇〇〇〃	一九三八年	一〇〇
ウオルフラム		七〇	八〇〇〃	一九三八年	七〇
モリブデン	一	一	一七〇〃	一九三七年	一〇〇
石炭	二、三〇〇億瓲	一三	一、二〇〇万瓲	一九三九年	七一八
石油	三三、九八〇万瓲	一五	四七万瓲	一九三九年	一・五
雲母	一、六五〇万瓲	九〇	一万瓲	一九三六年	八五

備考　前掲「極東・東部シベリヤ要覽」ニ據ル

東部蘇聯ニ於ケル經濟的自給ノ困難性ハ、次ノ「東部地方第二次五ケ年計畫豫定並ニ實績」表ニヨッテモ、ソノ一班チ窺フコトガ出來ル。（第四表參照）。即チ東部地方ニ於テハ僅カニ魚獲高ノ豫定計畫カ完遂セラレタノミデ、ソノ他ノ計畫ハ殆ンドソノ實績カ擧ッテキナイノデアル。東部蘇聯ノ經濟建設ガ軍略的意義カラ、蘇聯政府ニヨッテ寧ロ全勢力チ傾注シテ強行セラレタニモ拘ラズ、尚ホソノ實績カ斯クノ如ク不振ナル所以ハ、東部蘇聯ニ於ケル自然的、社會的制約性ガ尚ホ甚ダ大ナルコトチ示唆スルモノト謂ハナケレバナラナイ。

第四表　東部地方第二次五ケ年計畫豫定並ニ實績

	單位	豫定	實績	遂行率 %
工業				
石炭	千瓲	六、五〇〇・〇〇	四七四〇・〇〇	七二・九〇
電力	百万キロワット時	三〇五・九〇	一	一
石油	千瓲	八〇〇・〇〇	三五〇・〇〇	四三・七〇
鐵鑛	〃	五〇・〇〇	一	一
金屬加工	百万留	一五〇・〇〇	二・〇六	一
セメント	千瓲	二八〇・〇〇	一六四・〇〇	五八・六〇
煉瓦	千個	四〇〇・〇〇	六九・七〇	一七・四〇
製材	百万立方米	一、九〇〇・〇〇	一、一五〇・〇〇	六〇・五〇
魚獲高	千瓩	三八四・〇〇	三九三・〇〇	一〇二・一〇
砂糖(粉)	〃	一一・五〇	三・三〇	二八・七〇
農業				
播種面積	千ヘクタール	一、一九〇・〇〇	八六五・一〇	七二・七〇
イ、穀物	〃	九二〇・〇〇	六一七・三〇	六七・一〇
ロ、工藝作物	〃	一四〇・〇〇	九八・一〇	七〇・一〇
ハ、蔬菜	〃	一〇〇・〇〇	九〇・五〇	九〇・一〇

二、飼料	三〇・〇〇	一九・一〇	六三・七〇

備考　朝日新聞社中央調査會編「朝日東亞年報」昭和十三―十六年版ニヨル。

、カクシテ東部蘇聯ハソノ必要トスル殆ド大部分ノ物資ヲ、歐露又ハ外國ヨリ移入又ハ輸入セザルヲ得ナイ立場ニ置カレテキル。今參考ノタメ最近ニ於ケル歐露方面ヨリノ主要移入物資並ニソノ海陸路別輸送量ヲ示セバ左ノ諸表ノ如クデアル。

此等ノ物資ヲ除ク他ノ非自給物資ノ大部分ハ、從ツテ之ヲ外國ヨリノ輸入ニ俟タナケレバナラナイノデアル。

第五表　東部蘇聯向移入物資量（一九三四年度　單位千噸）

合計	東部地方總移入量	二、七〇〇・〇〇
	東部シベリア地方總移入量	一九五・〇〇
	計	二、八九五・〇〇
内譯		
石油	東部地方	二六五・五〇
	東部シベリア地方	一二三・二〇
	計	三八八・七〇
石炭及コークス	東部地方	三八四・六〇
	東部シベリア地方	｜
	計	三八四・六〇
金屬及ビ同製品	東部地方	二四〇・一〇
	東部シベリア地方	一七八・九〇
	計	五一九・〇〇
鑛物性建築材料	東部地方	一七八・〇〇
	東部シベリア地方	一六二・九〇
	計	三四〇・九〇
穀物	東部地方	六七三・〇〇
	東部シベリア地方	三八五・五〇
	計	一、〇五八・五〇

備考　前掲「朝日東亞年報」昭和十三―十七年版ニヨル。

第六表　東部蘇聯向海運輸送量（遠洋航路　單位千噸）

	一九三三年			一九三四年		
	ソ聯全体向（A）	東部ソ聯向（B）	B/A	ソ聯全体向（A）	東部ソ聯向（B）	B/A
計	五七四・三	四八八・五	八五%	一、三二六・七	一、一〇三・二	八一%
其内　砂糖	七・一	七・一	一〇〇	三二・一	三二・一	一〇〇
石油	二一五・七	一六九・五	七九	三九五・二	二一四・九	五四
鹽	六八・三	六七・六	九九	七九・四	七九・四	一〇〇
セメント	八〇・四	六三・二	七八	一三〇・八	一一七・七	九〇
金屬類	四〇・六	四〇・六	一〇〇	二三〇・五	二三〇・〇	一〇〇
穀物	九六・二	九六・二	一〇〇	三七八・一	三七八・一	一〇〇

備考　滿鐵、北滿經濟調査所「極東ソ聯要覽」（昭和十四年版）ニヨル。

機械類	一・五	三・六	五・七	三・六
木材	ー	ー	二・七	〇・四
穀物	三・五	九六・二	三七八・一	二九二・六
鹽	四・七	六七・六	七九・四	七一・一
砂糖	一六・五	、七・一	三二・一	一六・九

備考　前掲「極東ソ聯要覽」ニヨル。

第七表　蘇聯太平洋遠洋航路輸送量（單位千噸）

	一九三二年	一九三三年	一九三四年	一九三五年
出荷 計	一七・〇	二四・〇	二二・七	三一・八
其内 鑛石	一三・〇	二三・九	二二・三	三一・三
入荷 計	一八一・〇	四八九・〇	一、一〇三・〇	八三二・一
其内 石油類	一一三・二	一六九・四	二一四・八	二四一・二
金屬類	九・一	四〇・六	二二九・九	八・三
金屬製品	ー	ー	ー	九一・二
建築材料	一四・八	六六・〇	一一九・八	七五・八

第八表　東部蘇聯鐵道貨物發着屯數增加表（單位千噸）

	到着 東部地方	到着 東部シベリア	到着 計	發送 東部地方	發送 東部シベリア	發送 計	移入 東部地方	移入 東部シベリア	移入 計
一九三二年	六、二二二	四、三〇六	一一、五二八	五、三七八	四、六七五	一〇、〇五三	八四四	(一)三六九	四七五
一九三三年	七、〇四八	四、三七六	一一、四二四	五、五八六	四、八三二	一〇、四一八	一、四六二	(一)四五六	一、〇〇六
一九三四年	九、六二三	五、六一三	一五、二三六	八、〇八五	五、八三九	一三、九二四	一、五三八	(一)二二六	一、三一二
一九三五年	一三、〇〇〇	ー	一三、〇〇〇	一〇、〇〇〇	ー	一〇、〇〇〇	三、〇〇〇	ー	三、〇〇〇
一九三六年	二一、六〇〇	一二、二〇〇	三三、八〇〇	一七、六〇〇	一一、四〇〇	二九、〇〇〇	四、〇〇〇	八〇〇	四、八〇〇
一九三七年	一八、六〇〇	ー	一八、六〇〇	一五、六〇〇	ー	一五、六〇〇	三、〇〇〇	ー	三、〇〇〇

備考一、ー印ハ不明又ハ皆無ヲ示ス。
備考二、本表ハ前掲「極東ソ聯要覧」（昭和十四年版）ノ諸調査表ヨリ作成。

第九表　東部蘇聯鉄道主要貨物移入量

（単位千瓲）

物品名	地方別	一九三四年	一九三七年
穀類	東部地方	三一三	五〇〇
	東部シベリア地方	三九九	ー
	計	七一二	五〇〇
魚類	東部地方	(-)九一	ー
	東部シベリア地方	一五	ー
	計	(-)七六	ー
肉類	東部地方	五	ー
	東部シベリア地方	(-)三六	ー
	計	(-)三一	ー
薪・木材	東部地方	三四	一〇〇
	東部シベリア地方	(-)一〇八	（木材ノミ）
	計	(-)七四	一〇〇
石炭コークス	東部地方	三九〇	一、〇〇〇
	東部シベリア地方	(-)七九六	ー
	計	(-)四〇六	一、二〇〇
石油類	東部地方	三一	三〇〇
	東部シベリア地方	一二六	ー
	計	一五七	三〇〇
建築材料	東部地方	六〇	ー
	東部シベリア地方	三一	ー
	計	九一	ー
砂糖	東部地方	一	ー
	東部シベリア地方	二一	ー
	計	二二	ー
鹽	東部地方	八八	ー
	東部シベリア地方	一三	ー
	計	一〇一	ー

備考一、魚類、肉類、砂糖、鹽ハ一九三二年、建築材料ハ一九三三年移入量
ー印ハ不明又ハ皆無
二、本表ハ前掲「極東ソ聯要覧」（昭和十四年版）ノ諸調査表ヨリ作成。

ロ、蘇聯軍ノ破壊工作ト勞働力ノ撤退

蘇聯軍ノ破壊工作ガ徹底的デアルコトハ、獨ソ戰線ニ於ケル蘇聯軍ノ行動ニ徴シテ極メテ明白デアル。蘇聯軍ハ作戰地ニ於ケル物的資源及ビ工場設備ノ中、運搬可能ナルモノハ撤退ニ際シテ運ビ去リ、運搬不能ノモノハ徹底的ニ破壊スルノデアル。蘇聯軍ニ於テハ私有財産制度ガ存在セザル爲、破壊工作ハ極メテ容易ニ行ハレル。情報ニヨレバ、歐露ニ於テハ相當大ナル工場ト雖、一週間ノ餘裕ガアレバ、非占領地帶ニ容易ニ移轉スルコトガ出來タトノコトデアル。東部蘇聯ニ於テハ鐵道ガ發達シテキナイ爲、物的資源及ビ工場設備ヲ運ビ去ルコトハ、歐露ニ於ケル程容易デナイト思ハレルガ、破壊工作ハ歐露ノ經驗ヲ有スルダケニ歐露ニオケルヨリモ一層徹底的ニ行ハレルデアラウ。從ツテ我々ハ作戰軍經濟ハソノ占領地帶ニ於テ、蘇聯ノ物的資源及ビ工場設備ヲ利用シ得ザルモノト考ヘネバナラナイ。

蘇聯ニ於テハ獨ソ戰ノ最初ノ豫想ヲ裏切リ、戰線ト銃後トガ一體ヲナシテ抗戰ニ當ツテキル。ソノ爲苟モ勞働能力アルモノハ、軍隊ノ撤退ニツレテ撤退スルカ、然ラザレバゲリラ部隊ヲ組織シテゲリラ戰ヲ行フノデアル。獨ソ戰線ノ經驗ニヨレバ、被占領地帶ニ殘留スルモノハ老人カ子供デアル。ソレ故我々ハ東部蘇聯ニ於テモ亦、作戰軍經濟ハ現地ニ於テ勞働力ヲ見出スコトハ困難デアルト考ヘネバナラナイ。

蘇聯軍ノ行フベキ破壊工作ト勞働力ノ撤退トヲ考慮ニ入レテ工作案ヲ作製スルコトハ極メテ重要デアル。我々ハ東部蘇聯ニ於テハ、占領地ノ物的資源及ビ勞働力ヲ利用スルトイフ考ヲ徹底的ニ放棄シナケレバナラヌ。作戰軍經濟ガ必要トスル總テノ資材及ビ勞働力ハ日滿兩國ヨリ持チ込マネバナラナイノデアル。

(二) 占領地ノ通貨制度ト日滿兩國ノ通貨制度トノ關係

既ニ述ベタヤウニ東部蘇聯ニ實施サルベキ通貨制度ハ日滿兩國ノ通貨制度ニ攪亂的影響ヲ及ボサザルモノデナクテハナラヌ。然ルニ日本ノ經濟モ滿洲國ノ經濟モ既ニインフレ的傾向ヲ内包シテキルノデアル。日本經濟ノインフレ的傾向ニ就テハ玆デハ説明スル必要ハナイ。然シ滿洲國ノインフレ的傾向ニ就テハ玆デ一言スル必要ガアルデアラウ。

滿洲國ニ於ケル公債現在高ハ次表ニ見ル如ク逐年增大シテキルガ、コレガ消化狀態ハ必ズシモ良好トハイヒ難イ。卽チ滿洲國中央銀行ハ康德七年末ニ内國公債九九一百萬圓ノ中八八五百萬圓ヲ引受ケテキルガ、實際消化高ハ一九五百萬圓デ消化率ハ僅カニ二二%ニ過ギナイノデアル。而シテ滿洲國中央銀行ノ通貨發行高ハコレ又逐年增加シテキルガ、康德六年以降ハ殊ニソノ傾向ガ甚ダシク、康德六年末ニ於テハ六五七百萬圓トナリ、前年同期ニ比シ二〇五百萬圓卽チ約五〇%ヲ增加シ、更ニ七年末ニ於テハ遂ニ九九一百萬圓ニ達シ、建國以來ノ最高記錄ヲ示スニ至ツタ。ソレハ六年末ニ比シ五〇%以上ノ增加デアリ、康德四年ニ對シテハ實ニ三倍ノ激增トナツテキル。又全滿銀行預金高ハ最近ノ政府資金ノ撒布ニヨリ、第一三表ノ如ク飛躍的ニ増加シテキルニモ拘ラズ、ソノ増加ノテンポハ貸出高ノ増加テンポニ遠ク及バズ、預金高ト貸出高トノアンバランスハ、康徳四年末ニハ一七〇百萬圓、五年末ニハ三五八百萬圓、六年末ニハ七〇八百萬圓、七年末ニハ一、三三九百萬圓トナリ、コノ開キハ年々増大シテキル。コレラノ諸事情ハ世界ノ物價高及ビ我國ノ物價高ト相俟ツテ、滿洲國ノ物價ヲ暴騰セシメ、大同二年（昭和八年）ヲ基準トスル新京ノ卸賣物價指數ハ、康徳四年平均一二五・一、康徳五年平均一四九・六、康徳六年平均一八一・三、康徳七年九月二四一・〇トイフ急騰ブリヲ記録シテキル。新京ノ騰貴率二四一・〇ガ同一基準ニ基ク東京ノ指數一七一・六、紐育ノ一一八・一、倫敦ノ一六二・五（七月）ニ比シテ遙カニ高イノハ、滿洲國自體ニ物價ヲ昂騰セシメル特殊事情ガ存在シテキルコトヲ示スモノデアル。

ソレ故東部蘇聯ノ通貨工作ハ、日滿兩國ノインフレ的傾向ヲ助長シナイヤウニ特別ノ注意ガ拂ハレネバナラナイノデアル。

第一〇表　滿洲國公債現在高（單位千圓）

年次	内國債	外國債	合計
康徳四年末現在	一九八、一七五	一九三、〇〇〇	三九一、一七五
〃五年〃	三四八、一七五	三三四、二五〇	六八二、四二五
〃六年〃	四五四、一七五	四〇七、九〇〇	八六二、〇七五
〃七年〃	九九一、〇〇〇	六二四、〇〇〇	一、六一六、〇〇〇

備考　滿洲中央銀行「金融經濟統計年報」ニ據ル。但シ康徳七年ハ「滿洲新聞」康徳八年二月七日號ニ據ル。

第一一表、滿洲中央銀行引受公債消化状況（單位千圓）

年度	新規發行額	消化高	消化率（%）
康徳三年	三〇、〇〇〇	一三三	〇・四四
〃四年	一〇〇、〇〇〇	四九、一八五	四九・一八
〃五年	一五〇、〇〇〇	六三、七八五	四二・五一
〃六年	一〇〇、〇〇〇	一〇、五九四	一〇・五九
〃七年	五〇五、〇〇〇	七一、四五五	一四・一五
合計	八八五、〇〇〇	一九五、一三二	二二・〇五

備考　「滿洲新聞」康徳八年三月六日號ニ據ル

第一二表　滿洲中央銀行貨幣發行高（單位千圓、各年末現在）

年次	紙幣發行高	同準備額		鑄貨發行高	紙幣發行增加率（%）
		正貨	保證		
康徳元年	一八四一〇四	七四八一八	九三、五一三	一五七七二	
〃二年	一九八、九三九	九二、二三〇	八六、四一五	二〇、二八三	
〃三年	二七四六九一	一七七、一八一	七七、〇六二	二〇、四四八	
〃四年	三二九、九〇九	二〇八、〇九六	九九、三九三	二二、四一九	一〇〇
〃五年	四五二、八九六	二一六、三〇九	二〇九、四二八	二七、一五八	一三七
〃六年	六五七、三四五	三二三、九八七	二九九、六三三	三三、七二四	一九九
〃七年	九九一、三二九	三六八、四八八	五七八、五六二	四四、一七八	三〇〇
〃八年二月	九一五、九七四	三四一、七五〇	五二八、二三六	四五、九八七	二七八

備考　同盟通信社編纂「同盟時事年鑑」昭和十七年版ニ據ル。

第一三表　全滿銀行預金高（單位千圓）（各年末現在）

銀行名＼年度	康德四年	康德五年	康德六年	康德七年
中央銀行	一三二、四八五	二二二、二一八	二九六、九七六	三八四、九五八
興業銀行	二四三、四七八	三八四、六六四	五六八、六九二	七三九、四一一
普通銀行	三二、九一〇	、四九、五四六	一〇一、八九〇	二〇一、九五八
日本側銀行	一四二、八五五	一四六、三八〇	一九六、〇九九	二六八、二五九
中國側銀行	二〇、二七五	一七、五六〇	一七、〇六七	一八、七八九
歐米側銀行	一六、〇三〇	一四、〇四六	二〇、〇九九	一九、一五四
合計	五八八、〇三三	八三四、四一二	一、二〇〇、八二三	一、六三二、五二九

備考　滿鐵調査部調ニ據ル。康德七年末現在ノ中銀預金高ハ十一月末現在。

中銀勘定ニハ政府預金ヲ除ク。

第一四表　全滿銀行貸出高（單位千圓）（各年末現在）

銀行名＼年度	康德四年	康德五年	康德六年	康德七年
中央銀行	一七五、七一四	三一〇、五〇三	四八一、一〇四	八六〇、七三四
興業銀行	二五八、九九五	四一二、四八四	七九〇、三七三	一、二九四、五七四
普通銀行	五四、七五五	七三、三三九	九八、六八五	一六八、一四一
日本側銀行	二二二、〇八二	三五八、〇八八	五一三、一七三	七三〇、七六〇
中國側銀行	一七、六七九	一八、七五〇	一四、七五四	一二、五四四
歐米側銀行	二九、一八七	一九、一三九	一一、一五四	四、五八四
合計	七五八、四一二	一、一九二、三〇三	一、九〇九、二四三	三、〇七一、三三七

備考　滿鐵調査部調ニ據ル

康德七年末現在ノ中銀貸出高ハ十一月末現在

中銀勘定ニハ政府貸上金ヲ除ク

(三)　緊急工作ノ恒久工作ヘノ發展

緊急工作ハ占領地ニ軍政ガ布カレテキル過渡的段階ノ工作デアル。コノ過渡的段階ニ於ケル東部蘇聯ノ經濟ハ、荒廢セル在來經濟ノ中ニ作戰軍經濟ガ挿入サレ、作戰軍經濟ハ滿洲國及ビ日本ノ經濟カラ物資ト勞働力トノ供給ヲ受ケテ始メテ成立スルノデアル。ソレ故緊急通貨工作ハコノ過渡的段階ニ適應シ、作戰軍經濟ニ於ケル通貨ヲ一方デハ在來經濟ノ通貨カラ、他方デハ日滿經濟ノ通貨カラ遮斷シ、作戰軍經濟ノ內部デノミ機能セシメルコトヲ眼目トスル。然シコノ過渡的段階ソノモノハ解止的ナモノデハナク、絶エズ發展シテ、一定期間ノ後ニハ軍政廢止後ノ正常的經濟ニ移行スルノデアル。即チ作戰軍ハ一方デハ占領地ノ治安ヲ回復スルト共ニ、他方デハ破壞セラレ荒廢シタ經濟ノ再建ヲ圖ルノデアル。コソ再建ノ仕方ハ、一方デハ占領地ノ自然的條件ニ依存スルガ、他方デハ東亞共榮圈全體ノ中ニ於テ、東部蘇聯ガ演ズベキ役割ニ依存スル。換言スレバ東亞共榮圈ノ總生產力ヲ增大セシメルタメニハ、東部蘇聯ハ如何ナル役割ヲ演ズベキカ、トイフコトニ依存スル。過渡期ニ於ケル占領地經濟ヲ如何ニ再建スベキカトイフ問題ハ、我々ノ別ノ報告ノ內容ヲナスモノデアルガ、茲デハ唯東部蘇聯ハ日滿工業ノ單ナル原料供給地デアルトイフコトヲ指摘スルニ止メル。カクシテ東部蘇聯ガ或ル一定ノ期間ノ後ニハ滿洲國ノ一部ニ編入サレルモノトスレバ、過渡段階ニ於ケル緊急通貨工作ハ、將來滿洲國ノ貨幣制度ノ中ニ解消サレ得ル性格ノモノデナケレバナラナイノデアル。

第二節　通貨工作案ニ於ケル諸問題

(一) 通貨ヲ軍票ノミトスベキカ否カトイフ問題

我々ハ占領地ニ於ケル通貨ハ留軍票一種類トスベキデアルト考ヘル。關東軍案ハ留軍票ト滿洲國貨幣トノ二種類ヲ使用シ、前者ハ軍外支拂ニ、後者ハ軍內支拂ニ使用スベキデアルト考ヘテヰル。關東軍ノコノ案ハ、無意識ノウチニ二ツノ前提ノ上ニ立ツテヰル。第一ハ占領地ニ於テハ在來經濟ノ資財ト勞働力トヲ利用シ得ルトイフコトデアル。コノ案ガ軍外支拂ト異ナレル軍票ヲ用ヒヨウトスルノハ恐ラクソノ爲デアラウ。第二ハ占領地ノ通貨制度ハ滿洲國ノ通貨制度ニ攪亂的影響ヲ及ボサナイトイフコトデアル。コノ案ガ軍內支拂ニ滿洲國貨幣ヲ用ヒヨウトスルノハ恐ラクソノ爲デアラウ。我々ハコノ二ツノ前提ハ共ニ事實ニ合致シナイモノデアルト考ヘル。

東部蘇聯ニ於テハ占領地ノ資材ト勞働力トヲ利用シ得ナイコトハ、

22

既ニ述ベタ通リデアル。從ツテ占領地ニ於ケル通貨ハ、殆ンド全部作戰軍經濟（軍內及ビ軍管理下ノ日滿人經濟）ノ範圍ヲ流通シ、在來住民ノ手ニ渡ル割合ハ極メテ小デアル。ソノ爲軍內支拂ト軍外支拂ヲ區別スル必要ハナイノデアル。

次ニ滿洲國ニ於テ既ニインフレ的傾向ノ存在スルコトハ、サキニ述ベタ通リデアル。軍內支拂ニ滿洲國貨幣ヲ用フルトキハ、占領地ノ滿洲國貨幣ハ國境ヲ越エテ滿洲國ニ流入シ、滿洲ノインフレ的傾向ヲ助長スル危險ガ極メテ大デアル。占領地ノ通貨ト滿洲國ノ通貨トノ間ニハ障壁ヲ設ケネバナラヌ。ソノ爲占領地ニハ滿洲國貨幣トハ異ナレル貨幣ヲ使用スベキデアル。

尙ホ、占領地ノ作戰軍經濟ヲ一方デハ在來經濟ト遮斷シ、他方デハ日滿經濟ト遮斷スルノデアルカラ、作戰軍經濟ニ於テ使用スル通貨ハ留軍票デナクテモヨイデハナイカトイフ疑問ガ起ルカモ知レナイ。然シ作戰軍經濟ハ發展スルモノデアリ、ソノ初期ノ段階ニ於テハ、蘇聯ヲ破壞工作及ビ在來住民ノ抗日性ノタメニ、在來經濟ト遮斷サレテヰルガ、後ノ段階ニ於テハ建設モ進ミ、在來住民ノ抗日性モ消滅スル結果、ソノ範圍ヲ次第ニ擴大シテ在來經濟ヲ自己ノウチニ包攝スルニ至ルノデアル。ソレ故通貨ハコノ發展過程ヲ助長シ促進シ得ルヤウニ、在來住民ニ親シミノアル留貨幣デナケレバナラヌ。

(二) 軍票ト圓系通貨トノ關係

我々ハ留軍票ト圓系通貨トノ關係ハ遮斷スベキデアルト考ヘル。ソレハ軍票ガ圓系通貨ニ攪亂的作用ヲ及ボスノヲ阻止スル爲デアル。タダヤムヲ得ザル場合ニノミ、兩者ノ交換ヲ認メル。而シテ兩者ノ交換比率ハ、舊留貨ノ購買力ト圓系通貨ノ購買力トノ比率ニヨツテ、關東軍司令官ガ之ヲ指定スベキデアル。滿鐵ノ調査ニヨレバ、舊留貨ノ實際的購買力ハ大衆消費財ニ就テハ一留ガ十錢乃至三十錢見當、生產財ニ就テハ八十錢乃至一圓位ダト觀測サレテヰル。

23

(三)　軍票ト舊留貨幣トノ關係

我々ハ軍票ト舊留貨幣トノ關係モ遮斷スベキデアルト考ヘル。コレハ二ツノ理由ニ基ク。第一ハ、過渡的段階ニ於テハ、蘇聯ノ破壞工作、勞働力ノ搾取、在來住民ノ抗日性ノ爲ニ、作戰軍經濟ハ事實上在來經濟ト遮斷サレテヰルカラデアル。作戰軍經濟ハ、軍票ト舊留貨幣トノ交換ヲ認メルコトニヨツテ、殆ンド何等ノ利益ヲモ得ルコトハ出來ヌ。第二ニ、軍票ト舊留貨幣ノ交換ヲ認メルトキハ、蘇聯ノ通貨攪亂工作ヲ蒙ル危險ガアルノデアル。

軍票ト舊留貨幣トノ關係ヲ遮斷シテモ、在來住民ノ間ニ於テハ、軍票ト舊留貨幣トノ交換ハ行ハレル。軍票ガ在來住民ノ手ニ歸スルノハ勞賃ノミデアルカラ、最初ノウチハソノ額ハ極メテ僅カデアルガ、作戰軍經濟ガ發展スルニツレテ次第ニ増加スル。ソノタメ軍票ト舊留貨幣トノ間ニハ自然發生的ニ交換比率ガ生ジルデアラウ。而シテコノ交換比率ハ作戰軍經濟ガ發展スルニツレテ、次第ニ軍票ニトツテ有利トナルデアラウ。何トナレバ軍票ヲモツテハ作戰軍經濟ノ物資ヲ購入シ得ルノニ、舊通貨ヲモツテハ窮乏セル在來經濟ノ不足物資ヲ購入シ得ルニ過ギナイカラデアル。

(四)　軍票ノ價値ハ如何ニシテ維持サルベキデアルカ

軍票ノ價値ヲ維持スルタメニハ、第一ニ、ソノ發行ヲ必要最少限ニ止メル。第二ニ、軍票ヲ裏付ケルタメノ物資ヲ日滿兩國ヨリ供給スル。第三ニ、押收物資ノ拂下、公課、國有財産使用料ノ徴收等ニヨリ軍票ヲ回收スル。第四ニ、價格ノ公定及ビ切符制度ヲ施行スル。第一及ビ第三ノ點ニ就イテハ説明ヲ要シナイガ、第二及ビ第四ノ點ニ就テハ立チ入ツテ説明スル必要ガアルデアラウ。

第二ノ點ニ就テ。關東軍案ハ日滿兩國ニヨル物資ノ供給ヲ以ツテ軍票ノ價値ヲ裏付ケナイコトヲ原則トシテヰル。コレハ占領地ニ必要ナル物資ガ存在シテヰルコトヲ前提トシタ考デアル。シカシ既ニ屢々述ベタヨウニ過渡段階ニ於テハ、殊ニソノ初期ノ段階ニ於テハ占領地ニハ利用スベキ物資ハ殆ンド存在シナイノデアル。ソレ故作戰軍經濟ガ必要トスル物資ハ日滿兩國カラ供給サレネバナラナイ。ソシテ軍票ノ價値ハ、コノ日滿兩國カラ供給サレル物資ヲモツテ裏付ケラレルノデアル。日滿兩國カラ物資ヲ供給シテモ、作戰軍經濟ト在來經濟トハ之ヲ遮斷シテアルタメ、物資ガ在來經濟ニ流出スル危險ハ存在シナイノデアル。

第四ノ點ニ就テ。價格ノ公定及ビ切符制度ハ二ツノ目的ヲ持ツ。第一ハ、作戰軍經濟ノ内部ニ於テ起リ得ル軍票ト物資トノ不均衡ニモ拘ラズ、軍票ノ價値ヲ强力的ニ維持スルタメデアル。第二ハ、蘇聯ノ攪亂工作ヲ阻止スルタメデアル。例ヘバ僞造軍票ニヨツテ物資ヲ在來經濟圏ニ持チ去ラウトシテモ、價格ノ公定及ビ切符制度ガ依在スル限リ不可能デアル。

蘇聯邦經濟力調査

昭和十七年五月
陸軍省主計課別班

例言

一、本調査ハ蘇聯邦經濟ノ抗戰要素タル人的、物的供給力並ニ經濟安定力ヲ短期戰ノ場合ニ於テ如何ナル程度ニ集中發揮シ得ルヤノ可能性ヲ檢討シ以テ其ノ構成的弱點ヲ把握シ經濟戰略點ヲ究明セントスルニ在リ。

從ツテ長期戰ノ場合ニ於テ幾年間ノ持久ニ耐エ得ルカトイフ動態的抗戰力ニ關シテハ本調査ヲ基礎トシテ更ニ研究ヲ要スル問題ナリ。

二、本調査ハ別册「蘇聯邦經濟力調査資料」ニ基ヅクモノナルヲ以テ特ニ資料ノ出所ヲ明示セズ。

三、本調査ノ附録トシテ「東部ソ領ニ於ケル生産力調査表」ヲ添付シ兵要資料ノ一部ニ供セントス。

昭和十七年四月　陸軍省主計課別班

目次

ソ聯邦經濟力調査

要　旨

一、綜合的觀點ヨリ見タル經濟力

(1) 戰時最低國民生活ヲ保障スル範圍ニ於ケル維時可能兵力量ハ概ネ八百万人ヲ限度トス。

此ノ場合ニ於ケル勞働力ニハ余力ナキヲ以テ戰爭規模ノ縮少ト裝備ノ低下ヲ行ハサル以上假ニ動員可能豫備人口トシテ一千九百万人ヲ推定スルモ之ヲ右兵力量ヲ超過シ動員スルコトハ困難ナリ。

(2) 戰費負擔能力ハ短期戰ノ場合ヲ想定シ國民消費生活程度ヲ現狀以下ニ低下セサル限リ、一千二百八十億留ヲ限度トシテ測定シ得ルモ若シ一九三二年度ノ窮迫セル生活水準ニ迄之ヲ切下ケ得タリトセハ二千二百五十一億留ノ戰費捻出ハ可能ナリ。

國民ノ消費生活ハ現狀ニ於テ既ニ豫裕ナク之以上ノ生活程度ノ切下ヲナサントスルニハ短期ニ決戰ヲ終ヘ其ノ間強力ナル政治的指導力ノ結成ト國民最低度ノ需要タル主食品ノ供給確保トヲ必要トス。

(3) 重要戰略資源ハ非鐵金屬ノ一部ヲ除キ殆ンド全部自給自足可能ニシテ未開發資源ノ開發ト代替原料ノ利用トヲ強行スレハ不足資源ハ皆無トナル。

二、戰略的觀點ヨリ見タル弱點

(1) 戰時重要資源ノ生產分布ノ狀態ハ極度ノ偏在性ヲ有シ之ニ伴フ工業生產配置モ地理的不合理性ヲ現出シアリ。

ソ聯ノ經濟力ハ歐露方面ニ約八割ヲ保有シ特ニ重要鑛產資源ニ於テ石油ハ「カフカズ」方面ニ全生產高ノ九割、石炭ハ「ウクライナ」ノ「ドンバス」方面ニ六割、鐵鑛ハ「ウクライナ」「カフカズ」方面ニ六割五分、「マンガン」ハ「ウクライナ」「カフカズ」方面ニ九割五分依存シ之等ノ資源ノ供給ニ依リ活動シアル歐露ノ工業地帶ノ生產高ハ概ネ八割程度ニシテ極端ナル偏在性ヲ有シタリ。

(2) 輸送力ノ構成ニ於テ鐵道運輸ハ全輸送量ノ八割以上ヲ占ムルモ、世界陸地ノ一割六分ヲ占ムル廣大ナル國土ニ重要物資ノ分散或ハ偏在シアルニ對シ交通網ノ發達ハ之ニ伴ハスシテ加フルニ輸轉材料ノ整備完全ナラサルカタメ、輸送力ハ負擔過重ニ惱ミアリ。

之カ補足的並ニ副次的ノ役割ヲナスヘキ海運、河川運輸ハ保有船舶量ノ不足ト航行期間ノ氣候的制約ヲ受クル程度大ナルヲ以テ直チニ之カ利用ノ擴大ハ期待シ得サルナリ。

第一章　供給力ノ検討

ソ聯邦經濟力ノ抗戰要素タル供給力ハ之ヲ其ノ大サヲ決定スル諸要因（基本的要素）ト潜在的供給力ヲ現實化セシムルタメノ速度ヲ決定スル諸要因（時間的要因）トニ大別ス。

蓋シ潜在的供給力カ如何ニ大ナリト雖モ夫カ直接的ナル戰爭力ニ對シ現實化センカタメニ多大ノ時間ヲ要スルトキハ短期戰ノ遂行能力ハ限定セラルヘキナリ。

第一節　抗戰力ノ大サヲ決定スル要因

第一項　人口力

一、人口量及構成

(一) 人口量

ソ聯總人口ハ一九三九年一月ノ國勢調査ニ依レハ、一七〇、四六七、一八六人ニシテ之ヨリ、「西部ウクライナ」及ビ「西部白ロシア」ノ地域ヲ除キタル總人口ハ一六九、五一九、一二七人ナリ。其ノ國土面積ニ對スル相對的人口ハ一平方粁當リ僅カニ八・九人ニシテ列強中最少ノ地位ヲ占ム。

之ニ對シ人口年増加率ハ一九二六年ヨリ三九年迄ヲ平均セバ一・二三%ニシテ獨逸、米國ノ二倍ニ達シ毎年二百万人ノ人口増加トナル。

(二) 人口構成

ソ聯總人口ヲ構成別ニ見レハ次ノ如シ。

(1) 年齢別構成（一九三九年一月）

「西部ウクライナ、西部白ロシアヲ除ク」

年齢別	人口数	全人口ニ對スル割合
七才以下	三一、四一二、二千人	一八・六%
八－十一才	一六、四〇九、一	九・七
十二－十四才	一三、三三六、一	七・九
十五－十九才	一五、一二四、一	八・九
二十－二九才	三〇、六三九、〇	一八・〇
三十－三九才	二五、三三三、〇	一四・九
四十－四九才	一五、二三五、九	九・〇
五十－五九才	一〇、八六七、四	六・四
六十才以下	一一、一二九、三	六・六
年齢ヲ明記セサルモノ	三二、九	〇
合計	一六九、五一九、一	一〇〇・〇

(2) 性別構成比率（一九三九年一月）

（性別）	（全人口ニ對スル割合）
男子	四八%
女子	五二
計	一〇〇

(3) 都市人口ト農村人口トノ構成比率（一九三九年一月）

（區分）	（全人口ニ對スル割合）
都市人口	三七%
農村人口	六三
計	一〇〇

二、軍動員可能人口

(一) 判決

ソ聯ニ於ケル動員可能豫備人口ハ約一千九百万人ト推定セラル、モ近代装備ヲ有スル兵力ノ維持可能量ハ軍需勞働力ヨリ考慮シ又國民最低生活ヲ維持スル範圍ニ於テ約八百万人ヲ最大限度トス。

(二) 動員可能豫備人口推定計算

一九三九年一月現在ノ男子人口中兵役義務年限ニアルモノノ比率ヲ約三四%トセハ、其ノ實數ハ約二七、七六〇千人トナリ。更ニ之ヨリ兵役義務年限ニアルモノノ中病弱其他ノ原因ニ依リ動員不能ノモノ（約三〇％ヲ占ム）ヲ除ケバ動員適格人口ハ一九、四三〇千人トナル。

㈢ 維持可能兵力量ノ検討

維持可能兵力量ノ測定方法ハ種々アルモ茲ニハ最モ簡単ニ戦時確保スヘキ労働力タルヘキ軍需必要労働力及國民最低生活必需労働力トノ二ツヨリ見テ、幾何ノ兵力ヲ供出シ之ヲ支持シ得ルヤヲ算定スル方法ヲ採レリ。

此方法ニ依リ検討シタル所ニ據レハ一應約八百万人ノ兵力ヲ常時保有スルニ足ル動員ハ可能ナルモ夫以上ノ動員ハ兵器其他ノ軍需資材ノ装備ヲ甚シク低下セサル限リ困難ナリ。

其ノ説明ハ労働力余力ノ有無ヲ検討スル項ニ之ヲ譲ルコト、ス。

三、労働力餘力

㈠ 判　決

八百万人ノ兵力ヲ動員シ且之ヲ維持スル場合ニ於ケルソ聯労働力ノ絶對量ニ於テハ其ノ余力ハ全然ナシ。

若シ夫以上ノ兵力ヲ動員シ之ヲ保有セントセハ軍需生産力ノ擴充維持ヲ不能ナラシメ戦争遂行ニ困難ヲ來スヘシ。

㈡ 労働力余力ノ検討

前掲年齢別構成表ニ基キ十五才ヨリ五十五才迄ノ男女ヲ以テ生産適齢ニアルモノトシテ之ヲ計算スレハ生産年齢人口約数ハ九二、八五二千人ニ達スルモ、此ノ中ヨリ軍人、學生、年金受領者及ヒ病弱者等ノ不就業人口数ヲ控除シ實際ノ就業可能人口数ヲ算出セサルヘカラス。

不就業人口ハ一九三七年ノ實績ヨリ之ヲ見ルニ總人口数ニ對シ約四・二％ヲ占ムルヲ以テ其ノ實数ハ七、一二〇千人トナリ、之ヲ右ノ生産年齢人口總数ヨリ控除セハ八五、七三二千人トナル。

但シ此ノ就業可能人口ハ全部労働力トシテ使用シ得ルニ非スシテ此ノ中ヨリ兵力ヲ供給セサルヘカラス。戦線ニ於ケル兵士ト銃後ニ於ケル軍需必要労働力トノ比率ニ關シ種々ナル説アルモ、赤軍ノ装備トソ聯ノ生産力ノ状況ヨリ見テ適當ト思ハルヘキ「メンデ」少佐ノ一對八トイフ計算ヲ基礎トスルコト、ス。

動員維持兵力ヲ八、〇〇〇千人トスレハ軍需必要労働力ハ六四、〇〇〇千人トナリ兵力ト軍需必要労働力ト併算スレハ七二、〇〇〇千人トナル。

然ルニソ聯ハ之以外ニ尚七九、五一九千人ノ人口カ存在スルヲ以テ此ノ人口ニ對シテモ最低生活水準ノ生活資料ヲ供給スル労働力トシテ國民最低生活費一六、七九一百万留ナルヨリ見テ、一五、四八三千人ノ國民最低生活必需労働力ヲ要ス。從ツテ兵力、軍需必要労働力及國民最低生活必需労働力ノ合計ハ八七、四八三千人ニシテソ聯ノ就業可能人口八五、七三二千人ヨリ見ルニ一、七五一千人ノ労働力ニ不足ヲ生スルコト、ナル。此ノ労働力ノ不足ハ不就業人口中ヨリ強ヒテ動員スレハ概ネ之ヲ補足スルコトヲ得ルモ余力ヲ捻出スルコトハ困難ナリ。

㈢ 労働力ノ技術的水準ニ關シテハ工業生産力ノ項ニ於テ説明ス。

第二項　動　力

一、電　力

㈠ 發電能力

ソ聯電力ノ供給力ハ一九三七年ニ於テ發電力八百十七万キロワット、發電量三百六十四億キロワット時ニシテ發電量ハ米國、獨乙ニ次キ世界第三位ヲ占メ工業部門發展ノ急テンポニ應スル供給力ヲ具有シアリ。

尚動力源ヨリ見ルニ一九三七年ニ於テ水力一九・五％、火力八〇・五％ニシテ火力發電カ壓倒的部位ヲ占ム。

㈡ 强弱性

(イ) 電力資源ノ豊富（强點）

ソ聯ハ世界水力包藏量ノ三六％ニ達スル豊富ナル水力資源ヲ有スルニ拘ラス水力發電ニ於テハ其ノ利用率極メテ低ク將來ノ開發ニ俟ツ所大ナリ。

一九三二年「ドニエプル」急流ニ歐洲第一ノ巨大火力發電所ノ建設ヲ見テヨリ「ヴォルガ」河沿岸ノ「クイブイシェフ」發電所ヲ初メ幾多ノ大水力發電所カ新設セラレ一九三七年現在ニ於ケレ水力發電所ノ數ハ三十七、設備容量ハ百二十八万八千六百七十キロワットニシテ別ニ未完成ノモノ百四十八万二千三百六十キロワットアルモ之等開發中ノモノハ全般ヨリ見ルニ未ダ僅少部分ヲ占ムルニ過キズ。

ソ聯火力發電ニハ地方的燃料タル泥炭及頁岩ノ利用研究カ遂ケラレ最近ハ殆ント之等ニ依存スルコトヨリシテ泥炭及頁岩ノ埋藏量ヲ採ルニ前者ハ十四億五千三百万屯、後者ハ五百五十億屯ニシテ殆ント無盡藏ナリ。之ヲ以テスルニソ聯ノ電力資源ハ水力、火力共ニ豐富ニシテ其ノ開發ト相俟チ大ニ將來性ニ富ム。

(ロ)　余剰電力ノ不足（弱點）

第二次五ケ年計畫ニ於テ電力ノ供給確保確保ノタメ余剰電力ヲ各發電所中心ニ形成スル如ク試ミラレタリ。然ルニ電力ノ需要増大セルニ拘ラス發電設備ノ擴充之ニ卽應セサルタメ余剰電力ハ一三・五％ニ低下セリ。之ヲ一九三六年ニ於ケル米國ノ二六・三％、英國ノ二一・二％ニ比スレバ二分ノ一程度ニ過キス。

之ガ爲電力設備利用ノ過重、適時修繕ノ懈怠、夫ニ依ル破損ト故障ノ増大ヲ惹起スル現象ヲ呈シアリ。

二、石　油

(一)　産油能力

ソ聯原油ノ年産高ハ一九三七年ニ於テ二千七百八十二万一千屯ニシテ米國ニ次キ世界第二位チ占メ自給率一〇〇・二％ナリ。

一九三七年ニ於ケル原油ノ需給狀況左ノ如シ。

(品　種)	(生　産)	(輸　入)	(輸　出)	(國内消費)
原　油	二七、八二一千屯	○	六八千屯	二七、七五三千屯

一九三七年ニ於ケルソ聯製油業ノ原油及原料油處理能力ト其ノ處理高左ノ如シ。

	(處理能力)	(處理高)
原　油（直　溜）	二八、〇〇〇千屯	二六、三九〇千屯
原料油（分解蒸溜）	六、六七〇	六、四七八

(二)　强　弱　性

(イ)　産油地帯ノ偏在（弱點）

油田地帯ハ邊境ノ「カフカズ」ニ偏在シソ聯産油量ノ九割カ此地方ニ依存（中ニモ「バクー」油田ハ全ソノ七三・五％ヲ占ム）スルコトハ輸送上並ニ戰略上大ナル弱點ヲ形成ス。

最近製油工業カ各石油消費地方ニ於テ發展シアル關係上石油製品ト共ニ原油、重油ノ水運、鐵道、パイプラインニ依ル輸送量ハ約三千万屯ニ達スル狀況ナリ。

石油産地ノ偏在セルトイフ弱點ヲ補强スヘク産業的ニ又軍事的ニ有利ナル「ウラル」「ヴォルガ」地帯及「クズネツク」ノ東部一帶ヲ包含スル「第二バクー」ノ建設カ現ニ試ミラレツヽアリ。併シ「第二バクー」ヨリノ産油量ハ未ダ到底「カフカズ」方面ノ夫ニハ及ハス第三次五ケ年計畫末ノ目標カ五百七十万屯ナルモ之マテノ推移ヨリスルニ此ノ量ノ産出モ困難ナリ。

(ロ)　揮發油ノ自給率稍〻低キコト（弱點）

ソ聯ノ原油ハ重質油一般ニ多ク輕質油少キ性質ヲ有シオクタン價高キ揮發油製造ニ適セサルモノ多シ、其ノ外採油法、製油法等ノ技術ニ於テ列國ニ比シ劣レル關係上揮發油ノ得率モ少ク其ノ自給率ハ一九三七年ニ八〇・一％ナリ。

(ハ)　埋藏資源ノ豐富（强點）

ソ聯ハ石油資源ニ於テ世界第一位ヲ占メ埋藏量ハ一九三八年ニ於テ八十六億三千九百万屯ニシテ東部地方（四四％）カ既ニ「カフカズ」地方（四三％）ヲ凌駕シ産業東漸化ノ可能性ヲ保障シアリ。

三、石　炭

(一)　生産能力

ソ聯石炭ノ採炭高ハ一九三七年ニ於テ一億二千七百十万屯ニシテ自給率一〇一・一%ナリ。

一九三七年ニ於ケル石炭ノ需給狀況左ノ如シ。

(品種)	(生産)	(輸入)	(輸出)	(國內消費)
石炭	一二七一〇〇千屯	一二千屯	一二七三千屯	一二五八三九千屯

但シ右石炭生産高中ニハ褐炭一千八百十万屯ヲ含ム。

(二) 弱　性

(イ) 産炭地ノ偏在(弱點)

石炭ハ石油ニ比スレハ生産地ト消費地トノ離隔ノ程度ハ甚シカラサルモ「ドンバス」、「クズバス」炭田ノ生産量ハ全生産高ノ約八割ヲ占メ「ドンバス」ノミニテモ六割一分ニ上リ地理的配置ノ不合理性ヲ有セリ。

重要工業地帯タル「モスクワ」「レニングラード」ヲ中心トスル地方及「ヴォルガ」沿岸地方ハ何レモ石炭ノ大量消費地ナルニ拘ラス殆ンド石炭ノ生産ヲ見サルナリ。

尚新興工業地方ニ於ケル生産諸力ノ異常ナル發展ニ比シテ石炭基地ノ發展カ立遅レアリタルタメニ遠距離輸送カ止ムヲ得ス行ハレタル實情ニ鑑ミ之カ清算ノタメ、石炭業ノ東漸化、地方的中小炭坑ノ全面的開發ニ力ヲ注カレアリ。

第三項　原料供給力

一、鑛産原料

(一) ソ聯鑛産資源ハ非鐵金屬ヲ除ケバ略ミ自給自足ノ狀態ニアルモ之等重要物資ノ生産地ノ地理的配置ハ不合理性ヲ有ス。之カ是正ノタメニ工業ノ東漸化ニ伴ヒ戰時危險區域タル南露方面ヨリ漸次安全ナル「ウラル」以東方面ノ開發カ鋭意行ハレツヽアリ。

(二) ソ聯戰略物資中非鐵金屬ニ於テ地下埋藏量豐富ナルニ拘ラス未開發ノ狀態ニアルモノ多ク其ノタメ自給ノ域ニ達セスシテ外國依存ヨリ脱却シ得サルモノナリ。

ソ聯重要鑛産資源ノ自給自足性ノ概要ハ次ノ如シ。

(1) 完全ニ自給セルモノ
石炭、石油、加里、燐、鐵鑛、マンガン、クローム、コバルト、チタン、ヴァナヂウム、カドミウム、水銀、白金。

(2) 自給率九割以上ノモノ
亜鉛、アルミニウム。

(3) 自給率五割程度ノモノ
銅、鉛。

(4) 自給率二割乃至三割程度ノモノ
ニッケル、錫、アンチモン、

(5) 殆ント全部ヲ輸入ニ仰クモノ
モリブデン、ウオルフラム。

一九三七年ニ於ケル鑛産原料ノ供給力ハ左表ノ如シ。

品種(單位)	生産高	輸入高	輸出高	消費高	自給率	强弱性
鐵鑛	二七七四三	〇	三五二	二七三九一	一〇一・三%	(1)「ウクライナ」「ウラル」方面(全生産高ノ九割)ニ産地カ偏在ス
銅(千屯)	九二	六五	〇	一五七	五八四	(1)「ウラル」方面(全生産高ノ九割)ニ産地カ偏在ス (2) 輸入ハ「白領コンゴー」米國ニ依存ス (3) 埋藏量(一、七〇〇万屯)豐富ニシテ特ニ中央アジヤ方面ニ於テ將來性ニ富ム
鉛(千屯)	五五	四二	〇	九七	五六五	(1) 輸入ハ濠洲「白領コンゴー」ニ依存ス (2) 産地ハ東部邊境地帯ニ偏ス
亜鉛(千屯)	八八	四	〇	九二	九五六	(1) 産地ハ東部ソ領方面ニ偏在ス

アルミニウム(屯)	四三八九〇	五八〇八		〇四	四九六八七	八八〇%
(備考)	(1) 主トシテ米國、白領ヨリ輸入ス (2) 「チウヒン」(生産高ノ四割)鑛山、「南北ウラル」(殘リ六割)鑛山ニ産地ハ限ラル (3) 貯藏ニ特ニ力ヲ注カレ公稱貯藏量約十九万屯ナリ (4) 代替原料トシテ霞石(ネフリン)ノ利用カ盛トナレリ					
ニッケル(屯)	一五〇〇	九〇七六		〇	一一五七五	二一六
(備考)	(1) 外國市場ヘノ依存度高ク主トシテ英領植民地「ニューカレドニヤ」「カナダ」ヨリ輸入セラル (2) 埋藏資源豐富ナルモ其ノ八割カ「ウラル」地方ニ集中シアリ					
錫(屯)	四〇〇〇	九八〇〇		〇	一三八〇〇	約三〇〇〇
(備考)	(1) 外國ニ依存度高ク主トシテ蘭領印度、次イテ「白領コンゴー」「英領マレー」ヨリ輸入セラル (2) 「ザバイカル」地區ニ資源ハ偏在ス					

マンガン(千屯)	二七五二	〇	一〇〇〇	一七五一	一五七%
(備考)	(1) 埋藏量豐富ナリ (2) 採掘地域ハ「ウクライナ」「ニコポル」「カフカズ」ノ「チアツール」ニ偏在スルモ將來「ハシキール」「クラスノヤルスク」ノ新鑛山開發スレハ現在ノ遠距離輸送ノ弊害ヲ幾分緩和スルコト、ナル				
マグネサイト(千屯)	四八二	三八	〇	四七八二	一〇〇一
(備考)	(1) 世界全生産額ノ約三割ヲ占ム				

三、農産原料

(1) 棉花

(一) 生産能力

ソ聯ノ棉花ノ供給力ハ一九三八年ニ於テ繰棉産高五千三百万プード

作付面積二百八万二千ヘクタールナリ。

ソ聯繰棉産高ノ世界産高ニ占ムル比重ハ一九三八年ニ於テ一四%ニ達シ米國及印度ニ次ク世界第三位ヲ占ム。

(二) 需給状況

ソ聯ハ棉花ニ於テ完全ナル自給自足ノ状態ニアリ國内ニ於ケル棉花ノ需給ハ一九三八年ニ三万六千六百屯ノ原棉余剩量ヲ殘セリ。

ソ聯ノ棉花ノ輸出入状況ハ左ノ如シ(一九三七年)

輸入　二二、一千屯　(仕入國)　イラン(一六千屯)アフガニスタン、トルコ

輸出　四五、三　(仕向國)　英國、フランス、スペイン

(三) 强弱性

(イ) 品質ノ優良(强點)

ソ聯棉ノ品質ハ纖維長ニ於テ埃及棉ニハ劣ルモ、米棉、印度棉等ヨリハ優秀ニシテ三一——三二粍ノ長纖維ノモノ二五%ニ達スル状況ナリ。

(ロ) 産地ノ偏在(弱點)

棉花ノ産地ハ主トシテ「中央アジア」及ビ「カフカズ」兩地方ニ集中シ特ニ「中央アジア」ハソ聯棉花作付面積ノ八〇%以上ヲ占メ次テ「カフカズ」ハ約一〇%「カザクスタン」ハ約五。三%ヲ占ム。以上ノ三地方ハ作付面積ニ於テ全ソノ七五。七%ヲ占ムルモ産高ハ此ノ比率ヨリ大ナリ。

綿業地カ棉花生産地ヨリ離隔セル「モスコー」「レニングラード」方面ニ集中シアルハ缺點ナリ。

右ノ棉作地以外ニ「ロシア」共和國ノ南部、「ウクライナ」共和國ノ一部カ新ニ開拓セラレ作付面積ハ既ニ全ソノ四分ノ一ニ達スルモ非灌漑地方ナルタメ收穫率ハ極メテ低シ。

(2) 羊毛

㈠ 生産能力

ソ聯ノ羊毛ノ生産高ハ一九三八年ニ於テ十三万三千屯ナリ。

ソ聯ハ緬羊頭數ニ於テハ濠洲ニ次ク大牧羊國ニシテ一九三八年ニ於ケル保有頭數八千四百五十万頭ナリ。

㈡ 需給状況

ソ聯ノ羊毛ノ自給率ハ八三。六％ニシテ不足分ハ主トシテ「イラン」「アフガニスタン」新疆、外蒙、濠洲ヨリ毎年二万五千万屯乃至三万屯輸入シアリ。

㈢ 强弱性

(イ) 生産分布ノ均衡（强點）

羊毛産地ハ「カザクスタン」「中央アジア」「シベリア」地方ニ廣ク分布シアリテ加工々業地ハ北部及中部地方ニ稍　偏在セルモ其ノ程度甚シカラス。

(ロ) 品質ノ改良（强點）

ソ聯ノ羊毛ハ緬羊ノ保有頭數ノ内譯ヲ見ルニ硬毛種六二。四％、半硬毛三二。九％、細毛種四。七％ノ割合ニシテ毛質粗剛ナルタメ産毛量ノ少キ硬毛種カ大部分ヲ占メタルモ、漸次品質カ改良セラレ産毛能率高キ半硬毛及細毛種ノ増加ヲ見ツヽアリ。

(3) 亜麻

㈠ 生産能力

ソ聯ノ亜麻ノ供給力ハ一九三八年ニ於テ生産高五十四万六千屯、作付反別百八十万二千ヘクターナリ。

ソ聯ハ亜麻生産高ニ於テ全世界産高ノ約七五％、作付反別ニ於テ全世界ノ夫ノ八五．七％ヲ占メ、殆ンド獨占的地位ニアル。

㈡ 需給状況

亜麻ノ自然率ハ勿論完全ニシテ一九三七年ニハ三万四千五百屯ヲ輸出セリ。其ノ主要仕向國ハ英國、「フランス」、米國等ナリ。

15

㈢ 强弱性

(ハ) 品質ノ劣悪（弱點）

ソ聯産ノ亜麻ハ品質粗悪、繊維番手低ク高級ナル亜麻系ノ紡績ニ適セス。尚品質改善ノ傾向モ之ヲ認メ得サルナリ。

(ニ) 収獲率ノ低位（弱點）

ソ聯亜麻生産ニ於ケル缺點ハ収獲率ノ低キコトナリ。

其ノ収獲率ハ白耳義、和蘭ノ三分ノ一以下ノ程度ニ過キス。

(4) 生糸

㈠ 生産能力

ソ聯ノ繭及生糸ノ生産高ハ左ノ通リニシテ何レモ日、支、伊ニ次キ世界第四位ノ生産國ナリ。

	（一九三七年ニ於ケル生産高）	（我國生産高ニ對スル割合）
繭	二三、七〇〇屯	1/2
生糸	一、六二九	1/26以下

㈡ 需給状況

繭、生糸共概ネ自給自足ノ状態ニアリ。

㈢ 强弱性

(イ) 養蠶業ノ能率低劣（弱點）

蠶種一枚當リ平均收繭高ハ我國ノ半分程度ニシテ能率極メテ低シ。桑菜ノ濫獲、桑ノ植樹法ノ失敗ニ基ク桑ノ不足ト、殺蛹及ビ乾繭設備ノ不備トカ其ノ主要ナル原因ナリ。

(ロ) 製絲業ノ幼稚（弱點）

製絲工場ノ設備能力ノ小規模ナルト繭ヨリ生糸ヲ製造スル際ノ生糸ノ歩留リノ低キトカ擧ケラル。

(5) パルプ

㈠ 生産能力

16

ソ聯ノ「パルプ」生産高ハ一九三六年ニ於テ三十六万九千屯ナリ。

ソ聯ハ原木ノ大産出國ナルニ拘ラズ「パルプ」生産ニ於テハ「カナダ」、米、獨、瑞典、芬、日ノ七．五分ノ一乃至二分ノ一ニ過キズ。

㈡ 需給狀況

「パルプ」ノ輸入ハ一九三七年以後ナシ。

(6) ゴム

㈠ 生産能力

ソ聯ノ「ゴム」生産高ハ一九三七年ニ於テ九万八千二百屯ニシテ此ノ中四割ハ「合成ゴム」ニ依ル。

㈡ 需給狀況

「ゴム」ハソ聯ノ不足物資中ノ主要ナルモノニシテ「合成ゴム」ノ生産ニ依リ自給率カ一九三七年ニ漸ク七六％ニ達スル程度ナリ。

一九三七年ニ於ケル輸出入關係左ノ如シ。

輸入高	三〇、九五一千屯
輸出高	〇
消費高	一二九、二〇八

輸入先ハ主トシテ「英領マレー」蘭領東印度、南米諸國ナリ。

(7) 皮革

㈠ 生産能力

ソ聯ノ皮革生産高ハ一九三八年ニ於テ左ノ如シ。

大皮	一〇〇七九千枚
小皮	三一〇〇〇
豚皮	一七二〇〇

㈡ 需給狀況

一九三七年ニ於ケル皮革ノ需給狀況左ノ如シ。

17.

(品種)	(生産)	(輸入)	(輸出)	(國内消費)	(自給率)
大皮	一〇、三〇〇千枚	四〇〇千枚	〇	一〇、七〇〇千枚	九六・三％
小皮及豚皮	四四、〇〇〇	六一二一	三六八八	四六、四三三	九四・八

右輸入ノ仕出國別割合ハ南米諸國（大部分ハ「ウルガイ」）四二・七％、蒙古二四。七％、「イラン」一二・三％、新彊一一・六％、「アフガニスタン」二。一％、「バルト」三國二・〇％ナリ。

第四項　工業生産力

一、發達程度

㈠ 生産財偏重主義

ソ聯ノ第一次、第二次五ケ年計畫ハ工業ノ生産設備ニ於テ飛躍的發展ヲ遂ケ就中重工業國防工業ノ强化ニ重點カ指向セラレタリ。之カ爲生産財方面ニ於テハ跛行的發達現象ヲ呈シ消費財ト對比スレハ左ノ如キ狀況ニシテ國民消費生産部面ハ依然壓迫セラレアリ。

工業總生産額ニ於ケル生産財及消費財ノ割合（一九三七年）

	生産額（單位十億留 一九二六／二七年度價格）	比重（％）
工業總生産額	九五・五	一〇〇
生産財生産	五五・二	五八
消費財生産	四〇・三	四二

㈡ 生産增加率

ソ聯ノ全工業生産力ニ於ケル增加率ハ著シク增大セル推移ヲ有ス。一九二九年ヲ一〇〇トセル場合一九三七年ニ於テハ列强カ一〇三。五％ノ指數ヲ示シタルニ對シ、ソ聯ハ四二七％トイフ尨大ナル數字ヲ示セリ、ソ聯工業生産ノ增加テンポハ絶對數ニ於テ列强ヲ凌駕セリ。

特ニ生産財方面ニ於ケル年平均增加テンポハ著シク其ノ狀況左ノ如シ。

18.

	第一次五ヶ年計畫（一九二八－三八年）		第二次五ヶ年計畫（一九三二年－三七年）	
	增加率（%）	增加實數（單位十億留）	增加率（%）	增加實數（單位十億留）
生產財生產	(+)三〇・八	(+)一五二	(+)一八・九	(+)二七一
消費財生產	(+)一七・六	(+)一〇、一	(+)一四・九	(+)二〇、一

(三) 工業生產高

ソ聯工業生產高ハ絶對數ニ於テ一九三七年ニハ左ノ如ク世界第二位（歐洲第一位）ニ達セリ。

（一九二六－二七年度價格）

ソ聯	九五五億留
米國	二、四九八
英國	六一六
獨逸	七六九

一方人口一人當リ工業生產高ヲ列强ト共ニ對比セハ一九二八年ヨリ一九三七年ノ間ニ於テソ聯ハ異狀ナル發達ヲナシタルニ拘ラス未タ列强ニ及ハサル所遠キナリ。

其ノ狀況左ノ如シ。

	A一九二八年（留）	B一九三七年（留）	BノAニ對スル比率%
ソ聯	一一〇	五三〇	四八二
米國	一、一〇〇	一、九三九	九二
英國	一、〇三〇	一、三〇五	一二六
獨逸	一、〇〇〇	一、一四〇	一一四

(四) 工業立地

生產設備ノ東漸化政策カ行ハレ着々成果ヲ擧ケツヽアルモ、未タ歐露偏在ノ缺陷ハ排除セラレサルナリ。次ニ從來ノ巨大企業建設主義ヲ一應打切リ之カ未完成ノモノ、ミヲ當分補足スルニ止メ新ニ中小企業多數建設主義ニ移行セリ。

19.

之ハ地方的資源ノ開發ヲ促進シ以テ地方產業ヲ隆盛ナラシメ、地域的經濟獨立性ノ强化ニ資スル所大ニシテソ聯工業生產力ノ發展段階ニ於ケル缺點ヲ補備スルモノト云ヒ得ヘシ。

(ハ) 生產財部門

(一) 製鐵工業

(イ) 製鐵工業ノ發達程度ハ一九三二年ニ於ケル狀況ト一九三七年ニ於ケルモノト比較スレハ左ノ如シ

品種	一九三二年 生產額	一九三七年 生產額	一九三七年ノ一九三二年ニ對スル比率
銑鐵	六二〇萬屯	一、四五〇萬屯	二三五
鋼塊	五九〇	一、七七〇	二九九
鋼材	四四〇	一、三〇〇	三〇三

殊ニ機械工業ノ發達ノ要求ニ即應シソ聯ニトリテハ新シキ部門ニ屬スル電氣鋼及良質鋼ノ生產ノ如キハ一九三二年ノ五五千屯ヨリ一九三七年ニハ二、五〇八千屯トナリ八・四倍ノ增加ヲ示シ其ノ中ニテモ電氣鋼ハ

20

米國ヲ凌駕セリ、工業總生産額ニ於テ占ムル鐵生産額ノ比重ハ一九二八年ノ四。七％ヨリ一九三九年ニハ五。七％ニ増大セリ

(ロ) 製鐵業ノ熔鑛爐ノ數ハ一九三七年ニ於テ百十五、總容積ハ五萬三千七百九十立方米ナリ、

其ノ熔鑛爐ヲ有スル工場ハ南露ニ集中シ「ウラル」ノ「マグニトゴルスク」及「西シベリア」ノ「クズネツク」ガ之ニ次ギ第三位ハ中央地方ノ「トウラ」「リペツク」ナリ、

「マルチン」爐ノ數ハ一九三七年ニ於テ三百六十八基ヲ算シ「マルチン」爐ヲ設備セル工場數ハ熔鑛爐ヲ設備シアル工場數ヨリ多ク其ノ分布モ普遍的ナリ、

(ハ) 製鐵業ノ南部地方ニ於ケル比重ハ革命當時ニ比較スレバ三倍ノ増大ヲ示セルモソ聯最近ノ生産總額ニ對スル比重ヨリ見レバ著シキ低下ヲ示シタルモノニシテ之ニ反シ中央及東部地方ニ於ケル生産増加テンポハ著シク大ナリ、其ノ現ハレトシテ「ウラル」ノ「マグニトゴルスク」「西シベリア」ノ「クズネツク冶金コンビナート」（「ウラル＝クズネツク」綜合企業地帯）ノ如キ新製鐵中心地ノ建設ヲ見ルニ至レリ、

(二) 非鐵金屬工業

非鐵金屬工業ハソ聯ニ於テハ比較的新シキ工業部門ニ屬スルニ拘ラズ第二次五ケ年計畫ニ於テ異狀ノ生産増加ヲ示シ非鐵金屬總生産高ノ八五％ハ新設又ハ根本的改造ヲ經タル工場ニ依リ生産セラレタルナリ。

工業總生産額ニ於テ占ムル非鐵金屬ノ生産額ノ比重ハ一九二八年ノ一・四％ヨリ一九三九年ニハ一・七％ニ増加セリ、

(三) 兵器工業

兵器工業（飛行機、造船、彈薬、武器等ノ直接的軍需品生産工業）ノ生産額ノ全工業生産額ニ於テ占ムル比重ハ一九三八年ノ一四・二％

21

ヨリ一九三九年ニハ一八・一％ニ増大セリ、

又其ノ増産テンポハ著シク高率ニシテ一九三九年工業總生産高ハ三八年ニ比シ一四・九％ノ増大ナルニ對シ兵器工業ノ夫ハ四六。五％ニ達セリ、

(四) 機械工業

(イ) 機械製作工業ハ第二次五ケ年計畫ノ到達目標ガ年生産高百九十五億留ナルニ對シ實績ニ於テハ遙カニ之ヲ超過シ一九三七年ニハ二百七十五億留トナレリ、

機械製作工業總生産高ハ一九二八年ヨリ一九三七年迄ノ十年間ニ十二倍以上ニ増大シ更ニ夫ガ全工業生産額ニ於テ占ムル比重ハ一九二八年ノ一一・〇％ヨリ一九三九年ニハ二九・九％ニ増加セリ、

斯クノ如ク機械工業ハ技術的經濟的獨立ヲ達成シ各作トシテ他ノ生産財生産ノ工業ヲ壓倒スルニ至レリ、

機械工業ノ中特ニ著シキ増加率ヲ示セシモノハ工作機械製作工業ニシテ第二次五ケ年計畫ノ年間ニ於ケル工作機械ノ生産高ハ第一次五ケ年計畫ノ一萬五千臺ヨリ三萬六千臺ニ増加シ二倍以上ノ増大ナリ、

(ロ) 機械工業ヲ斯ル水準マデ發展セシメタルハ一ニ第一次五ケ年計畫末迄ニ大量ニ行ハレタル輸入機械類ノ力ニ負フモノニシテ特ニ工作機械ノ輸入ノ如キハソ聯國民經濟全部門ノ技術的建直シニ大ニ貢獻セリ、

此ノ輸入機械ヲ土臺トシテ國内生産増加ニ邁進シ第二次五ケ年計畫ニ於テハ逐次輸入機械ノ代リニ自國産機械ヲ以テ据替ヘ一九三八年ニハ輸入總額ニ占ムル機械ノ輸入額ノ比重ハ著シク低下スルニ至レリ、

斯クシテ機械工業ハ一應ノ整備確立ヲ遂ケ普通機械ニ於テハ概ネ自給自足ノ段階ニ立到レルモ高級、精密機械ハ末ダ外國ニ依存スルモノアリ、

(五) 化學工業

22

化學工業ハ全般ヨリ見テ第二次五ヶ年計畫ノ到達目標ガ年生産高四十億九千八百五十萬留ナル予定ニ對シ實績ニ於テハ遙カニ超過遂行シ五十九億留ニ達セリ、

化學工業ノ生産額ノ工業總生産額ニ於テ占ムル比重ハ一九二八年ノ二・三%ヨリ一九三九年ニハ四。五%ニ増大セリ。

一九三七年ニ於ケル化學工業品ノ自給率ハ概括シテ九九・一%ニ達シ外國ニ依存スルモノハ「ゴム」、染料、薬品ノミナリ、

(2) 消費財部門

(一) 食料品工業

(イ) 食料品工業トシテ帝制時代比較的發達ヲ見タルハ僅カニ火酒、砂糖、煙草等ニ過ギザリシモソ聯政權成立以來工業化ノ發展ニ伴ヒ、食料品工業ハ最新ノ技術ヲ採リ入レ大ナル消費地及ビ新興工業中心地ニ發展ヲ見タリ

食料品工業ノ總生産額ハ一九三八年ニハ百九十八億二千五百萬留ニシテ一九三三年ノ九十七億六千六百萬留ニ對シ二倍増加セリ

一九三八年ニ於ケル食料品工業ノ主要生産品ノ生産高ハ左ノ如シ

魚獲物製品	一、五六〇千屯
精肉	一、一四〇
腸詰及燻製品	三九五
動物油	一九七
砂糖	二、五一九
麺麭及製品	一六、六〇〇
菓子類	一、〇三〇

(ロ) 第二次五ヶ年計畫末ニ於ケルソ聯ノ輸出構成ニ於テ食料品工業ノ占ムル比重ハ一二・三%ニシテ相當ノ役割ヲ演ズルモノト見得ルモ之ヲ以テ直チニソ聯食料品工業ニハ輸出余力アリト斷定スルハ過早ト云フベキナリ

或程度民需ヲ犠牲ニスルコトニ依リ捻出セル食料品ノ輸出ト引換ヘニ重工業資材ノ輸入ヲ圖リアレバナリ

(二) 纖維工業

(イ) 纖維工業ハ第一次大戰前ニ比スレバ現在飛躍的進歩ヲ遂ゲタルモ其ノ國民一人當リノ消費水準ヲトレバ一般ニ列強ヨリモ低ク未ダ國民ノ消費生活程度ヲ向上スルニ至ラザルナリ。一九三七年ニ於ケル纖維工業ノ主要生産品ノ生産高及増加ノ割合ハ左ノ如シ

	(一九三七年現在 生産高)	(一九三七年ノ一九三二年ニ對スル増加率)
綿織物	三、四七一百萬米	一二七%
毛織物	一〇八	一二六
亞麻織物	三六五	二六〇
絹織物	五八	二二四

特ニ亞麻ニツキテハ亞麻纖維ノ工業消費高、亞麻織物生産高何レニ於テモ世界ノ首位ニ立チアリ、

絹織物ノ増加ノ中ニハ人絹ガ約半數含マレアリ、

紡績業ニ於テハ其ノ生産増加テンポハ比較的緩漫ニシテ据付錘數モ日英米ニ比シ低ク英國ノ三分ノ一以下、日本ノ六割五分以下ナリ、

(ロ) ソ聯纖維工業品ハ下級品及不合格品ノ割合ガ平均一割五分乃至三割トイフ高率ニシテ絹織物ノ如キハ一九三七年前半期ニ於テ純絹織物七〇。五%、人絹織物八四。五%、人絹ト綿トノ交織物九八・三%ニ達セリ、

二、勞働生産性

(一) 生産性ノ水準

ソ聯ハ近代化工業設備ノ優位ト生産機關ノ利用率ニ於テ列强ヲ凌駕スル特長ヲ有スルニ拘ラズ專問家勞働者ノ技術水準ガ相對的ニ低ク勞働生産性ガ低キナリ、

之ヲ勞働者一人當リ年生産高及勞働一時間當リ生産高ニ於テ米國及獨乙ト比較スレバ左ノ如シ、（一九三七年現在）

	（米國ヲ一〇〇トスレバ）	（獨乙ヲ一〇〇トスレバ）
年生産高	四〇・五	九七・〇
時間當リ生産高	四三・六	一〇七・六〇

斯クノ如クソ聯ノ勞働生産性ノ水準ハ一九三七年ニ於テ獨乙ノ水準ニ追ヒ付キタルモ未ダ米國ノ水準ノ半分ニモ達セザル狀況ナリ。

次ニソ聯ト米國ノ勞働生産性水準ヲ加工々業部門ニ於テ比較セバ左ノ如シ、（一九三六年現在）

	（米國ヲ一〇〇トスレバ）
全加工々業	三一・二
製鐵業	四八・九
金屬加工業	三二・七
製紙工業	三一・二
製陶硝子工業	三二・七
木材加工業	四八・九

（ロ） 勞働生産性ノ引上

第三次五ケ年計畫ニ於ケル工業全体ノ勞働生産性引上予定ハ一九三七年ヨリ六五%增率ヲ企圖セルトコロ、一九三九年迄ノ二ケ年間ニ既ニ三〇%引上ヲ終ヘ良好ナル成績ヲ擧ゲタリ、

之ガ引上ノ方法トシテハ「スタハーノフ」運動ノ新形態タル受持機械臺數ノ增加ト兼職運動トヲ廣汎ニ實施スルコトニ依リ達成セントスルナリソ聯ニ於ケル勞働生産性ノ增加ノ割合ハ一九二九年－三七年ノ間ノ實績ヲ見ルニ年平均一〇・七%ニシテ同期間中ニ於ケル米國ノ生

25

産性ガ年平均〇・二%減少シ英、獨ノ夫ガ一・二%ノミノ增加ヲ示スニ對シテソ聯ハ大ナル發展ヲ見アリ、

第二節 抗戰力ノ速度ヲ決定スル要因

第一項 交通力

（イ） 輸送力ノ構成

ソ聯ノ輸送量ハ一九三七年現在ヲ見ルニ貨物輸送總量四千三百二十七億屯粁ナリ、

各種輸送手段ノ利用ノ割合ハ左ノ如シ、（一九三七年現在）

鐵道運輸	八二・〇%
河川運輸	七・六
海上運輸	八・五
自動車運輸	一・九
計	一〇〇・〇

26

(二) 强弱性

ソ聯ノ輸送力ノ構成ニ於テ鐵道運輸ハ壓倒的ニ大ナル役割ヲ演ズルモ世界陸地ノ一割六分ヲ占ムル廣大ナル國土ニ重要物資ノ分散或ハ偏在シアルニ對シ交通網ノ發達之ニ伴ハズ負擔ノ過重ヲ來シアルコトハ經濟上、軍事上、最大ノ弱點ト云ヒ得ベク戰時兵員及軍需品ノ大量輸送ニ當リテハ相當ノ混亂ヲ惹起スルコトトナルベシ、

「シベリヤ」方面ハ特ニ現在「バム」鐵道ノ完成ヲ見ル迄　「シベリヤ」鐵道一本ニ依存スル狀態ノ下ニ於テ一層明瞭ナリ、

二、鐵道運輸

(一) 輸送能力

ソ聯鐵道ノ貨客輸送量ハ一九三八年ニ於テ貨物五億一千五百六十萬屯、旅客九千二百四十萬人ナリ、

鐵道總延長ハ一九三九年ニ於テ八萬四千九百五十粁ニシテ米國ニ次グ世界第二位ナリ其ノ內複線區間ハ二萬四千八百六十一粁ナリ、

(二) 强弱性

(イ) 利用可能度ノ僅少（弱點）

ソ聯ハ鐵道ノ貨物輸送量ニ於テ一九三七年ニハ一九三二年ノ約二倍ニ增加シタルモ未ダ國民一人當リノ輸送量ハ列强ニ比シ低ク其ノ狀況左ノ如シ、

ソ聯	三・一屯	（一九三七年）
米國	一〇・五	（一九二九年）
獨乙	七・六	（〃）
英國	七・九	（〃）

ソ聯當局ハ此ノ缺陷ヲ是正スルタメ工業配置ノ合理化鐵道ノ技術的

27

裝備並ニ施設ノ改善輸轉材料ノ增强、從業員ノ質的向上等ニ依リ利用率ノ增大ヲ圖リ其ノ成績モ逐次見ルベキモノアルモ未ダ工業生產力ノ發達ニ比スレバ低位ニアリ、

(ロ) 輸送密度ノ大（弱點）

ソ聯ノ鐵道ハ路盤惡ク「レール」ガ輕量ナル上磨損率ガ一〇%（普通ハ二・三%程度）ノ高率ヲ占ムルガ如キ惡條件ヲ有スルニ拘ラズ貨物輸送密度ガ米國ノ二倍强トイフ酷使ノ狀態ニアリ、一粁當リ貨物輸送密度ハ一九三七年ニハ一九一三年ノ三・七倍ニ增加シソ聯工業ノ躍進ニ伴ヒ鐵道輸送ハ最大限ノ能力發揮ヲ强要セラレアリ、ソ聯鐵道ノ輸送余力ハ最早全然ナク貨物輸送量ノ增加テンポモ一九三六年ヲ頂點トシテ漸次下降セリ、

(ハ) 修理能力ノ不備（弱點）

機關車ハ新型車ニ優秀ナルモノアルモ大部分ハ使ヒ古サレタル舊型車ナルヲ以テ故障多シ然ルニ修理能力ハ一般ニ低ク數多ノ不備ヲ現ハシアリ、貨客車ノ修理ニ於テモ同樣ナリ。

(ニ) 不合理輸送ノ比率大（弱點）

ソ聯ノ重要物資ノ輸送狀況ヲ全般ヨリ見ルニ遠距離輸送、對向輸送、交錯輸送等ノ不合理輸送ノ行ハレル割合ハ驚クヘキ程大ニシテ一九三七年ノ實績ニ於テハ鐵道輸送屯粁三千五百四十八億屯粁ノ約三分ノ一ヲ占ム。

三、河川運輸

(一) 輸送能力

ソ聯河川運輸ノ輸送量ハ一九三七年ニ於テ六千六百九十萬屯ナリ。

ソ聯河川運輸ハ航行可能ナル大河川ノ數多存在スル外運河ノ建設ニ依リテ增强セラレ其ノ輸送力ハ世界第二位ヲ占ム。

鐵道運輸ノ負擔過重ヲ緩和スルタメノ副次的役割ヲ果スニ與リテ力アリ。

28

(二)強弱性

(イ)自然的障害ニ依ル制約（弱點）

(1)可航期間カ一般ニ短キタメニ可航水路ノ長キ割合ニ輸送能力小ナリ。

(2)南北可航期カ異ルタメニ北方ノ航行不能ノ時季ニハ南方航行區ハ地方的水路トシテ利用シ得ルニ過キス

(3)春季ト夏季トニ於ケル水位ノ差カ大ナル關係上全航行期ヲ通シテノ航行可能水深ハ夏季減水期ノ水深ニ左右セラル。

(ロ)船舶ノ滯留率大（弱點）

河川運輸ニ於ケル船舶ノ運用狀況ハ極メテ劣惡ニシテ貨物載積船舶ノ航行スル割合ハ五〇％ニ過キス。船舶ノ滯留率ハ二〇％乃至三〇％ノ多キニ上リ非自航船ニ至リテハ其ノ滯留率ハ更ニ甚シ。

三、海上運輸

(一)輸送能力

ソ聯ノ船舶保有量ハ一九四〇年ニ於テ七百十七隻（總屯數百三十一萬六千總屯）ニシテ世界全船舶數ノ二％ニ當リ順位ハ世界第十一位ナリ。ソ聯船ノ各船種別並ニ航路別ニ於ケル最大輸送能力ハ左ノ如シ。

船舶種別（航路別）／輸送力	最大輸送力（百萬屯哩）	輸送力比重（％）	航路別比重（％）
總計	六三、七八四	一〇〇・〇	
(1)貨物船	三五、一四三	五五・一	一〇〇・〇
沿岸航路	九、八九一	一五・六	二五・三
遠洋航路	五八一	〇・九	四・五
外國航路	二四、六七〇	三八・六	七〇・二
(2)油槽船	一八、六四四	二九・一	一〇〇・〇
沿岸航路	一三、六三二	二一・二	七三・一
遠洋航路	二、〇一〇	三・二	一〇・八
外國航路	三、〇〇一	四・七	一六・一
(3)客船	九、九九六	一五・七	

29

ソ聯海上船舶配置狀況ハ左ノ如シ、（一九三六年）

黒海	一三〇隻	三九八、一五七屯
バルチツク海	一九三	二八五、八四一
東亞水域	一一三	二七一、四六九
カスピ海	一〇六	一七三、二五七
アゾフ海	五二	六六、〇八七
北氷洋	三一	二四、三四三

(二)強弱性

(イ)外國船ノ依存度大（弱點）

ソ聯海上經由貿易ニ依ル輸送力ハ自國船及外國船ニ區分シテ其ノ割合ヲ見ルニ左ノ如ク外國船ニ依存スル度ガ大ナリ、（一九三七年）

	（輸入）	（輸出）
海上經由輸送力	一〇〇％	一〇〇％
自國船	六八	四六
外國船	三二	五四

(ロ)北氷洋航路ノ利用（强點）

北氷洋航路ハ其ノ輸送量ハ一九三八年ニ於テ二十一萬五千屯ニシテ極メテ僅少ナル量ニ過ギザルモ之ガ軍事的並ニ經濟的價値ハ大ナリ。北洋航路ハ歐露ト東亞蘇領トヲ詰ブ最短且最モ安全ナル航路ニシテ兵站

30

線トシテノ軍事的意義ハ大ナリ。經濟的意義トシテハソ聯全領域ノ四分ノ一ヲ占ムル極北地方ノ開發ニ資スルトコロ大ナリ、

極北地方ノ開發ノタメニ北洋航路ニ依リ歐露ヨリ輸送スルモノニハ食糧、建設用材料、雜貨品等アリ其ノ額ハ一九三六年ニ於テ三億五百萬留ニ達ス、又極北地方ノ諸港ヨリ搬出スルモノニハ木材、毛皮、魚獲品、岩鹽等アリ、

四　航空輸送

(一) 輸送能力

ソ聯航空輸送ノ輸送量ハ一九三九年ニ於テ旅客二十四萬八千人、郵便五千八百五十八屯、貨物三萬七千八百四十三屯ナリ、

航空輸送ノ輸送總屯粁ハ二萬六千八百屯粁ニシテ其ノ貨物及郵便輸送量ニ於テハ世界ノ首位ヲ占メ旅客輸送量ニ於テハ米國及歐洲ノ二、三ノ國ニ次グ、

ソ聯民間航空路網ノ延長ハ一九三七年ニ於テ七千五百五十一粁ニ達ス、

(二) 强弱性

(イ) 飛行機ノ利用效率ノ低位（弱點）

航空施設ノ不備ニ基キ飛行機ノ利用效率ハ低ク米國ノ半分ナリ、

(ロ) 就航ノ不規則（弱點）

運轉ノ不規則ナル點ニ於テ米國ヨリ劣ル、

其ノ狀況ハ一九三六年ニ於テ米國ガ九八%ノ運轉率ヲ示シタルニ對シソ聯ハ六〇%ニ過ギズ。

第二項　輸入力

(一) 輸入力

31

(イ) 輸出ニ依ル輸入力

ソ聯ノ輸出入及出入超額ハ左ノ如シ、

	輸出額	輸入額	出入(△)超額
一九三七年	一、三四一・三 百萬留	一、七二八・六 百萬留	三八七・三 百萬留
一九三八年	一、四二二・九	一、三三一・九	△九一・〇

ソ聯ハ斯クノ如ク輸出代金ヲ以テ殆ド全部輸入支拂額ヲ決濟シ得ルナリ。

(ロ) 産金ニ依ル輸入力　（一九三八年末現在）

一ヶ年ノ産金額　十七億九千三百十萬留

一ヶ年ノ金以外ノ貴金屬產額
- 銀　四千九百萬留
- 白金　一億二千九百萬留
- 其他　三千萬留

計　二十億一百十萬留

(ハ) 保有金ニ依ル輸入力　（一九三七年末現在）

保有金高　十九億六百十萬留

外貨保有高　一億五千五百八十萬留

計　二十億六千百九十萬留

(ニ) 貿易外收支ニ依ル輸入力

一九三六年受取超過額　一億三千三百二十萬留

(ホ) 輸入力總額

輸出ニ依ル輸入力	(一)(+)九一・〇 百萬留

32

産金ニ依ル輸入力	二、〇〇一.一
保有金ニ依ル輸入力	二、〇六一.九
貿易外収支ニ依ル輸入力	一三三.二
合計	四、一〇五.二

右輸入資金ノ予備ヲ保有スル以上ハ貿易決済上ヨリ見テ不安ナシ

㈡　輸入必要物資

（一九三七年一月―九月）

品目	総輸入量	主要輸入先 地域別	主要輸入先 対総量比%
モリブデン精鉱	二、一一五屯	中南北米	一〇〇.〇
キニーネ	一五	蘭領	一〇〇.〇
棉花	一七、九九三	イラン、アフガニスタン	一〇〇.〇
石油（高級）	一〇九、五二九	米國	九九.七
ココア	六、六四四	英帝國	九八.一
米	三四、三九〇	イラン	九七.九
ゴム	二一、七四八	英帝國	九五.八
ニッケル	六、〇七七	英帝國	九二.四
錫	九、三九一	蘭領白領	九二.四
生畜	三八、九七五	中南北米	八二.〇
タングステン鑛	二、一一五	支那	七九.一
アンチモニー	一、〇九一	支那	七八.八
痲類	三四、五一一	英帝國	七五.八
金剛砂	五、五二七千留	中南北米	七五.二
工作機械	一〇六、七九一	中欧	七一.四
電氣機械	三五、五二七	米國	六二.九
精密機械	一五、八八七	米國	六七.九
運輸器材	一七、八八一	日本	六一.四
茶	一二、九三九屯	支那、日本	七〇.四
羊毛	二〇、〇一七	トルコ、アフガニスタン	六九.〇

33

右主要輸入物資ハ戦時ノ場合ソ聯自身ノ海上輸送力ノ貧困、輸送ルートノ狭隘化等諸種ノ理由ニ依リ之ヲ外國ニ期待スルコトハ困難トナルベキモソ聯國内經濟力ノ現狀ヨリ推ストキハ外國ヨリノ輸入途絶ハソ聯抗戰力低下ノ決定的意義ヲ有スルモノニアラズ。

第二章　安定力ノ検討

ソ聯邦經濟力ノ供給能力ヲ實現化センガタメニハ再生産過程ソノモノノ安定ガ保タレザルベカラズ、此ノ安定力ノ検討トシテ先ヅ生活資料ノ自給力ヲ検討シ次ニ戰費負擔能力ヲ判定シ最後ニ國民ノ消費規正ノ適當ナル限界ヲ確定セントスルナリ、

34

第一節　生活資料自給力

第一項　食　糧

一、農業經營

㈠　經營形態

ソ聯農業ハ集團化大農經營ノ代表的ナルモノニシテ其ノ集團化率ハ一九三七年ニ於テ全播種面積一億三千六百九十四萬三千ヘクタールノ九九・一%ニ達セリ、

全作付反別ハ「コルホーズ」「ソフホーズ」ノ二大形態ニ分レ政府ハ「ソフホーズ」ニ對シテハ直接的ニ「コルホーズ」ニ對シテハ機械トラクター配給所ヲ通ジテ間接的ニ統制運用ヲ實施スルコトヲ得ルナリ、

㈡　農業動力源

ソ聯農業ノ動力源ハ機械力六四%役畜三六%ニシテ米國ニ比スレバ機械化ノ割合ハ稍低位ナルモ第三次五ケ年計畫ニ於テハ一層ノ向上ヲ圖レリ、

一九三七年ニ於ケル農業動力源ノ内譯比率ハ左ノ如シ、

トラクター	三〇・五%
貨物自動車	一四・五
コンバイン	一三・〇
内燃機關	四・〇
移動蒸氣發動機	〇・四
發電設備	一・八
役畜（機械的換算）	三五・八
計	一〇〇・〇

㈢　强弱性

35

㈠　平時ノ需給狀況（强點）

ソ聯食糧資源ハ大農經營ニ依ル獨自ノ集團化農法ト豐富ナル石油ヲ利用シテノ機械化普及ニ依リ生産增加ヲ圖リ平時ニ於テハ概ネ自給自足ノ域ニ到達セリ、

㈡　經營其他技術ノ不備（弱點）

ソ聯農業ノ集團化ハ極メテ無理ヲ押シ通シテ强行シタルタメ未ダ「コルホーズ」ニ於ケル社會的利害ト個人的利害トノ相剋摩擦アリ第二次五ケ年計畫ニ於ケル農産物增産計畫ノ遂行ニ若干支障ヲ生ゼシメタリ

其他ソ聯農業ニ於テ將來改良スベキ點トシテ新農業技術ノ採用、正シキ輪作、優良種子及改良種子ノ採用等アリ

㈢　戰時食糧資源ノ供給力減退（弱點）

ソ聯農業ハ戰時農業勞働力ノ徵用、農業用機械ノ軍需資材其他ヘノ轉用（並ニ農村ニ於ケル石油使用量ノ規整、役畜ノ徵發等ニ依ル生産減退ノ招來スルニ加ヘテ生産配置ノ不合理ニ依ル「ウクライナ」方面ノ重要生産地帶ノ脅威ト輸送力ノ負擔過重ニ基ク配給困難トヲ惹起シ食糧資源ノ供給力全般ニ於テ大混亂ヲ生スルニ至ルベシ。

二　食糧ノ自給力

㈠　穀物ノ需給狀況　（一九三七年現在）

（品種）	（生産）	（輸入）	（輸出）	（消費）	（自給率）
	千屯		千屯	千屯	
小麥	四六、八六〇	〇	八四五	四六、〇一五	一〇一・八%
ライ麥	二九、二〇〇	〇	二〇四	二八、九九六	一〇〇・七
大麥	九、八二〇	〇	二二〇	九、六〇〇	一〇二・二
燕麥	二一、八六〇	〇	六、	二一、八五四	一〇〇・〇

㈡　畜産品ノ需給狀況　（一九三七年現在）

（品種）　（生　産）　（自給率）

36

畜肉	二、三七一千屯	九八・三%
牛乳	二五、二五五	一〇一・一
バター	一九七	一〇〇・〇
チーズ	三五	一〇一・〇

第二項　衣料

工業生産力ノ項ニ前出セルヲ以テ省略ス

第二節　戰費負擔能力

(一)　判決

ソ聯ノ戰時最大限ノ戰費捻出可能額ハ左ノ四種ノ場合ヲ條件トシテ一九四〇年度ニ於ケルモノヲ一應算出シ得ルナリ

(1) 國民ノ消費生活ヲ一九三二年度ノ水準ニ切下ゲタル場合

(イ) 單純再生産ヲ前提トスル場合

二千二百五十一億留

(ロ) 擴大再生産ヲ前提トスル場合

一千六百七十三億五千百萬留

(2) 國民消費生活ヲ全然切下ゲザル場合

(イ) 單純再生産ヲ前提トスル場合

一千二百八十億九千六百萬留

(ロ) 擴大再生産ヲ前提トスル場合

七百三十億四千七百萬留

37.

(二)　戰費捻出可能額ノ測定計算

國民消費生活ノ水準ヲ一九三二年度ノ生活水準ト假定シタルハ此ノ年ハソ聯ノ消費生活ガ混亂狀態ニ陷入リ國民ハ近來ニ於テ最モ生活上ノ壓迫ヲ蒙リタルニ付一應此ノ水準ヲ限度トシタルナリ、

一九四〇年度ノ國民所得額並ニ其ノ構成ハ左ノ如シ、

區分	單位	國民所得	蓄積	消費	予備
金額	億留	二、六八八・五	五七七・四九	一、九七八・二〇	一三二・八一
構成比率	%	一〇〇・〇〇	二一・四八	七三・五八	四・九四

(1)ノ(イ)ノ場合

戰費＝蓄積＋予備＋〔消費－（一九三二年度消費－一九三二年度國防費）×（一＋人口增加率）〕

577.49＋132.81＋{1,978.20－(428.91－12.96)×(1＋0.0518)}

＝2,251.00 億留

(1)ノ(ロ)ノ場合

戰費＝予備＋〔消費－（一九三二年度消費〔一九三二年度國防費）×（一＋人口增加率）〕

132.81＋{1,978.20－(428.91－12.96)×(1＋0.0518)}－1,673.51 億留

(2)ノ(イ)ノ場合

戰費＝蓄積＋予備＋國防費

577.49＋132.81＋570.66＝1,280.96 億留

(2)ノ(ロ)ノ場合

戰費＝予備＋國防費

38.

(三) 條　件

右ノ四種ノ場合ニ於テ各々戰費捻出可能限度ヲ測定シタルモ之ガ實行ノタメニハ(2)ノ(ロ)ノ場合ハ問題ナキモ左ノ場合ニハ之ニ對スル處置ヲ圖ルヲ要ス

(ハ)ノ場合（其ノ中特ニ(3)ノ場合）

一九三二年度ノ生活水準ニ迄切下ゲルコトハ社會的不安ヲ醸成スル危險性ヲ多分ニ包藏シアリ之ガ爲ニハ鞏固ナル政治指導力ノ結成ノ下ニ國民經濟ノ大規模ナル編成替ヲ最少限度ノ條件トシテ必要トスルナリ、

(イ)ノ場合

單純再生産ヲ前提トスル場合ハ極限ニ迄達スル經濟力ノ集中發揮ニ依リ戰爭ヲ遂行セザルベカラズシテ經濟力ノ維持培養ニ關シテハ對處スル余力ナキヲ以テ國力ノ消耗モ戰爭ノ規模ト共ニ迅速ニ生起スルガタメ戰爭ノ指導ハ短期戰ヲ以テ之ヲ終結スルヲ要ス、

39.

第三節　消費規正

第一項　消費構成

(一) 國民消費部分

國民消費部分ハ國防費、行政費ノ膨脹ニ依リ壓迫ヲ受ケアリ、

ソ聯消費構成ヲ國民所得トノ關係ニ於テ見ルニ左ノ如シ、

年次	國民所得	蓄積	消費		予備
			純消費	國防費	
一九三二年	一〇〇%	二六%	七〇%	四%（計七四%）	一%
一九三七年	一〇〇	二一	六六	一〇（七六）	三
一九三八年	一〇〇	二一	六三	一一（七四）	五
一九三九年	一〇〇	二一	五七	一八（七五）	四
一九四〇年	一〇〇	二二	五三	二一（七四）	四

國民所得ニ於ケル配分ノ割合ハ予備ノ增加ヲ除キ大ナル變化ナキモ消費ニ於ケル割合ハ漸次國防費ノ加重ニ依リ純消費ノ比率ヲ低下セシメアリ、

此ノ原因ハ一九二八年ヨリ一九三八年ニ至ル間國民所得ガ四倍ニ增加セルニ對シ國防費及行政費ハ同期間ニ二十倍ニ增大シ一九四〇年ニハ國防費ノミニテ五百七十億留ニ達セリ、斯カル增加ハ蓄積及予備ノ部分ノ增大ト共ニ國民ノ消費ヲ壓迫シ來ルモノナリ、

(二) 國民ノ物質的生活程度

ソ聯國民ノ物質的生活程度ハ絕對的水準ニ於テハ平時ヨリ著シク低キヲ以テ戰時之ヲ切下ゲ得ル程度モ少ク從テソ聯當局ハ成ルベク現在ノ國民生活水準ヲ維持スベク苦心シアリ、

(イ) 衣　料

ソ聯ノ衣料品ノ一人當リ消費額ハ全般的ニ見テ先進諸國ニ比シ低ク一九三七年ノ一人當リ消費額ニ於テ綿織物ハ英國ノ五分ノ三、毛織物

40

ハ九分ノ一、靴ハ獨乙ト略〻等シク米國英國ノ二分ノ一以下ナリ、

(ロ) 食料

ソ聯ノ食料品ノ一人當リ消費高ニ於テ列國ニ優越シアルモノハ唯穀物ノミニシテ他ハ全テ列國ヨリモ低ク殊ニ畜産品ハ列國ノ二分ノ一以下ナリ。

食料品ノ消費構成ハ通常生活程度ノ高マルニ伴ヒ穀物ノ消費量ハ或程度迄減シ肉、脂肪及牛乳ノ消費ガ高マルモノニシテ又砂糖ノ消費量ハ其ノ國ノ文化程度ヲ現ハスモノトモ稱セラレアルモソ聯ハ列國ノ二分ノ一以下ニ過ギズ。

戰時國民ニ對スル配給量トシテ職業別、年齢別ニ依リ左記ノ量ヲ確保スルヲ要ス。

品種	區分	勞働者	事業者技術者	有業者	家事使用人	十才以下ノ子供
パン	(日量)	八〇〇瓦	六〇〇瓦	四〇〇瓦	四〇〇瓦	四〇〇瓦
バター	(月量)	八〇〇	四〇〇	四〇〇	二〇〇	四〇〇
肉及同製品	(月量)	二、二〇〇	一、二〇〇	六〇〇	六〇〇	六〇〇
砂糖及菓子類	(月量)	一、五〇〇	一、二〇〇	一、二〇〇	一、〇〇〇	一、二〇〇
魚及同製品	(月量)	一、〇〇〇	八〇〇	五〇〇	五〇〇	五〇〇
雜穀及マカロニ等	(月量)	二、〇〇〇	一、五〇〇	一、二〇〇	一、〇〇〇	一、二〇〇

右配給量ノ中最低限度ノ必要トシテパンノ配給ノミハ如何ニシテモ確保セザルベカラザルナリ、

第二項　國民所得額

41

(イ) 國民所得總額

ソ聯ノ國民所得總額ヲ米國及獨乙ニ比スレバ左ノ如シ、

(單位十億留、一九二六―二七年價格)

(國別)	(年度)	(國民所得)	(ソ聯國民所得ニ對スル百分率)
ソ聯	一、九三七	九六・三	一〇〇・〇%
米國	一、九二九	二〇六・八	二一四・七
獨乙	一、九三七	五一・五	五三・五

總額ニ於テハソ聯ハ米國ノ二分ノ一以下獨乙ノ約二倍トナル、

(ロ) 一人當國民所得生産額

ソ聯ノ人口一人當國民所得生産額ヲ米國及獨乙ノ夫ト對比シテ見ルニ左ノ如シ、

(單位留、一九二六―二七年價格)

(國別)	(年度)	(一人當國民所得)	(ソ聯一人當國民ニ對スル百分率)
ソ聯	一、九三七	五六六	一〇〇・〇%
米國	一、九二九	一、七〇二	三〇〇・〇
獨乙	一、九三七	七六〇	一三四・三

一人當國民所得生産額ニ於テハソ聯ハ米獨ニ比シ遙カニ劣リ米國ノ約三分ノ一、獨乙ノ四分ノ三トナル、

ソ聯ハ國民所得殊ニ人口一人當ノ國民所得生産額ガ少額ナルタメ戰時切下ゲ得ベキ國民生活ノ彈力性ガ米、獨ニ比シ著シク低キコトヲ知リ得ルナリ、

42

「附　録」

東部ソ領ニ於ケル生産力調査

43.

東部ソ領ニ於ケル生産力調査

要　旨

東部ソ領ニ於テハ國防的重要性ヲ考慮シテ第一次五ケ年計畫期ヨリ特ニ急速ナル工業建設ガ實施セラレ最近ニ於テ其ノ面貌モ一變セリ、併シ未タ獨立的ナル國防經濟地區ニ成長スルニ至ル迄ニハ前途遼遠ニシテ毎年四二〇万屯ニ達スル重要資材及糧秣ヲ歐露ウラル、シベリヤ方面ヨリ移入セザルベカラザル狀況ナリ。之ガ不足物資ノ輸送ハ現在殆ンドシベリヤ鐵道一本ニ依存スルノミニシテ戰時ニ於テ兵員並ニ軍需資材ノ大量輸送ヲ考慮スルトキ輸送力ニ自ラ制約ヲ受クルト共ニ輸送遮斷ノ危險性ヲ多分ニ有スルコトハ戰略上大ナル弱點ヲ形成シアルナリ。

44

第一節　東部ソ領ニ於ケル需給状況

(一)　重要物資ノ生産高

東部ソ領ニ於ケル鑛工業及農畜水産業部門ノ年生産高ハ別册調査表ノ如シ。

(二)　重要物資ノ需給状況

東部ソ領ニ於ケル一九三九年ノ需給状況ヲ見ルニ自給自足可能ノモノハモリブデン、錫、亜鉛、砒素、馬鈴薯、干草、皮革ノミニシテ其他ノ自給率ハ左ノ如シ

一、不足物資（自給率）

品目	自給率	品目	自給率
食用穀物	六〇%	飼料穀物	七〇%
蔬菜	九〇	獣肉	九五
石油	二一	鐵	一〇
石炭	八六	タングステン	五七
鉛	一七	セメント	七〇
アルコール	三一	硫酸	六
鹽	二一	羊毛	七三

二、全然生産セザルモノ

マグネシウム、ニッケル、銅、アルミニウム、硫酸エーテル、石綿、ゴム、硝酸、鹽素、

總需給バランスハ不足四百十九万屯ニシテ一日平均十三ケ列車分ノ移入ヲ必要トス

東部ソ領ヨリ他地方ニ補給シ得ルモノハ漁類、木材、毛皮、金、モリブデン、亜鉛、錫、反皮革等ナリ

第二節　東部ソ領ニ於ケル生産配置状況

東部ソ領ニ於ケル埋蔵資源ノ分布並ニ工業生産力ノ配置状況ハ別册調査表ノ如シ

（別冊）

東部ソ領生産力調査表

目　次

一、重要物資ノ年生産高

區分		單位	沿海地方	ハバロフスク地方	チタ州	ブリヤート蒙古	計	イルクーツク州	摘要
鐵鑛		千屯					〇	六六	附表第一
石炭		〃	三三七〇	一七六〇	二二六〇		七三九〇	四〇〇〇	第二
金		瓩	九七〇〇〇		三一五〇〇	八〇八六〇	二〇五一六〇	一七〇〇〇	第三
有色金屬	亜鉛	屯	一七〇〇〇				一七〇〇〇		第四
	鉛	〃	六五〇〇				六五〇〇		第〃
	錫	〃			四〇〇〇		四〇〇〇		第〃
	タングステン	〃				五五〇	五五〇		
石油		〃		三六〇〇〇〇			三六〇〇〇〇		第五
洋灰		〃	一八〇〇〇〇				一八〇〇〇〇		
農作物及獸肉	食用穀物	〃	八〇四八三	一九七八八三	三四七五二〇	二三七三四四	八三七二三〇		第六
	馬鈴薯	〃	九九五二〇	三〇七五七六	二五四四九〇	三七九二二	七三九七二八		第〃
	蔬菜	〃	一三五一九六	一一五八四二	四四八三二	二〇七五〇	三〇六六二〇		第〃
	獸肉	〃	一七五三六	一四〇〇二	二〇八五九	一二三五〇	三八七四七		第〃
飼料穀物		〃	八七一〇二	一三九九二六	一七五二九二	九五一二一	四八九四四一		
乾草		〃	八四[illegible]	[illegible]六〇	六五六八〇〇	九四五〇〇〇	[illegible]三六〇		
砂糖		〃	三〇一八				三〇一八		
鹽		〃	一〇〇〇〇				一〇〇〇〇		
乳牛		頭	九九七二八	一一七一一三	二六五八〇九	一八五四七一	六七二二二一	二三二五三七	
牛乳		屯	八九四五六	一〇八五八四	一五八三九〇	六〇四六四	四一六八九四	一九八八八八	
羊毛		〃	六四	七〇	一一八〇	六三一	一九四五	四八二	
工藝作物	亜麻實	〃	三〇〇〇	九六八	一一二	五六	四一三六		
	向日葵	〃	一一四	四六七四			四七八八		
	甜菜	〃	三四六七二				三四六七二		
	大豆	〃	三六七四〇	一九八二〇			五六五六〇		
	煙草	〃				一一三	一一三		
魚肉		〃	一三五四〇〇	一八一六〇〇			三一七〇〇〇		

47

（附表第一）

1、鐵鑛

東部蘇聯埋蔵資源分布狀況

（一九三九年現在）

品種	東部蘇聯 埋蔵量	東部蘇聯 生産高
鐵鑛	六〇六億三九〇〇万屯	〇

地方	鑛床	地點	推定埋蔵量	摘要
沿海地方	オリガ鐵山		一億屯	
ニジネアムール州	ニコラエフスク鐵鑛區		二、七〇〇〇万屯	
猶太人自治州	マロヒンガンスキー鐵鑛區		六百億屯	
チタ州	アルグン鐵鑛區		一億一、二〇〇〇万屯	
ブリヤート蒙古	クルビンスキー鐵鑛區		一億五〇〇〇万屯	
イルクーツク州	イリムスキー鐵鑛區		二億五、〇〇〇万屯	

48

（附表第二）

2、石炭

東部蘇聯埋蔵資源分布狀況

品種	東部蘇聯 埋蔵量	東部蘇聯 生産高
石炭	「三八八億八二百万屯」全蘇ノ九%（一九三七年）	二「三九〇千屯」全蘇ノ八・八%

地方	炭田	地點	埋蔵量	摘要
沿海地方	マイヘ、ボチヘズスコエ炭田 スラジエフスコ、ラドチヒンスキー炭區	ウスリー灣ニ注グマイ河右岸溪谷スラヴエフカ河トラドチハ村間ニ亘ル	半無煙炭 三億屯	炭床ハ約三〇平方粁 未開發
沿海地方	マイヘ、ボチヘズスコエ炭田 パタリヤンゾ、ボチヘズスキー炭區	アルチヨム炭田ノ北側ニ接シパタリヤンゾ河トボイヘズ河トノ間ニ亘ル	半無煙炭 四億屯	未開發
沿海地方	モングガイスコアムバ、ビルスコエ炭田	アムール灣ト滿洲國トノ間ニ挾マレタルモングガイ河トアムバビラ河流域ニ亘ル	半無煙炭 二億五千屯	地方的ニ若干利用セラレアル程度 炭質灰分多シ
沿海地方	スーチャン炭田	スーチャン河右岸ノ諸支流域附近	一〇億屯	炭床二八〇平方粁、一八八八年開發、炭質一部半無煙炭ノ外腐蝕性石炭ナリ 生産額八〇〇千屯
沿海地方	綏芬河上流炭田	綏芬河上流一帶ニ亘ル地域	四〇億屯	一九三四年採掘年産三〇万屯
沿海地方	綏芬河上流炭田 炭田北端	シネロブカ河トスラビヤンカ河トノ間ニ位ス	二七〇〇万屯	
沿海地方	綏芬河上流炭田 ナデジンスキー坑	ウオロシーロフ市ノ東郊	三〇〇〇万屯	
沿海地方	綏芬河上流炭田 リボヴエツキー坑	炭田ノ東北隅	四八〇万屯	
沿海地方	綏芬河上流炭田 ダニロフスキー坑	ウオロシーロフ市ノ西側	二五〇万屯	

49

炭　石

沿海地方			
コンスタンチノフスキー坑	満洲國トノ國境ニ近キ綏芬河右側	五〇万屯	
アルチヨム褐炭田	スーチヤン鐵道ニ沿ヒヴーゴリナヤ驛ヨリ東方一八粁附近	一五億屯	炭床一五〇平方粁 炭質ハ灰分少ク比較的熱量高シ 生産額二四〇〇千屯
ダヴリチヤンカ褐炭田	アームール灣中ニ突出セルレチヌイ半島ニアリ東部鐵道ナデジンスカヤ驛ヨリ一二粁	八〇〇万屯	樹脂様光澤ニ富ミ低級瀝青炭ニ近キ優良褐炭ナリ 生産額一七〇千屯
オシノフフキー褐炭田	ウスリー州ミハイロフスキー區ニアリイツポリトフ驛ヨリ一二粁	三〇〇〇万屯	三〇〇万屯露天掘可能
ヘガンスコ゜小ヒ	松花江左岸ヨリビラ河谷ニ延ヒ小興安嶺		

50

炭　石

ハバロフスク地方（沿アムール河地方）			
ヒンガスキー炭田	ノ鐵鑛地方チ包含ス		炭床二五〇平方粁
ブレーヤ上流炭田	ブレーヤ河ニ沿ヒウマリタ河口ニ達スル一八〇粁ノ地帶（主トシテ左岸ウルガル河以北）	六〇〇億屯	炭床六〇〇平方粁
トイルミンスコエ炭田	ブレーヤ河左岸ノ支流トイルマ河谷ノ中流地帶ブレーヤ炭田ノ南東區域		
アムール河上流炭田	アムール上流ノ左岸諸支流流域		
ブレーヤ下流褐炭田	南北ハアムール河ト極東鐵道東西ハブレーヤ下流トザヴイタヤ河間	五四億屯	炭床六〇〇平方粁

炭　石

ハバロフスク地方（沿アムール河地方）			
フンガリイスコエ褐炭田	アムール河右岸ノ支流フンガリ河流域		一九三二年發見
ムヘンスコエ褐炭田	アムール右岸ノムヘン河域		ハバロフスクニ對スル燃料供給源
ナロエフスコエ褐炭田	ニコラエフスクヨリ南方ヘアムール河ニ沿ヒ一二〇粁		
ビロビヂヤン褐炭田	ビロビヂヤンヨリ六五粁小ウシユムン河流域	七[illegible]百万屯	一九三六年發見
サハリン州			
マチンスコエ炭礦	アレキサンドロフスクヨリ三五粁コジユズナヤ河トシローカヤ谷間	一三百万屯	現在日本ノ利權下ニ經營中
ムガチ炭礦	大セルトウアナイ河トノヤミ河[illegible]東西ニ鑛區）	西部鑛區 四〇〇〇万屯	東部鑛區 調査未了

炭　石

サハリン州			
スタロウテヂミロフスコエ炭礦	アレクサンドロフスク北方一六粁ノヤミ河流域		現在日本ノ利權下ニ經營中
アルユーヴオ炭礦	ウラヂミロフスキー炭礦トアルコーヴオ河間	二〇〇〇万屯	炭質ハ若干灰分ニ富ム
アレクサンドロフスク炭床	アレクサンドロフスク南東一粁		炭質良好採炭量五〇万屯
ドウエ炭礦	アレクサンドロフスク南方一〇粁		日本利權下ニ經營中
マカリヨフカ炭礦	ドウエ炭床ノ延長		採炭可能量一三三万屯
カアメンスコエ炭床	ドウエ利權炭礦トオクチヤブリスキー炭礦ノ中間	七六〇万屯	

51

炭石

州				
サハリン州	オクチャブリスキー炭礦	アレクサンドロフスク南方二〇粁韃靼海峽ニ面ス	八〇〇万屯	北樺太最上ノ炭礦
サハリン州	ブロヂジャエフコエ炭礦	オクチャブリスキー炭礦ノ南方ブロヂヤジエスカヤ河トワシキナヤ河間	四五〇万屯	
サハリン州	ウスチ。アグネフスコエ炭礦	アグネヴオ河口ヨリ上流三粁ブズマキナヤ谷		日本ノ利權下ニ經營中
サハリン州	ウラヂミロ。アグネフスコエ炭礦	アグネヴオ河中流ゴリウラヂミロフカ河間	八〇〇万屯	
カムチャツカ州	ハイリゾフカ炭田	ハイリゾフカヤ河流域、	五、〇〇〇万屯	脆弱性[illegible]ナルモ揮[illegible]トシテノ[illegible]ロリー度高シ
カムチャツカ州	ボルラナ炭田	ボラナ河谷		リグニン褐炭層

炭石

州				
	コルファ灣炭田	東海岸コルファ灣ニ面ス		リグニン炭
チタ州	ブカチャチャ炭床	モロトフ鐵道カガノーウイチ驛ヨリ北方セ二粁ブカチャチャ河谷	一億屯	一九三二年採炭着手採炭可能量四三百万屯、バイカル地方唯一ノ瀝青炭産地
チタ州	タルバガタイ褐炭床	セレンガ河右支流タルヒロク河谷、モロトフ鐵道タルバガタイ驛トタルバガ驛間	一億屯	炭床五〇平方粁
チタ州	ハリャルチンスコエ褐炭床	モロトフ鐵道タルバカ驛ヨリ一二粁	五〇〇万屯	
チタ州	チェルノフスコエ褐炭床	チタ市ヨリ南西一八粁チエルノフスキー待避驛ヨリ三粁ノインゴタ	一億屯	一九〇八年採炭着手ザバイカル第一ノ出炭高ヲ有ス

炭石

州				
		河左岸		
チタ州	アルバカルスコ・ハルボンスコエ褐炭床	ネルチンスク市ノ西南西二〇ー二五粁、モロトフ鐵道ハルボン待避驛ニ近キシルカ河左岸	一六〇百万屯	
チタ州	ハラノルスコエ褐炭床	モロトフ鐵道第七九待避驛（ボルヂヤ驛トハダブラフ驛ノ間）附近ヨリハラノール驛南方二〇粁	八、〇〇〇万屯	全長八一〇粁ノ炭脈
イルクーツク州	チェレムホーウォ炭礦	イルクーツク州ノチェレムホーウォ附近	六億二、四〇〇万屯	一八九一年採炭着手良質瀝青炭
イルクーツク州	ドウロエフスコエ褐炭床	アルグン河岸ドウロエフスカヤトカイラサトウイ間附近	三、〇〇〇万屯	

炭石

州				
ブリヤート蒙古	グシノエ湖褐炭床	グシノエ湖（セレンガ河セレンギンスク埠頭ノ西方二〇粁）ノ北西ヨリ南東ニ亘ル	二億五千万屯	
ブリヤート蒙古	タンホイスコエ褐炭床	バイカル湖南東岸ノザバイカル鐵道タンホイ驛トムイソワヤ驛間	五、〇〇〇万屯	

（附表第三）

3、金

品種	東部蘇聯 埋藏量	東部蘇聯 生産高	金鑛資源分布狀況 地方	地帯	地點	管下鑛山局（金鉱）	採金高	摘要
金	六、一〇〇屯（七五〇億留）	二一七屯 全蘇ノ七七%	チタ州	ウェルフネアムールゾロト	チタ州ノ東南部ヨリジヤリンダニ至ルアムール流域及ゼーヤノ右支流タルジヤリンダ河、ウルガン河諸流域	1.ヂヤリンダ、ウルガンスコエ鑛山局 2.モゴチンスコエ鑛山局 3.クリユーチエフスコエ鑛山局 4.ギーロフスコエ鑛山局	一、三〇〇瓩	砂金
			アムール州	アムールゾロト	ゼーヤ河上流一帯ヨリセレムジヤ河ノ上流、ブレーヤ河流域、トイクダ附近ヨリアムールト猶太人自治州トノ境界附近ニ至ルアムール流域ニ囲マレタル地域	1.スレードネゼイスコエ鑛山局 2.トイグドウルンギスコエ鑛山局 3.上流セレムジンスコエ鑛山局 4.下流セレムジンスコエ鑛山局 5.スウダヂヤルスコエ鑛山局 6.ウニヤホムスコエ鑛山局 7.ニマノ、ウルガリスコエ鑛山局 8.ウドスコエ鑛山局 9.タムブキンスコエ鑛山 10.ハルギンスコエ鑛山局 11.ユビレイノエ鑛山局 12.ウオロレーロフスコエ鑛山局 13.デブスコエ鑛山局 14.ムインスコエ鑛山局 15.パラヂクスコエ鑛山局 16.ゾロトゴルスコエ鑛山局	八、〇〇〇瓩	勞働者一万人 砂金産高八四% 山金産高一六%
			東部地方	ブリモルゾロト	沿海州、ウスリー州、ハバロフスク州、ビロビジヤン州、ニージネアムール州ノ南部ニ亘ル	1.ヘルブチンスコエ鑛山局 2.コルチヤンスコエ鑛山局 3.ウドイリスコエ鑛山局 4.ケルビンスコエ鑛山局 5.イマンスコエ鑛山局 6.樺太鑛山局 7.リムリースコエ鑛山局 8.カビンスコエ鑛山局 9.オホーツコエ鑛山局 10.トウムニンスコエ鑛山 11.ビルスコエ鑛山局 12.スータルスコエ鑛山局 13.アシカンスコエ鑛山局 14.ヒンガンスコエ鑛山局 15.フシブノエ鑛山局	五、〇〇〇瓩	勞働者一万人 砂金 山金
			コルイマ地方	ダリストロイトラスト	西ハヤクート共和國、東ハオホーツク海ニ臨ミ南ハタウイ河北ハ東部シベリヤ海ニ依テ囲マル	1.タスカン 2.スレドウニカン 3.セイムチヤン 4.ウチナヤ 5.ラリユコワヤ 6.オロトウカン 7.ブリースカ 8.エリクチヤン	八〇、〇〇〇瓩	
			ヤクート共和國	ヤクートゾロト	アルダン河流域	1.アルダン金鑛地帯	一二、〇〇〇瓩	勞働者一万四千人 砂金

54

55

（附表第四）

４、非鐵金屬其他

品種		鉛、亞鉛
東部蘇領	埋藏量	鉛八〇九千屯（一九三八年） 亞鉛一三七六（一九三八年）
	生産高	鉛六五〇一屯（一九三八年） 亞鉛一九九一二（一九三八年）
埋藏資源分布狀況	地方	沿海地方
	地區	オリギンスキイ區
	鑛床	ヴエルフネイ鑛山
	地點	テチユヘ灣ヨリ三五粁 浦潮ヨリ北東三五〇粁
	推定埋藏量	鉛二四千屯 亞鉛八三
摘要		シホテアリン複合金屬コンビナートノ主要採掘基地 稼行中

金				
イルクーツク州	ブリヤート蒙古自治共和國			チタ州
レンゾロト	バルグジンゾロト	ザバイカルゾロト	[illegible]	ダラスン[illegible]
イルクーツク州ノ北東隅、レナ河其ノ支流ヴイチム河、オレクマ河支流ノチヤラ河ニ圍マレタル地域	バルグジン河、ヴイチム河流域	カーラジエルト、ウガ、ウンダ諸河川流域		モロトフ鐵道シルカ驛ヨリ南北方七五粁ノ地點
1.ボダイボ金鑛地帶	1.バルグジンスキー 2.ウエルフネウヂンスコエ 3.セレンギンスコエ 4.トロイツコサフスコエ	1.オノン金鑛 2.シヤフトマ金鑛 3.チコイ金鑛 4.キーヤ金鑛 5.クリユチエフスキー金鑛 6.ドミートリエフスキー金鑛 7.シエンドーヤ金鑛 8.ウオスクレセンスキー金鑛 9.イリンスコエ金鑛 10.エウグラフスコエ金鑛	1.バレー金鑛區	1.ダラスン金鑛
一三〇〇〇瓩	八六〇瓩		八〇〇〇瓩	三〇〇〇〇瓩
勞働者七千人	砂金		山金砂金ザバイカル全体ノ半分以上ノ生産高	一八六一年採金着手

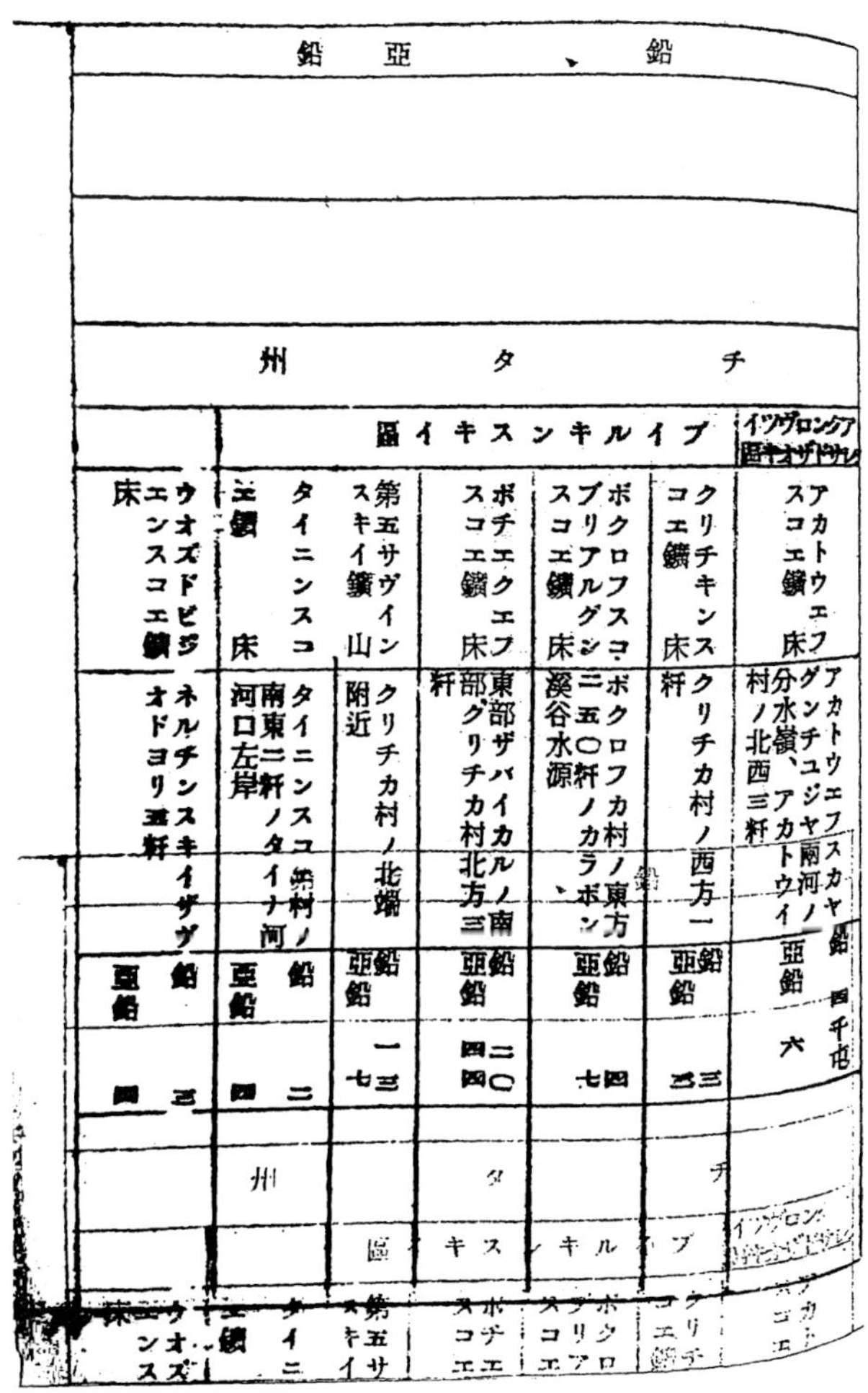

鉛、亞鉛						
チタ州						
[illegible]	ブイルキンスキイ區					
アカトウエフスコエ鑛床	クリチキンスコエ鑛床	ボクロフスコ・ブリアルグシンスコエ鑛床	ボチエクエフスコエ鑛床	第五サヴインスキイ鑛山	タイニンスコ鑛床	ウオズドビジエンスコエ鑛床
アカトウエフスカヤ、グンチユジヤ兩河ノ分水嶺、アカトウイ村ノ北西三粁	クリチカ村ノ西方一粁	ボクロフカ村ノ東方二五〇粁ノカラボン、溪谷水源	東部ザバイカルノ南部グリチカ村北方三粁	クリチカ村ノ北端附近	タイニンスコ村ノ南東二粁ノタイナ河河口左岸	ネルチンスキイザヴオドヨリ[illegible]粁
鉛四千屯 亞鉛六	鉛三 亞鉛三	鉛四 亞鉛七	鉛二〇 亞鉛四四	鉛一三 亞鉛七	鉛二 亞鉛四	鉛三 亞鉛四

州 タ チ ブイルキンスキイ區 アカトウ… クリチ… ボクロ… ボチエ… 第五サ… タイ… ウオズ…

鉛、亞鉛					
鉛全蘇ノ一九% 亞鉛全蘇ノ一四%（一九三八年）					
鉛全蘇ノ八% 亞鉛全蘇ノ一七%（一九三八年）					
沿海地方					
オリギンスキイ區				テルネイスキイ區	
第一ソヴエツキイ鑛山	第二ソヴエツキイ鑛山	スヴエトルイ・アトウオド鑛山	バルチサンスキイ、アトウオド鑛山	大シナンチア鑛床	小シナンチア鑛床
テチユヘ灣ヨリ三四粁 テチユヘ鑛床ヨリ四粁ノテチユヘ河左岸	シホテアリン選鑛工場ノ南方〇、五粁ノテチユヘ河上流右岸	テチユヘ河上流	ソヴエツキイ鑛山ノ南方二粁ノテチユヘ河上流右岸	大シナンチア河左支流上流	小シナンチア河左支流上流
鉛七 亞鉛一二	鉛〇、八 亞鉛〇、九	鉛四 亞鉛二	鉛一一 亞鉛一八	鉛〇、四 亞鉛〇、六	鉛〇、二 亞鉛〇、六
稼行中	稼行中	稼行中	稼行中	稼行中	稼行中

鉛・亜鉛			チタ州		ミハイロフスコエ鉱床	ミハイロフカ村ノ東方四粁ノシエヴイマ渓谷左岸	鉛一三 亜鉛一二	
					カダインスコエ鉱床	カダヤ村ノ近傍	鉛一 亜鉛三	
				ウスチカリスキイ区	エカチリンスコエ鉱床	ウスチ、カルスクノ北方四粁ノウルヂユガン渓谷左岸	鉛二〇 亜鉛三〇	
錫	莫大	四〇〇〇—五〇〇〇屯（一九三八年） 全蘇ノ一〇〇%	チタ州	ガジムルザヴオツキイ区	オレントウエフスコエ鉱床	チタ州、ゼレン及オレントウイ渓谷	チタ州錫産額蘇聯第一位	一九三七年発見
				ネルチンスコザヴオツキイ区	ウロフ河附近ノ鉱床	アルグン河ノ左支流ウロフ河沿岸		一九三七年発見砂鉱床
				オロヴヤニンスキイ区	オノンスコエ鉱床	モロトフ鉄道オロヴヤンナヤ駅附近	三千屯	採掘不振
					マロクリンスコエ鉱床	オノン河ノ左支流マロクリンダ河畔		
					イマルキンス鉱床	外蒙国境ニ近キイマルカ河畔	豊富	第二次五ケ年計画中採鉱場設置

鉛亜鉛			チタ州	ネルチンスコザヴオツキイ区	イワノスコエ鉱床	ストルボワヤ渓谷左岸	鉛二 亜鉛三	
					ブラゴダーツコエ鉱床	ブラゴダーツキイ源流右岸	鉛四二 亜鉛五六	
					エカチリノ・ブラゴダーツコエ鉱床	ブラゴダーツキイ源流左岸	鉛二 亜鉛九	
					スタロゼレントウイスコエ鉱床	ジョールタア山、頂上	鉛〇、二 亜鉛〇、三	
					マリツエフスコキルギンスコエ鉱床	ネルチンスキイザヴオード南方一〇粁ノマーラヤキルガ渓谷ノ上流	鉛二 亜鉛五	
					トウリヨフ、スヴヤチーテリスコエ鉱床	ゴールメイ、ゼレントウイ村南方五〇〇米	鉛一二 亜鉛一六	
					スレドネ、ノヴオゼレントウイスコホ鉱床	トウリヨフ、スヴヤチーテリスコエ鉱床ノ西南西九〇〇米	鉛六 亜鉛八	

チタ州
ネルチンスコザヴオツキイ区

錫			チタ州	ヒロクスキイ区	シウミロフスカヤ鉱床	チユコン河岸ノシウミロフスカヤ山上	豊富	原鉱ハ錫ウオルフラム含有
				クラスノチコイスキイ	チユコン鉱床	チユコン河上流		一九三七年発見
			イルクーツク州	スリユヂヤンスキイ区	スリユヂヤンスコエ鉱床	スリユヂヤンカ渓谷	錫砂豊富	稼行中
				ザカメンスキイ区	ジダ地方			原鉱ハ錫ウオルフラム含有
			沿海地方	テルネイスキイ区	大小シナンチヤ鉱床	テチユヘ湾ヨリ六〇粁ノシホテアリン山脈	豊富	一九一四年採掘錫鉛亜鉛ヲ含有スル複合金属鉱床
				オリギンスキイ区	シホテアリン複合金属鉱床		四—五千屯	
					オリガ盆地	オリガ湾盆地ノスウドノ山附近		原鉱ハ錫ヴオルフラム含有
				[illegible]区	トウムニン河流域	トウムニン河系トウインク河流域		原鉱ハ錫ウオルフラム含有

錫			チタ州	バレイスキイ区	ルウキンスコエ鉱床	シルカ河谷	相当大	一九三六年発見
				ボルジンスキイ区	チンギリトウイスコエ鉱床	チンギリトウイ附近		
				シルキンスキイ区	ダラスンスコエ鉱床			多金属鉱ノ鉱床
				アギンスキイブリヤート蒙古民族管区	シルロヴオ、ゴルスコエ鉱床	モロトフ鉄道ハダ、ブラーク駅附近	豊富（一九三二年ハ一、五〇〇屯ナリキ）	原鉱ハ錫、ウオルフラム、ビスマス含有 規模大
				クリンスキイ区	ハブチエラギンスコエ鉱床		豊富（一九三三年ハ七千屯ナリキ	一九二七年発見原鉱ハ錫、ヴアナヂウム砒素ウオルフラム銀ヲ含有規模蘇聯最大
					ソホンド鉱床	東部ザバイカルノ最高地ソホンド山上		原鉱ハ錫ヴオルフラム含有第二次五ケ年計画中採鉱場設置

金屬			地方	區	鑛床	位置	規模	備考
錫			ハバロフスク地方（アムール州）	ウエルフネブレインスキイ區	ブレーヤ河流域			錫ノ外有色金屬鑛稀金屬鑛ヲ含有開發可能性アリ
				セレムジノブレインスキイ區	ハルギンスコエ鑛床	セレムジヤ河上流ノハルグ河ノ右支流ダガルドウイン水源		ウォルフラム鑛床中ニ發見
					ニジネ・アムール州	ビチ河下流地方ウドイリ湖ノ北方		ウォルフラムト共ニ錫石鑛床發見
			カムチヤツカ州	チユコート管區	チユコツキイ半島ノチヤプリン岬			錫石結晶發見
					チユコツキイ半島ノ中部			五個ノウォルフラム錫合金屬鑛床ニ個ノ錫鑛床發見（一九三七年）

金屬			地方	區	鑛床	位置	規模	備考
錫			カムチヤツカ州	チユコート管區	ヤキミキ湖畔	クレスト灣ノ北方二〇〇粁		ウォルフラムト結合セル一錫鑛床發見（一九三七年）
					チユコツキイ半島ノアムグエマ河流域トソノ西方ノチヤウンスカヤ灣地區		莫大	一九三七―三八年發見
銅	一三五〇〇万屯		沿海地方	テルネイスキイ區	テルネイ及ベリムベ兩灣ノ中間ニ存在スル鑛床		莫大	一九三七年發見
				ハバロフスキイ區	ボロニ、オジヤーリスコエ鑛床	ボロニ・オジヤール湖ヨリニジニイアムールヘノ水源附近、マルムイジスコエ村附近		
						（一）ウダ河上流ニ沿フ五三粁、同河ヨリ北方四三粁		

金屬			地方	區	鑛床	位置	規模	備考
銅			ハバロフスク地方	トウグロチユミカンスキイ區	ウドスキイ地方ノ三鑛床	ノ地方 （一）スレグウチヤイダツク河ニ沿フウダ河支流マイ河上流地方 （二）ウダ河支流ラン河ニ沿フ三八粁ノ上流地方		黄銅鑛發見
				スターリンスキイ區	ソユーズノエ鑛床	滿領蘿北對岸		
				アヤノマイスキイ區	アヤン灣北方	ニジネアムール州		一九三八年發見
			カムチヤツカ州	チユコート管區	グレスト灣地方			一九三五年―三六年發見
					セルツエカーメン岬			

金屬			地方	區	鑛床	位置	規模	備考
銅			カムチヤツカ州	コマンドルスキイ群島	メードヌイ島			
			チタ州	ゼイスキイ區	ゼーヤ河地方	ゼーヤ河中流右岸	六〇千屯	一九三三年發見工業的價値アリ
					ゾロタヤガラ	フダチル河岸		
				ウストカルスキイ區	ブチユムカンスコエ鑛床（ルガンスキイ銅鑛山）	ブチユムカン河右岸ブチユムカン村附近		銅、鉛、砒素ヲ含有スル複合金屬鑛床
				アレクサンドロフスコザヴオツキイ區	アレヌイスコエ鑛床	アカトウイノ北東マカロヴオ部落附近	僅少	
					クリチユチエフスコエ鑛床	クリユチ河畔	相當大	原鑛ハ鐵マンガン金及銅砒素ヲ含有
				シルキンスキイ區	ダラスン複合金屬鑛床			銅金鉛ヲ含有スル複合金屬鑛床
					ヴオスホード	ウリドウルカ河上流	含有量僅少	

銅			チタ州	區	スコエ鑛床	ダラスン鑛山ノ西方四〇粁附近	ノタメ殆ンド價値ナシ	
銅			チタ州	アリギンスキイブリヤート民族管區	アギンスコエ鑛床	オノン河ノ支流ムングチヤ河上流モロトフ鐵道ノオロヴヤンナヤ驛ヨリ北西三〇粁	厚度〇、七ー五米長サ數粁	一九三七年發見稼行中ノ唯一ノモノ緑銅鑛青銅鑛(銅銀鉛含有)
銅			チタ州	アリギンスキイブリヤート民族管區	クルンツスライスコエ鑛床	オノン河ノ支流クルンツスライ河岸		十八世紀當時發見現在ハ工業的價値ナシ
銅			ブリヤート蒙古自治共和國	北バイカルスキイ區	ナマムスコエ鑛床	ヴエルフニヤアンガラ河ニ注グスヴエートラヤ河左岸バルグジン北方二七〇ー二八〇粁		原鑛ハ銅、砒素アンチモニー含有
銅			ブリヤート蒙古自治共和國	トウンキンスキイ區	小サルボイ鑛床	チツサ河ノ支流大サルホイ河ノ支流沿岸		
銅			ブリヤート蒙古自治共和國	ホリンスキイ區	インギスハンスコエ鑛床	ウダ河ニ注グクルバ支流インギスハン河沿岸ウランウデ市ノ北東方一二〇粁		一八三〇年發見採掘ハ手工業的ニ實施セラレタルモ現在廢坑
銅			イルクーツク州	ウスチクートスキイ區 ジガロフスキイ區	ジガリヨーヴオトウスチクワトノ中間	レナ河流域		
銅			イルクーツク州	ニジネウヂンスキイ區	フエオドロスコエ鑛床			
ウオルフラム	二〇千屯 全蘇ノ六〇%	六四〇屯 全蘇ノ七〇%	ハバロフスク地方	ヴエルフネブレインスキイ區	ブレーヤ鑛床	ブレーヤ河流域		
ウオルフラム			ハバロフスク地方	ヴエルフネセレムジンスキイ區	ハルギンスコエ鑛床	セレムジヤ河上流ノハルガ河ノ支流ダガルドウイン源流地方		
ウオルフラム			沿海地方	オリギンスキイ區	オリガ灣盆地	同盆地ノスウドノ山附近		錫石ト共ニウオルフラム鑛アリ
ウオルフラム			沿海地方	ソヴエツキイ區	トウムニン河流域	トウムニン河系トウインク河流域		錫石ト共ニウオルフラム鑛アリ
ウオルフラム			アムール州	ウリチスキイ區	ウドイリ湖北方ノビチ河下流及ビチバトカ河分水嶺附近			一九三七年ウオルフラム錫鑛床發見
ウオルフラム			カムチヤツカ州	チユコツキイ管區	アナドウイルスキイ山脈ノ中	クレスト灣ノ北方二〇〇粁ノヤキミカ湖附近		ウオルフラム錫鑛床發見
ウオルフラム			カムチヤツカ州	チユコツキイ管區	チユコツキイ半島ノ中部			一九三七年五ノウオルフラム、錫鑛床(一ノウオルフラム鑛床發見
ウオルフラム			チタ州	バレイスキイ區	カザコフスコエ鑛床	バレイノ東方旧カザコノヴオ附近		
ウオルフラム			チタ州	バレイスキイ區	ウシユムンノエ鑛床	ウシユムン附近		
ウオルフラム			チタ州	ボルジンスキイ區	ベルヒンスコエ鑛床	バレイスキイ區トボルジンスキイ區ノ北境ベルルーハ附近	四千屯	一九二五年ヨリ再稼行中
ウオルフラム			チタ州	ボルジンスキイ區	ボリシエスクトチエスコエ鑛床			
ウオルフラム			チタ州	ボルジンスキイ區	マーロウスクニフスコエ鑛床	ボルジヤ驛ヲ距ル三〇粁		一九二六年ヨリ再稼行中
ウオルフラム			チタ州	ボルジンスキイ區	ハラノルスコエ鑛床	ボルジヤ驛附近		
ウオルフラム			チタ州	オロビヤンニンスキイ區	オルドルジンスコエ鑛床	オロヴヤンナヤ驛南方		
ウオルフラム			チタ州	オロビヤンニンスキイ區	クランジンスコエ鑛床			
ウオルフラム			チタ州	アギンスキイ區	シルローヴオゴールスコエ鑛床	オノン河支流ボルジヤ河ニ沿フアドウアンチヨロンスキイ山脈ノ中		
ウオルフラム			チタ州	アギンスキイ區	ドウリドウルギンスコエ鑛床	ドウリドウル附近		
ウオルフラム			チタ州	アクシンスキイ區	ゴククンスコエ鑛床	ボルジヤ驛ノ北方一〇六粁ワルガ河水源地方		
ウオルフラム			チタ州	シアフタミンスキイ區	シアフタミンスコエ鑛床	シヤフタマ附近		

62

63

ウオルフラム

州	區	鑛床	位置		
チタ州	アレキサンドロフザヴォツキイ區	ソスノフスコエ鑛床			
		アルブウイ鑛床			
ブリヤート蒙古自治共和國	ザカーメンスキイ區	ジジンスコエ鑛床	ウランウデヨリ四六〇粁外蒙國境ニ沿フジダ河ノ支流インクール、ダジユルカハルタ、ルジンノ三河河盆	ソ聯第一ノウオルフラム鑛床	一九三二年發見採掘高五五〇屯ジダスイロイ

モリブデン

五、六百屯 全蘇ノ九八%

州	區	鑛床	位置		
アムール州	ヴエルフネブレインスキイ區	ウマリチンスコエ鑛床	ブレーヤ河上流ノクマリタ河ノ右岸	ソ聯最大ノモリブデン	一九二八年發見一九三二年ヨリ稼行
		トウイルミンスコエ鑛床	トウイルマ河（ブレーヤ河中流左支流）下流及中流域	相當大	一九三七年發見
沿海地方	テルネイスキイ區	ジギドブラストワンスコエ鑛床	テチユヘノ東北		未調査
カムチャツカ州	チユコツキイ管區	アナドウイルスキイ山脈ノ中			一九三七年發見
チタ州	ジエルトラクスキイ區	ヤンカン鑛床	スコヴオロージノ（ルフローヴオ）ノ東北		
	ウスチカルスキイ區	ジエルトウヒンスコエ鑛床	シルカ河流域		
	シヤフタミンスキイ區	シヤフタミンスコエ鑛床	シヤフタマ附近		
	チチンスキイ區	オキグウイスコエ鑛床	チタ市近郊		
	クラスノチコイスキイ區	チコイスコエ鑛床	チコイ河中流	二〇〇屯	稼行中
ブリヤート蒙古自治共和國	ザカーメンスキイ區	ジタ地方			稼行中

64

アンチモニー

州	區	鑛床	位置		
アムール州	ヒンガンアルハリンスキイ區	ボクチヤンスコエ鑛床	小興安嶺ノ西方アムール左岸ヨリ八粁ノサギボヴ木材附近	一、四〇〇屯	
	ヒンガノアルハリンスキイ區	アルハラ鑛床	小興安嶺西方ソロチカ河ニ右ヨリ注クシユリグタ河ノ左支流カピトンノ上流、アムール鐵道ノウリル驛ヨリ七五粁ノ地點		
	ブレインスキイ區	ブレーヤ鑛床	ブレーヤ河下流ノ右岸スレドキヂイスコエ村附近		
	セレムジンスキイ區	ハルギンスコエ鑛床	セレムジヤ河ノ上流ハルガ河ノ支流タタヤ河源流地方		
	ウリチスキイ區	ウリチスコエ鑛床	アムール下流ウドウイリ湖地方		
チタ州	モゴチンスキイ區	モゴチンスコエ鑛床	モゴチヤ近郊		
	ネルチンスキイ區	ニカチリンスコエ鑛床	ウルヂユガン河トシルカ河ノ合流地點		
	オロビヤニンスキイ區	オノンスコエ鑛床	モロトフ鐵道オロビヤニンスキイ區附近		
	シルキンスキイ區	ダラスン鑛床			金、錫、銅鑛ト共ニ産ス
	バレイスキイ區	ノヴオトロイツコエ鑛床	バレイ近郊		
	カジムロザヴオツキイ區	ゼレントウイスコエ鑛床	ゼレン附近		
	ブウイルンスキイ區	カダインスコエ鑛床	カダヤ附近		亞鉛ト共ニ産ス
		ボグダリンスコエ鑛床	ボクダノフカ附近		
	アクシンスキイ區	カザチンスコエ鑛床	ノヴオカザチンスク附近		
		シリベンブスコエ鑛床	シエレベングワイ附近		

65

雲母			タングステン	アスベスト	
			五五〇屯 全蘇ノ六〇%	一三〇千屯	
イルクーツク州		チタ州	ブリヤート蒙古	ブリヤート蒙古	
				トウンキンスク區	
マムスコエ鑛床	ビリユシンスコエ鑛床	トルバカ鑛床	ジジンスコエ鑛床	ワシエリエフスカヤ高地	イリインスカヤ高地
ヴイチム河右支流ノママ河沿岸ボダイボヨリ一三〇粁	ニジネウヂンスクヨリ南方一三〇粁附近	ペトロフスキーザヴオードノ東方	ウラン.ウデヨリ四六〇粁.ジジンスクノ東方地區	キトイ河ノ源チナスウルタ.ジヤトホス及ホイタジヤトホス兩川合流點イリチル湖ノ北東五粁ノ地點	
一、五〇〇万屯	一〇〇万屯			四四〇〇〇屯	八〇〇〇〇屯
ソ聯第一位 一八二〇〇屯ノ白雲母採掘豫定	ソ聯第二位 一二〇〇〇屯ノ白雲母採掘豫定		量質共ニソ聯第一	操業休止中	操業休止中

66

アンチモニー					雲母
					白雲母 一、六〇〇万屯 金雲母 五〇万屯 全蘇ノ八五―九〇%
					八、三〇〇―九、〇〇〇屯
チタ州					イルクーツク州
アギンスキーブリヤート	オロヴヤンニンスキー區	アレクサンドロフスキーザヴオード區		ボルジンスキイ區	
アギンスコエ鑛床	ウリヤトウイスコエ鑛床	オノン.ボルジンスコエ鑛床	アカトウエフスコエ鑛床	クレンズライスコエ鑛床	スリユジヤンスコエ鑛床
	ウリヤトウイ附近	オノンボルジヤ附近	アカトウイ附近		バイカル湖南岸ノスリユジヤンカ驛附近
					五〇万屯
銅、錫ト共ニ産ス			鉛亜鉛ト共ニ産ス		ソ聯唯一ノ金雲母産地 二三、〇〇〇屯ノ金雲母採掘豫定（一九四二年）

（附表第五）

5 石油

（一）埋藏

	オハ油田
埋藏量	調査濟 三三一九 千屯 予想 四八一二〇 推定 一八一七五 可能 八〇〇〇〇 計 一四九六一四
油田所在地	（一）オハ油田 北樺太オハヨリ南方ヘ東海岸ニ沿ヒ延長約四〇〇粁及西海岸ノ北方地域 （二）エハビ油田 オハヨリ八粁ノエハビ附近ノ（試掘濟）程度
油井數 作井深度	（一）油井數 二八四 一九三七年 （二）作井程度 二〇〇〇米
作井方法	（一）回轉式ニ依ル産油高ノ總採油高 八九・二% （二）衝撃式ニ依ル産油高ノ總採油高 一〇・九% （三）ターピン式採用セズ
從業員數	二三三人
採油高	三六萬屯 一九三七年 重油性ノモノノミヲ産ス
供給先	（一）約五萬屯現地ノ需要充足 （二）八萬屯對日供給 （三）東部ハオハヨリ送油管ニテ西海岸モスカリヴオ港ヘ、ソレヨリタンカーニテ黒龍江ヲ遡リハバロフスク石油精製工場ヘ搬送
弱點	（一）埋藏量少シ （二）採油條件不利 （三）作井成績不良 （四）原油精製ノ手數 （五）増産率ノ低調

（二）精

	ハバロフスク石油
工場設立期	一九三五年九月
工場所在地	ハバロフスク市北方郊外鐵
從業員	約五〇〇人
工場設備	ウインクレルコッホ式ニシテ普通ノ初溜プロセスト分
工場製品	飛行機用ガソリン、アスファルト、ワセリン、塗料、鐵道用諸
工場生産能力	重油處理能力 二〇八千屯

67

（附表第六）農作物及獣肉

単位屯（一九三九年現在）

地方	州	食用穀物 生産量	食用穀物 過不足量	馬鈴薯 生産量	馬鈴薯 過不足量	蔬菜 生産量	蔬菜 過不足量	獣肉 生産量	獣肉 過不足量
沿海地方	舊沿海州	六、三九〇	(－)四八、三六五	四七、七〇六	(－)五五、五五八	五三、三三六	(＋)八、四五五	四、一九五	(－)四、〇二三
	ウスリー州	七四、〇九三	(－)六八、一六二	五一、八一四	(－)三九、七九四	七一、八六〇	(＋)三三、三九〇	七、三四一	(－)三、七八八
ハバロフスク地方	舊ハバロフスク州	一〇、〇三三	(－)二〇、八四一	八七、三〇六	(－)八、五四八	三八、八〇九	(－)一、八一八	二、八三九	(－)五、五一五
	猶太人自治州	七、七四七	(－)二五、四一七	一四、三〇二	(－)七、二六〇	七、二〇〇	(－)二、五六七	一、一一三	(－)一、〇六三
	アムール州	一七三、九七三	(＋)二一、七六一	一七二、三〇三	(＋)五一、六二五	六三、五四〇	(＋)二一、六一二	六、七二九	(－)二、四三七
	ニジネアムール州	一二二	(－)二五、二四七	一八、〇三八	(－)一、一九一	一、八六〇	(－)六、三一〇	一、二九一	(－)一、〇二四
	サハリン州	九二	(－)二六、二三六	八、二七四	(－)一一、三四九	二、七三〇	(－)六、二六八	一、二五三	(－)六四六
	カムチャツカ州	二六	(－)六七、二二七	七、四五三	(－)二一、五〇八	一、七〇三	(－)一五、八一二	七七八	(－)一、一四八

68.

州	地区	生産量 食用穀物	生産量 馬鈴薯	生産量 蔬菜	摘要
舊沿海州	ウラヂオストークスキー	七九	八、〇六一	一二、六五四	
	シコトフスキー	一、三〇一	一〇、一二八	一四、二〇三	
	スーチャンスキー	一一三	—	—	
	ブジョノフスキー	一、五六八	一二、〇六四	一二、三四一	春蒔穀物 二、六〇〇ヘクタール
	ハーサンスキー バラバシエフスキー	一八一	六、七三三	五、八〇五	
	オリギンスキー	二、一二〇	五、七九五	四、七〇三	ラゾ（區内最大ノモノ播種面積六八四ヘクタール
	テルネイスキー	八二八	三、〇三四	二、四二三	
	ソヴエートスキー	—	一、八九一	一、二〇七	
	計	六、三九〇	四七、七〇六	五三、三三六	

69.

円　貯　蔵

所在地	貯蔵高	貯蔵設備	摘要
ハバロフスク市	原油 一三〇千屯 精油 三二〃	原油貯蔵タンク（容量一〇千屯 一四基 容量 五 四 容量 五 二 精油貯蔵タンク（容量 二 二	
アムール河口マゴ港	原油 一一、七一〇屯	設備ヲ有スルモノト認ム	
ペトロパウロフスク港	石油 一、七九一屯	同右	
浦潮	石油 二〇〇千屯	同右	
農村全体	石油 一二、五〇〇屯	各コルホーズ、ソフホーズニ平均約一〇屯ノ貯蔵設備アリ	年消費量四五千屯ノ約三分一ヲ常時貯蔵

製

精製工場	…道支線	摘要	製品
		…解蒸溜プロセストガ一連ノ運轉プラントニ併置サル 油、アスピリン、毒ガス、パラフイン、太平洋艦隊用燃料	七七、七四五屯

州	食用穀物 生産量	食用穀物 過不足量	馬鈴薯 生産量	馬鈴薯 過不足量	蔬菜 生産量	蔬菜 過不足量	獣肉 生産量	獣肉 過不足量
チタ州	三四七、五二〇	(－)三一、三〇二	二五、四九〇	(＋)三一、九二一	四四、八三二	(－)六一、二七三	二〇、八五九	(＋)九七四
ブリヤート蒙古	二三、七四四	(＋)六九、八四四	九七、九二二	(－)一八、九四二	二〇、七五〇	(－)二八、九〇〇	一一、五五〇	(＋)三、一一二
計	八三七、二三〇	(－)三九三、一八九	七三九、七二八	(－)一〇八、六〇四	三〇六、六二〇	(－)一〇四、三七一	三八、七四〇	(－)七、四四五

ウスリー州

ヴォロシロフスキー	六、二一五	五、六八六	八、八七〇	穀物播種面積一七、四三三ヘクタール 馬鈴薯播種面積五二、 春蒔計畫全作付面積一九、八六五
モロトフスキー	四、二六九	一、四〇四	二、三八〇	馬鈴薯播種面積二二五ヘクタール 春蒔計畫全作付面積一四、二五五
グロデコフスキー	四、〇〇九	一、五八四	二、二三〇	春蒔穀物面積四〇〇ヘクタール 春蒔計畫全作付面積一四、四六五
ハンカイスキー	七五九九	二、三四六	三、三〇〇	蔘播種面積一二七三ヘクタール 春蒔計畫全作付面積二二、九二〇
ミハイコフスキー	七、三九一	四〇八〇	五、五二〇	穀物播種面積二、一〇〇ヘクタール 蔘播種面積八一五、 春蒔計畫全作付面積二四、四七八

ウスリー州

ホロリスキー	五、六〇七	三、三七〇	四、九〇〇	春蒔穀物全播種面積一二、九四五ヘクタール 秋耕面積二八〇〇陌 春蒔計畫全作付面積二四、四八〇ヘクタール
イワノフスキー	三、〇八〇	二、〇一三	二、〇四〇	馬鈴薯播種面積一六〇ヘクタール 春蒔計畫全作付面積一〇、七二〇
チエルニコフスキー	五、〇一一	二、七九七	三、六六〇	春蒔計畫全作付面積一六、三九五ヘクタール
アヌチンスキー	二、八四三	一、八六二	二、七四〇	春蒔計畫全作付面積七、二一八ヘクタール
チユグエフスキー	三、二六四	二、三七四	二、三〇〇	春蒔計畫全作付面積一〇、六五〇ヘクタール
ヤコウレスキー	二、一六三	一、六一六	二、一四〇	春蒔計畫全作付面積七、八五〇ヘクタール
スパスキー チガロフスキー				「スパスキー區」 秋蒔裸麥播種面積一六〇ヘクタール

ウスリー州

スパスキー チガロフスキー	八、六八四	六、三二三	一〇、八四〇	春蒔計畫全作付面積二四、四四五ヘクタール
キーロフスキー	四、四一〇	三、六二三	五、〇八〇	穀物播種面積七五六五ヘクタール 馬鈴薯播種面積二六七、 春蒔計畫全作付面積一四、三四五
シマコフスキー	二、九七一	三、六二五	四、九〇〇	穀物播種面積七、四〇〇ヘクタール 春蒔計畫全作付面積一二、四四〇
カリーニンスキー ボジャルスキー	四、六七四	六、一八九	六、九一〇	「カリーニンスキー區」 春蒔穀物面積五、〇〇〇ヘクタール 春蒔計畫全作付面積一二、七五七
クラスノアルメイスキー	一、九〇三	二、九一二	三、八一〇	
計	七四、〇九三	五一、八一四	七一、八六〇	

	沿海地方合計	八〇、四八三	九九、五二〇	一二五、一九六	
舊ハバロフスク州	ハバロフスキー	一、八七三	三六、〇二二	一六、六九二	
	コムソモリスキー	五八	七、七八四	四五五一	
	ビキンスキー	一、五〇一	四、三八九	二、一六六	
	ウヤゼムスキー	二、〇四三	一〇、一二九	五、六六七	
	ラゾ名	四二一八	二〇、五三一	六、八〇二	
	ナナイスキー	一七二	五、四八一	三、六五八	
	クルウルミンスキー	一六八	二、八七〇	一、二七三	
	計	一〇、〇三三	八七、二〇六	三八、八〇九	
猶太人自治州	ビロビジヤン市	七二八	二、三四九	一、三八六	
	スミトウイスキー	三六〇	四、〇七六	二、〇〇七	
	レーニンスキー	二、七八〇	二、一二九	一、二二四	

州	地区			
猶太自治州	スターリンスキー	三、三六一	二、九三七	一、三四一
	ビルスキー	五一八	二、八一一	一、二四二
	計	七、七四七	一四、三〇二	七、二〇〇
アムール州	ブラゴエシチェンスキー	六、五一五	一六、五四五	七、五七二
	スウォボートネンスキー シマノフスキー	一二、〇三五	二六、一〇〇	五、六七二
	ヒンガノアルハリンスキー ブレインスキー	七、八九五	一一、〇八五	四一二三
	ミハイロフスキー	一二、二三一	八、三九三	三、七五四
	ザウイチンスキー	六、九六一	一〇、七〇三	三、七六二
	タムボフスキー	二四、一一八	一二、五一八	七、五九一
	カガノヴィチスキー	二五、九六二	一五、二五五	六、四一三
	イワノフスキー	一八、〇五四	九、六四五	四、七四一
	クマルスキー	三、九一一	三、三二三	一、〇一七

州	地区			
アムール州	セルイシェフスキー	一七、五六二	一四、九八五	四、七一二
	クイブイシェフスキー	二四、六二九	一五、一六五	六、三六五
	セレムジノブレインスキー	四、四五六	一三、一三八	四、六五五
	マザノフスキー	九、六四四	一五、二四八	三、一八三
	計	一七三、九七三	一七二、五〇三	六三、五四〇
サハリン州	計	九二	八、二七四	二、七三〇
ニジネアムール州	計	一二	一八、〇五八	一、八六〇
カムチャツカ州	計	二六	七、四五三	一、七〇三
ハバロフスク地方	計	二九一、八八三	三〇七、七九六	一一五、八四二
チタ州	チチンスキー	一四、六〇九	二九、六一六	五、三五四
	トイグジンスキー	三、六四二	九、八〇五	一、二一二
	ゼイスキー	六、八四八	一三、六八〇	二四二三

72

州	地区			
チタ州	スコウオロジンスキー	四、七六五	一二、三〇七	一、八七六
	モゴチンスキー	九五八	四、〇一二	五六四
	ウスチカルスキー	六、八三三	七、七九五	九八八
	ガシムロザヴォドスキー	九、二二〇	三、〇九一	二四九
	ネルチンスコザヴォドスキー	二三、一五六	四、九四四	七〇六
	ブイルキンスキー	二四、一九一	六、三二六	一、一七〇
	ボルヂンスキー	一三、八〇一	一一、〇〇一	一、九五九
	アレクサンドロザヴォドスキー	一三、四八六	三、五六二	四九〇
	シャフトミンスキー	一二、四五五	七、四六九	七一四
	スレチンスキー	一四、六四九	九、七五四	一、八二六
	チェルヌイシェフスキー	一三、〇一八	九、七二五	一、八九二
	ネルチンスキー	二三、四一六	八、〇二六	一、七四五
	バレイスキー	一六、二〇八	九、三七〇	一、九九二

州	地区			
チタ州	バレイスキー	一六、二〇八	九、三七〇	一、九九二
	オロビヤンニンスキー	一七、三二一	八、六四〇	二、一七五
	シルキンスキー	二四、五六七	一五、一九七	四、〇三四
	カルイムスキー	一五、六八九	二〇、二五六	四、五二五
	アクシンスキー	一四、一九六	四、一五七	四四八
	クイリンスキー	九、七九六	六、九〇二	一、三四五
	クラスノチコイスキー	一九、三九〇	一一、六七四	一、四一一
	ウレトフスキー	一七、六〇九	七、六八〇	七〇六
	ヒロクスキー	三、三九三	九、二四五	九八八
	ペトロフスクザヴォードスキー	八、五五七	一四、一四一	三、二九五
	トウンゴロチンスキー	二一四	—	七四七
	アギンスキー	一五、五三三	六、一一五	—
	計	三四七、五二〇	二五四、四九〇	四四、八三二

73

ブリヤート蒙古			
ウランウデスキー セレンギンスキー タルバガタイスキー イボルギンスキー	四六、〇七九	二五、七五七	七、六七八
トウンキンスキー	一五、〇〇七	七、六三二	一、三八六
ザガメンスキー	五、一〇七	二、六〇三	四一五
ジジンスキー	一九、三八三	三、五一四	三四〇
カバンスキー	二八、八八八	九、九八四	一、七六八
キャフチンスキー	二四、一〇七	四、五七〇	一、二二〇
ビチュルスキー	二五、五八四	五、四五三	一、二八七
ムルシビリスキー	二三、七六八	一六、二七二	二、三四一
ザエグラエフスキー	一二、二一一	五、七七〇	一、五二七
ホリンスキー	一六、四四二	五、一二六	七一四
エラヴニンスキー	四、六二五	二、七五五	六四七
バルグジンスキー	一五、四五九	五、八六六	五六四
バウントフスキー	二四一	一、四八八	七三〇
北バイカルスキー	四四三	一、一三三	一五三
計	二三七、三四四	九七、九二二	二〇、七五〇

74

7、播種面積

（一九三六年現在）
單位千ヘクタール

作物名 ╲ 地域別	穀物 秋蒔ライ麦	穀物 春蒔ライ麦	穀物 小麦	穀物 大麦	穀物 燕麦	穀物 蕎麦	穀物 黍	穀物 豆類	穀物 玉蜀黍	穀物 水稲	穀物 計
ブリヤート蒙古自治共和國	二六・七	一四二・九	一三〇・一	一八・〇	九七・四	一〇・八	五・九	〇・五			四三三・三
チタ州	一・六	五五・二	一八七・七	二四・五	一一四・九	二一・七	〇・七	〇・二			四〇六・四
東部地方	二一・三	三・九	三五二・七	九・八	二八一・〇	四三・七	一一・五	二・八	〇・八	一二・〇	七四七・四
東部ソ領計	四九・五	二〇一・〇	六七〇・五	五二・五	四九三・三	七六・二	一八・一	三・四	〇・八	一二・〇	一、五八七・一

作物名 ╲ 地域別	工藝作物 亜麻	工藝作物 大麻	工藝作物 甜菜	工藝作物 煙草	工藝作物 向日葵	工藝作物 大豆	工藝作物 ヘリラ	工藝作物 アマナヅナ	工藝作物 計	馬鈴薯	蔬菜	飼料作物	其ノ他	合計
ブリヤート蒙古自治共和國	〇・一	一・五	—	〇・一	〇・一	—	—	一・〇	二・八	一〇・五	二・五	一四・六	—	四六・七
チタ州	〇・二	一・〇	—	—	—	—	—	—	一・二	一四・八	四・七	三・八	—	四三・九

75

東部地方	六・七	〇・一	四・五	—	八・三	五七・四	三・二	—	八〇・二	六一・九	二四・八	一二六	三・九	九三〇・八
東部ソ領計	七・〇	二六	四・五	〇・一	八・四	五七・四	三・二	一・〇	八四・二	八七・二	三・一〇	三・三〇	三・九	一、八二七・四

8、家畜保有頭數（一九三六年現在）

單位　頭

地方	馬	牛	緬羊	山羊	豚	駱駝
ブリヤート蒙古自治共和國	一八五、一〇〇	六一三、三〇〇	五九九、一〇〇	一三七、五〇〇	一三六、七〇〇	四、六〇〇
チタ州	一五三、四二八	三五五、一五九	五五六、〇一四	一八〇、九四九	一八〇、九四九	三一〇
東部地方	一六六、一〇〇	四一一、八〇〇	七三、七〇〇	七、五〇〇	四六六、〇〇〇	—
計	五〇三、六二八	一、三八〇、二五九	一、二二八、八一四	三一五、九四九	七八三、六四九	四、九一〇

76

9、日蘇漁業條約ニ依ル蘇聯側租借漁區ノ監視區別（一九三七年現在）

(イ) 鮭鱒漁區

	漁區數	借區料（留）	漁獲標準高（ツエントネル）
沿海區	八二	一五〇、三〇〇	六九、六〇九・〇
サハリン區	一八	二九、九〇〇	一四、七〇〇・〇
ニジネアムールスキー區	二	—	六、五三九・〇
オホートスキー區	三一	五一三、六〇〇	七〇、九四三・〇
タウイスキー區	一六	二五〇、七五〇	三三、〇二〇・〇
ギジギンスキー區	九	一二八、三〇〇	一三、五〇〇・〇
イーチンスキー區	三六	三〇六、三五〇	九五、二八四・八
キクチンスキー區	二七	一二八、五〇〇	一五五、六三八・一
ボリシエレツキー區	二八	—	一九〇、九四一・七
東カムチャツカ區	二一	—	八七、六四五・〇
カラギンスキー區	一一	二〇九、〇〇〇	一八、六〇〇・〇
キチギンスキー區	四三	二三七、七五〇	八〇、三五九・〇
オリユートルスキー區	六四	四二三、二五〇	一六四、七七〇・〇
アナドイルスキー區	五	—	二三、七〇七・六
計	三九三	二、三七七、八〇〇	一、〇二五、八五七・二

(ロ) 蟹漁區

	漁區數	借區料（留）	漁獲標準高（ツエントネル）
沿海區	九	一一八、七〇〇	三一、五〇〇・〇
イーチンスキー區	六	二五二、〇〇〇	三七、五〇〇・〇
キクチンスキー區	五	一〇八、〇〇〇	二四、〇〇〇・〇
ボリシエレツキー區	五	二一、〇〇〇	一六、〇〇〇・〇
東カムチャツカ區	二	七六、〇〇〇	一〇、〇〇〇・〇
オリユートルスキー區	四	一一八、五〇〇	一八、〇〇〇・〇
計	三一	七九四、二〇〇	一二七、〇〇〇・〇
合計	四二四	三、〇七二、〇〇〇	一、〇二五、八五七・二

二、企業分布状況（一九三八年調）

地方	地區名	地名	工場名	製品	生産能力	從業員 操業開始	區分
沿海地方	ウラヂウオストーク區	ウラヂウオストーク	ダリザヴオド造船所	汽船曳船ライター・ランチ製作及修理	六八〇、〇〇〇留		造船
			ダリゴスルイブトラスト所屬造船所	漁船發動機船及川崎船	漁船六〇隻修理 發動機船八隻修理 川崎船四〇隻建造		〃
			クラボトラスト所屬造船所				〃
			セブモルプチ所屬造船所		汽船十六隻		〃
			船舶局所屬船舶修理工場				〃
			ゴスモルパラホドスーヴオ所屬船舶修理工場				〃
			發電所		二四〇〇〇キロ		電力
			ヴオロシーロフ機械工場	船舶用機械		一九三五年	機械

97

沿海地方　ウラヂオストク一區　ウラヂオストーク

工場名	製品	生産高	年	部門
煉瓦工場(第五號)	煉瓦	一〇〇〇〇〇〇〇個		〃
石灰工場	石灰			〃
アコ所屬製材所	挽材			〃
計器修理工場	一般計器 マノメーター修理			器具
燐寸工場	マッチ			化學
ゴスコジザウオド皮革工場				被服
冷凍工場(第二號)	冷凍及冷藏	冷凍一日一五〇〇〇屯 冷藏年一三〇〇〇〇屯	一九三二年	食料品
アコ所屬製桶工場				〃
國營第八號製粉所	小麥			〃
國營第九號製粉所	小麥粉			〃
製麵麭工場(第一號)	パン	二七九〇〇屯		〃

沿海地方　ウラヂオストク一區　ウラヂオストーク

工場名	製品	生産高	年	部門
ダリヴオストーク鐵工所	銑鐵鑄造鍛鐵			冶金
オイワトフ鐵工所				〃
プリモルスキーメタリスト製鐵所				〃
アコ製罐工場		三〇〇〇〇〇、個		食料品
ダリゴスルイブトラスト所屬製罐工場				〃
ヴオストクルイブスライト所屬罐詰工場				〃
罐詰洗滌工場				〃
クラボトラスト所屬罐詰塗料工場		一三〇〇〇〇〇留		〃
ブロック工場	特殊煉瓦 ベトンブロック	八八〇〇〇〇個		建築
煉瓦工場(第二號)				〃

沿海地方　ウラヂオストク一區　ウラヂオストーク

工場名	製品	生産高	年	部門
精米工場				〃
煙草工場	煙草			煙草
ベニヤ板工場				建築
クンガヌ木工場	挽材、家具、クンガス罐、樽			〃
腸詰工場	カルバス	一、二一七屯		食料品
ヴオリン印刷所				印刷
ヴオイントルグ所屬裁縫工場				被服
プリムシユヴエイ裁縫工場	男女小供服、下衣、各種制服			〃
オブエジヨニヨンヌイシユヴエイニク裁縫工場	男女小供服 帽子			〃

沿海地方　ウラヂオストク一　ウラヂオストーク

工場名	製品	生産高	年	部門
製麵麭工場(第二號)	パン	三五〇〇〇屯 一日一一〇屯	一九三五年	食料品
製網工場				器具
製菓工場	菓子			食料品
麥酒工場	麥酒			〃
酒精工場	酒精			〃
寒天工場	寒天			〃
製油工場	脂油	一一〇屯		〃
製茶工場	茶			〃
葡萄酒工場	葡萄酒			〃
人造牛酪工場	植物性牛酪			〃

沿海地方	ウラヂウオストク區	ウラヂウオストク	シルボトブ鐵工所	鍛冶、衡器修理、鑄銅鍍金			冶金
			クラスヌイ、スレサリ鐵工所	錫鍍金、家具修理			〃
			レムマシ鐵工所	鑄銅鍛冶			〃
			グシトランスボルト馬車製作工場	馬車			運搬
			タケラシ製網船具工場	網、カンバスマトラス、釣床、其他船具			器具
			ヴオストチヌイクスタリ家具工場	トランク、木製玩具			〃
			クラスナヤ、ズヴエズダ家具工場	家具			〃
			ダリコジプロム所屬製靴工場	靴及革製品			被服
			コオプレモント製靴工場	靴修理			〃

沿海地方	ウラヂウオストク區	ウラヂウオストク	ビシチエプロドウラート食料品工場	飲料水、魚肉燻製及鹽漬			食料品
			ヴオストチヌイ、ヴイト食料品工場	調味料、植物性油			〃
			クラスヌイペカリ製菓工場	菓子、麵麭			〃
			ダリヒムプロム所屬石鹼工場	藥用加里石鹼、ラック、車輛用油	一八〇屯	一九三六年	化學
			オ、エム、ベ釦工場	具釦(直徑目十一至三十ミリ)			被服
			オケアン罐詰工場	鹽漬、冷凍、罐詰			食料品
		オケアンスカヤ	皮革工場	製革及製靴	八三〇〇〇足		被服
			ベニヤ板工場				建築
		ヂオミッド	造船所			一九三七年	造船
		ナホトカ	罐詰工場		一五〇〇〇〇〇〇個	一九三六年	食料品

沿海地方	ウラヂウオストク區	セダンカ	麥酒工場	麥酒			食料品
		ペルヴアヤレチカ	客貨車修理工場	車輛修理			鐵道
		ダフリチヤンカ	炭抗		一二三〇〇〇屯		石炭
	ポシエツトスキー區	タリミ	製鹽工場		一〇〇〇〇屯	一九三六年	食料品
		ポボツ島	罐詰工場	罐詰五種、油入サージン			〃
	ニコリスクウスリースキー區	ヴオロシロフ、ウスリースキー	鐵道工場				鐵道
			鐵工所				冶金
			プロムコンビナート煉瓦工場	煉瓦	三〇〇〇〇〇〇個		建築
			ミコヤン第一號油脂工場	大豆油	一七〇〇〇屯	一九三七年	食料品
			ミコヤン附屬發電所		三五〇〇キロ		電力

沿海地方	ニコリスク、ウスリースキー	ヴオロシロフ、ウスリースキー	製材所	挽材			建築
			ミヤコン附屬石鹼工場	石炭酸石鹼、タール石鹼、化粧石鹼、マルセル石鹼			化學
			石灰工場	石灰			建築
			農具製作所	農具			器具
			學用品製造工場				〃
			製粉所	小麥粉			食料品
			精米所				〃
			カリーニン製糖工場		四〇〇〇〇屯	四六〇人	〃
			精肉工場				〃
			麥酒工場	麥酒			〃

沿海地方						
シコトフスキー區	アルチョム	炭坑		二五〇〇〇〇〇屯		石炭
		發電所		二五〇〇〇キロ	一九三四年	電力
		製材所	挽材			建築
		煉瓦工場	煉瓦			〃
		煉瓦工場	煉瓦			〃
		腸詰工場	カルパス		一九三六年	食料品
	シコトヴォ	煉瓦工場	煉瓦			建築
		製鹽工場			一九三五年	食料品
		製桶工場		九三三〇〇〇個	一九三七年	〃
スーチャンスキー區	スーチャン	炭坑		八〇〇〇〇〇屯		石炭
		發電所		三〇〇〇〇キロ	一九三六年	電力
		煉瓦工場	煉瓦			建築
		製材所	挽材			〃

82

沿海地方						
ニコリスク・ウスリスキー區	ヴォロシーロフ、ウスリスキー	牛酪工場	バターチーズ			食料品
		製菓工場	菓子			〃
		製麺麭工場(第二號)	パン	一日六〇屯	一九三五年	〃
	キパリソヴォ	硝子工場				建築
		煉瓦工場	煉瓦	一日四五〇〇屯		〃
シコトフスキー區	ウゴリナヤ	炭坑				石炭
		煉瓦工場	煉瓦	一六〇〇〇〇〇〇個		建築
		重工業人民委員部所属煉瓦工場	煉瓦	一五〇〇〇〇〇〇個		〃
		クライコムホズ所属煉瓦工場	煉瓦	一〇〇〇〇〇〇〇個	一九三六年	〃
		硝子工場		一日二〇屯		〃
		石灰工場	石灰	四〇〇〇屯	一九三六年	〃

沿海地方						
スパスキー區	スパスク	スターリン洋灰工場	特殊煉瓦洋灰	特殊煉瓦 一四三〇〇〇屯 洋灰 一四六〇〇〇屯	一九三五年	建築
		石灰工場	石灰	一四〇〇〇〇屯		〃
		石鹸工場				化學
		製麺麭工場	パン	一日三〇屯	一九三五年	食料品
		腸詰工場	カルパス		一九三六年	〃
シコマフスキー區	シマコフカ	製材所	挽材			建築
		製粉所	小麥粉			食料品
		鑛水工場		一日一三五〇〇立	一九三六年	化學
	レゾサヴオドスク	ダリドレブトラスト所属第一號製材所	挽材	二四〇〇〇〇立方米		建築
		ダリドレブトラスト所属第二號製材所	挽材	二一〇〇〇〇〃	一九三二年	〃
		煉瓦工場	煉瓦			〃

83

沿海地方						
スーチャンスキー區	スーチャン	腸詰工場	カルパス		一九三六年	食料品
	ヴォストーク灣	罐詰工場			一九三六年	〃
	ヴラヂミロ・アレクサンドロフスキー	沃度工場				化學
	セルゲーエフカ	製粉所	小麥粉			食料品
バイロフスキー區	イッポリトフカ	精米所				〃
	ミハイロフカ	製蓆工場				纖維
グロデコフスキー區	グロデコヴォ	發電所				電力
		製粉所	小麥粉			食料品
		精米所				〃
		製油所	脂油			〃
スパスキー區	スパスク	發電所		六〇〇〇キロ		電力

沿海地方	[illegible]區	ホロル	煉瓦工場	煉瓦	六〇〇〇〇〇〇屯		建築
〃	[illegible]區	コミサロフカ	製粉所	小麥粉			食料品
〃	〃	テチュへ	精煉工場	鉛、亞鉛、銀、鋼	鉛 三〇〇〇屯 亞鉛 [illegible]屯	一九三四年	冶金
〃	オリギンスキー區	オリガ	發電所				電力
〃	カリニンスキー區	イマン	ダリドレブトラスト所屬第十九號製材所	挽材	一日一二〇立方米	一九三二年	建築
〃	〃	〃	發電所		三〇〇〇キロ	二五〇人	電力
〃	〃	〃	製粉所	小麥粉			食料品
〃	〃	〃	精米所				〃
〃	〃	〃	製油所	脂油			〃
〃	〃	〃	火酒工場	火酒			〃
〃	〃	ラゾ	客貨車修理工場	車輛修理			鐵道
〃	〃	〃	製材所	挽材			建築

ハバロフスク地方	ビキンスキー區	ローゼンガルトフカ	炭坑				石炭
〃	〃	ザルビノ	罐詰工場	カルバス	一〇〇〇〇〇〇〇個	一九三六年	食料品
〃	〃	ビキン	ダリドレブトラスト所屬第四號製材所	挽材			建築
〃	ウヤゼムスキー區	コルホフスカヤ	採石場		八〇〇〇〇立方米		〃
〃	〃	ドルミドントフスキー	製材所（第十三號）	挽材			〃
〃	〃	ホル	ダリドレブトラスト所屬第八號製材所	挽材			〃
〃	〃	〃	木材化學工場			一九三六年	〃
〃	〃	〃	ベニヤ板工場		三四〇〇〇立方米	一九三八年	〃
〃	〃	〃	硫安トラスト所屬第五號工場	木材			〃

84

沿海地方	ソヴエトスキー區	ソヴエトスカヤ、ガヴァニ	發電所			一九三六年	電力
〃	〃	〃	製材所	挽材	一五〇〇〇〇立方米	一九三六年	建築
〃	〃	〃	製粉所	小麥粉			食料品
〃	〃	〃	罐詰工場		五〇〇〇〇〇個	一九三六年	〃
〃	〃	ネリマ	罐詰工場				〃
〃	〃	ナイナ	罐詰工場				〃
ハバロフスク地方	ハバロフスキー區	ハバロフスク	發電所		二四〇〇〇キロ	一九三六年	電力
〃	〃	〃	發電所		六〇〇〇〃	一九三六年	〃
〃	〃	〃	オストン造船所	河川用船舶		一九三二年	造船
〃	〃	〃	アルトザトン造船所	船舶修理浚渫機		六〇〇人	〃
〃	〃	〃	ゴリキー機械工場	航空機		四〇〇〇人 一九三五年	機械
〃	〃	〃	モロトフ機械修理工場	農業器械戰車		五〇〇〇人 一九三五年	〃

ハバロフスク地方	ハバロフスキー區	ハバロフスク	カガノヴィチ自動車修理組立工場	自動車修理部分品製造		五〇〇〇人 一九三五年	運搬
〃	〃	〃	キーロフ船舶修理工場			三〇〇〇人 一九三六年	造船
〃	〃	〃	オルヂョンキーゼ石油分解蒸溜工場	ケロシン、リグロイン、ガソリン其他機械油	三〇〇〇〇〇屯	五〇〇〇人 一九三五年	石油
〃	〃	〃	右工場附屬發電所		一〇〇〇〇キロ		電力
〃	〃	〃	冶金工場			一九三八年	冶金
〃	〃	〃	機關車修理工場				鐵道
〃	〃	〃	蓄電池工場	修理及充電、			電氣
〃	〃	〃	煉瓦工場（第一號）	煉瓦	一〇五〇〇〇〇〇個		建築
〃	〃	〃	〃（第二號）	煉瓦	二一〇〇〇〇〇〇個	二〇〇〇人 一九三五年	〃
〃	〃	〃	製紙工場		三〇〇〇〇屯	一九三八年	製紙

85

ハバロフスク地方	ハバロフスキー區	ハバロフスク	第八十三號工場				
			第百六號工場			一九三五年	
			塗料工場	印刷用塗料			化學
			製糜工場				纖維
			酒糜工場	酒精			食料品
			ベニヤ板工場		三三、〇〇〇立方米	一九三七年	建築
			石鹼工場		七、〇〇〇屯	一九三五年	化學
			裁縫工場		一五、〇〇〇、〇〇〇留		被服
			精肉工場		六、二〇〇屯		食料品
			葡萄酒工場			一五〇人	〃
			麥酒工場	麥酒			〃
			ノーヴイ、プチ飲料水工場			一九三六年	〃
			クストプロムフレブペチエニエ製麵麭工場			一九三六年	〃
ハバロフスク地方	ハバロフスキー區	ハバロフスク	製麵麭工場(第六號)	パン	一日六〇屯	一九三七年	〃
			マカロニー工場	マカロニー	一〇、〇〇〇屯	一九三七年	〃
			腸詰工場	カルバス		二〇〇人	〃
			第七號製粉所	小麥粉			〃
			アンドレーエフ第十號製粉所	小麥粉	一日二三五屯	一九三七年	〃
			第十一號製粉所	小麥粉			〃
			製靴工場	靴			被服
			釦工場	釦	一五、〇〇〇、〇〇〇留		〃
			家具工場	椅子、机、戸棚	七、〇〇〇、〇〇〇〃	一九三六年	器具
			オブルメストプロム所屬印刷所				印刷
			ダリトレブトラスト所屬第七號製材所	挽材			建築
			ダリトレブトラスト所屬第九號製材所	挽材			〃
ハバロフスク地方	ハバロフスキー區	クラステヤレチカ	製粉所	小麥粉			食料品
		オボル	製材所	挽材	四五三、〇〇〇立方米		建築
		トウングスク	製材所	挽材			〃
	猶太自治州		發電所		六、〇〇〇キロ	二〇〇人	電力
			發電所		二、〇〇〇〃	一九三七年	〃
			機械工場		一、五四〇、〇〇〇	一九三七年	機械
		ビロビヂヤン	オブルコムホズ所屬煉瓦工場	煉瓦	六、五〇〇、〇〇〇個		建築
			煉瓦工場(第七號)	煉瓦	三、〇〇〇、〇〇〇〃		〃
			石灰工場	石灰			〃
			荷車製作工場		三、〇〇〇臺	一九三六年	運搬
			印刷所		二、五〇〇、〇〇〇留	一九三七年	印刷
			ベニヤ板工場		一日一〇、〇〇〇立方米	一九三五年 八〇〇人	建築
ハバロフスク地方	猶太自治州	ビロビヂヤン	キーロフ裁縫工場		二六、五〇〇、〇〇〇留	一九三六年 二、四〇〇人	被服
			メリヤス工場		シャツ一、三〇〇、〇〇〇枚 靴下四、〇〇〇、〇〇〇足	一九三七年	〃
			製靴工場	靴	一、五〇〇、〇〇〇足	一九三八年	〃
			イコール家具工場		一日四〇〇脚	二五〇人	器具
			罐詰工場				食料品
			腸詰工場	カルバス		一九三六年	〃
		ビラカン	石灰工場	石灰			建築
			大理石工場	建築用及配電盤用大理石		一九三六年	〃
		キムカン	石灰工場	石灰			〃
		ロンドコ	石灰工場	石灰	六〇、〇〇〇屯	一九三五年	〃
ハバロフスク地方(アムール州)	アルハリンスキー區	アルハラ	自動車修理工場	自動車修理			運搬
			車輛修理工場	車輛修理			鐵道
			製粉所	小麥粉			食料品

86

87.

ハバロフスク地方（アムール州）						
ヒンガノアルハリンスキー區	アルハラ	乾酪工場	バター	牛一五〇〇頭保有		食料品
		石材採取所	採石、石材			建築
		發電所		三、〇〇〇キロ		電力
		スウエトーケ製靴工場	靴			被服
	カサトキナ	製粉所	小麦粉			食料品
	ミハイロフスキー	製粉所	小麦粉			〃
	インノケンチエフスカヤ	製粉所	小麦粉	日産二〇〇プード		〃
	クンズール	伐木作業場	木材			建築
		煉瓦工場	木材			〃
		採石場	砂石			〃
ブレインスキー區	ブレーヤ	煉炭工場	煉炭			燃料
		第一冶金工場	銑、銅、壓延鐵	豫定五〇萬屯	一九三七年	冶金
		極東金屬精煉工場	銑	初年度三〇萬屯 二年度以降五〇—六〇萬屯	一九三七年	食料品

ハバロフスク地方（アムール州）						
ブレインスキー區	ブレーヤ	製粉所	小麦粉			食料品
		極東林業トラスト第十八製材工場	挽材	五〇〇〇〇立方米		建築
	キウダ	炭坑		二五〇〇〇〇屯		石炭
		發電所				電力
	ライチーハ炭坑	發電所		一〇〇〇キロ	一九三七年	電力
ザヴイチンスキー區	ザヴイタヤ	飛行機修理工場	飛行機修理			航空機
		トラクター修理工場	トラクター修理		一九三三年	運搬
		製粉所		一一〇〇屯	一九三〇年	食料品
		麵麭工場			第三次計畫	〃
		麥酒釀造工場	麥酒		一九三七年	〃
		クラスヌイ・キルピチ煉瓦工場	煉瓦	四五〇〇〇個 二百萬個	二三〇人	建築
		發電所		一五〇〇キロ		電力
		ナシア・シーラ名稱製靴工場	靴			被服

ハバロフスク地方（アムール州）						
ミハイロフスキー區	ポヤルコワ	トラクター修理工場	トラクター修理			運搬
		製粉所	小麦粉	八〇〇屯	一九三〇年	食料品
		ノーウイミール信用組合製粉所	小麦粉	四八〇〇屯	一九三〇年	〃
		製麵麭工場	パン			〃
		發電所		六〇〇キロ		電力
		煉瓦工場	煉瓦			建築
	トロイツコエ（ポヤルコワ東北方）	トラクター修理工場	トラクター修理			運搬
	ライチーハ	アムール農村信用組合製粉所	小麦粉	一五〇〇屯		食料品
		製麵麭工場	パン	一日一三〇人分		〃
		炭坑		八四〇〇〇〇屯	一九三二年	石炭
		發電所		一〇〇〇キロ		電力
	キブリヤノフスキー	製粉所	小麦粉			食料品

ハバロフスク地方（アムール州）						
ミハイロフスキー區	ワランチンスク（ポヤルコワ西方）	製油工場	豆油			〃
	ザヴイテンスキー・ソフホーズ	發電所				電力
タムボフスキー區	タムボフカ	トラクター修理工場	トラクター修理			運搬
		自動車工場	自動車組立修理			〃
		農村信用組合製粉所	小麦粉	麥粉四〇〇〇屯 挽麥三二〃		食料品
		製糖工場	砂糖	甜菜消化一八〇〇屯		〃
		木材加工コンビナート	加工木材			建築
		發電所		五〇キロ		電力
		セルスキー・ウダルニク製靴工場	靴			被服
	コンスタンチノフスキー	トラクター修理工場	トラクター修理			運搬
		アムール農村信用組合製粉所	小麦粉	一日五〇〇プード		食料品
		製油工場	豆油			〃
		發電所				電力
	ウエルフネウルトイ	アムール農村信用組合製粉所	小麦粉	一〇〇〇屯	一九三〇年	食料品

ハバロフスク地方（アムール州）						
イワノフスキー區	スレドナヤ	トラクター修理工場	トラクター修理			運搬
	ベーラヤ	農村信用組合製油工場	豆油	六九、九〇〇留	一九三二年	食料品
		發電所		三〇キロ		電力
	トルストーフカ	共同組合製粉所	小麥粉	麥粉 一、五〇〇屯 挽割 三二屯		食料品
	ボゴロドスコエ	州農村信用組合製粉所	小麥粉	二、六〇〇屯		〃
	クリモフカ	ノワヤンジズニ組合同製粉所	小麥粉	一、三〇〇〃		〃
	ニコラエフカ	州農村信用組合製粉所	小麥粉	一、五〇〇〃		〃
	ベレゾフカ	極東食糧工業第二酒精工場	酒精			〃
クイブイシェフスキー區	クイブイシェフ	化學工場				化學
		細菌化學試驗所				〃
		軍用飛行機修理工場	飛行機修理			航空機

90

ハバロフスク地方（アムール州）						
	コシモテミヤノフカ	アムール農村信用組合製粉所	小麥粉	六〇〇屯	一九三〇年	食料品
	ノウオアレキサンドロフカ	協同信用組合製粉所	小麥粉	一、三〇〇〃		〃
		合同組合製油工場	豆油	一、三〇〇〃		〃
	ギガント	製油工場	豆油			〃
	イリインスコエ	製材工場	挽材			建築
	イワノフカ	飛行機修理工場	飛行機修理			航空機
		農村信用組合製油工場	豆油	二七、九〇〇留	一九二四年	食料品
		發電所		五〇キロ		電力
	アンドレエフカ	ノウオアレキサンドロフスキー共同組合製粉所	小麥粉	八〇〇屯		食料品
		乾酪工場	バター	牛一、二〇〇頭		〃

ハバロフスク地方（アムール州）						
クイブイシェフスキー區	クイブイシェフ	精肉コンビナート	精肉			〃
		腸詰工場	カルパス	一日 三、五屯		〃
		アムール農村信用組合製油工場	豆油	一三、一三〇留	一九二二年	〃
		廢油溶製工場	油脂			〃
		酒精工場	酒精			〃
		麥酒工場	麥酒			〃
		腸詰工場	カルパス	四、〇〇〇屯	一九三九年	〃
		煉瓦工場	煉瓦	一〇、〇〇〇、〇〇〇個	一九三七年 六〇〇人	建築
		機械的煉瓦工場	煉瓦	一、五〇〇萬個		〃
		製材所	挽材			〃
		家具及陶器製作所	家具 陶器	二〇萬留	一九三九年	〃
		精肉コンビナート所屬煉瓦工場	煉瓦	二、〇〇〇、〇〇〇個		〃

91

ハバロフスク地方（アムール州）						
クイブイシェフスキー區	クイブイシェフ	軍用飛行機發電機工場	發電機修理			〃
		トラクター修理工場	トラクター修理		二二人	運搬
		極東農具修理工場	荷車及農具修理			〃
		車輛修理工場	車輛修理	修繕能力（月）五〇輛	六〇〇人	〃
		自動車修理工場	自動車修理	大規模ナル生産力ヲ有ス		〃
		機關車修理工場			一〇〇人	鐵道
		製粉コンビナート第一工場	小麥粉	一日 二〇〇屯 八、六〇〇〃		食料品
		製粉コンビナート第二工場	小麥粉	二、三〇〇〃		〃
		製粉第三工場	小麥粉			〃
		同附屬パン製造所		一日 三〇屯		〃
		同附屬マカロニ工場	ウドン	挽割 三〇屯		〃
		農村信用組合合同製粉所		二、三〇〇屯		〃

ハバロフスク地方（アムール州）					
ブラゴエシチエンスキー區					
ブラゴエシチエンスク					
石鹼工場					〃
細菌化學試驗所					〃
軍用飛行機修理工場	飛行機修理				航空機
自動車修理工場	自動車修理				運搬
ウオロシロフ名稱荷馬車製作所					〃
ブラゴウエMTCトラクター修理工場			一九三七年		〃
自動車技術學校附屬工場					〃
自動車學校附屬修理學校					〃
內務人民委員部被服廠					被服
イスク[illegible]裁縫工場	衣服	一九〇、五〇〇留	一四三人		〃
ダリトルグ被服工場	衣服				〃

92

ハバロフスク地方（アムール州）				
クイブイシエフスキー區				
クイブイシエフカ				
發電所		六〇〇〇キロ		電力
皮革工場	皮革			被服
ケーブル工場	高周波式通信用特種ケーブルコード			通信機
ウオジヤエフカ				
飛行機修理工場	飛行機修理			航空機
トラクター修理工場	トラクター修理			運搬
クリユーチ				
州農村信用組合製粉所	小麥粉	三〇〇屯		食料品
コミサロフカ				
製粉所	小麥粉	一日六〇〇プード		〃
コミサロカ製粉所所屬發電所				電力
タルバガタイ				
製粉所	小麥粉			食料品
ブラゴエシチエンスキー區　ブラゴエシチエンスク				
アムールヒミック染料工場	ペンキ、石鹼、漆、靴墨、顏料、パテ	ペンキ三〇〇屯、石鹼三〇〇屯、漆二〇屯、パテ一〇屯、千罐	職員四、勞働者一八	化學
イスクラ燐寸工場	燐寸	四三〇〇〇〇箱	二五五人	〃

ハバロフスク地方（アムール州）				
ブラゴエシチエンスキー區				
ブラゴエシチエンスク				
ソエジネーニエ（合同）毛靴工場	毛靴			〃
ブルンゼ皮革トラスト製靴工場	皮革、鞣皮	皮革一〇八〇〇個、鞣皮三四〇〇〇個	勞働者七〇	〃
ゴゼブニク皮革職場	羊皮、其他皮	二四二〇〇個、二二四〇〇個		被服
鐵道工場	修理			鐵道
造船所	船舶	一九三五年建造馬力ランチ四隻、修理汽船一〇〇	五〇〇人	造船
レンザトン造船機械工場		一九三七年建造汽船	七〇〇人	〃
アムール金屬工場	機械	二二〇〇馬力貨物船五隻		機械
メハニズム金屬工場	圓匙、ガソリンコンロ、ワール、サモワール			〃
第二製粉工場	小麥粉	一日五〇〇屯	二〇〇人	食糧品
第三製粉工場	小麥粉	一日一七五屯	六〇人	〃
第四製粉工場	小麥粉	一日九〇屯	一〇〇人	〃
製麵麭第一工場	パン	一日四二屯	一〇〇人	〃

93

ハバロフスク地方（アムール州）				
ブラゴエシチエンスキー區				
ブラゴエシチエンスク				
裁縫工場	衣服	二九二、七〇〇留	五〇〇人	被服
地方經濟局商業部裁縫工場	衣服	二九二、七〇〇留	一〇八人	〃
國營外套工場	男女子供下着、作業服	二六五〇、〇〇〇留	二一〇人	〃
手工業同盟靴下工場	靴下	二五九、〇〇〇留		〃
オブエヂネニエ製靴工場	靴	三七、〇〇〇組	一四七人	〃
ウオエントルグ商店附屬製靴工場	靴	一ヶ月二三五組	一一人	〃
コオプレモント製靴工場	靴			〃
[illegible]製靴工場	靴	一九、九〇〇組	一三五人	〃
失業者團体製靴工場	靴	四七、六〇〇組	三九人	〃
廢兵組合ウオストーク製靴工場	靴	六、八〇〇個	一四三人	〃
フェルト長靴製作所	防寒長靴			〃

ハバロフスク地方（アムール州）	ブラゴエシチエンスキー區		製麵麭第二工場	パン		四〇人	食料品
			製麵麭工場	パン	一日七〇屯		〃
			ウオドルス所屬製麵麭工場	パン			〃
			ウオエントルグ所屬製麵麭工場	パン			〃
		ブラゴエシチエンスク	ダリトルグ所屬製麵麭工場	パン			〃
			麵麭製造所	パン	一日三四屯		〃
			マカロニー工場	ウドン	一日二屯		〃
			ミヤサコンビナート精肉工場	精肉			〃
			州産業組合腸詰工場	腸詰	一日二、五瓩	一二人	〃
			バター工場	バター工場	一日三瓩	三〇人	〃
			酵母工場	酵母			〃
			コーヒー工場	コーヒー		一五人	〃

ハバロフスク地方（アムール州）	ブラゴエシチエンスキー區		第三號製油工場	油脂			〃
			製油工場	向日葵原料油	一日六〇屯	九四人	〃
			酒精第二工場	酒精	一日四〇〇立	五七人	〃
			ゼーヤ食料工業組合第三精工場	酒精	一日七〇〇〃	九七人	〃
			中央國營酒精工場	酒精	二〇〇、〇〇〇屯	四九人	〃
		ブラゴエシチエンスク	麥酒工場	麥酒	二九、六〇一、〇〇〇留	五〇人	〃
			スピルト工場	ウオツカ	一日八、〇〇〇立	二二三人	〃
			インドウストリヤ葡萄酒工場	ブドウ酒	一日八〇〇立	二〇〇人	〃
			インドウストリヤ飲料水製造所	クワスサイダー	三六萬留		〃
			魚類燻製製造所	鮭製	三、〇〇〇尾		〃
			ミコヤン名稱ビスケット工場	ビスケット	一日九、〇〇〇〃 三七屯	五〇〇人	〃

ハバロフスク地方（アムール州）	ブラゴエシチエンスキー區		極東國營林業トラスト第十六製材工場	挽材	二八、〇〇〇立方米	二一七人	建築
			製板工場	板			〃
			アムールスキノ、ピオネール家具製作工所	椅子、戸棚机、トランク		三四人	〃
		ブラゴエシチエンスク	極東地方林業トラスト第一號製材工場	挽材	一八、〇〇〇立方米	一二三人	〃
			手工業同盟木製工場	家具木製品	一、〇四五、九〇〇留	一九二八年	〃
			スウエートナヤ木材仕上工場	家具木製品	四三、〇〇〇留	一九二〇年	〃
			極東地方林業トラスト第二號製材工場	挽材	二八、〇〇〇立方米	一九二五年	〃
			家具プロムコンビナート	家庭用品、玩具		一九三九年	〃
			ルーヤンスキーザウオード硝子工場	硝子			〃
			コントラスト煉瓦工場	煉瓦	九三三、七〇〇個	三四三人	〃
			煉瓦工場	煉瓦	一日八、〇〇〇〃 七五〇萬〃		〃
			武市中央發電所		六、〇〇〇キロ	二二〇〃	電力

ハバロフスク地方（アムール州）	ブラゴエシチエンスキー區		造船工場附屬發電所				
		ブラゴエシチエンスク	ラズスウエート鑄鐵鍛冶職場	銑鐵 ブリキ板	四九、二〇〇留	一七人	冶金
			第一メタリスト	ドレジャ部分品 小型貨車部分品	鑄鐵 一九一屯	技師四三人 技工	〃
			アムールスチーリメタリスト冶金工場	銑鐵鑄造、エクスカベータートコツコ	四、三八〇、〇〇〇留	四六〇人	〃
			機械工場	ボイラー車輛 小汽艇部分品鐵鑄造	三六一、二〇〇留 二、[illegible]屯	二〇〇人	〃
		ムーヒンカ（武市北方）	飛行機修理工場	飛行機			航空機
		セルゲエフカ	製粉所	小麥粉	一日三〇〇プード		食料品
	セ・ルイジエフスキー區		飛行機修理工場	飛行機修理			航空機
		ベロノゴーヴォ	野菜類漬物製造所	漬物			食料品
			製材所	挽材			建築
			發電所				電力
		セルイシエフ	トラクター修理工場	トラクター修理		一九三六年	運搬

ハバロフスク地方（アムール州）						
スウォボドネンスキー區	スウォボドヌイ	細菌化學衛生試驗所				化學
		自動車修理工場				運搬
		ミハイロチェスノコフスキー貨車修理工場	車輛修理	月修理能力一、六〇〇輛 一二〇〇輛	一五〇〇人 一、〇〇〇人	鐵道
		製粉工場	小麥粉	一日 一、六屯		食料品
		麵麭製造所			第三次計畫	〃
		腸詰工場	カルバス	一日 三、五屯		〃
		製麵麭所	パン	一日 二〇屯		〃
		精肉工場	精肉			〃
		獸脂工場	獸脂			〃
		麥酒工場	麥酒		一九三七年	〃
		製材所	挽材		五〇〇人	建築
		煉瓦工場	煉瓦	五〇〇〇萬個	五〇〇人	〃
		機械的煉瓦大工場	煉瓦	一、五〇〇キロ	五〇〇人	〃

96

ハバロフスク地方（アムール州）						
セルイシェフスキー區	ベザザンカ	製粉所	小麥粉	一、一〇〇屯		食料品
	アルガ	アルガ採石、石材採取所	碎石 石材			建築
	トムスキー	製麻工場	建築用附屬品		一、九三九年	〃
マザノフスキー區	マザノウオ	トラクター修理工場	トラクター修場			運搬
		製粉所	小麥粉	一、九〇〇屯		食料品
		發電所		五〇〇キロ		電力
	サブロノウオ	製粉所	小麥粉	三〇〇屯		食料品
	トスキーノ	製粉所	小麥粉	一〇〇屯		〃
	ノルスキースクラード	製麵麭工場	パン			〃
	レベデーヌイ	金坑			五〇〇人	採金
	スウォボドヌイ	[illegible]油製造工場	テレビン油 タール樹油			化學

ハバロフスク地方（アムール州）						
クマルスキー區	サスカーリ	トラクター修理工場	トラクター修理			運搬
		製粉所	製粉所			食料品
	サルゴールナヤセリチ	トラクター修理工場	トラクター修理			運搬
	クマーラ	トラクター修理工場	トラクター修理			〃
	ノウオウオスクレセンスコエ	トラクター修理工場	トラクター修理			〃
		製粉所	小麥粉			食料品
	ウシヤコウオ	製粉所	小麥粉			〃
	ドミトリエフカ	製材所	挽材			建築
シマノフスキー區	シマノフスカヤ	車輛修理工場	車輛修理			鐵道
		トラクター修理工場	トラクター修理			運搬
		自動車修理工場	自動車修理			〃
		製粉工場	小麥粉			食料品

97

ハバロフスク地方（アムール州）						
スウォボドネンスキー區	スウォボドヌイ	中央發電所		六、〇〇〇キロ		電力
	スラゼフカ	造船工場	汽船、ライター建造修理	ライター [illegible]隻 小汽船 [illegible]隻	五〇〇人	造船
		製粉所	小麥粉	五、七〇〇屯		食料品
		麥酒工場	麥酒			〃
	ミハイロチェスノコフスキー	車輛工場	車輛修理	貨車一、六〇〇輛 月修理能力一二〇〇輛	一五〇〇人 一、〇〇〇人	鐵道
		アムール鐵道製材所	挽材	五〇、〇〇〇立方米	一九三四年 五六三人	建築
		發電所		六〇〇キロ		電力
	カーメンカ	トラクター修理工場	トラクター修理			運搬
		製粉工場	小麥粉			食料品
	セレブリャンカ	トラクター修理工場	トラクター修理			運搬
		ゴルジヤ河水力發電力		一〇〇キロ		電力
	ブズリー附近	大ピオラ河水力發電所		三六〇キロ		〃

ハバロフスク地方	シマノフスキー區	シマノフスカヤ	發電所				電力
〃	〃	チンブーキ	自動車修理工場	自動車修理			運搬
〃	〃	〃	發電所				電力
〃	〃	クフテリン	自動車修理工場	自動車修理			運搬
〃	〃	〃	發電所				電力
〃	〃	ムーヒン	麵麭製造所	パン			食料品
〃	〃	〃	發電所				電力
チタ州	トウイグヂンスキー區	トウイグダ	製材所	挽材			建築
〃	〃	シワキ	製材所	挽材			〃
〃	〃	トルブジノ	炭坑		一五〇、〇〇〇トン		石炭
〃	〃	マグダガチ	客貨車修理工場	客車貨車修理			鐵道
〃	〃	チャルガヌイ	製材所	挽材			
〃	ルフロフスキー區	ルフロウオ	發電所		六、〇〇〇キロ		電力
チタ州	ルフロフスキー區	ルフロウオ	煉瓦工場	煉瓦	大規模	一九三六年	建築
〃	〃	〃	腸詰工場	カルバス			食料品
〃	〃	〃	飛行機組立修理工場	飛行機組立修理		一九三三年	航空機
〃	〃	〃	製粉所				食料品
〃	〃	〃	麵麭工場	パン	一日 三三〇瓩	二〇人	〃
〃	〃	〃	中央國營酒精工場	酒精		一八人	〃
〃	〃	〃	消費組合麥酒釀造工場	麥酒			〃
〃	〃	〃	トラクター修理工場	トラクタ修理			運搬
〃	〃	ラリンスキー	發電所				電力
〃	〃	アマザール	煉瓦工場	煉瓦			建築
〃	〃	〃	製材所	挽材	一六萬立方米		〃
〃	〃	ウルシャ	客貨車修理工場	車輛修理			鐵道
〃	〃	〃	碎石、石材採取地	碎石、石材			建築
〃	〃	ヂャリンダ	金坑				採金
〃	〃	〃	製粉所	小麥粉	一日 三〇〇プード		食料品
チタ州	〃	ヂャリンダ	發電所		三〇〇キロ		電力
〃	モゴチンスキー區	モゴチア	客貨車修理工場	車輛修理			鐵道
〃	〃	〃	製材所	挽材			建築
〃	ゼイスコウチユルスキー區	オフシャンカ	製粉所	小麥粉	一、一〇〇屯		食料品
〃	〃	ウスペンスコエ	製粉所	小麥粉			〃
〃	〃	ゼーヤ	酒精工場	酒精			〃
〃	〃	〃	發電所		七五キロ		電力
ハバロフスク地方	コムソモリスキー區	コムソモリスク	アムール造船所	汽船		一九三五年	造船
〃	〃	〃	發電所		六、〇〇〇キロ		電力
〃	〃	〃	製鐵所	壓延鋼 マルチン鋼		一九三七年	冶金
〃	〃	〃	鐵工所				〃
〃	〃	〃	亞鉛工場	亞鉛			〃
〃	〃	〃	アムールスタリストロイ冶金工場	鑄鐵製造		一九三五年	〃
〃	〃	〃	デイゼル工場	デイゼルエンヂン			機械
〃	〃	〃	蓄電池工場	蓄電池			電氣
〃	〃	〃	自動車修理工場	自動車修理			運搬
〃	〃	〃	第[illegible]號工場	飛行機			航空機
〃	〃	〃	洋灰工場	洋灰	四〇、〇〇〇屯		建築
ハバロフスク地方	コムソモリスキー區	コムソモリスク	煉瓦工場	煉瓦	三〇、〇〇〇、〇〇〇個		建築
〃	〃	〃	煉瓦工場	煉瓦	八、〇〇〇、〇〇〇個		〃
〃	〃	〃	石材工場	石材			〃
〃	〃	〃	工具製作場	工具			器具
〃	〃	〃	製網工場				〃
〃	〃	〃	製紙工場	紙		一九三三年	製紙
〃	〃	〃	製粉工場	小麥粉			食料品
〃	〃	〃	罐詰工場	罐詰	一、〇〇〇、〇〇〇個	一九三七年	〃
〃	〃	〃	魚類加工工場	魚類加工品	一日 一七屯		〃
〃	〃	〃	火酒工場	火酒			〃
〃	〃	〃	清涼飲料水工場	清涼飲料水	一日 四〇〇〇立	一九三六年	食料品
〃	コムソモリスキー區	ゴリユーン	發電所		七五、〇〇〇キロ	一九四一年	電力

ハヾロフスク地方（サハリン州）	アレクサンドロフスクサハリンスク地方	アレクサンドロフスク	製油所	油脂			食料品
			煉瓦工場	煉瓦	四〇〇〇〇〇〇個		建築
		ドウエ	炭坑			一、六〇〇人	石炭
	ルイコフスキー區	ラングリ	炭坑				石炭
	オヒンスキー區	オハ	油田				石油
			發電所		六〇〇〇キロ	一九三六年	電力
			製材所	挽材			建築
ハヾロフスク地方（カムチャツカ州）	カムチャツカ		船舶修理工場	汽船		一九三七年	造船
			製罐工場	罐（罐詰用）			食料品
			冷凍工場				〃
ハヾロ（サハ）	アレクサンド		麥酒工場			建設中	食料品

100

ハヾロフスク地方（ニジネ・アムールスキー區）	ウリチスキー區	ウドウイリ	金坑		一日四三〇〇〇立方米		採金
			發電所		五〇〇キロ		電力
	ニジネ・アムールスキー區	ボゴロドスコエ	製粉所	小麥粉			食料品
		ニジネ・アムールスク	發電所		三〇〇〇キロ		電力
			造船所	汽船		一九三七年	造船
			製材所	挽材	六〇〇〇〇立方米		建築
			煉瓦工場	煉瓦			〃
			罐詰工場	罐詰			食料品
			酒精工場	酒精			〃
			製粉所	小麥粉			〃
			釦工場	釦			被服
			發電所			八八人	電力

チタ州	ジドキンスキー區	バレイ	發電所		三六〇キロ		電力
		シャフトマ	金坑				採金
	ネルチンスキー區	ホルボン	發電所		三〇〇〇キロ	五二三人	電力
			精錬工場	金			冶金
		ネルチンスク	發電所				電力
			皮革工場	皮革製品			被服
			羊皮外套工場	羊皮外套			〃
			火酒工場	火酒	一三〇〇〇〇留	二一人	食料品
			機械工場	機械類	二一五〇〇〇留	三六人	機械
	チェルヌイシ	カヾノヴイチ	煉瓦工場	煉瓦	六六〇〇〇留	四八人	機械
			製材所	挽材	一四四〇〇〇留	三〇人	〃
			客貨車修理工場	車輪修理			鐵道

101

フスク地方（リン州）	ロフスクサハリンスキー區	アレクサンドロフスク	マカロニ工場			建設中	食料品
			製菓工場			〃	〃
			腸詰工場	カルバス		〃	〃
チタ州	ブイルキンスキー區	ブイルカ	發電所				電力
			石炭工場	石灰			建築
			製油所	脂油			食料品
	ネルチンスコザヴォードスキー區	ネルチンスキーザヴォード	鐵工所	鑄鐵製造			冶金
			印刷所				印刷
	[illegible]	ボルジンスキー	精肉工場		五三六六〇〇〇留	一一二人	食料品
		カザコーヴォ	トラクター修理工場	トラクター修理			運般
	ジドインスキー區	バレイ	金坑			七〇〇〇人	採金

州	區	市					
チタ州	チヽンスキー區	チェルノフスキー	炭坑		一、〇〇〇、〇〇〇屯	三、二二八人	石炭
			發電所		三六〇〇キロ		電力
		チタ	發電所		二四〇〇〇キロ		電力
			チタシュブストロイ外套工場	外套	一日 二四〇着		被服
			右工場附屬發電所		二五〇〇キロ		電力
			鐵道工場		八、五四六、〇〇〇留	一、六三六人	鐵道
			機關區工場		一、〇一七、〇〇〇留	一、〇三一人	〃
			列車區工場		七、四八〇、〇〇〇留	八一九人	〃
			製粉工場	小麥粉	一日 二二五屯 五、五二一、〇〇〇留	一七四人	食料品
			麥酒工場	麥酒			〃
			製肉工場		一、三三〇、〇〇〇留	七三人	〃
			冷凍工場		冷凍 一、〇〇〇屯		〃

102

州	區	市					
チタタ州	エフスキー區	ジローヴオ	製材所	挽材	三〇、〇〇〇留	六〇人	建築
			客貨車修理工場	車輪修理	六、〇二四、〇〇〇留	一、三四〇人	鐵道
		ブカチャチャ	炭坑		三、六七六、〇〇〇留	一、三二〇人	石炭
	スレチェンスキー區	スレチェンスク	發電所		三〇〇キロ 八、〇〇〇留	二一人	電力
			羊皮外套工場		三三八、〇〇〇留	四三人	被服
	シルキンスキー區	シルカ	機關區工場		四四〇、〇〇〇留	五一九人	鐵道
		キロチヤ	石工場			一一〇人	建築
	オリンスキー區	ダラスン	金坑			三、五〇〇人	採金
			發電所		五二〇キロ		電力
			鉛精煉工場	鉛			冶金
	カルイムスキー區	ウリズトウエフスキー	トラクター修理工場	トラクター修理			運搬

州	區	市					
チタ州	チンスキー區	チタ	裁縫工場（第三號）		一三〇、〇〇〇留	七〇人	被服
			電機製作所		一七八、〇〇〇留	三九人	機械
			家具工場		二六四、〇〇〇留	一七人	器具
			ザバイカルスキー・ラボーチー新聞印刷所		二四八、〇〇〇留	六九人	印刷
			印刷所		二八九、〇〇〇留	一一八人	〃
	[illegible]區	ヤマロフカ	硝子罎工場		八〇、〇〇〇本		硝子容器
ブリヤート.蒙古	ザイグラエフスキー區	ザイグラエヴオ	洋灰工場	洋灰			建築
			石灰工場	石灰	九九、〇〇〇留	三四人	〃
			石灰工場	石灰	三一五、〇〇〇留	五六人	〃
	バルグジンス	ウスチバルグジン	罐詰工場		二七三、〇〇〇留	一九二人	食料品
		バルグジン	金坑				採金
			製油所	脂油			食料品

103

州	區	市					
チタ州	チヽンスキー區	チタ	火酒工場	火酒	三五三、〇〇〇留	五五人	食料品
			製菓工場				〃
			酒精工場	酒精	二、三四三、〇〇〇留	三一人	〃
			製麵工場	パン	一、九六五、〇〇〇留	一六三人	〃
			酵母工場	酵母	二〇〇、〇〇〇留	二八人	〃
			製材所	挽材	六三七、〇〇〇留	二六一人	建築
			煉瓦工場	煉瓦	四九三、〇〇〇留	二六〇人	〃
			煉瓦工場	煉瓦	四九〇、〇〇〇留	三六人	〃
			弗化ナトリウム工場		四二五、〇〇〇留	五七人	化學
			製靴工場		八六四、〇〇〇足 三三八、〇〇〇留	九八人	被服
			皮革工場		二、七二六、〇〇〇留	四六一人	〃
			裁縫工場（第一號）		一四三、〇〇〇留	一八人	〃
			裁縫工場（第二號）		四六三、〇〇〇留	八五人	〃

ブリヤート．蒙古					
ヴエルフネ．ウデンスキー部					
ウラン．ウデ	鐵道工場附屬修理工場		五九、〇〇〇留	二二人	鐵道
	鐵道機關車附屬發電所		四七、〇〇〇留	三九人	電力
	機關區工場		一、〇二四、〇〇〇留	四六五人	鐵道
	列車區工場		六三四、〇〇〇留	二六七人	〃
	鐵工所		一三八、〇〇〇留	七一人	冶金
	鐵工所		八五〇、〇〇〇留	二五人	〃
	鐵工所		八五〇、〇〇〇留	二五人	〃
	鑄物工場	銑鐵鑄造、鑄鋼、ポンプ、クラン	一、三六〇、〇〇〇留	二二七人	〃
	造船所		三、五七〇、〇〇〇留	四七四人	造船
	洋灰工場	洋灰	一一〇、〇〇〇屯		建築
	木工所		一、一九五、〇〇〇留	一五九人	〃
	木工所		八四〇、〇〇〇留	四二人	〃
	煉瓦工場	煉瓦	一、三九〇、〇〇〇留	一〇五人	〃

104

チタ州					
…キー部	罐詰工場		八一六、〇〇〇留		食料品
ベトロフスコ．ザオードスキー區 タルバガタイ	炭坑				石炭
	發電所				電力
ペトロフスキー・ザオード	發電所		二六〇、〇〇〇留	二三人	電力
	石材工場	石材	一〇六、〇〇〇留	一二人	建築
	煉瓦工場	煉瓦	一三〇、〇〇〇留	四四人	〃
	製鐵所	鑄鐵製造	一、八八一、〇〇〇屯	四八三人	冶金
	指物工場		二三七、〇〇〇留	二四人	器具

ブリヤート蒙古					
スキ…ヴエルフネ．ウデンスキー部					
ホ、トウイ	製材所	挽材	四三二、〇〇〇留	一九三人	建築
ウラン．ウデ	鐵道工場		機關車修理二八五臺 車輛修理四〇〇〇臺		鐵道
	鐵道工場附屬發電所		三三七〇キロ 一、五二六、〇〇〇留	八一人	電力

ブリヤート。蒙古					
ヴエルフネ．ウデンスキー部					
ウラン．ウデ	精肉工場		三、九七〇、〇〇〇留 九、〇〇〇屯	一二八人	食料品
	製麵麭工場	パン	一、三五七、〇〇〇留	一三六人	〃
	製麵麭工場	パン	二、二一四、〇〇〇留	五四人	〃
	製粉所	小麥	一日一、一五屯		〃
	麥酒工場	麥酒	二七八、〇〇〇留	四四人	〃
	冷凍工場		冷凍能力四、〇〇〇屯		〃
	皮革工場		八二〇、〇〇〇留	一五人	被服
	製靴工場		三七〇、〇〇〇留	一三人	〃
	製靴工場		六八〇、〇〇〇留	二六人	〃
	洋服工場		九二〇、〇〇〇留	四一人	〃
	洋服工場		三四八、〇〇〇留	九〇人	〃
	機械修理工場		一八三、〇〇〇留	七一人	機械
オノホイ	製材所	挽材		一七九人	建築

105

ブリヤート。蒙古					
ヴエルフネ．ウデンスキー部					
ウラン．ウデ	鐵道工場附屬煉瓦工場	煉瓦	六四四、〇〇〇留	三五四人	建築
	煉瓦工場	煉瓦	二七五、〇〇〇留	七七人	〃
	製材所	挽材	七七七、〇〇〇留	一六八人	〃
	硝子工場	硝子	二、五三〇、〇〇〇屯	一五四人	〃
	製材所	挽材	一、四四六、〇〇〇留	一五七人	〃
	製材所	挽材	三八四、〇〇〇留	四二人	〃
	鐵道煉瓦工場	煉瓦	五四四、〇〇〇留	一三一人	〃
	鐵道工場附屬石灰工場	石灰	三四、〇〇〇留	一二三人	〃
	鐵滓コンクリート工場		二五、〇〇〇留	四七人	〃
	印刷所		三五七、〇〇〇留	八三人	印刷
	火酒工場	火酒	三、二〇二、〇〇〇留		食料品、
	穀物倉庫		四四二、〇〇〇留		〃

ブリヤート・蒙古			製粉所	小麥			食料品
ブリヤート・蒙古	ホリンスキー部	ハンダガイ	製材所	挽材			建築
ブリヤート・蒙古	キャフチスキー部	トロイツコサフスク	發電所		三〇六キロ		電力
ブリヤート・蒙古	キャフチスキー部	トロイツコサフスク	炭坑			五四〇人	石炭
ブリヤート・蒙古	キャフチスキー部	トロイツコサフスク	金屬精煉工場		六三五〇〇〇留	一〇二人	冶金
ブリヤート・蒙古	キャフチスキー部	トロイツコサフスク	發電所		四〇〇〇留		電力
ブリヤート・蒙古	キャフチスキー部	トロイツコサフスク	煉瓦工場	煉瓦			建築
ブリヤート・蒙古	キャフチスキー部	トロイツコサフスク	穀物倉庫				食料品
チタ州		チコイ	皮革工場		一〇五〇〇〇枚	一三一人	被服
チタ州		チコイ	モリブデン工場	モリブデン	一四一六〇〇〇留		冶金
ブリヤート蒙古	カバンスキー部	セレンギンスク	硫酸工場	硫酸	二七〇〇〇〇留		化學
ブリヤート蒙古	カバンスキー部	セレンギンスク	皮革工場		一四八〇〇〇〇留	一五二人	被服
ブリヤート・蒙古	カバンスキー部	セレンギンスク	製材所	挽材			建築
ブリヤート・蒙古	カバンスキー部	タンホイ	炭坑				石炭
ブリヤート・蒙古	ザタン手ー部	クリュチエフスコエ	製材所	挽材			建築
ブリヤート・蒙古	セレンギンスキー部	セレンギンスク	製材所	挽材	一五九五〇〇〇留	一八九人	建築
ブリヤート・蒙古	セレンギンスキー部	セレンギンスク	硫安工場	硫安	二七〇〇〇〇留		化學

106.

經研資料調第七三號（其二）

蘇聯邦經濟調査資料（下巻）

昭和十七年四月
陸軍省主計課別班

蘇聯邦經濟調査資料（下巻）

例言

一、「蘇聯邦経済調査資料」下巻は蘇聯邦の経済力を機構的側面より考察したるものなり。周知の如く蘇聯邦の政治及び経済組織は、所謂社會主義的計画経済の指導並に運営機関として、それ自身極めて強度なる軍事的性格を有するものなり。

二、第四編「経済組織」は蘇聯経済組織のかゝる軍事的性格とその抗戰性を、生産・交通及び貿易の三部門について夫々考察したるものにして、即ち「生産機構」に於ては、民需生産の軍需生産への轉換が如何にして可能化されつゝあるかを、又「交通機構」に於ては戰時に於ける物資の交流が如何なる機構と能率を以て運営せられんとするかを、更に又「貿易機構」に於ては蘇聯邦の経済的独立性が如何なる政策と如何なる機構によって確保されつゝあるかを主として検討したるものなり。

一

三、計画経済に於ては國民経済運営の能率と效果が、一に懸って國家政治組織の適否に存するは多言を要せざるところなり。第五編「政治組織」は即ち蘇聯邦の政治機構が如何なる特質と構成を有し、從って経済運営の指導機関として如何なる適格性を有するかを検討したるものなり。

昭和十七年四月

陸軍省主計課別班

二

蘇聯邦経済調査資料總目次

第四編　經濟組織

第一部　生産機構

調査擔當者

峰谷吉之助

目次

要旨

第一、一般的観察

兩次の五ケ年計畫の年間に於いて達成せられし技術的・経済的独立による工業生産設備は全く其の面貌を一変し、特に重工業部門の進展に最大の努力を傾注せし結果、消費財生産部門をして多分に跛行的ならしめたる事実なしとせざるも、所謂國防國家体制の強化を立國當初より堅持し居るソ聯は、國防工業の基礎部門たる機械工業の発展に邁進し、遂に之を世界水準に引上げたり・即ち、機械工業総生産高は一九二八年より一九三七年迄の間の十ケ年に十二倍以上に増大せり・特に工作機械の増加テンポの著しきを認め得べし。

一般工業生産高の増大亦世界水準に達せり。然れどもソ聯邦の絶對数量の豊富さと相対的劣勢は依然として其の特徴にして同時に弱点なりとす。

第二、工業生産の地理的配置

生産力の合理的配置に依り、原材料及び燃料其の他重要物資の遠距離輸送乃至交錯輸送を排除して輸送機関の負担を軽減すべく努力中なること看取し得らる。殊に東部及び極東地方への産業中心の移動に對して、吾々は関心無きを得ざる所なり。又、総べての共和國・州・地方に亘り生産力の配置を見ると共に、原料部門たる鉄鉱・石炭の如きは舊來の産地の比重に比し新興産地の比重昂まれり。

工業の動力源たる電力亦大発電所の建設を避けて小・中発電所の建設を図るに至れり。

製鉄業に於ては工場の根本的改造と新工場の建設大いに行はれ、その生産高の激増にも拘らず、尚且つ増大する工業の需要を充し得ざる実情なり。有色金属部門はソ聯邦に於ては比較的新しき工業部門なるにも拘らず、第二次五ケ年計畫に於て大戰前に比較し異常の生産増加を示し、而かも有色金属総生産高の八五%は新設又は根本的改造を経たる工場に於て生産されたるもの

二

機械工業の全ソ的新配置に依る國民経済の発展には著しきものあり。殊に極東ハバロフスク・ウラヂオストーク・コムソモリスク等に於ける機械工業の進展には吾等関心無きを得ず。

第三、工業生産機構

第一次五ケ年計畫の目標は、ソ聯邦國民経済の再建に必要なる製鉄業・工作機械・動力機械・電力業・石炭・有色金属等の発展なりき。第二次五ケ年計畫に於て最も大なる意義を有せしは製鉄業の急速な発展とニツケル・亜鉛・錫等有色冶金新部門の創造にして、之はソ聯邦工業の部門構成に極めて大なる変化を與へたり。又、國民経済の凡ゆる部門に亘る再建は製鉄業の発展を無條件的に必要とせるものなり。即ち機械工業を初めとして工場・鉄道・都市建設など一として鉄を必要とせざるものなければなり。又、機械工業の発達の要求に依り創造せられたる電気鋼及良質鋼の生産量の如き、一九三七年には遂にアメリカのそれを凌駕せり。而かも良質鋼の生産は新冶金基地たる

三

東部に於ける製鉄地方の発展に俟つところ甚だ多し。

石炭及び石油業の構成も両次の五ケ年計畫中に著しき変化を示し、生産量の絶對量は猶ほ舊來の産地に於て増加を示せるも、新産地の開発により其の比重は寧ろ新興地方に高く、舊來の地方は年々低下の傾向にあるを看取するを得べし。然れども石油業の増産にも拘らず加工事業の構造芳しからず、原油を合理的に利用せず、極めて不生産的影響を招來しあるを認む。

機械工業構成の変化は最も著しきものにして、機械工業生産の増大は亦工業自体の生産を増大せしめたり。然れどもソ聯邦機械工業の斯かる貴重なる達成の蔭には第一次五ケ年計畫迄続きし生産財生産用機械の輸入の演じたる役割ありき。

又、ソ聯邦に於ける電化系数は欧洲に於ける凡ゆる先進國家を追越し、アメリカに次ぐ世界第二位を占めたり、即ちその発電所設備容量実績二八九万四千キロワツトにして彼のゴエルロ計畫案作成當時より僅々十年間に一七六万五千キロワツトの増加なりとす。

四

第四、生産設備の近代化及び生産設備の規模

ソ聯邦はその國民経済の発展に並行して機械及設備の更新に成功せり。之は動力機械及工作機械の輸入を前提とせるものなりき。當時之が為めに民需を犠牲に供し、農産物及び食料品等のダンピング等を行ひ巨額の費用を費せりと雖も、今日では略々これら機械の自給自足可能範囲に到達せるものゝ如し。

第五、民需生産の軍需生産への轉換の可能性

ソ新政権樹立以來、特に五ケ年計畫開始以來、極度に民需を圧迫し、常に生産力の拡充に努め且つ尨大なる軍備を擁するに至りし事実は、國家権力の下に統一せる凡ゆる企業をして直ちに軍需に轉換せしめ得ることの證左なりと雖も、戰時動員の結果生ずる人的要素の不足（労働力の不足）、労働者の技術水準の低位が、容易に戰時工業動員を行ひ得るや否や疑問の餘地を存す。

五

第一章　一般的観察

第一節　國民経済に於ける工業の地位

ソ聯邦の両次に亘る五ケ年計畫は工業の生産設備を根本より一新せり。一九三七年現在にて新設又は改建を完了せる工場に於て生産されし製品は、工業総生産高の八〇％以上に達し、しかも第二次五ケ年計畫末に新設又は改建を了したる工場に於て生産されし工業の最重要部門に在りては九〇％以上の数字を示せり。斯る最重要部門としては発電所・化学工業・製鉄業並に機械工業・木材加工工業・罐詰工業の如き基礎的工業部門を挙ぐるを得べし。

而して、第三次五ケ年計画初年度（一九三八年）に現有金属切削機械の五〇％以上は第二次五ケ年計畫の間に製作せるものなり。又第二次五ケ年計畫中に石炭業用大型穿孔機の約六〇％を製作せり。斯業に、第二次五ケ年計畫の年間

に於ては特に重工業部門の進展の著しき事実を看取するを得べし。之は一面、ソ聯邦の工業が重工業生産に重点を置き努力を払ひし結果、軽工業をして多分に跛行的たらしめたる事実も認め得らるべし。この間の事情は素より説明を要せざるも念の為め表を掲ぐれば次の如し。

生産財生産高及び消費財生産高発展の年平均テンポ

	第一次五ケ年計畫（一九二八－一九三二年）		第二次五ケ年計畫（一九三三年－一九三七年）	
	増加テンポ（％）	増加実数（単位十億留）	増加テンポ（％）	増加実数（単位十億留）
生産財生産	(＋)三〇・八	(＋)一五・二	(＋)一八・九	(＋)二七・一
消費財生産	(＋)一七・八	(＋)一〇・一	(＋)一四・九	(＋)二〇・一

（註）ソ聯邦國家計畫委員會出版部発行ヤ・ア・ヨッフェ編「ソヴエイト聯邦と資本主義諸國」の「工業」の部、第六表及第七表に據る。

即ち生産財生産の増加テンポは第一次五ケ年計畫に於て各年(＋)三〇・八に達せり、之はソ聯が國防工業の確立を目指し重工業、特に機械製作工業の発展を強行せし證左とも見ることを得べし。而して機械製作工業の発展テンポの如きは第一次五ケ年計畫に於て(＋)四三・一、第一次・第二次両次の五ケ年計畫を通ずる時は年平均(＋)三五・〇に達せり。事実、機械製作工業は第二次五ケ年計畫に於てその計畫を超過遂行し、生産計畫課題一九五億留に對して、一九三七年には機械製作・金属加工工業生産額は実に二七五億留となれり。機械製作工業のかゝる計畫超過遂行は、國民経済の技術的改造完成の課題を解決し、國防の強化とソ聯の技術的経済的独立を促進せしむる結果となれり。

試みに第二次五ケ年計畫末に至るソ聯邦機械製作工業総生産額の増加状況を見れば次の如し。

年次	一九二六―一九二七年價格に依る總生産額
一九一三年	九一九 百万留
一九二八年	二、二三九
一九三二年	九、四一〇
一九三七年	二七、五一九

（註） ソ聯邦國家計畫委員會出版部、一九四〇年發行、ア・デ・クウルスキイ著「第三次五ケ年計畫」三二頁に據る。

機械製作工業總生産高は、斯の如く一九二八年より一九三七年迄の十年の間に十二倍以上に増大し、之を一九一三年に比較する時は三十倍（金属加工を除く）の増大にして、更に全大工業に於ける其の比重を見ると一九一三年の六・八%より一九三七年の二五・五%に増加せり。

機械製作工業の中にて特に著しき増加テンポを示せるは工作機械製作工業にして、第二次五ケ年計畫の年間に於ける工作機械の製造は第一次五ケ年の一万五千台より三万六千台に増加し二倍以上となれり。

更に増加テンポの最も顕著なる部門として挙げ得らるゝは自動車工業にして、該工業部門の増加テンポは一九二八年―一九三二年の期間に於て前掲表の如く年平均卅一四四・三、一九二八年―一九三六年の期間に於ては年平均卅九四・四、一九三二年―一九三六年の期間に於ては年平均卅五四・七といふが如き増加テンポの著しき発展を示せり。

以上は少数重要工業部門の瞥見に過ぎざるも、然らば全工業生産高の増加率は如何といふに、一九二九年を基準とするソ聯邦工業生産高の増加に就き各国との比較を見れば次の通りなり。

工業生産高指数（一九二九年に對する%）

國別	一九二八年	一九二九年	一九三〇年	一九三二年	一九三三年	一九三五年	一九三六年	一九三七年
ソ聯邦	七九・四	一〇〇・〇	一三〇・七	一八四・七	一九九・九	二九三・四	三八二・三	四二七・〇
資本主義諸國	九四・六	一〇〇・〇	八六・五	六三・八	七一・九	八六・〇	九六・四	一〇三・五
アメリカ合衆國	九三・三	一〇〇・〇	八〇・七	五三・八	六三・九	七五・六	八八・一	九二・二
イギリス	九四・四	一〇〇・〇	九二・三	八三・五	八八・二	一〇五・八	一一六・一	一二四・〇
ドイツ	九八・六	一〇〇・〇	八五・九	五三・三	六〇・七	九四・〇(1)	一〇六・三	一一七・二
フランス	九一・〇	一〇〇・〇	一〇〇・四	六八・八	七六・七	六七・四	七〇・三(2)	七二・四
イタリー	九〇・六	一〇〇・〇	九一・九	六六・九	七三・七	九三・八	八七・五	九九・六
日本	八九・七	一〇〇・〇	九四・八	九七・八	一一三・二	一四一・八	一五一・一	:
ポーランド	一〇〇・三	一〇〇・〇	八二・〇	五三・九	五五・六	六六・四	七二・二	八五・三
カナダ	九二・五	一〇〇・〇	八四・八	五八・一	六〇・三	八一・三	八九・八	九九・五

（註） (1) 一九三五年三月よりザール地方を含む。ザール地方を含まぬ時は一九三五年は九二・四なり。

(2) 一九三六年よりフランスに於ては新指数算出され、舊指数と対照し得ず。一九三六年の新指数は一九二九年の水準に對し七九・三%、一九三七年は八二・八%。

國家計畫委員會出版部発行、ア・ヤ・ヨッフェ編「ソヴエート聯邦と資本主義諸國」工業の部、第二表（一一八頁）に據る。

右の表に依れば、資本主義諸國に於ては、其の工業生産高は平均して一九三七年に一九二九年の一〇三・五%なるに對し、ソ聯邦に於ては四二七%なり。

然らば更に遡って一九一三年に於ける工業生産高を基準にすれば、一九三七年に於ける工業生産高の比率（%）はソ聯邦八四六・一、一方資本主義諸國は一四九・四、アメリカ合衆國は一五四・三、イギリスは一一〇・四、ドイツは一一九・四、フランスは一〇一、ポーランド七六・六なり。

次に一九二九年より一九三八年に至る年別工業生産高増加テンポに就き各國との比較を求むれば次表の通りなり。

工業生産高の各年別増加テンポ（前年度に對する%）

	一九二九年	一九三〇年	一九三一年	一九三二年	一九三三年	一九三四年	一九三五年	一九三六年	一九三七年	一九三八年
ソ聯邦	(+) 二五・九	(+) 二九・七	(+) 二四・九	(+) 一四・三	(+) 八・五	(+) 二〇・七	(+) 二三・一	(+) 三〇・〇	(+) 一一・五	(+) 一一・〇
資本主義諸國	(+) 五・七	(−) 一三・八	(−) 一六・〇	(−) 一六・〇	(+) 一三・二	(+) 八・〇	(+) 一〇・九	(+) 一一・八	(+) 六・七	(−) 一三・五

（註）　前掲書第四表に據る。

右表に依ると、資本主義諸國に於ては、一九二九年より一九三八年に至る十年間の中四ケ年は、經済恐慌の結果として生産の急激なる減少を示せる年に當り、全体として發展テンポを見ても増加せず寧ろ足踏状態を示せること明かなるべし。

次に工業生産高の實数に依って之を見れば次表の如し。

ソ聯邦及び資本主義諸國の工業生産高（單位　十億不變留(1)）

	一九一三年	一九二八年	一九二九年	一九三二年	一九三七年
ソ聯邦(2)	一一	一六・九	二一・二	三八・八	九〇・二
資本主義諸國	四〇六・五(3)	五二九・四	五五九・八	三五一・五	五七〇・四
アメリカ合衆國	一五九・三	二五二・七	二七〇・九	一四五・七	二四九・八
イギリス	五〇・四	四六・九	四九・七	四一・五	六一・六
ドイツ	六三・九	六四・九	六五・六	三四・六	七六・九
フランス	二七・三	三四・五	三九・七	二六・一	二七・四

（註）　(1) 價格水準に於ける差違を考慮せり。

(2) 資本主義諸國と比較するため、大工業生産高のみを取りしも、

ソ聯邦工業全体の生産高は一九二八年に一八〇億留、一九三七年には九五五億留なり。

(3) ロシヤは含まず。

エム・ルヴビインシュテイン者「資本主義と社會主義二つの制度の競争」一九三九年、モスクワ版に據る。

ソ聯邦工業生産の増加テンポは絶對数に於ては資本主義諸國のそれを凌駕し居ること明瞭なり。第十八回党大會に於て、此の問題に就きスターリンの引用せる表を掲ぐれば左の如し。

ソ聯邦及主要資本主義諸國の生産増加率

（一九一三年－一九三八年）（%）

	一九一三年	一九三三年	一九三四年	一九三五年	一九三六年	一九三七年	一九三八年
ソ聯	一〇〇・〇	三八〇・五	四五七・〇	三六二・六	七三二・七	八一六・四	九〇八・八
アメリカ	一〇〇・〇	一〇八・七	二一二・九	一二八・六	一四九・八	一五六・九	一二〇・〇
イギリス	一〇〇・〇	八七・〇	九七・一	一〇四・〇	一一四・二	一二一・九	一一三・三
ドイツ	一〇〇・〇	七五・四	九〇・四	一〇五・九	一一八・一	一二九・三	一三一・六
フランス	一〇〇・〇	一〇七・〇	九九・〇	九四・〇	九八・〇	一〇一・〇	九三・二

（註）　イエ・エル・グラノフスキー、ベ・エル・マルクス編「社會主義工業経済学」一九四〇年、モスクワ版（九八頁）に據る。

以上の諸統計に依りソ聯邦に於ける工業生産の増加テンポを大体推察し得るが、更に之を補足する意味に於て若干の表を掲ぐべし。

工業生産高（量）発展の期間別年平均テンポ（%）

ソ聯邦 期間	発展の年平均テンポ	資本主義諸國 期間	資本主義諸國	アメリカ合衆國	イギリス	ドイツ	フランス
一九一七―一九三六年	(+)一五・五	一八九九―一九〇四年	…	(+)四・一	(+)〇・六	(+)四・〇	(+)〇・九
一九二八―一九三二年	(+)二三・六	一九〇四―一九〇九年	…	(+)五・四	(+)一・三	(+)〇・九	(+)三・八
一九三二―一九三六年	(+)二〇・三	一九〇九―一九一三年	…	(+)三・八	(+)五・八	(+)五・三	(+)四・八
一九二八―一九三六年	(+)二二・〇	一九一三―一九一九年	…	(+)二・四	(−)一・一	(−)一五・〇	(−)八・九
		一九一九―一九二四年	…	(+)二・六	(−)〇・六	(+)一三・七	(+)一三・八
		一九二四―一九二九年	(+)五・一	(+)四・九	(+)一・六	(+)七・三	(+)五・〇
		一九二九―一九三四年	(−)五・一	(−)八・一	(−)〇・六	(−)五・七	(−)六・六
		一九一七―一九三六年	…	(+)一・〇	(+)〇・九	(+)三・二	(+)三・九
		一九一三―一九三六年	(+)一・五	(+)一・七	(+)〇・三	(+)〇・五	(−)〇・一

（註）ソ聯邦國家計畫委員會出版部發行、ヤ・ア・ヨッフエ編「ソヴエート聯邦と資本主義諸國」（一一九頁）に據る。

即ち一九二八年―一九三二年の第一次五ケ年計画の期間に就いて之を見るに、その平均年増加テンポは(+)二三・六、一九三二年―一九三六年、即ち第二次五ケ年計畫のそれは(+)二〇・三といふ躍進振りを示せり。

尚第二次五ケ年計畫に於て全工業の内、特に激増を示せるは重工業部門にして、又、全体としての重工業のうち、増加テンポの特に顯著なるものとして機械製作工業のあることは既述の通りなるも、更に之に付け加へるに、此の重工業生産が消費財生産に比較して増加率の高かりし原因に就ては、第十八回黨大會に於てモロトフの報告せる通り、國防工業進展の必要に依るものと思惟せらる。事実、一九三七年に於ける機械製作工業並に金屬加工工業の總生産高は、

計畫の一九五億留に対し二七五億留にして、一九三二年に比較すれば計畫の二・一倍に対し二・九倍となれり。従って機械製作工業のかゝる生産増加は、ソ聯邦國民經濟の全部門の基本的な且つ技術的再装備とを以て國防力の強化に拍車をかけたり。又、機械工業に於て著しい進展を見しは其の設備機械の製作部門なりき。即ち一九三四年現在にて、機械製作工業に於て使用中の工作機械の七六・五%迄はソ聯政權後に於て据付けられしものにして、金屬切削機は一九三八年に於て五万三千九百台を算へり。因みに一九三二年に於ける輸入工作機械の比重は六六%を占めしも、一九三七年には僅かに一〇%に低下せり。

次に、ソ聯邦工業の特徴として、絶對的數量の優位と相對的數量の劣勢を指摘し得るが、一九三七年に於けるソ聯邦・アメリカ合衆國・イギリス・ドイツ・フランス等五ケ國の主要工業生産高を観れば次の如し。

ソ聯邦及資本主義諸國の主要工業生産高表

（年次 一九三七年）

部門	單位	ソ聯邦	アメリカ	イギリス	ドイツ	フランス
電力	十億キロワット時	三六・四	一五〇	二九・八	五〇・四	一八・三(3)
石炭	百万トン	一二七・一	四四七・六	二四五	一八四	四四
石油	〃	三〇・六	一七〇・九六	—	—	—
銑鉄	〃	一四・五	三七・七	八・六	一五・九	七・九
鋼塊	〃	一七・七	五一・四	一三・二	一九・八	七・九
鋼材	〃	一三〇・〇	三五・九	九・九	一四・一	五・三
貨車	（千二軸換算輛）	六六・一	一五二・二	—	—	—
自動車	百万台	〇・二	四・八	〇・五	〇・三	〇・二
セメント	百万トン	五・五	二〇・二	七・三	一一・七(1)	四・三(2)
製材	百万立方米	二八・八	三四・二(2)	—	五・五(2)	—
紙	百万トン	〇・八	五・三(2)	一・九六(2)	二・九	—

革靴	百万足	一六四・三	三二九	―	七・六	―
砂糖	百万トン	二・四	一・六	―	一・九六	〇・九

（註）(1) 一九三六年。
(2) 一九三五年。
(3) 一般利用の発電所のみ。
ソ聯邦國家計畫委員會編「社會主義建設」一九三九年版に據る。

然らば、世界の工業生産高に於てソ聯邦の占むる地位は如何なるものであるかを別表「ソ聯邦工業生産高の順位」に依って見やう。

右の表に據れば工業総生産高に於いて、ソ聯邦はすでに世界第二位を占め、欧洲に於ては第一位にあり。即ち工業総生産高に於てソ聯邦を凌駕する國はアメリカ合衆國のみとなる。然らば個々の工業部門に於てソ聯邦を凌駕し居る國は如何といふに、一九三八年の初めに於て、電力はアメリカ及びドイツ、石炭はアメリカ・イギリス・ドイツ、石油に於てはアメリカ、コークスはアメリカ

ソ聯邦工業生産高の順位
（當該年度に於ける資本主義諸國の産額との比較）

	一九一三年 世界	一九一三年 欧洲	一九二八年 世界	一九二八年 欧洲	一九三六年 世界	一九三六年 欧洲	一九三七年 世界	一九三七年 欧洲
全工業生産高	五	四	五	四	二	一	二	一
電力	一五	七	一〇	七	三	二	三	二
石炭	六	五	六	五	四	三	四	三
石油	二	一	三	一	二	一	二	一
泥炭	一	一	一	一	一	一	一	一
コークス	四	三	六	五	三	二	三	二
鉄鉱	五	四	六	五	二	一	二	一
マンガン鉱	一	一	二	一	一	一	一	一
銑鉄	五	四	六	五	三	二	三	二
鋼	五	四	五	四	三	二	三	二
電気鋼	―	―	九	七	二	二	…	…
鋼材	五	四	五	四	三	二	三	二
銅	七	三	八	二	五	一	六	一
アルミニウム	―	―	―	―	三	二	三	二
一般機械製作	四	三	四	三	二	一	二	一
農業機械製作	…	…	四	三	一	一	一	一
機関車製作	…	二	一	一	一	一	一	一
貨車製作	…	…	二	一	二	一	二	一
自動車製作（乗用及貨物）	―	―	一二	一〇	六	四	四	三
貨物自動車製作	―	―	一一	九	二	一	二	一
トラクター製作（馬力による）	―	―	四	三	二	一	二	一
コンバイン製作	―	―	―	―	一	一	一	一
過燐酸石灰製造	一六	一三	一八	一四	三	一	三	一
硫酸製造	八	六	九	七	四	二	四	二
セメント	六	五	八	六	四	三	四	三
製紙	七	六	一一	八	七	五	…	…
甜菜糖製造	二	二	二	二	一	一	一	一
製靴	…	…	五	四	二	一	…	…
石鹸製造	五	四	五	四	四	三	…	…

（註）ソ聯邦國家計畫委員會出版部発行、ヤ・ア・ヨッフエ編「ソヴエート聯邦と資本主義諸國」に據る。

(A)

及びドイツ、鉄鉱はアメリカ、銑鉄に於てはアメリカ及びドイツ、鋼塊もアメリカ及びドイツ、電気銅はアメリカ、鋼材はアメリカ及びドイツ、粗銅に於てはアメリカ・チリー・カナダ・北ローデシア・ベルギー領コンゴー、アルミニウムに於てはアメリカ及ドイツ、金に於ては南阿聯邦、機械製作に於てはアメリカ、自動車製作工業に於てはアメリカ・イギリス・ドイツ・フランス、トラクター製作に於てはアメリカ、貨車製作に於てもアメリカ、硫酸製造に於てはアメリカ・日本・ドイツ、過燐酸石灰製造に於てはアメリカ・日本、セメントに於てはアメリカ・ドイツ・イギリス・日本、製紙に於てはアメリカ・カナダ、ドイツ・イギリス・瑞典、石鹸に於てはアメリカ・イギリス・ドイツ、製靴に於てはアメリカ等を挙げ得る。

斯く、ソ聯邦に於ける工業生産力は世界第二位を占め居る事実を見れば、絶対的数量に於て、ソ聯邦の工業生産高の豊富さを認め得るが、之に反して相対的数量に於ては未だ先進諸國に及ばぬ点も指摘し得らる。

此の問題に関しては第十八回党大會に於て、スターリンは

二三

「……生産の技術と生長のテンポに於て、我國は既に主要資本主義諸國を追附き且つ追ひ越してゐるが、立遅れは猶ほ存する。然らば我國の立遅れは那邊に存するか？我國は依然として経済的関係、換言すれば住民一人當りの工業生産高の点に於て立遅れてゐるのである。一九三八年に我國は一千五百万瓲の銑鉄を生産した。然るに同年度に於けるイギリスの銑鉄生産は七百万瓲である。一見すれば、我國の方がイギリスより優秀であるかに思はれる。併し、若しこの銑鉄の瓲数を人口で割って見れば、イギリスに於ては一九三八年の銑鉄生産高は國民一人當り一四五瓩となり、ソ聯邦に於ては僅かに八七瓩に過ぎない。更に一、二の例を挙げると、イギリスに於ては一九三八年に一千八十万瓲の鋼塊、約二百九十億キロワット時の電力を生産した。一方ソ聯邦に於ては同年度に一千八百万瓲の鋼塊と三百九十億キロワット時余の電力を生産した。之も一見すれば我國の方がイギリスより優れてゐるかに思はれる。しかし若し之等の瓲数やキロワット時を人口数で除した場合、イギリスに於ては一九三八年度に鋼塊の国民一人當り生産高は二二六瓩、電力生産

二四

[illegible]キロワット時となる。之に対してソ聯邦に於ては鋼塊生産高一人當り一〇七瓩、電力は二三三キロワット時となるのである。然らば問題は何處にあるか？問題は我國の方がイギリスよりも人口数に於て三・三倍多く、従って需要も亦多いといふ点にある。工業の経済的能力は、國内人口と関係なしに工業生産高一般の中に求むべきでなく、此の生産高を國民一人當りの消費高と直接関聯させて取られた工業生産高の容積の中に求むべきである。國民一人當りの工業生産高が多くなれば多くなるほど、國の経済的能力は強くなる。之に反して國民一人當りの生産が少くなればなる程、國家並にその工業の経済的能力は弱くなるのである。従って、國内に於ける住民の数が多くなればなる程、國内に於ける消費物に対する需要は増大し、之に伴って、その國の工業生産の容積は大きくならねばならぬのである」

と解明せり。

このスターリンの演説に依っても明かなる如く、ソ聯邦の現段階に於ける工業の特徴であり弱点である点は此の工業生産高の相対的数量の貧弱さにあるも

二五

の、如くなり。更に此の間の事情を統計に依りて示せば左の如し。

ソ聯邦及資本主義諸國に於ける住民一人當り重要工業生産高

	単位	ソ聯邦	アメリカ	ドイツ	イギリス	フランス	日本
電力	キロワット時	二一〇	一、一六〇	七三五	六〇八	四九〇	四二一
銑鉄	瓩	八六	二九二	二三四	一八三	一八九	三〇
鋼	〃	一〇五	三九七	二九一	二七九	一八八	六二
石炭	〃	七五七	三、四二九	三、三一三	五、一六五	一、〇六五	六四三
セメント	〃	三二	一五六	一七三	一五四	八六	六〇
綿織物	平方米	一六	五八	ー	六〇	三一	五七
毛織物	米	〇・六	二・八	ー	七・四	ー	ー
革靴	足	一	二・六	一・一	二・二	ー	一、

二六

紙	瓩	五	四八	四二	四二	二三	八
砂糖	〃	一四	一二	二九	八	二一	一七
石鹸	〃	三	一二	七	二	一〇	一

（註） ソ聯邦は一九三七年、其他は最近発表のものに依る。

右表は昨春開催されし第十八回党大會に於てモロトフの報告演説中に引用されし数字にして、－は不明を意味す。尚一九三九年五月二十八日に開催されし聯邦アカデミー総會に於けるアカデミー會員イエ・エス・ヴアルガの報告「ソ聯邦の基本的経済問題」中に引用された数字によると、一九三八年に於けるソ聯邦の人口一人當り重要工業生産高は電力では二三三キロワット時、銑鉄は八七瓩、鋼は一〇七瓩、石炭は七八一瓩、その他綿織物・毛織物・革靴・紙・砂糖・石鹸などは一九三七年と同じ。アメリカの一人當り一九三七年の生産高は電力で一一二〇キロワット時、銑鉄一四六瓩、鋼二一七瓩、石炭二、七〇〇瓩、その他綿織物・毛織物・革靴・紙・砂糖・石鹸は右の表と同じ。

二七

二八

右のモロトフの引用せる表に依ると、人口一人當り生産高に就てはソ聯邦は電力に於てフランスより二倍餘、イギリスより約三倍、ドイツより三倍半、アメリカより五倍半、銑鉄に於ては同じく英・佛両國より二倍餘、ドイツより二倍半、アメリカより三倍、鋼に於てフランスより約二倍、英・佛両國よりも約三倍、アメリカより約四倍それぞれ少いこと明かなり。

然らば工業総生産高の人口一人當りは如何といふに左表に依ってソ聯邦の地位を窺ひ知るを得べし。

人口一人當り工業生産高　（單位 留(1)）

	一九一三年	一九二八年	一九三七年	一九三七年の一九一三年に對する%	一九三七年の一九二八年に対する%
ソ聯邦	七八	一一〇	五三〇	六八二	四八二
アメリカ合衆國	一六七〇	二一〇〇	一九三九	一一六	九二
イギリス	一一〇五	一〇三〇	一三〇五	一一八	一二六
ドイツ	一〇五五	一〇〇〇	一一四〇	一〇八	一一四
フランス	六〇五	八六〇	六五五	一〇八	七六

（註） (1) 價格水準の差異を考慮す。ソ聯邦の分は資本主義諸國と比較するため大工業のみを挙げたり。
第十八回党大會に於けるモロトフの第三次五ケ年計畫に関する報告テーゼに據る。

以上掲げし諸統計に於けるが如く、ソ聯邦の人口一人當り工業生産高は他の資本主義諸國に比して遥かに貧弱なることを觀察し得べし。結局現在ソ聯邦の人口一人當り工業生産高はアメリカよりも三－五倍少く、ドイツの水準よりも二－三倍少し。ソ聯邦の人口は現在主要資本主義諸國の何れをも凌駕し、殊にバルト三國並に北プゴヴィナを入れなば更に尨大なる人口を擁することゝなれり。

二九

これら諸國の併合実現前に於ても既にアメリカの一・四倍、ドイツの二・七倍、フランスの四・四倍、イギリスの三・九倍に當る人口を擁せり。しかも人口一人當りの工業生産高に於ては、前述の如く極めて貧弱さを示し居るを以て、今や第三年目を終らんとする第三次五ケ年計畫に於ては、これら相対的数量の立遅れを克服すべく努めつゝあることは寧ろ當然と言はざるべからず。

三〇

第二節　工業生産の地理的分布

生産力の合理的配置乃至は産業の正しき地理的分布の問題は、昨春開催せられし第十八回党大會に於て愼重に取上げられし重大問題にして、之は取りも直さずソ聯邦の有する無盡蔵とも云ふべき天然資源の有効適切な利用開発と全般的なる労働生産性の向上を可能ならしむるものなり。而もソ聯邦鉄道運輸に重大な影響を與へ居る重要物資の遠距離輸送並に不合理輸送の排除に役立ち居ること勿論なり。即ち生産力の正しき配置の実現は工業原料地、其の消費地・

加工地などの接近を意味すればなり。特に注目を要するはソ聯の東部地方への産業の移動にして、嘗てレーニンも東部に於ける富源開発の意義よりして、同地方に工業基地を建設することの重要性を認めたるは先見なりと言ふべし。彼のイニシアチヴに成る國家電化計畫（ゴエルロ計畫）の如きも、これら生産基地の配置の合理化計畫を物語る代表的なるものにして、その中には地方産燃料の積極的利用を強調しありしなり。事實、帝政ロシヤ時代に於ける工業の地域的配置の不合理性が、両次の五ケ年計畫の間に徐々に改善せられ、所謂社會主義建設の計畫に沿ふて今やその面貌を一変しつゝあり。從って、各聯邦共和國及び民族共和國に於ける資源の利用が平均化せられ、生産物の平均化が全般的なるソ聯邦國民経済を進展せしめたり。東部地方の如きも、帝政ロシヤ時代より極めて近年に至るまで測り知れざる資源を有しながら徒らに放置せられ顧みらりしが、今やこれらの諸地方に工業中心地が建設せられ其の相貌を変へるに至れり。

斯くの如く工業中心地をソ聯邦の各地方へ配置せし結果、國内に工業の均等

化が実現されつゝあり、一例を示せば左表の如し。

聯邦共和國別工業の総生産高

（一九二六―二七年價格・單位　百万留）

共和國名	一九一三年	一九三七年	一九三七年の一九一三年に對する増加倍数
ロシヤ共和國	七、二四九	六九、二四一	九・六
ウクライナ共和國	二、一二五	一七、三九五	八・二
白ロシヤ共和國	八九	一、九二六	二一・六
アゼルバイジヤン共和國	三七八	二、三六八	六・三
グルヂア共和國	四三	一、〇四七	二四・三
アルメニア共和國	一五	二五五	一七・〇
トウルクメン共和國	三〇	二九三	九・八
ウズベック共和國	二六九	一、六六八	六・二
タジック共和國	一	一八七	一八七・〇
カザック共和國	五一	九八二	一九・三
キルギーズ共和國	一・二	一七〇	一四一・七

（註）　イエ・エル・グラノフスキー、ベ・エル・マルクス編「社會主義工業の經濟」に據る。

特に民族諸共和國内には石炭・石油・複合的鉱物・化学原料等多種の有用埋藏資源を有するのみならず、厖大なる農産基地と化し居るを以て、これ等民族共和國の資源開発は社會主義工業の地理的配置の原則に合致し、民族共和國自体は莫大なる工業生産物を必要とする地方なり。故にかゝる諸地方の工業化は取りも直さず消費地への工業の接近を意味するものなり。第三次五ケ年計畫に於いて、これら民族諸共和國及州に更に幾百に達する企業建設を見るのもこれが為に他ならざるなり。第十八回党大會に於ても生産力配置の根本問題は民族諸共和國並に州の文化的・経済的昂揚を保證するに在りとて企業建設計畫の問題

を決定せり。

斯様に新しき生産配置計畫に依る民族共和國の工業化は原料地及消費地へ工業を接近せしめ、従来取殘されし地方間の経済的関係を緊密ならしめ、且つ不生産的なる物資の過剰遠距離輸送を短縮してソ聯邦全体としての工業建設のテンポを速化しつゝあり。

第三次五ケ年計畫に於ては生産力配置の合理化と共に、物資輸送の合理化も積極的に行はれる筈なるも、特に注目に値するは第一にクズネツツ石炭のウラルへの移入を減少せしめ、マグニトゴルスク産鉄鉱のクズバス及欧露方面への移入縮減或ひは中止、第二にはドンバス産石炭の中央地方への移入量を制限して最大限に地元動力源（例へばポドモスクワ炭・泥炭・水力）の利用に代へしめ、第三には、ヴオルガの東部地方へ、カフカズよりの鉄道による石油輸送を廃止し、ヴオルガの水流を利用して中央地方に対する石油の鉄道輸送を縮少せしめ、且ウクライナ共和國及びシベリヤへは油送管を建設し、第四には欧露に對してシベリヤ産木材の移入を停止せしめ、第五には東部地方に對して欧露よ

りのセメントの移入を停止せしむること等なり。

次に各種工業部門の配置に就いて観察せんと欲するが、先づ第一に工業の原材料並に工業の糧ともいふべき燃料などの埋蔵資源に就き概述すべし。

ソ聯邦が凡ゆる天然資源に恵まれ居ることは既述の通りにして、殊に鉄鉱・石油・水力・加里塩・燐灰石・森林及泥炭に於ては世界第一位を占め、石炭のみアメリカ合衆國に次ぐ埋蔵量を有す。鉄鉱及石油の如きは世界埋蔵量の半分、加里塩は八〇％と註せらる。而して人口一人當り埋蔵資源の量に於てはソ聯邦が第一位を占む。

ソ聯邦及アメリカの人口一人當り資源埋蔵量（一九三七年）

	単位	ソ聯邦	アメリカ合衆國
鉄鉱	瓲	一五七三	七四三
石炭	〃	九、七三二	二三、七五〇
石油	瓲	二七・五	一四・七
泥炭（ガス化換算）	〃	八八六	一〇六
水力	キロワット	一・六	〇・六
森林（森林面積）	ヘクタール	三・六	一・九

三五

（註）　ゴー・エル・グラノフスキー、ベ・エル・マルクス編「社會主義工業の經濟学」に據る。

ソ聯政權以來、其の工業化の進展に並行して地質調査研究作業が著しき成果を収めたりと雖も、一九三九年一月一日現在にて猶ほソ聯邦全土の半の地質調査にも達せず、從つてソ聯邦に於ける天然資源の開發は寧ろ今後に在りと云ふべし。例へばヴオルガ河とウラルの間の廣大な地域に亘り解明されし石油埋蔵資源の如き、又、南カザフスタンに發見されし豊富なる燐灰岩、ウクライナに於ける新石油産地の如きも極めて近年の發見にかゝるものなり。

鉄鉱の如きも、帝政時代にはウラル及クリヴオロジエの二ケ所に限られしも、

三六

ソ聯政權以來、多くの新しき鉄鉱産地発見せられ、例へばケルチ鉄鉱床、クールスク磁鉄鉱床、西シベリヤに於けるゴールナヤ・ショリヤ鉄鉱床、東部シベリヤ・極東に於いても新鉱床発見せられたるが如し。その結果、鉄鉱埋蔵量を從來の幾倍に増大せるのみならず、其の地理的配置を根本から変化せしめ、延いては最も重要なる経済的地方への新冶金基地建設の前提を成せり。

而次の五ケ年計畫は有色金属の埋蔵量にも大なる変化を齎し、大規模の地質調査に依り豊富なる新産地発見せられ、第二次五ケ年計畫末に於けるソ聯邦の銅の埋蔵量の如き、帝政時代に比して非常な増加を示し、この他ニッケル鉱、アルミニウム原料たるボーキサイト其の他、帝政時代には知られざりし稀有金属の埋蔵資源が続々開発せらるるに至れり。又、鉛及錫の産地として從來アルメイ・北コーカサズ、極東（沿海州）のテチユへなど著名なりしも、現在に於ては其の地質調査の結果、新産地として南カザフスタン、中央アジヤ、西シベリヤの巨大なる埋蔵資源が解明されたり。

三七

一、石炭及石油工業

ソ聯邦工業の動力資源たる石炭業及び石油業の地理的配置も全く変貌せり。革命迄の石炭産地は南露のドンバスのみなりしも、ソ聯政權以來の地質調査の進展に依り新産地発見せられ、一方、ドンバス自体も帝政時代に比較して遥かに埋蔵量多きこと判明せり。例へば一九一三年に其の埋蔵量五五六億瓲なりしドンバスが一九三七年に於て八八九億瓲と註せられたり。西シベリヤのクズネツツ炭田は第十二回萬國地質学大會の開催されし一九一三年に一三六億瓲の埋蔵量と発表せられしも、一九三七年に開催されし第十七回萬國地質学大會に於て発表されし資料に依ると四五〇七億瓲なり。第二位の石炭基地たるカラガンダ炭田はソ聯邦政權に至り、殆んど新しく開発されしものなり。以上の三炭田の外に、現在、ウラル・西シベリヤ・極東・中央アジヤに於ける民族諸共和國にも新炭田発見せられて、ソ聯邦石炭埋蔵量の根本的な変化を齎し居れり。例

三八

へば、一九一三年に於てロシヤ全土の推定埋藏量二二五〇億－二三〇〇億瓩の中、解明せられし埋藏量は約二五％なりしが、一九三七年に於ては其の地質学的埋藏量一六、五四〇億瓩の中、開発されしものはソ聯全体の五四％に當れり。

生産の地理的変化に從ひ、石油埋藏量も著しく増大せり。即ち舊來の石油産地たるバクー・グロズヌイの解明されし埋藏量に並行して、新しき油田も近年次々に発見せられたり。例へば一九三七年に開催されし第十七回萬國地質学大會に依ると一一九〇百万瓩の埋藏量にして、バクー地方の総埋藏量の一・五倍に當れり。又、ウラルのチウソウスク、バシキール共和國のイシンバ・エヴオ、トルクメンスタインのネビト・ダグ、ザガレン等の諸地方に於ても新油田発見せられ、殊に近年調査隊の活動に依てスイズラニ附近のクラスノカムスク地方、チカロフ州のブグルスラン、サマラ、ウフアの西方に當るトウイマベ等新しき石油産地はヴオルガ河とウラルの中間に位する厖大なる油田地帯を形成しあり、第二バクーの代名詞を冠せらるる所以なり。

三九

二　電力業

次にソ聯邦電気事業の配置の問題を瞥見するに、之は現在に於ては、原料及燃料産地に工業地を接近せしめ、ソ聯全土に亘る企業の平等なる配置のみならず國防力の強化をも促進せしめるといふソ聯邦の傳統的國策に基き中小発電所の建設が盛へに行はれつゝあるも、從來、動もすれば此の部門に於ても巨大建設狂の弊瀰漫し、為めに発電所建設計畫の遂行の如きも長年月を要し、工業の発展テンポに伴はぬ缺陷を助長せり。

云ふ迄もなく國家電化委員會計畫（ゴエルロ計畫）は生産力の合理的配置の上に極めて大なる役割を演じ、殊に高カロリー燃料の埋藏なき地方に取りては豊富なる水力並に低質燃料たる泥炭・片岩の短距離輸送に依る電力生産には有意義なるものありて各地方に亘り多くの発電所の建設を見たり。

ソ聯邦の電力業の特徴として火力発電の圧倒的なることを挙げ得るが、此の

四〇

火力発電の燃料としてその埋藏量並に処理技術に於て世界に冠たる泥炭を廣く使用しあり、今日に於ては此の泥炭に依る発電量は総電力生産の一八・五％に達せり。又、ウラル及シベリヤの石炭を燃料とする発電所に依る電力生産は一四・八％、地方産の粉炭（廃物）を燃料とする発電所に依るものは一二・六％、ポドモスクワ炭（モスクワ近郊炭）に依るものは九五％を占む。クラツソン名稱シヤトウルスカヤ発電所、ドウブロフスカヤ発電所、クラースヌイ・オクチヤブリ（赤い十月）発電所、ゴーリキー発電所、イワノヴオ発電所、ベロルスキー発電所等の如き大発電所は何れも泥炭を燃料とし、粉炭を使用しつゝある大発電所としてはスターリングラード発電所他三ケ所の大発電所、ポドモスクワ炭使用の大発電所としてはカシイラ発電所、スターリノゴロド発電所、ウラル炭を使用し居る大発電所としてはチエリヤビンスク発電所、ベレズニキ発電所、キーゼロフスク発電所、スレードネウラリスク発電所、タギール発電所等を挙げ得べし。シベリヤ及極東地方に於ける火力発電所は何れも地方炭を使用しあり。

四一

水力発電所の建設は猶ほ充分ならずと雖も近年著しき進展を示せり。帝政ロシヤ時代には全然水力発電所無く、ソ聯政權に至り初めて建設を見しものなり、即ちレーニングラード州のヴオルホフ水力発電所の建設を最初としてそれ以来ドニエプル水力発電所、シヴイルスカヤ、ニーヴスカヤ、トウロマ、バクサン、コンドポガ、ギゼリドン等の他多くの水力発電所の建設を見たり。而して第二次五ケ年計畫末に於ける水力発電所に依る電力総生産量は約四〇億キロワット時にして、之は全ソに於ける発電量の一二％に當れり。しかし大小無数の諸河川や湖沼に恵まれしソ聯邦としては水力利用の貧弱さを物語るものなり。尚現在のところソ聯邦に於て最も強力なる電力網はモスクワ・レニングラード・バクー等にして、モスクワの電力網の如きは其の規模に於て世界第一と稱せられ、此の電力網の中にはカシーラ、シヤトウル、スターリノゴーロド、スミドウイツチ名稱、モスクワ・スターリン熱併給発電所、其他二ケ所の大発電所を包含せり。

尚國家電化委員會計畫（ゴエルロ計畫）の三大原則として其の理論的指導方

四二

針をなすものは

一、電力の生産及供給の中央集権を期し 産業経済の主要地へ大規模の中央発電所（地區発電所）を建設、且つこれらを相互に高圧送電線を以て接続すること・

二、発電所所在地の資源たる現地燃料を動力源として活用し、且つ低廉なる動力源たる泥炭及水力等の利用を普及する事。

三、火力発電所を化学工業・製紙・紡績等の工業地へ急設する事・

なりしが、其の実行計畫としては、既設発電所の復興と合理化を実施すると同時に、十年乃至十五年の間に、火力発電所二〇、水力発電所一〇、設備容量合計で三九七万キロワットを有する合計三十ケ所の地区発電所の建設計畫なりき。之を表に依て示せば左の如し。

建設地方	数	設備容量（キロワット）	建設地方	数	設備容量（キロワット）
レニングラード地方	四	二一六、〇〇〇	コーカサス地方	四	一二〇、〇〇〇
モスクワ地方	六	二七六、〇〇〇	シベリヤ地方	二	八〇、〇〇〇
ドンバス地方	五	四〇〇、〇〇〇	沿ヴオルガ地方	四	一〇〇、〇〇〇
ウラル地方	四	一六五、〇〇〇	トルキスタン地方	一	四〇、〇〇〇

然し以上のゴエルロ計畫の目標は其後國内の経済的苦境に當面し修正が加へられ、所謂電化第一次五ケ年計畫の総設備容量の目標は一七〇万キロワットより五五〇万キロワットとなり、発電量も二二〇億キロワット時を目標とせり・即ち工場発電所を除く地区発電所建設地方として挙げられしは左表の如くなり。

地區発電所建設地方	数	設備容量（キロワット）
レニングラード地方	九	五八八、〇〇〇
モスクワ地方	一〇	一、〇九七、〇〇〇
ドンバス地方	五	六一二、〇〇〇
ウラル地方	四	二〇〇、〇〇〇
シベリヤ地方	四	二五〇、〇〇〇
コーカサス地方	一六	四三〇、〇〇〇
沿ヴオルガ地方	三	一一六、〇〇〇
中央アジヤ地方	三	四三、〇〇〇
白ロシヤ共和國	二	五五、〇〇〇
地区発電所合計	五六	三、三九一、〇〇〇

然るに一九三二年末の計畫では其後の國民経済の拡大なる膨張を見越し更に

修正を加へられたり・即ち総設備容量八四〇万キロワットの中、地区発電所は四七〇万キロワット、局地発電所は七〇万キロワット、工業発電所は三〇〇万キロワットなりき・而して電化第二次五ケ年計画は一九三七年末の設備容量二、二七〇万と稱せられしも第一次五ケ年計画の成果に依り縮少を見るに至れり。即ち第二次五ケ年計畫の実績は設備容量の計畫数は一、〇七〇万キロワット、その実績は八一八万キロワット、遂行率は七六・四％、発電量の方は計畫数字は三八〇億キロワット時、実績は三六四億キロワット時、その遂行率は九五・八％なり・

次に、製鉄業・有色冶金業・機械工業・木材工業・食料品工業・軽工業等の配置は概ね左の如し・

三、製鐵業

先づ第一に製鉄業に就いて述ぶれば、両次の五ケ年計畫の間に南部に於ける冶金基地の根本的改造を指摘し得べし。例へばキーロフ名稱工場（舊マケエフ工場）の如き一九一三年には銑鉄精錬高一三万六百瓲に過ぎざりしに、一九三六年に完了を見し改造の結果、一三一万瓲の生産高にて殆んど六倍の増加なり、其の他デエルジンスキー名稱工場及ウオロシロフ名稱工場なども大改造を施されたり。一方、改造と並行して新工場の建設も行はれ、例へばクリヴオイログ冶金コンビナートの諸工場、アゾフスターリ（マリウポリ）、ザポロジスターリ（ザポロジエ）及ニコポーリのタービン工場等を挙ぐるを得べし。

斯く南部の製鉄基地に於ける諸工場の改造並に新建設に依り、銑鉄の生産高は一九一三年の三一〇万五千瓲に比較して一九三七年には九二一万六千瓲にて約三倍の増加を示せるにも拘らず逹展する國内需要を充足し得ざる狀況に在り、即ち東部に於ける製鉄基地を必要とする所以なるべし。東部の発展に並行して中央地方の製鉄業も大発展を遂げ、斯くて南部及中央の製鉄業の改造並にウラル、西シベリヤに對する新工場の建設はソ聯邦に於ける金属生産の地理的分布に大なる変化を供へたり。即ち南部地方に於ける銑生産の絶對量は増加し居る

四七

にも拘らず、その地方別生産の比重は低下を示し、ウラルの比重も低下し、中央地方及シベリヤ地方の比重増加せり。

斯の如き傾向は鋼生産に於ても看取される所にして、南部地方に於ける製鋼の比重は著しき低下を示せるにも拘らず、シベリヤ（クズネツク工場）及中央地方の小型鋼材の生産に當る冶金業の発展顕著なり。又、ウラル地方に於ける製鋼の比重も増加を示せり、更に中央地方に於ては機械工業の発展に依り其の生産比重高きを示せり。

第三次五ケ年計畫に於ては、ウラルのマグニトゴルスク綜合企業、ニージネタギール冶金工場、ノーヴオ・ウラル・タービン工場等の完成と共に南ウラルのハリロフ及バカール鉱を基礎とする新工場及鋼管工場の建設を見るべし。尚銑及鋼生産量の地理的変化に就ては後段「工業生産の構成」中製鉄業の項に掲げし地方別銑生産表並に地方別鋼生産表を参照せられ度し。

四八

四、有色金属工業

有色金属の生産は近代工業の発達に伴れ、益々その重要性を加へ、特に電気工業・精密機械工業・自動車並に航空機工業・化学工業・兵器工業などに欠くべからざるものとして、ソ聯邦に於ても之が生産増加に大なる努力を拂ひつゝあり。從つて兩次の五ケ年計畫の年間に有色冶金業は異常の進展を示せり。例へば第二次五ケ年計畫末に於ける銅精錬は一九一三年の三・五倍の増加、鉛及び亜鉛の如きは数十倍の増加を示し、其の他アルミニウム、ニツケル・錫其の他稀有金属の生産が盛に行はれ、ソ聯邦の有色金属及稀有金属生産の規模は世界有数のものとなれり。而して有色金属総生産高の八五%は新設工場及根本的改造を經し工場の生産なり。兩次の五ケ年計畫中には之に關聯を有する新企業並に新しき有色金属の原鉱産地の開発を見たり。

製銅工業の基本的中心地はウラル・カザフスタン・ザカフカージエなり。何となれば當該地方は豊富なる銅鉱産地なればなり。

四九

一九三七年に於けるソ聯邦の銅鉱総埋藏量及び粗銅生産の比重 （%）

地方別	総埋藏量に対する比重	総生産高に対する比重
ウラル	一五・九七	八四・二
内譯		
スウエルドロフスク州	八・七九	五九・二
チエリヤビンスク州	二・〇四	一七・九
チカロフ州	二・一四	ー
バシキール共和國	三・〇〇	七・一
カザフ共和國	五二・三四	九・八
アルメニヤ共和國	九・二〇	六・〇
ウズベク共和國	一五・〇四	ー
クラスノヤルスク地方	四・〇〇	ー

五〇

其他の地区	三・四五	一
合計	一〇〇・〇	一〇〇・〇

（註）　モスクワ社會経済出版部一九四〇年刊行、バリザク・エス・エス、ヴアシユチン・ヴエ・エフ、フエイギン・ヤ・ゲ編「ソ聯邦経済地誌」第一部に據る。

右表に依て明かなる如く粗銅総生産の八四・二％を占むる基本的製銅工業地方はウラル、第二位はカザフ共和國、第三位はアルメニア共和國なり。然しかゝる生産配置は必ずしも當該地方の埋藏量に一致するものに非ず、最も豊富なる銅鉱埋藏量を有するカザフ共和國の如き、猶埋藏量に相當する生産高に達せざる実情にあり。尚カザフスタンに於て目下建造中の工業を挙ぐれば左の如し。

一、コウンラド製銅コンビナート

二、カルサパ工製銅所

五一

三、グルボーコ工製銅所（アルタイ）

右の内最大の規模となるものはコウンラド製銅コンビナートなり。

鉛及亜鉛工業はソ聯邦としては新興工業に屬し、革命當時迄はその國内需要を専ら輸入品に依て充し居れり。ソ聯邦に於ける鉛・亜鉛工業の中心地は製銅工業の如くにカザフスタンにして、舊來のアルメニに於ける多金屬工業も現在根本より改造せられ鉛及亜鉛を多量に生産しつゝあり。南カザフスタンにはチムケントの亜鉛工場、即ちカズポリメタル工場の如きは其の規模に於て世界有数と稱せらるると雖も未だ建設完了を見ず。西シベリヤには亦ベロヴオ亜鉛工場建設せられ、ウラルにはチエリヤビンスク亜鉛工場、ウクライナには電気精鉛のコンスタンチノフカ亜鉛工場、極東方面には沿海州テチユへのシホテ・アリン綜合企業、西部シベリヤのカメロオ亜鉛工場、その他タヂックスタン共和國、北コーカサス、バシキール共和國等にも亜鉛工場建設せられつゝあり。第三次五ケ年計畫に於ては更に多くの多金屬生産基地が建設せらるる筈なるも、現在に於ける地理的分布と、その埋藏量並に生産高の状況は概ね左表の如し。

五二

一九三七年に於けるソ聯邦の亜鉛及鉛総埋藏量並に総生産の比重　（％）

地方別	亜鉛　亜鉛総埋藏量の比重	亜鉛　亜鉛鉱採掘比重	亜鉛　亜鉛総精錬（ソ聯全体の）高に対する比重	鉛　鉛総埋藏量に対する比重	鉛　ソ聯の鉛総精錬高に対する比重
カザフ共和國	四一・九〇	四二・五	一	六二・一六	二四・〇
内譯					
東カザフスタン州	三五・二〇	三〇・〇	一	四二・七〇	二五・〇
南カザフスタン州及アルマ・アタ州	六・七〇	一二・五	一	一九・四六	四九・〇
北オセチンスカヤ自治共和國	六・一二	一五・五	三六・五	六・二六	一三・五
スウエルドロフスク州	一五・四七	一	一	一	一
チエリヤビンスク州	二・八四	一七・〇	二六・〇	一	一
バシキール共和國	一・三七	一	一	一	一
ノヴオシビルスク州	一一・七〇	二三・五	二一・〇	一一・七〇	一
アルタイ地方	二・四二	一	一	二・七七	一
チタ州	七・〇〇	一	一	一〇・二〇	一
極東—沿海州	四・四一	一一・五	一	五・五四	一二・五
タヂック共和國	一・三六	一	一	五・二四	一
キルギーズ共和國	一	一	一	四・二八	一
ウクライナ共和國	一	一	一六・五	一	一
其他の地区	五・四一	一	一	一・八五	一
計	一〇〇・〇〇	一〇〇・〇	一〇〇・〇	一〇〇・〇	一〇〇・〇

五三

（註）　前掲書（二〇四頁）に據る。

アルミニウム及ニツケル工業もソ聯政權以來の新興工業にして、これが最初の工場としてはヴオルホフ水力發電所の水力電気を基礎とするヴオルホフ・ア

五四

ルミニウム綜合企業（一九三三年建設）なり。其後ウクライナのドニエプル水力発電所の水力電気を基礎としてドニエプル・アルミニウム・コンビナートの建設を見るに至れり。更にウラルのカメンスクにもアルミニウム工　が建設されたり。該地方はアルミニウム原料たるボーキサイトの産地として有名なり。此の他ザバイカルのザンゲズルスキー区に目下建設中のザバイカル・アルミニウム工場ありて、之は該地方に産する明礬石を原料とするものなり。

ソ聯邦に於ける唯一のニッケル鉱生産地なる中部ウラルのウファレにニッケル工場あり、又、最近建設を見しものに南ウラルのオルスク・ニッケル工場、コラ半島セシチエゴルスクのニッケル綜合企業、即ちムルマンスク州のセヴエロ・ニッケル工場など著名なり。

尚、欧洲動乱勃発後に於て、ソ聯邦は中部ヴオルガ地方ホリロフスキー区のクローム及ニッケルを含有する鉄鉱採取に着手せる他、ウズベック共和國のメリニコオ驛にアルマルイクスキー製銅コンビナートの建設、カザフスタンのアクチユビンスキー区に於ては金・銀・ニッケル鉱の処理を開始、コルビン山脈

区に於ては錫鉱の開発に着手、キルギーズ共和國のハイダラカン及ダムジヤエに於ては水銀及アンチモニー鉱の開発に着手せり。

五、機械工業

両次の五ケ年計畫の年間にソ聯邦の機械工業の地理的配置は著しく複雑化し、且つ大なる変化を示せり。舊工業地方に於ける各種機械工業の急テンポな発展と並行して、ウクライナ、ウラル、沿ヴオルガ地方にも工業建設が續々と行はれしのみならず、更に外コーカサス、中央アジヤ、西シベリヤ、東部シベリヤ、極東地方にも機械工業基地が新たに建設さるゝに至れり。即ち革命前には全然機械工業を有せざりし民族諸共和國及州にも新たなる機械工業の建設を見たり。例へば中央アジヤのタシケントには大規模の農業機械工場　ウファには発動機工場、アゼルバイジヤン共和國のウドムウルツカヤには自動自轉車工場、ブリヤート蒙古共和國のウラン・ウデには数千人の従業員を擁する大規模の機関車車輌工場、其他ヴオルガ沿岸地方、極東のハバロフスク・ウラジオストーク、コムソモリスク等にも機械工業の勃興するあり。又、両次の五ケ年計畫中に特に異常の発展を示せるはウラル地方に於ける機械工業にして、チエリヤビンスクのトラクター工場、ウラルマシ工場、スヴエルドロフスクのエレクトロマシノストロイテリヌイ工場（電機製作工場）ウラル車輌工場等の如き大工場の建設を見たり。一方、南露ウクライナ地方、即ちハリコフ・クラマトルスク・キエフ・ヴオロシーロフグラード・ゴルロフカ等にも機械工業の進展を見るを得べし。

帝政時代より承け継ぎし舊来の工業地方には主として複雑なる新型機械（工作機械工業・電気機械製作工業・精密機械工業等）工業が集中せられ、その他紡績機械、軽工業並に食料品用機械工業の基本的企業多し。製鉄地方には亦主として金属加工機械製作工業、熔鉱炉・マルチン炉・圧延用設備機械の製作工業発展せり。

次に各部門別に機械工業の地理的配置を観察すれば概ね次の通りなり。

(イ)　工作機械及工具

工作機械及工具は機械工業自体の基礎的工業にして、其の中心地はモスクワ・レニングラード・ゴリキー・ウラル・ウクライナ等なり。而して新設の工作機械製作工場中最も大なる意義を有するものとして挙げらるゝはモスクワの轉刀旋盤工場、ゴリキー市のフライス盤工場、チエリヤビンスクの重工作機械製作工場、スヴエルドロフスクの歯切旋盤及多軸複合工作機械製作工場、キエフ及ハリコフの自動盤製作工場等なるべし。

機械工具製作の中心地は主として、バカール鉱を原料として良質鋼を生産し居るウラルのチエリヤビンスク州に於けるミアツスなり。ソ聯邦政権以来少数の既設工場、例へばレニングラード・セストロレーツク・モスクワなどに於ける工場の拡張や改造とは別個に、モスクワにフレゼル工場（切断工具製造工場）及カリブル工場（検査及測定具工場）を筆頭として多数の工具製作工場の新設を見たり。又ゴリキー州のパヴロヴオ・ヴオルスマ・ヴアチヤの如き舊来の手工業的金属工業の中心地にも機械工具製作工場が建設せられたり。

(四) 鑛山用裝置・化學工業機械・輕工業及食料品工業用機械

鉱山用装置並に冶金業用の重機械乃至設備の機械製作工業を見るに、其の中心地は多量の金属及燃料を必要とする関係上、石炭産地及冶金業地方に集中せられ、冶金工場用装置製造の如きは殆んど両次の五ケ年計画の間に建設を見しものにして、其の代表的なるものとして、ウクライナ共和國ドネツ州クラマトルスク所在スターリン名稱クラマトルスク工場及スヴエルドロフスク州スヴエルドロフスク所在オルジヨニキーゼ名稱ウラルマシ工場（ウラル機械製造工場）を擧ぐるを得べし。鉱山用装置製造工業、特に石炭業用機械製造工場は、石炭産地即ち南露のウクライナに於けるスタリノ、ゴルロフカ、ドルジユコヴ、ハリコフ及びシベリヤのノヴオシビルスク、アンヂエロ・スウヂエンスク、イルクーツク等に配置しあり。石油業及泥炭工業用装置製造工業も當該燃料産地に配置せられ、其のうち最も重要なる石油工業用機械製作工場はバクー及グローズヌイにあり、泥炭工業用機械製作工場はイワノヴオ、カリーニン市などに所

五九

在す。尚石炭及冶金業と関聯を有する化学工業も石炭産地に発達し居るを以て化学機械製作工場も同様に是等石炭及冶金地方に建設せられたり。

又、産金業用装置製作工業はウラルのウファ及ヴオトキンスク、東部シベリヤのイルクーツク、極東のブラゴウエスチエンスク等に配置しあり。而して繊物機械製作工業は主としてモスクワ・レニングラード・イワノヴオ・シユヤ等にあり、食料品工業用機械製作工業の中心は黒土地方に於ける各州、例へばクールスク・ヴオロネヂ及ウクライナのキエフ・ハリコフ・オデッサ・メリトポリ、クリミヤのシムフエロポリ・ケルチ、北コーカサスのタンガローグ、外コーカサスのトビツリス等なり。

(ハ) 動力機械及電氣機械・運輸機械・農業機械

動力機械及電気機械製作工業は主として、モスクワ・レニングラード・ハリコフに集中しあり、強力なるゼネレーターを製作するレニングラードのエレクトロスターリ工場、スターリン名稱レニングラード金属工場、セヴカベリ工場

六〇

モスクワのクイブイシエフ名稱モスクワ・エレクトロ・コンビナート、キーロフ名稱ディナモ工場、ハリコフのスターリン名稱電氣機械製造工場、タービン発電機工場の如きはソ聯邦に於ける発電装置の製造に貢献する所大なり。動力機械及電気装置製造工業は亦、スウエルドロフスクにも建設を見、これら工業は何れもスターリンの五ケ年計畫中に建設せられしものにして、一般工業及運輸部門の動力経済に重要なる役割を演じ居れり。

運輸機械製作工業は現在、機関車及車輛製作に決定的なる意義あり。而して舊來の中心地ソルモヴオ、コロムナ（モスクワ郊外）、オルジヨニキーゼグラード（舊名ベジツア）、ハリコフ、ヴオロシロフグラード（舊名ルガンスク）、ムイチシユチなど鉄道網の密集地方に集中せられあり、然しこれら舊來の中心地の運輸機械工業の発展と並行して機関車及車輛製作の新たなる中心地の発展するあり、例へばスヴエルドロフスク州のニージネ・タギールにはその生産高に於て、設備に於て世界一とソ聯の誇稱するウラル・ワゴン・コンビナート（第三次五ケ年計畫中に建設完了豫定）、又、モスクワ州のカシールには電氣

六一

機関車を製作する大工場建設せられ、更にチカロフ州のオルスクにはカザフスタン及中央アジヤに於ける鉄道の如く給水設備無き地方の鉄道に必要なるディゼル機関車並に蒸汽機関車製作工場の建設を見たり。一方、旅客車輛製造工業の発展を見つゝあるタタール自治共和國カザン（郊外）は今や客車製作の中心地となれり。

造船業は両次の五ケ年計畫の年間に於て、量的にも質的にも可成の進展を示したりと雖も、其の地理的変化は比較的少し。現在、海上用船舶建造に於いて決定的意義を有するはレニングラード及ニコラエフにして、此処には根本的改造を施されし船舶及造艦工場あり。又、近年造船業の新興地方としてアルハンゲリスク・ムールマンスク・ウラヂオストーク、アムール沿岸のコムソモリスクなどあるは注目に價するものなり。海上用船舶建造基地に比較して配置の著しき変化を示せるはヴオルガ沿岸の新設造船所とは別個にドニエプル河・オビ河（チユーメニ、トボリスク）などに多くの造船工場の新設を見しことなり。

自動車工業の地理的配置如何と云ふに、之はソ聯邦に於ては新しき部門に高

六二

する工業なるが、両次の五ケ年計畫の年間に於て著しき変貌を示せり。即ち曽てモスクワの半手工業的なりしリヤブウシン自動車組立工業が近代的なるスターリン名稱自動車工場に変れり。又、舊ヤロスラウリ自動車工場は現在、重量自動車製作の大工場に変れり。該工場に於ては三軸の無限軌道式自動車、五瓲乃至六瓲積貨物自動車、大型乗合自動車等を製作しつゝあり。更に両次の五ケ年計畫中にゴリキー市にモロトフ名稱の大自動車工場建設せられたり。尚ソ聯邦の中央地方に配置されし自動車工場は當該地方に存在する数十に上る機械製作工場及其の他の工場と密接なる連繫を有す。例へばエル・エム・カガノヴィッチ名稱モスクワ・ボールベアリング工場、クイブイシエフ名稱エレクトロ・コンビナート・キーロフ名稱デイナモ工場等と有機的に結ばれ、又、ヤロスラウリ・ゴム・アスベスト・コンビナートの如きは自動車工場にゴム輪を供給し、イワノヴオ及其他中央諸州の諸工場が硝子を自動車工場に供給するが如き之なり。斯様に自動車工業は中央地方の多種多様の工業生産と密接なる関係を有す。

農業機械製作工業に於てはソ聯はアメリカを凌駕し世界第一位を占む。両次

六三

の五ケ年計畫に依り配置されし農業機械工業を見るに、ロストフ州ドン河畔ロストフのスターリン名稱ロストセリマシ（ロストフ農業用機械製作工場）、ザラトフ州サラトフのシエボルダエフ名稱サルコンバイン（サラトフ・コンバイン製造工場）及スターリングラード、チエリヤビシスク、ハリコフのトラクター工場等が最も規模の大なるものなり。

(ニ)　木材工業

両次の五ケ年計畫の年間に木材工業の配置にも大なる変化を示せり。例へばアルハンゲリスクに於けるモロトフ名稱木材コンビナート、ボブルウイスキー木工コンビナートの如きは世界最大の規模にして、又ヴオルガ河のサラトフ、スターリングラードにも大規模の木材加工工場あり。此の他マグニトゴルスクにも数十に上る製材工場建設せられたり。しかし、ソ聯邦の木材工業の地理的配置は極めて不合理にして、遠距離輸送・交錯輸送を以て運輸機関の負担を重からしめ、例へばシベリヤより中央アジヤへ原木のまゝ輸送され、しかも中央

六四

アジヤに於ては原木では使用不可能なりといふ矛盾を生ぜしめたり。又、ソ聯邦の欧露北部地方は森林に恵まれ居るにも拘らず、その加工工業甚だ振はずして、木材の遠方よりの供給を受けつゝあるが如き状況なり。第十八回党大會に於て此の木材工業の配置の合理化が要請されしも故無きにあらず。

(ホ)　輕工業（纖維工業）

両次に亘る五ケ年計畫の間に、ソ聯邦の重工業部門が東部に移動せることは顯著なる事実なるも、纖維工業の地理的配置は、第二次五ケ年計畫末期に至る迄殆んど変化を見ず、中央地方並に西北部地方に極限せられ居たり。尤も一九三三年初頭に於てソ領中央アジヤ及西部シベリヤ地方に纖維工業の新中心地建設の必要叫ばれ、両次の五ケ年計畫中に是等両地方並にトランスコーカシヤ地方に紡錘数合計四〇〇、〇〇〇、織機数合計一〇、〇〇〇に達する木綿工場建設せられ、其の中にはフエルガナ、アシハバッド、レーニナカン、キーロヴオバッド等の各紡績、織機工場並に労働者数五、七〇〇を有するタシケント工場及び、

六五

労働者八、三〇〇人を擁するバルナウル工場の大合同纖維工場あり、両工場共に一〇〇、〇〇〇の紡錘数を有す。右の他ノヴオシビルスクに於ても紡績工場の建設に着手せられたり。

然りと雖、東部諸地方に於ける是等纖維工場の建設は全ソ的に見る時に、未だソ聯邦纖維工業の配置に大変化を齎すものに非ず、其の生産高の全纖維工業生産額に對する割合の如きも比較的僅少なるを以て、同工業の中心は依然として舊纖維工業地方たるモスクワ、イワノヴオ、レニングラード、カリーニン地方に在りと云ふべし。但し、第十八回党大會に於いては、第三次五ケ年計畫中にソ聯邦東部地方に大纖維工業基地を確立し、中央アジヤの棉花を加工してソ聯邦纖維工業の集約的生産増加の前提となすべきことを決定せしことは事実なり。即ち西部シベリヤ及び東部シベリヤ並に極東地方は近年工業化の発展に伴ひ綿織物を大量に消費し居り、一九三八年度の如きは約二億二千五百万米の需要量に達し、第三次五ケ年計畫中の人口増加などを豫想すれば更らに尨大なる需要量を増大すべく、該地方に於ける纖維工業の建設は原料及製品の長距離輸

六六

送並に交錯輸送など不生産的輸送を排除して生産原價を引下げ得るものとして期待され居れり。

(い) 食料品工業

ソ聯邦に於ける製粉工業の中心はウクライナ共和國、アゼルバイジャン共和國、北コーカサスの各州及地方、沿ヴオルガ特にヴオルガ中流の黒土地方、タタール自治共和國、バシキール自治共和國、チエリヤビンスク・オムスク・東部シベリヤ等の穀物地方、アルタイ・ハバロフスク・沿海州地方の穀物地方にあり。尤も、カリーニン、ルイビンスク、ヤロスラウリ、キネシマ、ゴリキー等の如きヴオルガ上流の非穀物地方にも製粉工業の配置を見ると雖も、是等諸都市に於ける製粉は、ヴオルガ河の水流を利用して到着せる穀物に加工し、一部を當該諸都市に於て消費し、他は鉄道輸送に依り他地方へ發送するに在り。他地方より輸送される穀物による製粉業の中心として、バクー及タシケントを擧げ得べし。バクーの製粉業は鉄道に依て到着する北コーカサス及ウクライナ

からの穀物及びカスピ海経由によるヴオルガ沿岸地方の穀物を加工してザカフカズの大部分へ製品を供給し、タシケントは主としてカザフスタン及ヴオルガ沿岸地方からの穀物を加工して之を中央アジヤに供給し居れり。

元來、食料品工業は帝政時代から極めて多種類に上り、且つ大量生産が行はれしが、生産の技術的水準の高かりしは政府の支持ありしウオツカ・精糖・煙草の諸工業のみなりき。然るにソ聯政權以來、凡ゆる種類の食料品工業の改善進歩を見、最新の技術装置を備へし幾十の食料品工場が新たに建設され、主として消費地、新興工業中心地に配置されるに至れり。尚精肉工業は僅々十年間の歴史を有するに過ぎずと雖も、一九三三年以來大規模の綜合企業(コンビナート)の建設を見、例へばモスクワ・レニングラードのそれの如きは大量生産並に技術装備其他多くの点に於て、世界的精肉工業中心地と稱せられるアメリカのシカゴの諸工場を凌駕すと自負し居るものゝ如し。而して両次の五ケ年計畫の間に三十ケ所に達する精肉コンビナートの全國主要都市に建設せらるゝあり、亦精肉コンビナートの配置は畜産地方を主として、カザフスタン及びキルギーズ等に多し。

罐詰工業は両次の五ケ年計畫の間に異常の發展テンポを以て進み、九十以上の工場を算へ、主として牧畜地方、水産地方並に果樹栽培地方に立地集中せられたり。漁業は帝政時代よりバレンツヴオ海のムールマンスク沿岸地方、ヴオルガ、カスピ、黒海、アゾフ等を中心とせるも、現在に於てはこれらの基地に加へて新たなる漁業中心地の配備を見たり。特に吾人の注目に價するは極東のコムソモリスク及ハバロフスク、カムチヤツカ、オホーツク、アヤンズクなどに於ける漁業の發展なり。

ソ聯邦に於ける製糖業の中心は依然としてウクライナ及中央黒土地方に集中せられ居るも、甜菜生産の進展に伴ひ東部地方にも工場の建設を見たり。即ちキルギーズ共和國・カザフ共和國・西シベリヤ・極東・グルヂヤ共和國等にも製糖工場建設せられたり。これら新建設の諸工場は前述のウクライナ及中央地方の舊來の製糖業中心地から數千粁の遠隔の地にあることに注目を要すべし。

第三節　工業生産の構成

ソ聯邦に於ける生産構成は、第一次五ケ年計畫を經て第二次五ケ年計畫に入るや大なる變化を示せり。即ちソ聯の國民経濟の改造に必要なる重工業部門たる製鉄業・工作機械工業・動力機械製作工業・電力業・石炭業・有色冶金業の如き諸部門を發展せしむることが第一次五ケ年計畫の一大目標なりしなり。又、第一次五ケ年計畫に於ける重工業は、その固有の生産設備の創設に限定されず、同時に農業に對してトラクター、コンバインの如き近代的機械又は肥料を供給し、當時着手されし農業の共營化のために技術的基礎を與へることに依ってソ聯農業の再建を促進せしめたり。

然るに、第二次五ケ年計畫に於ける重工業は、それ自体を根本的に再組織して、廣くソ聯邦の全國民経濟の改造に與って力ありき。此の國民経濟の再建に指導的役割を演じたるは機械工業なり。特に運輸關係（鉄道運輸及自動車運輸）

主要製品別工業生産の増加

（B）

品名	単位	ロシヤ 一九一三年	ソ聯邦 一九二九年(1)	ソ聯邦 一九三二年	ソ聯邦 一九三七年	一九一三年に對する一九三七年の比重(%)
機械製作及金属加工業	一九二六・七年の百万留	一、四四六	三、三四九	九、四一〇	二七、五一九	一、九〇〇・三
工作機械	千臺	一・五	三・八	一五	三六・一	二、四〇六・六
貨車（二軸車換算）	〃	一四・八	一五・九	二三・一	六六・一	四四六・六
トラクター	〃	―	三・三	五〇・六	一一五・六(5)	―
トラクター犂	〃	―	一・〇(2)	一八一・六	四〇六・一	―
自動車	〃	―	一・四	二三・九	二〇〇	―
発電量	十億キロワット時	一・九	六・二	一三・五	三六・四	一、九一五・八
石炭	百万瓲	二九・一	四〇・一	六四・四	一二八・〇	四三九・九
石油	〃	九・二	一三・八	二二・三	三〇・五	三三一・五
鉄鉱石	〃	九・二	八・〇	一二・一	二七・八	三〇二・二
銑鉄	〃	四・二	四・〇	六・二	一四・五	三四五・二
硫酸	千瓲（無水化物）	一二一・〇	二六五・〇	五五二・〇	（一、六六六・〇）(4)	一、三七六・八
曹達灰	千瓲	一六〇・〇	二三一・四	二八四・九	四九五・七(3)	三〇九・八
過燐酸塩	〃	六三・〇	二〇四・〇	六一六・〇	一、四三五・〇	二、二七七・八
セメント	百万瓲	一・五	二・二	三・五	五・五	三六六・七
挽材	百万立方米	一一・九	一六・六	二四・二	三三・八	二八四・〇
紙	千瓲	一九七・〇	三八四・九	四七一・二	八三一・六	四二二・一
綿布	百万米	…	三、〇九四	二、六九四	三、四四七・七	―
毛織物	〃	…	九三・二(2)	八八・七	一〇八・三	―
皮靴（工場製品）	百万足	八・三	四八・八	八四・七	一六四・三	一、九七九・五
砂糖	千瓲	一、三四六・八	一、二八二・六	八二八・二	二、四二一・一	一七九・七
石鹸	〃	一二〇・〇	二四七・八	三五七・二	四九五・二	四一二・六

（註）(1) 多数の製品に関しては一九二八―二九年度。
(2) 一九二七―一九二八年度。
(3) 一九三六年。
(4) 計畫。
「経済の諸問題」誌一九四〇年第二号。

の部門・食料品工業・軽工業などの部門並に國防の強化を保證する工業部門も亦著しき発展を見たり。第二次五ヶ年計畫に於て最も大なる意義を有せるは、製鉄業の迅速なる発展及有色冶金（ニッケル・亜鉛・錫）業の新部門の創造にして、總べて之等はソ聯邦工業に於ける部門構成に極めて大なる変化を與へたり。帝政ロシヤ時代及資本主義諸國に於ける生産部門並に第三次初頭に於けるソ聯邦工業の部門構成の差異を観るために別表を掲ぐべし。

本章第一節「國民経済に於ける工業の地位」の項に於ても述べし如く、ソ聯邦は工業総生産高並に工業化水準の見地よりする最も重要なる工業部門の生産高に於て欧洲第一位を占むるに至れり。又機械工業製品――即ち進歩せる技術を基礎として全國民経済を発展せしめる鍵であるところの工業部門、例へば農業機械・コンバイン製作に於ては世界第一位を占め、トラクター・貨物自動車製作並に鉄鉱・過燐酸塩の生産に於ては欧洲第一位、電力・銑鉄・鋼の生産に於ては欧洲第二位、但し人口一人當り生産高に於ては猶先進國に劣れること亦既述の通りなり。而して、世界工業生産に占むるソ聯邦の割合は、帝政時代の

七一

七二

一九一三年の二・六%に對し一九三七年に於て一三・七%に達せるも、之は一九一三年より一九三七年に至る二十四年間には非ずして實質的には両次の五ヶ年計畫の僅々十年の間に過ぎざることに注意すべきなり。

兎も角も舊式なる農業國より強大なる工業國に変化せる現段階に於けるソ聯邦の工業生産機構には自ら複雑なるものあり、且つ又、ソ聯邦の工業は帝政時代の生産機関を基礎として開始せられたりと雖も、現在に於ては當時全然無かりし工業部門、例へば工作機械工業・自動車工業・トラクター工業・加里及窒素工業・ニッケル及アルミニウム工業等の如き重要なる工業部門を創造せり。

而かも亦、両次の五ヶ年計畫に於ける工業生産の量的増加に伴ひ根本的なる技術的改造が実現せられしことも認め得らるべし。但しソ聯邦工業の特徴的なるものとしては、両次の五ヶ年計畫を通じて軽工業部門即ち消費財生産部門に比して、重工業部門即ち生産財生産部門の進展に全力を注ぎしことなり。之はソ聯立國の初めより所謂國防國家体制を堅持し居る理由に他ならざるべし。斯く重工業生産第一主義なりとはいへ、近年消費財生産の進展にも見るべきもの

あり、尚第二次五ケ年計畫最終年度たる一九三七年十一月二十三日、聯邦人民委員會議附屬常設機関として創設せられたる経済會議の分類に從へば、第一は冶金業及化学工業に屬するものにして黒色冶金・有色冶金・化学工業・亜硫酸塩・酒精及加水分解工業等之なり。第二は機械製作の部門にして、重機械・中機械・一般機械の製作並に電気工業なり。第三は國防工業の部門に屬するものにして、航空工業・彈薬工業・兵器工業・造船工業等なり。第四は燃料及電力の部門に屬するものにして石炭・石油を初め発電所、共和國・地方等の各種燃料工業之なり。第五は一般民需品生産部門に屬するものにして纖維工業・軽工業・食料品工業・精肉工業・乳工業・漁業等なり。然し本稿に於ては、生産財生産部門として製鉄業・石炭業・石油業・機械工業・電力業、消費財生産部門として食料品工業・木材工業・紡績業のみに就て概説すべし。

一、製鐵業・石炭業・石油業・機械工業・電力業

(イ) 製鐵業

両次の五ケ年計畫の年間に達成せられし工業化と國民経済の凡ゆる部門に亘る技術的再建は製鉄業の発展を無條件的に必要とせり。即ち機械工業を初めとして、工場・鉄道・都市の建設など一として鉄を必要とせざるもの無きを以て、此の部門の異常なる進展を見しことは寧ろ當然なりと云ふを得べし。而して、一九三七年に於ける銑鉄の生産は一九三二年の六二〇万瓩に対し一四五〇万瓩にして二三五％の増加率なり。一方、鋼生産は一九三二年の五九〇万瓩に対し一九三七年には一七七〇万瓩にして其の増加率は二九九％なり。鋼材（鋼管及鍛鉄を含む）は一九三二年の四四〇万瓩に対し一九三七年には一三〇〇万瓩にして実に三〇三％の増加率を示せり（ア・デ・クールスキー著、「第三次五ケ年計畫」モスクワ・一九四〇年版）。

殊に機械工業発達の要求により、ソ聯邦にとりては殆んど新しき部門たる電気鋼及良質鋼の如き、一九三七年に於ては一九三二年の八・四倍の激増を示せり。即ち一九三二年の五五万五千瓩より、一九三七年の二五〇万八千瓩の増加にして、此の電気鋼の生産に於てはソ聯邦はアメリカを凌駕せり。しかも良質鋼の生産は新冶金基地の建設、主として東部地方に於ける製鉄基地の発展に依るものとして吾人の注目に價する所なり。

勿論、ソ聯邦の製鉄業は其の絶對量は増大を示したるも、之を地域別に見しその相対的生産量の増加率は不同にして、概して新興生産地方の比重の著しき増加を示せること他の工業諸部門に於けるが如し。例へば両次の五ケ年計畫の結果、ソ聯邦東部地方に於ける銑鉄生産は、革命當時迄のロシヤの総生産額に匹敵する四一〇万瓩に達し、鋼材の如きは東部に於て更に比躍的増産を見たり。之は機械工業の中心地が東部地方に移動せることも與って力あるものと認め得べし。ソ聯邦に於ける銑鉄生産高の地方別的比重を見れば次表の如し。

ソ聯邦の地方別銑鐵生産高

地方	一九一三年		一九三七年	
	数量（千瓩）	全國に対する比重(%)	数量（千瓩）	全ソに対する比重(%)
南部	三、一〇五	七三・七	九、二一五・六	六三・六
中央及沿ヴオルガ	二〇九	四・九	一、一六七・三	八・〇
ウラル	九〇二	二一・四	二、六三三・二	一八・二
シベリヤ(クズネツク工場)	—	—	一、四七一・三	一〇・二
計	四、二一六	一〇〇・〇	一四、四八七・四	一〇〇・〇

（註） イエ・エル・グラノフスキー、ベ・エル・マルクス編「社會主義工業の経済学」モスクワ、一九四〇年版。

右の表に依て明かなる如く、銑鉄生産に於て南部の比重は、革命當時に比較して勿論増大を示し居るにも拘らず、対全ソの比重は着しき低下を示したり。ウラルに於ける比重の低下は有害分子に依る妨害の結果なりと稱し居るも忠も角も中央地方及シベリヤの増加率に比して低下を示したるは事実なり。シベリヤの増加率の如き今日に於てはソ聯邦の銑鉄総生産高の一〇％を占むる事は注目に價ひすべし。

然らば鋼生産の地方別比重は左表に依て窺ひ知るべし。

ソ聯邦の地方別鋼生産高

地方	一九二七年－一九二八年		一九三七年	
	数量（千瓲）	％	数量（千瓲）	％
全ソ聯	四二五〇・九	一〇〇・〇	一七七二九・八	一〇〇・〇
内譯				
南部	二五一〇・三	五九・一	九三二一・九	五二・六
中央及沿ヴオルガ	七八七・一	一八・五	三二八八・四	一八・五
ウラル	九四七・二	二二・三	三四八七・九	一九・七
シベリヤ	六・三	〇・一五	一六三一・六	九・二

七七

（註）　前掲書．

右の表に依ればソ聯邦の鋼生産に於て、南部諸工場の比重著しく低下せるを認め得べし。之はウラル、西シベリヤ（クズネツク工場）特に中央地方に於ける鋼生産が南部に比較して屑鉄及機械工場の廃物等小規模冶金業の発展に依るもの著しきを物語るものなり。又、工業並に運輸の発展に伴ひ、金属の回轉量増大し、鋼生産は銑鉄生産を絶えず凌駕しつゝあること看取し得らる。この事はまた鋼の各地方に於ける分散的生産を助長せり。

次にソ聯邦國防工業の急激なる発展の要求よりして、良質鋼並に電気鋼の生

七八

産増大せることは本項の初めにも述べしが、電気鋼の生産は一九三六年に於て八六二、〇〇〇瓲に達し、ソ聯邦に於ける鋼生産量の約五・三％に達せり。此の比率は一九三六年に於けるチエツコの五・七二％、一九三四年に於ける日本の五・四三％、同年に於けるスエーデンの一九・一二％、矢張り同年のイタリーに於ける二〇・五五％に次ぐものにして、優良鋼の生産に対しソ聯邦政府が最大の努力を拂ひし結果なるべし。而もソ聯邦産良質鋼の品質は他の鉄材及鋼材に往々見らるゝが如き不成績のもの比較的少く、特に軍需工業用良質鋼の規格極めて厳重なりとす。現在ソ聯邦に於ける良質鋼（電気鋼を含む）生産の目的を以て特設せられし工場を挙ぐれば左の如し。

工場名	地方
一、ベロレツキー工場	ウラル
二、エレクトロスターリ工場	中部
三、カガノヴーツチ名稱工場	ヴオルガ沿岸
四、クラスヌイ・オクチヤブリ工場	同
五、カバコフスキー工場	ウラル
六、レンメタル・ゴストロイ工場	レニングラード
七、ザポロージスターリ工場	南部
八、セルプ・イ・モロト工場	中部
九、ズラトウドフスキー冶金工場	ウラル
一〇、スタリンスキー工場	南部
一一、テイルリヤンスキー工場	ウラル
一二、ウエルフイセツトスキー工場	同

七九

右の諸工場の中、二及七は純然たる特殊鋼用工場として建設せるもの、而して四は自動車及トラクター工業の需要を充す目的を以て大工場に拡張、又、五、八、九、一〇、一二、の五工場は従来市販賣鋼材製造工場なりしを漸次特殊鋼生産工場に改造せるものなり（情報）。

尚、一九三七年末に於けるエレクトロスターリ工場の電気炉の最大可熔量は一七七・五瓲にして、同工場に於ける一九三六年度電気炉鋼生産は一六一・七千瓲、

八〇

然るに一九三六年度のソ聯邦電気鋼総生産高は八四万五千瓲なり。之を以て見るに前記工場は一九三六年に於けるソ聯邦電気鋼総生産高の五分の一即ち二〇%を生産せり。更にザポロジスターリ及びズラトウトフスキー工場の電気炉の最大可能量は合計一九三瓲なるを見れば、ソ聯邦電気鋼生産の約五〇%弱が前記三工場に於て生産されるものと判断するを得べし。

次に製鉄業の消長は先づ第一に鉄鉱並に燃料に依て支配されるを以て、いま主要資本主義国の鉄鉱資源に対してソ聯邦のそれは如何なる地位にあるかを示せば概ね左表の如し。

国名	一九一〇年		一九三七年	
	数量（百万瓲）	比重（%）	数量（百万瓲）	比重（%）
世界総埋蔵量	一四五、七八四	一〇〇・〇〇	五〇〇、三九三	一〇〇・〇〇
ロシヤ	一、六四八	一・一三	ー	ー
ソ聯邦	ー	ー	二六七、三〇五	五三・四四
アメリカ	七三、三六三	五〇・三四	九四、三二四	一八・八四
イギリス	三九、〇〇〇	二六・七五	一二、一六八	二・四三
フランス	三、八〇〇	二・二六	一一、七九〇	二・三六
ドイツ	三、六〇八	二・四七	一、五四八	〇・三〇
日本	五五	〇・〇三	七七	〇・〇一
ブラジル	五、七一〇	三・九一	一五、四〇〇	三・〇八
其の他諸國	一九、一〇〇	一三・一一	九七、七八一	一九・五四

八一　八二

（註）バリザク、フェイギン編「ソ聯邦の経済地誌」に據る。

更に之をソ聯邦の地域別鉄鉱埋蔵量は次表の如し。

地方別蔵鉱埋蔵量

地方	埋蔵量（百万瓲）	ソ聯邦総埋蔵量に対する%
第一石炭冶金基地	四、一七六	三六・五
内譯 ウクライナ共和國	一、四五四	一二・七
クリミヤ自治共和國	二、七二二	二三・八
第二石炭冶金基地	二、五一六	二二・〇
内譯 ウラル	二、三七一	二〇・七
西シベリヤ	一四五	一・三
東部シベリヤ及極東	一、一五三	一〇・〇
内譯 東部シベリヤ	九六六	八・四
極東	一八七	一・六
其の他の地方	三、六一〇	三一・五
内譯 西部及欧露の北部	一、五九七	一三・九
工業中心地及黒土中心地	一、二六六	一一・〇
沿ヴオルガ及北コーカサス	三二七	二・九
アゼルバイジャン共和國	一九三	一・七
カザフ共和國	一七一	一・五
其他の地方	五六	〇・五
計	一一、四五五	一〇〇・〇

八三　八四

（註）前掲書。

即ち右の表に據れば埋蔵量の大なるはウクライナ、クリミヤ、ウラル、シベリヤ及極東地方なり。其他クールスクの磁力偏差地方の鉄鉱埋蔵量の如きは二〇三七億瓲と註せらる。

次に製鉄業の熔鉱爐の現勢を見ると、少くとも熔鉱炉を有する工場は依然として南露に集中せられあり、ウラルのマグニトゴルスク及西シベリヤのクズネツク所在の大工場が之が次ぎ、第三位は中央地方のトウラ及リペツクなり。今

地方別熔鑛爐現在數

（容積單位 立方米）

地方	一九二九年一月一日現在 基數	一九二九年一月一日現在 全容積	一九二九年 基數	一九二九年 全容積	一九三〇年 基數	一九三〇年 全容積	一九三一年 基數	一九三一年 全容積	一九三二年 基數	一九三二年 全容積	一九三三年 基數	一九三三年 全容積	一九三四年 基數	一九三四年 全容積	一九三五年 基數	一九三五年 全容積	一九三六年 基數	一九三六年 全容積	一九三七年一月一日現在 基數	一九三七年一月一日現在 全容積	總數に對する百分率 一九二九年一月一日現在	總數に對する百分率 一九三七年一月一日現在
南部	二九	一三七五三・〇	四	三一二六・〇	二	一六七七・〇	一	一〇四七・〇	三	三五七四・〇	五	三五七四・〇	五	四六七〇・〇	二	一八六〇・〇	二	二〇九三・〇	六三	三三一四二・五	六九・一	六一・[illegible]
ウラル	二八	四五五七・一	五	九九一・〇		一〇三九・〇	一	三五七・〇	二	二三六〇・〇	二	二三九六・〇	—	—	—	—	—	—	四三	一一五九一・〇	二二・八	二一・[illegible]
中部	三		一	五五八・〇	—	—	—	—	一	六九七・〇	—	—	—	—	一	九三〇・〇	一	九三〇・〇	七	四三四八・〇	六・二	八・[illegible]
西シベリヤ	一		—	七九・〇	—	—	—	—	二	一六四三・〇	—	—	二	二三三六・〇	—	—	—	—	五	四〇四七・〇	〇・四	七・[illegible]
沿ヴォルガ	三	二九〇・三	一	七二・〇	—	—	二	一六八・〇	一	一三二・〇	—	—	—	—	—	—	—	—	七	六六三・三	一・五	一・[illegible]
合計	六四		一一	三七四七・〇	七	二七〇六・九	四	一四七三・〇	九	七一七四・五	七	五九七〇・〇	七	六九九六・〇	三	二七九〇・〇	三	三〇二三・〇	一二五	五三七九〇・八	一〇〇・〇	一〇〇・[illegible]

（註）　在独米露人技師に依り齎らされたる情報。

一九三七年末の発表に成る営業中の溶鉱炉の数並にその容積を示せば別紙の如し。

次に平爐、即ちマルチン爐の現勢なるが、一九三七年現在にて三六八基を有し、而もマルチン炉を設備せる工場数は熔鉱炉を設備せる工場数よりも多し。之を以て判断するに、ソ聯邦に於ける主要機械製造工場・造船所・鉄道車輌修理工場等はその大部分半製品たる型鋼鋳物の製造に當り、鋼鑄塊の生産を行はぬ作業機構上マルチン炉設備を不可欠の要素となすためなるべし。

又、熔鉱爐設備に比較して、マルチン爐設備はその原料地との関係に制約せられること甚しくなく、従ってその分布も熔鉱炉よりも普遍的なり。然しソ聯邦に於ては熔鉱炉設備に於けるが如く概して南露を第一位とし、ウラル地方之に次ぎ、西シベリヤ即クズネツク工場第三位を占め、中部地方の意義大ならざるものゝ如し。一九二八年十月一日以降一九三七年一月一日に至るマルチン爐の総数と爐床面積の合計次の通りなり。

八五

マルチン爐総数及爐床面積合計

年次	総数（基）	炉床面積合計（平方米）	一基平均炉床面積（平方米）
一九二八年十月一日	二二二	四、八三六	二一・八
一九三三年一月一日	二九六	六、七四〇	二二・八
一九三五年一月一日	三三六	八、六〇〇	二五・六
一九三七年一月一日	三六八	一〇、〇七二	二七・四
内 新設せられし分	一三四	五、〇七八	三七・九

（註）　前掲情報。

尚一九二八年以降に於ける銑・鋼及圧延製品の生産状況は概ね左表の如し。

八六

製鐵工場の生産状況

年次	鉄鉱	コークス	銑	鋼	圧延製品
一九二八年	六、一三三	四、一七六	三、三七四	四、二七八	三、四八七
一九二九年	七、九九七	四、九九二	四、三二〇	五、〇〇三	三、八三六
一九三〇年	一〇、六六三	六、二〇六	五、〇一七	五、八六三	四、五七〇
一九三一年	一〇、五九一	六、七五六	四、八七一	五、六一四	四、〇八五
一九三二年	一二、〇二五	八、四二一	六、一七三	五、九二二	四、二八九
一九三三年	一四、四五四	一〇、二二五	七、一二八	六、八三五	四、九〇六
一九三四年	二一、五〇八	一四、二二一	一〇、五〇七	九、五六五	六、七二三
一九三五年	二七、一〇八	一六、七四三	一二、四七八	一二、四一八	八、九一五
一九三六年	二七、九六〇	一九、八七五	一四、三九二	一六、一八五	一一、七七八
一九三七年	―	―	一四、五〇〇(1)	一七、七〇〇(2)	一三、〇〇〇
一九三八（計画）年	―	―	一六、二八〇	二〇、二六〇	一五、一一〇

八七

（註）(1) グラノフスキー、マルクス共編「社會主義工業の經済学」に依れば一、四七一万三千瓲なり。

(2) 同書に據れば一、七七二万九千八百瓲なり。

前掲情報に據る。

右の表に依れば銑の生産増加は鋼の生産増加に比して稍々大なること、及び圧延製品は一九三六年に至る迄激増を示し、其の後は再び沈滞状態に在ることを看取し得べし。

尚最近のインダストリヤ（工業）紙の報ずる所に依れば製鉄業に対する原鉱及燃料の供給不足に基因して、近来その生産が制限せられ、現に一九四〇年に於ける工業の中心問題として製鉄業振興策が取り上げられたるは事実なり。之がためソ聯邦當局は製鉄業に於ける全作業工程の機械化、特に採鉱全作業の綜合的機械化水準の引上げに鋭意努力中にして、更に原料供給不足に関聯して、南部地方及中央部の鉱石総管理局・冶金工業総管理局をして、貧鉱利用に依る

八八

原鉱供給を強化せしめつゝあることも認め得らるゝ所なり。

要するにソ聯邦の製鉄業は全体として見る時、両時の五ケ年計画の間に、其の生産の絶対量を増大せるのみならず、立地の変更を促せり。南部の製鉄業は革命當時に於ける銑鉄生産の約三倍の銑鉄を生産し、中央及東部に於ける生産増加テンポは更に甚しきものあり。ウラルのマグニトゴルスク、西シベリヤのクズネツク冶金コンビナートの如き製鉄中心地の建設を見、このウラル・クズネツク綜合企業の実現以来、少くともソ聯邦の東部地方は右のウラル・クズネツク冶金コンビナートより銑・鋼・鋼材の供給を受くるに至れり。此の事実は當然に冶金製品の遠距離輸送乃至は交錯輸送の不合理性を除去すべき筈なるも、東部に於ける冶金業の有害なる専門化は依然としてこれらの不合理輸送を惹起しあるを以て、第三次五年計画に於ては、圧延機の斯かる有害なる専門化の廃止に大なる努力を拂ふものゝ如し。蓋し圧延工場の専業化に依り一九三七年度に於ける圧延製品の如き平均一、三六七粁の鉄道に依る輸送距離を要する結果を招来したればなり。

八九

（ロ）石炭業

冶金業其他重工業部門及鉄道輸送の進展に伴ひ、ソ聯邦に於ける石炭採掘量は両次の五ケ年計画を通じて著しき増産を示せり。即ち第一次五ケ年計画以降一九三九年迄の採掘量は左の通りなり。

年次	採炭量
一九二八―二九年	四〇、〇六七千瓲
一九三〇―三一年	五六、七五二 〃
一九三二年	六四、六六〇 〃
一九三三年	七五、九五九 〃
一九三四年	九三、六〇〇 〃
一九三五年	一〇八、〇〇〇 〃
一九三六年	一二六、〇〇〇 〃
一九三七年	一二七、三〇〇 〃
一九三八年	一三、五〇〇 。

九〇

一九三九年　一四八、一三〇〃（年度計画）

（註）　企畫院発行「ソ聯邦経済國力判断資料」第二輯。

帝政ロシヤ以來今日に至る迄最大の石炭基地たるドンバスに於ける石炭採掘高は一九一三年の約二倍に達し、一九三七年には七七五〇万瓲に達せり。斯く採掘の絶対量は激増を示せるも、全ソ聯の石炭産地に対するドンバスの比重は年々低下せり。即ち西シベリヤのクズバス、カザフスタンのカラガンダを初めとして新興炭産地の採掘高の激増に依る為なり。尤もクズバスの発展はウラル・クズネツク綜合企業と不断に聯関を有し、現在第二のドンバスと称せられるに至れり。事実、クズバスに於ける一九三七年の採炭高は一九一三年の七九万九千瓲に対して七八〇万瓲に達せり。

カラガンダ炭田も革命當時迄はイギリスの資本に依る製銅工場用として僅少なる採掘高に過ぎざりしも、一九三八年には四〇〇万瓲以上の石炭を採掘せり。以上の如き基本的炭産地と並行して、地方小炭田の採掘高も組織的に激増を示

九一

し、一九三八年の如き、是等地方的小炭田に於ける採炭量は三〇〇〇万瓲以上に達せり。

ソ聯各地に於ける採炭量の比重を示せば左表の如し。

炭田別採炭高　（單位 百万瓲）

炭田又は炭産地方	採炭量 一九一三年	採炭量 一九三七年	一九一三年に対する一九三七年の比重（％）
ドンバス	二五・二九	七七・五四	三〇三
クズバス	〇・七七	一七・八一	二、三一四
ポドモスクワ（モスクワ近郊）	〇・三〇	七・五〇	二、五〇〇
ウラル炭田	一・二二	八・〇八	六六三
カラガンダ	―	三・九四	―
東部シベリヤ	〇・八五	五・八一	一、〇二〇
極東	〇・三七	四・八二	七八一
中央アジヤ	〇・一四	〇・九一	五〇七
外コーカサス	〇・〇五	〇・四〇	八〇〇

九二

（註）　バリザク、フエイギン共編「ソ聯邦の経済地誌」一九四〇年・モスクワ版。

尚、グラノフスキー、マルクス共編「社會主義工業の経済学」に依れば一九三八年に於ける全ソの採炭高は一億三千二百九十万瓲にして、内ドンバスは八、七〇〇万瓲（全ソ採炭高に対する比重は六〇・八％）、クズバスは一七三〇万瓲（一三・〇％）、カラガンダは四四〇万瓲（三・三％）、其の他の地方炭は三〇五〇万瓲（二二・九％）なり。

斯の如く採炭量は逐年増加の一途を辿れるにも拘らず、國内の需要を充し得ず、ために近年特に地方小炭田を開発して全聯邦の全地方に亘る燃料バランスを得せしむるやう努力し、併せて石炭の交錯輸送及遠距離輸送を除去しつゝ、

九三

あり。例へばポドモスクワ（モスクワ近郊炭田）の褐炭採取量の増加に依り、従來中央の工業地方に於て消費し居れるドンバス炭の搬入量を著しく減少せしめたり。ポドモスクワ炭の一九一三年の採取量は僅かに三〇万瓲に過ぎざりしも、一九三七年には七四〇万瓲にして正に二五倍の増大なり。又、ウラルのキーゼル、チエリヤビンスク、エゴロシノ、東部シベリヤのイルクーツク（チエレムホーヴオ）、極東のキウダ・ライチハ・アルチヨム、中央アジヤのキルギーズ・ウーゴリ、外コーカサスのトクヴアルチエリ・トクヴイブウリなどに於ける採炭量も激増を示せり。更に東部シベリヤ方面に於ては右のチエレムホーヴオの他にブカチヤチヤ・カンスク・ミヌシンスク・サンゴルハイスク（ヤクーツク附近）、それより東北方のノリリスク、コルイマ地方に於ける炭産地も開発せられたり。極東方面も前記の他にスーチヤン・ブレーヤ・サハリン・カムチヤツカの炭産地の開発を見、カザフスタンに於てはカラガンダ炭田の他にベルチヨグール他二ケ所の炭産地あり、中央アジヤに於いても前記の炭産地の外にフエールガナ峡谷の炭産地の開発を見るに至れり。

九四

次に、ソ聯邦に於て目下石炭工業振興の問題に就いて論議され、実行されつゝあるは先づ第一に新炭産地の開発なり。次は巨大建設の遂行・開発期間の短縮・採業率の増進乃至技術的労働的方策の採用等にして、先づ新炭坑の開発が急務なるもの丶如し。例へば一九四〇年に於ける炭坑開発計画は石炭工業人民委員部関係に於いて一一〇坑を開発し、操業開始予定の炭坑数は七一坑にして採炭予想高は三二〇〇万瓲なり。而かも炭坑建設の重点は従来のドンバス及クズバスよりウラル・シベリヤ及極東・ポドモスクワに於ける新炭産地に置かれしこと、前記地方別産炭比重の変化に依るも窺はるべし。

尚、第二次五ケ年計画に於ける石炭の用途別需給状況を挙ぐれば左表の如し。

石炭用途別需要（単位千瓲）

	一九三二年	同上%	一九三七年	同上%
全聯邦	六四、五一〇	一〇〇・〇	一五一、〇一三	一〇〇・〇
交通人民委員部関係	一八、四三九	二八・五	四三、六四〇	二八・九
水運人民委員部関係	一、二四一	一・九	二、六〇一	一・七
重工業人民委員部関係	一五、四八七	二四・〇	三八、三四八	二五・一
食料品工業人民委員部関係	二、〇七五	三・二	六、六四九	四・五
林業人民委員部関係	二三四	〇・四	五三三	〇・四
調査委員會	三六二	〇・六	六六七	〇・五
ロシヤ・カザフ・キルギス共和國	四、三一七	六・七	七、七八〇	五・二
其の他の消費者	五、四四〇	八・四	一〇、〇六七	六・七
コークス製造用	一一、五六三	一八・〇	三〇、七五九	二〇・四
燃料工業自家用	四、七七二	七・四	七、四五一	四・九

（註）満鉄調査部発行「ソヴエート聯邦事情」第十巻第一号六〇頁－六一頁。

右表に依り明かなる如く、採炭量は消費量に追付かぬことが判明すべし。斯くて第三次五ケ年計画に入るや増産計画に次ぐ増産計画を以てし、石炭工業振興方策を採用し居る理由亦自ら明瞭なるべし。昨年の如きは石炭工業人民委員部関係に於て一八二坑の採掘開始の豫定なりしも、実際には僅かに八四坑の採掘開始に過ぎず、炭坑建設期間短縮運動並に建設及炭坑設備の規格統一の必要提唱されたるは之が為なり。又一九四〇年に於ける全炭田の対前年増産率は一五・九%、ドンバス炭田のそれは九・二%、東部石炭工業総管理局関係に於けるそれは一八・四%、ポドモスクワ炭田に於けるそれは二二・五%、ウラル炭田のそれは五七・四%の増産計画にして、新炭産地に於ける増産計画率の高きことに注目を要すべし。

尚、ソ聯邦に於ける地方燃料の主要なるものとして泥炭工業の演ずる役割極めて大なり。例へばレニングラード、カリーニン、イワノヴオの諸州、其他中央及北西地方に於ける泥炭工業の発展は白ロシヤ共和國に対する燃料の遠距離輸送を著しく少しつゝあり。又、レニングラード州に対し頁岩工業の進展も大なる意義を有し、殊に殆んど遠距離輸送に依る燃料に依存し居る沿ヴオルガ中流地方の頁岩工業の振興は最も大なる意義を有するに至るべし。

(い) 石油業

ソ聯政権以後、確実に石油採取量の増加を示せるは一九二一年を以て最初とす。採取設備の技術的改造に伴ひ、逐年石油業の発展を見、一九三七年に於ける採油量（ガスを含む）の如き三〇四八万五千瓲に達し、一九二〇年の生産高に対して八倍の増加にて、メキシコ・ヴエネズエラを追ひ越し、アメリカの次位、即ち世界第二位の石油生産國となれり。但し石油工業に於ても新興生産地の発展に依り、舊來の石油産地たるバクー及びグローズヌイの比重は低下せり。いま、試みに石油の地方別採取量を左に掲ぐべし。

右の表に依つて明かなる如く、新興石油産地に於ける採油量増加の結果、バクー及びグローズヌイの比重は一九一三年の九六・一%より一九三七年の八五%に低下せり。然れども、アゼルバイジヤン（バクー）の採油絶対量はソ聯政権以来年々増大を示し、一九三八年の如きは全ソ聯の採油総量の七四・四%を占め

（イ）

地方別石油採取量（ガスを含む）

地方	採取量（千瓲） 一九一三年	採取量（千瓲） 一九三七年	比重（%） 一九一三年	比重（%） 一九三七年	一九一三年に対する一九三七年の比重（%）
全ソ聯邦	九二三四・一	三〇、四八五・〇	一〇〇・〇	一〇〇・〇	三三一
内譯					
アゼルバイジャン共和國（アズネフチ）	七、六六九・一	二三、二二七・〇	八三・〇	七六・二一	三〇三
チエチエノ・イングーシ自治共和國（グローズネフチ）	一、二〇八・三	二、八二五・〇	一三・一	九・二五	二三四
クラスノダール地方（マイコプネフチ）	八六・八	一、四七九・〇	一・〇	四・八〇	一、七一九
ダゲスタン自治共和國（ダグネフチ）	―	一七四・三	―	〇・六〇	―
カザフ共和國（エムバネフチ）	一一七・六	四八七・四	一・三	一・六〇	四一四
同（アクチユビネフチ）	―	五・八	―	〇・〇二	三四九
トルクメン共和國	一二九・五	四五二・〇	一・四	一・五〇	二三四
ウズベク共和國	―	三六五・〇	〇・三	一・二〇	―
タヂック共和國	二二・九	二八・四	―	〇・〇九	一、七一八
バシキール共和國	―	九八三・六	―	三・二三	―
クイブイシエフ州	―	一七・二	―	〇・〇六	―
ペルミ州	―	二三・〇	―	〇・〇八	―
コミ自治共和國	―	四一・七	―	〇・一三	―
グルジヤ共和國	―	八・九	―	〇・〇三	―
クリミヤ自治共和國	―	〇・七	―	―	―
極東（サハリンネフチ）	―	三五六・〇	―	一・二〇	―

（註）ベリザク、ヴアシユチン・フエイギン共編「ソ聯邦の経済地誌」モスクワ、一九四〇年版。

たり。然し一方、アゼルバイジャンに於ける石油埋蔵量は全ソ聯埋蔵量の二九・七%に過ぎざるを以て新石油産地に対する割合は自然低下を見つゝある次第なり。バクー地方の新石油産地の開発に依り、一九三七年には二、三二〇万瓲の石油を採取し、グローズネフチ地方に於ては二八〇万瓲の採油量なりき。

近年急テンポの増産を見たるはマイコフ地方の採取量にして、一九一三年に僅かに八万八千瓲に過ぎざりしに、一九三七年には既に一四七万九千瓲の石油を採取せり。更に東部グルジヤのシラク原野の石油採取も既に開始せられ、又、バシキール共和國のイシンバエヴオ、北ウラルのウフタ地方、エンバ州、ウラル山脈西部傾斜地方、中央アジヤ　トルクメン共和國のチエレケン島、ネビット・ダグ、フエルガナ渓谷、極東の北樺太オハ等に於ける石油採掘進展せり。

然し、機械化農業（トラクター、コンバイン其他農業機械）・自動車・航空機その他の運輸機関などに亘る内燃機関の燃料需要量激増に対して、生産量充分ならず、加ふるに生産地及び消費地の不合理的配置に依り、遠距離輸送並に交錯輸送等の不生産的配給が行はれ、需給の圓滑を欠きつゝあることも認め得ら

るべし。前記の外にウラル及びヴオルガの間に展開せられある所謂「第二バクー」のプリカムネフチ・スイズラニネフチ・ブグルスランネフチ・トゥイマズイネフチ等も大なる埋蔵量を有する石油産地あれども未だ開発當初にして國内需給関係に大なる影響を與へざるをその眞相とす。

次にソ聯邦の石油業が世界的に如何なる地位にあるかを示すために左に若干の統計を掲ぐべし（別表）。

石油採取にも増して重大なる意義を有するは石油の加工並に其の利用の問題なり。革命當時迄に於ける石油加工工場は主としてコーカサス地方のバクー・バトウム・グローズヌイ等に在りしが、両次の五ヶ年計畫の間に加工工業の配置に大変化を齎し、サラトフ・ゴリキー及びヤロスラウリ附近のコンスタンチノフカ等の如きヴオルガ沿岸の大都市に大規模の精油工業建設せられたり。之等工場の原油はコーカサス地方よりヴオルガ河の河川運輸を利用し、加工後に於て鉄道に積換へるものなり。又、鉄道より海路へ、海路から鉄道輸送への積

與地点に當るトゥアプセ・オデッサ・ヘルソン・オシペンコ等にも分解工場の建設を見、ウフアにはイシンバエヴオ産石油の大加工工場、オルスクにはエンバ石油の加工工場、極東ハバロフスクには北樺太石油の加工工場が夫々建設せられたる他、モスクワ・レニングラードにも加工工場建設されたり。更にコーカサスの石油分解基地の根本的改造も行はれ、中央アジヤ産石油を加工するためにフエルガナ及トルクメンタンの西部にも潤滑油工場の建設を見たり。

國家の工業化・大規模なる共営農業・自動車運輸及航空運輸の発達、特に農村に於けるトラクター使用の普及は必然的にソ聯邦の石油消費量を急テンポを以て増加せしめつゝあるが、石油類産額及その消費に就て見れば概ね次表の如し。

一〇一

一〇二

石油類生産高　（單位 千瓲）

年次	原油	揮発油・リグロイン	燈油
一九二八年	一一、四七三	八八二	一、九一二
一九三二年	二一、四一三	二、八八一	三、五六〇
一九三五年	二五、一二八	三、〇六八	四、八七七
一九三六年	二七、三四〇	四、二一二	五、四一〇
一九三七年	二八、四〇〇	三、八六三	六、〇二〇
一九三八年	二九、四五六	三、八五六	六、〇〇〇

（註）企畫院編「ソ聯邦經済國力判断資料」第三輯。

石油類消費総額　（單位 千瓲）

原油採掘高(1)　（單位 千瓲）

國別	一九一三年	一九一六年	一九二九年	一九三二年	一九三三年	一九三四年	一九三五年	一九三六年	一九三七年
ソ聯邦(2)	九、二三四	一一、七四九(3)	一三、八一〇(4)	二二、三一九	二二、四五八	二五、六一二	二六、七六三	二九、二九三	三〇、六〇〇
資本主義諸國	四四、五一七	一七一、六六五	一九一、八五八	一五九、〇四九	一七七、一六三	一八五、三五三	二〇二、八一六	二二〇、七四四	二五〇、八二四
内アメリカ合衆國	三四、〇三七	一二三、五〇二	一三八、〇〇三	一〇七、五六七	一二四、〇七五	一二四、四〇五	一三六、五三四	一五〇、四九六	一七二、九六〇
ヴエネズエラ	〇	一五、七一一	二〇、四〇三	一七、〇八五	一七、二九三	二〇、一一三	二一、九八二	二二、九四八	二七、七一六
メキシコ	三、八三八	七、五六五	六、七〇〇	四、八四二	五、〇八七	五、六六七	五、九七三	六、〇九二	六、九〇三
イラン	二四八	五、七六三	五、五四九	六、五四九	七、二〇〇	七、六五八	七、六〇四	八、三三二	一〇、四四九
蘭領印度	一、五三六	四、三〇八	五、三三九	五、〇九三	五、五二七	六、〇四三	六、〇八二	六、四三八	七、二六三
ルーマニヤ	一、八四八	四、二八二	四、八三七	七、三四八	七、三七七	八、四六六	八、三九〇	八、七〇〇	七、一四九
イラク	〇	九五	一二六	一一五	一二三	一、〇三一	三、七〇〇	四、〇三八	四、三五八
コロンビヤ	〇	二、八四一	二、九一一	二、二八八	一、八三四	二、四一七	二、四五三	二、六一五	二、八四四
ポーランド(5)	…	七三六	六六八	五五七	五五一	五二九	五一四	五一〇	五〇〇

（註）(1) 原油のみ。瓦斯を含まず。
(2) 原油瓦斯合計。
(3) 一九二九―一九二八年。
(4) 一九二八―一九二九年。
(5) 墺領ガリシアの一九一三年の産出は一、一四、〇〇〇瓲なりき。
ソ聯邦國家計畫委員會出版部発行、ア・ヤ・ヨッフエ編「ソヴエート聯邦と資本主義諸國」。

年次	揮発油	リグロイン	燈油	計	其他合計	内石油業自身の消費	石油業以外の消費量
一九三五年	一、五七九	五六六	四一二三	六、二六八	一四、六〇〇	三、〇五〇	一一、五五〇
一九三六年	二、三六二	一、〇二〇	四七〇〇	八、〇八二	一五、三〇〇	三、四〇〇	一一、九〇〇
一九三七年	三、五〇〇	一、七五六	三、五八五	一〇、八四一	一五、九六五	四、四四二	一一、五二三

内、農業用消費額

年次	揮発油	リグローン	燈油	計
一九三五年	四〇〇	四七七	二、八九〇	三、七六七
一九三六年	七六〇	八八〇	三、二二〇	四、八六〇
一九三七年	一、〇五〇	一、三六九	三、五二六	五、九四五

（註） 前掲書

一〇三

尚、ソ聯邦に於ける石油加工業の構造を見れば其の成績猶芳しからず、石油（原油）を合理的に完全に利用せず、一九三六年に於けるベンヂン（揮発油）の製造は全採油量（重量）の一七・三％、ケロシン（燈油）の製造は二一・六％に過ぎざりき。然るに之をアメリカの例にとれば、一九三七年に於ては三八・三％がベンヂンとなり、五一・一％がケロシンに製造せられたり。即ちソ聯邦及アメリカ合衆國の原油加工構造は左表に依って明かなり。

ソ聯邦に於ける原油精製の構造 （重量に依る％）

製品の種類	一九一三年	一九二七／二八年	一九二八／二九年	一九三二年	一九三五年	一九三六年
揮発油	二七・三	九・九	一一・四	一四・二	一四・二	一七・三
燈油	二六・六	二一・五	二一・〇	一七・六	二二・三	二一・六
ガスオイル及重油	五五・〇	四二・一	五一・三	四五・四	：	：
潤滑油類	五・九	三・七	三・四	三・三	：	：

一〇四

アメリカに於ける原油精製の構造 （容積に依る％）

製品の種類	一九一四年	一九二八年	一九二九年	一九三二年	一九三五年	一九三六年	一九三七年
揮発油(1)	一五・四	三一・五	二二・九	三八・〇	三七・九	三七・八	三八・三
燈油	二二・一	六・〇	五・二	四・九	五・三	四・八	五・一
ガスオイル及重油	四九・八	五〇・一	四六・四	三八・五	三九・九	四三・一	四二・九
潤滑油類	六・四	三・七	三・四	二・七	二・八	二・八	二・九

（註） (1) 天然瓦斯製揮発油を含まず。

資料—「コンマース・エアーブック」一九三〇年—一九三二年。

「オイル・アンド・ギヤス・ジャーナル」一九三四年—一九三八年。

ソ聯邦國家計畫委員會出版部発行 ア・ヤ・ヨッフエ編「ソヴエート聯邦と資本主義」に據る。

一〇五

(二) 機械工業

機械工業は帝政時代には工業部門の中に於て最も立遅れし部門に属せしが、ソ聯政権以来、國民経済の再建時代、殊に両次の五ヶ年計畫の年間に於て、技術的・経済的独立を目指し極めて急テンポの発展を示し、全体として他の生産財生産の工業部門を凌駕するに至れり。而して機械工業生産の増大は工業全体の生産を増大せしめたること勿論なり。然れども、ソ聯が現在の如き機械工業の発展を確立し、技術的・経済的独立を達成せるためには、生産財生産用機械の輸入が重大な役割を演ぜり。第一次五ヶ年計畫中に於ける機械輸入の如きこの好例にして、同五ヶ年計畫中に工業用機械の三分の一は機械工業に向けられ、その結果國内に於ける機械製作は、輸入絶對量の増加にも拘らず急テンポを以て増加せり。例へば一九三一年の機械輸入額は一九一三年の水準を二・八倍も凌駕し、一方、機械の國内生産額は九・七倍の増加なりき。而して一九三四年—

一〇六

一九三五年には一般機械の輸入は一九三一年に比較して既に十分の一に減じたるも、それまでソ聯邦の機械輸入の大なる品目を成せる工作機械の輸入の如きは一九三一年に比して六分の一の低下率に過ぎざりき。併し、ソ聯國民経済の凡ゆる部門の技術的建直しに貢献せる工作機械の輸入は、此方面に於て工作機械の國産完成の上に大なる役割を演ぜり。資料蓄きも輸入工作機械並に國内生産の推移に関する表を掲ぐれば次の如し。

輸入工作機械

年次	輸入額
一九三一年	四三二、七五三千ルーブル
一九三二年	四二七、五二三 〃
一九三三年	一六六、一〇七 〃
一九三四年	六六、三三五 〃
一九三五年	六八、五六九 〃

一〇七

切削工作機械生産数

一九三一年	一六六七五千ルーブル
一九三二年	一八一二四 〃
一九三三年	一八、六一二 〃
一九三四年	二一、一三一 〃
一九三五年	二四、八七二 〃
一九三六年	三三、四〇八 〃
一九三七年	三六、一〇〇[1] 〃

（註）「経済の諸問題」誌、一九三七年第三・四号及第五・六号所載「外國貿易より見たるソ聯邦の技術的・経済的独立」に據る。

(1) 一九三七年の実績。

一〇八

新しい機械工業に於ける輸入の演じたる役割は第二次五ケ年計畫の年間に於て國内生産の成長に拍車を掛けたる觀あり。而してソ聯邦は両次の五ケ年計畫の間に、生産機械の殆んど全部を新しき機械に替へたりと云ふ。例へば一九三六年一月現在の資料に依れば、ソ聯邦に於けるタービンの総馬力中の七九・五％及ゼネレーターの総馬力中の七七・二％は一九二九年より一九三五年の間に据付を了したるものにして、又、一九三四年九月十五日現在のソ聯邦工業機械調査目録に依れば、金属切削機械の五九・三％及金属圧搾機械の五九・二％は一九二九年より一九三四年九月十五日迄の間に設備せられしものなり。即ち五年乃至六年以内に増加を見し機械にて、この時以来ソ聯邦に於ける新しき機械設備は非常な急テンポを以て進展せり。

然らばソ聯邦に於ける輸入総額中に占むる機械輸入額の比重は如何なるものなるかを見れば次表の通りなり。

一〇九

輸入総額に對する機械及装置の比重

年次	輸入額（百万留）	輸入機械及装置の比重（％）
一九二三－二四年	一〇二三	一九・二
一九二七－二八年	四、一四一	三〇・三
一九三一年	四、八四〇	六〇・一
一九三二年	三、〇八四	六〇・三
一九三三年	一、五二五	五〇・八
一九三七年	一、三四一	二七・三

（註）一九四〇年第九号「経済の諸問題」誌所載、エヌ・ツアゴロフ「國民経済構成の若干の問題」に據る。

右表に依り明かな如く、機械の國内生産増加に伴ひ、第二次五ケ年計畫末に

一一〇

至り、輸入總額に占むる機械の輸入額の比重は著しき低下を示せり。又、機械の國内生産並に輸入の一九一三年に対する一九二八年、一九三二年、一九三七年の比重は左表の如し。

機械の生産及び輸入（一九一三年に対する比重 %）

年次	生産	輸入
一九二八年	一八三	一一二
一九三二年	七八三	一八八
一九三七年	二三〇三	三八

（註）前掲誌

右の表を見てもソ聯邦が両次の五ケ年計畫の年間に於て技術的・経済的独立に到達せしことを認め得べし。更にソ聯邦に於ける各種機械製作の進展状況に就ては左表に依て明かなるべし。

ソヴエート政權諸年間に於ける機械製造業

製作品の種類	單位	一九一三年	一九二九年	一九三三年	一九三八年（豫定）	一九三八年度の生産高は左記年度生産高の何倍に當るか 一九一三年	一九三三年
金属加工工業及機械製造業	一九二六/二七年價格 百万留	一、四四六	三、三四九	一一、二八三	三三、六一三	二三・二	三・〇
修繕工場を有する機械製造業		九一九	二、五一八	九、四八七	二八、〇七九	三〇・六	三・〇
運輸機械							
自動車	千台	—	一・四	四九・七	二一一・四	—	四・三
内譯							
貨物自動車	〃	—	一・三	三九・五	一八四・四	—	四・七
幹線用機関車（工型及エス・ヱ型換算）	台	四一八(1)	六〇二	九四一	一、六二六	三・九	一・七
エフ・デ型・エ・ス・オ型及イ・エス型重量機関車	〃	—	—	二二	一、〇二五	—	四六・三
商品用貨車（工業用貨車を含む）	千台（二軸換算）	一四・八	一五・九	二一・六	四九・一	三・三	二・三
工業用機械							
金属切断機(2)	千台	一・五	三・八	二一・〇	五三・九	三五・九	二・六
圧延装置	千瓲	(3)	—	六・五	一七・二	—	二・六
穿孔機	台	—	五九	三七二	一、一一〇	—	三・一
蒸気罐	千平方米	二八・〇	一二六・四	一九七・三	二四〇・四	八・六	一・三
機関車	千馬力	…	一六・八	二六・九	八四・三	—	三・一
ディーゼル機関	〃	三五・一	六九・二	九二・四	二六一・八	七・五	二・八
農業用機械							
無限軌道トラクター	千台	—	〇・二	二・一	三二・二	—	一五・三
トラクター	〃	—	三・六	六七・二	七二・八	—	一・一
内譯							
粒穀用	千台	—	三・六	六五・一	六八・三	—	一・〇
トラクター耕耘機	〃	—	一・六	一九・五	六四・八	—	三・三
粒穀用コンバイン	千台	—	—	八・六	二二・九	—	二・七
粒穀用洗滌機	台	—	—	二八	三、八三二	—	一三七・〇

（註）(1) 狹軌機関車を含む。

(2) 生産組合・交通人民委員部・農業人民委員部及内務人民委員部の諸企業に依て製造される爾餘の型の金属切断機を含む。

(3) 極めて小数製作さる。

國家計畫委員會（ゴスプラン）國民経済中央統計局編「ソヴエート聯邦社會主義的建設」一九三九年版に據る。

尚、ソ聯邦に於ける機械製造業の世界工業生産に對する地位の如何なるものなるかを示すために左表を掲ぐべし。

工業生産中に於けるソ聯邦及主要資本主義諸國の機械製作比重（%）

國名	年次	百分比
ソ聯邦	一九一三年	六・八
	一九二九年	一一・二
〃	一九三二年	一九・六
	一九三七年	二五・五
アメリカ合衆國	一九二九年	一九・三
	一九三五年	一七・六
イギリス	一九三〇年	一六・三
	一九三五年	一六・二
ドイツ	一九三五年	一四・六
日本	一九三五年	一〇・六
フランス	一九三五年	七・四
イタリー	一九三五年	七・一
ポーランド	一九三五年	六・〇

一一五

一一六

（註）　前掲書。

尚、ソ聯邦に於ける機械工業中、重工業用機械製作が全体として著しき増加を示せるが、電動力機械、例へば罐・タービン・トランスフォーマー等の製作不充分なりしを以て、第三次五ケ年計畫に於ては電力増産の前提として是等動力機械類の生産増大に就意努力中なり。

(ホ)　電力業

ソ聯邦の電化計畫はレーニンの創意に成る所謂ゴエルロ（國家電化計畫）に引続き、両次の五ケ年計畫を経て、今日更に広汎なる電化が実施されつゝあり、事実、ソ聯邦現在の電化系数はヨーロッパに於ける他の國を全部追越し、アメリカ合衆國と比肩するに至れり。既に一九三〇年末に於てソ聯の全発電所設備容量実績は二八九万四千キロワットに達し、ゴエルロ計畫策作成當時より十年間に一七六万五千キロワットの増加なりとす。

第二次五ヶ年計畫に於て電力業に課されし課題は、ソ聯邦國民経済の技術的再建にとり最も重要なるエレメントたる水力資源、石炭を初め泥炭・片岩の如き地方の低級燃料を利用し、工業・運輸及農業の電化を廣範に実現するための動力基地の建設なりき。特に、冶金業及化学工業の電力需要量の激増に対して充分に電力を供給し得る動力基地の建設問題は重大なりき。いま、第一次世界大戰前年の電力業と今日のそれを比較する意味に於て若干の資料を左に掲ぐべし。

發電所

発電所種類	一九一三年	一九二九年	一九三三年	一九三八年（概数）	一九三八年度分は一九一三年に比し何倍増か	一九三八年度の一九三三年度に対する百分比
電力（千キロワット）全発電所	一〇九八	二二九六	五五八三	八六九二	七・九	一五五・七
内譯 地方発電所	一七七	九三八	三七〇八	五六三七	三一・八	一五二・〇
工業用発電所	七五〇	九七四	一四六三	二二二〇	三・〇	一五一・七
公共施設用発電所	一五一	三一一	二七九	四三五	二・九	一五五・九
電力生産（百万キロワット時）全発電所	一九四五	六二二四	一六三五七	三九六〇〇	二〇・四	二四二・一
内譯 地方発電所	四三一	二七八六	一一四九九	二九八五六	六九・三	二五九・六
工業用発電所	一二三五	二五二七	三八四九	七四二五	五・九	一九二・九
公共施設用発電所	二五九	七九八	七四七	一五〇〇	五・八	二〇〇・八

一一七

（註）　電力の五分の四以上は地方的燃料経営の水力発電所及発電所により供給せらる。

國家計畫委員會國民経済中央統計局編「ソヴエート聯邦社會主義的建

一一八

設」一九三九年版に據る。

ソ聯邦電力業の特徴として、從來火力発電所の数圧倒的にして水力利用率極めて低し。電力源別地方発電所に於ける電力生産は左表の如し。

	一九三二年	一九三七年
全生産高	一〇〇・〇%	一〇〇・〇%
内譯 水力発電所	七・六	一四・六
地方的燃料に依るもの	六二・六	六七・二
輸入燃料に依るもの	二九・八	一八・二

（註） 前掲書。

然らば、ソ聯邦動力業の世界的地位如何といふに、前掲書の統計及び其の他の資料に依れば一九三七年現在発電量は次の如し。

列國との比較 （単位 十億キロワット時）

ソ聯邦	三六・四
アメリカ	一五〇・〇
ドイツ	五〇・〇
イギリス	二八・八
カナダ	二七・五
日本	二六・七
フランス(1)	一八・八

（註） 一般用発電所及外部へ電力を供給する工業用発電所への電力生産総量の約九〇%を占む）。

右に依ると、ソ聯邦は発電量に於ては一九三七年にはアメリカ・ドイツに次ぐ世界三位となり、又、一九一三年に対する一九三七年の百分比に依る時は一九・二倍より。然れども、人口一人當り平均並に國土一平方粁當り年発電量は他の主要資本主義諸國に比して、其の尨大なる発電量にも拘らず少しく相対的劣勢を示し居れり。即ち資料に依れば左の如し。

人口一人當り平均並に國土一平方粁當り年発電量比較（一九三七年）

	人口一人當平均	國土一平方粁當
ソ聯邦	二一五 キロワット時	一、六〇〇 キロワット時
アメリカ	一、一六〇	一四、五〇〇
ドイツ(1)	七三五	九、二〇〇
イギリス	六〇八	一〇六、三〇〇
フランス	四九〇	三〇、一〇〇
日本	四二〇	七〇、五〇〇

（註） (1) ザールを含む。

斯くソ聯邦の電力業の質的発達程度は主要資本主義諸國に比し極めて低率なること明瞭なり。尚前述の如く、ソ聯邦に於ける発電所は水力よりも火力発電所数断然多く、而かも最近五ケ年に形成されし地方発電所の比重高し。

一九三四年―一九三八年の地方発電所発電能力

	発電能力（千キロワット）	一九三九年一月一日現在総発電能力に対する百分比
地方発電所に於ける新経営発電能力総量	一、九七四・〇	三五・〇

内譯		
火力発電所分	一、五四七・一	三三・八
水力発電所分	四二六・九	四〇・三

（註）　前掲書に據る。

更に第一次五ケ年計畫以来の電力業発展テンポを知るために左表を掲ぐべし。

年次	設備容量 実数（万キロワット）	設備容量 一九二八年を一〇〇とせる指数	発電量 実数（万キロワット）	発電量 一九二八年を一〇〇とせる指数
一九二八年	一〇九・五	一〇〇・〇	五〇〇、七〇〇	一〇〇・〇
一九二九年	二二九・六	一二〇・五	六二二、四〇〇	一二四・三
一九三〇年	二八七・六	一五一・〇	八三六、八〇〇	一六七・一
一九三一年	三九七・二	二〇八・五	一、〇六八、七〇〇	二一三・四
一九三二年	四六七・七	二四五・五	一、三五四、〇〇〇	二七〇・四
一九三三年	五五八・三	二九・三・一	一、六三六、〇〇〇	三二六・七
一九三四年	六二八・七	三三〇・〇	二、一〇一、六〇〇	四一九・六
一九三五年	六八八・〇	三六一・二	二、六二九、四〇〇	五二五・一
一九三六年	七四三・〇	三九〇・〇	三、二八〇、〇〇〇	六五五・〇
一九三七年	八一八・四	四二九・六	三、六四〇、〇〇〇	四一九・六
一九三八年	八五〇・六	四四六・五	三、九六〇、〇〇〇	五二五・一
一九三九年	九三八・六	四九二・七	三、九九八、四〇〇	六五五・〇

（註）　満洲電業株式會社業務室編「ソ聯邦電氣事業」康德七年七月版に據る。

尚、重工業生産を第一義とするソ聯邦に於て、工業部門の消費する電力量の割合の大なること勿論にして、例へば工業の消費せる電力の割合は一九二八年の四九％より一九三六年の七三・八％に増加せり。殊に作業機械の電化率の如き一九三六年には能力に於て平均八二％を占め、之を主要資本主義諸國と比較すればアメリカとは同率にして、一九三〇年に於けるイギリスの六〇・五％、一九三三年に於けるドイツの七一・九％を凌駕せり。工業に於て消費される電力にして大なる比重を占むるものに電気分解の形を以て消費される化学工業あり。即ち現代化学に決定的役割を演じ居る水素の生産之なり。電気分解は亦銅・亜鉛の精錬にも應用される他軽金屬生産にも莫大なる電力が消費されつゝあり。又製鉄業に於ける工学的手段として電熱の應用も周知の如くなるべし。即ち電気鋼及硅素鉄等の生産之なり。

斯の如く、ソ聯邦工業部門に於て電力利用率の進展しつゝあることは當然に発電所建設を促進し且つ其の発電量を激増せしめ、発電所の動力の如きも一九二八年に於ける一〇九万五千キロワットより一九三八年一月一日の八五〇万六千キロワットに増加せり。即ちゴエルロ計畫の十六年間に七〇倍の躍進を示すに至れり。

二、　食料品工業・木材工業・紡績業

(イ)　食料品工業

帝政時代に比較的発達を見し食料品工業としては僅かにウオツカ・製糖・煙草等に過ぎず、其他は殆んど手工業的小規摸の工業なりしが、ソ聯政權以来、國の工業化と相俟つて漸次アメリカ及欧洲先進國の技術を採用して大規摸にして而かも幾十種に及ぶ新しき食料品工業の創造を見たり。殊に両次の五ケ年計畫の年間に於いて本工業部門は異常の発展を示し、生産品の一部を輸出に轉ぜしむるに至れり。即ち第二次五ケ年計畫に於て食料品工業は計画課題を超過遂行せるためなりとす。例へば両次の五ケ年計畫の年間に、ソ聯邦の如何なる共和國・州・地方にも食料品工業行亘り、製粉工業は素より、肉・パン・菓子・罐詰・煙草・漁業など多種多様の食料品の需要に應へるに至れり。特に最も重要なる部門は製粉工業にして、今日ソ聯邦の主要なる穀物地方たるウクライナ

共和國・クリミヤ自治共和國・北コーカサスの各州及地方、沿ヴオルガー（特にヴオルガ中流）、タタール・バシキール自治共和國、チエリヤビンスク・オムスク・ノヴオシビルスク等の州、アルタイ・ハバロフスク・沿海州の各地方等に亘り、製粉工場建設せられたる外、穀物地方より距りしヴオルガ上流地方、例へばカリーニン・ルイビンスク・ヤロスラウリ・キネシマ・ゴリキー等の都市にも大規模の製粉工場の配置を見たり。いま食料品工業生産高を見れば左表の如し。

生産品の種類	單位	一九一三年	一九二九年	一九三三年	一九三八年（概数）	一九三八年の% 対一九一三年	一九三八年の% 対一九三三年
一九二六年／一九二七年の價格に於ける食料品工業総生産額	百万留	五七九九	六二九六	九七六六	一九八二五	三・四倍	二〇三・〇
魚獲	千瓩	一〇一八・〇	九五六・四	一三〇三・〇	一五六〇・〇	一五三・二	一一九・七
肉	〃	‥	一	四二六・八	一一四〇・〇	一	二六七・一
腸詰及び燻製品	千瓩	六〇・〇	‥	四九・二	三九五・〇	六・六倍	八倍
動物油	〃	‥	七七・八	一二四・四	一九七・七	一	一五八・九
砂糖双目	〃	一三四六・八	一二八二・六	九九五・三	二五一九・五	一八七・一	二五三・一
麺麭及製品	〃	‥	‥	八〇六五・〇	一六六〇〇・〇	一	二〇五・八
菓子類	〃	七〇・〇	一一八・四	四二八・八	一〇三〇・〇	一四・七	二四〇・二
巻煙草	十億本	二二・一	五七・七	六二・七	九五・九	四三三・九	一五三・〇

一二七

（註） 國家計畫委員會國民經濟中央統計局編「ソヴエート聯邦社會主義的建設」に據る。

右表に依て明かなる如く、食料品工業の生産高は素より重工業生産のそれに及ぶべくもなきも両次の五ケ年計畫を經て相當の進展を示せり。第十八回党大會に於けるモロトフの報告に依るも、ソ聯邦人民委員部所管の食料品工業は第二次五ケ年計畫課題を一一三％遂行せること判明す。勿論、ソ聯邦人口の自然増加と更に今次の大戦に依り新たに加へられし人口に對し果して需給バランス

一二八

が採れるや否や疑問の存する所なれども、兎も角も第二次五ケ年計畫末に於ける食料品工業は重工業の増産に幾分歩調を合はせし如き觀あり、殊に第二次五ケ年計畫に於けるソ聯邦の輸出構成に於いて食料品工業製品が相當の比率を占めたり。即ち第二次五ケ年計畫に於けるソ聯邦の輸出構成に占る食料品の割合を示すために左表を掲ぐべし。

A 輸入構成の比率

類別	一九三三年	一九三四年
重工業原料及製品	二四・六%	二七・一%
軽工業原料及製品	二〇・二	二〇・〇
木材工業原料及製品	一五・五	二一・三
食料	一六・〇	一二・六
其他	二三・七	一九・〇
計	一〇〇・〇	一〇〇・〇

一二九

B 輸出構成の比率

類別	一九三五年	一九三六年	一九三七年
農産原料	二〇・四%	一四・五%	二七・〇%
重工業製品	二七・八	二九・七	二四・七
軽工業製品	一六・五	一六・四	一三・三
木材工業製品	二二・八	二六・五	二五・三
食料品工業製品	一一・四	一二・三	八・九
其他	一・〇	〇・六	〇・六
計	一〇〇・〇	一〇〇・〇	一〇〇・〇

（註） 外務省調査部発行「ロシヤ月報」第六十六号「ソ、

一三〇

聯邦外國貿易の特徴と食料品の輸出」に據る。

一三一

但し右の表に示されたる食料品輸出率を以て直ちにソ聯邦食料品工業の躍進と断じ得ざるべし。何となれば民需を極度に犠牲に供し、重工業生産を第一義とせるソ聯の根本國策に依り、諸外國よりの重工業資材輸入を必要とせる実情をも考慮する要あるべし。

尚、ソ聯邦に於ける砂糖工業は帝政時代より代表的食料品工業なるも現在に於て、世界砂糖工業に對して如何なる地位にあるかは、左表によつて窺知さるべし。

一三二

ソ聯邦及び資本主義諸國に於ける砂糖生産（單位 千瓲）

國名	一九一三年	一九二九年度	一九三七年度	一九三七年度の右記年度に対する百分率	
				一九一三年度	一九二九年度
ソ聯邦	一、三四七	一、二八三	二、四二一	一七九、七	一八八、七
アメリカ	九三七	一、〇七五	一、六〇九	一七一・七	一四九・七
ドイツ	二、四四四	一、六七七	一、九六五	八〇・四	一一七・二
フランス	七一七	八一六	八七一	一二一・五	一〇六・七
日本(1)	不明	九〇三	一、三四二	—	一五〇・四

（註） (1) 台湾を含む。含まざる時は一九二九年度一二九、一九三七年度一一六七。

國家計畫委員會國民經濟中央統計局編「ソヴエート聯邦社會主義的

一三三

建設」に據る。

ソ聯邦に於ける製糖業原料は総べて甜菜にして、此の甜菜を原料とする砂糖生産に於ては世界第一位を占む。而して一九三八年度に於けるソ聯邦砂糖生産高は一九一三年に比して二.五倍に當り、右表の如く二、四二一千瓲を生産し、印度・キユーバに次ぐ世界第三位を占む。尚精肉コンビナート・罐詰工業・乳工業など第二次五ケ年計畫の年間に異常の発展を示し、全國主要都市に精肉並に加工工場の建設を見、その固定資本の如きも一九二九年度の六千万留に比し、一九三九年度には七億七千四百九十万留、即ち約十三倍の激増を見たり。此の他各種新部門の創造に依り、現在に於ては機械工業に對する食料品機械の要求顕著なるものあり、若し夫れ、機械工業部門にして食料品工業の要求を充足せんか、將來更に大なる飛躍を示し、民需の犠牲を軽減するに至るべし。

一三四

（ロ）木材工業

次に木材工業に就て見るに、從來、生産地と加工地の配置宜しきを得ず、需給の円滑を欠き、徒らに輸送機関の大なる負担となりたり。蓋しソ聯邦鉄道貨物輸送量の一二%は木材の占むる所なればなり。其の最も主要なる木材供給地方は極東地方・全シベリヤ及び欧露地方なりとす。第二次五ケ年計畫に於ける木材工業生産高実績は次の如し。

木材工業生産高

生産品名	單位	一九三二年	一九三七年	一九三二年に対する一九三七年の%
紙類（合計）	千瓲	四七一・二	八三一・六	一七六・五
内譯				
a. 文化的のもの	〃	二七七・二	四三四・六	一五六・八
内 新聞用	〃	一五三・二	二〇七・一	一三五・二

印刷用	〃	七五・一	一〇一・七	一三五・四
書畫用	〃	三三・八	六七・五	一九九・七
帳簿用	〃	一五・一	五八・三	三八六・一
○工業用及其の他	〃	一九四・〇	三九七・〇	二〇四・六
厚紙（ボール紙）	〃	四一・六	八二・四	一九八・一
挽材	百万立方米	二四・四	二八・八(1)	一一八・〇
ベニヤ板（未裁断）	〃	四二三・〇	六七二・二	一五八・九
燐寸	千箱	五、六四二・〇	七、一六三・〇	一二七・〇

（註）(1) 右の他に建設機関、市ソヴエート所属企業及其の他に依るもの五百万立方米あり。

ソ聯邦國家計畫委員會國民経済中央統計局作成「第二次五ケ年計畫遂行実績」に據る。

右の表を見るに木材工業の挽材生産高は一九三七年には一九三二年に比して

一三五

一八％、ベニヤ板生産高は五八・九％増加、更に之よりも急速なる發展を示せるは製紙業にして、一九三七年の紙の生産高は一九三二年に比し七六・五％、ノート用紙の生産高は約四倍に増加せるも木材工業全体としては第二次五ケ年計畫を遂行せず立遅れし工業部門となれり。又、ソ聯邦の製材工業は主として欧露中央部及南部に集中し、而かも南部のウクライナ地方には森林なく従って原木は長距離に亘り輸送され、ウクライナのみにて四十九の地方より原木の供給を受け居れり。即ち不合理輸送の行はれ居る證左なり。

木材工業の加工部門としての主要なるものに就て云へば、製紙業・燐寸工業・木材化学工業なるべし。製紙業はソ聯邦の物質的・文化的向上に並行して其の発展が要請され、前表の如き生産増加を示せり。而して第二次五ケ年計畫末に於ては國内生産の紙の約五〇％は文化的用途に向けられ、その約半数は新聞用紙なりき。又、革命前に比して特に半製品の生産が激増を示し製紙原料は七倍、セルローズの如きは九倍の増加なりき。その結果、製紙工業は製紙原料並にセルローズの輸入の要なく、今日に於ては原料・セルローズなどの生産を合する

一三六

コンビナート化を見るに至れり。製紙業は舊来の工場が大なる意義を有すれども、新設の製紙・セルローズ綜合企業は近來更らに大なる役割を演ずるに至れり。殊にカレーリ自治共和國・ゴリキー州・ウラルのペルム州等に建設せられしコンビナートの今後に於ける発展は注目に價するものあるべし。

ソ聯邦に於ける最大の燐寸工業の中心はレニングラード州のチウドウオ、グルウシノ、バシキール共和國のボリソフ、オルロフ州のノヴオズイゴコフ、ズルインカ、トウスコイ州のカルウガ、ペンザ州の上流及下流ロモフ、キーロフ州のキーロフ、スロボードスコイ等にして、シベリヤ地方に於ける中心地はノヴオシビルスク州のオムスク等にて其の生産高は革命前の約二倍なるを以て、他の工業部門の躍進に比すれば猶ほ甚しき低位にあること明かなり。

木材化学に就て云へば、革命前に於ける該部門の発達程度は極めて微々たるものにて精製樹脂・醋酸・メチール・アルコール・上質テレビン油の如きは殆んど輸入品を以て需要を充し居れり。而して木材乾溜も五十万立方米以下の木材を消費したるに過ぎず、内三分の二はウラル地方の手工業的小工場にて加工さ

一三七

れ、而も一方に於て、一千万立方米の木材が醋酸・メチール・アルコールを抽出すること無しに木炭に製せられたり。欧露北部に於ても樹脂・低質テレピン油などの生産が行はれ居たるに過ぎざりき。然るに今日に於ては木材地方に木材乾溜工場建設せられ、特に最大の乾溜工場はチエリヤビンスク州アシヤに建設せられたり。乾溜法の他に分離法・加水分解法なども行はれるに至れり。ソ聯邦に於ける最大の木材分離工場はゴリキー州ワフダンスキー工場、加水分解実験工場はウオロゴド州のチエレポフツアに建設を見たる他、木材化学の小規模企業はソ聯邦各州・地方・共和國などに建設を見たるも、是等の企業は主としてウラルのチエリヤビンスク州・スウエルドロフスク州、バシキール共和國、欧露北部即ちアルハンゲリスク州及ヴオロゴド州などに集中せられたり。

(ハ) 紡績業

然らば、紡績業は如何と言ふに、革命前迄は最も立遅れたる工業部門にして、ソ聯政權に至っても原料棉花の收穫不足に依り不振を極め居りしが、二五ケ年計

一三八

畫に入るや中央アジヤに於ける棉花栽培功を奏し、近年に至りて原料棉も自給自足の域に到達し、加ふるに機械工業の進展に伴ひ、織物機械の國産化が普及せられたる結果斯業の發展著しきものあり、舊來の綿業地方の他にウズベクスタンのフエルガナ、トウルケスタンのアシハバツドにも新工場の建設せらるゝあり、タシケントには亦ソ聯邦最大の織物工場の新設を見たり。而かも近年に於けるソ聯邦の棉花大増産に依り世界第三位の大産棉國たらしめ、一方、その纖維長の比較に於ても世界第二位の長纖維高級棉産出國たらしむるに至れり。原料棉の增産に伴ひ、繰棉消費高も逐年增加せり。いま、ソ聯邦棉業の概要を知るために繰棉消費高の各國比較表を掲ぐべし。

主要綿業國の繰棉消費高　（單位 千瓲）

國名	一九三七年	一九三八年
ソ聯邦	六二一	六八二 一三九
		一四〇
米國	一、五四九	一、三五〇
日本	八九八	六五二
英國	六六三	四九五
印度	六一二	六四二
沸蘭西	二五五	二四九
独逸	二三八	二五〇

（註）企畫院發行「ソ聯邦經濟國力判斷資料」第三輯「ソ聯邦消費財工業の現狀」に據る。

右の表に依るときはソ聯邦の繰棉消費高はアメリカに次ぐ世界第二位なり。然れども之は日・英二大綿業國が事變その他の他動的な影響に依る減産の止む無きに至れることを考慮すれば右の順位が實質的なるものに非ざること明瞭なるべし。次にソ聯邦及主要綿業國の綿織物生産高は別紙の如し。

綿織物生産高　（單位 百万長米）

國別	一九一三年	一九二八年	一九二九年	一九三二年	一九三四年	一九三四年	一九三五年	一九三六年	一九三七年
ソ聯邦	：	二、七七八(1)	三、〇九四(2)	二、六九四	二、七三二	[illegible]、七三三	二、六四〇	三、二七〇	三、四四七
アメリカ合衆國(3)	五、七〇〇(4)	六、六六六	七、一四六	五、三九〇	六、七六七	五、九一四	五、九七八(5)	七、二一七(5)	七、五一八(5)
イギリス(6)	七、三六三	：	二、九〇八(7)	：	二、九一一	[illegible]、八五〇	二、七八八	：	：
ドイツ	：	二、〇〇〇	：	：	：	一、一〇〇	：	：	：
フランス	一、三一〇	一、二六九	：	一、〇〇〇	：	：	一、二八〇	：	：
日本	：	：	：	二、八一八	三、二八二	三、六八九	三、八一四	：	：
内大日本紡績聯合會	三八一	一、二六四	一、四〇七	一、四〇二	一、五三一	一、六四〇	一、六八六	一、六四九	一、七五八(8)
英領インド(6)(9)(10)	一、一一六	一、七三二	：	二、八九九	二、六九四	三、一〇七	三、二六六	：	：

（註）
(1) 一九二七—二八年。
(2) 一九二八—二九年。
(3) 單位百万米、絹綿混織及其の他の植物性纖維と絹との混織を含む。
(4) 一九一四年。
(5) 総額を包含せず（一九三三—三四年全生産のの九七％）。
(6) 綿と其他の原料との混紡を含む。
(7) 一九三〇年。
(8) 暫定数字。
(9) 四月一日より翌年三月三十一日に至る一ケ年。
(10) 工場製品、他に手工業生産一九二八年に一、四五六百万米あり。
ソ聯邦國家計畫委員會出版部發行、ア・ヤ・ヨツフエ編「ソヴエート聯邦と資本主義諸國」に據る。

右表の如く漸次生産増加の傾向に在るとは云へ、其のテンポ急速ならず、加ふるに据付錘数に於て日・英・米に比して遥かに低位にあり、英國の三分の一以下、日本の六割五分以下なり。しかも又人口一人當り生産高に至りては先進國と比較にならぬ低水準に在り、即ち表にて示せば左の如し。

人口一人當り綿布生産高　（單位　平方米）

國名	年次	一人當り生産高
ソ聯邦	一九一三年	一〇・〇
	一九三七年	一六・〇
—	一九三八年	一六・〇
	一九四二年	二〇・〇
アメリカ	一九三七年	五八・〇
イギリス	一九三七年	六〇・〇

一四一

國名	年次	一人當り生産高
日本	一九三七年	五七・〇
ドイツ	一九三六年	一五・三
フランス	一九三七年	三一・〇
イタリー	一九三六年	一五・〇

（註）　企畫院發行「ソ聯邦經濟國力判斷資料」第三輯「ソ聯邦消費財工業の現状」に據る。

然れども、第二次五ケ年計畫に引き續き原棉の大増産計畫と共に、今や多数の新工場の増設を豫定し、例へばバルナウル・ノヴオシビルスク及クズネック盆地地方に新紡績工場の建設を見るべく、又、タシケント、レニナカンの工場、キエフ及セミパラチンスク等にも紡績工場の建設を見つゝあり、近き將來、かくの如き纖維工業の分散主義的立地に依り原料並に製品配給の合理化が行はれるものと觀察するを得べし。

一四二

第二章　平時に於ける工業の發達程度

第一節　生産設備の近代化及生産設備の規模

兩次の五ケ年計畫の間に、ソ聯邦は生産機械の殆んど全部を新機械に替へたり。例へば一九三六年一月の資料に依ると、ソ聯邦に於けるタービンの現有馬力の七七・二％は、一九二九年より一九三五年に至る間に据付けられしものにして、又、一九三四年九月十五日現在ソ聯工業機械調査に依れば、金屬切削機械の五九・三％及金屬鍛造機の五九・二％は一九二九年より一九三四年の九月十五日迄の間に据付けられしものなり。即ち五年乃至六年の内に増加せる機械なりき。ソ聯邦の新しき機械設備は此の時以來急速のテンポを以て継續されるに至れり。即ち表を以て示せば次の如し。

一四三

工業用動力装置の更新

機械の種類	設置せられたる機械の％ 一九一七年前	一九一八－二八年	一九二九年－三六年一月一日
蒸気汽罐（暖房用を除く）加熱面積（平方米）に依る	三〇・一	一六・五	五三・四
蒸気タービン　個数	二一・六	一六・一	六二・七
出力	八・八	一一・七	七九・五
ディーゼル機関　個数	一七・九	一九・三	六二・八
出力	二〇・九	一六・九	六二・二
発電機			

一四四

個数	一五・二	一九・四	六五・四
出力	九・九	一二・九	七七・九

（註） ソ聯邦國家計畫委員會出版部発行、ア・ヤ・ヨッフエ編「ソヴエート聯邦と資本主義諸國」に據る。

金属加工装置の更新（一九三四年九月十五日の國勢調査による）

装置の種類	設置せられたる機械の%			
	一九一七年前	一九一八－二八年	一九二九年－三四年九月十五日	計
全國民経済				
金属切削工作機械	二三・二	一七・五	五九・三	一〇〇・〇
金属鍛造工作機械	一九・七	二一・一	五九・二	一〇〇・〇
金属加工工業				
金属切削工作機械	二三・一	一六・九	六〇・〇	一〇〇・〇
金属鍛造工作機械	一八・八	二二・五	五八・七	一〇〇・〇

（註） 前掲書。

右の表に明かなる如く、ソ聯邦は國民経済の急激なる発展に並行して、機械及設備の更新に成功せり。然れども之は一面に於て動力機械並に金属加工機械の輸入依存を大い反映せるものにして、事実、第二次五ケ年計畫初頭に於ける動力機械の輸入は、発電所建設計畫遂行上極めて大なる役割を演ずると共に、一方、巨額の出費を必要とせり。例へば、ソ聯邦が大規模なる発電所建設に要せる動力機械輸入に支拂ひし金額は、第一次五ケ年計畫の年間に四億八千四百万留に達せり。表を以て示せば次の如し。

一九二九年－一九三二年の発電所建設費中輸入機械に対する支拂額（單位 百万留）

総額	四八四・〇
内譯	
ドニエプロストロイ	一三五・八
スウイリストロイ	二五・八
國営モスクワ地方発電所合同	二二五・一
チエリヤビンスク発電所	二九・三

（註） 「経済の諸問題」誌、一九三七年第三・四号所載「外國貿易より見たるソ聯邦の技術的・経済的独立」に據る。

然るに、第二次五ケ年計畫に入るや漸次輸入タービンの率は低下し、一九三

四年には殆んど國産品を以て需要を充す迄に電機工業の飛躍を見たり。之は前提條件たる多数の工作機械の獲得に依るものなること、前掲「金属加工装置の更新」表に依りても明かなるべし。次に主要資本主義國の生産設備の更新状況と比較する意味に於て左の表を掲ぐべし。

アメリカに於ける工業用動力装置の使用年数(1)（一九三四年）

		装置の使用年数別構成（%）		
		一－一〇年	一〇－二〇年	二〇年以上
水管式汽罐	個数	二四	四一	三五
	加熱面積（千平方呎）	三四	四〇	二六

熱管式汽罐	個数	二〇	三六	四四
	加熱面積（千平方米）	二四	三一	四五
蒸汽機関	個数	一五	四〇	四五
	出力（千馬力）	一〇	二三	六七
蒸汽タービン	個数	四四	四四	一二
	出力（千馬力）	五一	三七	一二
交流発電機	個数	三八	四六	一六
	出力（千キロワット）	四七	四一	一二
直流発電機	個数	三二	三六	三二
	出力（千キロワット）	三二	三九	二九

（註）(1) 雑誌「Posiew」一九三五年一月號の調査は平均水準以上の工業企業四五四を包含せり。上記の装置の出力は工業に設置せられある第一次的原動機総出力の九二%を為す。

ソ聯邦國家計畫委員會出版部発行、ア・ヤ・ヨッフエ編「ソヴエート聯邦と資本主義諸國」。

次に金属加工装置使用年数を掲ぐべし。

金属加工装置使用年数（アメリカ）

調査年	一〇年以下の装置(%)	一〇年以上の装置(%)
一九二五年	五六	四四
一九三〇年	五二	四八
一九三五年	三五	六五
一九三七年	三九	六一

（註） 資料「マシニスト」欧洲版、一九三五年五月二十五日号。
前掲書。

右の表とソ聯のそれを比較する時は、更新率に於てソ聯の高率なること判明す。即ち生産設備の若さを物語るものなるべし。然し、此の設備の若さが必ずしも強味ならず寧ろ労働者の質的低位にあるソ聯に於ては、少くとも当分の間は生産設備の若さに能率の伴はざる可能性多かるべし。例へば、現在ソ聯邦に於いて実施せられある工業各部門の自動化の如き、極めて優秀な監視者乃至は調節手、即ち、文化的・技術的水準高き労働者を以て機械を操縦するに非らざれば所期の高能率を挙ぐる能はず、従って、自動化とスタハーノフ運動に密接なる関係を有するは勿論なれども、かゝる進歩的な勝れし労働者を多数獲得することは実際問題として容易ならざるべし。近来、ソ聯邦當局が技術インテリの獲得、労働者基幹分子の養成に寧日なき理由想像し得らる。

然れども、ソ聯邦工業部門に於て機械化、自動化は現実に行はれつゝあり。既に一九三七年に於て、ソ聯邦の銑鉄総精錬高の六〇%以上は完全なる機械化溶鉱爐を以て生産されたり。アメリカの同期に於ける機械化溶鉱炉に依る銑鉄生産率はソ聯に比し低位なりき。又、ソ聯邦に於ける石炭採掘の機械化の如きも、一九三七年には一九三五年現在に於けるアメリカの機械化採掘率八四・二%及一九三六年に於けるドイツの八六・九%を凌駕して八九・六%なりき。之に関する若干の表を左に掲ぐべし。

採炭機械化率（総採炭量に対する%）

國別	一九一三年	一九二八年	一九二九年	一九三二年	一九三三年	一九三四年	一九三五年	一九三七年
ソ聯邦ー総体	ー	一六・五(1)	二四・四(2)	六五・一	六九・八	七三・四	七九・一	八九・六
内ドンバス	〇・五	一九・四(1)	二七・八(2)	七二・三	七七・〇	七九・一	八三・二	九〇・〇
合衆國(4)(5)(8)	五〇・九	七六・九	七八・四	八三・〇	八四・七	八四・一	八四・二	ー

ドイツ	一・五	七六・六	八一・八	八三・七	八四・三	八四・九	八四・七	八六・九(7)
ベルギー	一〇・〇	八五・八	八八・九	九四・六	九六・四	九六・八	九八・五	:
フランス	:	:	:	:	:	七六・〇	:	:
イギリス	八・五	二五・九	二七・九	三八・五	四二・四	四九・六	五五・三	六〇・〇(7)

（註）
(1) 一九二七－二八年。
(2) 一九二八－二九年。
(3) 瀝青炭、
(4) 他國と比較する為め露天掘による採炭量を機械化採炭よりも総採炭高よりも除外せり。
(5) 截炭機による採掘（合衆國にてはコールピックによる採炭は僅少なり）。
(6) 一九三三年迄は截炭機による採炭のみを示し、一九三四年よりはコールピックによる採炭をも含む。

一五三

(7) 一九三六年。
ソ聯邦國家計畫委員會出版部発行、ア・ヤ・ヨッフエ編「ソヴエート聯邦と資本主義諸國」による。

次にソ聯邦及アメリカ合衆國に於ける熔鑛炉作業の機械化率を比較すれば左の如し。

ソ聯邦及合衆國に於ける熔鑛爐作業の機械化

指標	ソ聯邦 年次	ソ聯邦 總額に対する%	合衆國 年次	合衆國 總額に対する%
完全に機械化されてゐる熔鑛爐による出銑高の總出銑高に対する%	一九三〇年	七・二	:	:
	一九三二年	二五・六	:	:
	一九三七年	六〇・〇	:	:

一五四

熔銑注入の機械化率	一九三二年	四三・六	一九三一年	九三(1)
	一九三四年	七一・八	:	:
爐充填の機械化率	一九三二年	二五・六	一九二六年	九一
	一九三四年	四六・六	:	:
	一九三五年	:	:	:

（註） (1) 熔融解のまゝ直接加工せらるゝ銑鉄を含まず。
前掲書に據る。

右表に依る時は、ソ聯の機械化率は先進國に比して増加テンポの著しきを認め得べし。以上は冶金業及石炭業の機械設備に関して簡單なる観察を試みたるに過ぎざるも、その他、電力業・化学工業・軽工業・機械工業・食料品工業等にも近年高度の機械化、特に重量作業の機械化が行はれるに至れり。工業諸部門に於ける手動式作業より機械化へ、更に機械化より自動化への移行は、現在

一五五

のところ未だ著しき成果を期すべからずと雖も、近き将来に於て、能率の昂上、製品の質的向上並に一定製品の確保、労働力の節約、原材料の節約、製品原價の引下げ、作業の安全率の昂揚に大なる貢献をなすに至るべし。現にマルチン爐に施されし自動化の如き、同一質の金屬の生産と燃料の節約を実現せり。例へばウラルのマグニトゴルスク冶金コンビナートに於て使用中のマルチン炉の自動化（一九三九年二月より）に依る一つは、手動式炉に比較して鋼生産一トン當りの燃料消費量一一六瓩乃至一二五瓩にして、手動式の燃料消費量一七三瓩なれば、自動式は約三〇％の燃料を節約せること自ら明瞭なり。但しソ聯邦に於ける冶金作業ヘ自動化は未だ漸く緒に着きしに過ぎざるを以て、アメリカの生産能率に比する時は、猶ほ一倍半乃至二倍の低位にあり。只今次熔融職場、特に近來其の需要量を増加し居る特殊鋼生産職場の自動化促進せられあり、寧ろ今後の成績に期待すべきものあるべし。尚ソ聯邦國民経済の上に主要位置を占むる機械工業の自動化は常に技術の向上を促進し、製品の不合格品を除去し、機械の質的完成を助けるのみならず、又、他の生産部門、即ち機械工業以外の

一五六

王産部門の自動化に対しても極めて大なる意義を有するものゝ如し・自動式工作機械の製作など其の代表的なるものなるべし。

次にソ聯邦の生産設備の規模に就て見るに、第一次・第二次両次の五ケ年計畫に於て、國民經済の全生産・技術設備は根本的に改良せられたりといふ。事實、此の期間を通じて工業への投資は八三〇億留の巨額に達し、設備の完全なる点に於て世界的とソ聯が自負する大工場六五〇〇も建設せられ、同時に needed従来の工場・企業も徹底的に改造せられたり・此の間、工業の固定資本は、一九二八年の一〇六億留・一九三二年の二五五億留より、一九三七年の六八二億留に達せり・此の結果として、ソ聯邦に於ける新建設乃至根本的改造工場の比重は著しく高められたり・即ち表を以て示せば次の如し・

一五七

ソ聯邦工業に於ける新設工場及完全改造工場の比重

	工場の生産用資本（一九三六年一月一日現在の生産用固定資本総額に対する％）		工場の生産高（一九三六年の総生産高に対する％）	
	完全改造工場及び新設工場(1)	内 新設工場(2)	完全改造工場及び新設工場	内 新設工場(2)
全加工工業	七九・八	四二・五	七三・五	三一・二
発電所	八七・五	六四・六	八八・七	六〇・〇
化学工業	九四・〇	四九・〇	九四・二	四〇・〇
製鉄業	九七・二	四四・七	九六・七	二六・五
非鉄金属冶金業	八九・五	六三・二	七六・六	四三・〇
金属加工工業	八五・〇	三六・八	八七・六	三四・一
木材加工工業	八七・二	三四・六	八六・九	三〇・九
製紙工業	六〇・六	一九・九	五七・五	一六・四
繊維工業	三五・三	一九・七	三一・六	一〇・七
裁縫業	八五・六	四七・一	六五・九	二九・八
食料品・嗜好品工業	六四・七	四〇・〇	六一・七	三四・三
内 精糖	九三・〇	八三・九	九二・六	七〇・六
製パン	九九・〇	九二・九	九七・八	九二・五
罐詰	九八・五	七五・三	九五・四	六四・四

一五八

（註） (1) 一九三六年一月一日現在にて、一九二八年十月一日と比較して二倍以上に生産用資本を増大せる完全改造工場。

(2) 資本に関しては一九二九年―一九三五年間に操業を開始せる新設工場、総生産高に関しては一九二九年―一九三六年に操業を開始せる新工場。

ソ聯邦國家計畫委員會出版部発行、ア・ヤ・ヨツフエ編「ソヴエート聯邦と資本主義諸國」に據る。

一五九

斯の如く、ソ聯邦の工業製品は、新規又は完全改造工場に依り殆ど大部分を生産するに至れり。即ち、一九三七年度に於けるソ聯邦工業生産高の八〇％は最近九ケ年間に新設又は根本的に改造されし工場・企業より得られ、特に機械製作・化学工業・製鉄業に於ける其の割合は全生産高の九〇％以上に達せり。又、工業生産用固定資本に反映されし工業の最重要部門に於ける規模を窺へば次の如くなり。即ち一九二八年十月一日現在の工業生産用固定資本の價格を一〇〇とすれば五ケ年計畫の年間に次の如き変化を示したり。

	一九二八年十月一日現在	一九三二年一月一日現在	一九三八年一月一日現在	一九三九年一月一日現在
製鉄業	一〇〇	二七三	九〇五	一〇〇一
化学工業	一〇〇	三八〇	一〇九五	一二八九
燃料工業（石炭及石油）	一〇〇	二五六	四九五	五八三
重機械工業	一〇〇	二〇五	六六一	七四三

一六〇

一般機械工業	一〇〇	二一二	五一五	五八二

（註）「計畫經濟」誌、一九四〇年・第五号、イ・アヴエルバツハ「社會主義工業の流動資本」に據る。

右に依れば重機械工業 製造業・化学工業の生産固定資本の割合が極めて著しき増加を示せること判明す。次に工業の流動資本規模よりソ聯邦の工業を窺へば、第二次五ケ年計畫の年間に於ける物的な増大を挙ぐるを得べし。即ち全工業企業の生産用在庫品及半製品生産物へ向けられし投資額は一九三三年一月一日現在にて五六億留、一九三八年一月一日現在にては二五七億留となり、四倍以上の増大を示せること明瞭なり（前掲誌）。

工業生産設備の技術的水準に就ては、ソ聯當局が繰返し言へるが如く、技術的・經済的独立性の確保に伴ひ、両次の五ケ年計畫の年間に於て、當時のそれを徹底的に近代化し、或ひは新設に依つて面貌を一変せることは事実なるべし。之は前述せる如く、第一次五ケ年計畫末に至る迄の間に各種新機械の輸入に巨

一六一

額の國費を投ぜし一事を以ても想像し得らるゝ所なり。特に全國民經済の基礎的生産部門たる発電所の動力設備、凡ゆる工業の心臓と稱せられる機械工業設備など多数外國新型機械及設備機器の輸入を基礎とし、今日に於ては之に代ふるに優秀國産機械の大量生産に伴ひ、凡ゆる工業部門の生産設備には相當見るべきものあるものゝ如し。

一九四〇年第二号「經済の問題」誌に據れば、第一次五ケ年計畫時代に於ける生産手段の輸入は総輸入の八九%を占め、その内、機械設備の輸入は全輸入額の六〇%にして、且つ、第一次五ケ年計畫中に工業用として輸入せる機械の三分の一は機械工業に向けられし結果、機械及其他の生産手段の國内生産額は輸入増加のテンポを追越せることを示せり。而かも輸入絶對量の増加にも拘らず、國内に於ける機械生産額は一九三一年に既に九・七倍増加し、國内消費に占める輸入機械額の比重は五ケ年間に三〇・四%より一二・七%に減少せり。之即ち第二次五ケ年計畫に於て達成せられしといふ技術的・經済的独立の重要なるエレメントなりしなり。

一六二

ソ聯邦工業に於ける労働生産性の合衆國及びドイツの労働生産性に対する百分率
（合衆國・ドイツを一〇〇とす）
(G)

年度	合衆國に対し		ドイツに対し	
	年生産高	時間當り生産高	年生産高	時間當り生産高
一九二八年	一六・二	一九・六	四四・五	五二・二
一九三二年	二六・一	二四・九	六〇・四	六二・四
一九三六年	三六・八	四〇・一	九二・七	一〇一・七
一九三七年	四〇・五	四三・六	九七・〇	一〇七・六

（註）ソ聯邦國家計畫委員會出版部発行、ア・ヤ・ヨツフエ編「ソヴエート聯邦と資本主義諸國」。

労働者一人當り年平均生産高

指標	一九二九年	一九三六年	一九三七年
一、石炭－採炭労働者一人當り採炭量（屯）			
全ソ聯邦	一七九(1)	三二七	三七〇(2)
ドンバス	一六七(1)	二八三	：
クズバス	二五五	五一七	：
全合衆國	八四四	：	：
瀝青炭	九六五	：	：
全ドイツ	三二三	四二五	四三五
ルール地方	三四九	四七五	：
イギリス	二七五	三〇四	三一一
二、銑鐵－精錬労働者一人當り出銑高（屯）			
ソ聯邦（銑鉄＝現物）	：	六四〇	七五六
白銑に換算	：	六七六	八〇一
内マグニトゴルスク工場	：	一五四三	二一四〇
合衆國（銑鉄＝現物）	一七二九	：	一六二〇
ドイツ（〃）	六一七	：	：
イギリス（〃）	三六六	五三〇	：
三、鋼－製鋼工場労働者一人當り製鋼高（現物）			
ソ聯邦（平爐工場）	：	二七五四	四〇〇
ソ聯邦（轉爐工場）	：	一〇五六	：
全ドイツ(3)	五二〇	：	：
四、鋼材－圧延工場労働者一人當り生産高			
ソ聯邦	：	一五七	：
ドイツ	一二三	：	：
五、綿布－労働者一人當り綿布生産高（平方米）(4)			
ソ聯邦	四九三八	六二五八	八二〇〇(2)
合衆國	一六八〇〇	：	：

（註）(1) 一九二八－二九年。
(2) 計畫。
(3) ソ聯邦とドイツの製鋼及圧延業に於ける生産高水準を比較する時には、ドイツに於ける塩基性轉爐鋼の比重の大なること及ソ聯邦及ドイツに於て生産せられる鋼材の種類に著しき相違あることを考慮する要あり。
(4) これらの數字を対照する際には、ソ聯邦に於ける一日の労働時間の合衆國に比しより短きこと、並にソ聯邦に於ける綿糸がより高級、從ってより労力を要する平均番手なることを考慮するを要す。

更に、工業生産設備の若さによる近代化の量的な優位と生産機関の利用率に於て先進資本主義國家を凌駕し居るにも拘らず、專門家・労働者の技術水準はこれら先進國に遠く及ばざるが如し。このことは先づ労働生産性の劣性、労働者一人當り生産の低位に依るも窺はるべし。若干の表を以て示せば別紙の如し。

右の表によるも、ソ聯邦の生産性は絶對數に於ては躍進しゐるにも拘らず、先進國との比較に於ける相對的數は猶ほ劣勢を免れざるを知るべし。特に現在原料工業に屬する製鉄業及石炭業が指摘され居るも、之は生産設備の技術的不備にも増して人的要素、即ち、專門家・優秀労働者の不足を主因となすものゝ如し。近時是正を叫ばれ居る、石油業の不振の如きも、主因は技術問題にして油井掘鑿用の機械を操縦し得る專門家及び熟練労働者の不足によれるなり。

六月二十六日（一九四〇年）附全聯邦最高ソヴエート幹事會の決定せる労働の七日週制、時間延長などの法令に引續く十月十日附ソ聯各紙に発表せられたる「ソ聯邦の國家的労働豫備に關する法令」もこれらの不備欠陥に對する積極的施策の現はれと見るを得べし。

一六三

第三章 戰時に於ける工業の發達可能性

第一節 民需生産の軍需生産への轉換可能性

ソ聯邦に於ける工業生産組織機構の総べてに對する指導管理は國家的中央機關に統一集約せられ、從ってソ聯邦の企業は一つの全体としての經營管理体制即ち、國有・國営と計畫經濟との原則の下に在る特殊的性格を有するを以て、理論的には凡ゆる企業が有事の際直ちに軍需工業生産に轉換され得ることは當然なり。ソ聯邦當局が從來極度の民需圧迫の犠牲に於て絶へず生産力を拡充し、それに依って常に尨大なる軍備を充實し居る所以のものは、ソ聯邦の經濟機構乃至國営企業の特異なる性格の具現に他ならざるべし。更に之を大きく觀察すれば、ソ聯邦の全國民經濟の諸部面並にその諸過程が総べて國家中央機關の統轄・

一六四

の下に組織化せられあることは、ソ聯邦に於ける凡ゆる経済単位が軍需に轉換し得る可能性を有することを意味するものにして、素より私営的原則の下に在る企業が、生産と利潤追求の単位たるに止まり一つの全体としての法制的組織に統轄されざる点と対比する時、ソ聯邦の総べての生産工場の軍需生産への轉換が極めて容易なる條件の下に在ること明らかなり。

然りと雖も戰時動員に依り人的要素の不足（労働力の不足）其他原材料・燃料等の需給の保證を前提とすれば素より轉換に難易の差異あること勿論なるべし。若し夫れ軍需生産へ轉換せる民需生産工場の能力が資材に於て、その設備の技術的程度に於て、その人的要素に於いて、計畫性の特異性を充分発揮し得んか、戰時に於ける軍需を充足し得べきも、前述せる如く生産設備の技術的水準の低位、基礎原材料部門たる鉄鉱・石炭・石油その他の燃料の需給関係円滑を欠かんか、軍需を充足し得ざるのみならず國民経済全体への影響を及ぼすに至るべし。

いま假りに民需生産への轉換を代表する工業部門として化学工業を挙ぐると

一六五

せんか、例へばソ聯邦の誇稱する合成ゴム工業の如き、天然ゴムの皆無なるソ聯邦が、軍の機械化に欠くべからざる車輌用ゴム・タイヤ、防毒面其の他軍用ゴム製品の生産に轉用し得べし。又、近来生産量の増大を示せる硫酸工業の如き、平時その大部分を過燐酸肥料生産に向け農産物収穫向上に資すると雖も、戰時に於いて之が軍事化学工業に必要欠くべからざるものたること周知の如し。硝酸の生産の如きも第一次欧洲大戰に於いて経験せる原料難に鑑み、先進國同様空中窒素固定工業を確立せり。更にまたコークス製造並にタール蒸溜工業の副産物たる炭化水素は、冶金業と豊富なる石炭埋藏量と相俟ち、平時に於けるタール染料、可塑体、醫薬の生産を為し居るも軍需生産轉換に際しては之が直ちに爆薬及化学兵器原料たるは明かなるべし。殊に環状炭化水素の如き、従来の極めて原始的なる炭竈より近代式大規模木材乾溜工場へと面貌を一新せるのみならず、セルロード工場・人造繊維工場など戰時に於て直ちに火薬生産に轉用せらるべきこと當然にして、又、中央アジヤに目下大規模栽培を実施ある棉花の如きも、単に綿布の原料たるに止まらず、火薬の原料に轉用すべきは想像

一六六

[illegible]ろ、筈なり。ソ聯邦に於ける多数基礎化学工場に附随する電解塩素工業[illegible]兵器製造原料たると共に、毒素又炭疽製造工場を製薬工場に附隨せしめて軍需生産への轉用を準備しあるなど何れも民需工業生産の軍需轉換への可能性ならざるなし。要するにソ聯邦の工業生産は、戰時に必要なる資材と為し得る限りに於いて平時之を民需に向け、有事の際の工業動員に備へつゝあるものと觀察し得べし。

第二節　生産能力

次に民需工業の戰時に於ける生産能力を考察すれば、先づ平時には優位にあることを認め得べし。即ち、泥炭・マンガン鉱・農業機械・コンバイン・機関車・合成ゴム・甜菜糖・小麦等の生産に於てはソ聯邦は世界の首位を占め、電力・石炭・コークス・銑鉄・鋼鉄・電気銅・トラクター・自動車など、アメリカの次位又はドイツ・イギリスの次位を占め、工業生産全体に於てはアメリカ

一六七

に次ぎ、欧洲第一位をかち得たり（ヨッフェ編「ソヴエート聯邦と資本主義諸國」）。斯く、資材に依る優位は勿論、凡ゆる工業部門の軍需生産への轉換も不可能ならずと雖、工業生産の相対的数量即ち、人口一人當り、或は労働者一人當り生産乃至は一平方粁當り生産の低位に加ふるに、生産設備の技術的水準並に人的要素に於て脆弱性を包藏しあるもの、如し。從って、民需生産の軍需生産への轉換も理論的には容易なるべきも、実際問題として其の工業動員の運用が円滑に行はるるや否や疑問の余地無しとせず。例へば食料品工業・繊維工業の如き、假令戰争中と雖も着、且つ食はざるべからざるを以て、直ちに之を軍需生産へ全面的に轉用すること能はざるが如し。自動車・トラクター工業の如きも亦、軍需生産への即時的轉用の可能性を有すれど、共営農業等に不可欠のトラクター・貨物自動車・コンバイン等の数は平時・戰時を問はず厖大なるものあるべし。殊に農業機械の如き昨今農業の需要を充足し得ぬ実情に在るを以て、斯かる部門の軍需生産への全面的轉用は往々にして困難を伴ふことあるべし。素より、ソ聯邦が両次の五ケ年計畫の年間に建設を了せる巨大工場の中に

一六八

欧米先進国よりの輸入機械設備を施せる模範的近代工場多かるべきも、そのすべてが操業を開始せるものとは断じ得ず、加ふるに是等新機械を運轉する専門家・労働者の不足、殊にソ芬戦の例に見るも、その動員に因る労働力の不足は工業の増産計畫に支障を来たし、農村青年の工業部門への参加を要請する事情に依ることく諸方面に於て難色のあることを想像し得らるべし。

第三節　軍需生産擴張の可能性

凡ゆる生産財生産部門の基礎は機械工業なり。而して凡ゆる機械製作工業部門の心臓とも云ふべきは工作機械製作工業なることは周知の通りなり。ソ聯邦に於ける工作機械工業は、両次の五ケ年計畫の年間に飛躍的発展を遂げしことは認め得らるゝ所にして、其の原材料の点に於ても、銑鋼生産並に特殊鋼乃至支質鋼生産の量的優位は工作機械生産増加のテンポを著しく促進せること明なり。即ち、一九三九年國家計畫委員會発行「ソ聯邦國民経済発展第二次五ケ年

一六九

計畫遂行実績」に依れば、一九三七年度実績三六、〇〇〇台、其の他に一二、〇〇〇台の單純小工作機械製作せられたり。いま、工作機械管理局管下企業グループ並に指導計画化企業グループの工場に於ける工作機製作台数は左の如し。

	一九三七年	一九三八年	一九三九年
工作機械製作管理局管下企業	（計画）一九、九一五	二三、七五〇	二七、七五〇
指導計畫化工場		一四、五〇〇	二四、〇〇〇
ソ聯邦総製作台数	（計画）四一、〇〇〇 三七、〇〇〇		

（註）　一九三九年二月五日附「マシノストロエニエ」紙及び企畫院発行「ソ聯邦経済國力判断資料」に據る。

因みに工作機械製作管理局管下企業グループは一企業平均一千人以上の労働

一七〇

者を有し、ソ聯邦に於ける工作機械専門の優秀製作工場なりとす。

次に工作機械工場に於ける労働者別企業グループに依って其の現勢（一九三五年）を窺へば左表の如し（鉄道修繕業を含まず）。

労働者別企業	企業数		年平均労働数	
	絶対数	計に対する%	絶対数	計に対する%
五一—一〇〇	一、八五三	四九・〇	八八、九七二	六・〇
一〇一—二五〇	一、〇六〇	二八・〇	一一八、四七四	八・〇
二五一—五〇〇	三二六	八・七	九八、一九九	六・六
五〇一—一、〇〇〇	二五二	六・七	一五三、八五六	一〇・三
一、〇〇〇—三、〇〇〇	一二二	三・二	一五三、二一一	一〇・三
三、〇〇一—五、〇〇〇	一一〇	二・九	三一〇、二二八	二〇・九
五、〇〇〇以上	五八	一・五	三六四、三九〇	三七・九
五一以上計	三、七八一	一〇〇・〇	一、四八七、三三〇	一〇〇〇

一七二

（註）　「計畫経済」誌　一九三七年、第三号。

右表に依って明らかなる如く、労働者数千人以上を擁する工作機械工業に於ける巨大企業の比率は全企業に対し七・六％、労働者総数に対しては六九・一％に相當するを知る。之を一九三八年に於ける工作機械工業に就いて見れば左の如し。

企業数	一企業平均労働者数	労働者総数概算
二〇（工作機械製作管理局管下）	一、〇〇〇	二〇、〇〇〇
三〇（指導計畫企業化）	一五〇	四、五〇〇

（註）　「計畫経済」誌、一九三八年第九号及「マシノストロエニエ」（機械工業）紙。

一七二

右の表に依れば工場数の概算は約五〇、労働者数二四、五〇〇が即ち軍事工業の中枢を成す工業部門として、工業動員の第一線に在るものとす。此の他、一九三六年末國防工業人民委員部の新設以來、軍事工場に於ても工作機械を専門に製作し居るも詳細判明せず。之を要するに工作機械製作部門も亦絶対数量に於ては軍需生産拡張を示唆し得る如く観察されるも、概して萬能工作機械の比重多く、高級機械即ち特殊型工作機械の比重の低き結果として、高級機械は今猶ほ輸入を以て國内の不足を補充しつゝあること前段に於て述べたるが如し。

第二部　交通機構

調査擔當者　中村政雄

目次

要　旨

第一、ソ聯邦の國防並に國民経済上に於ける運輸の地位

ソ聯の交通運輸に於て圧倒的役割を演じ居るは鉄道運輸なり。國内貨物輸送に於ける各交通機関の割合は、鉄道運輸八二・〇％、河川運輸七・六％、海上運輸八・五％、自動車運輸一・九％にして、之をアメリカの鉄道運輸六九・九％、海上運輸一三・二％、河川運輸二・三％、自動車運輸八・一％、送油管輸送六・五％に比較して著しき差異あり。ソ聯に於ける自動車輸送や送油管輸送の役割の過少は、アメリカよりの文明の相違・経済力の発達の差異を示すものなる可し。

ソ聯運輸の國防的役割に関しては、「運輸は赤軍の兄弟なり」とのヴオロシロフの呼び掛け、並に之に対する力ガノウイチの宣言に最も明白に表明され居れり。

一

次にソ聯國民経済投資額のうち運輸への投資額は工業に次ぎ、農業を凌駕し、又、ソ聯の生産的固定資産額中に於ける運輸部門の比重は二〇％に達し居れり。

最後に運輸は六口の消費者にして、一例を挙ぐれば、鉄道の鋼材及び石炭の使用量は全國民経済部門使用量の大約四分の一以上を占め居れり。

第二、鐵道運輸の現況

鉄道輸送が貨客両輸送に於て近年飛躍的発展を遂げたるは事実にして、今やソ聯邦はアメリカに次ぐ世界第二の鉄道國たり。但し之を面積や人口の割合より観る時は、その発達は先進資本主義諸國に比して著しき遜色あり。電化線の如きも正に然り。特にソ聯の鉄道に於ては路盤が悪く、レールが軽きが弱点なり。レールの重量を見れば、一米につき四十二瓩以上のものが米國六〇％以上、独逸九〇％以上、帝國五五％以上、英國六七％以上なるが、ソ聯は三十八瓩以上のものが僅か四四・二％といふ状態なり。

斯かる状態にも拘らず、鉄道一哩当りの貨物輸送密度は単位千噸哩にて

二

英國	八二九
米國	一二五四
独逸	一二七八
帝國	六五八
日本	九二三
ソ聯	三、〇七八

にして、ソ聯が断然優勢なり。斯かる優勢さは、路盤・レールの悪條件を考慮する時、ソ聯鉄道の強行酷使を物語るものに他ならず。而してソ聯鉄道が現在すでにその輸送作業の限界に達したるは事実にして、このことはその貨物輸送量の増加テンポが一九三五、六年を頂点として、以後漸次下降し居ることよりも裏附けらる可し。

次にソ聯邦鉄道が使用の機関車・車輛はその優秀なるものは、先進資本主義諸國を凌駕し居るも、その弱点は舊型のものが依然として多きこと、並にその修繕能力の不備に在り。

三

第三、極東ソ聯の鐵道概況

極東ソ聯の諸鉄道は線路の上部構造よりみて全ソ鉄道中第二級と第三級線の中間に位す。即ち線路は三八瓩軌條を標準とし、枕木も二級線の一キロ当り一千八百本を目標とするも、三分の二は未だ一千六百本にして、バラスも砂混りの砂利にして、長期に亘る軍事輸送には堪えざる可し。驛・給水施設・保線に関しては概ね順調なりと云ふを得。使用機関車は沿海鉄道エス・オー型、極東鉄道二・二一型、アムール鉄道、モロトフ鉄道エ型を主体とす。使用貨車は概ね二軸有蓋車なり。列車の営業速度は、モロトフ鉄道一三六キロ、アムール鉄道一三二キロ、極東・沿海両鉄道一三六キロなり。平時列車運行回数は、東シベリヤとの境界附近で片道二十三本乃至二十八本にして、その線路容量は四十一本なり。

極東ソ聯の諸鉄道は、平時それによって極東ソ聯の生産力を障害する程の弱体には非ざるなり。

四

第四、海運の概況

ソ聯邦の海運は、國内輸送、特に近海・沿岸輸送に主として従事するものなり。海港の呑吐能力・荷役作業・造船・船舶の運営などはいづれも幼稚なり。

第五、河川運輸の実情

河川運輸は、ソ聯邦國民経済中最大の弱点として常に指摘され居るところなり。特に船舶滞留の過多は、水運が殆んどその全労働時間の半分を空費し居ることを示すものなり。

第六、重要物資の輸送状態

重要物資の輸送に於ては、生産力の配置の不均衡・各種運輸機関の利用不十分の結果として、遠距離・対向・交錯などの不合理輸送は極めて大きく、その額は、鉄道総輸送瓩粁の約三分の一に該當せり。なほ、ソ聯邦鉄道全貨物の平均輸送は　六八六粁の長きに達し、之を日本の一七二粁、英國の七三粁、米國の三一八粁などと比較せば格段の差異あり。但し、第三次五ケ

五

六

年計畫は、重要物資輸送に於ける不合理性の除去を以て、その主要任務の一とするが故に、之が成功したる暁には運輸はその輸送能力に餘力を生ずるに至るべし。

第七、航空輸送の現状

ソ聯邦の航空輸送は、オソアビアヒムの航空知識普及事業と相俟つて、驚くべき増加を示し、モスクワ空港の如き、一日平均四、五十機の航空機が出発し、一九三七年一ケ年間に出発したる飛行機台数は、一萬五千機餘に達し居れり。今やソ聯邦は、貨物及び郵便輸送量に於ては世界首位を占め、旅客輸送量に於てはアメリカと若干の欧洲諸國に次ぐ航空國なり。

ソ聯邦の航空輸送の弱点の最たるは、飛行機の利用効率に於て低度に在ることなり。航空施設——特にその地上施設は、最も不備とされ居る所なり。

第八、北氷洋航路の軍事的・経済的意義

北氷洋航路は、軍事的・経済的に價値頗る大なる割に、現状に於てはその力は微弱なり。極東聯絡の見地より視たる場合、コルイマ河の航行を中心とする水陸連絡輸送の発展は注目に値す。

八

七

第二章　ソ聯に於ける運輸の地位

第一節　國民経済と運輸

文通運輸はソ聯邦國民経済の血管なり。

ソ聯邦はアメリカ合衆國の二倍半、世界陸地の六分の一を占むる大國なり。例へば、モスクワより白海までの距離は一、一〇〇粁、同じく黒海までは一五〇〇粁を超へ、更に極東の領海に達するには九、〇〇〇粁以上を要するなり。斯かる尨大なる領土が経済的有機体として生活するが為には文通運輸の活動が基本的前提たるなり。

文通運輸は、ソ聯邦の所謂　社會主義建設に積極的役割を演じ居れり。新工業建設の展開、新工業中心地の創造、民族諸共和國の経済的・文化的後進性の克服、農業の社會主義的改造と発達、都市と農村の対立の清算――、斯くの如

九

き「社會主義建設」と呼ばれる所のもの、実行は、総べて文通運輸に負ふ所頗る多大なり。特にソ聯邦は天然富源豊かなる國なり。例へば非鉄金属の最も莫大なる埋蔵地たるカザツクスタン地方、即ちヂエズガズガン・プリバルハシ（バルハシ湖畔）・アチサイ・リツデル・チムケントには銅・亜鉛・銀等の埋蔵資源豊富にして、沿海地方、アムール地方、ヤクート地方、コルイマ、バイカル方面に於ては金を産し、又、炭礦地としてはドンバス・クズバス・カラガンダ・チエレムホーウオ・ペチヨウラ、極東のブレーヤ・スーチヤン等があり、バクー・グローズヌイ以外の新興石油産地としてはウラル・エンバ地方ある等、資源は黒海の沿岸より太平洋に至る迄無盡蔵たり。而して之等の資源を開発するには運輸機関が絶大な役割を演ずるなり。若しソ聯邦の各地方間に文通網の連絡を缺きたるものとせば、クズバス及びカラガンダの石炭の採掘も、イシンバイエヴオの採油も、マグニトゴルスクの建設も、将又バルハシ地方の精銅コンビナートの建設も、其の他多数の大工場地帯の建設も不可能となりたるに相違なかるべし。

一〇

ソ聯邦文通運輸のうち圧倒的役割を演じ居るは鉄道運輸なり。

スターリンは一九三五年七月三十日クレムリンに鉄道従業員を招待せる際、鉄道運輸の意義に關して次の如く述べ居れり。

「無数の州及區を單位的全体へ結合せしむる所の第一級的鉄道運輸を措いて國家としてのソ聯邦を思惟する能はず。ソ聯邦に於ける鉄道運輸の偉大なる國家的意義は実に此の点に存するなり」（註二）

鉄道運輸の優位性を列挙せば次の如し。

第一にソ聯邦の領土の大部分は平地にして、鉄道建設に障害を呈すること少し。第二に鉄道輸送は、輸送の大量且つ安價を保證す。第三に鉄道運輸は運輸組織の良好なる時は、時計の如く正確に作業し、貨物を迅速・規則的・連続的に輸送し、氣候的條件に左右さるゝことなし。

ソ聯邦に於て鉄道運輸に次ぐ運輸形態は河川運輸なり。ソ聯邦の河川路網延長は鉄道網延長より大なり。河川運輸の優位性は、鉄道運輸に比して、(イ)路線

一一

の建設及び保守上の失費が遥かに少額なること、(ロ)積載量が大きく、(ハ)牽引費が少きこと、の三点に帰着さるべし。次に河川運輸の缺点は、第一に航行期間の短きことなり。之は冬になると凍結して航行不能となり、又、夏は夏で乾燥して、所謂　メルコヴオージエ、即ち水が浅くなりて航行困難に陷る季節的制約の多きことなり。第二に河川運輸の缺点は、それが河川や湖水の自然的配置により制約され居る点なり。尤もこの後者の缺点は運河や堤防の建設により人工的に多少除去されつゝあり。白海・バルチツク運河、モスクワ・ヴオルガ運河、又はクイブイシエフ、ルイビンスク、ウグリチ（以上何れもヴオルガ河）に於ける堤防の建設は之が證明たり。

海上運輸は外國貿易の基本的形態たり。海上運輸は又、輸送費の安價・輸送貨物の容量大なるを以て、國内輸送としての機能を果し居れり。而して輸送額に於ては後者が圧倒的なり。

自動車運輸は、近距離輸送形態として近年漸く活潑になり居れり。

航空輸送は、旅客・郵便・貨物の急行輸送として意義深し。特にソ聯邦東部

一二

諸地方、中央アジヤ等の地上交通網不足の處に於ては、基本的交通機関たり。

諸て然らば、各交通機関はソ聯邦の國内貨物輸送に於て如何なる割合を占め居るや。

ソ聯邦國内貨物輸送に於ける各交通機関の割合　（一九三七年現在）

	輸送瓲粁（単位億瓲粁）	比率（%）
鉄道運輸	三五四八・〇	八二・〇
河川運輸	三三〇・〇	七・六
海上運輸	三七〇・八	八・五
自動車運輸	七八・八	一・九
計	四三二六・八	一〇〇・〇

一三

（註）　本表は各輸送瓲粁を基礎として筆者の作成せるものなり。本表に於て海上運輸をも國内輸送の中に加へるは一應躊躇したるが、ソ聯の海上運輸は英米のそれと異り、殆んど國内輸送に從事し、輸出入の分は全体の五分の一にも當らざるによつて之を國内輸送の中に入れることにしたり。海上運送を除く時は、各割合は左の如くになるべし。

鉄　道　九〇％
河川運輸　八％
自動車運輸　二％

斯くの如く、國内貨物輸送の八二％に當る圧倒的大部分は鉄道運輸の占むる所なり。之れ我國の如く四面海に取り圍まれし島國とは比較にならざるなり。我國の貨物輸送にては鉄道と海上運輸が略々伯仲しあるが実相なり。但しソ聯邦に於て鉄道運輸が國内輸送の圧倒的大部分を占むる理由は、唯単にソ聯邦が

一四

大陸國たるの一事に帰せしむるは當らざるべし。之と同じ大陸國たるアメリカ合衆國と比較してみん。

アメリカ合衆國に於ける各種交通機関の割合表　（一九三四年）

	輸送瓲粁から見た比率（%）
鉄道運輸	六九・九
海上運輸	一三・二
河川運輸	二・三
自動車運輸（諸都市間）	八・一
送油管輸送	六・五
計	一〇〇・〇

（註）　出所、ナヤトウロフ著「資本主義諸國及ソ聯邦に於ける運輸の配置」一九三九年・モスクワ発行。

一五

即ち、アメリカ合衆國に於ては自動車運輸や送油管輸送が相當の役割を演じ居るを知るべし。このソ聯とアメリカの比較は、その文明の相違、経済力の発達の差異を示す一證左たるべし。ソ聯邦に於ても此の割合が第三次五ケ年計畫末に於てはかなりの変化を来すべく企図され居るは次表から分明なるべし。

一九四二年に於ける各交通機関の割合表　（計畫）

	輸送瓲粁（億瓲粁）	割合（%）
鉄道運輸	五一〇〇	七七・六
河川運輸	五八〇	八・八
海上運輸	五一〇	七・七
自動車運輸	三七六	五・九
計	六五六六	一〇〇・〇

一六

（註）　本表は輸送距離から筆者の作成したるものなり。

即ち一九四二年にはては、特に自動車運輸の役割の激増することを知るべし。

第二節　國防と運輸

ソ聯運輸の國防的役割に關しては第十七回党大會に於ける時の國防人民委員ヴオロシロフの次の言葉を引用せん。

「運輸は赤軍の肉親の兄弟なり。我が軍隊は未だ戰闘準備中なるが、國境を防禦する時期が來れば直ちに戰闘するに反し、運輸は既に戰闘配置につき毎日・毎時・毎分・絶えず戰闘中なる点が、赤軍と運輸の相違する所なり」（「第十七回党大會議事録」一九三四年、モスクワ発行）。

更にウオロシロフは運輸の任務に關して次の如く述べたり。

「運輸に對しては新たな、一層高度の要求が提出され居れり。余は戰時に於ける要求に就ては言及せざるも、戰時に於ては運輸は忙しき場合には文字通り現在の八、九、十倍以上も作業するを要すべし。現代式の軍隊の行動を確保するが為には、非常に良く組織され且つ申分無く作業する現代式の運輸が必要なることは、贅言を要せざる所なり。運輸は軍隊と同様に戰争に對する準備をせざるべからず。將來の戰争に於ては鉄道運輸のみならず、各種の運輸も重大な役割を演ずるに至る可し」（前掲書）。

戰時に於て運輸が如何に重大な役割を演ずるかは、敢て喋々するを要せざるべし。

動員及び作戰輸送、軍隊の補給及後方連絡の為に最も重要且つ強力な運輸機関は鉄道なり。鉄道運輸の再建並に強力機関車、大型貨車、自働制動機及自動聯結機等の採用は、鉄道の通過能力及輸送力を激増せしむるが、その目的の一

端が國防の強化に在るは當然なるべし。新線の建設し、概ね國防的要求に應じて計畫せられ居れり。その主要な例は有名なバム鉄道の建設に見るを得べし。尚先年建設完了せるハバロフスク（ヴオロチヤエフスク）＝コムソモリスク線の如きも、極東の新興軍需工業地帯コムソモリスク市を極東の赤軍本據ハバロフスクに連絡せしむる國防的意義を有するものなることは明白なり。

自動車運輸は、近代戰の経験の示す如く、軍隊の作戰輸送の為にも、戰線の組織的補給の為にも、確実なる交通機関なり。戰線より三〇〇－四〇〇粁の距離に於ける鉄道作業は敵空軍の活動により極めて困難なるが故に、戰線附近地帯に於ける作業には自動車運輸を利用することが特に適當なり。砂利道も亦破壊され得るが故に、自動車運輸は如何なる道路でも、又全然道路の無き處でも作業し得るものたるを要す。ソ聯に於ける自動車運輸の戰時能力に関しては、過般のノモンハン戰に於て我軍の親しく見たる所なり。その能力は正に侮るべからざるものあり。

水運は戰時に於て大量輸送機関たると同時に鉄道作業の重要な補助運輸機関

たり。既存の河川、モスクワ＝ヴオルガ運河、白海＝バルチツク運河、及第三次五ケ年計畫に於て再建せらるるヴオルガ＝バルチツク水路、又は北氷洋航路等は何れも國防的目的を有するものなり。

航空運輸の発達はソ聯邦の國防強化に直接役立ち居れり。戰時に於ける航空運輸の意義は、特にソ聯邦の如く、國土廣大なる國に於ては絶大なり。

「運輸は赤軍の兄弟なり」とヴオロシーロフは言へり。ソ聯邦の運輸は此の言葉を自己の最大の名誉として國防の強化に協力奉仕し居れり。先きに引用の第十七回党大會に於けるヴオロシーロフの演説に答へたるが如く、昨年開催せられし第十八回党大會の席上では、交通人民委員カガノウイチは左の如く述べたり。

「余は何時之が要求せられても國防的貨物の輸送課題を處理し得るものなることを党大會で保證するものなり。鉄道の任務は之丈けで盡きるものに非ず。必要な場合には、我々はあらゆる必要なものを以て赤軍を強化し、赤軍が敵を粉砕するに必要な場合に於ては、敵に向つて砲口より

彈丸を発射し、飛行機より攻撃するやう適宜輸送任務を果すべし」（「第十八回党大會議事錄」一九三九年、モスクワ發行）。

第三節　國民経済費より觀たる運輸費の割合

ソ聯の國民経済全体に於ける運輸部門の比重は、他の一般資本主義諸國に比較して遥かに大なり。

先づ第一に、毎年の國民経済総投資中、運輸、特に鉄道に對する投資額は、莫大なるものあり。一九三八年末に於ける運輸全体の投資額は左表より明瞭なるべし。

二一

國民経済部門別資本投下表

（單位　百万留、當該年度の價格に據る）

部門	一九三四年－一九三八年 総計	一九三四年－一九三八年 大修繕及制限外支出を除き	先行五年分(1)（一九二九－三三年）	一九三四－三八年分の一九二九－三三年分に対する百分比
國民経済総計	一五五、一四八	一二六、八〇八	六七、八二一	二二八・七
内譯				
工業	七二、九四八	六三、六一九	三四、四五八	二一一・七
生産財生産	六〇、七七七	五四、五九〇	二九、四二五	二〇六・五
消費財生産	一二、一七一	九、〇二九	五、〇三三	二四一・八
農業	一七、七七四(3)	一一、四五一	一二、三九六(3)	一四二・九
運輸	二九、〇一九	二三、九四七	一二、八八六	二四四・一
内				
鉄道	一九、六二七	一五、四五七	八、四三六	二三二・七
商業	三、七六九	二、一七一	一、二五八	二九九・六
以上のほか				
(イ)コルホーズの[illegible]建設（コルホーズ員の個人財産及労働）	一五、四五二	－	二、六九〇	五七四・二
(ロ)道路建設に対する國民の參加	四、三〇七	－	一、九一六	二二四・八
國民経済総計（コルホーズ員の労働及個人財産並に道路建設に対する國民の参加を含む）	一七四、九〇七	－	七二、四二七	二四一・五

二二

（註）(1) 大修繕を含む。

(2) 各部門に住宅、公共施設及び其の他の社會文化建設を含む。

(3) 家畜飼養及資本投下に投する農業銀行よりコルホーズへの金融。

二三

出所はゴスプラン中央統計局編「ソ聯邦社會主義建設」（一九三九年、モスクワ發行）。

即ち、國民経済投資額の大部分は工業に割當てられ居るも、運輸への投資額は工業に次ぎ、農業を凌駕することを知るべし。

次にソ聯の國富額たる生産的固定資産額中に於ける運輸部門の比重をみれば次の如し。

生産的固定資産額（國富額）

（單位　億留　一九三三年價格）

年度	全國民経済生産的固定資産額 金額	全國民経済生産的固定資産額 %	工業 金額	工業 %	農業 金額	農業 %	運輸 金額	運輸 %
一九三七年	一、八九三	一〇〇	六八二	三六	二三二	一二	三八七	二〇
一九四二年（計畫）	三、四七〇	一〇〇	一、四二四	四一	三一〇	九	六九一	二〇

二四

（註）　第三次五ヶ年計畫草案（一九三九年一月発表数字）より。

而して、右運輸固定額中鉄道の固定資産が圧倒的なることは推定し得べし。

第四節　物資消費者としての運輸の地位

交通、特に鉄道は固定施設、設備を絶えず補給して使用する以外に毎日毎夜莫大な資材を消費し居れり。之れ運輸が晝夜を分たず客貨輸送といふ生産過程にあるからなり。以下問題を鉄道を中心として考察してみるべし。

鉄道は第一に貨物・旅客輸送のため機関車用燃料を主要なものとし、更に金属・潤滑油・部分品等を使用す。第二には修繕用にして、機関車・車輌、線路・信号・通信設備・給水施設等の修繕や、機関車・機関庫及び車輌修繕工場を始め一切の機関に於て莫大な資材を使用す。第三に鉄道建設用にして、之には軌條・道床材料・驛・橋梁・隧道資材を使用す。

ソ聯鉄道の各種資材使用量のうち、全國民経済における地位よりみて莫大な数量に達し居るは鋼材・石炭及び木材なり。鉄道の鋼材及び石炭使用量は全國民経済部門消費量の夫々大約四分の一以上を占め居れり。木材に関しても鉄道は最大消費者の一たり。

ソ聯鉄道の鋼材使用量（この中には機関車・車輌製造用鋼材を含む）は一九三六年に於て二九四四千瓲にして、全國鋼材消費量の二四・九％を占め居れり。尤もこのうち輸轉材料を除外せば交通人民委員部関係のみで一二・八％に當れり。

今、一九三七年度の鋼材使用量に就いて見れば、全使用量の五二・一％が機械製作及び金属加工工業（この中には輸轉材料、其他運輸機械を含む）、製鉄業が二一・一％。之に次いで鉄道が一四・一％に當れり。

次に鉄道の石炭消費なるが、一九三七年に於ける鉄道用石炭の使用量は四千三百万瓲にして、全國使用量の二八・九％に當れり。かくて一九三七年に於ける鉄道の石炭使用量は舊重工業人民委員部関係の二五・一％、コークス製造用の二〇・四％、両者合計四五・五％の重工業部門に次ぐ大消費部門たるなり。

石油燃料の消費に関しては統計を掲げて見れば左の如し。

消費者別石油燃料消費高表（ガスを含む）　（單位千トン）

消費者	一九三二年	一九三七年
ソ聯全体	一四、九七三	一五、九六五
内譯		
交通人民委員部	二、七七〇	一、九〇〇
水運人民委員部	九五三	一、三八五
重工業人民委員部	三、七六二	四、七五〇
軽工業人民委員部	一一五	一二〇
食料品人民委員部	二三一	四五九
林業人民委員部	二七	二五
[illegible]	一六一	一一九

ロシヤ共和國、ギルギーズ共和國、カザック共和國	七三六	四八二
ウクライナ共和國	一五四	二〇〇
ザカフカズ共和國	七四	二二七
其他の消費者	三、二八九	一、八五六
合計	一一、二七三	一一、五二三
石油業自身の消費	二、七〇〇	四、四四二

（註）　出所、企畫院発行「ソ聯邦経済國力判断資料」第二輯「最近の石油業」。

即ち石油燃料に於ても鉄道及水運は重工業に次ぐ消費部門にして、鉄道の如き一、九〇〇千瓲、即ち全國消費量の一一・九％を占め、重工業部門の二九・八％のすぐ次に位し居るなり。鉄道に使用される石油燃料は主としてデイゼル機関車用なり。

鉄道はまた木材の最大消費者たり。交通人民委員部の中央林業トラスト合同、は約一千万ヘクタールに達する森林面積を経営し居り、乾燥済み乃至乾燥中の木材貯蔵は八百万立方米に及べり。右トラスト合同は鉄道用木材の需要を充すに止まらず、他の國民経済諸部門の需要にも應じ居れり。挽材工場の如きも、相當大規模に経営され居れり。一九三四年に於て鉄道用丸太の使用量は一、〇五〇千立方米、挽材は九〇〇千立方米、枕木は二九、六〇〇千瓲なりし故、現在は之を遥かに凌駕し居るべし。

鉄道のセメント使用量は一九三三年に於て一五三千瓲なりき（一九三二年には二五二千瓲）。

斯くの如く、運輸、就中、鉄道はソ聯邦國民経済に於ける大口消費者の最たるものなり。

二九

第二章 鐵道運輸

第一節 貨物輸送

一、鉄道貨物の数量

ソ聯邦鉄道貨物の数量は次の如し

年次	数量 百万瓲
一九一三年	一三二・四
一九二八年	一五六・二
一九二九年	一八七・七
一九三〇年	二三八・七
一九三一年	二五八・三
一九三二年	二六七・九

三〇

一九三三年	二六八・一
一九三四年	三一七・一
一九三五年	三八八・五
一九三六年	四八四・二
一九三七年	五一六・七
〃〃三八年	五一五・六

（註）出所、ゴスプラン中央統計局発行「ソ聯邦社會主義建設」（一九三六年版及一九三九年版）、ハチヤトウロフ著「資本主義諸國及ソ聯邦に於ける運輸の配置」等。

之等の数字は、ソ聯鉄道が國内一般産業の発展に即應して運搬し、若くは運搬せざるを得ざりし貨物量の逐年増加し行きし動態を示すものなり。即ち第二次五ケ年計畫末一九三七年の貨物量をとれば、一九一三年のそれに比して約四倍、第一次五ケ年計畫末一九三二年のそれに比して正に二倍の増加なり。

三一

次に主要貨物の数量を掲げん（別紙）。

第一次、第二次の両五ケ年間に於て特に増加の著しかりしもの、即ち全鉄道貨物量の増加率より高率を示し居るものを列挙すれば、石炭・泥炭・鉱石・黒色金属・鉱物性建築材料、特にそのうちで(ロ)として示され居るもの、鉱物性肥料・化学品・砂糖・甜菜・棉花等なり。

石炭・泥炭の増加テンポの激しきは燃料として鉄道自体の需要をはじめ各種工業の需要に應じたるものと見るべく、鉱石・黒色金属のそれは製鉄業と機械製作工業の発展テンポに照應したるもの、鉱物性建築材料の急増――特に土砂・砂利・瓦礫及び新材料の激増は建築工業の啻ならざる強行を物語りて餘りなく、鉱物性肥料・化学品の飛躍的テンポはソ聯の新興花形工業たる化学工業の颯爽たる躍進振りを反映し、砂糖・甜菜・棉花の急進は製菓工業・製糖工業・纖維工業の漸く足並を揃へし行進の開始を示せるものなるべし。

三二

鐵道主要貨物輸送量

（単位 千瓲）

	一九一三年	一九二八年	一九三二年	一九三五年	一九三七年	一九三七年の一九三二年比（%）
鉄道貨物総量	一三二、四〇〇	一五六、二〇〇	二六七、九〇六	三八八、五三三	五一七、三〇〇	一九三・〇
内譯						
(1) 石炭及コークス	二六、三三九	三〇、三五八	五六、六九一	九四、六七九	一一六、五七一	二〇五・六
(2) 泥炭	三五〇	—	二、八三五	六、〇六三	九、五九五	三三八・四
(3) 石油及石油製品	五、七九九	八、七一九	一七、〇〇四	二三、三八五	二四、七三〇	一四五・四
(4) 鉱石	八、九二七	七、〇一六	一二、七二五	二五、九七二	三〇、四八一	二三九・五
(5) 黒色金属	四、五六七	五、六九二	一〇、七一〇	一九、一一八	二六、二一五	二四四・七
(6) 金属製品	—	—	四、一一二	四、〇六四	七、〇八四	一七二・三
(7) 機械類	六〇〇	一、〇〇〇	二、二七四	二、五八九	三、九〇〇	一七〇・一
内 農業機械	—	—	六八四	—	九五五	一三九・一
トラクター	—	—	三五八	—	六六二	一八四・九
其の他の機械類（自動車を含む）	—	—	一、二三二	—	二、二四四	一八二・一
(8) 鉱物性建築材料(1)	—	—	四三、三五四	五五、七一〇	一〇二、三七八	二三六・一
内 (イ) 主なるもの	七、二八二	一三、七二八	二六、五〇〇	一九、四〇一	四五、一〇〇	一七〇・一
セメント	一、一九四	—	三、〇一〇	—	四、九六九	一六五・一
(ロ) 其の他	—	—	一六、八一四	二六、三〇九	五七、二七八	三四〇・六
(9) 木材	一二、一七〇	一七、三九二	三三、三九四	四二、一九七	四六、八五九	一四四・七
(10) 薪	八、五八三	一二、七四八	一三、八八〇	一八、二五一	一九、三二八	一三九・三
(11) 乾物性肥料	一〇〇	四〇〇	一、六〇〇	三、二〇九	五、〇〇〇	三〇七・二
(12) 化学品	—	—	一、一八九	—	三、八一六	三二〇・九
(13) 穀物	一八、二六四	一五、五二三	二三、七六七	三〇、〇二五	三九、〇〇〇	一六三・六
(14) 塩	一、九七一	二、三〇〇	二、九八八	四、五〇三	四、一〇〇	一三七・三
(15) 砂糖	一、九〇〇	一、八〇〇	一、五〇〇	二、四九八	四、〇〇〇	二六六・六
(16) 甜菜	二、五〇〇	二、九〇〇	三、一〇〇	—	八、九〇〇	二八七・〇
(17) 棉花	五〇〇	八〇〇	八〇〇	一、〇二一	一、六〇〇	二〇〇・一

（註） (1) 鉱物性建築材料のうち(イ)主なるもの、に属するはセメント・煉瓦・石材・石灰にして、(ロ)其の他に属するは、砂利・土砂・瓦礫及び建築用新材料なり。

本表は種々の資料を寄せ集めて筆者の作成したものにして、〇〇の多き所は単位百万瓲で出てゐた数字を持って来たからなり。

鐵道貨物の地域的配置の動態表

發送量（單位 千瓲）

	一九一三年	一九二九年	一九三二年	一九三五年	一九三七年	一九三七年の一九三二年比
全ソ	一三二、五三四	一八七、六二六	二六七、九〇六	三八八、五三三	五一七、三〇〇	一九三、二
内訳						
1. 北部、西部、中央諸地方	三六、一二〇	五三、三五四	七一、〇七二	九四、九五一	一二八、一〇〇	一八〇、二
北部	二八三	一、六三五	四、二二〇	五、三九四	-	-
レーニングラード州及カレリヤ共和國	八、一〇七	一二、八〇七	一七、九一一	二〇、九九〇	-	-
西部(1)	四、六六八	六、七二六	八、一八二	一二、四六四	-	-
旧中央工業地方(2)	一四、三四五	一九、〇二四	二四、五一〇	三二、八〇〇	-	-
ゴーリキイ州及キーロフ州(3)	二、三五七	五、三〇四	六、三六二	一〇、一七三	-	-
中部地帯(4)	六、三六〇	七、七五八	九、八七七	一三、一七〇	-	-
2. ウラル(5)及バシキル自治共和國	六、八七〇	一三、三九九	一九、二六五	三三、五八七	四六、一〇〇	二三八、九
3. 沿ヴォルガ地方	一二、〇七九	一三、三四三	一六、一九三	二一、三一三	二七、〇〇〇	一六六、七
中沿ヴォルガ地方(6)	四、九八八	六、九八六	八、九八八	一一、六四五	-	-
下沿ヴォルガ地方(7)	七、〇九一	六、三五七	七、二〇五	九、六六八	-	-
4. 北カフカズ(8)及クリミヤ	一〇、二六八	一六、〇四四	二四、三四八	三〇、一六一	三七、六〇〇	一五四、七
5. シベリヤ	二、二三九	九、一三八	一六、八三三	三二、四七七	四八、二〇〇	二八五、三
西部シベリヤ(9)	-	-	一二、二一七	二三、九六三	-	-
東部シベリヤ(10)	-	-	四、六一五	八、五一四	一二、五三二	
6. 極東地方	一、二三五	三、二一一	五、三七八	九、六〇八	一五、六〇〇	二八八、九
7. 白ロシヤ共和國	二、六一八	四、六九四	六、三四三	七、五一九	九、〇〇〇	一四二、八
8. ウクライナ共和國	五三、〇九四	六一、三九一	九一、一一二	一三三、七六六	一七三、一〇〇	一八九、八
9. ザカフカズ諸共和國	五、四七六	六、七六六	七、二四八	八、三一二	一二、五〇〇	一七三、六
グルジヤ共和國	-	-	-	二、二四六	-	-
アルメニヤ共和國	-	-	-	八二三	-	-
アゼルバイジャン共和國	-	-	-	五、二四四	-	-
10. カザフ共和國	七一八	一、八二七	四、四四九	五、九五七	一〇、〇〇〇	二二七、三
11. キルギス共和國	-	七一	六〇三	一、二五二	一、四〇〇	二三三、三
12. ウズベク共和國	一、〇五二	二、三一二（12・13合計）	二、四二五	二、七〇九	四、七〇〇	一九五、八
13. タジック共和國	一四七		五一〇	五五五	七〇〇	一四〇、〇
14. トルクメン共和國	五八八		二、〇六八	二、八二一	三、三〇〇	一五七、一
15. 分類されなかつたもの	-	一、三〇九	-	-	-	-

到着量（單位 千瓲）

	一九一三年	一九二九年	一九三二年	一九三五年	一九三七年	一九三七年の一九三二年比
全ソ	一三二、八七三	一八七、六二六	二六七、九〇六	三八八、五三三	五一七、三〇〇	
内訳						
1. 北部、西部、中央諸地方	四一、四六七	五八、一七〇	八九、四五九	一三一、二六七	一七〇、〇〇〇	
北部	五七〇	一、六二四	一、九八一	二、一九八	-	
レーニングラード州及カレリヤ共和國	一一、九一四	一八、一九二	二五、七七六	三〇、〇九七	-	
西部	二、八〇〇	五、二一六	六、五八八	一〇、〇二二	-	
旧中央工業地方	一八、三二四	三〇、一一四	三八、六五一	五五、三六四	-	
ゴーリキイ州及キーロフ州	一、五三六	四、二九七	六、一〇五	七、八七七	-	
中部地帯	六、三二三	八、八一七	一〇、三六八	一五、七〇九	-	
2. ウラル及バシキル自治共和國	五、八九二	一二、六三六	二〇、二八九	三一、九二六	四五、四〇〇	
3. 沿ヴォルガ地方	七、九三六	九、四二九	一一、六二七	一七、六〇一	-	
中沿ヴォルガ地方	三、二〇三	四、八一九	五、九三一	八、八四四	-	
下沿ヴォルガ地方	四、七三三	四、六一〇	五、六九六	八、七五七	-	
4. 北カフカズ及クリミヤ	一二、七八三	一四、九二八	一八、九二九	二五、七七四	三〇、二〇〇	
5. シベリヤ	二、一八四	六、二八六	一三、八六五	二七、七七四	四〇、一〇〇	
西部シベリヤ	-	-	九、三五八	一九、三九九	-	
東部シベリヤ	-	-	四、三〇七	八、三七五	-	
6. 極東地方	一、六九〇	四、三二七	六、三二二	一一、〇五五	一八、六〇〇	
7. 白ロシヤ共和國	一、四〇一	四、一八二	六、七四一	七、二四七	一一、三〇〇	
8. ウクライナ共和國	四二、八七五	五〇、七八九	七〇、〇五八	一一三、九〇九	一四一、〇〇〇	
9. ザカフカズ諸共和國	五、二四九	七、八四三	七、八九七	一〇、三四六	一三、六〇〇	
グルジヤ共和國	-	-	-	六、三八八	-	
アルメニヤ共和國	-	-	-	一、一一一	-	
アゼルバイジャン共和國	-	-	-	二、九四七	-	
10. カザフ共和國	五四六	二、三一四	四、三九五	六、三〇九	九、四〇〇	
11. キルギス共和國	-	一〇二	三四九	八二七	一、一〇〇	
12. ウズベク共和國	一、五六三	三、〇八一（12・13合計）	三、六六五	五、〇六四	七、四〇〇	
13. タジック共和國	四四		二九〇	四六三	七〇〇	
14. トルクメン共和國	五四三	一、一四七	一、一二三	二、一一四	二、八〇〇	
15. 分類されなかつたもの	-	二、四〇二	八、二六三	-	-	

（備考）右統計表はハイヤトウロフ著「資本主義諸國及ソ聯邦に於ける運輸の配置」（一九三九年、モスクワ發行）、「計画経済」誌一九三九年第六号掲載「第三次五ケ年計画の鐵道貨物」、ガリーツキイ著「輸送計画」（一九三九年、モスクワ發行）の三つをコンデンスして作成せるものなり。

(1) カリーニン州、スモレンスク州、及オルロフ州（一部）を含む。
(2) モスクワ、ヤロスラヴリ、イワーノウオ、トウーラ、リヤザンの各州。
(3) マリー、チウワシ、ウドムルトの自治共和国を含む。
(4) オリヨール、クールスク、ヴォロネジ、タムボフの各州。
(5) スヴエルドロフスク、ペルミ、チエリヤビンスクの各州。
(6) クイブイシエフ州、オレンブルグ（現チカロフ）州、タタール自治共和国、モルドワ自治共和国。
(7) サラトフ州、スターリングラード州、沿ヴオルガ獨逸人自治共和国。
(8) ロストフ州、クラスノダール地方、オルジョニキーゼ地方、カバルジノ・バルカリヤ、北オセチン、チチエノ・イングーシ自治共和国。
(9) オムスク、ノヴオシビルスク、アルタイの各州。
(10) クラスノヤルスク地方、イルクーツク州、ブリヤート蒙古自治共和国。

二、鉄道貨物の地域的配置

鉄道貨物の発送と到着の地域的関係は、人口や港湾の分布、原料地と加工地、生産地と消費地の関係により決定されるが普通なり。但しソ聯の如き海上運輸の比率の低き國に於ては港湾の分布による影響は顕著たらず。

次に先づ鉄道貨物発着の地域的配置の統計表を掲げん（別紙）

右統計の一般的説明より始めん。

革命前のロシヤに於ては鉄道貨物の大部分は三つの地方――即ち、ペテルブルグ、モスクワ及び南部の工業地方に集中され居るの觀ありき。それが第一次五ケ年計畫開始頃より次第に変化を示せり。新に北方及び東方の両地方が擡頭し来りたるたり。此の傾向は両次の五ケ年計畫を通じて著しくなれり。遂にウラルとシベリヤの両地方の如きレニングラード州と比肩するだけの貨物量を有

するに至りたり。その増加のテンポを見るべし。シベリヤ並に極東地方の如きその発送貨物が約三倍（シベリヤ一二八五・二％、極東一二八八・五％）の増加を示せり。

次に個々の地方の貨物に関して説明せん。

ウラル及びシベリヤの貨物は、此の地方に重工業中心地の建設を計畫するソ聯當局の意向を反映して、石炭・鉄鉱・金属・木材・穀物を網羅し、極東地方の貨物も亦此の地方の特異性を反映して建設材料品・鉱産品・木材の占むる所なり。北部各州の占むる中には欧露の木材消費地方へ流れる木材貨物が主要部分を占め、カザフ共和國の貨物発着量の激増（発送量の増加両次五ケ年計画間に二二七・三％）は、発送貨物としてカラガンダ石炭の増加、到着貨物として建設材料品、農業用発用品の増加を示すものなり。白ロシヤ・グルジヤ・アルメニヤ・トルクメン・タジック等一聯の邊疆及後進諸地方の貨物量も著しく膨脹し居れり。舊工業諸地方の貨物量は絶対量に於て大に増加したるも、相対的関係に於ては、他の諸地方の躍進によって、その対全体の割合は低下せり。この

舊工業諸地方の最近の貨物量に於ける顕著なる現象は、㈠ポドモスクワ炭の開発と関聯して石炭の発送が著しき点、㈡嘗ての穀物消費地方より今や穀物生産地方に変化せることを示すものとして穀物の発送量の顕著なる点、㈢此の地方の機械工業の発展に比例して黒色金属の到着と機械類の発送が活発なる点の三点なり。レニングラード地方の貨物では、機械製作工業貨物――即ち金属と機械化学工業品（この中にはヒビンスキイ燐灰石が含まる）が次第に増加し、レニングラード製材工業の発展並に木材輸出港としてのレニングラード港の活動に対應して木材の発着が盛んなり。ウクライナの貨物ではドンバスの石炭、クリヴオイ・ログの鉄鉱が主なり。沿ヴオルガ地方、中部地帯の貨物量は絶対量では逐年増加し居るも、之亦全体の比率では低下し居れり。しかし之等の諸地方の貨物は嘗てのそれとは品目に於てかなりの変化を示し居れり。一例を挙げればヴオロネジ・クリミヤ・スターリングラードの諸地方は嘗ては未開の農業地方にして、その鉄道貨物も専ら農産物に限られ居りたるが、冶金工業の発達してからは（現在之等の諸地方にはリペツキイ工場・ケルチエンスキイ工場・

スターリングラード・トラクター工場、クラスヌイ・オクチヤブリ工場等ソ聯有数の工場が置かる）、その貨物に於て金属の割合が増大せり。

三、第三次五ケ年計畫に於ける鉄道貨物

一九四二年に於ける鉄道の主要貨物輸送量は概ね左の如し。

	百万瓲
石炭	二〇七・三
泥炭	一六・五
石油	四〇・〇
	四〇・七
金属	四〇・〇
機械	七・九
鉱物性肥料	一一・〇
化学工業品	七・九

木材	七〇・六
薪	二七・〇

（註）出所．「計畫経済」誌．一九三九年第六号掲載「第三次五ヶ年計畫の鉄道貨物」。

この一九三七年に対する増加量を挙ぐれば左の如し．

石炭	一七八%
泥炭	一七五〃
石油	一六二〃
鉄鉱	一三四〃
金屬	一五三〃
機械	二〇五〃
鉱物性肥料	二二〇〃

三七

化学工業品	二一〇．
木材	一五一．
薪	一四〇．
食料品	一六七．

各貨物の増加率の高低にソ聯経済が第三次五ヶ年計畫に於て進みつゝある方向の示唆を求むるも可なり。

次に各地方に於る貨物発送量の増加は一九三七年に比し、

極東地方	二倍
ウラル カザフ共和國	八五－九〇%
中央アジヤ 北部地方	八〇－八五%
沿ヴオルガ地方	六〇－六五%

三八

西部シベリヤ 東部シベリヤ	五〇－五五%
ザカフカズ地方 中央地方	三五－四〇%
ウクライナ	三〇－三五%
北カフカズ及クリミヤ 北西地方 白ロシヤ	約三〇%

（註）出所、前掲書．

特に極東地方の増加に注目すべし．

三九

第二節 旅客輸送

ソ聯邦鉄道に於ける旅客輸送の動態は左の統計から明瞭なるべし（別紙）。

右統計より、旅客輸送が一九一三年に比較して一九三二年には五二三・一%、一九三八年には実に六三九%、輸送旅客粁に於ては一九三八年は一九一三年の三六六・五%なることを知れり。このソ聯鉄道に於ける旅客数の増加は、ソ聯國民の物質的・文化的水準の昂上と福祉の増進を反映する一證左たるべし。旅客輸送のうち特に圧倒的増加を示せるは郊外輸送なり。一九三八年に於ける郊外輸送乗客数は一九一三年の一．五四〇%、即ち実に十五倍余なり．之れソ聯に於ける人口の都市集中度化を雄辯に物語るものなるべし。ソ聯鉄道中、郊外乗客の特に甚しきは、モスクワ・ドンベス・クイブイシエフ、キーロフ、ゴリキ

四〇

旅客輸送動態表

年度	輸送旅客数 全輸送	輸送旅客数 遠距離輸送	輸送旅客数 郊外輸送	一九一三年の輸送旅客数に対する比率（%） 全輸送	遠距離輸送	郊外輸送
一、単位百万人						
一九一三年	一八四・八	五九・三	五九・三	一〇〇・〇	一〇〇・〇	一〇〇・〇
一九二五年	二二七・三	一一三・八	一、一三・五	一二三・〇	九〇・七	一九一・四
一九二八年	二九一・一	一三四・一	一五七・〇	一五七・五	一〇六・九	二六四・七
一九三二年	九六七・一	三〇三・一	六六四・〇	五二三・三	二四一・五	一一一九・七
一九三三年	九二七・〇	二九七・六	六二九・四	五〇一・六	二三七・一	一、〇六一・四
一九三四年	九四五・二	二五八・三	六八六・九	五一一・四	二〇五・八	一、一五八・三
一九三五年	九一九・一	二二八・一	六九一・〇	四九七・三	一八一・八	一、一六五・三
一九三六年	九九〇・八	二四八・八	七四二・〇	五三六・一	一九八・二	一、二五一・三
一九三七年	一、一四二・七	二七三・四	八六九・三	六一八・二	二一七・五	一、四七三・〇
一九三八年	一、一八二・五	二七四・七	九〇七・八	六三九・〇	二一八・二	一、五四〇・〇
二、単位十億旅客粁						
一九一三年	二五・二	二三・七	一・五	一〇〇・〇	一〇〇・〇	一〇〇・〇
一九二五年	二〇・五	一七・七	二・八	八一・三	七四・七	一八六・七
一九二八年	二四・五	二〇・七	三・八	九七・二	八七・三	二五三・三
一九三二年	八三・七	六六・九	一六・八	三三二・一	二八二・三	一、一二〇・二
一九三六年	七六・九	五九・一	一七・八	三〇五・二	二四九・四	一、一八六・七
一九三七年	九〇・九	六七・五	二一・四	三六〇・三	二九三・〇	一、四二五・〇
一九三八年	九二・四	七〇・〇	二二・四	三六六・五	二九五・三	一、四九〇・五

（註） 出所 論文集「第三次五ケ年に於ける鉄道運輸」（一九三九年、モスクワ、國立運輸鉄道出版所発行）。

(K)

イ、トウルクシブ、オムスクの諸鉄道なり。

次に郊外輸送旅客の全輸送旅客に於ける割合をみれば左の如し。

郊外輸送旅客の全輸送旅客に於ける割合表 （%）

年度	輸送旅客数による	旅客粁の量による
一九一三年	三二・一	六・〇
一九二五年	四九・九	一三・七
一九三二年	六八・七	二〇・一
一九三三年	六七・九	二一・三
一九三四年	七二・七	二三・七
一九三五年	七五・二	二四・七
一九三六年	七四・九	二三・一
一九三七年	七六・二	二三・六

四一

一九三八年	七六・八	二四・三

四二

（註） 出所 論文集「第三次五ケ年計画に於ける鉄道運輸」（一九三九年、モスクワ、國立運輸鉄道出版所発行）。

旅客運輸の場合に於ける主要列車運轉経路は以下の如し。

最も重要なる旅客列車運轉経路はレーニングラード＝モスクワ＝ハリコフ＝ロストフ＝ミネラルヌイエ・ヴアドウイ及ハリコフ＝セバストポール間なり。寝台車を連結したる長距離旅客列車は主として十月鉄道の幹線に沿ふて運轉せられ居れり。此の線の列車の一部は、ボロゴエ及リホスラヴリに於て隣接線（レニングラード＝ルゼフ＝トウラ＝スイズラン＝ナエリヤビンスク＝イルクーツク、レニングラード＝ポロツク、レニングラード＝ルイビンスク等）へ運轉さるゝものなるが、それ以外は、モスクワ近及モスクワ以南へ運轉さる。次[illegible]エレジン、スキー鉄道の管轄に屬するモスクワ＝ハリコフ間の主要幹線[illegible]

一層長距離列車が運轉せらる。此の鉄道を通過する長距離旅客列車の半数は、クリミヤ方面、半数はカフカズ方面へ向ふ。ロストフ以南は、主要旅客線はウオロシロフ鉄道の管轄に屬し、列車の經路としては、モスクワ及びレニングラード方面よりクールスク及びリヤザンを經由しカフカズへ向ふものと、キエフ、シエペトフカ、ハリコフ、スウエルドロフスク方面より到着するもの並にソチリスキ、ロウオドスク　ロストフ＝バクー等より到着するもの等あり。旅客列車運轉の密度に於ては、ウオロシロフ鉄道は全鉄道網中第一位を占め居れり。

レーニン鉄道の一部区間たるモスクワ＝リヤザン間は長距離旅客列車の運轉が極めて発達し居る處なり。この鉄道にてはリヤザン及びリヤジスクに於て多くの列車が東方、即ち、中央アジヤ・ウラル・バシキル及クイブイシエフ方面へ方向を轉ずる。其の他の列車は南方のロストフ及びウオロシロフ鉄道方面へ向ふ。

右の外モスクワより発車する長距離旅客列車は極めて少し。ヤロスラウリ鉄道より発車する長距離列車は北方及極東へ向ふものなり。西南鉄道より発車す

る列車はソ聯邦の西部地方を運行して再びモスクワに帰着す。モスクワに於てヤロスラウリ鉄道から西部鉄道へかけて、又はその反対に、大陸横断列車がウラヂオとネゴロレロエ間に全聯全土を横断して運轉せらる。旅客列車の最も輻輳を極むる鉄道はモスクワとミンスク、キエフ（ブリヤンスク經由）ゴリキイ間及びその他の大都市間なり。

ウラル・シベリヤ・中央アジヤ・ザカフカズ地方に於て最も重要なる旅客列車運轉区は、スウエルドロフスク＝ノウオシビルスク＝イルクーツク＝ウラヂオ、ヌイズランニ＝チエリヤビンスク＝オムスク、キネール＝チカロフ（舊名オレンブルグ）＝タシケント・バクー＝トビリシ＝バツームの諸線なり。

主要線に於ける旅客列車運轉速度を挙げれば左の如し。

主要線に於ける旅客列車運轉速度表（一九三七年）

區間	距離（粁）	最短運轉時間（時・分）
モスクワ＝ハリコフ＝ロストフ	一、三五八	二六・〇四
モスクワ＝ソチ	一、九八七	四〇・三〇
モスクワ＝ミネラルヌイエ・ヴアドウイ	一、八五一	三五・〇六
モスクワ＝トビリシ	三、一五一	七一・二七
モスクワ＝キエフ	八六五	一七・四八
モスクワ＝ミンスク（急行）	七五五	一二・一八
モスクワ＝ノウオシビルスク	三、三四〇	六五・五〇
モスクワ＝ウラヂオストーク	九、三三二	二一二・四五
モスクワ＝マグニトゴルスク	二、四六七	六五・〇五
モスクワ＝タシケント	三、三六八	九五・五一
モスクワ＝アルマ・アタ	四、〇二〇	一一一・三六
モスクワ＝サラトフ	八五三	二〇・二六
レニングラード＝ムルマンスク	一、四五〇	三三・四五

（註）　出所　ハチヤトウロフ著「資本主義諸國及ソ聯邦に於ける運輸の配置」（一九三九年、モスクワ発行）。

最後に、第三次五ケ年計畫に於ける旅客輸送に関して述べん。第三次五ケ年計畫に於ける旅客輸送量は第二次五ケ年計畫の三一・六％の増加、即ち一九四二年に於ては一、四六三（百万）人の予定なり。旅客粁は一九三七年度の九〇九億旅客粁に対し一九四二年には一、二〇〇億旅客粁、即ち五年間の増加三二％の豫定なり。

第三次五ケ年計畫に於ける輸送旅客数の年平均増加は五・六％、旅客粁の年平均増加は六・四％なり。

第三次五ケ年計畫に於ける旅客輸送表

	一九三七年	一九四二年	増加率（％）

輸送旅客数（単位百万人）	一一四二・七	一四六三・〇	一二八
内訳			
(イ)遠距離直通及地方交通	二七三・四	三二八・〇	一二〇・一
(ロ)郊外交通	八六九・三	一一三五・〇	一三〇・六
輸送旅客粁（単位十億）	九〇・九	一二〇・〇	一三二・〇
内訳			
(イ)遠距離直通及地方交通	六九・五	九一・五	一三一・七
(ロ)郊外交通	二一・四	二八・五	一三三・一

（註）出所、論文集「第三次五ケ年計画に於ける鉄道運輸」（一九三九年、モスクワ、国立運輸鉄道出版所発行）。

郊外輸送の増加率一三〇・六%は、第三次五ケ年計画中に発展を計画せられる新工業中心地、具体的にはクイブイシエフ水利基地、第二バクー、ドンバス、

クズバスに於ける人口増加、極東新興都市の発展などに対応するものなり。

第三節　鉄道の量的・質的観察（鉄道の強弱点判定）

一、鉄道の路線を中心としたる観察

一九三九年現在のソ聯鉄道路の設備及施設を一括して表に現せば左の如し。

鉄道総延長	八四、九五〇粁
内　複線区間	二四、八六一〃
自動閉塞式施行区間	五、〇六二〃
三八粁以上軌條敷設区間	四四、一〇〇〃
砕石道床区間	五六、九七〇〃
電化区間	一、六八〇〃
[illegible]車輌数	六一[illegible]輌

ロ　機械化されたるもの

聯動装置分岐総数	二四七七五組
内　機械聯動装置	八、五三二〃
電気聯動装置	一六、二四三〃

（註）出所、企画院「ソ聯邦経済国力判断資料」第三輯。

一九一三年に鉄道網の延長は五八、五〇〇粁、一九三二年には八三、四〇〇粁なりき。鉄道網の延長を世界主要列強と比較せば左の如し。

ソ聯邦	八四、九五〇粁
日本	一六、八四五〃
英国	二〇、六九五〃
米国	三八一、二一九〃
独逸	五四、三七五〃
佛蘭西	四二、四七三〃

伊太利	一六、八五三粁

（註）出所、ソ聯邦以外の数字は鉄道省発行「世界鉄道統計」によれり。以下同じ。

即ちソ聯邦はアメリカに次ぐ世界第二の鉄道国なり。然し乍ら、之を面積及び人口の割合からみれば、百平方粁当り、

ソ聯邦	〇・四粁
日本	五・七〃
英国	一三・八〃
米国	四・二〃
独逸	一四・六〃
佛蘭西	一一・六〃
伊太利	七・四〃

にして、人口一万人当りの割合は

ソ聯邦	四・九粁
日本	三・二〃
英國	七・二〃
米國	三一・〇〃
独逸	一〇・三〃
佛蘭西	一五・三〃
伊太利	五・四〃

即ち、鉄道延長粁の人口と密度に於てソ聯邦は資本主義諸國に遠く及ばざるなり。

次はソ聯鉄道に於ける電化線に就て之を各國と比較せば左の如し。

ソ聯邦	一、六八〇粁
日本	六〇九〃
英國	九九三〃
米國	四二九九〃

独逸	二、五五六粁
佛蘭西	二、七八六〃
伊太利	三、三七〇〃

電化線の鉄道網全延長に対する比をとれば

ソ聯邦	〇・〇一二%
日本	〇・〇三六〃
英國	〇・〇三二〃
米國	〇・〇一二〃
独逸	〇・〇四一〃
佛蘭西	〇・〇六六〃
伊太利	〇・〇二〃

ソ聯邦は第二次五ヶ年計畫の年間に於て電化工事を大いに展開したるも、未だ資本主義諸國を凌駕する程度に達し居らざるなり。

次にソ聯邦鉄道の貨物輸送量が逐年増加しつつある状況に關しては既述したるが

之を國民一人當りで割れば、

ソ聯邦	三・一トン（一九三七年）
米國	一〇・五〃（一九二九年）
独逸	七・六〃（〃）
英國	七・九〃（〃）
佛蘭西	九・二〃（〃）

と、ソ聯邦は低度にあるなり。

最後にソ聯鉄道の線路及び其の上部構造を観察せん。

周知の如く、ソ聯邦の鉄道は線路の上部構造の質によって、一級線・二級線・三級線及び地方線の四階級に分れるが、その標準となるは別表の如し。

而してソ聯の鉄道路線で一級線に該當するものは幾許なりやの問題なるが、之に関しては先づ第十八回党大會に於ける交通人民委員カガノウイチの言葉を引用せん。

曰く、「我々の線路には、遺憾乍ら、依然として古く軽いレールがある。し

ソ聯邦鐵道線路上部構造表（二）

	鉄道經営五年目に於ける一線當り純輸送量（単位一粁當り千瓩粁）	機関車軸重	旅客列車最大速度（粁時）	線路上部構造		
				道床	枕木	軌條
一級線	一〇百万瓩粁以上	二二瓩以上	一三〇粁以上	砂の補助道床上に砕石砂利一等品を敷く	I及II型で粁當り一八四〇挺	四三瓩以上のもの
二級線	五百万瓩粁以上一〇百万瓩粁以下	一九瓩以上二二瓩まで	一〇〇粁以上一三〇粁まで	砂の補助道床上に砂利一等品砕石鉱滓を敷く	I型で粁當り一八四〇挺	四三瓩軌條及びIIa
三級線	五百万瓩粁以下	一九瓩以下	一〇〇粁以下	砂砂利鉱滓砕石を敷く	III及IV型で粁當り一六〇〇挺	IIa及びIIIa
地方線	五百万瓩粁以下	一九瓩以下	一〇〇粁以下	右同	III及IV型で粁當り一四四〇挺	IIIa型

かし我々は既に二万五千粁を新しいレールで替へた」と。

第十七回党大會の席上では時の交通人民委員アンドレーエフは「全主要幹線の二%だけが一米につき四三瓩乃至それ以上であり、又僅かに一六%だけが一米につき三八瓩以上であり、其の他の全部、即ち主要幹線の八二%は三八瓩より軽いのである」と云ひ居れり。即ち第十七回党大會當時に於けるソ聯の鉄道総延長八万一千六百粁のうち、このうちの主要幹線の一八%だけが一米につき三八瓩の重量のレールにして後は皆三八瓩以下なりと云ふなり。この故に、全体としてみる時、大体一〇%餘のつまり約八千粁内外が重いレールで後は皆な軽いレールなりとの推論が成り立つなり。次にカガノウイチの前述の言葉なり。二万五千粁を新しいレールで替へたりと云ふは、之は古いレールを新しいのに取替へたるに相違なかるべし。両次大會の間に新設されし新線五千粁は、少くとも新しいレールであるとして、之に二万五千粁を加へ、更に前述の八千粁を合計して三万八千粁、之は少くとも新しいレール、即ち一米につき三八瓩以上のものとして、此の全体に對する比率とすれば、四四・二%なり。

之を資本主義諸國と比較してみん。

資本主義諸國に於ける鉄道のレールの重さは一米につき四二瓩以上のもの

米國	六〇%以上
独逸	九〇%〃
佛國	五五%〃
英國	六七%〃

ソ聯邦は三八瓩以上のものが四四・二%の勘定なるが故に、ソ聯邦が著しく劣勢なることは明瞭なるべし。

レールの毀損率は普通二三%に過ぎざるにソ聯邦に於ては一〇%に達し居れり。更に金屬の悪質なると製造法に缺陥あることの為、レールの磨滅は極めて早く、既に三、四年後には使用に適せざるが如し。

砂利は細過ぎ且つまぜものが多し。現在最も重要な地方に於ける線路の延長中、混ぜもののなき碎石バラスを使ひ居るは五、〇〇〇粁（約六%）に過ぎざるなり。

線路の補修は年々計畫の規準に後れ居れり。例へば一九三八年に前半に於て線路の更換は四・六%、大修理は九%、普通修理は一四・五%にしか遂行せざりき。

斯くの如き列國に比して著しく遜色ある鉄道線路上に如何なる貨物量が運搬されるや、を見れば、鉄道一粁當り貨物輸送密度は

ソ聯邦	三、〇七九千瓲粁
英國	八二九〃
米國	一、二五四〃
独國	一、二七八〃
佛國	六五八〃
日本	九二三〃

（年次一九三五年）

にして、輸送密度に於てソ聯が断然他國を圧し居れり。

即ち以上よりして、ソ聯の鉄道は路盤が悪く、レールが軽いにも拘はらず、他の諸國に比し、断然圧倒的な貨物輸送を強行し居れることが判明せん。而して此の面よりソ聯邦の鉄道を観察せば、ソ聯邦鉄道はすでに精一杯に酷使され居ることが推断されるなり。

尚、一粁當り輸送密度を年次別に挙げれば左の如し。

一九一三年	一、一二二千瓲粁
一九二八年	二、二一五〃
一九三二年	二、〇七五〃
一九三七年	四、一六九〃

（註）出所、企畫院「ソ聯邦経済國力判断資料」第二輯。

此の数字より一九二八年―即ち第一次五ヶ年計畫當初に於ける一粁當り貨物輸送密度が一九一三年に比し僅かに八三%の増加に過ぎざりしものが、一九三七年には一躍三・七倍も増加し居ることが判明すべし。之は勿論、ソ聯工業の躍進に對應したる結果に他ならざるも、ソ聯の鉄道が内に十分力ありて之に順應したるに非ず、力不足なりしにも拘らず之に順應せざるを得ざ

リし事情を物語るものなり。

このことよりソ聯の鉄道運輸が、特に貨物輸送に於て現在殆んどマクシマムに働き居るとの推論が成立つなり。此の点に関しては最近に於ける貨物輸送量の発展テンポよりみても首肯される所なり。

五八

ソ聯邦鉄道貨物輸送の増加テンポ（対前年度の比率）

年	比率
一九三四年	一二一%
一九三五年	一二五〃
一九三六年	一二五〃
一九三七年	一〇五〃
一九三八年	一〇四〃

即ち年毎に発展テンポの少くなり居るを知るべし。

尚第二次五ケ年計画は一九三七年の輸送瓩粁三〇〇億瓩粁を計画せし所、一九三七年の実績は三五四八億瓩粁にして、第一次五ケ年計画末一九三二年の実績に比し実に二〇九%に達したり。而して第三次五ケ年計画は第二次計画の一四三%、五千一百億瓩粁を予定せり。この事実から見てもソ聯鉄道の輸送余力は極めて局限されたるを知るべし。而も第三次五ケ年計画で四三%の増加を確保し得るやも極めて疑問とする所なり。

平時すでにかくの如し。戦時輸送量の激増する時、ソ聯鉄道が之に耐へ得るや否や疑問なり。

二、機関車・車輛を中心としてみた観察

ソ聯邦に於ける機関車・車輛の現在数は左の如し。

	一九一三年	一九三二年	一九三五年	一九三六年	一九三七年	一九三九年
機関車	一九、七六九	一九、五〇〇	二三、一〇〇	二三、〇〇〇	二六、九一八	二六、〇二六
貨車（二軸車換算）	四七〇、三六八	五五二、〇〇〇	六六二、〇〇〇	七一〇、二〇〇	七四〇、九一〇	七一七、五〇〇
客車	三〇、八五八	二九、〇〇〇	三二、四〇〇	三二、九〇〇	三二、〇六五	三六、五〇〇

五九

六〇

（註）出所、満鉄「ソヴエート聯邦事情」第十一巻第五号、企画院「ソ聯邦経済国力判断資料」第三輯。

右表から、一九三七年中の機関車・貨車・客車の生産が同年の損耗数を償ひ得ざりしを知るべし。

更に又、最近迄ソ聯に於ける支配的な兆候として輪轉材料損耗五%と発表され居るが、実際は之より遥かに上廻り居るもの丶如し。

次に運轉中の全延長百粁当り輪轉材料数を掲げれば左の如し。

	鉄道網一〇〇粁当り		
	機関車	貨車	客車
一九一三年	三九	八〇四	五三
一九三七年	二六	八五六	三七

（註）出所、前掲書。

右表より一九三七年に於ける機関車・貨車数は一九一三年に劣り、貨車数は六・五%増加し居ることを知るべし。但し實的には事情を異にし、例へば、一九一三年に於ける機関車は総牽引力一六六・一〇〇トンを有する弱力な「〇－四－〇」型機関車を原則としたるも、一九三七年に於てこの弱力機関車の割合は全体の三二・五%に過ぎず、反之、ЭУ型、СО型の強力機関車が二九・七%を占め、Э型機関車数は四五・一%なり。一九三七年末に於ける機関車の牽引力は三一九、〇〇〇トンにして、一九一三年の一六六、一〇〇トンに比較すれば正に二倍の増加なり。

ソ聯邦機関車の主要規格は次の如し。

六一

	車軸配置	動輪直径（粍）	シリンダー直径（粍）	ピストン衝程（粍）	火床格子面積（平方米）	蒸気圧力（アンペイヤ）	有火重量（瓲）	固着重量（瓲）	時速（粁）
ФД	1-5-1	一五〇〇	六七〇	七七〇	七・〇四	一五	一三三・〇	一〇一・〇	八五
СО	1-5-0	一三二〇	六五〇	七〇〇	六・〇〇	一四	九六・六	八七・六	七五
ЭМ	0-5-0	一三二〇	六五〇	七〇〇	四・四六	一四	八五・〇	八五・〇	六五
ИМ	1-4-2	一八五〇	六七〇	七七〇	七・〇四	一五	一三四・〇	八二・〇	一三〇
СУ	1-3-1	一八五〇	五七五	七〇〇	四・四三	一三	八六・〇	八五・〇	一一〇

（註）　出所、ハチヤトウロフ著「資本主義諸國及ソ聯邦に於ける運輸の配置」一九三九年発行。

第一次五ケ年計畫當時に於て機関車の支配的型はЭ（エ）型0−5−0なりき。この機関車は簡単な構造を有し、経済的であり、優秀な機関士による時は二千瓲乃至三千瓲又はそれ以上の重量を有する列車の牽引が可能にして、現在まだソ

六二

聯機関車総数の四五・一%を占め居れり。

一九三六年からЭ型機関車の製造は中止され、之に代ってCO（エスオー）型1−5−0が製造されるに至れり。CO型機関車は其の構造に於てЭ型機関車に類似し居るも、その牽引力に於て三〇%も強力なり。特に重要な点はCO型機関車がコンデンサー附なることとなり、此のコンデンサー附機関車は一千粁の区間を無給水で運轉することが可能にして（普通の機関車は六〇粁乃至七〇粁毎に水の補給を必要とする）、その構造原理は左の如し。

即ち機関車のシリンダー内で一旦役目を果した蒸氣は之を外部に放出せず、蒸氣管を通じてテンダーに取附けてある廃汽タービンに入り、そのタービンより特種の冷却器に入れらる。而してこの冷却器内で、タービンによって始動する通風機の助けによって、蒸気を冷却する。蒸気を冷却して得た攝氏九〇度の温度を有する水は凝結水槽に入り、然る後に更に汽罐に入る。斯くして一度汽罐の中へ集められる水は、汽罐内で反復蒸発させ、冷却し再び汽罐へ導入せらるゝなり。コンデンサー附機関車の利用に依って生ずる水の大節約は鉄道給水

六三

の問題に新なる方向を與へたり。此の種コンデンサー機関車は給水困難な極東・中央アジヤ方面で絶大な意義を獲得しつゝあり。

第二次五ケ年計畫中に建造を見るに至りしФД（エフデー）型はCO型機関車のより一層強力にして、正にソ聯邦の代表的機関車たるなり。ФД1−5−1型機関車は時速六五粁の速度に於て二、六〇〇馬力以上を出すことが出来、又七〇粁迄汽罐を強化することが可能なり。この機関車には石炭を機械的に火室へ投入する構造の給炭機が備へ付けられたり。ФД型機関車は絶えず改良を加へられ、コンデンサー附のものも製造されるに至れり。

このФД型機関車をソ聯邦の代表的機関車として、之を英・独・佛の機関車と比較せば左の如し。

	車軸の配置	動輪の直径（粍）	シリンダーの直径（粍）	ピストンの衝程（粍）	火床格子面積（平方米）	固着重量（瓲）	蒸気圧力（アンペーヤー）
ソ聯邦	1−5−1	一五〇〇	六七〇	七〇〇	七・〇四	一〇一・〇	一五・〇
英國	1−4−1	一五七五	五八〇	六六〇	三・八三	七三・四	一五・五
独逸	1−5−0	一四〇〇	六〇〇	六六〇	四・七〇	九九・三	一四・〇
佛國	1−5−0	一四〇〇	五六〇	六六〇	三・〇四	八二・四	一四・〇

六四

（註）　出所、前掲書。

即ち資本主義列強に比し聊かも遜色なきを知るべし。

旅客機関車にて代表的なるは流線型機関車ИС（イエス）型にして、この機関車の最大速力は時速一五〇粁なり。

次にソ聯鉄道に保有する機関車数を他國と比較してみれば左の如し。

	運行線一〇〇粁當り 機関車数	運行線一〇〇粁當り 牽引力トン数
ソ聯邦	二六[illegible]	三六八・四

六五

米國	三四台八	二九五〇
ドイツ	四四台八	ー
フランス	四七台五	ー
日本	三〇台七	ー

例へば一九三六年に於てドイツに於ける貨物列車は平均七五輌で編成され、全重量六五一トン、積載貨物純量二八四トンなり。対之、ソ聯の同様指数は平均一一六台二、全重量一一九〇トン、純量六六七トンにして、即ちドイツを凌駕することを知るべし。

ソ聯機関車の弱点は新型機関車より数に於て多き舊型機関車が非常に使ひ古され、而も修繕が劣悪なる点にあり。

最近年間に於ける数字は、故障機関車の量が極めて多きことを示し居れり。例へば一九三七年に一一五〇〇台の機関車、換言すれば全機関車の一一・五％が大修理を受けねばならぬことを見ても明瞭なる可し。而して修繕基地は十分でな

六六

く、機関車工場の修繕能力は不充分にして、且つ又Ф丹、CО、ИC型の強力機関車の修繕には使用し得ず、加之、修繕工場の配置も亦不均衡にして、ウラル・シベリヤ・中央アジヤ方面は不足し居れり。

貨車に就ては著しい改造が行はれたり。革命前は殆んどすべての貨車は一六・五瓲乃至一六・五瓲積の二軸車なりしが、其後積載力の大なる四軸車の充実に力を用ひ、第一次五ケ年計畫に於ては一六・五瓲車の製造は之を廃止し、二〇瓲乃至二五瓲（槽車）の積載力を有する二軸車を製造し始めたり。第一次五ケ年計畫末に於て大型貨車の割合は全体の八％なりしが、第二次五ケ年計畫末には二〇％に達せり。

大型貨車の普及は著しく経済的効果を齎らすものなり。大型貨車は小型貨車に比較して、積載量からみて一層低廉に製造し得るものにして、大型貨車を以て編成せられたる貨物列車は之と同一積載量を有する小型貨車より成る列車より短くてすむ譯なり。從つて列車の停車する驛構内の線路も短くてすむ譯なり。總てこの大貨貨車の運轉抵抗は等量の積載力を有する小型貨車より小なり。總てこのこ

六七

とは大型貨車を利用することが輸送原價の著しき低減となることを證明す。ソ聯に於ける大型貨車の割合は西欧列國に於けるより大であり、ソ聯鉄道の一特徴を成すものなり。

大型貨車の普及と並んで車輛の専門化が行はれつゝあり。既に一九二八年に於て車輛は七〇％以上が有蓋車で、無蓋車は全体の二〇％に過ぎざりき。石炭・鉄鉱・木材・石油・建築材料等、重要貨物専用の車として、ゴンドラ車・ホッパル車・ドムプ車・無蓋車・油槽車・冷凍車が使用せられ居れり。

次にソ聯邦の貨車を主要列國と比較せば左の如し。

	貨車数	輸送作業（百万瓲粁）	一〇〇粁當りの貨車平均数	一〇〇粁當りの貨車積載最大量（トン）
ソ聯邦	七四〇、九〇〇	三五四、八〇〇	八五六	一七、〇九〇
米國	二、二九八、〇〇〇	六三七、七〇〇	六七〇	二七、五〇〇
独逸	六七三、〇〇〇	七三、二〇〇	一、二〇〇	二〇、〇〇〇
フランス	五四七、〇〇〇	四三、四〇〇	一、二五四	二〇、二〇〇
英國	七五六、〇〇〇	二九、〇〇〇	二、三〇五	二三、七七一
日本	六五、九〇〇	一三、三〇〇	三三六	六、二九〇

六八

（註）　出所、満鉄、「ソヴエート聯邦事情」第十一巻、第三号。

此の表の最下欄の数字は一〇〇粁當り輸送力で、ソ聯邦が先進諸國に一歩譲り居ることを證明せるものなり。

貨車修繕の不良なるは機関車のそれと等しく、弱点の最たるものなり。修繕工場は故障車輛を収容出來ず、而も修理能力は缺点だらけなり。一九三七年に大修繕三〇、〇〇〇輛、所謂る普通修繕一二三、〇〇〇輛（貨車全数の約六分の一）を必要とし、修理せられずに残されし貨車は一九三八年一月一日に一六、〇〇〇輛、一九三八年七月一日に一七九〇〇輛に達したり。

即ち、之を要約せば、機関車・車輛の面からみたるソ聯鉄道も幾多の弱点を有するものと判定するを得可し。

六九

第四節　極東ソ聯の鐵道概況

一、概説

極東ソ聯の鉄道はシベリヤ鉄道の東部区間を占むるものなり。之に属するものには、トムスク鉄道の一部：クラスノヤルスク鉄道（マリインスカヤ驛より）、東部シベリヤ鉄道（タイシエトより）、モロトフ鉄道（ペトロフスキイ・ザウオード驛より）、アムール鉄（クセニエフスカヤ驛より）、極東鉄道（アルハラ驛より）及沿海鉄道（グベロウオより）なり。

極東ソ聯の鉄道

鉄道名	司所在地	延長
ドムスク	ノヴオシビルスク	二三一七粁
クラスノヤルスク	クラスノヤルスク	一二七八〃
東部シベリヤ	イルクーツク	七三二八〃（単線 三六六四粁、複線 三六六四〃）
モロトフ	チタ	二五三九〃（単線 一五二六〃、複線 一〇三一〃）
アムール	スウオボードヌイ	二六七五〃（単線 一三九二〃、複線 一二八三〃）
極東	ハバロフスク	二五五七〃（単線 二〇〇三〃）
沿海	ウオロシロフ ウスリイスキー	（複線 五五四〃）

（註）出所：在満軍機関の情報。

輸送貨物は極東に対する通過貨物のみならず、地方的輸送貨物も多量なり。スーゼッカから西へ、一部は東へ主として鉄道用石炭が輸送せらる。西部に於ては石炭の外にエニセイより木材が輸送せらる。チエレムホーウオ以東の区間

では石炭が輸送され、之は主としてチタ迄輸送さる。ハバロフスク・アムールよりは木材がウラヂオへ発送され、ウゴーリナヤ驛よりは石炭が発送さる。

・シベリヤ鉄道の東部区間は貨物輸送量に於て西部区間程大ならずとは云へ、この区間はソ聯邦東半部の廣大なる領域を貫通する唯一の鉄道路として、その政治的・経済的軍事的意義は蓋し絶大なるものあり。

クラスノヤルスク鉄道は木材工業・産金業・農業の盛んなるクラスノヤルスク地方の南部に奉仕し、そのアチンスク＝アバカン支線はハカシヤの奥地に通じ居れり。積載貨物の主なるものは木材・穀物・石炭等なり。積載貨物の数量は大して大なりとは云へず、主要作業は通過（トランジット）輸送なり。本鉄道はクラスノヤルスクにてエニセイ河を横切るものなり。東部シベリヤ鉄道はチエレムホーウオ炭田、ウラン・ウデを中心とするブリヤート蒙古（ウラン・ウデには大機関車工場あり）、大工業都市イルクーツクに奉仕し、クラスノヤルスク鉄道より遙かに大なる積載量を有す。又、この鉄道によりヤクート及びレナ産金地方向貨物が大量輸送さる。之等の貨物は鉄道驛よりレナ河沿岸まで

トラックにより輸送せらるるなり。モロトフ鉄道はチタ州の一部を貫通し居れり。此の鉄道で発送される主要貨物は石炭と木材なり。積載量は餘り大ならず、作業の大部分は通過輸送なり。カルイムスカヤ駅よりは満洲國との境界驛たるオトポールへ支線が通ぜり。モロトフ鉄道は極東に於ける他の三鉄道、即ちアムール鉄道・極東鉄道及び沿海鉄道と共に、ソ聯極東の國境線に沿ふものなり。アムール鉄道はチタ州とブラゴエシチエンスク市を含むハバロフスク地方の一部に奉仕する鉄道なり。此の鉄道の沿線には石炭産地、廣大な森林地帯、製材工場、木材加工工場、及び農耕地が連れり。ベリシヨイ・ネーウエル驛よりはヤクーツクへ國道が通じ居れり。アムール鉄道の主要積載貨物は石炭・木材・鉱物性建築材料・穀物なり。最後に極東及沿海の両鉄道は、ハバロフスクとウラヂオを中心とし、その沿線には、石炭工業・機械製作工業・造船工業・新興冶金基地（小興安嶺の鉄鉱とブレーヤの石炭）、軽工業・食料品工業・農業・漁業・等極東ソ聯の経済力が集結せり。サハリン、カムチャッカ、オホーツク沿海・極北地方との海上連結は本鉄道の終点ウラジオを起点として行はるゝもの

なり・極東・沿海両鉄道の積載貨物の主要なるものは石炭（スーチャン炭）、木材・鉱物性建築材料及穀物なり。

二、路　線

ソ聯邦鉄道の線路上部構造が四階級に分れることに関しては既述せり（「鉄道の量的・質的観察」の項目中「鉄道の路線を中心としてみた観察参照」）。然らばシベリヤ鉄道はこの中何級線に該当するやと言へば、理想としては第二級線たらんと努めつゝあるも、現実に於ては三級線と二級線の中位にあり。その上部構造は左の如し。

軌　條　　三八瓩標準

枕　木（三分の一　一粁當り一、八〇〇本
　　　　三分の二　〃　一、六〇〇本）

バラス　砂混りのジャリ

一体に軌條弱く　二年も越年が続けば列車の運行困難となる可し

三、驛・給水施設・保線

驛の数はモロトフ鉄道以東が四六三、之に東部シベリヤ鉄道を加へれば五四九、更にクラスノヤルスク鉄道を入れれば六一八あり。給水施設は此の間平均三〇粁毎に施され、最も距離の長い区間でも五〇粁を超過せず。給水は大体井戸水から取ることを奨励し居るも、河川用水に頼り居るが実状の如し。極東方面の鉄道で最も給水に不十分と見做され居る区間はハバロフスクとヴオロシロフ間なり。保線の状況は各国ともに大同小異なるも、現在ソ聯邦鉄道に於いて利用され居るものに機械保線班といふ移動式保線の方法があるが、之は極東方面の諸鉄道にも活躍し居れり。此の移動式保線班は列車生活をしながら保線の任務に従事するものにして、バラスト顛充機械・スプレーター・空気圧搾機・電気熔接機等の設備を有し、相當大きな修繕を行ひ得るものなり。機械保線班は極東の諸鉄道に各々二組乃至四組配置され居れり。

四、機関庫・修繕工場

モロトフ鉄道以東の驛に配置の機関庫数は約五〇、そのうち基本機関庫を有するものは三九驛で、極東・沿海両鉄道ではこの基本機関庫を有する驛が一三あり。基本機関庫は大体に於て三、四〇粁毎に配置され、ルヂノにあるが如き最新式のものは機関車を収容・洗滌するに止まらず、修繕能力も十分に備へ、総人員七〇〇名位を擁し、その中二〇〇名は修繕係なり。之等基本機関庫には小規模ながら火力発電所の設備も具備せり。

右のほかに、客車庫・貨車庫並に客貨車兼用の三種の車輌庫が配置され居れり。之等の車輌庫は修繕を主とし　貨車庫の修繕能力の如き二軸貨車を一時間に十五輌位修繕可能なり。貨車の修繕を主とした車輌修繕所はオムスクよりウラヂオ迄約五十ヶ所存す。極東には基本機関庫のある処には以上の施設の何れかゞ置かれたり。極東地方のみで車輌修繕所が五ヶ所あると稱せらる。しかし此処二、三年の状況を見れば極東、特に沿海地方方面で使用され居る機関車及客貨車はウラン・ウデ方面で修繕をやつたり、更に西へ西へと修繕に出して居る模様なるが、要するに車輌修繕には相當力を入れ、而も集中主義でなく、分散的な修繕の方法を採用して居ることが看取せらる。次に極東方面の鉄道工場は如何と云へば、先づヴオロシロフに機関車の修繕工場あり。此の工場は客車の修繕設備をも有し居るが、全ソ的にみれば第四流位のものなり。次にミハイロチエスノコフスカヤに車輌修繕専門の工場あり。之も貨車修繕工場としては第三流程度なり。ナホには機関車の修繕を主体とし、それに客車修繕の施設を有し、全ソ的にみて第三流の工場あり。ウラン・ウデにある鉄道工場も大体に於て修繕工場なるが、機関車製造の諸施設をも備へ、計畫としては全ソ的にみても第一流たる工場あり。計畫ではあるが一ケ年に機関車一〇八〇輌、客車二〇〇〇輌、貨車一二〇〇〇輌の修繕能力を有し、従業員も現在数五〇〇〇乃至六、〇〇〇人、計畫では一二〇〇〇人となり居れり。更に西方に行けば、クラスノヤルスクにチタと同程度の修繕工場あり、オムスクには二流下位の機関車修繕工場、バルナウルには貨車専門の鉄道工場存す。

五、機関車及輸轉材料

在来シベリヤ鉄道の列車重量は自重を入れて一列車一、〇〇〇トンが標準なりしも、最近では一二〇〇トン乃至一三〇〇トンが標準であり、一列車の編成は平均二軸換算六〇輌乃至七〇輌、軍用列車で五三輌なり。

次にシベリヤ鉄道に使用の機関車数並に極東諸鉄道に使用の貨車の種別を全ソのそれと比較して見れば別紙の如し。

最後に列車速度に関して一言せば、列車速度はトムスクより東行するに従ひ速度は落し居れり。即ちトムスク附近の営業速度は三八キロなるが、モロトフ鉄道では三六キロ、アムール鉄道は三二キロ、極東沿海両鉄道で三六キロなり。アムール鉄道は特に線路の曲線大なるを以て速力最も鈍し。

六、列車運行回数並に線路容量

シベリヤ鉄道の平時に於る列車運行回数は別紙の如し。

シベリヤ鐵道各鐵道局別機関車数（一九三九年現在）

局別	幹線用	支線用	計	旅客用 CY	旅客用 K	旅客用 其他	貨物用 ЭМ ЭР	貨物用 Э	貨物用 CO	貨物用 CY	貨物用 ФД	貨物用 其他
極東及沿海鉄道	三八九	五六	四四五	五〇	九	一三	一二二	一〇	一八〇	—	—	六二
アムール鉄道	四八三	二五	五〇八	四〇	二一	一〇	八八	一六〇	五〇	七〇	—	六九
モロトフ鉄道	四三七	四八	四八五	五〇	一三	六	—	二六二	—	七〇	—	八四
東部シベリヤ鉄道	六二八	四	六三二	八八	—	二	一四五	一五〇	三〇	七〇	九〇	五七
クラスノヤルスク鉄道	四一五	三八	四五三	五八	—	一〇	一二三	—	—	—	一六〇	八三
トムスク鉄道 オムスク鉄道	六四一	三四五	九四六	一三四	—	一五	二六〇	—	一三〇	五四	一五〇	二一五
計	二九九三	四七六	三四六九	四一〇	四三	五五	七三八	五八三	三九〇	二六四	四〇〇	七五〇

（註）出所 企畫院、「ソ聯邦経済國力判断資料」第三輯．

ソ聯鐵道貨車種別比率表（%）

	全ソ	極東
二軸有蓋貨車	四四．八%	五六．〇%
二軸無蓋車	二九．七	二七．七
二軸油槽車	八．一	〇．九
四軸有蓋貨車	七．八	一二．三
四軸無蓋車	七．一	一．七
其の他	二二．五	一．〇
計	一〇〇．〇	一〇〇．〇

（註）出所．前掲書．

シベリヤ鐵道列車運行回数表（昭和十四年現在）

區間	貨物及特殊列車数	旅客列車数	計
(1) ノウオシビルスク＝オムスク間	三六—四六	九	四五—五五
(2) エルガ＝ノウオシビルスク間	三二—三七	八	四〇—四五
(3) エルガ＝クラスノヤルスク間	二八—三一	七	三五—三八
(4) クラスノヤルスク＝イルクーツク間	二八—三一	七	三五—三八
(5) イルクーツク＝カルイムスカヤ間	二四—二七	四—五	二八—三二
(6) カルイムスカヤ＝クイブイシエフ間	二〇—二四	三—四	二三—二八
(7) クイブイシエフ＝ハバロフスク間	一六—一八	二—三	一八—二一
(8) ハバロフスク＝ヴオロシロフ間	一五—一六	三—四	一八—二〇
(9) ヴオロシロフ＝ウラヂオ間	二〇—二四	五—六	二五—三〇

（註）列車数は片道なり．

出所．前掲書．

現在施設によるシベリヤ鐵道各區間別線路容量表

區間別	最大閉塞區間	線路容量 東行	線路容量 西行	區間距離 実料	區間距離 換算距離	運轉時分
ノウオシビルスク カルイムスカヤ	キージヤ 第五六九露里信号所	四一	六八	五・六〇	一六・五七	三一分（附加四分）
	ムリノ ソルジヤン	四五	四六	一三・五〇	一四・八四	二八分（〃）
	ハラグン 八〇〇露里信号所	四五	四六	一二・三〇	一二・八〇	二八分（〃）
カルイムスカヤ クイブイシエフ	カフエクタ シルガ	四一	―	八・五〇	約一六・四〇	三一分（〃）
イン ハベロフスク	アムール寺避驛 摘頭待避驛	三二	三二	五・五〇	徐行ノ為 二〇・〇〇	三六分（附加八分）
	オリゴフタ ウルミ	四三	四六	一四・一〇	約一五・五〇	二九分（〃四分）
クイブイシエフ イン	オトローギ タルマチエカン	四一	五九	九・四〇	一六・六二	三一分（〃）
	オブルチエ ウダルヌイ	四五	六五	八・七〇	一四・七三	二八分（〃）
	ビラカン チヨプロオーゼロ	四六	四三	一二・九〇	一四・一〇	二七分（〃）
	ロンドコ カンダリフ	四六	四八	一〇・九	一三・六五	二七分（〃）
ハベロフスク ヴオロシロフ	ロゼンガルトフカ 一四一五待避驛	二六	單線	九・〇〇	一四・四二	四六分（〃八分）
	シノールリング レベーヘ	三七	〃	八・三〇	一〇・一九	三九分（〃）
ヴオロシロフ ウラヂオ	ナデジンスカヤ 五一露里信号所	四六	六〇	九・〇〇	概算 一五・五〇	二九分（〃二分）

（註） 出所 前掲書。

（P）

対之 各区間の線路容量は別紙の如し。

七、結 語

上述來、節を分ちて極東ソ聯の鉄道輸送力に就き、之を観察し來れり。結論としては、極東ソ聯の鉄道輸送力は恐るべからず、侮るべからずの一語に盡くべし。

平時に於ては極東ソ聯の鉄道輸送力はその生産力の伸長を妨害する弱点を為すものに非ず、極東ソ聯の経済建設に必要なる一切の物資の移動はその鉄道輸送力により十分保證され居ると云ふを得べし。

周知の如く極東ソ聯はソ聯邦の邊境地方の一にして、物資の生産地方とは言はれず、その消費地方に属するものなり。極東地方（ハベロフスク・沿海両地方）が、鉄道によりソ聯の他地方より移入する物資の年額数量は、企畫院資料（「ソ聯邦経済國力判断資料」第三輯）によれば、一九三七年に於て

石炭　一二〇〇、〇〇〇瓲　七九

石油　三〇〇、〇〇〇瓲　八〇

鉄　二〇〇、〇〇〇〃

セメント　一〇〇、〇〇〇〃

木材　八〇〇、〇〇〇〃

穀物　四六〇、〇〇〇〃

塩

計　二七四六、〇〇〇〃

にして、之を貨車一車平均統計的積載量十六トン、各貨車の実際積載貨物がその七五％、即ち十二トンとして計算せば、

石炭　一〇〇、〇〇〇輌

石油　二五、〇〇〇〃

鉄　一六、六六七〃

セメント　八、三三四〃

木材

穀　物　一　六六、六六七。
塩　　　三、八三三。
計　　　二二、八八三。

なり。この二二万八、八三三輌は、之を一列車六十輌編成として計算せば一日九・七ヶ列車なり。即ち極東地方が鉄道により他地方より移入する物資の数量は一日九・七ヶ列車に該當す。而してこの九・七ヶ列車の極東の鉄道輸送力に対する負擔の割合をとれば、平時運行回数二十二本に對してはその四〇・九%、線路容量四十一本に對してはその二一・九%に當るものなり。即ち移入物資数量の鉄道輸送力に対する負担の割合は大なりとはいへ、その総べてを梗塞せしむる程度ならざるなり。

尚、右と関聯して、極東建設第三次五ヶ年計畫の根本目的が、一は極東の生産力を高め、以て主要物資の自給を計り、他は之に依て輸送力の軽減を期し以て戦時輸送力の保有を得とし居る点に集約され居るは、注目を要すべし。

「ソ聯邦東方諸地方、就中、極東に関しては特別な事情が存する。極東

の如き地方に於ては重要産業の綜合的発展なしには國家の最も重大なる利益を擁護することは不可能なり。極東地方に於ては燃料は勿論、能ふ限り多量の金属及機械製作・セメント其他輸送の為め多大な負擔を荷する食料品及軽工業製品等の必要物資を現在に於て自給するを要す。吾人は極東を以てソ聯政府が将来全面的に強化するを要する重要な國防前哨線と認め之を重要視するものなり」(モロトフ、「第三次五ヶ年計畫報告テーゼ」)。

極東の戦時輸送力は、極東の生産力擴充計畫の遂行により、當然補強されるも、尚之以外に、輸送力自体の補強策としては、バム鉄道及南シベリヤ幹線の建設、極東鉄道線の上部構造の完全な二級線化計畫、等あり。

第三章　海運

第一節　海運の地位

大陸國たるソ聯邦の海運が日・英・米、その他の列強に比較して遜色あるは當然(ロイド船舶簿によれば、ソ聯邦は噸数に於て世界第十一位)なるも、ソヴエート國民経済に於けるその地位は相當重要なるものあり。特に邊疆・北部地方に於ては重要な意義を有し、一九三五年以後商業航路となりし北洋航路の如き軍事的な意義頗る濃厚なり。

現在ソ聯海運業は全輸出の三分の一、輸入に於ては殆んど全部(約九五%)を輸送し、輸出入に於けるその役割を逐年増加し、特に近海貿易に於ては圧倒的にしてこの分野に於ける外國船舶の使用は絶無に近きものあり。

第二節　海港と船舶

一、海港(港湾の吞吐能力)

ソ聯邦の海港は大部分黒海・アゾフ海・カスピ海に散在し、北方に於てはレニングラード・ムルマンスク・アルハンゲリスクあるに過ぎず。主要海港の貨物取扱高を挙げれば左の如し。

主要海港貨物取扱高　(年次一九三五年)

(單位　千瓲)

	合計	國内輸送		輸出	輸入
		近海航路	遠海航路		
アルハンゲリスク	二、二八二	四三六	二	一、八四四	—

ムルマンスク	一、三六二	七四〇	一五	五三三	七四
レニングラード	四、三二〇	六	八四	三、七一	四五三
オデッサ	三、七七一	二、八〇三	一八五	六八二	一〇一
ニコラエフ	一、五五四	三六〇	一三二	一、〇五六	六
ヘルソン	六八五	四三五	ー	二五〇	ー
ヘヲドシヤ	七三五	二三一	ー	五〇四	[illegible]
ノヴオラシースク	二、三〇二	一、一四七	一五七	九九二	六
トウアプセ	一、五〇七	九七一	一三三	四〇三	ー
ポチ	一、二四〇	六三三	ー	六〇七	ー
バトウム	五、〇六二	二、一六二	一九七	二、六五〇	五三
ケルチ	六二〇	六〇二	ー	一八	ー
マリウポリ	二、四七九	一、一六九	二四	一、二八六	ー
バクー	一〇、四四五	一〇、一七九	ー	一九五	七一
マハチカラ	五、七五九	五、七五七	ー	二	ー

八五

アストラハン	六、六〇九	六、五九八	ー	七	四
クラスノウオトスク	一、六五八	一、六五八	ー	ー	ー
浦塩	二、〇二一	八六四	七九七	七二	二八八
全巻合計	六二、九〇一	四四、一六二	一、八〇六	一五、八七二	一、〇六一

（註） 出所．ゴスプラン中央統計局編「社會主義建設」（一九三六年版）モスクワ發行．

貨物取扱量合計より見る時．バクー・アストラハン・マハチカラ・バトウムの順序なり． 之等は何れも石油の搬出巻として有名な巻なり． 貿易巻としてはレニングラード・アルハンゲリスク・バトウム・マリウポリの諸巻の順なり．

次に海巻の荷役作業をみれば左の如し．

海巻の積載・卸下貨物量及その満載化率（年次一九三五年）

八六

	積載・卸下貨物量（千瓲）	その機械化率（%）
合計	一七、七五二・八	三二・〇
ペチヨーラ	六〇・〇	一七・四
アルハンゲリスク	五七六・九	二九・一
ソロカ	三九・五	七・七
ムルマンスク	一、〇二二・二	二三・一
レーニングラード	二、一一二・九	四〇・七
オデッサ	一、九九四・五	三〇・三
ニコラエフ	一、五七〇・七	二六・〇
ヘルソン	四九三・七	四三・九
エフパトリヤ	六八・五	ー
セワストポリ	三三・九	ー
ヤルタ	九九・二	ー

八七

フエオドシヤ	七〇一・三	二九・七
ノウオラシースク	一、六六九・三	四六・八
スフミ	一五〇・四	ー
ポチ	一、二三〇・五	六五・九
バトウム	三一四・六	八・〇
ベルジヤンスク	二四四・五	一一・三
ロストフ・ドン	四〇九・二	ー
マリウポリ	一、二一九・二	三一・七
ケルチ	二一三・九	九・五
エイスク	一二四・〇	一五・四
タガンログ	一六七・三	二四・一
バクー	五四〇・九	四・二
マハチ・カラ	二五〇・一	一六・六
クラスノウオトスク	二四九・三	三・五

八八

浦塩	一六七六・四	三七・九

（註）　出所は前掲書。

以上の二統計によりソ聯の海港の船舶吞吐能力及び荷役作業の現勢を知るを得べし、即ち此の両者はいづれも低度たるを免かれざるなり。

二、海洋船舶（船舶の建造・運営・保有量）

ソ聯邦海上船舶の積載能力は一九二四年の四五万八二九八噸より一九三七年度の一三八万八四五八噸に約三倍の増加を示せり。一九二六年より一九三六年の十年間に巨船一三九隻（積載能力四六万五二九四噸）が建造されたり。

ソ聯の造船工業は近年著しく発達したるも、造船能力及び技術に関しては未だ低度の域を脱せず、海上船舶の外国依存は脱却するに至らず。

ソ聯邦造船工業が近年に於て建造したる船舶は、「水運」誌一九三七年第十一号に依れば左の如し。

八九

油槽船（八千噸級）	二〇隻
冷凍船（ロンドン型）	九隻
同　（マルセーユ型）	四隻
黒海・バルチック海運航路	四隻
黒海運航船	四隻
木材輸送船	数隻

ソ聯邦の海上船舶の隻数に関しては確実な所は不明なるも、ロイド船舶簿一九三七―三八年版によれば百トン以上の船舶数は六百七十二隻と記載され居れり、一九三四年に於ける水運人民委員部（後に分割されて河川運輸と海運の両人民委員部となる）所属船舶数を掲ぐれば左の如し。

全船舶

隻数	三七〇
純貨物積載力（千トン）	九九三・九

九〇

隻数	一〇四
純貨物積載力（千トン）	四〇三・〇

(四)　蒸汽船

隻数	二六六
純貨物積載力（千トン）	五九〇・八

（註）　出所、ゴスプラン中央統計局編「社会主義建設」一九三六年版

一九三五、三六、三七年に於ける船舶隻数に関しては全然発表されざるも、その貨物積載力を挙ぐれば左の如し。

一九三五年	一二〇八・四千トン
一九三六年	一二四九・一　〃
一九三七年	一三〇八・四　〃

尚、ソ聯海洋船舶の海洋毎の配置を示せば次の如くなり。

九一

一九三六年に於けるソ聯海上船舶の配置

	隻数	トン数
黒海	一三〇	三九八一五七
バルチック海	一九三	三八五八四一
極東	一一三	二七一四六九
カスピ海	一〇六	一七三二五七
アゾフ海	五二	六六〇八三
北氷洋	三一	二四三四三

（註）　出所、満鉄調査部「ソ聯邦水運に於ける海上及河川船舶の研究」

黒海船隊は内燃機船の半数、蒸汽船の四分の一を、バルチック海船隊は内燃

九二

機船の七分の一、蒸汽船の四分の一を占め居れり。極東船隊は蒸汽船を主とするも、近年内燃機船も逐次増配され、一九三六年現在一四隻に達し居れり。

船舶の運用は損傷事故の頻発、修理の渋滞、就航の時期遅れ、等の原因により概して良好ならず。

三、海上輸送量（海運の對内・對外輸送量）

海上船舶による輸送量を挙げれば左の如し。

一、海上貨物輸送量

一九二〇年　二、八六九千瓲
一九二八年　七、八七〇 〃
一九三二年　一四、八二〇 〃
一九三七年　三五、四六六 〃

二、旅客輸送量

一九二〇年　一、一五〇千人

九三

一九二九年　一、四七一千人
一九三七年　三、三九四 〃

三、主要物資輸送量

（單位 千瓲）

	一九二八年	一九三二年	一九三五年	一九三六年
石油	五、一八七	九、八一二	一五、四八四	一六、二一二
木材	三八五	六一〇	二、〇一五	二、四一六
石炭	一八二	六二四	二、〇六九	一、九八八
鉱石	—	一一六	四八六	九四四
穀物	三八六	八七九	一、三五三	一、二四五
金属	一二四	三六三	六一六	—
鉱物性建築材料	二二七	四七六	六五〇	—
機械類	四九	二五九	一三七	—
塩	一六六	二二〇	二三七	—
魚	七一	一九二	一四〇	—
砂糖	一七六	一五四	二〇一	—

九四

四、海洋別主要貨物輸送量

（一九三五年）　（單位 千瓲）

	白海及バレンツオジオ海	バルチック海	黒海	アゾフ海	カスピ海	太平洋
合計	四五〇二・〇	四三四三・〇	一三、一六八・〇	二、九三〇・三	一三、八八〇・〇	二七五二・九
石油	五・〇	七三・五	六、三〇三・七	一・五	一二、二六九・三	三八三・一
木材	三、〇六四・九	二、九九〇・七	五八八・八	一六・六	四〇一・〇	一一二・四
石炭	三六二・八	五六・二	七九三・六	一、九六九・六	二・〇	四五五・三
鉱石	四一・二	八六・六	一、一二四・九	二六・二	〇・三	三一・三
金属	四五・三	三〇九・七	五二九・一	四七・二	六五・九	一三七・〇
鉱物性建築材料	七三・九	二八・九	五九八・六	一二二・三	一二五・九	三一六・一
機械類	七・〇	七一・三	五六・〇	三・〇	一六・〇	八・二
穀物	五二・一	二九九・三	一、八八四・四	二九三・六	二〇五・〇	五三六・〇
魚	一六三・四	二〇・七	一七二・七	一二四・五	七四・五	二二一・一
塩	三七・七	六九・二	一九・九	一三七・六	七六・九	一三八・五
砂糖	一・九	—	一五〇・一	〇・八	七四・五	二一・二

九五

（註）以上、出所はすべて「社會主義建設」一九三六年版及び一九三九年版による。

尚、ソ聯海運業は近海航路（一海洋の港間の航路）、遠海航路（一海洋より他海洋への航路）、輸出・入に分かれ居るが、その輸送量は左の如し。

（單位 千トン）

	一九二九年	一九三二年（A）	一九三七年（B）	BのAに対する比（％）

九六

近海航路	七、三五七	一二、六九六	二二、九六一	二一〇・〇
遠海航路	一一九	四一五	二・七	〇・七
輸出	七四〇	八七四	五六一・〇	六四二・〇
輸入	五一八	七六九	七四〇・〇	九六・〇
外國港間輸送	一〇五	六六	六五〇・〇	ー
合計	八、八三九	一四、八二〇	三三、五八六・〇	二二七〇

（註）ハチヤトウロフ著「資本主義諸國及ソ聯邦に於ける運輸の配置」（一九三九年版）及「水運」誌一九三七年第七号に據れり。

右表からソ聯海運に於て近海航路の輸送量が圧倒的なることが判明せん。而も次に注意す可きは遠海航路の輸送量が近年激減し居る点なり。之は遠海航路に於てその八三％を占め居りし黒海＝極東間の海上輸送が鉄道輸送の強化、生産力の東漸化等の結果として激減したる結果なり。

九七

次に貨物一瓲の平均輸送料を挙げれば左の如し。

（一九三六年）　（單位　哩）

	全体	近海航路	遠海航路	外國航路
貨物一瓲の平均輸送料	一、三八七	七八八	九一二	二、二一九

最後に、海上運輸第三次五ヶ年計畫に就いて一言せば、一九四二年に於て海上輸送量は一九三七年度の輸送瓲粁三七〇億瓲粁に對し、五一〇億瓲粁を豫定し、その増加率は三七.九％なり。

第三節　北洋航路

一、北洋航路の軍事的・經済的意義

一九三九年三月第十八回共産党大會の席上北洋航路總局長官パパーニンは北

九八

洋航路の軍事的意義を強調して、

「北洋航路は欧露と極東を結ぶ最短且つ最も安全な航路として、その有する國防上の意義は絶大なり。而して本航路は我がソ聯の絶対支配下にある内海を通ずるものなるが故に我が國が西或ひは東より攻撃を受くる場合は、我が艦隊を自由且つ最短期間内に一領域より他領域に廻航するを得せしむるものなり」

と述べ、結論として

「この航路の確保され居るかぎり、對島海戰の時代は決して繰返へされるものに非ず」（註一）

と云へり。

この言から明かなるが如く、北洋航路の軍事的意義は、㈠それがソ聯邦の東西を結ぶ最短通路にして、シベリヤ鉄道を欧亜連絡の表通路とせばその裏通路に當れる点、㈡而かもそれは終始ソ聯の内海を通過し、氣象的・氣候的マイナスを暫く問はずとせば他國により封鎖さるゝ心配の無き点、の二点に集約さる

九九

可し。

日露戰争の直後、近代ロシヤの生める世界的大学者メンデレーエフが時の藏相ウイッテ伯に北洋航路開発の建白書を提出し、若し政府にして對島海戰に於て與へる犠牲の十分の一なりとも北氷洋開拓に費し居りたらば、露國艦隊は途中壊滅さるることなく浦潮に到着するを得たらむ、と言ひたるは有名な話なり。日露戰争當時にありてはロシヤ北方海面の艦隊としてバルチック海に於けるバルチック艦隊あるに過ぎざりき。而してこの議あり。

現時ソ聯にありては北方海面の護りとして、右バルチック艦隊以外にムルマンスクを根據地とする北氷洋艦隊あり、而もバルチック海は白海・バルチック運河により白海と連絡し居れるに鑑み、一朝有事の際には、該艦隊を北氷洋艦隊に合流せしめ、以て極東海面へ廻航せしめんとするが、ソ聯當局の眞意なるは、一点疑念の餘地なかる可し。尚ほ北氷洋航路の軍事的意義として、兵站路としての其の機能をも挙げざる可からず。戰時鉄道輸送が遮断されたる場合・歐露の物資をムルマンスク・アルハンゲリスクの根據地より、東西シベリヤ地

一〇〇

方の物資をオビ・エニセイ・レナの諸河口より極東へ運行せしむることも考へらるべし。右と関聯して、近時コルイマ河を極東奥地との軍需兵站道路として利用せんとする計畫あるは注目を要す。

次に北氷洋航路の経済的意義に就き概説せむ。

北洋航路は極北地方と総稱せらるゝソ聯全領域の四分の一 約九百万平方粁の茫大な地域の経済的開発を以て其の任務とするものなり。在来、交通の便を缺きたるによつて千年・万年、徒に長夜の夢を貪り居りし之等地域には莫大な資源あり。今之を列挙すれば左の如し（註三）

木材

ソ聯の北緯五〇度以北の地域に於ける森林面積は七億五千八百万ヘクターにして、全ソ森林面積の七〇%に當り、木材保有量は全ソの八〇%なり。このうち特に豊富なるはオビ・エニセイ二大河の沿岸に鬱蒼として茂れる大森林なり。エニセイ河沿岸の森林の如き毎年五千万本生長するが故に伐採も亦五千万本は可能なりと言はる。

一〇一

漁業

こゝには鱈の産地として有名なるバレンツオヴオ海あり。バレンツオヴオ海の鱈の繁殖高は一年七百五十万瓲にして、その魚獲可能高は二百万瓲なり。尚、北洋全体の漁獲高は全ソ魚獲高の五五%を占む（註三）。以て漁業資源としての北氷洋の價値を知るべし。

鑛業

極北地方の埋藏資源は莫大なり。現在発見されしもののみにて各種有用鉱物の種類千五百以上に達す。

石炭

石炭はペチヨーラ炭田とツングース炭田が主要なり。前者の推定埋藏量は三五〇一七〇〇億瓲、後者の推定埋藏量は三〇〇億瓲なり。

石油

石油ではノルドウイク油田。この油田は三〇万平方粁以上の面積を有し、数百万瓲の原油を保有す。尚ほ、ウスチ・ポルト地方、エニセイ河下流地方

一〇二

にも大油層あり。此処では石油以外に、一九三四年の地質調査の結果、二千平方粁にわたる天然瓦斯発生地帯のあることが確認せられたり。

岩塩

岩塩ではノルドウイク地方。此處では百五十粁に達する岩塩層が発見されその埋藏量は四千八百万瓲と稱せらる。又、ウゴリナヤ湾附近にもかなり大きな岩塩層あり。

鉄鉱

鉄鉱ではヤクーツク南方百十五粁、ジトム河（レナ河支流）沿ひに褐鉄鉱の埋藏資源あり、その額は九千六百万瓲と算定せらる。その鉄含有量は約五〇%なり。尚ほ、チウコート半島中部に於ける磁鉄鉱層、下ツングース地方に於ける鉄鉱層、コルイマ地方クレイク河流域及ウラル北部に於ける鉄鉱層も挙ぐるを得べし。

次はノリリスクを中心とするニツケル、銅・コバルト・白金等の埋藏資源。ニツケルの産地としてはカラ半島モンチエゴルスクも亦有望にして、ノリリス

一〇三

クとモンチエゴルスク両産地のニツケルが開発さるゝに至ればソ聯は加奈太に次ぐ世界第二のニツケル産出国たる可しと言はれ居れり（註四）。

非鉄金属及稀有金属の鉱層はヴエルホヤンスク地方（ヤクート自治共和國）にあり、該地方には鉛・亜鉛の外、砒素・貴金属・ニツケル・銅・モリブデン・ウオルフラム等発見せられ、又インダンギ河流域、ヴエルホヤンスク山脈の北斜面ヤクーツクの東方四百粁の處にも含有量多き錫の鉱脈が発見せられ居れり。

産金地としてはチウコート半島、コルイマ、アナドウイリ、ヴイリユイ河流域が有名なり。

其の他、カラ半島、ヒビンスキー・ツンドラ地帯に於ける燐灰石・霞石 マンデルム地方に於ける螢石（埋藏量二〇〇万瓲）等枚挙に遑なかるべし。

北氷洋航路のヒンター・ランドたる極北地方に資源多きことは前述の如し、然し北方の食糧品自給率は現在僅か一〇%乃至一五%に過ぎざるも（註三）、農業・牧畜の如きも発達の余地多し。

一〇四

されば以上を概括して之を言へば、北氷洋航路の軍事的・経済的意義は絶大なるものあり。最近、ソ聯當局が之が開発に異常な熱意を示しあるは當然と云はざる可からず。

二、北洋航路並に北地開発の綜合的組織体

北洋航路の開拓と其のヒンター・ランドたる北地の開発とが密接不離な有機的関係を有するものなることは、敢て説明を要せざるべし，此の有機的関係が組織化されたるものが北洋航路総局なり。

北洋航路総局は、嘗ての満洲に於ける我が南満洲鉄道株式會社の如く、交通を中心とした綜合的企業体なり。

北洋航路総局は欧露に於ては北氷洋の島嶼及海岸、亜露に於ては六二度以北の地を管轄區域となし、

1. バレンツオヴオ海よりベーリング海峡に至る北方海路の完全開発
2. ソヴエート北極に於ける海上・河川・航空諸交通・無電通信・科学・調

一〇五

査事業の組織

3. 極北地方の生産力の拡充とその天然富源の開発
4. 極北土着民の経済的・文化的向上に對する援助と之等民衆の社會主義建設への積極的参加の誘導

をその主要任務となせり。

次に一九三七年に於ける北洋航路総局の経費を左に掲ぐべし，之に依って北洋航路総局の総費用並に其の事業を知るを得べし。

一九三七年に於ける北洋航路総局の経費（註六）

運輸関係　一〇八、八一〇、〇〇〇留

内
船舶建造費　四七、八三〇、〇〇〇〃
港湾及河川埠頭修築費　五、二二〇、〇〇〇〃
ムルマンスク船渠建造費　三五、〇〇〇、〇〇〇〃

一〇六

航空運輸　一三、七一〇、〇〇〇〃
水路調整費　二、八六〇、〇〇〇〃
無電及び気象観測所　四、二九〇、〇〇〇〃

工業関係　九、五〇〇、〇〇〇〃

内
シピツベルゲン炭坑　二、〇〇〇、〇〇〇〃
ノルドウイク炭坑　三、〇〇〇、〇〇〇〃
ヤクーツク炭坑　二〇〇、〇〇〇〃
ベロゴルスク製材パルプ工場　四、〇〇〇、〇〇〇〃
罐詰工場（アナドウイル及びウスチ・ポルト）　三〇〇、〇〇〇〃

漁業及び海獣捕獲　二、九二〇、〇〇〇〃

内
漁業　一、〇八〇、〇〇〇〃
海獣捕獲業　一、八四〇、〇〇〇〃

一〇七

集團化　七、七五〇、〇〇〇留

内
農業機械化　二、五二〇、〇〇〇〃
馴鹿飼養　一、八二〇、〇〇〇〃
家畜　三、三〇〇、〇〇〇〃
其の他　一一〇、〇〇〇〃

社会文化費　二、四八〇、〇〇〇〃
商業拡張費　四〇〇、〇〇〇〃
行政費　六、五一〇、〇〇〇〃
自動車運輸　六〇〇、〇〇〇〃
其の他　一、一三〇、〇〇〇〃
計　一四九、一〇〇、〇〇〇〃

三、北洋航路の現勢力

一〇八

北洋航路の意義並に此の意義に相應せる其の開発の組織体に関しては前述の如し。

然らば北洋航路の現勢力は如何。

北洋航路が探險的航路の域を脱して漸く商業的航路となるに至りしは一九三五年以降のことなり。即ち商業航路としての北洋航路の歴史は最近に屬す。

北洋航路に於ける就航船舶を挙ぐれば左の如し。

北洋航路に於ける就航船舶数

一九三三年	四二隻
一九三四年	八五〃
一九三五年	一〇〇〃
一九三六年	一六〇〃
一九三七年	六二〃
一九三八年	
一九三九年	一〇四隻

(註) 本表は一九三七年迄の数字は「経済問題」誌一九三八年第二号「ソヴエート北極の開発」により、一九三九年の数字はプラウダ紙一九三九年十一月二十二日所載「北氷洋航路の実績」(ペペ！ニン筆)によって作成せり。

一九三五年度に於て初めて普通の貨物船が一貫航行に成功せり。即ち此の年アナドウイル、スターリングラードなる両汽船がウラヂオよりムルマンスクへ(東方より西へ)航行し、又、ワン・ツエッチイ、イスクラなる両汽船が此の逆のコースを航行し、更にラボートチイなる汽船がアルハンゲリスク＝コルイマ間の航路を六十四日間で航行し居れり。一九三六年は北洋航路の最も活潑に行はれし年にして、就航船舶百六十隻中一貫航行に成功せるものは十四隻ありたり。

一九三八年に関する数字は不明なるも、一九三九年には旗艦砕氷船イ・スターリン号に[illegible]遂せる後、東方は[illegible]海よりタガリナヤ湾(チウコート半島)に至る迄の往復航路即ち一二、〇〇〇粁の全航程を一航海にて遂行し、西方より東方への直航は十隻の船舶が之を遂行し居れり。

尚一九三五年度に一貫航行に成功せるワン・ツエッチイ及びイスクラの二汽船は、ムルマンスク＝尼港間を、何等の事故なく、三十七日間にて航行し居れり。

次に之等船舶による貨物輸送量を挙げん。

北氷洋航路貨物輸送量 (単位 千瓲)

一九三三年	一三六・一
一九三四年	八〇・〇
一九三五年	二〇四・〇
一九三六年	二七七・〇
一九三七年	二二五・〇
一九三八年	二一五・〇

(備考) 本表は前記「経済問題」誌、一九三九年第二号、及び

「計畫経済誌」一九三八年第七号掲載「ソヴエート北極発展の根本問題」によれり。

此の輸送量の品目別数量は確実な数字で示され居らざるも、欧露よりの輸送は食糧・建設用材料・雑貨品が多く、極北の港より搬出さるゝものは木材・毛皮・漁獲品にして、ノルドウイクより岩塩が極東へ送られ居り、その額数千瓲と云はる。尚ほ北洋航路による北地への物資輸送を金額にて示せば、普通商品が一九三五年一億六百万留、一九三六年二億四百万留、工業商品が一九三五年二千六百万留、一九三六年一億百万留(註七)なりき。

次に北洋航路と連絡する極北地方に於ける河川輸送(註八)に関して述べん。

極北地方に於ける可航河川路延長は

一九三五年	一万一千粁
一九三七年	一万六千二百粁

にして、之等河川路による貨物輸送量は左の如し。

一九三三年　六〇千瓲
一九三六年　二〇一
（註）　第二次五ケ年計畫年間合計八七万一千瓲

尚ほ一九三六年度に於けるオビ河航行の輸送量は六萬五千四百瓲、エニセイ河航行の輸送量は六万五千瓲、レナ河航行の輸送量は七万七千瓲なり。

以上は商業航路としての北洋航路の現状を実数にて示せるものなり。然らばその前提たり、基礎たる北洋航路の諸施設は如何。以下之に関して概説せん。

港　湾

ムルマンスク＝ベーリング海（三、八〇〇哩）の沿岸中、北洋航路の船舶の寄港地として港湾施設を有するは、デイクソン、テイクシ、プロヴイジエーニエの三港なり。尚別にアムバルチック湾にても揚搭作業を行ひ居れり。木材輸出港として著名なるイガルカ港とノルドウイク岬（コジエヴニコフ湾）は沿岸より餘り入り過ぎ居るが故に除外せざる可からず。然る時は唯だ三港

一一三

なり。

之等三港の現状は如何。

デイクソン港は三港のうち最も設備整へる港なるも、此の港に於てすらバース（船を岸壁へ繋ぐ所）の数は少く、而も一バースは汽船一隻を繋ぐのみなり。更に揚搭作業の機械化は行はれ居らず、サンパンの数亦少し。従って港の収容力は極めて低く、船舶の滞留時間は勢ひ長くなれり。

テイクシ港の施設はデイクソン港より悪し。此處ではバースはなく、船舶は岸壁より三五米離れたる臨時の防波堤の所に碇泊し居れり。揚搭作業はタッグ、ボート上にて行はれるのみにて、貨物の積込み荷卸し作業は極めて緩漫なり。

プロヴイジエーニエ港は三港のうち最下等に属せり。本港はウラヂオ＝チウコート半島間の輸送連絡根據地たるの重要港なるも、厳密の意味で港の名に値ひするや疑問なり。即ちバースなく、倉庫又なし。荷物は野天に放り出され居れり。

一一四

コルイマ河口のアムバルチック港の揚搭作業はタッグ・ボートにて行ひ居れり。

給炭所

北洋航路沿岸の給炭所としてはデイクソンとテイクシの二港あり。之等二港は最寄りの地方炭坑――例へばレナ河沿岸のサンガルスキイ炭坑、エニセイ河沿岸のノリスク炭坑、コルイマ河沿岸のヅイリヤンス岸坑の石炭を貯藏し、之を寄港船舶に供給するものなるが、揚搭作業の機械化と石炭貯藏の特別倉庫の施設不備なるが如く、又使用の地方炭の多くは悪質炭にして勢ひクヾバス炭あたりに依存せざるを得ざる現状の如し。

船舶修繕基地

北洋航路の沿岸中には船舶の修繕に應ずる基地未だなし。目下建設中のムルマンスク船舶修繕基地が竣工せば、之が不足を埋むるに至らんも、目下の處は北洋航路に於ては修繕基地皆無なるによって、未だ使へる筈の船舶も廃船たるの憂き目に遭ふこと多きなり。

一一五

航　空

北洋航路総局は専用の有力なる航空隊を備へ居り、或ひは陸上基地より海上の調査に當らしめ、又は砕氷船・汽船等に搭載せしめ、随時氷の状態等の調査に當らしめ居れり。尚航空関係に於て挙げざるべからざるものに航空路施設あり。極北の航空路延長は全ソ航空路総延長の約五分の一、即ち一万三千二百粁なり。航空路には定期線と不定期線の二種あり。前者に属するものは左の如し。

一、オビ線（タンボフスク＝サマロオ、ベレゾオ＝サマロオ、チエーメン＝トボリスク＝サレハルド）延長二千五百粁
二、エニセイ線（クラスノヤルスク＝イガルカ＝デイクソン島）延長三千粁
三、レナ線（ヤクーツク＝ブルン＝テイクシ、ヤクーツク＝ヴイリエイスク＝エルバ）延長四千五百粁

不定期線としては左の如きあり。

一、クラスノヤルスク＝イガルカ＝ドウヂンカ＝ハタンガ＝ノルドウイク

一一六

二、モスクワ＝ハバロフスク＝ニコラエフスク＝シャンタルスキイ島＝アヤン＝オホーツク＝ナガエウオ＝ギジガ＝アナドウイル＝プロヴィジエーニエ＝ウエレン＝シェミット岬

三、モスクワ＝アルハンゲリスク＝ウスチ・ツイルマ＝ワイガチ島

四、チユーメン＝サレ・ハルト＝ノーヴイ・ポルト

航空は一般にエピソード的であり、又季節的であり、航空路の方向は概して経度的にして緯度的なもの少き（即ちオビ、エニセイ、レナの三大河に沿ふ）点が不備とせられ居れり。

通信

通信設備としては北極観測所が無線施設を有し、船舶・飛行機と連絡を保ち居るほか放送局が四ケ所に設けられ居れり。その所在地及び電力は左の如くいづれも貧弱なるものなり。

ヤクーツク	一〇キロワット
イガルカ	五 〃

ムルマンスク	一〇キロワット
アルハンゲリスク	一五 〃

観測所

北氷洋沿岸には随處に北極観測所（ポリヤールナヤ・スタンツイヤ）なるもの設けられ、適宜に天候図表と氷結状況報告書を作成し、且つ船舶や航空機とは無電通信を交換し、以て北洋航行の安全保護をはかり居れり。此の北極観測所の数は一九二八年に四ケ所、一九三三年に十六ケ所なりしも、一九三八年度には五十七ケ所に達し居れり。

尚、最後に現在北氷洋航路に使用中の砕氷船並びに砕氷船型汽船を示せば左の如し（注八）。

種類	船名	建造年度	噸数	機関馬力	燃料積載量（噸）
砕氷船	クラシン	一九一七年	八七五〇	一〇、〇〇〇	三、六六五
〃	エルマーク	一八九九年	八、二五〇	九五〇〇	二六五〇
〃	レーニン	一九一七年	六〇〇〇	七九八〇	一二〇〇
〃	リトケ	一九〇九年	三〇二八	七九〇〇	[illegible]五〇
〃	カガノウイチ	一九三八年	約一〇、〇〇〇	不明	不明
〃	スターリン	〃	〃一〇、〇〇〇	不明	不明
〃	モロトフ	建造中	〃一〇、〇〇〇	不明	不明
砕氷船型汽船	シビリヤコフ	一九〇九年	二六〇〇	二〇〇〇	二九二
〃	ルサーノフ	一九〇八年	二六〇〇	二二〇〇	二九二
〃	セドフ	一九〇九年	三〇五六	二三六〇	二八五
〃	マルイギン	一九一二年	三二〇〇	二八〇〇	三〇〇
〃	サドコ	一九一三年	三三五〇	三五〇〇	二五〇
〃	デジニエフ	不明	六五三〇	不明	不明

四、極東海面物資輸送路としての北洋航路

北洋航路一般の現勢力に就いては前項にて之をみたり。その意義の大なるに比してその現状の貧弱なること敢て説明を要せざるべし。最近年間に於る輸送量は既述の如く一九三六年度の二七万七千瓲を最高として一九三八年度は二一万五千瓲なり。今假りに年平均輸送量を二二万瓲と押さえんか、列車数に直して二四四ケ列車、一ケ月にして二〇ケ列車なり。即ちその一ケ月の分が極東諸鉄道の一日平均運行列車数にも足らざるなり。而もそは北氷洋全水域に亘る輸送量なり。極東海面への輸送量は更にその一部たるに過ぎざるなり。然らば北洋航路輸送貨物のうち極東方面の分は幾許なりや。

北洋航路のうち輸送貨物の大部分はカラ海輸送隊なる機関の手により輸送され居れり。此のカラ海輸送隊は欧露の方面とオビ、エニセイ両河の間の物資輸送に当り居るものにして、その就航船舶並に輸送量を挙ぐれば左の如し。

カラ海輸送隊の現状

年度	就航船舶	輸送量（単位千屯）
一九二六年	五	一九・二
一九二八年	八	二九・四
一九三二年	二八	九六・三
一九三三年	三〇	一〇八・九
一九三五年	三七	一四三・九
一九三七年	—	一四六・七

（註） 本表は「経済問題」誌、一九三八年第二号掲載「ソヴエート北極の開発」、によれり。

此のカラ海輸送隊の北洋航路全体に於ける比重を示せば、就航船舶に於て一九三三年－七一％、一九三五年－三七％、貨物輸送量に於て一九三三年－八〇％、一九三五年－七〇％にして、特に輸送量に於て圧倒的比重を示し居れり。

従って、このカラ海輸送隊の輸送量を除きたる分－即ち一九三三年に於て北氷洋全輸送量の二〇％、一九三五年に於ても僅か三〇％が、他の部分の占むる所なり。而して此の部分は如何なる方面なりやと言はゞ、之れ北氷洋の東部分、即ち極東北部の輸送なり。

一九三五年度に於ける北氷洋航路による極東方面への輸送は（註九）

レナ河口	一四、〇〇〇屯
ピヤシナ インジギルカ、ハタンガ河口	一一、〇〇〇 〃
チウコート半島	二〇、〇〇〇 〃
コルイマ河口	一二、五〇〇 〃

なり。之を合計せば五万七千七百屯となれり。此の年の北氷洋輸送総量は二〇万四千屯にして、其のうちよりカラ海輸送隊の分一四万三千九百屯を差引けば六万一百屯なり。其の差二千六百屯なるも、大体に於て當れるものと云ふを得べし。

而して以上の極東方面への輸送は、レナ河を除きて、何れも河口にて消費されて居れり。レナ河の分は河口よりヤクート地方へ遡ると云はれ居るも、果して幾許の物資がヤクーツク（ヤクート自治共和国の首府）まで達し居るや疑問なり。「計畫経済」誌の論文「ソヴエート北極発展の根本問題」（一九三八年第七号）の中に、此の間の事情に関して次の如く述べ居れり。

「例へば、北洋航路によるヤクート地方への食糧品、工業品輸送のアブノルマルな状態を指摘せん。数年の間、之等の食糧品や工業品はテイクシ湾にて片附けられ、奥地は勿論のこと、ヤクーツク迄達し居らざるなり。レナ河に於ける河川船舶の数量の少きこと、設備の整はざること、又その利用の不十分なること、等の結果として、テイクシ湾より溯行する船舶は毎年アルダン河々口にて最後のコースを止め居り、三〇〇キロ乃至三五〇粁の距離にあるヤクーツク迄は達せず。従って貨物は冬、橇道の出來る迄停滞し、橇道が出來ると馴鹿や馬の力をかりて運搬さるゝなり」

蓋し眞相を穿てる言葉と云ふを得べし。

斯くの如く極東方面への物資輸送路としての北氷洋航路の現状は貧弱にして敢て問題とするに足らず。

轉じて其の潜勢力――換言せば、その可能力を見む。

五、北洋航路の潜勢力（第三次五ケ年計畫）

前二項に亘りて北洋航路の現勢力をみたり。再三繰返へせるが如くその現状は微々たる勢力を形成するに過ぎざるなり。北洋航路には大自然の障碍ある宿命あり、航行期間の夏季僅か三ケ月なる制約あり。此の宿命に抗し、此の制約を打破するがソヴエート科学の使命なり。

ソ聯に於ける北氷洋の科学的研究は本調査外の事項に属するも、北洋航路開拓の基礎たるがソヴエートの科学力なることは之を指摘せざるを得ず。従って北洋航路の潜勢力の主要なるものがソヴエート科学の進歩発展の中に内在することは當然なる可し。一九三九年第十八回党大會の席上、ペーニンが第三次五ケ年計畫に於ける北洋航路開発の基本的課題として掲げたる点は左の如し（註一〇）

㈠ 組織的に調査し北洋航路を水路学的に定めること
㈡ 港の建設を完了すること
㈢ 船舶修繕基地を作ること
㈣ 航空基地及び科学調査網を拡大ずること
㈤ 北洋航路の途上に於て北洋航路の燃料基地を探究の地質学的調査を組織的に継續し、短期間内にそれを具体化すこと

以上の五問題のうち、㈡、㈢を除く三問題は純科学的問題なり。

ソヴエートの科学力を背景とせる北洋航路第三次五ケ年計畫は之を投資額の方面から見て左の如し。

第一、海運関係（貨物輸送量を一九三八年の計畫三三六、〇〇〇砘より一九四二年に七五八、〇〇〇砘に増加せしむる為に要する費用）

総額　三六三、〇〇〇、〇〇〇留

内訳

船舶建造費	一七三、五〇〇、〇〇〇〃

船舶修繕費	一八五、〇〇〇、〇〇〇留
特殊船舶建造費	二六、〇〇〇、〇〇〇〃
港湾修築費	五九、〇〇〇、〇〇〇〃

（ノーヴイ・ポルト、デイクソン、テイクシ、アムベルチツチ各港築港費並にピヤシナ、ノルドウイク、ヤナ、インジギルカ、アナドウイルに於ける荷役作業の機械化設備費）

第二、河川航路擴張費（河川水路を一九三七年度の一六、〇〇〇粁より二六、〇〇〇粁に延長し、貨物の輸送量を三一〇・五％たらしむるに要する費用）

総額　二〇四、〇〇〇、〇〇〇留

内譯

河川用鉄製船舶建造費	八七、〇〇〇、〇〇〇〃
木造船舶建造費	四五、〇〇〇、〇〇〇〃
修繕費	三、〇〇〇、〇〇〇〃
河港築造費	六九、〇〇〇、〇〇〇〃

第三、航空関係費（航空路を一三、二〇五粁から二七、四〇〇粁に延長し、第二次五ケ年計畫に比し貨物輸送量を五二五％に達せしむるに必要なる費用）

総額　二八〇、〇〇〇、〇〇〇留

内譯

航空路開設費	一七六、八〇〇、〇〇〇〃
製作所	九、〇〇〇、〇〇〇〃
機体	七五、二〇〇、〇〇〇〃
修繕費	一三、〇〇〇、〇〇〇〃
調査費	六、〇〇〇、〇〇〇〃

第四、資源開発費

総額　四五四、八〇〇、〇〇〇留

内譯

鉱業	二一四、三〇〇、〇〇〇〃
木材加工工業	二五、〇〇〇、〇〇〇〃

漁業	二一三〇、〇〇〇、〇〇〇留
工業	二七、〇〇〇、〇〇〇〃
集団化	六八、五〇〇、〇〇〇〃
商業	六六、〇〇〇、〇〇〇〃

次に極東との連絡の点に於ては、コルイマ河の開発が挙げらるべし。北氷洋よりベーリング海峡を経て極東地方に至る一貫航行は餘りに迂回航路に過ぎるに鑑み、最近の傾向として、コルイマ河及びウスチ・ウチーナヤ＝マガダン間街道を通ずる船車連絡のコースに全力を傾注しつゝあり。事実コルイマ河口のアムバルチツク港よりベーリング海峡を経てマガダンに至る六、一一五粁（三三〇〇浬）に比しコルイマ河水陸連絡に依る時はアムバルチツクよりウスチ・ウチーナヤに至るコルイマ河水路六〇〇粁、並に同地よりマガダンに達する自動車道路四〇〇粁、合計一〇〇〇粁にして六五二五粁（一四六七浬）が短縮せらる。而も海路の方は北氷洋航路中最も危險の多き氷海にして、一九三四年二月

チエリユスキン号の沈没其の他の犠牲も出し居り施設も比較的不行届たるを免がれず、其の航行條件等を斟酌するときは、コルイマ水路に依る利は比較にならぬ程大なり、殊に運搬の時間より見れば、コルイマ水路に依る時は、河口に於て解舟に積替へ、更にウスチ・ウチーナヤに於て自動車に積替を為すにも拘はらず、一〇分の一以下にて達し得るなり（更に迂回航路がアラスカ・千島列島等他國の沿岸を通過する為之に依り受くる軍事上の危険も考慮せらるべし）。

即ちコルイマ河の航行を中心とせる水陸連絡路の発展こそ極東連絡の観点から視たる北氷洋航路の潜勢力を形成するものと言ふを得べし。

（註一）「第十八回党大會議事録」（一九三九年、モスクワ発行）。

（註二）企畫院第一調査室「ソ聯邦重要研究資料彙報」第九号。

（註三）食料品工業紙、一九三九年四月五日。

（註四）工業紙、一九三八年十一月五日。

（註五）シエミット著「北洋航路の開発と極北農業の任務」一九三八年、モスクワ発行。

一二九

（註六）外務省、露西亜月報、第六十八号「北氷洋航路論」。

（註七）北洋航路総局アルハンゲリスク地方局編「北極と南極」一九三八年、アルハンゲリスク発行。

（註八）註六に同じ。

（註九）註二に同じ。

（註一〇）註一に同じ。

一三〇

第四章　河川運輸

第一節　ソ聯邦河川運輸の特殊的意義

ソ聯邦は世界第一の河川國にして全延長実に三二万粁に達し、世界主要河川十六のうちソ聯邦河川は九を占め居れり。

ソ聯邦に於ける主要河川の延長並に其の可航期間を挙げれば左の如し。

河川名	延長粁	年平均可航日数
ヴオルガ	三、六九五	ゴリキイ附近一九五日、アストラハン附近二三六日
カマ	二、〇〇九	ペルミ附近一七三日、チエストポーリ附近一八七日
オカ	一、五二〇	
ドネープル	二、二八三	キエフ附近　二三四日
ドン	一、九八五	カラチ附近　二五〇日
ペチョーラ	一、八一四	
北ドヴィナ	一、二五三	ヴエリーチイ・ウスチエーグ附近一八一日
ウラル	二、四四三	
クーラ	一、三〇二	
オビ	三、二九五	スルグート附近一六四日、バルナウル附近二〇一日
イルトウイシ	三、五〇二	トボリスク附近一八二日、セミパラチンスク附近二〇三日
エニセイ	三、六一九	トウルハンスク附近一五三日、クラスヤルスク附近一八五日
レナ	四、四二八	キレンスク=ウイチム一五五日、アルダン河口=ウチチール一四〇日
アムール	二、九四六	上流=一六六—一七三日、中流=一七二—一七八日、下流=一五一—一五五日
コルイマ	一、五八五	上、中流=一五〇日、下流一一〇—一〇〇日
インヂギルカ	一、四五三	
アムダリヤ	二、三五一	[illegible]

一三一

一三二

スイリダリヤ	二六八三
ニ　ワ	七五

（註） 出所、ハチヤトウロフ著「資本主義諸國及ソ聯邦に於ける運輸の配置」（一九三九年モスクワ発行）。

而して可航區間は一一万粁、流筏區間は二一万粁に達し居れり。之を列國のそれと對比せば次の如し（河川路可航区間の延長粁）。

ソ　聯	一〇六二三四
米　國	四七〇〇〇
独　逸	一二、二一七
佛　國	一一、一三九
英　國	七四八七
瑞　典	六一〇〇
芬　蘭	五五〇〇

和　蘭	五二〇〇

（註） 出所、國立運輸出版所編「ソ聯邦河川運輸」（一九三六年版）。

ソ聯邦河川の一般的特徴は大体次の三点に帰着さるべし。

(一) 比較的高緯度に位し結氷期間の長きこと（概ね北緯五〇度以北樺太の國境線より北に位す）

(二) 黒龍江を除きては概ね子午線を平行に流れ、各江間によって可航期間の著しく相違すること

(三) 概ね降雪地帯に水源地を持ち、春季の満水期と夏期の減水期を有すること（満水期の水位は減水期の水位に対し平均八―一〇米最大、ヴオルガの如きは一五米、エニセイ河の如きは一七米に及べり）

右の外、特に欧露の河川に就ては左の特徴あり。

(一) 水源が相互に接近し居ること

(二) 水源地が低きこと（平均三〇〇米以下、ドン河に於ては一七五米）

(三) 従って河床の勾配の小なること（一粁當り平均七・一糎、ヴオルガ河に於ては四・八糎にして、ラインの五二糎、ドナウの二四糎、ローンの六五糎、等に比較せば正に雲泥の差あり）

(四) 従って河床が定まらず、浅瀬・歪曲の多きこと

之等の自然的諸條件より左のことが言ひ得らるべし。

(一) 可航期間が一般に短き為に可航水路の延長の割に輸送能力の小なること

(二) 南北可航期が異る為に、一貫した水路の可航期間は北方のそれにより制約され、北方の可航期間外に於ては南方航区は地方的水路に堕する傾向あること

(三) 春季と冬季に於て著しく水位が異る関係上、全航期を通ずる航行水深は夏季減水期の水深に左右されること。又航路標識を屡々移動せねばならぬこと

(四) 或路に於ては高度の低き分水界を通して各水域を相互に連絡する可能性

の大なること。

最後に、ソ聯邦河川運輸の國民経済と關聯した意義に關して約言すれば、河川運輸の大量貨物輸送に於ける適格性を挙ぐるを得べし。此の適格性は輸送貫の低廉なる点に表明せられ居れり。例へばヴオルガ河の水運輸送貫は同方向の鉄道輸送貫に比し、普通貨物に於て二分の一、石油に於て四分の一、木材に於て十二分の一に該當せり。

ソ聯の鉄道運輸が貨物過重に苦しみ、輸送力不足をかこち居れる現状に於て、水運（主として河川運輸）が之に代らざる可からざるは、極めて當然なり。斯くてソ聯邦の河川運輸は、國内輸送に於て、鉄道運輸の副次的・代行的役割を演ずるものと云ふを得べし。

第二節　河川運輸と鉄道運輸との関係

河川運輸に於て特に重要性を獲得しつゝある問題は他の交通形態、主として鉄道との連絡輸送の問題なり。この各交通形態の連絡輸送の問題は現在各交通部門の當局者によりそれぞれの立場より眞面目に取上げられ研究され居れり。その要点は、ソ聯の如く尨大な全地域に亘って、多大な建設費を食ふ鉄道を敷設することは経済的に採算がとれないし、従って出来る丈け各種の運輸形態を合理的に結合せしめて不要な鉄道の建設は之を見合はせ、又輸送に當っては出来る丈便利で輸送費の低廉な運輸形態を利用することにせん、と云ふ一種の交通統制なるなり。此の為には各種の運輸形態（鉄道・水運・自動車輸送・空輸）の整備、それらの綜合的・計畫的発展計畫、並に各種運輸形態の綜合的・単一的運轉表の作成、最後に、連絡業務の改善が必要とせられたり。

各交通形態、就中、鉄道と水運の連絡輸送の問題は、大体に於て、その解決が全般に成されし問題なり。その最も大なる例はシベリヤ奥地の横断並に白海、バルチック、カスピ海を結合する欧露大水路の中に見出すを得べし。即ち前者はオビ河（ナデジンスキイ・ザウオード）＝エリザロヴオ＝エニセイ河（トウ

一三七

ルハンスク又はイガルカ）＝レナ河（ジヨルドン）＝オホーツク海岸（ウエルホヤンスク）＝ギジガの間に簡単な非鋪装自動車道路を設計し、シベリヤ鉄道、シベリヤ諸河川、及び前記道路の三者により連絡輸送を行はんとするものにして、後者はルイビンスク分岐点の建設とマリインスカヤ水系の改造によりモスクワ・ヴオルガ運河や白海・バルチック運河の存在と相俟ちて、白海・バルチック海・カスピ海の一貫連絡を行はんとするものなり　特に後者によれば木材・石油・石炭・穀物　等の大量物資がヴオルガ＝バルチック水路を上下し、スターリングラード、サラトフ、クイブイシエフ、カザン、ゴリキー、ルイビンスク　等に於て鉄道と連絡し、東西各地方へ発送されるなり。

以上の二つの例は、計画に属するものなるによって、次に現在行はれ居る水陸連帯輸送の実例を挙ぐべし。

現在水陸連絡輸送はヴオルガ河を基幹として行はれ居れり。例へば石炭はドンバスより鉄道によりクラスノアルメイスク（スターリングラード附近）へ行き、こゝよりヴオルガ河でアルハンゲリスクへ下降するものとヴオルガ上流に

一三八

向けられるものに分けらる。ヴオルガ上流に送らるる石炭はゴリキーで鉄道に積み換へられてモスクワ・レニングラードへ発送さる。他の貨物も亦それぞれ水陸併用コースをとり居れり。石油（アストラハン＝モスクワ＝レニングラード）、木材（北部地方＝スターリングラード）、穀物（中央ヴオルガ＝モスクワ＝レニングラード＝アルハンゲリスク）　等がそれにして、特に穀物の中央地方、モスクワ、レニングラードへの強烈な荷動きは水陸併用輸送をとり居れり。即ち沿ヴオルガ地方の豊富な穀物はクイブイシエフとサマラで鉄道から河川に積換へられモスクワ・レニングラードへ送られるものにして、此の二河港で鉄道から積換へられる穀物は年額四十万噸に達し居れり。

水陸連絡輸送を用ふる場合に於て原則的な方法となるものは、木材・石油・鉱石・建築材料・塩等容積の大きく而も走行距離の長き貨物は出来る丈水運を主とし、鉄道を従とする方法なるも、之は、しかし、水運不振の結果として原則通り行はれ居らず。一例を挙ぐれば、多大な走行距離を有する石油のモスクワ及レニングラード向け輸送が水運に頼らず専ら鉄道によって行はれ居るが如

一三九

きなり。

次に水陸連絡輸送を円滑に行ふ為には

1. 鉄道・水運の各業務間の完全な協調
2. 積換へ地点の機械化

が必須的なるも、之亦巧く行き居らず、例へば最も重要なる積換へ地点の一たるスターリングラード港に於てすら港の當事者と鉄道員の間に協調がなく、積込・卸下面に於ける列車の配置は一致を缺き、車輌は鉄道員の勝手で貨物の積卸をし居る状態なり。

第三節　船舶の建造・保有量及び運営

船舶の建造に関しては極秘とせられ居り、資料に乏しきも、断片的資料を掲げ、以て参考に供すれば左の如し。

一四〇

河川用船舶の建造

	計畫(千馬力)	實績(千馬力)	遂行率(%)
一九三四年	四三・六	三三・四	七七・六
一九三五年	四六・四 (二四一隻)	三一・一 (一一一隻)	六九・〇 (七八・七)
一九三六年	七三・〇 (一六二隻)	三九・二 (八八隻)	五五・〇 (五四・三)

即ち三四、五、六年の三ヶ年に於ていづれも年度計畫を遂行せず　その成績極めて悪し。

次に一九三七年に於ける造船計畫を挙げれば左の如し。

輸送船 ｛ 曳航船　五〇〇隻　一四一

技術船 ｛ 浚渫船　三七隻　清掃船　一〇〇〃　一四二

港内勤務船 ｛ 汽船　二三九二実馬力　カッター　二、二一三〃

(註) 出所、水運誌、一九三七年四月号「一九三七年航路業務」

ソ聯邦河川船舶の現在数は別紙の如し。

右表より、ソ聯河川船舶数の現状を知るを得べし。その現勢は貧弱にして、年次による増加数も亦少し。一九三七年に於ける現勢は、蒸気内燃機関船（自航船）に於て六三〇・四千実馬力、非蒸汽船に於て五、八〇四千トンなり。

船舶の運用に関しては別紙（水運人民委員部河川曳航船舶の運用率）に之を掲ぐべし。

水運人民委員部所属河川船舶数

			單位	一九二八年	一九三二年(A)	一九三五年(B)	B対A百分比
蒸汽・内燃機関船	貨客船及貨物船	船舶数	隻	四四五	六一五	六九六	一五六
		総能力	千実馬力	一三六・〇	一七九・七	一九八・二	一一〇
	曳船	船舶数	隻	七五〇	一、四二三	一、四五一	一〇二
		総能力	千実馬力	一九五・七	三四八・九	三五六・七	一〇二
	モーター・蒸汽カッター	船舶数	隻	―	九三	二六八	二八八
		総能力	千実馬力	―	三・一	一一・九	二八四
	計	船舶数	隻	一、一九五	二、一三一	二、四一五	一一三
		総能力	千実馬力	三三一・七	五三一・七	五六六・八	一〇七
	勤務補助船	船舶数	隻	―	―	四四四	
		総能力	千実馬力	―	―	二二・一	
非蒸汽船	普通貨物船	船舶数	隻	―	六、三〇一	五、七二一	九一
		総積載能力	千トン	―	三、八三三・六	三、七六八・〇	九八
	油槽船	船舶数	隻	―	六〇七	五四五	九〇
		総積載能力	千トン	―	一、五八八・七	一、五三六・〇	九七
	計	船舶数	隻	一三、一九八	六、九〇八	六、二六六	九一
		総積載能力	千トン	三、〇五六・七	五、四二二・三	五、三二四	九八

(註) 出所、ゴスプラン編「水運統計集」(一九二八―一九三二年)、ゴスプラン編「社會主義建設」(一九三六年)。

水運人民委員部河川用自航船舶の運用率

		輸送業務	補助業務	航行中修理	予備船	其他	計	航行	有貨航行	滞留	計	一馬力平均積載量	貨物積載一晝夜平均技術速度	営業運輸に於ける一馬力の生産率
		%	%	%	%	%	百万	%	%	%	百万	トン	粁	噸粁
油槽船	一九三四年	八四・一	四・三	一一・五	〇・〇三	〇・一	一三・八	七五・〇	五三・七	二五・〇	一一・六	二・一一	一二〇	五六三
	一九三五年	八六・七	三・九	一〇・三		〇・二	一一・一	七七・一	五六・三	二二・五	九・六	一五・五三	一一八	七四
普通貨物船	一九三四年	八一・一	九・一	七・八	〇・二	一・八	三五・六	七〇・八	四三・八	二九・二	二八・九	四・九三	一三三	三一〇
	一九三五年	八六・六	五・四	六・五	一・八	一・四	四〇・五	七四・六	四五・九	二五・四	三五・一	五・一三	一三五	三三七
曳船	一九三四年	八三・四	九・四	五・七	一・四	一・三	一〇・八	六九・四	五五・六	三〇・六	八・九	一九・一五	九二	八一
	一九三五年	九〇・四	四・〇	四・三	一・三	一・三	九・六	七一・三	五七・五	二八・七	八・七	二一・五三	一〇三	二四〇

（註）　出所：ゴスプラン編「社会主義建設」（一九三六年版）

船舶の運用の悪しきはソ聯河川運輸の特徴にして、右表の如く、営業に於ける馬力晝夜に於て輸送業務の占むる割合は八〇%位であり、輸送作業の馬力晝夜に於て有貨航行の占むる割合は五〇%内外に過ぎず、一馬力平均積載量も大した進行を見せ居らず、滞留率は二〇%乃至三〇%に上り、非自航船の運用率は更に悪く、輸送のトンネージ晝夜に於て有貨航行の占むる割合は普通貨物船に於ては五分の一以下、油槽船に於ては三分の一に過ぎざるなり。

船舶の運用と関聯して船舶の損傷事故は一九三一年度五千八百八十二件、一九三五年度七千八百九十件、一九三六年度一万三百件、その損害高は一九三一年度九百六十万留、一九三五年度二千七百五十万留　一九三六年度三千百万留の巨額に達し居れり。

一四三

第四節　水路及び諸施設

河川航路に関して左に統計を掲げん。

一四四

國内営業水路表　（単位　千粁）

	船舶局営業水路	標識航路	照明航路	浚渫区間	除石区間	人工水路
一九三二年(A)	七七・六	六八・二	四七・三	一七・一	三六・五八	一
一九三七年(B)	八四・五	七八・八	六〇・六	二二・五	三九・五	二・八七
一九四二年(C)	一〇六・三	九六・三	八三・〇	五二・〇	七九・〇	三・六五
B対A百分比	一〇九	一一五	一二八	一三〇	一〇八	一
C対B百分比	一二四	一二二	一三七	一六一	二〇〇	一二二

（註）　本表には北洋航路総局、ダリストロイ等河川運輸人民委員部管轄外の水路は含まず、人工水路には白海運河は含まず。ソ聯邦の全可航水路は一九三八年に一〇六二三四粁なり。

次に各河港に於ける貨物積卸作業は左表から推測するを得べし。

一四五

一九三四年に於ける貨物荷役作業の機械化率

積卸作業延瓲数	二九、一一二千瓲
内譯	
手力	二二、七二四〃
機械力	六、三八八〃
積卸作業の機械化率	二一・九%
積卸機械台数	一、七六七台
機械化装置数	三四二

（註）出所、ソ聯邦通信運輸統計、一九三六年版

第五節　河川運輸の現勢力と潛勢力

一九三七年現在河川運輸の現勢は之を輸送量よりみれば左の如し。

一四六

総計（浮送を除く）	六六・九百萬瓲
内譯	
船舶輸送木材	二七・三〃
筏輸送木材	八・二〃
石油	七・九〃
鑛物性建築材料	九・九〃
石炭	二・一〃
未加工金属及金属製品	〇・九〃
化学製品	〇・四〃
塩	一・三〃
穀物	四・三〃
浮送木材	一

（註）ハチヤトウロフ著「資本主義諸國及びソ聯邦に於ける運輸の配置」一九三九年版。

流域別貨物輸送量は左の如し。

一四七

	一九三九年(A) 数量(千瓲)	一九三九年(A) 全体に対する%	一九三七年(B) 数量(千瓲)	一九三七年(B) 全体に対する%	BのAに対する比(%)
ヴォルガ・カマ・オカ	一三、一〇〇	五六・九	三一、四四五	四五・〇	二四〇
西北諸河川	三、八六七	一六・九	一〇、四六一	一五・三	二七〇
北部諸河川	二、九六四	一二・八	一一、〇四六	一七・五	三七二
ドネープル・ドン・クバン・クラ	一、五六一	六・九	六、七九五	一〇・〇	四三五
西部アジヤ諸河川	六五	〇・三	六三二	一・〇	九七二
オビ・イリトウ・エニセイ	一、〇六六	四・六	三、九七〇	五・八	三七二
東部シベリヤの諸河川(除上)	一〇六	〇・四	六六〇	一・〇	五二三
レナ	四二	〇・二	二二六	〇・三	五三九
アムール	二二九	一・〇	二、七〇一	四・一	七四二
合計	二三、〇〇三	一〇〇・〇	六六、九三六	一〇〇・〇	四九一

一四八

（註）出所．前掲書．

右表からウラル、シベリヤ、北部地方、中央アジヤに於て、河川による貨物輸送量の増加の特に迅速なることが判明せん．

河川運輸の貨物走行粁を鉄道のそれと對置して示せば左の如し．

貨物の平均走行粁

	一九一三年	一九二八年	一九三二年	一九三五年	一九三七年
鉄道	四九六	五九八	六三二	六六四	六八六
河川運輸	七七〇	八六七	五一四	五二四	四九一

（註） 出所、前掲書。

河川による貨物平均粁の短縮せる事実の中に、河川運輸作業の不良の一證明を見出すを得可し。

河川運輸の不振に関しては詳言する餘裕なきも、第十八回党大會でモロトフは水運不振の一事実として船舶滞留の問題を特に指摘し、左の如く云へり。

「例へば水運に於ける多大な滞留の如きは黙過し得る問題であらうか？有害分子がまだ水運人民委員部から駆逐されるに至らなかった一九三七年度に於て此の滞留は実に驚くべき割合を示した。冬季の碇泊や船舶修理を除く営業期間、換言すれば水運の全活動期に於て、船舶の滞留は普通貨物用曳船－二三％、筏用曳船－二三％、普通貨物用艀－一七一％、油送用艀－一五六％、海上油槽船－一二九％に達した。而してこのことは水運が殆んどその労働時間の半分を滞留してゐることを物語るものではあるまいか。而も一九三八年に於ても事態は未だ改善されなかった。水運従

一四九

業員諸君は此の恥づべき汚点を払拭し、滞留を清算し、運輸に於ける優秀な仕事の模範を示さねばならない」（企畫院「蘇聯邦重要研究資料彙報」第五号）。

此の滞留の問題を初めとして、ソ聯邦の水運、特に河川運輸には、幹部の質の改善、船舶の事故の防止、船舶の修繕と建造の強化、船舶の運行と水路の経営の改良、等に亘りて当然に為すべくして為さゞりし幾多の問題あり。之等の諸問題を解決したる時、河川運輸の現状は面目を一新するに至るべし。

第三次五ケ年計畫に関してはモロトフは草案の中で「水上運輸の立遅れを清算して、国民経済の中に占める水運の役割を高揚せしめ、特に木材・穀物・石炭・石油など大量貨物の輸送能率を引き上げる。而して海上用・河川用船舶を技術的に改善し、より完全な船舶として能率を昂め、廣範囲に亘り河川用船舶にガス発生炉を取付け、船舶修理所及び海港設備を拡張する。次に現在の水路を廣範囲に建直し、アストラハン＝ゴリキー＝ルイビンスク＝モスクワの水路

一五〇

を第三次五ケ年計畫末迄に再建し、アストラハンからモスクワ迄二・六米以上の水深の長距離可航水路を建設せしめる。ヴオルガ＝バルチツク海間水路の改造を行ひ、國内に於ける可航水路の総延長を一九四二年には現在の十万二千粁から十一万五千粁に増加する」と述べ居れり。而して此の草案は「第三次五ケ年計畫に於てはヴオルガ、ドン、ドネープル諸河川の複合的改造計画を研究し、カスピ海の水面維持に関する方策を講じ、ヴオルガ、ドン連絡の建設に着手する」といふ一項が附加されて第三次五ケ年計画の決議として採擇せられたり（出所、企畫院前掲書）。

河川運輸第三次五ケ年計畫は以上の中に盡き居るべし。

尚、一九四二年の河川運輸貨物取扱量は一九三七年度の三三〇億瓲粁に對しその七五・九％増、即ち五八〇億瓲粁なり。

一五一

第六節 極東及びシベリヤの諸河川

シベリヤ及び極東に於ける主要河川たるオビ、エニセイ、レナ、アムールの諸河川はシベリヤ鉄道以北の鉄道のない廣漠たる領域の輸送連絡に當るものなり。アムール以外の河は、子午線的方向に流れ、上流に於てはシベリヤ横断鉄道を横切り、河口に於ては北洋航路に注ぎ居るものなり。而して之等諸河川は其の全長に於て通過輸送路として十分な利用を見居る段階に達せざるなり。

之等の地方に於ける重要水系の延長及可航水路を示せば左の如し。

	総延長（單位千粁）	其の内（單位粁）流筏区間	可航区間	汽船可航区間
オビ	四五（一〇〇％）	一八、七二〇（四二％）	一七、六五四（四〇％）	二二、〇〇〇（四九％）

一五二

エニセイ	二三・四（一〇〇%）	一二、一二一（五二%）	七、五〇〇（三二%）	三、一二六（二二%）
レナ	二〇・四（一〇〇%）	三、二六四（一六%）	九、四八〇（四六%）	三、九一六（一九%）
アムール	二〇・四（一〇〇%）	七、一八〇（三五%）	八、六二五（四三%）	七、四二一（三六%）
計	一〇八・八（一〇〇%）	四一、二八五（三八%）	四三、二六九（四〇%）	四〇、四六八（三七%）

（註）出所　満鉄調査部「ソ聯邦の河川と水路施設」

次に主要河川の可航期間を見れば次の如し。

一五三

河川名	地点（区間）名	開航期	閉航期	可航日数
オビ	スルグート			一六四
	バルナウル			二〇一
	トボリスク			一八二
	セミパラチンスク			二〇二
エニセイ	クラスノヤルスク＝エニセイスク	四月下旬乃至五月上旬	十月上旬	一七六－一八〇
	エニセイ入江	八月上旬	九月下旬乃至十月上旬	五〇－六〇
アンガラ		三月二五日乃至四月六日	十二月二四日乃至一月六日	
バイカル湖		六月上旬	十月末	
セレンガ		四月上・下旬	十月中・下旬	一七七

一五四

レナ	ウスチクート＝キレンスク	五月一一日	一〇月一九日	一六一
	キレンスク＝ウイチム河口	五月一五日	一〇月一九日	一五五
	ウイチム河口＝アルダン河口	五月二八日	一〇月一七日	一四二
	アルダン河口＝ウチユール	五月二八日	一〇月一七日	一四〇
アムール	上流			一六六－一七三
	中流			一七二－一七八
	下流			一五一－一五三
コルイマ	上中流	解氷　五月中旬	結氷　十月上旬	一三〇
	下流	解氷　六月下旬	結氷　九月下旬	一〇〇－一一〇

之等諸河川に配置の河川船舶を挙げれば次の如し。

一五五

アムール船舶局所属（極東地方の分）

自航船｛隻数　六九
　　　　牽引力　二三、八〇〇馬力

艀船｛隻数　六三
　　　積載力　六二、〇〇〇トン

東部シベリヤ、セレンガ、レナの三船舶局及レン・ゾロト・フロート所属（東部シベリヤの分）

自航船｛隻数　二五二
　　　　牽引力　一九四、三八〇馬力

艀船｛隻数　二〇八
　　　積載力　五九、七二一トン

（註）出所、企畫院「ソ聯邦経済國力判断資料」第三輯

一五六

次に一九三七年に於ける極東並に東部シベリヤに於ける河川運輸貨物発送量を挙げれば左の如し．

極東地方　七〇一千瓲
東部シベリヤ地方　八八六．〃

北洋航路と関聯しての極東諸河川の重大意義に就ては、北洋航路の項目で之を取扱ひたる故、こゝでは省略す．

一五七

第五章　重要物資の輸送状態

本項に於てはソ聯邦に於ける重要物資輸送の輸送状態を扱はんとするが、此の問題は既述の部分と重復すること多く、特に鉄道の貨物輸送の項目とは問題を同じくするが故に重復するは当然なり．しかし重復はなるべく之を避け、努めて簡単に問題を取扱はんとす．

第一節　総説

ソ聯邦の鉄道貨物は二つのカテゴリーに分けられ居れり．その第一カテゴリーに属する貨物は、全国家的意義を有する貨物にして、その輸送計画が交通人民部に於て集中的に行はるゝもの、第二カテゴリーに属する貨物は地方的意義の貨物にして、その輸送計画が地方鉄道局に於て行はるゝものなり．而して第

一五八

一カテゴリーに属する貨物は、石炭・コークス・鉄鉱石・石油・泥炭・溶剤・耐火材料・黒色金属及び屑金属・金属製品及び機械・農業用機械・トラクター・自動車・化学肥料・木材・全国家的企業用の建築材料・セメント・棉花・紙・甜菜・穀物・砂糖・アルコール・植物油・曹達・塩・肉・中央配給用魚類及び禽獣（屠殺用及び種用）・馬糧・亜麻及び大麻・生産組合用原料・季節的調達期間内に於ける野菜及び馬鈴薯・大衆需要品・軍用貨物・鉄道自家用貨物にして、第二カテゴリーに属する貨物は混合飼料・根菜・油糟・酒・糖蜜・地方建築材料・雑貨等なり．

こゝに云ふ重要物資とは右第一カテゴリーに属する国家的意義の貨物なるがその総てを見る必要もなき故、そのうち特に重要なる石炭・石油・鉱石・黒色金属・木材・セメント・穀物等に亘って其の輸送状態をみる可し．

重要物資の輸送量に関しては前項「貨物輸送」の所にて既述したるが、今、一九三七年度に於ける鉄道輸送貨物総量のうち重要物資輸送の占むる割合を図解せば別紙の如し．

一五九

第二節　石炭

石炭は戦前には三つの基本的原産地より之が供給を受けゐたり．ペテルブルグ、バルチック沿岸地方、特にその奥地（モスクワを含む）では英国輸入炭を常用し、西部及西南諸地方ではドムブロワ炭を使用し、南部及中央部ではドンバスより石炭の供給を受けゐたり．ドネツ炭はクリヴオイ・ログ地方及びモスクワへ輸送され又南西諸地方へも小量が輸送され居たるが、ドネツ炭の輸送量は極めて小量なりき．

革命後石炭の輸送は停止されたり．国の工業化に依り国内に於ける石炭の需要が激増せる結果、ドネツ炭の配給区域は著しく拡大されたり．ドネツ炭はクリヴオイ・ログ地方及び全ウクライナは云ふ迄もなく、レーニングラード、モスクワ、沿ヴオルガ地方、カフカズへ多量に供給され居れり．ドネツ炭の一部はアゾフ海経由で輸送され居れり．ドネツ炭の採掘が激増すると共に、他の炭

一六〇

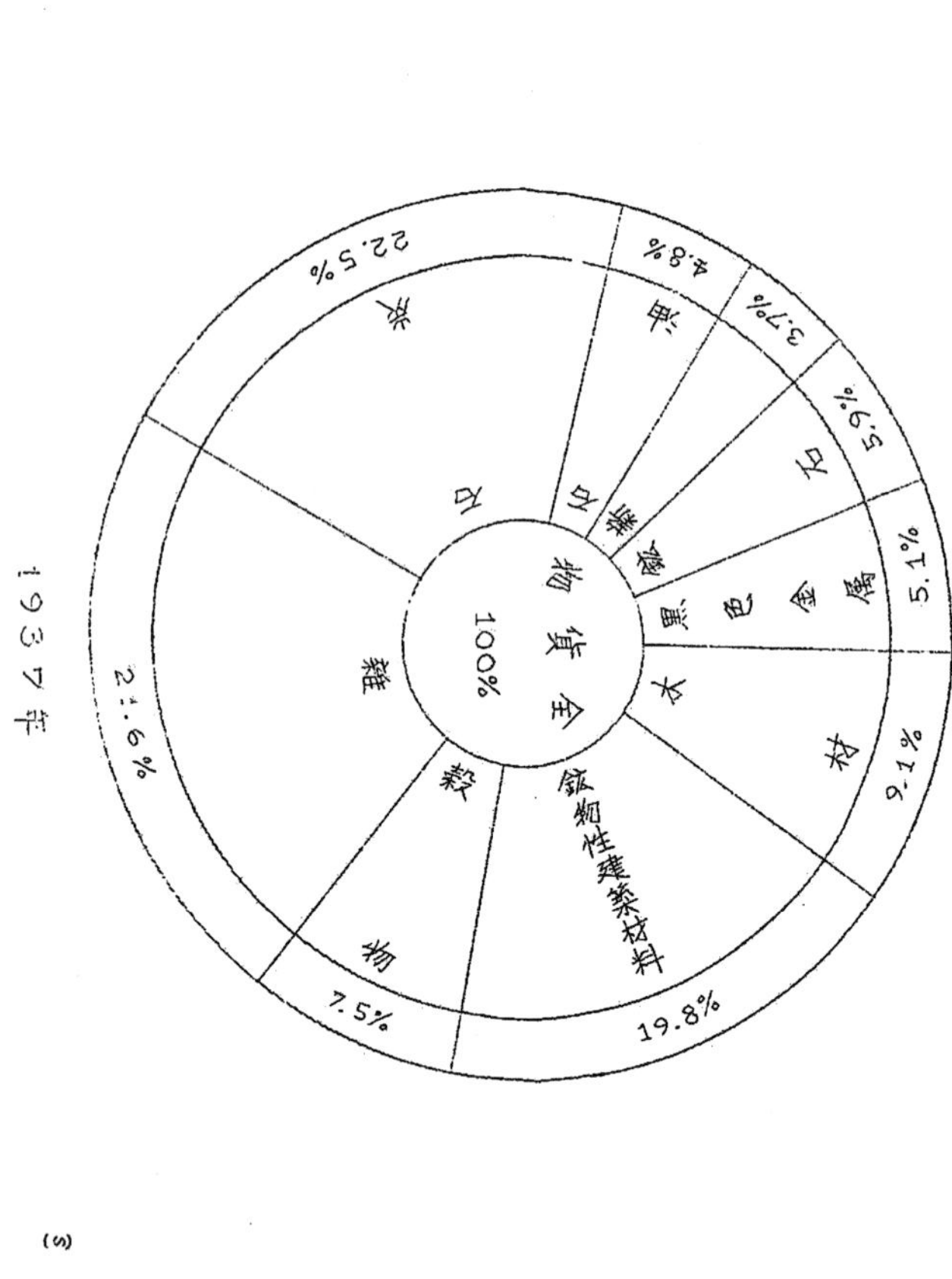

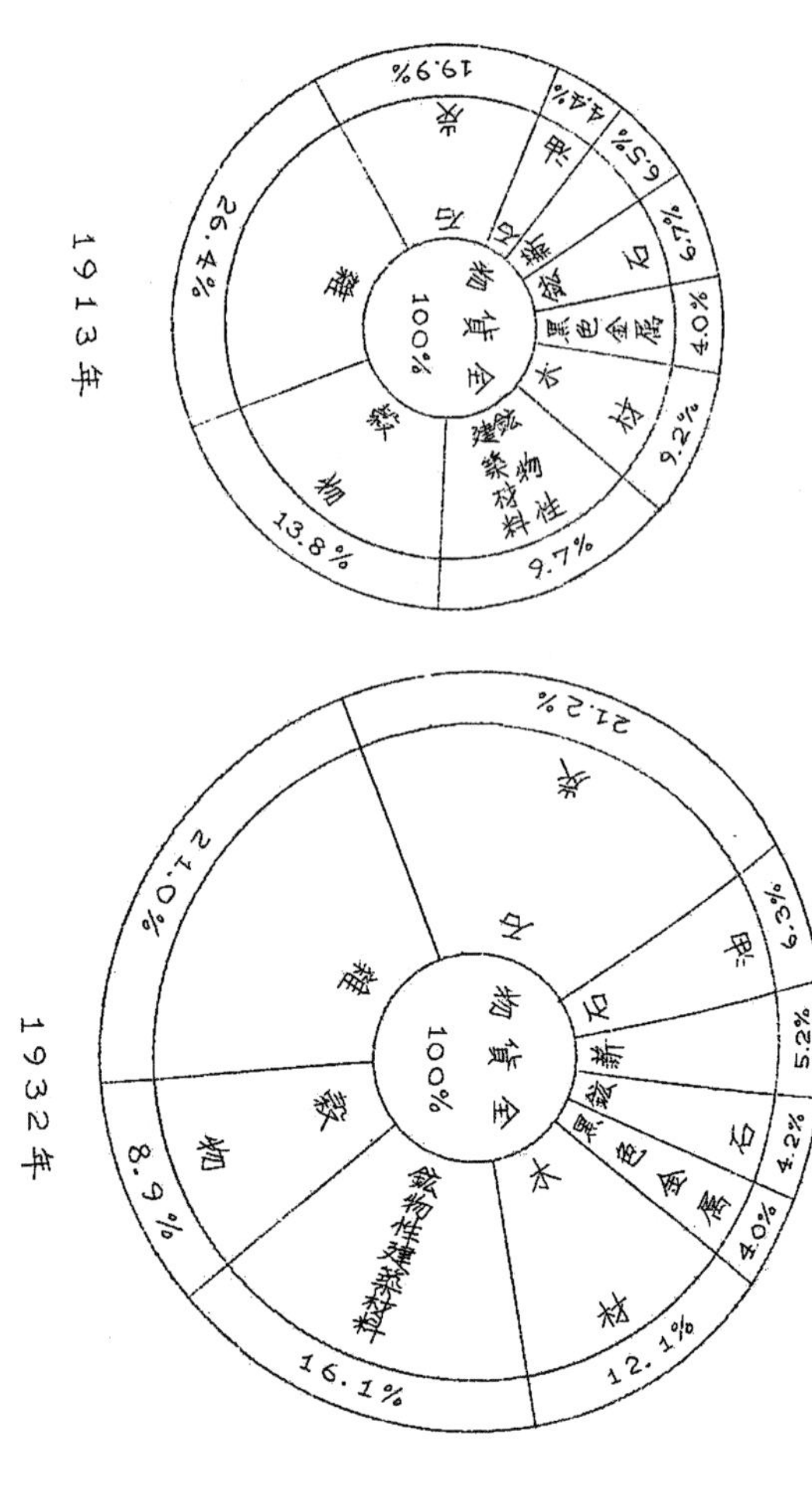

田に於ける採掘も亦益々激増したる結果、ソ聯邦総採炭量に對するドンバスの比率は戦前の八七%より第二次五ケ年計画末には五九%に低下せり。ソ聯邦ヨーロッパに於てはポドモスクワ炭が重要な意義を持つに至れり。同炭の採掘量は一九一三年に一%なりしもの、一九三七年には六%に増加したり。ポドモスクワ炭はスタリノゴルスク綜合工場に使用され居るが、モスクワ、クールスク及びヴオロネジ諸州へも供給され居れり。

第二次石炭、冶金基地の創造及び東方諸州の振興と共に石炭輸送にも新たなる運輸関係が生じたり。クズネツ炭田の採炭量は一九一三年には石炭総採掘量の三%に過ぎざりしも、第二次五ケ年計画末には一四%に増加し、新に創設されし石炭基地――カラガンダの採炭量も一九三七年には総採掘量の三%に達せり。クズネツ炭はクズバス及びノウオシビルスク地方以外に、ウラル工業地帯、主としてマグニトゴルスクへも供給され居れり。クズネツ炭は西方ではヴオルガに達し居るが、中央アジヤ及び東部シベリヤの一部にも供給され居れり。カラガンダ炭は南部ウラルへ移出され、バルハシの有色冶金業にも使用され居れ

一四一

り。ウラル炭田（キーゼル、チエリヤビンスク）に於ける採炭量も激増せり。東部シベリヤ及び極東ではチエレムホーウオ、ブカチヤチヤ、スーチヤン等の地元諸炭田の石炭を使用す。之等炭田の採炭比率は戦前の二・六%から第二次五ケ年計画末には六%に増加したり。

一九三七年に於ける石炭採取工業の地理的配置表を掲げれば左の如し。

一九三七年に於ける石炭採取工業の地理的配置表　（%）

ロシヤ共和國	四一・六三
北部	〇・四五
中部	五・九〇
北カフカズ	六・六四
ウラル	六・三五
西部シベリヤ	一三・九三

一四二

東部シベリヤ	四・五七
極東地方	三・七九
ウクライナ共和國	五三・九七
グルジヤ共和國	〇・三一
カザフ共和國	三・二二
中央アジヤ諸共和國	〇・七二
全ソ	一〇〇・〇〇

（註）全ソ採炭高は一億五千二百五十万瓲なり。
出所はゴスプラン中央統計局編「ソ聯邦社會主義建設」（一九三九年、モスクワ発行）。

此の採炭業の配置に對應して石炭貨物の鉄道輸送は次表（別紙）の如き地方間輸送の形をとりたり。一九三七年に於ける石炭輸送瓲粁は八三四億瓲粁なり。

右表は一九三七年に於ける石炭の地方間輸送なるが、革命後石炭採取の地域

的配置の改善されたるは前述の如くなるも、未だ地域的偏在を免れず、不合理的輸送は多分に存するなり。例へば中央アジヤにはカラガンダ炭あり、十分な動力資源を成し居るに拘はらず、ノウオシビルスク地方よりは遠距離に亘りクズネツク炭が逆に七〇万瓲も中央アジヤに向け輸送され居れり。クズネツクより極東へ距離五六〇〇粁を要して運ばれし約十万瓲、チエレムホーヴオ（東部シベリヤ）より極東へ三七〇〇粁を要して運ばれしも二七万五千瓲、石炭の豊富な東部シベリヤへ三千粁乃至三千五百粁の距離を要して運ばれたるクズネツク炭六〇万瓲、同じく距離二千粁を要してウラルへ運ばれるクズネツク炭五三〇万瓲、而してウラルからは合計七〇万瓲の石炭が外部へ搬出され、ドンバスあたりから逆に供給を受けてゐると云ふが如き、いづれも不合理輸送たるを免れざるなり。

今、ソ聯の鉄道運輸に於ける石炭の不合理・遠距離輸送の如何に大なるか、を前記一九三七年に於ける石炭輸送の走行粁程から窺ってみん。

一九三七年に於ける石炭の地方間輸送表（単位 百万瓲）

発送地方	到着地方 北部	北西諸地方	中央諸地方	上ヴォルガ諸地方	下ヴォルガ諸地方	ウラル諸地方	東部シベリヤ	極東地方	ザカフカス地方	中央アジヤ
ドンバス（ウクライナ）	〇・一	八・五	一四・五	〇・五	二・八	〇・一	ー	ー	〇・一	ー
ウラル	〇・三	ー	ー	〇・四	ー	ー	ー	ー	ー	ー
クズネツク（西部シベリヤ）	〇・二	ー	〇・三	一・三	〇・六	五・三	〇・六	〇・一	ー	〇・七
カラガンダ（中央アジヤ）	ー	ー	ー	ー	〇・七	一・三	ー	ー	ー	ー
東部シベリヤ	ー	ー	ー	ー	ー	ー	ー	一・〇	ー	ー

（註）出所、企畫院発行「ソ聯邦経済國力判断資料」第二輯。

一九三七年に於ける石炭輸送の走行粁程による分類は左の如し。

走行粁	割合（%）
四〇〇粁迄	五一・五
四〇〇粁から六五〇粁迄	一二・二
六五〇粁から八〇〇粁迄	六・六
八〇〇粁から一五〇〇粁迄	一七・一
一五〇〇粁以上	一二・六

以上の如くソ聯に於て輸送される石炭輸送量の過半数は四〇〇粁迄の間に輸送さるゝも、八〇〇粁又は一五〇〇粁以上の輸送粁の分も極めて多し。尚之を輸送瓲粁より見れば、一九三七年に於ける石炭輸送瓲粁―八百三十億瓲粁のうち三百三十億瓲粁、即ち全体の約四〇%と云ふものは千五百粁以上の遠距離に亘って輸送され居るなり。

第三節　石油

石油工業の地域的配置は石炭のそれに比して一層偏在し居れり。革命後、マイコプ、エムバ、イシムバエウオ、サハリン等新興産地の採取量が増加したるも、輸送地理を根本的に変化せしむる程度のものたり得ざりき。

一九三七年に於ける採油量の地域的配置は次の如くなりき。

一九三七年に於ける採油業の地域的配置表（%）

地方	%
ザカフカズ地方	八七・七
アゼルバイジャン（バクー）	七一・〇
グローズヌイ	一二・二
マイコプ	四・五
カザフ地方（エムバ）	二・〇
中央アジヤ	四・一
中央アジヤ・トラスト	二・六
トルクメン・ネフチ	一・五
ウラル及び沿ヴオルガ（第二バクー）	五・〇
極東（サハリン）	一・〇
其の他	〇・二
全ソ	一〇〇・〇

（註）　全ソ採油量は三千四百五十四万瓲なり。

出所．満鉄調査部「ソ聯邦の石油業」

石油採取工業の地域的偏在は石油加工工業の地域的偏在を伴へり。石油加工工業の地域的配置は採取業のそれに比し一層偏在的なり。假りに原油の九〇%が製品になるとして、この製品を精製する九五・四%はカフカズ地方に集中され居るなり。而してこの地域的配置に對して石油の消費の方は如何と言へば、産業の東漸化のテンポに應じて消費に於ける東部地方の比重が逐年増加しつゝあるが現状なり。之を具体的に示せば、全ソ石油製品の九五・四%を精製するカフカズ地方の透明油に對する需要は全ソのそれの一二%乃至一三%に過ぎざるに對し、東部地方（ウラル以東）の需給は全ソ消費量の二九・四%（一九二五－二六年には一六・一%）に達し居れり。

斯くの如き生産と消費の地域的配置のギヤップにより、ソ聯交通機関の石油輸送の為の負擔は必要以上に達せり。

石油輸送に當れる各交通機関の割合は別紙の如し。

即ち、一九三六年度各種輸送機関の輸送比率を見るに、鉄道が首位で四二・七%、河川によるもの一一・八%、海運三四・一%、パイプ・ライン一一・四%となり居れり。此のうちで各地方間の輸送に當るものは主として鉄道と河川運輸なるが故に、此の二つの輸送瓲粁を挙げれば、

石油輸送に當れる各交通機関の割合

	鉄道		河川運輸		海運		パイプ・ライン		合計	
	数量	比率(%)	数量	比率(%)	数量	比率(%)	数量	比率(%)	数量	比率(%)
一九一三年	五・八	三一・九	五・九	三二・四	六・一	三三・七	〇・四	二・〇	一八・二	一〇〇
一九二八年	八・二	三四・一	五・二	二一・九	八・三	三四・七	二・二	九・三	二三・九	一〇〇
一九三二年	一七・〇	三八・二	七・四	一六・九	一五・八	三五・八	四・〇	九・一	四四・三	一〇〇
一九三五年	二二・四	四二・二	七・一	一三・六	一八・七	三五・四	四・八	九・一	五三・〇	一〇〇
一九三六年	二五・六	四二・七	七・一	一一・八	二〇・四	三四・一	六・九	一一・四	六〇・〇	一〇〇

（註）　出所．「ソ聯に於ける発動機燃料工業の配置」（「計画経済」誌、一九三八年第三号掲載）。

数量＝百万瓲

	一九三二年	一九三七年
鉄道	一七・〇 百万粍	二四・七 百万粍
河川運輸	七・四	七・六

と、両次の五ヶ年計畫間に鐵道の方は一四五%の増加を示し居るに對し、河川の方は一向増加し居らず。更に平均輸送粍粁をみても、鉄道の方は一九三二年の八九一粁より一九三七年の一、二三六粁と大部延長し居るも、河川の方は一九三二年の一、五三七粁より一九三七年には一、一七一粁と却って短縮し居れり。斯くて此の二つの関係を綜合的に示す輸送粍粁についてみれば、

一六九

石油貨物輸送粍粁（單位十億粍粁）

	一九三二年	一九三七年
鉄道	一五・二	三〇・五
河川運輸	一一・四	八・九
計	二六・六	三九・三
同上割合（%）		
鉄道	五七・一	七七・三
河川運輸	四二・九	二二・七
計	一〇〇・〇	一〇〇・〇

一七〇

と云ふ状態なり。

斯くの如く石油輸送に於ける鉄道の負擔は水運のそれが轉嫁されることによって益々増大して行けり。

石油工業の地理的配置の偏在、水運の劣悪な作業は因となり果となりて鉄道の作業に現れたり。

一九三七年に於る石油貨物の鉄道による地方間輸送は左の如し。

（單位 百万粍）

	北西地方	中央地方	上ヴォルガ地方	下ヴォルガ地方	ウラル地方	西部シベリヤ地方	東部シベリヤ地方	極東地方	ウクライナ共和國
ザカフカズ諸地方	〇・一	〇・二	—	〇・一	—	—	—	—	〇・四
オルジョニキーゼ鉄道及ヴォロシーロフ鉄道	〇・三	一・四	〇・三	〇・五	〇・三	〇・一	〇・一	〇・一	一・二
中央アジヤ諸鉄道			〇・一				〇・三		
下ヴォルガ諸鉄道	〇・一	〇・七	〇・三	—	〇・七	〇・四	〇・一	〇・一	—
上ヴォルガ諸鉄道	—	〇・一	—	—	—	—	—	—	—
ウラル諸鉄道	—	—	—	—	—	—	—	—	—
南西諸鉄道	〇・八	〇・五	—	—	—	—	—	—	—
ドンバス諸鉄道	〇・一	〇・二	〇・一	—	—	—	—	—	—

一七一

一七二

（註） 出所、「地方間輸送」（「計画経済」誌、一九三八年第八号）。

主要な不合理輸送としてはバクーから鉄道による北方に向けデルベント経由北西及中央地方 等への石油発送（此の方向に於ては一九三二年の二〇万粍に対し九〇万粍が輸送せられたり）と、少額ではあるが（一〇万粍）中央アジヤより欧露への石油の発送を指摘すれば充分なるべし。

總算統計によれば一九三七年に於て輸送されし石油総量の半分（二、四七〇万粍のうち一、二三〇万粍）は八〇〇粁以内の距離に輸送され、一二%の石油（三百万粍）は八〇〇粁より一、〇〇〇粁までの距離に輸送され、全輸送量の約四分の一（五八〇万粍）は一、〇〇〇粁より二、〇〇〇粁までの距離に輸送され、最後に二、〇〇〇粁以上に輸送されし石油は三六〇万粍、即ち全輸送量の大略一四%

に達せり。

尚、之を輸送粁の方よりみれば、一九三七年に於ける石油輸送噸粁三〇八億のうち、二千粁以上の、所謂、過遠輸送の分は一〇四億噸粁に達し、総額の三〇％に當れり。

第四節　鐵鑛石

在来鉄鉱の大部分は銑鉄精錬の四分の三を占めたる南部石炭・冶金基地（ドンバス＝クリヴオイ・ログ）の區域内で輸送され、鉄鉱輸送に於けるウラル地方の比率は僅か八％に過ぎざりき。而るに東部に於ける第二石炭・冶金基地（クズバス＝マグニトゴルスク）の建設及びソ聯邦中央諸地方に於ける冶金業の発達は銑鉄の精錬に於けるウラルの比重を高めたり。東部に於ける冶金業の発達はウラル鉄鉱の輸送量を激増せしめたり。一九三七年にはウラル鉄鉱は鉄鉱総発送数量の五分の一以上に達せり。此の鉄鉱はウラル自体のみならず、

東部諸地方へ発送さるゝなり。

満俺鉱の産地はニコポリ及びチアトウラなり。リペツク、トウラ、ウラル、クズネツクも満俺鉱産地として挙ぐるを得るも、之等は地元地方の需要を充すに過ぎず、産地外へは殆んど搬出され居らざるなり。

然らば第二次五ケ年計画の最終年度たる一九三七年に幾許の鉱石が輸送されしやといへば、総輸送量は三千五十万噸にして、そのうち採取地外の各地方に搬出されし鉱石は五百九十万噸なり。

一九三七年に於ける鉄道による鉱石の各地方間輸送状況を示せば左の如し。


（單位 百万噸）

発送地	到着地方 中央諸地方	下ヴオルガ諸地方	ウラル	クズネツク	ウクライナ共和國
クリヴオイ・ログ及クズネツク	〇・四	—	—	—	—
ウラル	〇・一	〇・二	—	二・九	〇・二
クズネツク	—	—	〇・一	—	—
東部シベリヤ	—	—	〇・一	—	—
ハリロウオ	〇・一	—	—	—	—
チアトウラ	〇・一	—	〇・一	〇・一	〇・二

（註） 出所、「地方間輸送」（計画経済誌、一九三八年第七号）。


一九三二年にウラルの冶金工場へ鉄道輸送により到着したる鉄鉱及び満俺鉱は百二十萬噸なりしが、一九三七年にはその額六百十万噸に達したり。一方、クズネツク冶金工場向けの鉱石の輸送量も同様に増加したり。即ち一九三二年にクズネツクの冶金工場へ鉄道輸送により到着したる鉄鉱及び満俺鉱は五十七万噸なりしが、一九三七年には八十八万二千九百噸に達したり。

ウラル及びクズネツクに於ける冶金業の発達速度は東方に於ける鉱石採取の増加率を追ひ越して居り、特に満俺鉱に関して甚し。一九三七年度に於てウラル及びクズバスが南部地方より受け取りたる満俺鉱はチアトウラより二〇万六

千噸（ウラル、クズバス各々半分づゝ）、ニコポリより四万七千噸（全部ウラル）にして、その走行粁は両産地よりウラル迄大体三千粁、クズネツクまで大体六千粁なり。

第五節　黒色金屬

金屬輸送の前提になるものは金屬の生産並に消費の関係なるが故に、左に之を掲げん。

銑鐵の地域的生産高

	数量（千噸）	割合（％）
南部	九、二三八	六三・三
東部	四、二一七	二八・八

ウラル	二、七一七	一八・五
シベリヤ及極東	一、五〇五	一〇・三
中央	一、一四五	七・九
計	一四、六〇〇	一〇〇・〇

鋼塊の地域的生産高

	数量（千瓲）	割合（%）
南部	九、二五五	五二・六
東部	五、二〇二	二九・六
ウラル	三、五六三	二〇・三
シベリヤ及極東	一、六三九	九・三
中央	三、一二六	一七・八

一七七

計	一七、五八二	一〇〇・〇

一七八

鋼材の地域的生産高

	数量（千瓲）	割合（%）
南部	七、四九一・〇	五七・六五
東部	四、一二〇・八	三一・七一
ウラル	二、九八九・八	二三・〇一
シベリヤ及極東	一、一三一・〇	八・七〇
中央	一、三八三・四	一〇・六四
計	一二、九九五・九	一〇〇・〇〇

黒色金属（鉄）の地域的消費高の割合（%）

南部	三三・四
南東部（カフカズ及下ヴォルガ）	八・三
ウラル	一四・六
西部シベリヤ	二・二
上ヴォルガ地方	八・五
中央黒土州	一・八
モスクワ地方	一五・六
北西地方（レニングラードを含む）	八・三
西部地方	三・六
中央アジヤ（カザクスタンを含む）	一・一
計	一〇〇・〇

（註）　出所は何れも「計画経済」誌・一九三九年第一号「黒色冶金配置の諸問題」による。

一七九

一八〇

以上掲げし生産と消費の地域的関係よりみて、ソ聯邦に於ける金属の供給地方がウクライナ（南部）及びウラルの二つにして、レニングラード、モスクワ、ゴリキー、西部、スターリングラード、アゾフ黒海、オルジョニキーゼ、ザカフカズの諸地方の如き重工業地方は金属の需要を外部からの供給に仰ぎ居ること明瞭なるべし。東部シベリヤ及び極東の両地方亦然り。

一九三七年に於ける金属の地方間輸送は別紙の如し。

以上の表により明かな如く、多量の金属が交錯輸送や過遠輸送、其他非合理的に輸送され居れり。例へばウラルより南部諸地方（ウクライナ、北カフカズ、ヴオルガ下流地方、クリミヤ等）へ七十万瓲の金属が輸送される他方、その逆路に於て四十万瓲の金属が矢張り輸送されると云ふが如き矛盾を生じ、又、中央、上ヴオルガ、北西の諸工場からウラルへ向けて五十万瓲の金属が輸送され、他方、ウラルから逆に百二十万瓲の金属が輸送さるゝといふ状況なり。更に又、中央、上ヴオルガ、北西の諸工場から南部（ウクライナ、北カフカズ、クリミヤ、下ヴオルガ等）の諸工場へ向けて百二十万瓲の金属が中央、上ヴオルガ、

一九三七年に於ける金属の地方間輸送

（単位 百万瓩）

到着地方 ＼ 発送地方	北西	上ヴォルガ	中央	下ヴォルガ	ウクライナ	アゾフ黒海	ウラル	西部シベリヤ	東部シベリヤ
北西	－	〇・一	〇・四	〇・一	〇・五	－	〇・三	〇・一	－
中央	〇・二	〇・二	－	〇・二	〇・八	〇・一	〇・六	〇・一	－
上ヴォルガ	〇・二	－	〇・三	〇・一	〇・四	－	〇・三	〇・一	－
下ヴォルガ	－	－	〇・二	－	〇・四	〇・一	〇・二	－	－
ウクライナ（クリミヤを含む）	〇・二	〇・一	〇・六	〇・二	－	〇・二	〇・四	－	－
ウラル	－	〇・二	〇・二	〇・二	〇・二	－	－	〇・四	〇・一
西部シベリヤ	－	－	－	－	〇・一	－	〇・一	－	－
東部シベリヤ	－	－	－	－	－	－	〇・一	〇・一	－
極東地方	－	－	－	－	－	－	〇・一	〇・一	－
アゾフ黒海及オルジョニキーゼ地方	－	－	〇・一	－	〇・五	－	〇・一	－	－
ザカフカズ諸共和国	－	－	－	－	〇・一	〇・一	－	－	－
中央アジヤ諸共和国	－	－	－	－	－	－	〇・一	－	－

（註） 出所、「地方間輸送」（「計画経済」誌一九三八年第七号）。

北西の諸工場へ向けて発送されり、又、シベリヤの諸地方より欧露へ向けて八十万瓩の金属が輸送されしにも拘はらず、欧露からは反対に四十万瓩の金属が輸送されしなり。

斯くの如き金属輸送の不合理性の原因は他なし。金属の圧延工場の徒に専門化して之を分散したるが故に、金属は四方八方、各地の工場へ送られるなり。金属の非合理的輸送と関聯して金属輸送の平均輸送粁の増大せることは、ソ聯邦に於ける主要物資輸送の一欠陥たるものなり。

金属輸送の平均輸送粁は左の如し。

一九三三年	八八〇粁
一九三四年	九六三〃
一九三五年	九八〇〃
一九三六年	九八九〃
一九三七年	一、〇〇五〃

即ち五年間に平均輸送粁のかなり延長されしことを知るべし、而して金属の

約六〇%が八百粁以下の距離の間を輸送され、約二五%は八百粁以上千八百粁以下の距離を輸送され、八・五%は二千五百粁以上の距離に輸送されしなり。此の最後のものに属したるは、実にその額二百二十万瓩に達し居れり。

第六節 木材

先づ一九三七年に於て鉄道に依って如何程の木材が輸送されたるかを見れば、総量四千六百九十万瓩に上り、そのうち伐採地外へ搬出されしものは二千二百六十万瓩にして一九三二年の千二百万瓩に比較せば千六十萬瓩の増加となり居れり。

	一九三二年 数量（百万瓩）	一九三二年 割合（%）	一九三七年 数量（百万瓩）	一九三七年 割合（%）
合計	一二・〇	一〇〇・〇	二二・六	一〇〇・〇
内訳 北部	一・九	一五・八	四・四	一九・五
北西	三・三	二七・五	三・三	一四・六
上ヴォルガ	三・一	二五・九	五・〇	二二・一
中央	〇・七	五・八	一・九	八・四
下ヴォルガ	一・四	一一・七	二・一	九・三
ウラル	〇・七	五・八	二・七	一一・九
シベリヤ及極東	〇・六	五・〇	二・六	一一・五
ウクライナ（南部全部を含む）	〇・三	二・五	〇・六	二・七

以上の表によって明かな如く、木材の鉄道輸送に於ては北部、ウラル、シベリヤの割合が急増し、北西地方の割合が急激に減少し居れり。然らば木材の需給関係を左右するところの基本的地方間連絡は如何と言へば、大体次の如き特徴

を持ち居れり。即ち北部木材地方からは主として北西及び中央地方、ウクライナ地方によって搬出さる。しかも北西木材地方はウクライナに対する主要な木材供給地にして、同時に中央諸地方に向けても木材を搬出し居れり。次に上ヴオルガ及び中央の木材地方はモスクワ州、レニングラード州並にウクライナ、カフカズ地方へその主要部分の木材を直接鉄道交通、又は積換地点経由のヴオルガの水運を利用して搬出す。ウラルの木材は北西、中央、沿ヴオルガ及びウクライナ等へ搬出し、シベリヤの木材地方からは主として中央アジヤ諸地方へ搬出し居れり。一九三七年度に於ける鉄道に依る木材の地方間輸送状況は別紙の如し。

右の表を見れば大量の木材貨物が、交錯輸送され、又遠距離に亘って輸送され居ることが判明せん。例へば、欧露から中央アジヤに向けて三十万瓲に上る木材が搬出される一方に於いて、シベリヤからウクライナ方面に八十万瓲の木材が輸送せられたり。その中五十万瓲の木材はウラルから別に西部（ソ聯の中央及び南部諸地方）へ向けて搬出されたるものなり。かゝることは一九三八年

一九三七年度に於ける鐵道に依る木材の地方間輸送状況

到着地方 ＼ 発送地方	北部	北西	中央	ウクライナ共和國	南部	上ヴオルガ	ウラル	西部シベリヤ	東部シベリヤ
北部	ー	ー	ー	ー	ー	〇・一	ー	ー	ー
北西	一・二	ー	〇・三	〇・一	〇・一	〇・七	〇・三		
中央	一・七	〇・八	ー	〇・一	〇・一	二・〇	〇・五	〇・一	〇・二
上ヴオルガ	ー	ー	〇・一	ー	ー	ー	〇・二		
下ヴオルガ	ー	ー	〇・一	ー	〇・一	〇・二	〇・三		〇・一
ウラル	ー	ー	ー	ー	ー	ー	ー	〇・一	〇・二
南部	〇・二	〇・一	〇・二	ー	ー	〇・三	〇・二		ー
西部シベリヤ	ー	ー	ー	ー	ー	ー	〇・三	ー	〇・五
東部シベリヤ	ー	ー	ー	ー	ー	ー	ー	ー	ー
極東	ー	ー	ー	ー	ー	ー		ー	〇・一
ウクライナ	一・三	二・三	一・一	ー	ー	一・四	〇・六	ー	〇・一
ザカフカズ諸共和國	〇・一	〇・一	〇・一	ー	ー	〇・二	〇・二	ー	ー
中央アジヤ諸共和國	ー	ー	ー	ー	ー	〇・一	〇・一	〇・五	〇・六

（北西・中央・上ヴオルガの西部シベリヤ〇・一、東部シベリヤ〇・二、及び下ヴオルガ・ウラル・南部の西部シベリヤ〇・一は括弧にて一括表示）

度に至っても繰り返されたり。即ち一九三八、[illegible]二月に、三万三千四百瓲（この中一万七千瓲はウラルから）の木材が欧露から中央アジヤへ向けて輸送されたるが、同時にシベリヤからウラルへ十五万四千五百瓲のシベリヤ木材が（このうち四万七千瓲はウラルから西部へ輸送されたり）輸送されたるなり。

これより先、一九三七年度にウラルから直接逆方向（東方）へ輸送されたる木材は三十万瓲なりしが、一九三八年度の一月—二月に至っても猶ほ三万一千百瓲の木材が不合理的に輸送されしなり。同様に、南部諸地方（ウクライナ、下ヴオルガ、カフカズ諸地方）から直接逆方向の北部へ向けて七十万瓲の木材が搬出され不生産的な木材輸送の缺陥を露呈せり。以上の如き非合理的木材輸送の主要原因として挙げられるのは製材工業の発達と木材搬出の新しき配置のバランスが取れ居らざること、並に水運業務の不振なることなり。木材輸送に對する水運の意義は極めて大なるものがあるにも拘らず、木材の輸送総量に於ける河川運輸の比重は第二次五ケ年計画の年間に若干の減少を示せり。

輸送形態	一九三二年 数量	一九三二年 比重	一九三七年 数量	一九三七年 比重
鉄道	三二・四 百万瓲	五五・二 %	四六・九 百万瓲	五七・〇 %
河川	二六・三	四四・八	三五・四	四三・〇

木材運送に対する水運業務の不振は、次に掲ぐる木材の鉄道輸送上に現れた平均輸送距離の増加に依りても明かなり。

一九三二年　六八一粁
一九三三年　六八八〃
一九三四年　七四三〃
一九三五年　八〇二〃
一九三六年　八二九〃
一九三七年　九一五〃

爰に、ソ聯の木材貨物輸送の素質に就て注意を要することは、木材貨物の総走行距離が全鉄道作業の約一五％に相当してることなり。これは木材貨物の走行距離、増加が全鉄道運輸の作業上に相當の負擔となってゐることを物語るものにして、例へばソ聯當路者が木材の遠距離輸送を根絶せしむるため、シベリヤ木材の欧露への搬出禁止策を樹てるが如き、斯かる負擔の除去を目的とするものたるは云ふ迄もなし。

尚、木材輸送総量の六〇％以上は八百粁以内の距離を輸送されたるが、一九％は八百粁以上千五百粁以内の距離に、二一％は千五百粁以上の距離に輸送されたるなり。而かも問題は此の二一％にして、之は瓲粁に直すと極めて厖大なる数字となり、例へば一九三七年度に於ける木材貨物の総走行瓲粁は四百三十二億瓲粁なりしが、この中の千五百粁以上の距離に輸送されたる木材貨物は実に二百四十七億瓲粁、即ち木材貨物総走行瓲粁の過半数を占むることゝなるなり。故に木材輸送に於ても、比較的少量、鉄道に依る遠距離輸送が排除するのみにて一千万瓲乃至一千五百万瓲の輸送量を増加することが可能なるが、未だ

一八七

に之が実現を見ざるが現状なり。

第七節 穀物

穀物の鉄道に依る地方間輸送量は左の如し。

（一九三七年） （単位 百万瓲）

総計	一二・四
内譯	
北西	〇・二
中央	一・八
南西（ウクライナ及クリミヤ）	三・六
南部（アゾフ黒海）	一・七
上ヴォルガ	〇・五
下ヴォルガ	二・二
ウラル	〇・八
西部シベリヤ	一・三
東部シベリヤ	〇・三

一八八

（註） 出所「計画経済」誌、一九三八年第七号。

穀物の地方間輸送にも種々な非合理的方法が見出されるものにして、例へば中央諸地方より南西諸地方へ二十万瓲の穀物が輸送されたにも拘らず、その逆路に於て百五十万瓲の穀物が輸送されたるが如き、又ウラル地方へは南部諸地方より十万瓲、南西地方より二十万瓲の穀物がそれぞれ輸送されたるには拘はらず、ウラルから下ヴォルガ諸地方へ向けて十万瓲、中央地方へ向けて十万瓲の穀物が逆に輸送されたるが如き之なり。

穀物の発着関係を表に現はせば次の如し。

一八九

（単位 百万瓲）

到着地方 ＼ 発送地方	北西	中央	上ヴォルガ	下ヴォルガ	南西	ウラル	西部シベリヤ	東部シベリヤ	南西
北部	—	〇・二	〇・一	—	—	—	—	—	〇・二
北西	—	一・〇	〇・一	〇・三	〇・一	—	—	—	一・一
中央	〇・一	—	〇・二	〇・八	〇・五	〇・一	—	—	一・三
上ヴォルガ	—	〇・一	—	〇・三	〇・一	〇・二	—	—	〇・三
下ヴォルガ	—	〇・二	—	—	〇・三	〇・一	—	—	〇・二
南部	—	—	—	〇・三	—	—	—	—	—
ウラル	—	〇・一	〇・一	〇・二	〇・一	〇・一	〇・三	—	〇・三
西部シベリヤ	—	—	—	—	—	—	—	—	—
東部シベリヤ	—	—	—	—	—	—	〇・三	一	—
極東	—	—	—	—	—	—	〇・五	〇・三	—
南西	—	〇・二	—	—	—	—	—	—	—
ザカフカス諸共和国	—	—	—	—	〇・三	—	—	—	—
中央アジヤ諸共和国	—	—	—	〇・一	〇・三	〇・三	〇・一	—	〇・一

一九〇

（註） 出所．前掲書．

第八節 セメント

セメントの地方間輸送は、今日迄、主としてリヤザン・ウラル鉄道のアトバルスクより東方二百五十粁離れたるヴオリスク及びヴオロシーロフ鉄道の南部黒海沿岸のノヴオラシースクのセメント工場より搬出され居れり。蓋しソ聯に於てはセメントを生産する地方が極めて少く、従ってセメントの地方自給自足は考へられざる為なり。

ヴオリスクの諸工場並にセンギレフスキイ工場のセメントはスイズラン、サマラ、ペルミ、ヴヤートカ、キネシマ、ルイビンスク等の積換地点を経由してヴオルガ河を溯江して巨大建設地帯即ち主としてモスクワ、ゴリキイ、カザクスタン、シベリヤ、極東の諸地方へ搬出さる。ノヴオラシースクのセメントは南部及南西諸地方へセメントを供給し居るが、該地は黒海に臨み居る関係上、

一九一

主として混合的な水陸交通によりウクライナ、レニングラード、クールスク、ザカフカズ諸地方へ搬出し居るに拘はらず、更に東南方裏海沿岸マハチカラ経由にて中央アジヤ及びカザクスタンへもセメントを供給し居れり。

セメント鉄道輸送の根本的な非合理性はその輸送距離が余りに遠距離に亘つてゐることとなり。一例を挙げると、セメント総輸送量の約五五％は七百粁以内の距離に亘つて輸送され居るが、一〇％のセメントは七百粁以上千粁以内の距離に亘り輸送され、同様に二〇％のセメントは千粁より二千粁までの距離に亘り、更に二千粁以上の距離に亘りて一〇％のセメントが長距離輸送され居る実状なり。

第九節 結論

上述来、重要物資の輸送状態に関し之を観察し来れるが、その遠距離、対向交錯等、所謂不合理輸送の大なるは驚くすきなり。

一九二

此の不合理輸送は ソ聯の交通問題の権威ガリーツキイの計算によれば、一九三七年の輸送に於て、輸送瓲粁三五四八億瓲粁の約三分の一、即ち一、〇〇〇億乃至一、一〇〇億瓲粁存するなり。以てその額の大なるを知るべし。

此の不合理輸送と関聯して、ソ聯邦鉄道貨物の平均輸送粁の長大なるは極めて特色的なり。

ソ聯邦鉄道貨物の平均輸送粁（単位粁）

	一九一三年	一九二八年	一九三二年	一九三五年	一九三七年
全貨物	四九六	五九八	六[illegible]二	六六四	六八六
石炭	四七一	六一五	六六二	六四四	七一六
石油	六三四	七二八	八九一	一、〇二五	一、二三六
鉱石	—	三九七	五[illegible]八	六一六	六三七
黒色金属	—	七八六	九一四	九八〇	一、〇〇五
木材	四九九	六七一	六八一	八〇二	九二五
薪	一九六	二六九	二五三	二五五	二六一
鉱物性建築材料	—	二七八	三五二	三八一	三九〇
セメント	—	—	—	九七〇	一、一三〇
穀物	五三九	九四九	七四四	六八七	六八九

一九三

（註） 出所．企画院「ソ聯邦鉄道貨物の動態」（ソ聯邦重要研究資料彙報第十五号）。

之を世界各国鉄道の貨物平均輸送粁と比較せば左の如し（年次、一九三五年）。

日本	一七二粁
英国	七三。
米国	三一八，
独逸	一五八，
佛蘭西	一四六。

一九四

日　不　列　二三三、
ソ　聯　六六四、

（註）出所　前掲書．

即ち如何にソ聯が大國たり大陸國たるとは言へ、その貨物の平均輸送粁が六八六粁（東京＝神戸間の距離以上）と云ふ長距離に運ばれ居るといふ現状は、ソ聯邦の弱点の一たるは疑なし。第三次五ヶ年計画が原料地と加工地、生産地方と消費地方、産業の地域的配置の合理化を主要目標とし、鉄道の遠距離、対向・交錯輸送の減少を計り居るは當然なりとは云へ、その結果としての鉄道輸送余力形成の問題に関しては、吾人が深甚なる注目を拂はざるべからず。

一九五

第六章　航空輸送

第一節　民間航空総局とオソアビアヒム

民間航空総局は軍用航空を除くソヴエート非軍用航空の総元締にして、オソアビアヒム（國防飛行化学協會）は航空・對空・對化学戰知識向上の中枢機関たり。両者はソ聯邦空軍の両翼を形成するものにして其の役割絶大なり。之を單に交通と結びつけて論ずるは當らず。依て聊か其の役割をみるべし。

所謂民間航空が戰時に在りて、空軍の如何に強力なる予備部隊たるかは、こゝに喋々する必要なかるべし。世界各國共に民間航空の発達には多額の國庫補助金を支給して之を奨励保護しあるは此の間の事情を物語るものなり。

民間航空は何れも重大なる軍事的政治的意義を有し居れり。例へばフランスの航空路は北部アフリカ沿岸、近東方面に向けられ居るが、之は地中海を包権せんとするフランスの軍事的・政治的意図を現すものに他なく、又、イギリスのそれの地中海、印度、南北大西洋、イタリヤのそれの北部・東部アフリカに向へるもの、アメリカ合衆國のそれの太平洋・南アメリカへ延びるもの、皆その現れなり。

一九六

ソ聯邦は海外に植民地を有せずと雖も、民間航空の性質が軍事的、政治的たるは例外たらず。戰時に於てその民間航空が空軍の指揮下に置かれ、軍用化するに至るべきことは民間航空総局長官モロトフの次の言から明かなるべし。

「吾人は党及び政府の指導者、個人的にはスターリンの此の配慮を十分に体得して、非軍用航空の強化、その條件の拡大の為に極力する必要あり。

吾人は総べてソヴエート非軍用航空隊は空軍の有力なる予備軍たることをはつきり意識する要あり。戰時に際しては我が飛行場は軍用機を收容し、我が飛行士は軍用機の操手となり、我が飛行機は軍司令部のあらゆる作戰課題を遂行するに至るべし。

一九七

吾人は戰争の危機を常に念頭に留め、來るべき戰闘に自己の力、自己の機体を常に備へ置きつゝあり。吾人が一旦平和的活動を停止し、郵便物・商品に代ゆるに他の貨物を空輸し、赤軍戰士の名誉ある軍装をつくる時、敵はいかにソヴエート空軍が單一にして強力且つ打破り難きかを知るに至るべし」（註一）

次にオソアビアヒムに就き一言せん。オソアビアヒム（國防飛行化学協會）はソ聯邦に於ける民間國防機関として極めて重要なる意義を有し、會員約千八百万人を算へ、その経費は會員の會費、各企業よりの寄附、國庫よりの補助金等に依り支辨せられ、その事業は、軍事訓練・軍事宣傳・航空事業の発達普及・對空・対化学戰準備・体育・馬事・軍用犬並に傳書鳩の養成・海事・農業等頗る廣範囲に亘り、直接・間接國防に関係ある殆んど一切の事項を包含する半官半民の一大機関たり。

今、このうち航空事業の発達普及に関するオソアビアヒムの活動につき概説

一九八

せん。

オソアビアヒムが民間資金を以て赤空軍に献納せし飛行機数は既に六、七百機以上に達し、更に国民の航空教育の為め全国に三百の飛行倶楽部が設けられ居れり。飛行倶楽部は飛行場・飛行学校・機関学校及び専用の飛行機等を有し、メンジンスキー名称工場の十五万人の飛行家養成の提案を採擇して之が実現に邁進しつゝあり。

オソアビアヒムは一般航空知識の普及・飛行機や発動機の研究の奨励と並びて、直接大衆の飛行術向上を図り、航空要員の養成を行ひ居れり。模型飛行機・グライダー・パラシュートの訓練は之に属するものなり。

模型飛行機訓練は未来の設計者・飛行士・飛行隊活動分子養成の第一段階なるが、之は少年模型飛行家サークルに入り居る学童やピオネールに幼少の頃より航空知識を涵養せしむるものなり。模型飛行家の数は一九三七年初頭に於て既に五万人餘に達せり。

少年模型家大会の祝辞の中で、時の国防人民委員ヴォロシーロフは次の如く

一九九

述べたり。

「模型飛行術が我が国の学童やピオネールに最も一般的なスポーツとなりしことは欣快なり。模型飛行術は青少年を航空技術と航空問題に統轄すると同時に、彼等の中に生きた愛と科学と学習に対する愛を鼓吹するものなり。模型飛行機からグライダーへ、グライダーから飛行機への道は、逐次、完全に技術を修得する優秀なる航空幹部の大衆的養成の最も確実なる方法なり」（註二）

航空幹部養成の第二段階たるグライダー・スポーツは同じくソ聯邦に於て廣汎な普及を示し居れり。目下グライダー学校数二五〇、所属グライダー数三千以上、其の操縦教育を受けたる者少くも三万人以上に達し居れり。グライダー・スポーツは航空の基礎となるもの故、グライダー・スポーツへ青少年を参加させることは、飛行倶楽部や学校に於ける飛行家の養成の補助たるものなり。ソ聯に於てグライダー飛行家は非常な成功を収め居れり。彼等は数百粁の距離を

二〇〇

飛び、数十時間滞空し、飛行機によって曳かれる数ケグライダーを車輌とする空中列車を組立て居れり。

次にパラシュート・スポーツの意義も巨大なり。パラシューター！とは謂はゞソ聯の国土防衛の射手たり、狙撃兵たるなり。パラシュート・スポーツがソ聯に於て如何に発達せしかは、パラシュート塔の建設とパラシュート塔降下者数を見れば十分なるべし。一九三四年初頭に於てパラシュート塔は僅か三ケに過ぎざりしも、一九三七年初頭には其の数一、〇六〇に達せり。パラシュート塔降下者数は此の間に於て一五万人より二〇〇万人に達せり。

第二節　航空路網の配置と航空輸送の現状

一、航空路網の配置

ソ聯邦に於ける航空路網の地理的分布は、一方に於ては中心地と其の周辺と

二〇一

の最短連絡定期航空路設定の必要、他方に於ては交通機関の発達不十分な遠隔地方奉仕の課題によって決定され居れり。

ソ聯邦民間航空路の延長は左の如し。

ソ聯邦民間航空路の延長表　（単位　粁）

一九二三年	四〇〇
一九二四年	四、〇〇〇
一九二五年	三、四〇〇
一九二六年	四、八〇〇
一九二七年	五、九〇〇
一九二八年	九、三〇〇
一九二九年	一五、四〇〇
一九三〇年	二六、三〇〇
一九三一年	二七、三〇〇

二〇二

一九三二年	三一、九〇〇
一九三三年	三七、〇〇〇
一九三四年	四二、七〇〇
一九三五年	四六、四〇〇
一九三六年	六七、三〇四
一九三七年	七〇、五五一
一九三八年	六九、三八一

（註）出所、外務省、露西亜月報、第六十二号掲載「ソ聯邦非軍用航空隊の昨年度業績と本年度課題」

即ち空路創設の第一年度たる一九二三年に航空路網の延長僅か四〇〇粁に過ぎざるとせば、第一次五ケ年計画の初年度たる一九二八年にはその数九、三〇〇粁に達し、同最終年度たる一九三二年には三一、九〇〇粁、更に第二次五ケ年計画の最終年度たる一九三七年には七〇、五五一粁と驚異的発達を遂げ居れり。

二〇三

ソ聯邦民間航空路のうち主要幹線は㈠モスクワ＝浦塩幹線（一名東部幹線）、㈡モスクワ＝トビリシ幹線（一名南部幹線）、㈢モスクワ＝タシケント幹線の三なり。

第一幹線たるモスクワ＝浦塩幹線は世界最大の陸上航空幹線にしてその延長は八一九〇粁を有し　その沿線にはカザン、スウエルドロフスク、オムスク、ノヴオシビルスク、クラスノヤルスク、イルクーツク、チタ、ハバロフスクの大都市あり。飛行時間はモスクワ＝浦塩間三昼夜を要せり。計画としては此の間二五時間乃至三〇時間にて飛行する豫定なり。尚ほ此の幹線の副線たる極東線（オハ・、ベロフスク＝アレクサンドロフスク）、北方線（イルクーツク＝ヤクーツク、イルクーツク＝ボダイボ、クラスノヤルスク＝ノウオシビルスク＝カルゴソク、オムスク＝オブドルスク）、クズネツクとマグニトゴルスクへの諸支線は國民経済的に意義深きものなり。

第二幹線のモスクワ＝トビリシ線（三、〇〇〇粁）はモスクワとウクライナ、北カフカズ及びザカフカズ諸共和國を連絡するものにして、其の沿線にはハリコフ、ロストフ、ミネラルヌイ・ヴアドウイ、マハチ・カラ、グローズヌイ、バクーの諸重要都市あり、飛行時間は、モスクワ＝トビリシ間、停留時間及び宿泊時間を加算して、一昼夜半なり。

二〇四

第三幹線のモスクワ＝タシケント線（三、〇五〇粁）はクイブイシエフ、アクチユビンスク、デウサルイを経由し、モスクワとタシケント及び全中央アジヤとを連絡するものなり。此の幹線のカルサクパイ支線ではデズカズガンの有色冶金工業地方と絶えず郵便飛行が行はれ居れり。本航空路によるモスクワ＝タシケント間の飛行時間は三四時間（途中停留時間を含む）なり。カザクスタンに於ける幹線としてはモスクワ＝スウエルドロフスク＝アルマ・アタ線あり。此の幹線はモスクワとカザクスタンの首都のみならず、重要なる工業地、即ちカラガンダ石炭工業地、バルハシ有色金属産地とを連絡するものなり。飛行時間は二八時間三〇分なり。

以上の基本的三大幹線以外にモスクワを中心として國民経済的意義重要な主航空路あり。以下列挙すれば左の如し。

二〇五

1. モスクワ＝キエフ線（飛行時間　五時間）
2. モスクワ＝ミンスク線（〃　四時間三十分）
3. モスクワ＝レニングラード線（〃　四時間）
4. モスクワ＝アストラハン線（〃　九時間四十分）
5. モスクワ＝シンヘロポーリ線（〃　一〇時間）
6. モスクワ＝マリウポリ線

モスクワはソ聯邦航空路の中心地にして此処より各方面へ多数の航空路が分散し居れり。モスクワ空港よりは一日平均四〇機乃至五〇機が出発し、一九三七年の一年間に出発したる航空機の総数は一万五千機以上に達し居れり（我が國最大の飛行場たる福岡飛行場の一日の発着数は十二、三機なり）。

次に極東ソ聯の航空路に関して概説せむ。

極東ソ聯に於ける主要航空路を列挙せば次の如し（モスクワ＝浦塩大幹線を除きて）。

1. イルクーツク＝ヤクーツク線（二、七〇六粁）

二〇六

2. ハバロフスク＝オハ線（一一三〇粁）
3. ハバロフスク＝アレクサンドロフスク線（九二〇粁）
4. ハバロフスク＝ニコラエフスク線（九二〇粁）
5. ニコラエフスク＝オホーツク＝ナガエウオ＝ハイリエゾウオ＝ボルシエルック＝ニコラエフスク線
6. ニコラエフスク＝ナガエウオ＝ウエーレン（チウコート半島）線

右のうち、イルクーツク＝ヤクーツク線は可航期間の短期間たるレナ河の舟便又は馬車輸送に代はるものにして、飛行時間は此の間二五時間なり。ハバロフスク＝オハ線、ハバロフスク＝アレクサンドロフスク（亜港）線は、極東の政治経済上等の中心地とサハリン（北樺太）を連絡するものにして、ニコラエフスク＝オホーツク＝ナガエウオ＝ハイリエゾウオ＝ボルシエルツク＝ニコラエフスク線（オホーツク海一周線）及びニコラエフスク＝ウエーレン線（チウコート半島線）は共に水上飛行路線にして、カムチヤツカを始め極東僻地との連絡に當るものにして、軍事的意義頗る重大なり。

二〇七

全ソ聯邦的意義の航空路線と併せて将来の技術的発達に関する大事業が行はれ居れり。幹線には盲目飛行の安全と方向指定の容易とを確保する燈火及びラヂオ信号台が設置され、飛行場・住宅・格納庫・修理場が設けられ、航空機の地上整備機械も採用され居れり。

全ソ聯邦的意義の航空路線と並びて、第二次五ケ年計画に於ては、地方・州及辺疆と中央及び工業中心地間、ソフホーズとコルホーズ間の連絡に奉仕する地方的意義の航空路が著しく発達せり。地方的航空路は聯邦的航空路より遥かに少額の費用で容易に之を整備すること可能にして、使用飛行機も小型の軽飛行機で可なり。地方的航空線にては飛行場も大なるを要せず、飛行場及航空機の整備、機体の小修理、操縦者に対する気象の通報を確保する常置地上職員も少数にて可なり。地方的航空路は第三次五ケ年計画に於ては更に一段の整備を要請されつゝあり。

最後にソ聯邦に於ける國際航空路を挙げれば左の如し。

ソ聯邦國際航空路

二〇八

1. モスクワ＝ストックホルム線（一四二九粁）毎日一往復
2. モスクワ＝プラーグ線（二二八〇粁）三日に一往復
3. バクー＝ペフレウイ＝テヘラン線
4. タシケント＝カブール線（一一四〇粁）毎日一往復
5. ウラン・ウデ＝ウラン・バートル線（五四〇粁）毎日一往復

此のうち1と2はモスクワ＝浦塩幹線と接続して欧亜連絡の大國際線を形成するものにして、3, 4, 5はソ聯邦とイラン・アフガニスタン及び蒙古人民共和國の首府とを連絡するものにして、その政治的・軍事的意義頗る重大なり。尚最近までモスクワとリトワニヤの首府を結ぶモスクワ＝カウナス線、同じくラトヴイヤの首府を結ぶモスクワ＝ターリン（リガ）線は國際航空路たりしも、両國が合併せられたる後に於ては國内線に変化せり。

二、航空輸送の現状

上述の航空路の配置に対應して航空輸送は左の如き発達を示し居れり。

二〇九

全聯邦的航空輸送量表

年度＼種別	旅客数（千人）	郵便（瓩）	貨物（瓩）	総瓩粁
一九二三年	〇・二	一・八	〇・一	—
一九二八年	七・〇	六四・八	八五・三	七二九・一(1)
一九三二年	二七・二	四二九・七	四四七・二	一、五七〇・七
一九三五年	九六・三	四、二八一・三	九、八九六・三	九、三二三・九
一九三七年（全聯邦的航空路）	一八三・二	六、〇〇〇・〇	三五、九〇〇・〇	二四、四〇〇・〇
一九三七年（地方的航空路）	二〇・〇	二、九五九・五	五〇〇・〇	一、〇〇〇・〇
一九三八年	二三三・九	六、〇六二・〇	四二、〇六〇・〇	二八、〇〇〇・〇
一九三九年	二四八・〇	五、八五八・一	三七、八四三・〇	二六、八〇〇・〇

二一〇

一九四〇年(計畫)	二八五・〇	六八〇〇・〇	四二三〇〇・〇	三六、〇〇〇・〇

(註)　(1)　一九三〇年・

出所は一九三七年迄はハチヤトゥロフ著「資本主義諸國及びソ聯邦に於ける運輸の配置」(一九三九年、モスクワ発行)、一九三八年以降は、ヴオルコフ著「強力なるソ聯邦の航空」(一九四〇年、モスクワ発行)に據つた。

即ち一九二八年には旅客七千人、郵便六四・八瓲、貨物八五・三瓲、総輸送瓲粁七二九・一に過ぎざるものが、一九三九年には旅客二四万八千人(三五倍余)、郵便五八五八・一瓲(九〇倍余)、貨物三七、八四三瓲(四四三倍)、輸送瓲粁二六、八〇〇(三六倍余)に達し居れり。

ソ聯邦は貨物及び郵便輸送量に於ては世界首位を占め、旅客輸送料に於てはアメリカと若干の欧洲諸國に亜ぐ航空國たり。之をアメリカと比較する統計を掲ぐれば左の如し。

ソ聯邦とアメリカ合衆國の航空輸送の比較表

	航空路總延長(粁)	輸送瓲粁	旅客(人)	郵便(瓲)	貨物(瓲)
ソ聯邦	一一六、一〇〇	二六・八	二四八・〇〇〇	五八五八・一	三七、八四三
アメリカ	一〇三、〇一六	一	一二六七、五八〇	四〇四六・九	一

(註)　出所はヴオルコフ著「強力なるソ聯邦の航空」(一九四〇年、モスクワ発行)。

ソ聯邦民間航空の劣弱点に関しては之をアメリカ合衆國と比較せる左記資料により窺ふを得べし(註三)。

即ち第一に飛行機の利用効率に於て、アメリカでは航空路一千粁當り一ケ年の飛行粁数一五〇万粁なるに対しソ聯ではその二分の一、即ち八一万粁なること(一九三六年)、第二に運賃の規則性からみてアメリカではそれが九八%に達

し居るに對し、ソ聯では六〇%に過ぎぬこと(一九三六年)、第三にアメリカでは商業速度卽ち実際速度と技術速度の差がニューヨーク・サンフランシスコ幹線で僅かに五・一%に過ぎざるに対しソ聯では三二—三七%に達し居ること(一九三六年)。

アメリカ合衆國では飛行機台数八三二二機のうち民間航空が使用せる機数は五六〇機に過ぎず。而もこの機数にて一九三九年には一二六万人余の旅客輸送を行へり。之をソ聯に比較せばその利用効率に於て格段の差あり。ソ聯がアメリカと同じ利用効率に達するが為には、航空施設——特に地上施設の改善を行ふ必要あり。

「誠に、総べての線が満足な程度に設備されあるに非ず。此の缺点を吾人は即時除去する必要あり。党及び政府は航空路の発達と設備改善の為に多大の財源を與へ居れり。吾人は航空港を建設し、飛行場を拡張及び改良し、格納庫・修繕所・無電塔台・照明装置を建設せざるべからず。吾人の緊急任務は航空路の設備に於てもアメリカ合衆國を追越すことな

なり」(註四)と、航空総局長官モロコフは云へり。アメリカには二二九七の飛行場あり。而もそのうち六六〇は夜間照明装置附なり。ソ聯がこれを目標としてゐることは當然なるべし。

第三次五ケ年計画に於ける航空輸送に関しては、第十八回党大會に於けるモロトフの報告テーゼを掲ぐるに止むべし。

「航空輸送に関しては航空路線を増加し、航空幹線の予定線を整備し、航空輸送用の地上建造物を改善且拡充すること」(註五)

(註一)　プラウダ紙—一九三八年八月十八日。

(註二)　プロバカンジスト誌—一九三七年第十号。

(註三)　ヴオルコフ著、「強力なるソ聯邦の航空」(一九四〇年、モスクワ発行)。

(註四)　論文集「ソ聯邦民間航空隊の十五年」—一九三八年、モスクワ発行。

（註五）　「第十八回党大會議事録」（一九三九年、モスクワ發行）。

第三部　貿易機構

調査擔當者　淺田萬喜雄

緒言

本調査の目的は「現實の國際關係より觀て、如何なる國の經済がソ聯の抗戦力ー經済力を決定すべきか」を判定するにあり、此の場合、方法論的に、二個の要素の分析を必要とす。即ち、第一は「ソ聯經済に對する物資供給國の地位」、第二は「ソ聯經済に對する各國の依存性」の測定これなり。かくて、本調査に於ては、ソ聯對列國の經済的相互的依存性の分析を中心課題として次の諸問題を検討せんとす。

一、ソ聯の經済的独立性
二、通商政策の特質と貿易の性格
三、輸入資金の諸問題
四、對外依存性の分布とその展望
五、ソ聯商船隊と傭船問題

目次

要　旨

現下の国際経済関係より観て如何なる国の経済がソ聯の抗戦力――経済力を決定すべきか、その可能性をソ聯の経済的自給自足性並に其他の諸要素の面より判断すれば次の如し、

第一、ソ聯の経済的独立性

ソ聯の経済的独立性は積極的重点主義による生産力拡充の結果、相対的には急速且つ高度に昂揚す。即ち、帝政ロシア時代の半植民地的性格を清算せるソ聯経済は、今や世界第一の経済的独立国たる米国と優位を争ふまでに高度に独立しあり。

而して、国内消費に対する輸入の比重は革命直後の二二・三％に対し、最近では一％程度に過ぎず、その輸入額は三八年度十四億留、輸入の最大に達せる一九三一年度の三分の一、我国輸入（三七年）の四分の一程度にして、

一

ソ聯がその成立以来経済政策の中心課題となせる所謂「資本主義国よりの経済的技術的独立性」は大体に於て達成せらる。

事実、ソ聯の主要原料需給状況を列国と対比するに、需要の五〇％以上を輸入に依存するものは、米国の九種、英国の十九種、独逸の十七種、我国の十五種に対しソ聯は四種なり。即ち、ニッケル、錫、タングステン、アンチモニイに過ぎざるなり。

かくて、ソ聯は一旦緩急ある場合に於ては相当程度の経済的自給力を発揮しうべしと雖も、また銑上戦略原料以外に、他の非鉄金属　高級鉄金属、ゴム、モリブデン、キニーネ等の数種戦略原料、茶、コ、ア、生畜、米及び魚類等の食糧ならびに生産力拡充に必須なる生産技術設備の点に於て完全自給の域に達せず、対外依存の必要に当面しあり。

而も、銑上物資は専ら軍需産業の生産力拡充資材にして、これに対する需要は近年増大傾向にあり、その輸入杜絶は第三次五ヶ年計画の遂行――軍備拡充に重点を置く平時生産に多大の障害を与ふべき程度に重大意義を有する

二

ものなり。

而して右の輸入を保障すべき輸入資金は、貿易外収入の僅少なることゝ金準備の枯渇ならびに産金業不振の結果、過去に於ては専ら輸入貿易によりて之を調達したり。

而して、工業建設の強行に伴ふ生産力拡充資材の大量需要と輸出困難等の悪材料に影響せられ、一九三一年末五十数億の外債を負担す。これがため爾来輸入を極力重工業建設資材のみに限定し、農産物及び粗製原料の輸出により出超政策に移行、これと並行してトルグシンによる民間退蔵金銀及び外貨の吸収、産金増加に努め、一九三五年末貿易の出超と並んで国際収支に於ける収入超過を実現す。

此処に於て一般民需品の輸入制限と強制輸出は緩和せらるべく予想せられしも、ソ聯は更にかゝる出超政策を強行し、不時の輸入を保障すべく外貨及び金準備の蓄積に努む。

かくて一九三九年初めに於て、金準備二十二億、金以外の貴金属二億、外

三

貨準備十七億、合計四十一億留の輸入資金を保有せる勘定なるも、右の内一九三五―三八年度輸入クレヂット約八億が償還せられしものと看做すならば、ソ聯の輸入資金は現在約三十三億留、邦貨に換算して約三十億円弱なり。

此の額はソ聯平時輸入の三―四倍に達し、その量大なり。然りと雖も、近年各国貿易が物と物との交換を原則とするバーター制によりて持続される傾向を有し、ソ聯も亦將来の大規模なる戦争に備へて、現在尚外貨の蓄積政策を続行中なるが故に、外貨獲得或は輸入保障の一手段としての輸出貿易の意義は之を過少評価するを得ず。

第二、通商政策の特質と性格

かくて、ソ聯通商政策は現在銑上の不足原料ならびに機械設備の輸入確保に重点を置き、輸出は右の輸入を保障すべき一手段として利用せらる。

此の場合、国民経済建設が重工業乃至軍需産業の生産力拡充に重点の置かれし結果、それに必要なる、而して国内にて自給不能なる資材の輸入ならびに余剰物資の輸出が国民生活の犠牲に於て行はれることを原則とし、右原則

四

は現在に至るも何等の改変も加へられたることなく継続せらる。

勿論、最近年に於ては経済的独立性の昂揚と輸入資金の増大とに関聯し、貿易が政治外交の補助手段化すべき傾向の存することは看做し得ず。通商政策は商業外交の性格を露呈せり。

これ、ソ聯が貿易を通じて外交目的達成に直接自国経済力を利用し得る程度に迄経済的余裕を生ずる事実を物語るものなりと雖も、ソ聯経済、特に国防産業の対外依存の現状を何等否定するものに非ず。即ち、通商政策の基調は国民生活の犠牲に於て貿易を国防産業の建設に協力せしめんとする点に置かれ、貿易が政治性を発揮するは、かゝる基本方針の遂行に当りて、外交上の需要にマッチし得るが如き性格を有する故なり。

かくて、ソ聯貿易は国防産業の生産力拡充を積極的に援助すると云ふ通商政策上の基調と、ソ聯の物資需給の現態よりして、必然的に自給不能なる資材の輸入と自給可能なる物資の輸出を二大性格として保有す。

事実ソ聯の輸入に於て生産財は常に九割内外を占め、而もソ聯の自給不能

五

なる鉄上戦略原料ならびに機械設備が夫々三九・六%及び四七・六%、生畜三・八%を占め、生活必需品は僅に九%に過ぎず。即ち。ソ聯の輸入は重工業或は国防産業の生産力拡充資材に占められ、ソ聯経済は、特に軍需産業は直接外国の同種産業の生産力に、従ひて輸入に依存するものなり。

一方、輸入資金調達のための輸出に於ては、ソ聯の自給可能なる農産物、木材、燃料（石炭、石油）、重工業原料（鉄鉱、マンガン鉱、石綿）並びに軽工業品が圧倒的部分を占む。近年工業化の進歩に伴ひ、工業製品輸出の比重増加すと雖も、鉄上物資が輸出の主体をなす歴史的事実には何等変更を見ず。即ち輸入と密接な関係にありて、輸入を保障する一手段たるところの輸出貿易は、外国購買力を通じソ聯農業　原料生産部門並びに軽工業生産力の一部を重工業及び他の軍需産業の生産力へ転化するものなり。

この場合、輸入は軍需関係資材に限定せられたる結果、平時に於ては特定国に依存することなく、政治関係を考慮して第三国品に代替し得る強点は戦時情勢下に於ては直ちに弱点と化すべし。一方、輸出が原料・農産物を主体

六

とし、而もその多くが世界市場に支配的地位を占むるが故に、平戦時を通じソ聯はこれを政治目的達成に利用し得る可能性を有す，特に一元的貿易機構と輸入資金の増大とは、輸出の政治目的的利用をより容易ならしむる強点を示す。

第三、ソ聯対外依存性の分布

ソ聯の木材、燃料、原料、農業及び軽工業生産力の一部を重工業並びに他の軍需産業のそれに転化せしめると云ふ貿易の性格よりして、ソ聯経済は農業国よりも一般工業国へ、一般工業国よりも重工業国に対し高度に依存すべき必然性を有す。と同時にソ聯の対外依存性はソ聯がその一元的貿易機構と特殊物質の世界的輸出入国たる地位とを利用し得るため、政治的親交関係の樹立せられたる国或は樹立せんとする国へ偏移すべき性格を内包す。

事実、ソ聯貿易の六五－七〇%は工業国によつて占められ、最近年に於ては、工業国の内でも英米佛の如き民主々義国或は人民戦線に於て提手せる国へ高度に依存し、農業国の内では東方諸国の如く、ソ聯が世界政策遂行の準

七

備工作を行ひつゝある諸国との間に緊密なる経済関係設定せられたり。

即ち、ソ聯の対外依存性の分布状態を一九三八年につき表示せば次の如し。

ソ聯の対外依存性分布　（%）

	輸入	輸出	全貿易
英帝国	二二・七	二九・一	二六・三
西欧	五・〇	八・〇	七・一
中欧	七・二	八・七	七・九
バルカン・伊国	〇・一	一・三	〇・五
北欧	一四・九	二一・二	一七・九
波蘭・バルト三国	二・一	二・七	二・三
中南北米	二九・一	七・三	一八・六
東方諸国	一二・四	一七・〇	一四・六

八

日満支	三・六	〇・六	二・一
其の他	二・九	四・一	二・八

ソ聯貿易に於て英帝国二六・二％、佛蘭西を中心とする西欧七・一％、米大陸一八・六％、北欧一七・九％、東方諸国一四・六％を占め、日独伊及びその共栄圏のソ聯貿易に占むる比重は一〇％にも満たざりき。

而して、右広域経済のソ聯輸入および輸出に占むる比重は、ソ聯輸入及び輸出の夫々九五％を占むる主要物資につきこれを見るならば本文第二十八表及二十九表の如くなり。

即ち、英米佛廣域経済の戦略原料及び機械、独逸の化学及び重工業製品、北欧及びその植民地原料に高度に依存し、而もそれら原料の大部分が極東及び南洋産品なり。而して、ソ聯の輸出市場としても亦欧米各広域経済が重要地位を占む。

第四　欧洲動乱のソ聯対外依存分布に與へる影響

然るに欧洲動乱を契機として政治力による既存世界経済ブロックの強化と拡充の傾向が熾烈となるに及んで、右の如きソ聯の対外依存状態はその面貌を一轉するに至れり。

動乱は英佛対独伊の全面的秩序として拡大化の展望を示し、ソ聯は交戦国の双方に対して通商の公平を期したるも、動乱の拡大化とこれに対應すべき各国経済の戦時体制化はソ聯貿易に次の如き否定的影響を與へり。

(イ) ソ聯輸入市場の狭隘化　ソ聯貿易が重工業及び他の軍需産業生産力拡充資材の輸入に極限せられ、一方世界市場に於てはその需要激増し、ために総体的には他国よりも強度にソ聯の輸入市場は制約せらるべきものなり。事実、英米佛をはじめ濠洲、印度、和蘭、蘭印、瑞西等は動乱勃発と共に軍需品（この内にはソ聯の自給不能なる物資の総てが含まる）の禁輸或は輸出制限を行ひ、ソ聯は経済的平和的手段による戦略物資の獲得困難となれり。

(ロ) 急速なる貿易轉換を必要とす　ソ聯は交戦国並びに戦場化すべき地域

に高度に依存せるため、戦争の拡大化に対應し、かゝる地域への高度依存を清算すると共に急速なる貿易轉換の要あり。

事実、ソ聯は対英佛貿易の杜絶により、貿易の三分の一を失ひ、更に北欧の戦場化と関聯しその貿易の　分の一が維持困難となれり　かくてソ聯はその自給不能なる機械の一〇％、鉄金属の一五％弱、非鉄金属の六〇％弱（内銅約六〇％、ニッケル九五％、錫九九％、アンチモニイ一二％、アルミニウム三五％弱、鉛七〇％、亜鉛七五％弱、タングステン二〇％、ゴム九九％、キニーネ一〇〇％、金剛砂二五％、コルク七〇％、化学製品三〇％弱、皮革三〇％強、麻九〇％強、茶三〇％、コゝア九九％が輸入杜絶或は困難となれり。即ち、動乱により特に原料輸入に大なる障害を受けつゝあり。

(ハ) 貿易ルートの狭隘化による貿易の維持困難化　右の如き傾向は更に貿易ルートの面より強めらる。ソ聯貿易ルートとして、従来バルチック海は全貿易貨物の三七・五％、黒海二二・八％、ムルマンスク一一・五％、西

欧国境四・一％を占め、残余は東方諸国国境及び極東によつて占められたり。然るにバルチック海封鎖せられ、黒海はバルカン作戦の展開につれその安全性を喪失す。西欧国境は独ソ貨物連絡さへ困難にして、ムルマンスクも亦然り。かくてソ聯は対欧貿易の維持発展を貿易ルートの面より制約せらる。

(ニ) 西欧諸国船舶傭船の困難化　ソ聯貿易貨物の約六〇％、海上経由貨物の五分の三は従来ギリシヤ、伊太利、諾威、独逸、英国、瑞典船により輸送せられたるも、英国、ギリシヤ　イタリー船の傭船は困難化せり。

(ホ) 資金調達のための輸出増加の困難　ソ輸輸出は原料、食糧及び燃料工業製品にして、戦争拡大につれ、その輸出は容易に行ひ得べしと雖も、生産は専ら国内市場を対象として行はれつゝあるため、国内生産の増加或は国内需要の削減に依らざれば輸出の増大期し得ず。即ち、外国市場の需要増と関聯し平時量の輸出増加は容易たるも、それ以上の輸出はソ聯経済の面より制約せらる。

欧洲動乱の齎らせる叙上の如き障害は現にソ聯の第三次五ケ年計画遂行をより困難ならしめつゝあり、之れが対策として国内的には従来の自給自足政策をより大規模に具現すべき産業十五ケ年計画を決定、国防資源の積極的開発に着手せり。

而して対外的には次の如き通商政策を講ず。

(イ) 独逸及び独共栄圏への接近　先づ独逸との間に動乱直前締結せる通商信用協定を四〇年二月経済協定、四一年一月通商協定により拡大し、更に独逸の共栄圏となれるユーゴー、洪牙利、丁抹、瑞西、チエツコ及び独ソ勢力の緩衝地帯たる瑞典・ブルガリア、芬蘭と通商信用及び支拂協定を締結し、これらの諸工業製品及び技術とソ聯の原料及び食糧の交換に努む。此の場合ソ聯は多分に政治的に通商協定を利用しつゝあることは言を俟たず。

(ロ) 対米接近による原料及び特殊設備の輸入強行　欧洲よりの原料供給杜絶或は困難化と対米輸出増加の困難に対應し、ソ聯は従来蓄積せる輸入資

金を最大限に動員し、應急的に不足原料及び設備の米国市場よりの調達と原料ストックの形成に努む。即ち四〇年八月通商協定を延長し、航空、鉱山用設備及びモリブデン、ゴム、鉛、亜鉛、錫の輸入強行中なり。

(ハ) 東方諸国及び支那との接近。　右の米独両国への接近と並行的に東方諸国のイラン及びアフガニスタンと四〇年中頃通商協定を、支那との間にはバーター協定を締結し、通商の発展に努む。これらはソ聯の政治的意図を多分に反映するものと雖も、ソ聯の物資需給の観点よりするならば東方諸国の畜産資源、支那の鉱産資源――アンチモニイ、タングステンならびに茶の輸入を確保せんとするものなり。

叙上の如く、欧洲動乱に伴ひソ聯は不足物資補給対策として国内的には潜在資源の開発、対外的には開発資材たる機械及び技術を独逸及び米国に、自給不能な畜産原料を東方諸国、或種戦略原料を米国及び支那より輸入する方針を採りつゝあり。ソ聯経済は現に英帝国及び欧洲弱小国より分離し、叙上諸国経済に集中的に依存するの傾向を示せり。

此の間ソ聯は波蘭東半分及びバルト三国を併合し、その経済を完全に自国支配下に置く一方、更に本年に這入りて日ソ通商交渉を再開今二月にはタイ国との間に通商交渉を締結し、我国及びタイ国との通商発展に努めんとす。

第五、対外経済関係の将来

然らばソ聯とこれに通商接近を行ひつゝある諸国との経済関係はソ聯にとりて如何なる意義を有し、将来如何に発展すべきか、純経済的観点よりすれば次の如し。

(イ) 独ソ関係　独ソ経済接近は多分に政治的意図を有すると雖も、純経済的に見ればソ聯原料と独逸技術及び設備の交換を原則として成立せるものにして、ソ聯が独ソ協定を遂行し一九三一年度程度に独逸より機械を輸入するならばソ聯は独逸より最近機械輸入総額の十倍内外の機械を獲得し得べし。乍然この場合ソ聯の対独原料供給が国内需要を犠牲にして更に大規模（一九三〇年の対独輸出以上と）に行はれ、且つ黒海及びバルチック海に於ける外国船が両国物資輸送を保障することを前提とす。現在の原料供

給状況は不活溌にして独逸はストックを蚕食しつゝソ聯原料を利用中なり。

(ロ) その他独逸中欧支配圏対ソ聯関係　四〇年一二月ソチエ通商協定及び四百八十万米弗取引協定を、四一年二月ソ瑞西通商及び一億一千万法取引協定を締結し、ソ聯食糧及び原料とチエ瑞西国産機械及び鉄製品貿易を行ふこととなれるも、その額は夫々の国の貿易総額の四―五％を越えず。ソ聯にとりて補助的輸入の意義を有すると共に此等諸国よりの輸入増加はソ聯重工業の独逸共栄圏への、切断し得ざるまでに密接なる依存関係を形成すべし。

(ハ) 対北欧関係　ソ聯は北欧諸国、特に和蘭及び白耳義の諸植民地原料（非鉄金属、麻、キニーネ、茶）船舶に高度に依存せるも白蘭本国対植民地連絡遮断せられ、植民地原料の入手し得ざる状態にありてはソ聯はこれが獲得困難なり。一方北欧諸国は食糧及び原料輸入国にして英米佛に高度に依存せるが、右輸入困難となれる現在、これら注文をソ聯に振り替へ積極的に対ソ接近を策せざるべからず。

ソ聯はかゝる要求を見越し芬蘭、瑞典、丁抹と通商支拂協定を締結せるも、その額僅少にして、ソ聯の機械、部分品及び鉄金属供給に補助的意義を有すべき性質のものなり。寧ろ政治的に北欧に対する自国発言権を保留するの意義こそ大なり。

(ニ) 東波蘭及びバルト三国併合の経済的意義　西欧国境の防備及び労働力補強上に重要意義を有するも、物資需給の観点よりするならば家畜不足の問題を解決せる以外ソ聯の利得するところ尠なし。反つてソ聯の消費物資自給のマイナスを供へること大なり。

(ホ) 対バルカン関係　バルカン諸国はギリシヤを除き、その経済的性格ソ聯と酷似し、ソ聯との間に緊密なる経済関係設定するは困難なり。ソ聯は四〇年一月ルーマニアと、仝年四月ユーゴーと、仝年八月ブルガリアと通商支拂協定を締結、ソ聯の棉花、マンガン、クローム鉱、石油等と叙上諸国の船舶、機械、発電機、銅、鉛、亜鉛交換の原則に基いてその取引を増大することゝなれるが、協定取引額は夫々の国の平時貿易に二一六%を

一七

占むる程度なり。

ギリシヤ及び伊太利はソ聯の木材、燃料に可成り高度に依存せるが、ソ聯は叙上諸国に求むべき物資殆どなし。

(ヘ) 対東方諸国関係　ソ聯は黒海と中部石油地帯の防衛とアジア弱小国に於ける民族革命の実現を目的として、或はその不足せる畜産原料の調達を目的として、巧妙なる商業外交を駆使し東方諸国と政治及び経済上緊密関係を樹立しあり。既に新疆外蒙及びトウワに於ては実権を把握し、これを極東政策遂行の據点ならしむ。

而して他のアフガニスタン、イラン、土耳古に対しては従来の如くその民族産業の発展に積極的に援助を行ひ、漸次これを自国の支配下に包含せんとの政策をとりつゝあり。動乱後に於ては四〇年三月イランと、仝七月アフガニスタンと通商協定を締結、益々その政策を強化す。　かくて今後、叙上諸国に於てソ聯は英米佛資本に替りて益々その経済的地位を昂むるに至るべし。

一八

(ト) ソ支経済関係　ソ聯は支那のアンチモニイ、タングステンならびに茶に高度に依存す。而して和蘭及びその植民地英帝国よりの輸入停止せる結果、叙上三原料に於て対支依存の必要性更に増大す。かくてソ支バーター協定を年々更改し、対支援助と不足物資調達てう一石二鳥の通商政策を行ひつゝあり。然れども一方に於て我が支那沿岸封鎖強化せられ、他方に於て国共分裂の危機に直面し、親英米派の擡頭せる抗戰支那の現状よりしてソ聯がその必要とする原料の輸入を確保し得るか否か疑問なり。而も支那がタングステン及びアンチモニイの世界的輸出国にして英米も亦支那鉱産品の買付を増加し得るに於てをや。結局に於て支那産原料の入手はソ聯にとりて益々困難化すべく推定せらる。

(チ) 対米大陸経済関係　ソ聯は欧洲動乱後欧洲方面より輸入不能となれる戰略原料の輸入を應急策として米国を通じて大量に行ひ、目下自給不能物資の調達とストック形成に努めつゝあるも、ソ聯による輸入物資の対独再輸出の問題、米国自体の対英援助並びに軍備拡充のための原料需要の増大

一九

等種々の障害存在し、正常関係の存続は之を期待し得ず。就中、ソ聯の動乱後米国より輸入せる物資の内には米国自体に於て自給自足し得ざる錫、ゴム等あり。これら物資の対ソ輸出は今後縮少或は杜絶すべく推定せらる。

かくて、米ソ貿易の将来は米国の自給不能にしてソ聯の輸出し得るマンガン鉱、無煙炭、プラチナ等とソ聯の自給不能にして米国の輸出可能なるモリブデン、銅、亜鉛等とのバーター貿易に移行すべきものと推定し得べし。

(リ) 対南洋関係　ソ聯は南洋への関心を増大すべし。軍需産業生産力拡充に必須な機械は独逸及びその共栄圏より、モリブデン、銅、亜鉛は米国より調達し得べしと雖も、英佛白蘭及びその植民地よりの輸入杜絶せる結果ソ聯の絶対輸入を必要とし、その需要の全部を外国に依存せるキニーネ、アンチモニイ、コヽア、大部分或は一部を輸入に仰げる錫、ゴム、タングステン、鉛、ニッケル、麻類、茶等は是非とも南洋及び極東方面よりの輸入によりて充足せざるべからず。

二〇

本年二月のソ泰通商条約は右の物資調達を目的として南洋進出に第一歩を踏み出せるものにして、これを據点とするソ聯の南洋物資買付は將来大規模に行はるべきものと推定し得べし。

これを要するにソ聯は欧洲動乱の拡大化に伴ひ軍需産業の生産力拡充に必須な機械（技術を含む）と戦略原料の獲得困難なる事態に直面し、これが対策として国内的には潜在資源の積極的開発、対外的にはそれに必須な独逸及び米国の機械、米国南洋及び支那の戦略原料確保に努めつゝあると、国際経済関係より見てソ聯の抗戦力を決定するものは独逸の機械、南洋及び支那の戦略原料なりと云ひ得べし。

而して独逸の機械輸入はソ聯の対独援助の大さに支配せられ、ソ聯の対独援助は米国よりの物資輸入を困難ならしむるてふ因果関係よりして、ソ聯は可及的大規模に米品購入を行ひ、原料のストック　形成に努め、新たな事態に対処しつゝあり。

かくて我国は欧洲動乱の拡大化につれ対独接近を強化し、且つ、支那及び

二一

南洋の原料を支配するならば、ソ聯に対する発言権を増大し得るものと断定し得べし。

二二

第一章　ソ聯の経済的独立性

第一節　概観

ソヴエート政権成立前の帝政ロシアは高度に先進資本主義国に依存せり。このことは、世界大戦前八十八億金留の外債を有し、輸出収益の大部分が年四億金留に達する利子の支拂に充当されつゝありし事実、並びにロシアの主要産業が外国資本の支配下にありし事実（ロシア産業に於ける外国資本の比重は黒色冶金業七二％、ドンバス石炭業七〇％、造船工業八七％、銅生産六一％、石油工業六〇％、電気業九〇％（註））を以てしても明らかにして、ロシアは先進資本主義国、就中英佛白の半植民地的農業国としての性格を保有せり。

（註）　ヨッフエ「ソ聯経済の基本問題」一九三九年六四頁。

二三

然るに十月革命後成立せるソヴエート政権は、右の後進的而かも大戦と内乱の結果崩壊せるロシア経済の土壌の上に共産主義社会の建設を計畫し、爾来、その過渡的手段として貿易を含む経済の主要部門を国有化し、諸経済計画に基いて一国社会主義の建設に邁進しつゝあり。

而して、現に遂行過程にある第三次五ケ年計画は、その前の両次五ケ年計画と共に、当面の目標を高度自給自足経済の確立に置くものにして、その特徴とするところは(一)生産手段の社会化及び共有化、並びに(二)生産力拡充の積極的重点主義之れなり。

生産手段の社会化或は共有化とは主要産業の国有化と農業の社会化政策に現はれ、既に革命後幾千も出ずして外国資本は国内産業より駆逐せられ、農業も亦その九五％までは社会化せられたり。

而して、目下強行中の生産力拡充の特徴とするところの積極的重点主義とは他産業部門の生産力拡充と共に、特に重工業乃至国防産業の生産力を「ヨリ」大規模且つ急テンポに拡充せんとする政策之にして、そこには戦時乃至国防経

二四

済的性格濃厚なり。ソ聯の生産力はかゝる積極的重点主義の下に現に急テムポに拡充されつゝあり、その結果生産の飛躍的生長はソ聯の経済的独立性を著しく昂揚せしめたり。

然らば、生産の発展と関聯し、ソ聯経済の自給自足性は如何なる動向を示せるかと云へば、一国経済の対外依存性を最も端的に表現する輸入貿易の動態につきこれを見るに、次の如し。

輸入貿易指数

年	指数
一九二九年	一〇〇・〇
一九三〇年	一二〇・〇
一九三一年	一二五・五
一九三二年	七九・九
一九三三年	三九・六
一九三四年	三六・四
一九三五年	二七・四

二五

年	指数
一九三六年	三五・一
一九三七年	三四・八
一九三八年	三六・九

（註）　ソ聯貿易統計に依る。指数は輸入額を以て計算す。

即ち、ソ聯の輸入は産業の基礎建設の強行せられたる第一次五ケ年計画期を頂点として激減し、三四年度以後再び漸増傾向を示せるも最近（三八年度—これ以降資料不明）に於て輸入の最大に達せる三一年度の三分の一に過ぎず。

更に、ソ聯輸入額を列国に対比せば、前者は英国の一七分の一、米国の十分の一、独逸の八分の一、日本の四分の一（三七年度）程度に過ぎぬ。

而して、最近（三七年度）「ソ聯の消費総額に対する輸入額の割合は、米国の八—一七%、英国の四〇—五〇%、独逸の二〇—二五%に対し、一%である」(註)と云はれ、その後のソ聯生産の飛躍的発展を考慮するとき、右の比重は更に低下し得るものと云ふ可く、右の諸指標よりして、ソ聯の経済的独立性は列

二六

国に比し著しく高度なりと断定し得る。

勿論、社会主義国ソ聯の貿易或は消費と資本主義諸国のそれとはその内容及びそれを制約する諸要素に多くの差異を有し、従つて厳密な意味での比較対照は困難なりと雖も、叙上の諸指標により、尠くともソ聯経済のアウタルキー化の傾向と度合は之を概略窺知し得るものと信ず。

かくて、ソ聯はその成立以来生産手段の国有化乃至共有化を計り、以て外国資本より国内産業を解放し、反面、積極的重点主義の下に生産力の拡充に努力せる結果、相対的に高度の自給自足経済を持つに至れるものと云ひ得べし。

二七

第二節　戦略原料、食糧、技術

高度自給自足経済の確立がソ聯の云ふ如く「資本主義的四囲に於て社会主義国ソ聯の一国社会主義建設のための重要なる作戦計画の一つ」(註)であるとするならば、この課題の遂行を可能ならしめたるは、ソ聯に於ける世界的豊富なる天然資源の存在ならん。

（註）　ヨツフエ著「ソ聯の経済的独立性」一九三九年。

試みに、ソ聯の戦略的天然富源につき之を見るに第一表の如し。

更に、右の他に銅、鉛、亜鉛、ニツケル、錫、金、アルミニウム原料たるボーキサイト、モリブデン、クローム、バナヂウム等の戦略的に不可欠なる非鉄金属資源も亦豊富なり。而して、農耕地面積について見るも、米国の七七〇百万ヘクト（ヘクタール）、カナダの八七八百万ヘクト　独逸の四七百万ヘクト、

二八

第一表 ソ聯の天然資源

	査定年月日	單位	埋蔵量	資本主義国全体に對する比重	世界に於ける地位	欧洲に於ける地位
水力資源	一九三七・一・一	百万KW	二八〇・〇	九六・七	一	一
石炭	一九三八・一・一	十億瓲	一、六五四・〇	二五・一	二	一
石油	一九三八・一・一	百万瓲	四、六七九・五	一四二・四	一	一
泥炭	一九三八・一・一	十億瓲	一五〇・六	一五〇・〇	一	一
鉄鉱	一九三八・一・一	〃	二六七・四	一一四・八	一	一
満俺鉱	一九三八・一・一	百万瓲	七八四・九	四六・九	二	一
加里塩	一九三七・一・一	〃	一八・四	五七四・一	一	一
燐灰岩	一九三七・一・一	十億瓲	五・七	三三・〇	二	一
燐灰石	一九三七・一・一	〃	一・九七	一、三八〇・〇	一	一
木材		百万ヘク	七〇五・七	一〇五・二	一	一

（註） ミツフエ「ソ聯の経済的独立性」一九三九年・六九頁、

第二表　ソ聯の戦略原料及び食糧需給状況

品目	単位	一九三二年 生産	一九三二年 輸出	一九三二年 輸入	一九三二年 消費	一九三二年 自給率	一九三八年 生産	一九三八年 輸出	一九三八年 輸入	一九三八年 消費	一九三八年 自給率
第一群 戦略原料											
1 石炭	千瓲	六四六四四	一七九五	五二	六二九〇一	一〇二・七	一三一五〇〇	五九四	一	一三〇九〇七	一〇〇・四
2 鉄鉱	〃	一三〇八六	三四二	—	一一七四四	一〇三・七	○二六五〇〇	七	—	二六四九三	一〇〇・〇
3 鉄金属	〃	七七七八	二七	一三〇三	九五五三	八一・四	△一九一九五	八六	五三九	一八八六六	一〇一・七
銑鉄	〃	六二〇〇	—	—	六二〇〇	一〇〇・〇	一四六〇〇	六	二	一四五九六	一〇〇・〇
鋼	〃	五九二二	〇・〇	〇・〇	五九二二	一〇〇・〇	○一八〇〇〇	三	四	一八〇〇一	一〇〇・〇
鋼材	〃	四三八九	一七	九九一	五三六三	八一・四	一三三〇〇	五五	一二	一三六六七	九七・三
特殊鋼材	〃	六八三	：	：	五〇二	一三六・一	○二五二五	：	：	二三八五	一〇五・九
合金鉄	〃	一九八	—	六七	二〇四七	九六・七	△四四二	〇・九	二・六	四四三七	九九・六
鉄管	〃	三一〇	—	五二	三六二	八五・六	○八九五	五七	二九・〇	九一四	九七・九
4 石油・同製品	〃	二三三一九	五五八三	〇	一八七二八	一二四・五	三二一〇〇	一三八八	一三・三	三〇八四五	一〇四・〇
ベンジン	〃	二四五九	一九七二	—	四八七	五〇四・九	△三〇〇一	四一九	〇・一	二五八二	一一六・三
ケロシン	〃	三五六〇	七九二	—	二七六八	一二八・六	△五四三三	三八二	—	五〇五一	一〇七・五
燃料油	〃	九二一四	三七三〇	—	六四九四	一四一・八	△一〇四八五	一四二〇	—	九〇六五	一一五・六
潤滑油	〃	六八二	二四六	—	四三六	一五六・四	△一五〇〇	三〇八	—	一一九二	一二五・八
5 硫黄	〃	□一一八九	—	一五・四	一三四三	八八・五					
6 棉花	〃	四〇七	一七・八	二四・二	四一三・四	九八・四	○七二一	六六	二三	六七七	一〇六・五
7 銅	〃	四五・〇	—	一二・五	五七・五	七八・二	一〇三・三	〇・一	六六・〇	一六九・一	六一・〇
8 アルミニウム	〃	〇・九	—	一〇・六	一一・四	七八・九	五六・八	〇・〇	八・五	六五・三	八六・九
9 アンチモニー	〃	：	：	：	：	：	○—	—	一・二	一・一	〇・〇
10 クローム	〃	六五三	三六・二	—	三九・一	一六六・七	△二一九・五	—	—	二九・五	一〇〇・〇
11 ニッケル	〃	—	：	三・九	：	：	三・〇	—	一一・三	一四・三	二〇・八
12 亜鉛	〃	一三七	—	一〇・五	二四・二	五六・六	八八・〇	〇・〇	〇・五	八八・五	九九・五
13 鉛	〃	一八七	—	三三・七	五二・四	三五・六	七九・〇	〇・一	二〇・一	九九・〇	七九・八
14 錫	〃	：	—	三・九	：	：	五・〇	—	一〇・七	一五・七	三三・四
15 硫酸	〃	五五二一	；	；	：	；	一四一三・四	〇・〇	〇・〇	一四一三・四	一〇〇・〇
16 水銀	〃	：	—	〇・〇一	；	：	〇・六	〇・〇	〇・〇	〇・六	一〇〇・〇
17 羊毛	〃	六六	—	三〇・四	九六・四	六八・五	一三四	〇・三	三三・三	一六六・〇	八〇・七
18 塩	〃	二六三三	一〇七	—	二五二六	一〇四・二	：	二一三・〇	八・〇	：	：
19 ゴム	〃	〇・一	—	三〇・七	三〇・八	〇・三	○八八・五	〇・六	二七・三	三五・二	七六・八
20 マグネサイト	〃	(三四年)四八二	二	—	四八〇	一〇二・三	；	：	；	：	；
21 タングステン	〃	(三四年)：	—	〇・八	；	；	；	—	二・八	：	；
22 満俺鉱	〃	八三三	四一五	—	四一八	一九九・二	二二七三	四四六	—	一八二七	一二四・四
23 麻	〃	六七三	九三	一二	五九三	一一三・四	○一三四四三	三六五	四二・三	一三五〇一	九九・五
亜麻	〃	四九八	五五	—	四四三	一一三・四	五四六	一八	—	五二八	一〇三・四
24 燐砿石	〃	三八〇	四五	—	三三五	一一六・四	○一五五五	三八五	—	一一七〇	一三二・九
25 セメント	〃	三四八一	三八	〇	三四四三	一〇一・〇	△五八四五	九〇	一〇〇	五八五五	九九・八
26 石綿	〃	五九八	一六・五	—	四三・五	一三八・一	八六・〇	一四・五	—	七一・五	一二〇・二
27 挽材	千立方米	二四四〇〇	三八三〇	—	二〇五七〇	一一八・六	○三三八〇〇				
28 生糸	千瓲	〇・六					○一・六	〇・一	〇・二	一・七	九二・四
第二群 食糧											
1 穀物	千瓲	六九八七〇	一八一九	二四八	六八二九八	一〇二・三	九四九九〇	二〇八九	一六九	九三〇七〇	一〇二・〇
小麦	〃	二〇二五〇	五五〇	一三・一	一九八三一	一〇二・一	○四六八六〇	八四五・七	—	四六〇一四・三	一〇一・八
大麦	〃	五〇三〇	四二二	〇・四	四六〇八	一〇九・一	○一〇六〇〇	二三〇・五	—	一〇三九五・五	一〇一・九
ライ麦	〃	二三二〇〇	四二一	—	二一五九九	一〇二・七	：	二〇四・二	—	：	：
燕麦	〃	一一三四〇	一七	〇・二	一一三二二	一〇〇・二	○二一八六〇	六・二	〇・一	二一八五六	一〇〇・一
豆類	〃	一三三五	八五	〇	一二五〇	一〇六・七	○二三六〇	〇・一	—	二三六〇	一〇〇・〇
米	〃	一九五六	〇・七	六六・九	二六一・八	七四・七	○三八〇・〇	〇・八	三五・八	四一五	七一・五
2 魚類	〃	一三三〇	三一・一	七一・七	一三七〇・六	九七・〇	一五六〇・〇	三・〇	一三・三	一五七〇・三	九九・三
3 罐詰	百万個	九〇六一	四六・七	—	八五九・四	一〇五・四	一五一七・九	二〇・七	〇・四	一五一五・七	一〇〇・一
4 植物油	千瓲	四〇九七	三七・六	六・三	三七八・四	一〇八・三	五九一・八	七・一	六・〇	五九〇・七	一〇〇・二
5 動物油	〃	七一・六	—	—	七一・六	一〇〇・〇	一九七・七	〇	〇	一九七・七	一〇〇・〇
6 肉類	〃	四八三・二	二・三	九・二	四九〇・二	九八・五	一一四〇・〇	一・二	二・七	一一四一・五	九九・八
7 砂糖	〃	一二六四六	七六・一	四一・五	一二三〇・〇	一〇二・八	○三四五三・三	一三三・〇	〇・二	三三二〇・五	一〇三・九
ザラメ	〃	八二八二	三九・四	四一・五	八三〇・一	九九・七	二五一九・五	二〇・四	—	二四九九・一	一〇〇・八
8 牛酪	〃	七一九	三〇・九	—	四〇・七	一七五・九	△一八七・八	二三・一	—	一六四・七	一一七・〇
9 麦粉	〃	：	三一・九	四一・九	：	：	：	五七	〇・〇	：	；
10 茶	〃	一三・〇	〇・三	一六・四	三九・一	三三・二	○一六・八	五六	一五・二	三六・四	六三・六
第三群 生活用品											
1 綿布	百万米	二六九四	一八八	—	二五〇六	一〇七・五	三四九一	一六六	—	二八二五	一二三・六
2 石鹸	千瓲	二八四三	〇・九	〇・〇	二八三四	一〇〇・三	○四九五二	〇・五	〇・〇	四九四七	一〇〇・一
3 アルコール	〃	三〇八六	〇・三	〇・〇	三〇八三	一〇〇・〇	○六〇七六	〇・四	〇・〇	六〇七二	一〇〇・〇
4 紙	〃	四七九〇	一・八	〇・五	四七七七	一〇〇・二	○八三一六	三・一	一・四	八二九九	一〇〇・二
5 マッチ	千函	五六四〇	五七一	—	五四七一	一〇三・一	○七二六三	四五・九	〇・五	六七〇四五	一〇六・九
6 ミシン	千台	三三七六	—	〇・三	三二七三	一〇〇・二	五〇二五	一六・四	〇・一	四八六二	一〇三・三
7 皮革	千枚										
大皮	〃	一六六七九	三三五	七九三	一七一三七	九七・三	○一〇三〇〇	—	四〇〇	一〇七〇〇	九六・二
小皮	〃	七八六二〇	五三五四	七三八一	八〇六四七	九七・五	○四四〇〇〇	三六八八	六一二一	四六四三三	九四・八

（註）ロ＝一九二九―三二年平均　△＝一九三六年　○＝一九三七年

非鉄金属の一九三八年度輸出入量は一―九月平均の一二倍。自給率は生産と輸出入差の和を国内消費としこれの生産に対する百分比なり、従って

ストックその他は考慮せず。

尚、本表を見るに当りて考慮す可きは、輸出入共に民需の圧迫の下に行はれ、実際には更に輸入増、輸出減の傾向を有し、従って自給率は更に小となる可能性を有する点なり。

灰面の三九百万ヘクト、伊太利の三六百万ヘクトに対し、二、一一五百万ヘクトに達し、世界第一を占む。

かゝる天恵の土壌は明かにソ聯の高度自給自足経済の確立を可能ならしめた自然的條件なり。

然らば、ソ聯は現在、如何なる物資に於て何の程度の自給性を有するや。先づ、戦略原料、食糧につき第一次五ヶ年計画期末たる一九三二年及び第三次五ヶ年計画期初年度たる三八年度の需給状況を対比しつゝ、その傾向並びに現状につき考察せん。

第二表は次の諸事実を示す。

(イ) 嘗て自給不能なりし戦略物資並びに食糧の自給性の総体的に向上せること。鉄金属中の鋼材、合金鉄、鉄管、棉花、アルミニウム、亜鉛、鉛、羊毛、ゴム、魚類、肉、茶、皮革等はそれなり。

(ロ) 嘗て自給可能なりし物資の自給性が低下せること。石炭、鉄鉱、特殊鋼材石油類、クローム、満俺鉱、麻、石綿、穀物、鑵詰、植物油、牛酪、石鹸等

二九

がそれなり。

これはソ聯当局が、対外依存性の高さ、自給困難なりし物資の生産に努力しつゝ、反面軍需及び民需の増大により、嘗ての輸出を縮少せるため守り。

(ハ) 戦略原料たる鋼材、合金鉄、鉄管、非鉄金属たる銅、アルミニシム、ニッケル、亜鉛、鉛、錫、並びにアンチモニイ、羊毛、ゴム、タングステン、麻、石綿、生絲、食糧中の魚類、肉類、茶、その他皮革等に於て現在尚、自給自足の域に達せず、外国よりの輸入に依存せること。就中、戦略原料たる銅、アンチモニイ、ニッケル、鉛、錫、ゴム、羊毛、食糧中の茶の対外依存性の極めて高きは注目すべきなり。

次に生産技術――機械・設備の対外依存性を見る。

機械製作業の部面に於てもソ聯の独立性は甚しく昂揚せり。特に第一次及び第二次五ヶ年計画に依る国の工業化及び農業の機械化政策の強行は工作機、自動車、航空機、トラクター、農業用機械製作業を飛躍的に発展せしめ、機械製作業の総生産高は一九三二年に於て二百七十五億留――戦前水準の二三倍に達

三〇

せり。一方、機械・設備の輸入高は第一次五ヶ年計画期七十六億留、第二次五ヶ年計画期二十億留に達し、一九三七年度に於て三六六百万留なり。

而して同年の機械総需要に対する輸入の比重は戦前の六〇%に対して一・五%（註二）、或は〇・九%（註三）に当り、現在では「既に如何なる種類の機械でも生産し得るに至つた」（註三）と云はれる。

（註一）　ヨッフエ「ソ聯経済の基本的課題」一九三九年七〇頁

（註二）　「第三次スターリン五箇年計画」八頁

（註三）　註一に同じ

事実ソ聯は自動車、トラクターに於ては第二次五ヶ年計画期に輸出国に轉じ一般機械に於て年　　留程度の輸出をさへ見てゐる。

乍然、右の指標よりして、ソ聯の機械設備に於ける対外依存が全面的に克服されたりと見るは早計にして、このことは次の諸事実によりても明らかに証明さる。

三一

(イ) 生産技術に於て先進列強に立後れてゐること　モロトフは、既に「ソ聯国民経済発展第三次五ヶ年計画に関する決議」の報告に於て「……ソ聯はこれより発展の新段階――社会主義より共産主義への漸進的移行の段階に這入るが、此の巨大なる課題解決の困難を資本主義的環境の諸條件の下に過少評価してはならぬ。前両次五ヶ年計画の成功的遂行にも不拘、生産技術の点に於て最も発達せる資本主義国に追付いてゐない」と前提し、技術的後進性の克服を強調せり。而して右の後進性の清算は第三次五ヶ年計画の基本的課題にして、労働生産性の向上と新式技術の移入にその解決の方法を予定す。

(ロ) 主要機械の輸入依存性大なること　機械設備の総据付台数に占める輸入の比重は、機械設備の基本的努力と目される工作機に於て一四%（三五年）―一一%（三七年）、タービン三三・五%（三四年）、発電機二三・六%（三三年）、ボイラー二一・四%（三四年）（註）を占める。

（註）　ソ聯事情第九巻三号「外国貿易より観たる機械製作業」

三二

第三表　機械設備の輸入　（單位　千留）

	一九三七年	一九三八年
一般機械	一六九、五九六	二九五、四四三
機関類	一三、五七三	一六、九九九
ポムプ、圧搾機、排送風機	九、八八八	一五、二六六
農用機械	六七	二六九
起重機	五六六	六五二
選洗砕鉱機	二、六八四	二、九八七
製紙工業機械	一七、三七〇	七、六〇〇
紡績工業機械	九、六二三	八八
ミシン	四七七	六三四
鉱山工場用排気機	八八四	二、五七七
工作機	一一四、四六四	二四八、三七一
電気機械類	五一、七三〇	六〇、一七三
発電機・モーター	四、五二三	五、五五六
電気爐	九八六	七、六二三
電信電話機	一九、五三三	一〇、七〇四
電極類	九、四八〇	七、七四四
精密機械	一九、一八三	三二、一一九
運輸設備	二四、八六四	三九、八七三
船舶	二一、四一二	三七、七二九
合計	二六五、三七三	四二七、六〇七
ソ聯総輸入に占める比重	一九・八%	三二・一%

(い) **機械設備輸入の全面的増大**　機械設備輸入総額は之を三七年度及び三八年度に対比し、表示せば第三表の如し。

第三次五ケ年計画第一年度たる三八年度の機械設備輸入額は前年度の二億六千万留に対し、四億三千万留と、約二倍に増加し、特に軍需関係設備――鉱山用設備、工作機、電機、精密機械及び船舶の輸入著増せり。之と関聯し、設備のソ聯輸入に占める比重も三七年度の一九・八%より三八年度三二・一%と約二倍の増加なり。

(ニ) 輸入構成に於ける完製品或は生産財の優位　工業化の進捗に伴ひ、輸出に於て工業製品の比重が増加しつゝあるも（三八年六三・六%）、輸入構成を見るに生産財が九〇%を占める。而も、これを製品別に見るに完製品の比重は約五〇%、一方輸出に於ては原料・半製品がこれと同様の比重を占む。即ち、ソ聯は原料輸出国・完製品輸入国の経済国性格を保有しあり、此処にもソ聯生産の技術的後進性を窺知し得る。

三三

以上、ソ聯の戦略原料・食糧・一般生活用品並びに技術に於けるアウタルキイ化の傾向と現状を述べたるが、次に之を資本主義的列強のそれと対比して見ん。

三四

第三節　主要資本主義国との比較

ソ聯の経済的独立性は之を総括的に見るならば、前にも述べた如く、列国に比して著しく高い。即ち国内消費に対する輸入の割合は英の四〇－五〇%、独の二〇－二五%、米の八－七%に対し、一%である。

而して重要戦略原料と目される二十二品目——石炭、鉄鉱、石油、銅、鉛、亜鉛、ニッケル、クローム、満俺、タングステン、アンチモニイ、錫、水銀、雲母、アルミニウム、硝酸、硫黄、ゴム、加里、燐酸、棉花、羊毛につき、その自給性を英米独伊日五ケ国と対比して見るに、国内消費の五〇%以上を外国に依存するもの次の如し。

ソ聯——ニッケル、錫、タングステン、アンチモニイ——計四品目

米国——ゴム、マンガン、ニッケル、クローム、タングステン、加里、アンチモニイ、錫、水銀——計九品目

英国——石油、銅、鉛、硫黄、棉花、亜鉛、ゴム、マンガン、クローム、タングステン、羊毛、加里、燐酸、アンチモニイ、錫、水銀、雲母、ニッケル、アルミニウム——計十九品目

独逸——鉄鉱、石油、銅、鉛、硫黄、羊毛、アルミニウム、ゴム、ニッケル、クローム、タングステン、燐酸、アンチモニイ、錫、水銀、マンガン、棉花——計十七品目

伊太利——石炭、石油、銅、棉花、ゴム、マンガン、ニッケル、クローム、羊毛、タングステン、加里、燐酸、錫、雲母——計十五品目

日本——石油、鉛、棉花、アルミニウム、亜鉛、マンガン、ゴム、ニッケル、羊毛、加里、燐酸、錫、雲母——計十五品目

（註）ソ聯を除く五箇国はエメニイ著「戦略原料」による

二十二種の戦略原料の内、米国は一三種、英国（植民地を除く）三種、独逸四種、日本八種、伊太利八種が完全に自給可能なるに対し、ソ聯は銅、アルミニウム、アンチモニイ、ニッケル、亜鉛、鉛、錫、羊毛、ゴム、タングステンを除く他の一二種に於て完全に国内生産を以て消費を充足し得る。而して、五〇%以上を輸入に依存するものは右表の如くニッケル、錫、タングステン、アンチモニイの四種に過ぎず。

右よりして、戦略原料に関する限り、ソ聯は米国と一、二を争ふ世界的アウタルキイ国なりと結論し得る。

次に技術の点につき列国と対比せん。生産技術の対外依存を最も端的に表現するところの機械設備の輸入を国別に比較せば次の如くなり。

列国の三七年度機械設備輸入

国別	金額（千弗）	ソ聯対比重（%）
ソ聯	五〇、〇七一	一〇〇・〇
米国	二、三三一	四・六
独逸	一六、六〇八	三三・一
英国	一六五、四〇八	三三〇・三
伊太利	三六、一三七	七二・一
日本	四一、四二五	八二・七

（註）日本＝三六年 Foreign Commerce Year-Book 1928

ソ聯は一弗＝五・三留にて弗に換算す

ソ聯の機械設備輸入額は三七年度に於て米国の約二〇倍、独逸の三倍、伊太利の約一倍半、日本の約一・二倍に達する。右指標並に三八年度に於けるソ聯輸入の著増傾向よりして、ソ聯の機械製作業は、その飛躍的発展にも不拘、先進資本主義国のそれに比して甚だし劣り、從ひてソ聯かより急速に且つより高度の生産力拡充を望む限り、生産技術に於て対外依存の必要極めて大なりと云ひ得べし。

以上、ソ聯の経済的独立性の昂揚過程に就き検討せるが、之を要するに、ソ聯の経済的独立性は積極的重点主義による生産の拡充の結果相対的には急速且つ高度に昂揚せり。即ち帝政ロシア時代の半植民地的性格を清算せるソヴェート経済は今や世界第一の経済的独立国たる米国と一、二を争ふまでに高度に独立せり。而して、ソ聯は現に非鉄金属、羊毛、ゴム、麻類、モリブデン、タングステン等の数種の戦略原料、茶、魚類、生畜等の食糧ならびに生産力のより高度の拡充に必要の拡充に必須な生産技術の点に於て対外依存の必要に当面しありと雖も、その国内需要の五〇％以上を外国市場に依存するもの戦略原料数種に過ぎず。而も国内消費額或は設備額に対する輸入の比重は「一九二五－六年頃の農業機械四五・八％、金属製品の五九・六％、原料・半製品四〇・五％、国内総消費額の二二・三％（二一・二二年度）」（註）に対し最近年では一％程度、かくて、ソ聯がその成立以来経済政策の中心課題となせる所謂「資本主義諸国よりの経済的技術的独立」は大体に於て達成されしものと看做し得べし。

三九

（註）「ソ聯外国貿易の十ヶ年」

四〇

第二章　通商政策の特質と貿易の性格

第一節　通商政策の特質

然らば、右の経済的独立性昂揚の過程に於て貿易は如何なる役割を演じたるや？

先づ、ソ聯貿易の国民経済に於ける役割について見るに、周知の如くこれは資本主義国に於けるとは全く別個の役割を演じ、ソ聯の計画経済の一環として国民経済の需要に完全に従属せしめられ、ソ聯貿易運営の主要目標はその経済的技術的独立達成への最大限度の援助をなす点に存す。

然らば、従来ソ聯がその経済的独立達成のために外国貿易に対して採れる基本方針とは何かと云ふに、これを第一及び第二次五ヶ年計画期に就いて見るならば、従来の方針は「国の工業化及び農業の機械化に必要なる機械設備及び原料供給を目標とし、輸出は右の輸入をカバーするために行ふ」にあり、国際市場に進出して貿易上の出超を維持し、資金の蓄積をなすと云ふよりは輸入の範囲に應じて輸出し、貿易バランスの平衡を維持せんとするの方針たりき。

四一

而して、斯かる方針の下に過去に於て採られし、通商発展の手段は、これを要約せば、大要次の如くなり。

(イ)　輸出の増大を計り且つ極度の大衆生活の緊縮政策を行ひ以て外貨の大量吸収に努めること。その著明なる例は一九二九年以後に於けるソ聯の西欧に於ける木材の廉賣、一九三〇年米国に於ける小麦のダンピング、更に遡上すれば、一九二二－二四年度両次幣制改革の際の極端なる輸出資源の動員（当時の輸出資源平均利用率は八八〇二％に及ぶ）、第一次五ヶ年計画期に於ける穀物の強制買付とこれが輸出（その結果農業恐慌と相俟って第一次五ヶ年計画期当初食糧難に逸陥入れり）等あり。

(ロ)　右の如くして吸収取得せる外貨を以て、工業の再建に必要な機械・原料を輸入し、そのためには工業用設備材料以外の輸入は之を極端に圧縮せんとす。

四二

第三表 輸入品の輸出品への轉化（百万留）

	輸入 一九〇九－一三年平均	輸入 一九二七・二八年	輸出 一九三五年	輸出 一九三六年	輸出 一九三七年（九月）
石炭	一九〇・一	二・六	四二・六	四二・八	二六・八
毛皮製品	二六・三	〇・〇	二七・二	二二・五	一三・九
パラフィン	六・一	〇・〇	六・一	五・三	三・三
セメント	九・六	八・八	六・四	五・八	四・六
糸	八・八	〇・〇	四・六	二・七	一・八
自動車	五二・一	四二・五	一〇・五	一三・六	二二・七
石綿	一・三	〇・九	九・九	九・一	七・二
鉄・鉄鋼	三六・八	七三・四	二三・四	三二・九	二五・〇
トラクター	：	四五・八	〇・二	〇・四	一・〇
農用機械	一七七・四	一〇七・九	二・一	二・九	三・五
ミシン	三七・七	一三・一	一・三	一・二	一・三
銑鉄	三・八	〇・六	一六・〇	二四・四	一三・四
肥料	三一・一	四〇・六	一九・二	二三・六	二二・九

このことは後にも詳述するが、ソ聯の輸入構成を一見せば明かなり。即ち、ソ聯の最も多額に資材を外国に仰げる一九三一年度の輸入構成は生産材九三％、三五年八七・一％、三六年八九・五％、三七年九〇％、製品別に見れば原料・半製品及び完成品が圧倒的部分を占め、生活必需品は約六％－一〇％に過ぎぬ。

(ハ) 右の輸入の際に於ては、輸入の覊絆より離脱するために、特に資本主義国への依存性の大なる経済部門の発展を促進すべく、かゝる部門の建設に必要なる物資の輸入を優先的に行ひ、右の部門の発展に基きて輸入の徹底的削減を計る。之は重工業、特に機械製作業、製鉄業、建設材料工業、化学工業方面に見られるところにして、或る種機械類、化学製品の如きは輸出可能となり、農業用機械、農具及びトラクター、自動車の如き工業完製品は国内で自給自足を見るに至れり。因みに輸入より輸出に轉化せる主要物資を表示せば第四表の如し。

かくて従来ソ聯はその貿易上の特殊制度即ち国家独占の武器を利して、国内

的には一般大衆の犠牲に於て貿易を国営企業、特に其の工業化の進展に奉仕せしめると共に対外的には貿易の出超を維持し、自国に有利な條件に於て輸出入の平衡的発展に努力し来れり。

即ち、従来のソ聯の通商政策は国の経済建設への積極的援助を基調に置けるものなり。而して、かゝる通商政策の基調はソ聯の自給自足性の昂揚せる現在に於ても何等変更を加へられざるも、国民経済に於ける貿易の意義が、ソ聯のアウタールキイ化につれて低下せるのと関聯し、貿易はその本来の国民経済的使命よりは寧ろ政治的役割をより強く演ずることゝなれり。

現段階に於ける通商政策の特質は、従来の経済建設への積極的援助を主目標とせる通商政策が、政治的外交政策に追随し、外交の補助手段化する傾向を露呈せる点にある。即ちソ聯貿易は経済的役割よりは寧ろ政治的役割をより強く演ずるに至る。而して、これを反面より見れば、従来のソ聯外交政策がソ聯経済建設への協力を第一義とせるに反し、近年かゝる経済的補助手段としてよりは寧ろ、本来の国際政治に於けるソ聯の地位擁護並びに強化の手段となるに至り、通商政策がかゝる政治外交政策に追随し、商業外交の様相を露呈す。

此の事実の主なる例証を挙げれば次の如し。

(イ) 工業化の進捗に伴ひ対近東経済的援助を積極化す。第十七回ソヴエート大会に於て前外国貿易人民委員ローゼンゴリツは、「最近まで我々は外債償還のため、利益多き国に輸出を行ってるたが、現在では外債を完全に償却せる結果自由な輸出が可能となつた。而も、工業化と機械製作業・軽工業の発展は農業国たる近東の原料交換の建前より経済関係の強化を可能ならしめた。我国は近東の経済建設に協力し得るし」と述べり。

而して、ソ聯対近東貿易の動態はこの事実を明示する。

	対近東輸出比重	対近東輸入比重
一九三三年	一四・六％	一六・二％
一九三四年	一九・三	一九・二
一九三五年	一四・四	一七・六

一九三六年	一五・三	一四・三
一九三七年	一五・二	一四・四
一九三八年	一七・〇	一二・七

（註）比重はソ聯の総輸出或は輸入額に占める近東（土・イラン・アフガニスタン・新疆、外蒙、トゥワの割合を示す。

(ロ) 対支経済的援助　日支事変の勃発するや、ソ聯は之れを民族開放戦争と定義し、経済的には三九年六月第一次ソ支通商協定、四〇年七月第二次新通商協定を締結、軍需資材の供給を行へるが、これは対日貿易中断と共に、日本の戦力消耗、中共勢力の拡大ならびに極東に於ける資本主義的対立の激化を目的とする政治的意図を以て貿易を利用しつゝある証左なり。

(ハ) 大規模なる対独物資援助　更に欧洲動乱の危機迫るや、ソ聯は三九年八月一九日対独新通商協定を締結、次いで動乱勃発するや全年十月石油九〇万瓲、大麦八〇万瓲、燕麦八〇万瓲、小麦一〇万瓲供給の独ソ経済協定を、更に翌四〇年二月にはソ聯農産物及び工業原料と独逸機械を交換、その取引高を過去の最高水準（二三億六千万留－三一年度）に達せしめる新経済協定を締結、現在益々対独援助を強化せんとしつゝあり。

(ニ) 対米接近策としての米品大量買付（後述）

(ホ) その他弱小国との経済関係の緊密化　欧洲動乱の拡大化につれ、波蘭の東半分、芬蘭の一部、バルト三国を併合すると共に、ブルガリア、イラン、ユーゴー　芬蘭、アフガニスタン、瑞典、丁抹、チエッコ等の弱小国と夫々通商協定を締結、これ諸国に対する友好的ゼスチュアを示しつゝあるは、ソ聯の単なる経済的要求よりするものならず。明らかに、弱小国の独立擁護或はその自国陣営への導入を策せんとする予備工作に他ならず。

而してソ聯通商政策のかゝる転換を可能ならしめたる国内的国外的諸條件とは之を純経済的観点よりすれば次の如く特徴づけらる。

(1) ソ聯の経済的及び技術的独立性の昂揚　これについて既に第一節に

於て検討を加へしところなるが、総体的にはソ聯の国内の消費に対する輸入の比重は一％程度に低下、而も戦略物資にして年消費の五〇％以上を輸入に依存するものニッケル、錫、タングステン、アンチモニイの四種に過ぎざる事実を以てしても明かなり。

(2) 右の徹底的に外国に依存する物資及びその他の物資にして、特定の一国より入手せざれば之か獲得の不可能なるが如き物資極めて少なきこと。即ち、ソ聯の必要とする物資にして特定の一国よりの輸入困難なる場合之が注文を第三国に振替へるか或は中継輸入を行ふの可能性大なること。因みに、ソ聯輸入総額の八〇％を占める主要輸入品の世界輸入に占める比重を見ると第五表の如くなり。

紋上商品は既に述べし如くソ聯の自給不可能物資に属するが、その世界輸入に占める比重は工作機一三・九％、内燃機関一三・三％、船舶一四・三％、ニッケル一〇・二％、茶六％　錫四・九％、ゴム三・四％、黄麻三％鉛三・九％、羊毛三％、鉄管三・四％等にして、ソ聯はその世界的主要輸

第五表　世界の主要商品輸入に對するソ聯輸入の割合（一九三五年）

	世界輸入（千粍）	内ソ聯輸入	割合（%）
米	七、五六五	二	〇
茶	三八五	二三	六・〇
羊毛	一、〇一五	三一	三・〇
原棉	三、〇七九	三八	一・二
ヂュート	八二四	二五	三・〇
コルク	二一二	三	一・〇
硫黄	八八五	三	〇・三
銅	一、三二九	二九	二・一
ニッケル	五九	六	一〇・二
アルミニューム	七二	〇・五	〇・七
鉛	七七七	三〇	三・九
亜鉛	四四六	一	〇・二
錫	一四一	七	四・九
ゴム	一、一一一	三八	三・四
針金	八六三	九	〇・一
ブリキ	六八三	八	〇・一
鉄管	一、一〇三	三八	三・四
工作機	四六七・五百万留	六四・八	一三・九
内燃機関	三〇六・〇百万留	三五・〇	一三・三
船舶	二八〇・五百万留	四〇・〇	一四・三

入国なり。然るに、これら主要輸入物資の産出国は英国資本の支配下にあるカナダのニッケル、鉛、蘭印のゴム、錫、キニーネ、支那のアンチモニイを除き他は一国のみならず、他の第三国商品によりて大体代替可能であり、必しも一国に依存するの必要なし、特に價格を考慮せざれば仲継輸入も可能なる点、商品購入の際に於けるソ聯の絶大の強味と云ひ得べし。

(3) 輸入資金に余裕の生ずること　第三の点としては輸入資金の蓄積を行ひし結果、輸入が資金の面より制約せられること尠くなりし点を指摘し得る。これについては「輸入資金の諸問題」の項に於て詳述すべきが、従来の出超政策、国内産金の飛躍的発展と関聯し、一九三九年初め約四〇億留、米貨に換算して五億弗の輸入資金を保有し、而も年々十億留近い産金を見つゝあることは本時の輸入を保障するにさして困難ならざるものと看做し得べし。

(4) ソ聯主要輸出品の国際市場に於ける需要力大にして対外輸出が政治目的に利用し得ること　因みにソ聯主要輸出品たる二十一品目につき、世界総

四九

輸出にしめるソ聯の比重を示せば第六表の如し。

叙上商品は最近に於てもソ聯全輸出の八〇%程度を占め、而もその国際市場に於ける地位には注目すべきものあり。

即ち第六表に見られる如く、その世界輸出に占めるソ聯の割合は大麦二三・二%、燕麦一五・二%、木材一六%、毛皮及亜麻が夫々約二〇%、メ粕及石綿が夫々約一〇%、マンガン鉱に至つては世界輸出の約四〇%、ケロシン一〇%、ベンヂン及パラフインが夫々六%程度と云ふ大きい地位を占め、特に欧洲市場に於ては之等商品は支配的地位を占む。

因みに、これらの商品が世界市場に於て支配的地位を占めてゐると云ふことは、ソ聯の輸出が單に経済的目的に於けるのみならず、政治的手段としても利用され得ることを示すものであつて、注目すべきなり。

(5) 貿易機構が国家独占制の下に一元化され、輸出入の一元的統制及び運営が可能なること　そのため特に生産と需給が計画化され、自守的に経済バランスの調整か可能にして、資本主義社会に於ける如き輸出産業の蒙る打

五〇

第六表　主要商品の世界輸出に占めるソ聯の割合（一九三五年）

	世界輸出（千砘）	ソ聯の輸出（千砘）	割合（%）
小麦	一三、九〇二	七一九	五・二
ライ麦	一、〇〇九	四二	四・一
大麦	二、五二二	五八七	二三・二
燕麦	一、〇二四	一五六	一五・二
麦粉	二、六〇九	三〇	一・一
砂糖	八、五二五	七六	〇・九
牛酪	六一九	二九	四・六
塩	三、二五三	一三三	四・一
罐詰・筋子	四三 旧百万米弗	二・五 旧百万米弗	五・八
木材	二六三 旧百万米弗	四二・二 旧百万米弗	一六・〇
綿織物	三五五 旧百万米弗	八・〇 旧百万米弗	二・三
毛皮	八一 旧百万米弗	一五・一 旧百万米弗	一八・六
亜麻	三〇五	五九	一九・三
メ粕	三、五五六	三二二	九・〇
石炭	一一四 百万砘	二 百万砘	〇・一
石綿	二七八	二五	九・〇
鉄鉱	三九、九四八	一五八	〇・四
マンガン鉱	一、六六〇	六四四	三八・九
パラフィン	二一七	一四	六・四
ベンヂン	一、〇二三	六五八	五・九
ケロシン	三、九四九	四一六	一〇・九

擧けさして深刻ならさる点は貿易運営を極めて容易ならしむか。

以上は通商政策の経済的なものより政治的なものへの轉換を可能ならしめる主因なるも反面かゝる政策の実施に当りて、特に不足物資の輸入杜絶により生産計画の遂行の阻害さること大にして、生産の技術的完結と戦略原料の大量ストックを目的とする新式設備及び原料の輸入を確保するの必要あり。

蓋し、ソ聯はその自給自足の昂揚にも不拘、尚、その重要戦略原料及び生産技術の点に於て完全なる自給自足の域に達し得ず。

国内労働力の不足、生活水準と生産水準の相対的低位、そして国内市場に於ける物價の引上げ等は、明らかにこれを物語るものにして、これらはソ聯の商業外交の範囲を自ら規制する性格を持つものなり。

このことは、更に現段階に於けるソ聯貿易の性格そのものを分析することによりてより明らかにされ得べし。

五一

第二節　貿易の量的維持

先づソ聯貿易の動態を概観せは第七表の如くなり。

右金額はソ聯側が当該年度價格を平價切下後の新留に換算表示せる「貿易統計」一九四〇年版二三七頁に據つたものであるが、これによればソ聯の輸入高は帝政ロシア時代のそれよりも遥かに小さく、その最大に達した一九三一年に於て四十八億四千万留で戦前の水準の約八五%に当り、爾来三五年まで減少、三六年より若干の増加傾向にあり。

而して、この推移を世界貿易の推移を比較し二九年を一〇〇として比率によつて表示すると次の如くなり。

ソ聯の輸入貿易

一九一三年	一五五・六
一九二九年	一〇〇・〇

五二

第七表　ソ聯貿易量及金額並にバランス

	輸出 量(千瓲)	輸出 金額(百万留)	輸入 量(千瓲)	輸入 金額(百万留)	合計 量(千瓲)	合計 金額(百万留)	バランス(百万留)
一九〇九—一三年(年平均)	二四、五九〇・八	六、五一三・九	一一、二四〇・七	四、九九四・一	三五、八三一・五	一一、五〇八・〇	(+)一、五一九・八
一九一三年	二四、一一二・八	六、五九六・四	一五、三四二・八	六、〇二二・五	三九、四五五・六	一二、六一八・九	(+)五七三・九
一九一八年	二九・九	三五・五	一八八・九	四六〇・八	二一八・八	四九六・三	(−)四二五・三
一九一九年	〇・九	〇・四	八・五	一四・〇	九・四	一四・四	(−)一三・六
一九二〇年	一一・一	六・二	八五・三	一二五・七	九六・四	一三一・四	(−)一一九・六
一九二一年(一—九月)	九一・四	四三・六	五七五・二	六九二・五	六六六・六	七三六・一	(−)六四八・九
一九二一—二二年	七二六・七	二七七・九	一、九八九・一	一、一八七・四	二、七一五・八	一、四六五・三	(−)九〇九・五
一九二二—二三年	二、一六〇・八	五八三・四	九〇七・五	六五〇・九	三、〇六八・三	一、二三四・三	(−)六七・五
一九二三—二四年	六、七三六・九	一、六二六・一	九七九・二	一、〇二二・七	七、七一六・一	二、六四八・八	(+)六〇三・四
一九二四—二五年	六、一六九・〇	二、四四七・三	一、八六三・七	三、一六八・五	八、〇三二・七	五、六一五・八	(−)七二一・三
一九二五—二六年	七、八五五・八	二、九六三・六	一、五四七・三	三、三一二・六	九、四〇三・一	六、二七六・二	(−)三四九・〇
一九二六—二七年	九、五七三・〇	三、四一七・四	一、八四六・五	三、一二五・六	一一、四一九・五	六、五四三・〇	(+)二九一・八
一九二七—二八年	八、八七三・七	三、四二四・一	二、〇一四・三	四、一四一・三	一〇、八八八・〇	七、五六五・四	(−)七一七・三
一九二八年(一〇—一二月)	二、八六一・三	九四八・三	四〇五・一	八九〇・五	三、二六六・四	一、八三八・八	(+)五七・八
一九二九年	一四、一四五・〇	四、〇四五・八	一、九三六・七	三、八五七・〇	一六、〇八一・七	七、九〇二・八	(+)一八八・八
一九三〇年	二一、四八六・四	四、五三九・三	二、八五五・九	四、六三七・五	二四、三四二・三	九、一七六・八	(−)九八・三
一九三一年	二一、七七八・九	三、五五三・一	三、五六四・四	四、八三九・九	二五、三四三・三	八、三九三・〇	(−)一、二八六・八
一九三二年	一七、九六七・九	二、五一八・二	二、三二二・一	三、〇八三・五	二〇、二九〇・〇	五、六〇一・七	(−)五六五・三
一九三三年	一七、九一六・三	二、一六七・五	一、二三六・一	一、五二五・一	一九、一五二・四	三、六九二・六	(+)六四二・四
一九三四年	一七、三四〇・二	一、八三二・四	一、〇二五・二	一、〇一八・〇	一八、三六五・四	二、八五〇・四	(+)八一四・四
一九三五年	一七、一九〇・四	一、六〇九・三	一、二五九・一	一、〇五七・二	一八、四四九・五	二、六六六・五	(+)五五二・一
一九三六年	一四、二〇四・〇	一、三五九・一	一、一五五・三	一、三五三・五	一五、三五九・三	二、七一一・六	(+)六・六
一九三七年	一二、九六九・四	一、七二八・六	一、二八九・八	一、三四一・三	一四、二五五・二	三、〇六九・九	(+)三八七・三
一九三八年	九、六八二・三	一、三三一・九	一、一二七・三	一、四二二・九	一〇、八〇九・五	二、七五四・八	(−)九一・〇

一九三〇年	一二〇・二
一九三一年	一二五・五
一九三二年	七九・五
一九三三年	四〇・四
一九三四年	二六・四
一九三五年	二七・四
一九三六年	三五・〇
一九三七年	三四・八

即ち、ソ聯の輸入貿易は世界恐慌が深刻化し、急速に各國の輸入が減少した際に返つて増加し、爾後各国輸入貿易が上昇傾向を見せる際に、反対に減少傾向を示す。このことはソ聯経済が世界経済恐慌の影響を余り強く受けることなく、独自の発展を示した證左なり。

而して、ソ聯の輸入の大いさを見ると、その最大に達した一九三一年に於て世界輸入に占める割合は二・七％で戦前の三・六％に比して遥かに小さく、三

五三

八年度一・一％なり。即ち、第八表の如くなつてゐる。

更にこれを主要資本主義国と対比せは第九表の如く、一九三八年度に於ては合衆国の八分の一、英国の一七分の一、佛国の五分の一、伊太利の二分の一、独逸の約九分の一に過ぎぬ。

五四

一方輸出貿易は金額及数量共に一九三〇、一年を頂天として三六年まで減少の一途を辿り、一九三九年以来外貨の蓄積を目的とする出超政策に轉向せるために若干の増加を見たるも、国際情勢の尖鋭化し、軍需ストツクの増加が必要となつたこと、粛正工作による輸出業務の不円滑及一般工業の計画未遂行等の理由によつて輸出は再び減少傾向を示せり。

而して この額は戦前の五分の一にも満たず、更に世界輸出に占める比重に直して見ると、第十表の如く、その最大に達して一九三〇年二％、爾後世界輸出の激減にも不拘、ソ聯輸出か左程減少せさりしため二・三％を占めたるも、最近では世界輸出に占めるソ聯の比重は一・一％に過ぎぬ。

而して之を各国の輸出と対比せは十一表の如くにして、ソ聯の輸出高は独逸

第八表 世界輸入とソ聯の比重（単位 旧百万米弗）

	世界輸入	ソ聯の輸入	ソ聯の比重
一九一三年	一九、五〇九	七〇〇	三・六
一九二五年	三二、一六四	四二四	一・三
一九二六年	三一、一六三	三四八	一・一
一九二七年	三三、七六四	三六七	一・一
一九二八年	三四、六三九	四八七	一・四
一九二九年	三五、五九五	四五三	一・三
一九三〇年	二九、〇七四	五四五	一・九
一九三一年	二〇、七九五	五六九	二・七
一九三二年	一三、九六九	三六二	二・六
一九三三年	一二、四六一	一七九	一・四
一九三四年	一一、九八一	一二〇	一・〇
一九三五年	一二、二四三	一二四	一・〇
一九三六年	一三、〇四〇	一五九	一・二
一九三七年	一六、一二七	一五一	〇・九
一九三八年	一四、二三二	一六〇	一・一

第九表 世界輸入に於ける各國及ソ聯の比重（％）

	ソ聯	合衆國	英國	佛國	伊國	独逸
一九一三年	三・六	八・八	一六・一	八・二	三・五	一二・九
一九二五年	一・三	一二・六	一七・一	六・九	三・二	八・九
一九二六年	一・一	一三・九	一六・一	六・一	三・三	七・四
一九二七年	一・一	一二・二	一五・九	六・二	三・一	一〇・一
一九二八年	一・四	一一・六	一五・二	六・一	三・四	九・七
一九二九年	一・三	一二・三	一五・三	六・四	三・二	九・一
一九三〇年	一・九	一〇・五	一六・三	七・二	三・二	八・七
一九三一年	二・七	九・九	一七・三	八・〇	二・九	七・八
一九三二年	二・六	九・二	一六・三	八・四	三・〇	七・九
一九三三年	一・四	九・三	一六・八	九・〇	三・一	八・一
一九三四年	一・〇	八・五	一七・九	七・八	三・四	九・一
一九三五年	一・〇	一〇・三	一七・四	七・〇	三・一	八・五
一九三六年	一・二	一一・二	一八・二	七・九	｜	七・九
一九三八年	一・一	八・五	一八・四	五・八	二・六	九・七

第十表 世界輸出とソ聯の比重（旧百万米弗）

	世界合計	ソ聯輸出	ソ聯の比重（％）
一九一三年	一八、三五六	七七六	四・二
一九二五年	三〇、七〇八	三一六	一・一
一九二六年	二九、二六四	三六四	一・二
一九二七年	三一、三七八	四一五	一・二
一九二八年	三二、四四九	四〇五	一・三
一九二九年	三三、〇二四	四七五	一・四
一九三〇年	二六、四八一	五二三	二・〇
一九三一年	一八、九〇九	四一七	二・二
一九三二年	一二、八八八	二九六	二・三
一九三三年	一一、七一四	二五五	二・二
一九三四年	一一、三三三	二一五	一・九
一九三五年	一一、五五九	一八九	一・七
一九三六年	一二、四八二	一六〇	一・三
一九三七年	一五、二九四	一九三	一・三
一九三八年	一三、四七六	一四八	一・一

第十一表 世界輸出に於けるソ聯及各國の比重

	ソ聯	合衆國	英國	佛國	伊國	独逸
一九一三年	四・二	一三・四	一三・九	七・三	二・六	一三・一
一九二五年	一・一	一五・六	一二・一	七・一	二・三	七・一
一九二六年	一・二	一六・〇	一〇・八	六・五	二・七	八・四
一九二七年	一・二	一五・四	一一・一	七・〇	二・六	八・三
一九二八年	一・三	一五・六	一〇・九	六・三	二・四	九・一
一九二九年	一・四	一五・九	一〇・九	六・一	二・五	九・九
一九三〇年	二・〇	一四・六	一〇・七	六・五	二・四	一一・一
一九三一年	二・二	一六・九	九・七	六・五	二・八	一二・三
一九三二年	二・三	一二・六	一〇・三	六・一	二・八	一〇・九
一九三三年	二・二	一一・七	一〇・七	六・四	二・七	一〇・二
一九三四年	一・九	一一・七	一一・一	六・五	二・五	九・一
一九三五年	一・七	一一・八	一一・一	五・四	二・三	九・一
一九三六年	一・三	一一・七	一〇・六	四・五	｜	九・三
一九三八年	一・一	一四・一	一〇・七	三・[illegible]	二・五	一〇・〇

の九分の一、伊太利の二分の一、米国の十分の一程度に過ぎぬ。

第三節　ソ聯貿易の性格

一、輸入貿易の性格

ソ聯貿易は総体的に減少し、最近の輸入額がその最大に達せる三一年の三分の一、独逸の九分の一に過ぎず、輸出も亦同様の変化を辿り、而もソ聯経済全体より見れば、その対外依存性は極めて小さい。乍然、このことは決してソ聯貿易の国民経済に於ける役割を否定するものにあらず。即ち、第一項に述べし如く、ソ聯は主要戦略原料、生産力拡充に必須な技術的機械及び設備に外国に依存しあり、右の輸入はソ聯経済にとりて決定的意義を持つ。

凡そ、一国の対外依存性を直接的に表現したものは輸入貿易なり。従ひてソ聯の対外依存性を我々はソ聯の輸入貿易を通じて窺知し得べし。乍然、輸入貿易が、何の程度に対外依存度の指標たり得るかは、各々国を異にすることによ

つてその程度に差異あり、輸入が国民生活と密接に結合してゐる場合、或は利潤追求を目的として利用されてゐる場合、或は又輸入の量と質が個人資本の意志によつて決定されてゐる場合等には輸入貿易は国防的意味に於ける対外依存性の最も端的な指標たり得ない。

此処に於て我々はソ聯の輸入貿易の性格を知る必要あり。

ソ聯の輸入貿易の性格は次の如くなり。

(イ) 輸入は国民経済の需要に計画的に従属せしめらる。

貿易を含む主要経済部門が国有化され、経済計画に基いて生産と配給が決定される限り、貿易も亦計画の一部から除外されるものに非ず。原則として生産の量と質とが計畫化される場合、それに必要な原料及助成材の調達量及質も計画的に決定される。此の場合、国内で調達しえない物資、調達し得るとしてもそれに長期日を要し、生産部門への所要期間に於ける供給が不可能である物資の調達は輸入よつてなさる可し。従ひてソ聯の輸入の量と質も生産計画或は配給計画に照應して計画的に決定され、且つ変化せしめられる性

格を持つ。

(ロ) 輸入の量及質は輸入資金の面からも規制されてゐる。ソ聯の輸入の量と質はソ聯の生産力拡充の目的からして物の生産及配給の面から計画的に規定されることは右に述べし如くなるが、更に資金の面からも制約を受く。このことは独りソ聯のみに非ざるも、特にソ聯に於ては近年（欧洲動乱前まで）此の傾向が強く現はれつゝあり。ソ聯は国家が信用の主体となつてゐること、ソ聯の輸入商品にして発注相手国以外の第三国生産品を以て代替し得さるものが形いこと、従つて貿易を外交の手段として利用し得ること、更に輸入に照應して輸出を増加し得ること等の理由により従来幾多の対外信用を外国より受け、これを輸入資金に充当せり。特に第一次五ケ年計画期に於ては技術的再建のテムポを促進するため不便多く且つ物質的犠牲を伴つたにも不拘、短期及中期信用によつて機械及設備の大量輸入を行へる結果一九三一年末には六十一億新留の外債を負ひ、一方、従来の輸入を維持するため三二—三五年度には十四億新留の短期信用を得。その結果ソ聯は、輸入の削減、輸出の

増進による出超政策に轉じ、且つ国内産金を動員して右外債の償還に乗出し、一九三五年末には外債は四億程度に減少、更に三六年に至つてソ聯の国際收支は貿易尻と共にソ聯の有利に展開せり（外貨準備の項参照）。そこで爾後ソ聯は輸入を幾分緩和するかに見えしも、左に非ず、従来の輸入削減による、貿易の出超政策を継續し、これと平行して、極力輸入を自国に有利な長期信用によつて行はんとせり。即ち貿易第三次五ケ年計畫案の編成方針によると「生産技術の完成を目的として新式技術及機械の輸入は続行するも、第二次五ケ年計画期に輸入された商品の輸入は極力中止或は節約し、従来の出超による外貨蓄積を一層遂行する。依然、自国に有利な長期信用に基く補助的輸入は決して之を拒否するものではない」と（ソ聯邦事情八巻二号一〇三頁参照）。ソ聯は斯様に輸入の削減によつて貿易の出超を実現し、外貨準備を増大し、この輸入資金を不時の輸入に充当せんと計画せるものにして、その結果は最近の貿易の推移を見ても明らかなり。

此の様にソ聯の輸入は資金の面からも著しく制約せられたり。

五九

(ハ) 輸入貿易を通じて国営企業、特に重工業或は軍需工業と外国市場との結合が強固なり。

ソ聯の輸入貿易は右の如く、極端に制約された形で国民経済の需要に従属せしめらるも、然らば輸入貿易は国民経済の発展に如何なる役割を演じたるか？

ソ聯は三つの五ケ年計画を通じて生産力拡充に努力して来たが、その目標は反面から見れば、高度の経済的反技術的独立を迅速に達成するに存せり。このことは既に度々述べし如くなるも、その過程に於て輸入貿易はそれに必要な而も国内で短期間に生産乃至自給し得ない物資を外国より輸移入し、国家経済諸部門に供給する役割を演ぜり。従ひて、利潤の追求―不等價交換を目的とする輸入は極力制限或は禁止され、ソ聯の輸入貿易を通じて外国市場と結合してゐるのは専ら国営企業、特に生産力拡充の槓杆たるA群工業或は生産財生産企業である。

このことは第十二表のソ聯の輸入構成に示した如く、生産財か全輸入の九

六〇

第十二表　生産財及消費財別輸入（全体＝一〇〇）

	合計	内訳 生産財	内訳 消費財	その他
一九〇九－一三年平均	一〇〇	七二・二	二六・七	〇・一
一九二〇年	一〇〇	三九・七	六〇・三	－
一九二二－二三年	一〇〇	七六・二	二三・八	－
一九二三－二四年	一〇〇	八二・七	一六・三	一・〇
一九二四－二五年	一〇〇	六八・五	三〇・八	〇・七
一九二五－二六年	一〇〇	八二・六	一六・二	一・二
一九二六－二七年	一〇〇	八九・五	九・三	一・二
一九二七－二八年	一〇〇	八六・四	一二・五	一・一
一九二九年	一〇〇	八八・四	一〇・二	一・四
一九三〇年	一〇〇	八八・一	九・八	二・一
一九三一年	一〇〇	九三・〇	四・六	二・四
一九三二年	一〇〇	八九・三	八・一	二・六
一九三三年	一〇〇	九〇・九	五・二	三・九
一九三四年	一〇〇	八四・六	一五・四	－
一九三五年	一〇〇	八七・一	一二・九	－
一九三六年	一〇〇	八九・五	一〇・五	－
一九三七年	一〇〇	九〇・九	九・一	－
一九三八年	一〇〇	八七・九	一二・一	－

〇％を占めてゐること、その圧倒的部分が機械・設備及原料であることによつて明らかなり。

即ちソ聯の輸入構成を生産消費財別に見れば、ソ聯の輸入の大部分、即ち九〇％近くが生産財に占めらる。

而して、ソ聯の総輸入に占める機械及設備の比重を見ると左表の如く復興期には一六・六－二九・三％、年平均二一・七％を占め輸入の最大に達した一九三一－二年六〇％、三八年三五％で、明らかに、ソ聯の生産力拡充に対する輸入の役割が現解し得べし。

ソ聯の機械及設備輸入

	全輸入に占める地位
一九二二－二三年	二九・三
一九二三－二四年	一九・二
一九二四－二五年	一六・六
一九二五－二六年	二四・〇
一九二六－二七年	二六・三
一九二七－二八年	三〇・三
一九二九年	三三・六
一九三〇年	五一・二
一九三一年	六〇・一
一九三二年	六〇・三
一九三三年	五〇・八
一九三四年	三一・九
一九三五年	二九・六
一九三六年	四一・五
一九三七年	二九・八
一九三八年	三五・三

六一

六二

尚、ソ聯の輸入構成を革命前と対比して表示すると左表の如くにして、ソ聯の輸入が専ら重工業の再建に必要な機械と、その原料に占められ、生活用品食糧の比重が極めて小なり。

ソ聯及帝政ロシアの輸入構成

	一九〇九－一九一三年	一九二九－一九三三年	一九三三－一九三七年	一九三八年
全輸入	一〇〇・〇	一〇〇・〇	一〇〇・〇	一〇〇・〇
機械及設備	一九・八	五一・〇	三六・七	
金属	三・四	一三・三	二七・二	
棉花及羊毛	一四・二	一〇・六	九・一	
食糧	一八・〇	七・二	七・一	
その他	四四・六	一七・九	一九・九	

(二)、従ひて生産力の昂揚に反比例して輸入は減少の傾向を示す。

(ホ)、輸入貿易を通じての国民大衆の生活と外国市場との結合が極めて稀薄で、或は中断さへしてゐること。これは幾上の除件を反映し、ソ聯の輸入構成に第十三表の如く現はされてゐる。

六三

即ち、輸入に於ける生活必需品の比重は七－九％に過ぎず、完製品及原料及半製品が圧倒的部分を占む。

これは明らかにソ聯国民の生活と外国市場との結合程度の極めて薄弱なることを物語る。

以上ソ聯輸入貿易の性格に就て述べたるが、之を要するにソ聯の輸入貿易は貿易国営制度の下に大衆の犠牲に於て国民経済、特に生産財部門の需要に従属せしめられ、之と密接不可分に結合してゐり、而も、利潤追求或は直接の民需の充足のためではなく、主要経済部門、特に自給不可能な原料及び助成材を必要とする部門の生産力拡充のために利用されて居り、而もその量と質は極度に制限されてゐると云ひ得べし。従ひて、ソ聯の輸入は専らソ聯の主要経済部門特にA群工業、軍需工業と外国のそれを密接に結合し、その量と質とはソ聯の統上経済部門の対外依存性を最も端的に、而もミニマムに表現するところの指標であると云ひ得べし。

六四

第十三表　ソ聯の商品群別輸入

	合計	生畜	生活必需品	原料・半製品	完製品
一九二九年	一〇〇	一・四	八・四	四三・六	四六・六
一九三〇年	一〇〇	二・一	八・九	二五・三	六三・七
一九三一年	一〇〇	二・四	四・二	一九・二	七四・二
一九三二年	一〇〇	二・六	七・五	一六・五	七三・四
一九三三年	一〇〇	三・九	四・六	二五・五	六六・〇
一九三四年	一〇〇	四・七	九・四	三八・九	四七・〇
一九三五年	一〇〇	三・九	八・七	四三・九	四三・五
一九三六年	一〇〇	四・一	六・五	三四・九	五四・五
一九三七年	一〇〇	三・四	六・四	四四・九	四〇・三
第一次五ケ年計画期平均	一〇〇	二・一	七・二	二六・二	六四・五
第二次五ケ年計画期平均	一〇〇	四・〇	七・一	三八・六	五〇・三
一九三八年	一〇〇	三・八	九・〇	三九・六	四七・六

斯くて、ソ聯の対外依存性、即ち国内消費に対する輸入の割合が一％弱であると云ふことはソ聯の経済的独立性が字義通りに高度なものであるといふ意味にはならず。この一％たるや、輸入が利潤の追求或は民需の充足のためではなくて、専らソ聯の生産財生産部門或は軍需工業の生産に必要不可欠な原料及助成材によつて占められてゐる以上ソ聯軍需産業にとつて平戦時に於て極めて重要な意義を持つものと断定し得べし。

二、輸入を保障する一手段としての輸出貿易

ソ聯の軍需工業及主要国防産業は、叙上の如く輸入貿易を通じて密接に外国市場と結合してゐるが、この輸入貿易維持の一手段は輸入貿易なり。その理由は次の如くなり。

(イ)　輸入財源の貧困　ソ聯は輸入に要する財源を主として金・地金及輸出によ る収入に仰げるも、これは剰余の貨幣収入が貿易決済上全くとるに足らな

い故なり。即ち、在外同胞よりの送金及関税収入は殆んど皆無にして、而も在外利権も十月革命後殆んど放棄し、一方外国に与へた利権は之を回収し、現在では日本に与へた北方利権による収入が若干あるのみなり。のみならず、ソヴェート商船隊は外国傭船市場に依存し、年々多額の傭船料を支払はねばならぬ状態に存す（一、ソ聯商船隊の輸送力」参照）。

然るに、ソ聯の産金は「輸入資金」の項で述べる如く、輸出代金を全部まかなふには不充分にして、現在も亦然り。産金高は急テムポに増大せると、第一次五ケ年計画期には輸入総額二百十四億留に対し、産金は合計百億留程度で輸入の二分の一にも満たざりき。第二次五ケ年計画期に於ても同様で、輸入約六十三億に於し産金三十八億程度て、而も金準備は殆んどなかりき。勿論最近に於ては輸入年十数億留に対し産金十億留に達し、従ひてソ聯は過去に於ける如く輸入を資金の面より制約される程度甚なしと雖も、その必要とする輸入を国の産金及び金準備にのみに依存することは許されず。

(ロ)　輸入物資の反対給付としての輸出の必要性

近年列国の通商政策は、ブロック経済の確立を目的としてバーター制による地域的或は特定物資別貿易の発展を助長せんとする方向をとれり。此の際特に重視されるのは金よりも物であつて、ソ聯も亦、独逸、支那、瑞典或は近東諸国との貿易に見られる如く、必要物資を外国より得るためにその相手国に他の物資を供給せざるを得ない立場に置かる。

以上二つの理由はソ聯が輸入を保障するために輸出を行はねばならぬ最大の理由なり。

ソ聯は輸出を行はねば輸入を完全に保障しえない。輸出と輸入とは全く表裏の関係、密接不離の関係にある。ソ聯経済が輸入を通じて直接的に外国市場或は経済に依存するとするならば、ソ聯経済は又輸出を通じて間接的に外国市場或は経済に依存してゐると云はねばならぬ。

かくて、ソ聯の輸出貿易は輸入と共に、対外依存性の両面を形成しあり、ソ聯の経済的依存性の分布状態を知るには、輸入のみならず、輸出について見ねばならぬ。

それではソ聯経済は輸出貿易を通じて外国市場に間接的に何の様に依存してゐるか？ 輸出貿易が単に国内産業の利潤を追求するために利用されてゐる場合、或は国防工業か外国市場を対象として生きてゐる場合、乃至は日本の如く、その軽工業か輸出を通じて間接的に軍需産業的役割を演じてゐる場合等に依つて、国民経済と外国市場との輸出貿易を仲介とする間接的結合の程度は自ら異る。

此処に於て、我々は輸入か輸出の発展によつてその一部或は全部を保障されると云ふ前提の下に、ソ聯の国民経済と外国市場とを結合してゐるところの輸出貿易の持つ性格が問題となつて来るのであるが、これは大要次の如く特徴づけうべし。

(一) 先づ輸出は輸入と同様に国家に独占され、その質と量とは原則として国民経済の需要に應じて計画的に決定さる。このことは今更ら説明を要せざるところなり。政府は貿易を含む主要経済部門を国有することにより、政治的及経済的事情を考慮して生産上の利益を輸出によつて挙げやうと思へば、そう

第十四表　輸出入の発展テムポ

	輸出	輸入
一九二九年	一〇〇・〇	一〇〇・〇
一九三〇年	一一二・二	一二〇・二
一九三一年	八七・八	一二五・五
一九三二年	六二・二	七九・九
一九三三年	五三・六	四〇・四
一九三四年	四五・三	二六・四
一九三五年	三九・八	二七・四
一九三六年	三三・五	三五・四
一九三七年	四二・七	三四・八
一九三八年	三二・六	三六・八

することも出来、或は利益を見ずに取引しやうと思へはそれも可能なり。

而して、何を幾千輸出するかは、政府の計画せる生産と分配の関係、輸出と輸入の関係、或は外国貿易へ支出せんとする金準備の量等によつて決定されそこに一連のバランスが保たる。従ひてソ聯に於ては於ては資本主義的意味に於ける過剰生産は、或は利潤追求のための輸出産業は原則として存在しない。

(二) 輸出は輸入に追随す。叙上の如く輸出も亦輸入同様ソ聯の政策によつて決定されるも、過去に於ではソ聯の高度アウタルキイ確立のための原料、助成材輸入に主力か傾注され、その輸入資金の不足に関係して輸出は輸入資金調達の一手段として利用さる。

即ち、輸出は輸入の必要性に應じて変化する性格を持つ。このことは第十四表の輸出入の発展テンポを見て、明らかである。

尚、第一次五ケ年計画期に於ては建設資材の大量輸入と関聯し、北欧に於ける木材のダンピング、米国に於ける小麦の廉売等によつて右輸入をカバーせんとし、国内的には穀物飢饉、対外的には反ソ・カンパニアまで起したこ

とは衆知の如くなり。

(三) 輸出は生産の発展につれて縮少するの傾向を有す。右の如く輸入の必要性に應じて輸出が変化すること、及ソ聯の高度アウタルキイ政策を反映し、ソ聯の輸出は国内の生産の発展につれて逆に萎縮する性格を持つ。試みにソ聯生産と輸出の関係を示せは十五表の如くなり（金額は一九一三年度價格＝%は一九四〇年度版ソ聯外国貿易統計による）。

尚、外国貿易誌三六年版第十一号に於ては右の如き輸出と生産の発展テンポ及輸出率の低下について「これは対外輸出貿易の縮少を計つた結果であり、国内消費を犠牲にして多大の生産品を輸出してゐると云ふ一般の説は当らぬ」と述ふるも、これらは明らかに、ソ聯の生産が国内市場を対象として行はれてゐること及輸出が専ら輸入に追随して行はれてゐることを物語るものなり。

(四) 輸出を通じて、(イ)或は農産業・木材・石油・石炭及軽工業、(ロ)国内原料及半製品生産部門と外国市場との結合程度か強固なり。

(イ)の説明、ソ聯はその工業化の過程に於て農産業を輸出を通して重工業

第十五表　ソ聯生産と輸出の関係

	生産額	輸出額	輸出率（%）
一九一三年	一四、六〇〇	一、五二〇・一	一〇・四
一九二九年	二一、一〇〇	六七五・三	三・一
一九三〇年	二四、六〇〇	八六一・〇	三・五
一九三一年	二八、六〇〇	八三三・三	三・〇
一九三二年	三〇、六〇〇	七七七・八	二・六
一九三三年	三二、三〇〇	七二四・一	二・三
一九三四年	三六、一〇〇	六六一・六	一・八
一九三五年	四三、六〇〇	五六四・一	一・三
一九三六年	：	：	〇・八
一九三七年	：	：	〇・五
一九三八年	：	：	：

第十六表　農・工業製品別輸出（%）

	輸出構成（全輸出＝一〇〇）		指数（一九二九年＝一〇〇）	
	農産物	工業製品	農産物	工業製品
一九二九年	三八・九	六一・一	一〇〇・〇	一〇〇・〇
一九三〇年	四一・九	五八・一	一二〇・八	一〇六・七
一九三一年	四二・二	五七・八	九五・三	八三・〇
一九三二年	三一・九	六八・一	五一・一	六九・三
一九三三年	二八・八	七一・二	三九・九	六二・四
一九三四年	三二・二	六七・八	三七・六	五〇・四
一九三五年	二〇・四	七九・六	二〇・八	五一・八
一九三六年	二〇・三	七九・七	一七・五	四三・八
一九三七年	二七・〇	九三・〇		
一九三八年	三三・九	六六・一		

第十七表　國民経済部門別輸出構成

	一九〇九―一三年	一九三五年	一九三六年	一九三七年	一九三八年
合計	一〇〇・〇	一〇〇・〇	一〇〇・〇	一〇〇・〇	一〇〇・〇
重工業製品	五・三	二七・七	二九・六	二四・八	二一・八
軽工業製品	一〇・九	一六・四	一六・五	一三・四	一三・四
木材工業製品	九・八	二二・八	二六・四	二五・三	二一・三
食糧品工業製品		一一・七	一一・三	八・九	八・八
原料農産物	七四・〇	二〇・四	一四・五	二七・〇	三三・九
その他		一・〇	〇・七	〇・六	〇・八

（註）内、重工業品の輸出構成は

	一九三七年	一九三八年
石炭、無煙炭、瀝青	七・八	四・九
石油製品	三五・〇	三六・五
マンガン及鉄鉱	一四・〇	一〇・六
化学製品（肥料を含む）	一〇・三	一八・三
金属及機械設備	二三・〇	二九・七

と同様の役割を演せしむ。即ち農産物を国民の犠牲に於て輸出し、それにより得た代金で以て機械・設備及原料を輸入し経済建設を強行せり。かくて国の工業化が発展するにつれ、農産物の輸出を縮少し、工業製品のそれを増加する政策をとるに至る。このことは第十六表によつて明らかであらう。

斯様にして最近では工業製品が輸出に於て圧倒的優位を占めてゐると云へ、工業製品に於て主要な地位を占めてゐるのは、木材工業製品、石油工業製品、石炭工業製品及軽工業製品等であつて第十七表の如くなり。

斯くて、ソ聯は第一に農業、次いで木材工業、軽工業、重工業中の石油及黒色冶金工業の順で輸出貿易を通じて各国市場と密接に結合してゐることが明らかなり。而もこれらの物資は木材を除けば総て平戦時に於てソ聯の国民生活維持及軍需品生産に必要な物資であり、又現下の国際市場に多大の需要を持つてゐる物資でもある。

七一

(ロ)の説明、而して右の輸出を更らに製品別に見ると、第十八表の如く、原料及半製品が圧倒的部分（五〇％以上）、次いで生活必需品が全輸出の三分の一程度で、完製品は最近に於ては二〇％にも充ため。

斯様に、ソ聯の農業、軽工業、木材工業及重工業は輸出を通じて外国市場と密接に結合してあるも、その輸出の大部分は自国産原料及半製品、並に生活必需品に占めらる。而してこのことは、(イ)平戦時に於てソ聯の輸出を対外的には容易ならしめるも、(ロ)外貨取得を目的として輸出する建前からするならは輸出の収益性を低下せしめ、更らに、(ハ)対内的には国民生活の圧迫と軍需の削減を行はなければ輸出を増大し得ないと云ふ矛盾を持つものなり。

以上ソ聯の輸出貿易の特徴を概説せるが、之を要約すれば、ソ聯の輸出は他の輸入資金の不足と最近に於ける列国の通商政策を反映し、輸入を保障するための不可欠の手段なり。ソ聯経済は輸出を通じて間接的に外国経済に依存し、輸出は輸入保障の一手段として利用さる。而してソ聯は輸入を右の目的のために貿易上の特殊制度を利用し、過去に於ては農産物を、最近に於ては農産物と他

七二

第十八表　ソ聯の商品群別輸出構成（％）

	合計	生畜	生活必需品	原料及半製品	完製品
一九〇九－一九一三年	一〇〇・〇	一・八	六〇・五	三三・二	四・五
一九二九－一九三二年	一〇〇・〇	〇・〇	二七・七	五六・三	一八・〇
一九三三－一九三七年	一〇〇・〇	〇・〇	一八・一	六一・一	二〇・八
一九三八年	一〇〇・〇	〇・〇	三〇・五	五〇・四	一九・一

（註）完製品の比重は

日本 六一・〇％
米國 三四・六
英國 七四・三
佛 六六・六
独 七七・七
諾 二〇・一　ソ聯 二〇・八％
丁 八・三
アルゼンチン 四・五
ブラジル 二・〇

の工業原料及生活必需品を輸出し、この輸出を通じてこれら物資の生産部門をして完成品及戦略原料生産部門としての役割を演せしむるなり。乍然、生産が専ら国内の需要を充足するために行はれて居り、而も輸出が自国産の生活必需品並に戦略的原料に占められてゐる関係上、外国に多大の需要を持ち乍らも、国内民需及軍需を圧迫するか、より以上の増産を計るかしなければ輸出の増大を計り得ないと云ひうべし。

七三

第三章　輸入資金の諸問題

輸入資金調達の基本的手段は輸出貿易にあり。而して輸入の必要性の低下、莫大なる外債の償還とに関聯し、ソ聯は一九三五年末以来、輸入をカバーするためのみならず、積極的に輸入資金を蓄積するの目的を以て出超政策を強行、一方国内産金の増加に努力しつゝある。これに就きては既に前項に触れし如くなるが、然らば現在ソ聯は幾何の輸入資金を保有しありや。

直接的支拂手段として動員可能なる輸入資金――(a)産金、(b)外貨準備、(c)退蔵金銀、(d)金準備等につき之を見ん。

七五

第一節　産金推定

ソ聯産金状態に関する具体的指標は既に一九二七年度以来之が発表は禁止せられ、唯断片的に一定年度を規準とする増加テンポにつき時々のソ聯乃至外国文献に散見し得るのみ。而して、外国諸機関の調査資料も亦極めて区々にしてその何れに信を置くか甚だ疑問なり。即ち、ソ聯産金関係指標として外国研究家の調査発表せるもの約二十を数へ、その内容は夫々異なる。

従ひて、本調査に於ては専らソ聯側発表の断片的指標を中心とし、之に各国資料を対照せしめつゝ、推定を試みん。

一九二七年度産金量――二二・八―二五・一瓲

（註）　一九二七年度産金高に就きては、国際決済銀行（二五・一瓲）国際聯盟（二二・六瓲）外務省（二六・七瓲）某氏（二二・八瓲）等の諸資料あり。而して一九二八年度の対二七年度増加率は一一％を通説とす。故

七六

第十九表

對前年増加通説		年度	増加率	第一案	第二案	
	(1)	一九二七年	一九二七年＝一〇〇	二二・八瓩	二五・二瓩	△
	(2)	一九二八年	一九二八年＝一一一・〇	二五・三	二七・八	△
	(3)	一九二九年	一九二九年＝一三四・〇	三〇・五	三三・六	△
	(4)	一九三〇年	一九三〇年＝一七七・〇	四〇・三	四四・四	△
一八・八%	(5)	一九三一年	一九三一年＝二一〇・〇	四七・八	五二・五	
	(6)		一九三一年＝三〇年對比 一二〇・〇	四八・三	五三・二	△
一七—一九%	(7)	一九三二年	一九三二年＝三〇年對比 一二九・一	五二・三	五七・三	
	(8)		一九三二年＝〃 一三一・〇	五二・八	五八・一	△
	(9)		一九三二年＝〃 一三〇・六	五二・六	五七・九	
三九%	(10)	一九三三年	一九三三年＝三〇年對比 一七〇・〇	六八・五	七五・四	
	(11)		一九三三年＝〃 一七九・八	七二・四	七九・八	
	(12)		一九三三年＝對前年比 一三九・二	七二・八	七九・八	
				七三・四	八〇・九	△
				七三・二	八〇・六	
四四%	(13)	一九三四年	一九三〇年に對し 二四〇	九六・七	一〇六・五	
	(14)		〃 二五七	一〇三・六	一一四・一	△
二四%	(15)	一九三五年	前年對比約 一二五	一〇三・八	一一三・一	
			〃	一二九・三	一四二・六	△
二六%	(16)	一九三六年	前年對比 一二六	一六二・九	一七九・六	△
	(17)		三〇年に對し 一・四四〇	一七七・三	一九五・四	
	(18)		三一年の三倍	一四三・四	一五七・五	
四〇%減	(19)	一九三七年	一九三三年の倍以上	一四六・八	一六一・八	△
四%減	(20)	一九三八年	四・五・六月 八六・三%計画遂行	一四〇・九	一五五・三	△

（註） △印を採用す．
(1) 本文参照．
(2)(3)(4)(5) 「プラウダ」一九三二年二月二八日附ヤコブレフ論文．
(7) 「計画経済」一九三五年六月号．
(6)(9)(10)(13) 「イズベスチア」一九三五年一月二八日．
(8) 「建設過程のソ聯」一九三七年五月号．
(11)(12) いづれも(7)に同じ．
(14)(17) いづれも(8)に同じ．
(15) 一九三五年一月二九日「イズベスチア」紙セレブゾフスキイ論文．
(16)(18) 駐英大使マイスキーの言．
(19) 「インダストリヤ」紙一九三八年四月一日社説．

に鉄上諸機関の発表数字中一九二八年の産金高の二七年度に対し一一％増の数字を摘出せば、国際決済銀行、国際聯盟、某氏の三指標之を信頼し得。かくて、一九二七年度産金高は二二・八瓩以上、二五・一瓩以下と見得べし。

右一九二七年度の産金高を規律とし、ソ聯側発表の産金増加テムポ及び各国指標を対照し、ソ聯産金量を算定せは第十九表の如し。

右表に依れば、ソ聯の産金高は急テムポに増加し、一九三六年に至りて頂天に達し（一六二・九—一七九・六瓩）、爾後減量傾向を示しつゝある。

而して、その産金高は一九三三年既に帝政ロシア時代の最高記録五三・五瓩—五二瓩に対し倍以上に達し、一九三四年度に至りてアフリカに次ぎ世界第二位を占む。

尚、ソ聯は一九三六年四月一日現在の国立銀行正貨準備発表に際し突然平價切下げを行ひ、従来の一瓦＝一留二九哥を五留六八哥と定め、約七割七分の切

下げを断行せるか、この新旧留を以てソ聯産金量を換價せば第二十表の如くなり。

一九三八年及び三九年に於てソ聯産金業は却して不振、前年の四％減と云はれるか、この不振を裏付ける指標として、産金業首脳の任免及び「第三次五年計画として予定された三八年の増加テムポは前年に対し一二％なりしが、四、五、六月の毎月の計画遂行率は夫々八六・三％、八四・三％、八三・八％の不成績なり」とのインドウストリア紙の記事あり，

斯くの如き減産の原因は(イ)旧鉱稼行の強行と新開発の遅延による鉱石ストックの不足、(ロ)精鉱所の不振、(ハ)粛清の影響、(ニ)自然的地域の広大、交通不便、気候の過寒等が挙げらる。

尚、一九四〇年に至りては新鉱床の発見、精鉱技術の進展、粛清後の国内安定に起因し、産金業は好成績を以て計画を遂行中と傳へられたると、此処にての実相は詳述し得ぬ。

第二十表 ソ聯産金高

年次	数量（瓲）	金額（旧千留）	金額（新千留）
一九一三年	四九・二	六三、五一七	二四八、七八四
一九一四年	五一・七	六六、七四四	二九三、六五六
一九一五年	四〇・一	五一、七六九	二二七、七六八
一九一六年	二五・〇	三二、二七五	一四二、〇〇〇
一九一七年	二五・〇	三二、二七五	一四二、〇〇〇
一九一八年	二〇・七	二六、七二三	一一七、五七六
一九一九年	六・八	八、七七八	三八、六二四
一九二〇年	一・七	二、一九四	九、六五六
一九二一年	一・三	一、六七八	七、三八四
一九二二年	八・九	一一、四八九	五〇、五五二
一九二三年	一五・二	一九、六二三	八六、三三六
一九二四年	一八・六	二四、〇一二	一〇五、六四八
一九二五年	二一・七	二八、〇一四	一二一、六八八
一九二六年	二四・九	三二、一四五	一四一、四三二
一九二七年	二五・一	三二、四〇四	一四二、五六八
一九二八年	二七・八	三五、八八九	一五七、〇四四
一九二九年	三三・六	四三、三七七	一九〇、八四八
一九三〇年	四四・四	五七、三二〇	二五二、一九二
一九三一年	五三・二	六八、六八一	三〇二、一七六
一九三二年	五八・一	七五、〇〇七	三三〇、〇〇八
一九三三年	八〇・九	一〇四、四九九	四五九、五一二
一九三四年	一一四・一	一四七、三〇三	六四八、〇八八
一九三五年	一四二・六	一八四、〇九六	八〇九、九六八
一九三六年	一七九・六	一三一、八六三	一、〇二〇、一二八
一九三七年	一六一・八	二〇八、八八八	九一九、〇二四
一九三八年	一五五・三	二〇〇、四九二	八八二、一〇四
一九三九年	一五五・三	二〇〇、四九二	八八二、一〇四

（註）産金高は之を過小評価の危険を避くため、最大数字を以て決定す.

第二十一表 ソ聯國立銀行発表金準備

	價額（千留）	数量（瓲）
一九二三年	五、一〇〇	三・九
一九二四年	八七、五〇〇	六七・四
一九二五年	一四一、八〇〇	一〇九・八
一九二六年	一八二、五〇〇	一四一・〇
一九二七年	一六四、四〇〇	一二七・三
一九二八年	一八八、六〇〇	一四六・五
一九二九年	一七八、六〇〇	一三八・五
一九三〇年	二八五、七〇〇	二二一・七
一九三一年	四八三、六〇〇	三七四・九
一九三二年	六三八、〇〇〇	四九四・六
一九三三年	七一五、〇〇〇	五五四・三
一九三四年	八〇七、七〇〇	六二六・一
一九三五年	八五四、三〇〇	六六一・四
（同七月）	八九四、〇〇〇	六九二・九
△一九三六年	一、四〇三、九〇〇	二四七・一
一九三七年	一、九〇六、一〇〇	三三五・六

（註） 一月一日現在、
△＝四月一日現在.
一九三六年三月平價切下、一留＝四・三八新留.

第二節　金準備

次に、金準備に就き検討せん。周知の如く、兌換基礎としての金の存在理由は国家権力の揺ぎようなき国にては既に国家の強制通用力を以て置き替へられ、ソ聯に於ても亦同様、金準備は国内貨幣相場の維持のためよりは寧ろ輸入資金として動員される。

然らば、ソ聯金準備は幾干に達するや。一般に金準備査定の方法としては国内産金より金輸出入差、国内工業用消費、民間退蔵金の回収を案配する方法あり。本調査に於ても、暫定的に、此の方法を利用せん。而して、その前に、ソ聯国立銀行の発表になる金準備につき、平価切下前後の指標をも含めて之を表示せば第二十一表の如くなる。

右ソ聯側発表資料によれば、ソ聯国立銀行金準備は逐年急テムポに増大、平価切下の行はれし三六年四月一日現在に於て量的に減少、金額の上て増加し、

七九

一九三七年一月一日現在の金準備十九億新留、三三五・六屯となる。

乍然、右の表は之を些細に検討せば甚だしき矛盾を有す。最も大なる矛盾とは、平価切下げ前後の金準備高なり。即ち一九三五年一月現在の金準備高は新平価に換算し三七四一・八百万留、而も同年産金高八〇六・三百万留、金輸出五二・二百万留（三五年度国際収支による）、故に三六年一月現在金準備高は、三五年度ソ聯発表資料正しきと見れば差引四、四九五・九百万留以上とならざるを得ぬ。然るに三六年四月現在金準備高は一、四〇三・九百万留と公表せられ、四分の一に低下せり。此の矛盾に対するソ聯産金の一般研究家は次の如き見解を持す。

(イ)　ソ聯国立銀行は既に平価切下前金純分を小刻みに切下げ、名目上金準備を過大発表せり。

(ロ)　平価切下げを機会に過去の対外債務完済のため今年大量の金輸出を行へり。

(ハ)　切下げによる金準備の増加部分を国庫の特別勘定に移せり。

右の諸説中、(ロ)は国際収支方面より否定し得る。而して、(イ)及び(ハ)の説の内

八〇

前者は比較的妥当な見解と目される。

乍然、これとても多くの反対的議論の存する所にして、その真相は平価切下げの理由と共に極めて理解困難なり。従って、その問題は暫く置き、一九三七年一月一日現在の金準備につきその真偽を検討せん。

金準備査定の方法は多くあるも、簡単を期すため、本項冒頭に述べし方法を利用すれば次の如し。

(1)　一九二三年一月一日金準備―三・九屯、五・一百万旧留＝二二・三百万新留（当時金の逃避により殆んど金準備枯渇し、幣制改革の準備時代にして、国立銀行発表数字は大体肯定し得べし）。

(2)　一九二三―三六年産金高――八二九・八屯、四、七一三・三百万新留（筆者算定の産金項目参照）

(3)　同期国内回収金――二〇四・四屯、一、一六〇・九百万新留（註）

（註）　民間退蔵金銀の項参照。

(4)　同期金出超高――五三九・九屯、三、〇六六・六百万新留

八一

ソ聯金輸出入動態（△印＝入超）

	価格（百万旧留）	数量（屯）
一九二三年	一・三	一・一
一九二四年	△一六・九	△一三・一
一九二五年	四六・六	三六・一
一九二六年	三三・八	二六・一
一九二七年	六・四	五・〇
一九二八年	二〇七・〇	一六〇・五
一九二九年	〇・〇	〇・〇
一九三〇年	〇・〇	〇・〇
一九三一年	二四・五	八八・八
一九三二年	九〇・七	七〇・三
一九三三年	七八・四	六〇・七

八二

一九三四年	九九．〇	七六．八
一九三五年	二九．二	二二．六
一九三六年	六．七	五．一
計		五三九．九

（註）　国際聯盟報告、オスト・オイロー八・マルクト等列国輸出入統計に基きて算定されしものにして①資料による

右四指標よりして「一九二三年度金準備十一九二三ー三六年度産金十同期民間回収金ー金出超」＝一九三七年一月一日現在国内保有金 22.3＋4,713.3＋1,160.9－3,066.6＝2,829.9 百万新留となる。

而して此の国内金保有推定額二十八億三千万留とソ聯発表金準備十九億留を対比せば、前者は後者より約九億留多し。かくて右九億留の行方が疑問となるも、此処に注意すべきは金の国内工業用消費なり。一般に金の国内消費高は当

八三

該年度産金高の一〇％程度と看らる。従ひて約五億の金が国内消費に向けられしものと想定し、各指標の計算上の誤差（就中、ソ聯発表の全回収或は輸出入額を重に換算及び旧留より新留への換價の場合に於ける）を考慮するならば、大体に於てソ聯発表の金準備は一九三七年一月一日現在に関する限り、筆者の計算と符合す。従つて、本調査に於ては、右時期のソ聯産金高はソ聯発表の資料に従ひ約十九億留と判定す。

尚、この額は一九三一年度外債四十数億の償還状態よりしても妥当と結論し得るか、本論に於ては外債償還の面よりする金準備の検討は省略す。

八四

第三節　民間退蔵金銀

現在民間に金及び銀が幾何退蔵されてゐるかは、叙上の産金及び金準備に関する指標よりして略推定可能なり。戦前民間に「貯蓄の目的にて貯蔵されたる金属貨の量は約五億留以上」（註）と云はれ、大戦と内乱の時期に相当多量が他の金製品、白金等と共に外国へ逃避せるものと見らるるか、十月革命後ソ聯はこれが回収に努力せり。

（註）　邦訳クラーシン貿易国営論上巻一八一頁。

即ち、一九一八年一月附法令を以て先づ、国民経済最高会議に附属せる貴金属特別局を設置、政府の金・白金専売買権を執行せしめ、次いで同年七月金銀白金塊及び通貨の没収令（製品を除く）を発布。ネップ時代に於てこれを一應緩和、没収主義より買上主義に移行し、金その他貴金属・通貨の回収に努め、そ

八五

の回収額は大戦中四四百旧万留、革命後内乱期の没収額二〇旧百万留、ネップ時代一四〇旧百万留と云はる（註）。

（註）　Ⅵ資料六五頁。

而して第一次五ヶ年計画期に這入つて一九三〇年七月外国貨幣及び国内退蔵貴金属及び外貨の吸収を目的とし、特定價格による商品販売機関トルグシンを開設、三六年二月一日、対外貿易の出超、通貨状態の改善、食糧品・工業製品に対する切符制度の廃止、單一價格政策の実施、国内産金業の発達等と関聯して之が廃止を行へるか、此の間——五年八箇月間に於ける売上高は合計三億二百六十八万旧留に達し、その内容、次表の如し。

トルグシン売上高

一九三一年　六、九五一千旧留
一九三二年　四九、二九三　〃
一九三三年　一一五、二〇〇　〃　うによる貨売高へ
金地金、銀　二〇八、八五〇千旧留
外国為替　四九、三一〇　〃

八六

一九三四年	七四、八八〇	〃
一九三五年	六六、三五七	〃
合計	三〇二、六八二	〃

（外貨現金 四四四、四九〇）

右のトルグシンに依る金地金及び銀吸收高約二億は一九二八年頃の産金高の約四ケ年分に相当す。斯くて、大戰勃発後一九三五年迄に於ける金地金の民間よりの引上高は概略四億留以上に及び、この事実を、大戰ならびに内乱期に於ける金の海外逃避、一九三五年度賣上高の著減の事実と併せ考へるならば、戰前五億を算せる民間保有金・金貨は殆んど湊り盡されしものと推定し得べし。

尚、民間よりの金回收につきては、次の資料を有す。

一九一八年	三〇・七 純
一九一九年	四・五
一九二〇年	二七一・三
一九二一年	三・五
一九二二年	一・二

一九二三年	五一・八
一九二四年	一三・二
一九二五年	四〇・六
一九二六年	五・八
一九二七年	三・九
一九二八年	二・五
一九二九年	一・六
一九三〇年	〇・五
一九三一年	一・六
一九三二年	一四・四
一九三三年	三三・九
一九三四年	一八・八
一九三五年	一五・三
一九三六年	五・五

一九三七年	一二・三
一九三八年	四・六

（註） 外務省調査資料（TJ資料）による。一九二一－三〇年までは民間より回收のもの、一九三一年以降はトルグシンによる買上のものを示す。

右表によりても明らかな如く、一九一八－三九年間の国内調達金・金貨は五三八瓩－五億旧留以上に達す。かくて、民間退藏金、銀は殆んど存在せすとの断定可能なり。

第四節 銀、白金生産及び保有高

銀及び白金に就きて新しき資料を有せず。就中、その保有高の査定困難なり。

ソ聯の銀産高

	数量（瓩）	価格（千新留）
一九二七年	一八、四〇〇	三、八三四
一九二八年	一九、四〇〇	四、一九二
一九三一年	一〇、八八七	…
一九三二年	一二、四四二	…
一九三三年	七八、八〇〇	八、三四三
一九三四年	九〇、二〇〇	八、三四三
一九三五年	一二一、三〇〇	一〇、〇三九
一九三六年	一五五、五〇〇	一三、〇〇〇

（註）　三七年以下不明につき三六年と同水準とす。
三一、三二年銀相場不明につき換算せず。
国際聯盟調査、日本企画院刊国資源撮要による。

銀産高に就きては右の指標を有するが、最近年に於て銀産高は年千三百万留、邦貨に換算し約一千万円程度なり。

次に、白金に就き之を見るに、ソ聯は嘗て世界第一の白金産出国たりしが（一九二六年二、八八三瓩）、その後カナダの飛躍的増産の結果第二位に落ち、最近年産三・一瓩(註)と云はる。而して、この額はロンドン白金相場一オンス一〇磅＝二八・三五瓦当り二〇七・九留にて換算せば年産二千二百万新留、邦貨千七百万円程なり。

銀及び貴金属保有高に就きては次の指標を有す。

一九三二年二月　九六、三六〇千新留
一九三二年八月　七七、〇八八　〃

九一

一九三四年一月　四〇、二五二千新留
一九三四年十月　三二、二七〇〃

銀、白金産高の増加にも不拘、その保有高の減少せるは一九三二年当時四十数億に達せる外債の償還に貴金属の動員されしためなり。尚、一九三五年以後に於て銀及び白金産高の大部分が国内に保留されたるものとせば、一九三九年一月一日の貴金属保有高は一九三四年末保有高三千二百万新留、一九三五ー三八年銀産高約五千二百万新留、同期白金産高一億二千万新留、計二億留と想定し得べし。

九二

第五節　外貨準備（紙幣発行準備としての）

既に、「国民経済に於ける貿易の意義」に就いて述べし如く、ソ聯は第一期五ケ年計画期に於て工業建設を遂行、生産力拡充資材の大量輸入を行へるが、輸出の困難ならびに輸入資金の枯渇の結果、一九三一年末に於て十四億旧金留、約五十数億留の巨額な外債を負担せり。爾来出超政策、産金増加、国内金貴金属動員に努力、之が償還を計り、三五年末四億五千万新留を余し、外債の大部分を償還せり。而も、同年にはソ聯成立以来最初の国際収支勘定に於ける収入超過と並行的に貿易尻の出超を実現、斯くて、最近年に至るまで、外債償還のためではなく、不時の輸入資金蓄積のための出超政策を施行せり。而して、右の出超政策はソ聯の国際収支を益々好転せしめつゝあるものと見らる。試みにソ聯国際収支関係を一九三五年及び三六年度につき表示せば第二十二表の如くにして、三五年度一億五千万新留、三六年度に金現送を行はずして三千二百万新留の収入超過を示しつゝあり。

九三

而して、国際収支の改善はソ聯邦の外貨準備の増加に直接に反映し、外貨準備は次の如く一九三五年末の一・三億新留より一九三七年一月一日一・五億新留に増加せり。即ち次の如し。

ソ聯の外貨準備

一九三五年十月　三一、二九〇千旧留
一九三六年四月一日　一一三、七六〇千新留
一九三七年一月一日　一五五、八四六　〃

外貨準備高は一九三七年一月一日現在一億五千百万新留にして、之を一九三五年及び三六年度国際収支上の受取り超過額計一億八千万新留と対比せば、国際収支の受取り超過額は大部分外貨準備として国庫に保有されたりと看做し得。

九四

第三十二表

一九三五、三六年度國際收支表　（単位　百万新留）

收入	一九三五年	一九三六年	支出	一九三五年	一九三六年
一、輸出商品賣上高	一、八〇〇・四	一、四九七・五	一、輸入現金拂（C.I.F）	八六〇・〇	一、三二八・三
二、海上運賃（差）	四七・五	七一・六	二、外國技術援助、機械組立		二三・四
三、其他運送收入（〃）	一一・四	一・八	三、在外國費支拂超過		五五・一
四、曠業船舶サーヴイス（〃）	一一・八	一五・九	四、國債及クレヂット利子	八・八	四三・九
五、保険事業收入（〃）	五・七	一・七	五、其他支出	一	六一・六
六、商業外送金收入（〃）	六一・六	七・一			
七、旅客外人消費收入（〃）	二九・三	三五・一			
八、其の他收入	一四六・九	三二・四			
九、金の賣却	五三三	一			
經常項目小計	二、八四八	一、六六三・三	經常項目小計	一、〇三九・一	一、五一三・三
			經常項目受取超過	一、一五五・七	一五〇・八
クレヂットの動態					
一、在外資金のソ聯への歸還	一	七一・三	一、國債及利權債款の償却（差額）	一	四五・九
二、國債收入（差額）	七・七	一	二、商社の輸入商品クレヂット	六九三・七	三五四・一
三、金融クレヂット收入	一	二四一・五	三、短期商品クレヂット及銀行クレヂット	三一八・九	三一・六
本項目小計	七・七	三一三・八	本項目小計	一、〇一二・六	四三一・六
本項目收入に對する支出超過	一、〇〇四・八	一一八・八	ゴスバンク及外國貿易銀行在外勘定の現金外貨増加	一五〇・八	三二・〇

第六節　外貨準備外の外貨保有高

此処に云ふ外貨準備外の外貨保有高とは一九三七年度及び一九三八年度にソ聯の取得せるものと推定し得る在外外貨保有高なり。而して、これは次の如く概算し得る。

A、一九三七年及び三八年度の貿易上の実収入

一九三七年及び三八年度の貿易は三億八千七百万留の出超及び九千万留の入超にして、これを表示すれば次の如し。

	輸出	輸入	バランス	実収入
一九三七年	一、七二八・六	一、三四〇・三	(+)三八七・三	(+)七二三・四
一九三八年	一、三三一・九	一、四二二・八	(−)九〇・九	(+)一二二・五
合計			(+)二八六・四	(+)八四五・九

然るに輸入中にはクレヂット及びその他の特別勘定による輸入が、一九

九五

三七年一五%（三六年一八%）、三八年（不明につき前年同様一五%とす）一五%が含まれる。従ひて右を控除する時三七年及び三八年の貿易上の実収入は八億四五六百万留となる。

B、一九三七―三八年度金塊輸出入差(+)一、四九〇・〇百万新留（各国の対ソ金塊輸出入を示せる国際聯盟及びオスト・オイローパ・マルクトの資料によれば、出超高は一九三七年二一三・七百万旧留、一九三八年一二六・五百万旧留なり）

九六

C、三六年以降の対外クレヂット支拂推定額一五五九・五百万新留

右金額はAより推定す

D、外債未拂部分――一九三五年末外債残高五二五・〇百万留マイナス商社輸入商品クレヂット支拂額三五四・一百万留＝一七〇・九百万留

右指標よりして、ソ聯が一九三五年末外債残高を完済したと見た場合の在外正貨とも目されるところの外貨準備外の外貨保有高は次の如くなる。

A＋B－C－D＝一五億八千四百九十万新留

之を要するに、ソ聯の一九三九年一月一日現在の直接的輸入資金は次の如くなり。

(1)	国内産金高（三七年及び三八年）	一、七九三・一百万留
(2)	金準備（三七年一月一日）	一、九〇六・一 〃
(3)	(1)及び(2)の金減少等（対外輸出）	一、四九〇・〇 〃
(4)	民間退蔵貴金属	なし
(5)	金以外の貴金属産高（三五年―三八年）銀	四九・〇 〃
	白金	一二九・〇 〃
	同 保有高（三四年末）	三〇・〇 〃
(6)	外貨準備（三七年一月一日）	一五五・八 〃
(7)	外貨蓄積高（三七、三八年出超、金輸出）	一、五八四・九 〃
	差引輸入資金現有高	四、一五七・九 〃

ソ聯の金、外貨保有高は三九年初めに於て右の如く四十一億に達するも、これが総て輸入資金に動員されうるとは看做し得ず蓋し、ソ聯の新規対外クレデ

九七

デット、即ち、一九三五年四月の対独クレデット（年利六分、期限五年二億マーク）、六月の対チエッコクレデット（年利六分、期限五年二億五千万クローネ）六月の対伊クレデット（二億リラ）、三六年初の対独追加クレデット一億馬克、合計七億七千万留の内の未拂部分二億一千万留と推定される額を、敍上保有資金中より支拂はねばならぬためなり。

斯くて、三九年初の金・外貨等の保有高より見てソ聯の三九年頃動員可能な輸入資金は三十数億留、邦貨に換算し、約三十億円見当と推定しう。

而して、此の額はソ聯の平時輸入高（三七―八年頃）の三―四倍に達し、従つて、現在ソ聯は相当豊富に輸入資金を保有し得るものと断定し得る。

九八

第四章 対外依存性の分布とその展望

第一節 概観

以上述べしところよりして明らかなる如く、ソ聯経済は、特に重工業と他の軍需産業とは直接外国の生産力に、従つて輸入に依存する程度高し。

而して、輸入と密接な関係にありて、輸入を保障する一手段は輸出貿易なり。「輸出貿易はソ聯農業・原料生産部門ならびに軽工業生産力の一部を重工業及び他の軍需産業のそれへ、外国の購買力を通じて轉化する」の役割を演ず。

かくて、貿易はソ聯の戦時経済に重要意義を持つと共に、資本主義諸国のそれよりも明瞭に、対外依存の程度を表現する具体的指標たり得べし。

然らば、ソ聯貿易は対外的に如何に行はれ、ソ聯の経済的依存性は如何に分布せらるゝや？

九九

これを概観し、第一の特徴を指摘するならば、敍上の如き貿易の性格よりして、ソ聯貿易は農業国よりも一般工業国との間に、一般工業国よりも重工業国との間に発展する必然性を有す。事実、第二十三表に示す如くソ聯貿易に占むる先進工業国――独逸、英吉利、佛蘭西、北米合衆国、日本、伊太利、白耳義、和蘭の八工業国のソ聯貿易に占むる比重は圧倒的なり。

即ち、過去及び現在に於てソ聯の輸入の六〇―七〇％は工業国より行はれ、一方、ソ聯の輸出はソ聯の原料及び金属需要国たる工業国によりてこれまた六〇―七〇％を占めらる。

而して、最近年に至りては農業国に対する輸出が相対的にも絶対的にも増加の傾向を示し、反面工業国よりの輸入減少しつゝあることが右表によりて看取せらるべし。

これはソ聯工業の飛躍的発展の行はれ、工業製品輸入を漸次削減し、反つてこれを輸出し得るに至りし結果にして、即ちソ聯が工業の発展によりて漸次工業国に対する経済的依存性を克服し、世界工業国の商品市場に進出しつゝある

一〇〇

第二十三表　ソ聯貿易に占むる工農業國の比重

	輸出貿易				輸入貿易			
	工業國		原料農業國		工業國		原料農業國	
	價格	%	價格	%	價格	%	價格	%
一九一三年	一、一五三・三（百万留）	七四・八	三六六・六（百万留）	二五・二	一、〇一三・九（百万留）	七四・八	三六一・〇（百万留）	二六・三
一九二二、二三年	八五三・三	六二・七	四八・六	三七・三	一〇七・〇	七一・九	四一・六	二八・一
一九二四、二五年	四〇八・八	七〇・八	一六八・九	二九・二	四六九・八	六五・一	二五三・六	三四・九
一九二六、二七年	五五六・三	八〇・四	二四〇・五	一九・六	四四三・〇	六二・四	二七〇・六	三七・六
一九二九年	二、六五〇・五	六五・四	一、三九五・三	三四・六	二、七五〇・五	五四・四	一、七五〇・五	四五・六
一九三三年	一、二八六・三	五四・三	八八四・三	四五・七	一、〇一五・三	六六・七	五〇九・八	三三・三
一九三五年	一、〇九八・一	六六・三	五一一・一	三三・七	六八七・一	六五・二	三七〇・一	三四・八
一九三七年	一、一四二・八	六七・六	五八五・八	三二・四	六七九・二	六七・一	六七二・三	三二・九
一九三八年	八三六・九	六四・八	五九五・〇	三五・二	九三七・一	六五・五	四八五・八	三四・五

（註）一九二九年以降は新留．

証左なり。

乍然、かゝる傾向にも不拘、ソ聯経済が工業国に依存しある歴史的事実は現在に於ても否定し得ざるべし。

第二のソ聯経済の対外依存性に関する特徴は工業国への依存性の低下にも不拘、最近年原料産国の原料に対する依存性の増大しつゝある点なり。右表に明らかなる如く、原料農産国に対する輸出を増加することゝ並行して、これよりの原料輸入増加の傾向に存す。このことは、ソ聯の不足原料調達に非工業国の意義が増大せる事実を物語るものにして、ソ聯の戦略原料需給上より見て注目せざるべからず。

次に、ソ聯及び列国の政治関係よりして、貿易の国別分布の特徴を指摘するならば—これが本調査の目的なるが—其処にソ聯貿易に対する政治的影響力の相対的に大なることを挙げ得へし。

従来のソ聯対各国経済関係は、これを国際政治経済の動向に対照して考察するならば、第一次世界大戦後一九二九年の経済恐慌まで世界経済恐慌の時期、

一〇一

一〇二

これと若干重複するが、ブロッキズムの結成強化の時期そして今次欧洲動乱の時期の四期に大別し、考察し得べし。

第一期に於ては、資本主義国、就中戦勝国が世界大戦に於ける企業と資本の集中の結果として発展せる自国生産力を戦後の恐慌に対應して維持発展すべく努せる時期なり。

而して、帝政ロシアの半植民地的経済に独逸と並んで支配的意義を占めたる戦勝国は、大戦後独逸に替りてロシア市場を独占せんとす。然るに十月革命後のソヴエート政権は当時約九十億留に達せる英佛白諸国の旧債破棄を宣言し、外国貿易を含む主要生産手段を国有化し、資本と商品の流入に厳重なる統制を加ふ。これは戦勝国の対ロ権益喪失を意味するのみならず、特に戦後の恐慌対策として採れる列国の自由通商主義に極端に矛盾するところにして、此処に於て英佛はじめ資本主義諸国は既存権益の擁護とソ聯の共産主義的発展阻止の目的を以て猛烈なる反ソ運動を展開す。列国の武力封鎖、金封鎖或は経済封鎖これなり。

而も、ソヴエイト政権の世界革命政策が列国の植民地、半植民地へ例へば、支那、アフガニスタン等）に政治的不安を醸成せることは、かゝる資本主義列強の反ソ運動に拍車をかけるの結果となれり。

かくて、英米佛等の平和主義—現状維持陣営の大国より疎外せられ、而も常に侵略の脅威に直面せるソ聯は政策の重点を国内経済力の強化に置き、産業復興、次いで国の工業化に邁進す。

一方独逸はベルサイユ條約の桎梏下に莫大なる賠償金を負担し、その財源を專ら貿易に依存せざる立場に存し、此処にソ聯原料及び農産業と独逸重工業の結合が可能となれり。而もかゝる傾向を助成せるものは、英佛の設計になるドーズ案なり。ドーズ案は一九二四年国際資本が、独逸の対後進国貿易より吸収せる金を賠償金として独逸より取上ぐべく作成せられしものにして、その意図するところはソ聯が対独貿易に於て独逸の機械を輸入し、農産物を輸出するの結果ならば、独逸の対ソ貿易によりて吸収せる金を賠償金の一部として国際資本に従属せしめつゝ、間接的にはソ聯を西欧資本に隷属化せしめんとするもの

一〇三

なり。

これを要するに、第一期は戦勝国の反ソ運動に抗しつゝ、ソ聯か、独ソ接近によりてその経済建設に邁進せる時期にして、工業国の内でも独逸に対する依存性最も強く、他の日英米佛諸国との通商関係はこの時期の終りに於て、即ち列国の反ソ運動が失敗に帰し、資本主義相互の市場争奪戦が正に展開されんとせる時期に於て漸く発展の緒につけるに過ぎず（第二十四表参照）。

第二期（一九二九－三三年）は世界経済恐慌を利用して、ソ聯か経済建設を強行せる時期。

ソ聯は資本主義諸国の反ソ運動に常に脅威せられつゝ、その侵略の危険に備へる可く独逸に接近してその重工業製品の移入を行ひ、これによる国の工業化を計れり。乍然、戦争によりて破壊疲弊せる独逸工業は速急にソ聯の需要に應ずるには困難な立場にあり、而もソ聯自体の支拂手段の枯渇と輸出貿易の反ソ運動による未発展とはソ聯の工業建設資材の移入を抑制す。かくしてソ聯工業建設も亦大規模には達成し得ざりしも、一九二九年を一線として急速に蔓延せ

第二十四表　ソ聯對主要工業國貿易（價格＝當該年度）

		一九一三年 價格	一九一三年 %	一九二二－二三年 價格	一九二二－二三年 %	一九二四－二五年 價格	一九二四－二五年 %	一九二六－二七年 價格	一九二六－二七年 %
輸出	独逸	四五三・六（百萬留）	二九・八	四三・三（百萬留）	三二・三	八[illegible]・三（百萬留）	一五・一	一七五・五（百萬留）	二一・八
	英吉利	二六七・八	一七・六	二八・九	二一・六	一九[illegible]・三	三三・五	二二〇・五	二七・三
	佛蘭西	一〇〇・九	六・六	〇・六	〇・四	二[illegible]・二	三・八	五四・一	六・七
	和蘭	一七七・四	一一・七	七・一	四・三	二〇・五	三・五	二三・三	二・九
	白耳義	六四・六	四・二	一・六	一・二	一九・三	三・三	一三・七	一・七
	北米合衆國	一四・一	〇・九	〇・五	〇・四	二八・三	五・〇	二三・四	二・九
	日本	一・一	〇・〇七	－	－	二二・六	三・九	一九・二	二・四
	伊太利	七三・七	四・八	三・三	二・五	一五・四	二・七	三七・六	四・七
	其の他	三六六・六	二五・二	四八・六	三七・二	一六八・九	二九・二	二四〇・五	二九・六
	合計	一五二〇・一	一〇〇・〇	一三三・九	一〇〇・〇	五七[illegible]・七	一〇〇・〇	八〇六・八	一〇〇・〇
輸入	独逸	六五三・一	四七・五	六一・四	四一・三	一〇[illegible]・七	一四・二	一六一・六	二二・六
	英吉利	一七三・〇	一二・六	三七・二	二五・〇	一一〇・七	一五・三	一〇一・一	一四・二
	佛蘭西	五六・九	四・一	〇・二	〇・一	九・一	一・三	二二・三	三・一
	和蘭	二一・四	一・六	二・三	一・五	三四・四	四・八	五・〇	〇・七
	白耳義	八・八	〇・六	〇・七	〇・五	三・三	〇・五	〇・二	〇・〇三
	北米合衆國	七九・一	五・八	四・五	三・〇	二〇一・八	二七・九	一四五・九	二〇・四
	日本	四・八	〇・三	－	－	二・六	〇・四	三・六	〇・六
	伊太利	一六・八	一・二	〇・七	〇・五	五・二	〇・七	三・三	〇・五
	其の他	三六一・〇	二六・三	四一・六	二八・一	二五[illegible]・六	三四・九	二七〇・六	三七・六
	合計	一三七四・九	一〇〇・〇	一四八・六	一〇〇・〇	七二三・四	一〇〇・〇	七一三・六	一〇〇・〇

る世界経済恐慌は、ソ聯の工業化を促進する上に有利な条件を与へり。

第一の條件とは恐慌の発生に基因して、列国が全面的に輸出難に直面し、新市場をソ聯に対して開拓せんとせることなり。

資本主義国は戦後の生産力を専ら植民地並に半植民市場を対象として維持発展せるが、その間後者には民族資本による産業の発展あり、世界に於ける資本輸出は困難化するに至れり。

このことは工業国、就中英独米等の重工業国の重工業品による対ソ輸出につき積極的に努力せしむるの結果となれり。

既に英米は恐慌前の二・三年間に於て政治的には相反目しつゝも、対ソ貿易に利益を得たる工業資本は極力対ソ輸出の増加に努めつゝあり。此の傾向は恐慌の勃発と共に強化せらる。

第二に恐慌の深化につれ、ソ聯市場を繞りて工業国相互に競争行はれ、独伊の如く植民地を有せざる国家はソ聯に信用を供与してまでも対ソ輸出の増大を計りしこと。即ち独逸は一九二九年一月和親條約を、三一年四月通商及び一億

一〇五

五千万馬克信用協定を締結し、又伊太利とソ聯との間には三〇年七月経済協定を、翌年四月三億五千万リラの信用協定を締結し、対ソ輸出の増大を計れり。

然、恐慌のソ聯の輸入に有利な影響を与へたるとは云へ、反面輸出貿易の発展に大なる障害を与ふ。

周知の如く恐慌は先づ原料国乃至農業国たる植民地・半植民地に於て、或は資本主義の急激にその生産力を増加せる産業部門に於て発生し、次いで工業部門にも波及せり。即ち農産物輸出の困難と、購買力の低下に起因する工業生産力の減少、その結果としての原料輸出難てふ因果関係によりて恐慌勃発す。

而してこれが切抜策として英米佛等の持てる国は夫々保護関税の引上等によりて漸次封鎖的通商政策に移行す。

此の頃ソ聯は支払手段の枯渇しあるにも不拘、大量の輸入を予定しあり、その結果外貨獲得の手段として原料及び農産物の大量廉売を世界市場に対して行へり。

このことは、さなきだに原料農産物の輸出の困難を惹起せる原料国及び農業国

一〇六

の輸出を圧迫し、恐慌に拍車をかけるの結果となれり。

特に一九二九・三〇年のソ聯の木材、穀物及び一般原料ダンピングは植民地所有国たる英佛或は工業国たると共に農業国に属する米国の経済に大なる影響を及ぼし、遂に英佛米のソ聯品輸入禁止、或は反ソ政治運動を発生せしめ、ソ聯の輸入資金調達は困難となれり。

これが対策としてソ聯は国内的には国産金増加、トルグシンによる外貨並に貴金属の吸収を行ひ、更に対外的には国際政治関係を考慮し、英米佛への註文を日独伊に轉化するの方策をとり、極力国際政治及び資金の面よりする輸入の制約を緩和せんとす。

更に輸出振興策としては、工業化の過程に於て生産が発展し、輸出の可能となれる工業製品に於てはこれが国内需要を圧迫し、極力輸出に振り向けることゝし、イラン、アフガニスタン等の接壌農畜産国への輸出に努力す。

かくてソ聯の輸入貿易は恐慌末期に於て独逸を中心として行はれ、一方輸出貿易は工業国より農業国との間により発展するの傾向を示せり。

一〇七

此の間極東に於ては一九三一年満洲事変の勃発を契機として日ソ両国の政治的対立を見つゝありしも、ソ聯が英米佛の反ソ運動に牽制せられて国際的に不利な立場にありしため、極力我国に対し妥協的態度に出て（三三年七月の日ソ漁業暫定條約、ハバロフスク協定の成立はその証左なり）、相互の通商関係も亦発展傾向を示せり。

因みにこの第二期に於けるソ聯対各国貿易の推移を持てる国及び持たざる国及びその他の諸国に大別し、表示せば第二十五表の如くなり。

右表によれば、ソ聯の貿易は三〇－三一年を頂点として減少傾向にあるも、この過程に於て、ソ聯の対外依存性が持てる国よりも持たざる国の工業の側に漸次轉移しつゝある事実を知り得べし。即ちソ聯の英米佛よりの輸入は一九二九年の十一億より二億留と約九億の減少を示せるにも不拘、日独伊よりの輸入は九億より七億留と約二億留の減少を示すに過ぎず、而もソ聯輸入貿易に於ける比重は恐慌末期前者の一五％に対し、後者約五〇％を占む。

かくの如く世界経済恐慌の時期に於ては英米佛の反ソ運動に影響せられ、こ

一〇八

第二十五表　世界経済恐慌時のソ聯對工業國貿易

	一九二九年 價格	一九二九年 %	一九三〇年 價格	一九三〇年 %	一九三一年 價格	一九三一年 %	一九三二年 價格	一九三二年 %	一九三三年 價格	一九三三年 %
輸出										
持てる國家群	一、二六〇・〇百万留	三一・〇	一、五九八・三百万留	三五・二	一、三八八・一百万留	三九・一	八〇六・四百万留	三二・一	五四一・四百万留	二五・〇
英吉利	八八七・〇	二一・八	一、二二六・〇	二七・〇	一、一六五・一	三二・八	六〇六・二	二四・一	三八〇・六	一七・六
米國	一八七・〇	四・六	一七九・一	三・九	九九・〇	二・八	七四・九	三・〇	六〇・九	二・八
佛蘭西	一八六・〇	四・六	一九三・二	四・三	一二四・〇	三・五	一二五・三	五・〇	九九・九	四・六
持たざる國家群	一、一六九・九	二九・〇	一、二四七・五	二六・五	八二四・七	二三・二	六〇一・九	二四・〇	五一二・五	二三・六
獨逸	九四二・一	二三・三	九〇一・〇	一九・八	五六六・三	一五・九	四三九・八	一七・五	三七五・四	一七・三
伊太利	一四三・七	三・六	二七六・四	五・二	一七三・九	四・九	一一八・三	四・七	九七・二	四・五
日本	八四・一	二・一	七〇・一	一・五	八四・五	二・四	四三・八	一・八	二九・九	一・八
その他		四〇・〇		三八・三		三七・七		四三・九		五一・四
輸入										
持てる國家群	一、一五四・一	二九・八	一、六三八・五	三五・四	一、三九三・九	二八・九	五五九・七	一八・九	二二八・七	一五・一
英吉利	二三九・六	六・二	三五〇・八	七・六	三二〇・六	六・七	四〇二・五	一三・〇	一三三・六	八・八
佛蘭西	七七六・一	二〇・〇	一、一五七・六	二五・〇	一、〇〇七・〇	二〇・八	一三八・四	四・五	七二・三	四・八
米國	一三八・四	三・六	一三〇・一	二・八	六五・三	一・四	一八・八	一・四	二二・八	一・五
持たざる國家群	九二一・六	二三・九	一、三一八・六	二六・三	一、九八三・七	四一・〇	一、五七四・六	五一・一	七五四・二	四九・五
獨逸	八五二・四	二・一	一、〇九八・五	二三・七	一、七九八・四	三七・二	一、四三五・三	四六・五	六四八・二	四二・五
伊太利	三三・三	〇・九	四六・九	一・〇	一三〇・一	二・七	一一八・七	三・九	七四・〇	四・九
日本	三五・九	〇・九	七三・二	一・六	五五・二	一・一	二〇・六	〇・七	三二・〇	一・二
その他		四六・三		三八・三		三〇・一		三〇・〇		三五・四

れとソ聯の通商関係冷却化し、反面、日独伊に対するソ聯の依存性は相対的に増大するの傾向を示せり。

第三期は前の時期と若干重複するが恐慌克服策としてのブロッキズムの結成、拡張の結果、国際的対立激化し、列国が国防力を強化せる時期なり。

周知の如く世界経済恐慌の勃発と共に英国を初めとして列国はこれが切抜策として自由通商主義より保護関税政策へ移行せり。

而して恐慌の深化するにつれ、右の保護関税政策は更に通貨制度擁護と国際収支適合のための為替管理清算補償制、輸入割当許可制、禁止制へと移行し、物及び通貨の国際的移動に対し門戸閉鎖が行はれると共に　封鎖的・独占的地域を拡大せんとするブロッキズムの抬頭を見るに至れり。

その先駆は既に一九三二年八月のカナダに於ける英国を中心とせるオッタワ会議なり。英帝国がこれによりてブロック経済を結成せることは国際経済関係に劃期的変動を齎ふ。即ち、英本土対自治領植民地経済ブロックに対應して、米大陸に米国を中心とする経済ブロック、中欧に佛蘭西を中心とする金ブロッ

一〇九

ク結成せられ、かくてブロッキズムは世界貿易に於ける排他的相互貿易の割合を増大せられしも、その結果植民地を有せざるか或はこれらブロック経済に高度に依存しつゝ而もその圏外に放出せらるべく予定せられし国、極東に於ては日本、欧洲に於ては独伊等の高度資本主義国の貿易は漸次困難化す。

而して、英米佛等の個々のブロック経済結成と拡張の結果、その商品市場を制約せられたる高度資本主義国は必然的に平和的手段、次いで実力的手段に依り新たなる工業製品輸出市場と原料資源の探求・確保に努めざるの余儀なき状態に置かる。

偶々満洲事変を契機として極東に於ては我国の大陸進出あり、その積極化につれて、我国対資本主義国の市場争奪戦が実力行使の形態を採って展開し、これと関聯してソ満国境に日ソの政治的対立を派生せしむると共に、ソ聯対米支の接近を可能ならしむ。

かゝる東亜の新情勢に対應し、欧洲に於ては独伊ファシズムの抬頭あり・ドナウ諸国を自国工業のために独占せんとする独伊のバルカン工作は先づ、佛蘭

一一〇

西と独伊、次いでソ聯と独伊の政治的対立を招来す。而してかゝる対立に対処すべく独伊のとれる国内政治力の強化と猶太人及び共産党弾圧、佛蘭西の人民戰線内閣の成立等はこれら独伊とソ聯の有好関係にヨリ否定的影響を與へると共に、佛ソの接近を可能ならしむ。

かくて、英米佛等のブロツキズムに対する反撃は單に民主主義ブロツク対全体主義の対立を惹起せしめしのみならず、社会主義国ソ聯対全体主義国との政治的対立、ソ聯対英米佛の接近を行はしむるの結果となれり。

而して、伊太利のエチオピア攻略、独逸のベルサイユ條約破棄ー再軍備宣言とライン進攻は益々この傾向を助成すると共に、全体主義国の相互関係、そして民主主義国相互及びソ聯とそれらとの関係を緊密ならしめ、遂にスペイン内乱と支那事変の勃発を境界線として全体主義勢力は日独伊防共枢軸に結成せられ、民主主義国とソ聯は人民戰線に於て握手することゝなれり。

新様な国際政治関係の変化は第一にソ聯対列国の経済関係に反映し、日独伊等の如き政治的対立の深刻化せる国との通商関係は漸次冷却化し、反対に英米佛の如き民主主義国とのそれが相対的に進展傾向を示すに至る。

第二に、国際政治関係の急迫化に伴ふ各国の軍備拡充の結果として、ソ聯も亦一九三三ー四年頃より重工業重点主義による国防経済力の進展に努めたるが、原料需要の増加と資本主義国よりの原料入手困難を克服するために、原料輸出国との通商を発展せしむることゝなれり。

第三に国際的対立の激化に対應して、接壌地域と政治的経済的親交関係を樹立し、平和的或は実力的手段による自国勢力の伸張に努むるに至る。支那事変の勃発を契機とする対支援助、新疆派兵、東方諸国の経済建設への援助、西欧諸国との不可侵協定締結等はその事例なり。

然らば具体的にソ聯貿易は世界情勢の変化に應じて如何にその分布状態を変化せるや。今、世界恐慌後欧洲動乱勃発前までのそれを、民主主義国、全体主義国、接壌国、その他原料輸出国の四群に大別し、表示せば第二十六表の如し。

右表によれば、一九三三年日独伊はソ聯輸出の二三・六%、輸入の約五〇%を占め、ソ聯は徹底的にこれらの・・・・・・・・・・・・・・・・・

第二十六表　ソ聯貿易のブロツク別分布

		一九三三年 価格	一九三三年 %	一九三五年 価格	一九三五年 %	一九三七年 価格	一九三七年 %	一九三八年 価格	一九三八年 %
輸出	全体主義國	百万留 五一二・五	二三・六	百万留 三六五・八	二二・八	百万留 一三五・七	七・九	百万留 九五・二	七・二
	民主主義國	五四一・三	二七・〇	五七三・五	三五・六	七八七・七	四五・七	五三一・五	三九・九
	接壤國	…	…	二七六・一	一七・二	二八一・四	一六・二	二五四・一	一一・七
	其の他原料國	…	…	三九三・九	二四・四	五二三・八	三〇・三	五五一・一	四一・三
輸入	全体主義國	七五四・二	四九・五	一六六・九	一五・八	二六二・一	一九・六	八四・九	五・八
	民主主義國	二二八・七	一五・一	三九四・九	三七・五	四六四・〇	三四・六	六八五・五	四八・一
	接壤國	…	…	二二二・七	二一・〇	二二四・二	一六・七	二〇九・二	一五・一
	其の他原料國	…	…	二七二・七	二五・七	三九一・〇	二九・二	四四三・三	三一・〇

（註）　民主主義國は植民地を含まず．

の国に依存したるも、三八年に至れは、これらの国は殆んどソ聯の市場としての意義を喪失し、これに代る地位を民主主義国たる英米佛の占むるところとなる。これはソ聯か政治的関係を考慮し、註文を日独伊より英米佛或は他の諸国に振り向けし結果なり。

而して、かゝる貿易分布の変化の外に、接譲国その他の原料輸出国に対するソ聯の依存性も大にして、而もそれは相対的にも絶対的にも増加の傾向に存す。

この二つの事実はソ聯がその貿易独占の利器と国際市場に於けるソ聯輸出品の占む支配的地位を利用し、国際政治関係に対應して適時貿易轉換を行へる事実を示すと共に、ソ聯が依然として工業国に專ら依存しつゝある事実をも物語るものなり。

以上は大体欧洲動乱直前のソ聯の対外依存性分布の特徴的な点にして、これを要約せば．

(一)　ソ聯は依然として工業国特に重工業国に依存する程度大なり．

(二)　工業国の内、政治関係を反映し、欧洲動乱直前に於ては英米佛への依存性増大傾向にあり、日独伊に対するそれは甚しく低下しありたり。

(三) 第三に列国の軍備拡充、並びにソ聯の国防経済建設への移行の結果民主主義国よりの原料調達困難化し、これが対策として他のブロック外の原料国への依存性が増大せり。

(四) 第四に工業化政策の進捗に伴ひて接境国への政治的経済的建設に援助するの可能性生じ、この可能性を利用し接境国と経済的接近を行ひ、ソ聯工業品と接境国原料交換を拡張しつゝあること、これなり。

第四期（欧洲動乱後の推移）　右の如く欧洲動乱勃発前には政治的に対立関係に存せる、例へば日独伊等との通商関係は悪化の一途を辿り、之に替りて米国、佛蘭西、英国等持てる国とのそれが増大しつゝありしが、第二次世界大戦が現実化せるに及んで、この傾向は消滅し、ソ聯の対外依存関係も亦甚しく歪曲せらる。

即ち、(一)英佛及びその植民地とソ聯との経済断交、(二)戦火波及地帯――バルカン、スカンヂナビア及びバルチック沿岸諸国との通商困難、(三)これが対策としての独逸及びその支配圏への接近とその強化、(四)対米通商関係の悪化　(五)南洋への関心増大　(六)対日協調態度への転換　(七)対東方諸国関係の緊密化、がその主なるものなり。

而して、かゝる傾向を更に強化せしめたる要因は貿易ルートの狭隘化による対欧輸出の困難化ならびに西欧諸国船チャーターの困難化なり。以下順次に戦争勃発後の対外依存分布の変化につき概観すべきも、その前提として、今次戦争の過程に於て政治力による再編成を約束せられた既存ブロック経済（米国を中心とする米大陸、佛蘭西を中心とする西欧、英本国を中心とする米国、自治領植民地、独逸を中心とする中欧、日本を中心とする日満支経済ブロック）ならびに右の何れかのブロックに参加編入を予定せられたる経済地帯（北欧、バルカン、東方諸国、南洋）及びソ聯に分割編入せられたる国家群（波蘭、バルト三国）に対するソ聯の経済的依存性につき概説せざるべからず。蓋し、今次動乱は既述の如く、実力的手段――政治力により既存経済ブロックの対立を解決しこれを再編成せんとする点にその動因を有し、夫々のブロックの拡充と強化が必至の趨勢なり。かくてはソ聯経済の対外依存性も亦戦局の進展と世界

経済の新たなるブロック化につれて漸次修正を余儀なき立場に置かれてゐる。

然らば、動乱の過程に於て再編成せらるべき紋上の広域経済に対し、ソ聯は如何に依存せるや。

これを、動乱勃発前の一九三八年について概観せば第二十七表の如くなり。

即ち、ソ聯軍需産業の対外依存を最も端的に表現するところの、そして、農業、原料及び軽工業生産力の一部を外国購買力を通じて軍需産業の生産力に轉化せしめつゝあるところの、ソ聯貿易に占むる各世界広域経済の比重は英帝国（植民地自治領を含む）二六・二％、米大陸一八・六％、北欧一七・九％、東方諸国一四・六％、中欧七・九％、西欧七・一％なり。

而して、残余は動乱後分割され、ソ聯に編入せられし波蘭、バルト三国ならびに日満支に占めらる。

即ち、ソ聯は今次動乱を契機として戦場化すべき地域に比較的高度に（これら地域はソ聯総貿易額の五三％）依存す。

有して直接ソ聯の戦略的資源供給源或は外貨獲得源としての各広域経済の意義

第二十七表

ソ聯對依存の國際経済ブロック別分布

	輸入貿易 價格	輸入貿易 %	輸出貿易 價格	輸出貿易 %	貿易總計 價格	貿易總計 %
英帝國	三二三・三（百万留）	二二・七	三八七・九	二九・一	七一一・二	二六・二
西欧	八〇・八	五・〇	一一四・三	八・〇	一九五・一	七・一
中欧	一〇三・〇	七・二	一一六・一	八・七	二一九・一	七・九
バルカン、伊國	三・〇	〇・一	一八・一	一・三	二一・一	〇・五
北欧	二一二・六	一四・九	二八二・九	二一・二	四九五・五	一七・九
波蘭・バルト三國	二九・八	二・一	三五・四	二・七	六五・二	二・三
中南北米	四一四・三	二九・一	九七・一	七・三	五一一・四	一八・六
東方諸國	一七六・九	一二・四	二二六・七	一七・〇	四〇三・六	一四・六
日満支	五〇・九	三・六	七・七	〇・六	五八・六	二・一
其の他	二八・三	二・九	四七・七	四・一	七六・〇	二・八
合計	一,四二二・九	一〇〇・〇	一,三三一・九	一〇〇・〇	二,七五四・八	一〇〇・〇

（註）西欧＝佛蘭西、スペイン、ポルトガル、およびそれらの植民地.
北欧＝芬蘭、瑞典、諾威、丁抹、和蘭、白耳義およびその植民地.
中欧＝独逸、チェコスロバキア、墺太利、瑞西.
バルカン＝土耳古を含まず土耳古は東方諸国に属せしむ.

第二十八表

ソ聯戰略物資輸入に占むる各國の比重（%）

	英帝國	西欧	中欧	バルカン	北欧	波蘭、バルト三國	中南北米	東方諸國	日満支	（南洋）	其の他
機械設備	五・七	一・〇	四八・六	〇・五	四・三	〇・一	二七・四	－	七・四	－	五・〇
工作機械	二・八	〇・四	七一・四	〇・一	一・〇	－	一九・〇	－	三・四	－	－
電気機械	七・八	〇・八	二〇・一	〇・〇	〇・一	〇・〇	六二・九	－	七・二	－	二・八
精密機械	一〇・九	三・六	一五・二	〇・〇	一・九	－	六七・九	－	〇・五	－	－
運輸材料	九・八	〇・〇	三・七	一・〇	△二一・七	〇・〇	四・四	－	△六一・四	－	－
鉄金属	二・四	三・六	三六・五	〇・一	九・九	七・三	三四・五	－	五・八	－	－
非鉄金属	二九・三	一九・九	〇・三	〇・〇	二六・五	〇・一	一八・七	－	四・二	：	：
銅	三一・二	－	〇・二	〇・〇	二七・九	－	三五・四	－	〇・一	（七・二）	五・二
ニッケル	九二・四	五・一	－	－	二・五	－	－	－	－	（二三・八）	－
錫	七・〇	－	－	－	九二・四	－	－	－	〇・七	（八六・二）	－
アンチモニイ	〇・六	－	九・六	－	一一・六	－	－	－	七八・八	：	－
アルミニウム	一・四	四四・九	四・五	－	三四・三	－	一二・六	－	－	－	－
鉛	二三・九	六五・四	－	－	〇・一	－	－	－	－	（二二・八）	●一一・六
亜鉛	一一・四	－	－	－	六二・六	四・三	二〇・七	－	－	－	－
モリブデン精鉱	－	－	－	－	－	－	一〇〇・〇	－	－	－	－
タングステン鉱	一六・二	－	－	－	四・七	－	－	－	七九・一	（四・七）	－
ゴム	九五・八	－	－	－	四・一	－	－	－	－	（九九・八）	〇・一
キニーネ	－	－	－	－	一〇〇・〇	－	－	－	－	（一〇〇・〇）	－
金剛砂	二四・八	－	－	－	－	－	七五・二	－	－	－	－
石油（高級）	－	－	－	－	－	－	九九・七	－	－	－	〇・三
コルク	－	四九・八	－	二一・〇	－	－	－	－	－	（四・九）	二九・二
羊毛	一九・八	－	－	－	－	－	〇・二	六九・〇	－	（一四・三）	●一一・〇
化学製品	九・〇	二七・二	三一・七	〇・五	一九・〇	四・四	七・五	－	〇・七	：	－
皮革	二・〇	一・〇	〇・二	－	一九・六	八・四	三七・〇	二四・九	〇・九	：	六・〇
麻類	七五・八	－	－	－	二一・八	－	－	－	二〇・〇	（九八・三）	〇・四
生畜	－	－	－	－	－	一八・〇	八二・〇	－	－	－	－
棉花	－	－	－	－	－	－	－	一〇〇・〇	－	－	－
茶	一四・九	－	－	－	一四・六	－	－	－	七〇・四	（二九・六）	－
ココア	九八・一	－	－	－	一・八	－	－	－	－	（九九・八）	〇・一
米	－	－	－	－	－	－	－	九七・九	二・二	－	－

（註）△＝船舶　●＝濠洲
機械、化学製品、金剛砂の比重は價格単位、他は量単位にて算定.
一九三七年度分布.

第二十九表　ソ聯輸出貿易に占める各國の比重（％）

	英帝國	西欧	中欧	バルカン	北欧	波蘭・バルト三國	中南北米	東方諸國	日満支	南洋	其の他
木材	四二・五	七・五	一一・〇	〇・二	三〇・六	三・五	〇・八	〇・一	〇・六	―	三・二
石油	一五・六	一九・〇	一四・二	二・一	九・九	〇・三	―	四・六	六・五	―	二七・八
毛皮	三二・二	六・五	二・五	〇・〇	八・一	一・一	四八・一	〇・〇	―	―	〇・七
棉花	二七・一	四九・〇	七・六	一・一	七・二	一・二	七・二	―	―	―	〇・〇
亜麻	三一・五	八・二	二七・九	〇・〇	二七・〇	〇・〇	五・四	―	―	―	―
マンガン鉱	一・八	一〇・二	九・〇	二・三	一八・八	七・二	五〇・七	―	―	―	―
穀物	四二・四	一三・三	〇・一	一・九	二七・八	〇・〇	―	〇・三	―	―	四・二
鉄金属	〇・三	一一・五	一・六	〇・一	二五・八	一四・二	―	三二・五	一一・五	―	二・五
石炭	三・八	二四・二	三・五	二二・一	五・〇	六・二	一四・〇	一・二	一八・六	―	一・五
無煙炭	二〇・七	一六・五	一・三	一九・三	八・二	二・三	二三・四	―	―	―	八・三
肥料	一〇・八	一三・四	一四・五	〇・七	三八・四	二〇・五	―	一・四	―	―	〇・三
牛酪	九三・一	六・〇	―	―	―	―	〇・三	一・一	―	―	〇・五
砂糖	〇・一	二二・二	―	―	―	一一・〇	―	六二・〇	―	―	―
皮革	―	三七・八	―	―	一〇・九	一・二	五〇・一	〇・〇	―	―	―
機械	〇・五	二七・七	〇・二	〇・二	一・三	三・九	〇・〇	五三・〇	三・二	―	九・三
自動車	―	七六・〇	―	―	―	―	―	二四・〇	―	―	―
麦粉	―	六・四	―	―	―	―	―	九三・六	―	―	―
石綿	五・四	五・八	三・〇	一四・二	一五・二	五・七	三二・七	―	一一・九	―	六・二
サントニン	一八・九	三・三	〇・一	―	〇・〇	―	一〇・〇	三・五	六〇・〇	―	四・二
植物油	〇・一	―	一六・一	―	八一・一	―	―	二・三	―	―	〇・四
マグネサイト	二・〇	―	四〇・〇	―	一六・四	―	四一・〇	―	―	―	―
魚類・イクラ	一〇・〇	四〇・九	―	―	―	―	三三・五	六・四	―	―	九・二
綿織物	―	―	―	―	一・二	―	―	九六・七	―	―	二・一
岩塩	―	―	―	―	七〇・二	二九・二	―	〇・六	―	―	―

（註）機械・サントニンは價格、他は量を以て算出す.

につきこれを見るならば、一九三八年度のソ聯総輸出入量或は全額に占むる比重第二十八表及び第二十九表の如くなり。

然らば、今次動乱により右の如く戦前に於けるソ聯の対外依存分布は如何に変化せるや。動乱勃発後最近迄の動態につき以下概説せん。

一、英帝国及び佛蘭西ブロックとの経済関係切断さる。今次動乱は先づ独逸の波蘭進駐を契機とし、英佛対独伊の全面的抗争として拡大化の展望を示す。而して戦争勃発と同時に英佛は戦時禁制品を指定してこれが海上輸送を阻止し、次いで本国及び植民地軍需品の禁輸を断行す。

この禁輸はソ聯輸入の性格よりして明らかなる如く、ソ聯輸入物資に対しても全面的に適用せられ、ソ聯はこれが対策として三九年九月七日輸出制限令を発布す。

即ち、㈠戦時情勢に処してソ聯貿易に不利となるが如き法令或は為替統制をなす国への輸出又は既にソ聯より積出されかゝる国に輸送中の物品引渡を禁止制限し得。　㈡相手国が物資積出以前に支拂を行はざる場合輸出を禁止

し得ると。

かくて、英佛ソの禁輸令施行と共に、英佛対ソ聯貿易は杜絶の危機に当面せるが、ソ聯は動乱当初に於て交戦国双方に対し通商の公平を期し、戦争不介入の態度を鮮明にせしため、一〇月木材とゴム・錫の交換を目的とする英ソバーター協定を締結、英ソ関係は相互の余剰物資交換の原則に基いて発展すべく想像せらる。然るに独ソ軍事協定調印、波蘭国境劃定に関聯せる通商取極め、芬蘭に於ける英ソの軍事的対立等の悪材料続出し、「戦争勃発前ソ聯の行へる大量注文を英佛両国が取消し、ソ聯との貿易を阻止せる結果ソ聯はその必要とする商品と交換するに非されば自国商品を輸出しない」（イズベスチヤ・四〇、二・一二）態度を明かにし、遂に「右協定は実施を見ることなく」（英国ダンカン商相声明）、此処に英ソ関係も亦断絶せり。

而も佛蘭西を除く西欧諸国との貿易はその中間に介在する中欧の戦場化により輸送上の障害起り、此処に於てソ聯は通商相手国としての英佛及びスペインを失ひ、これにより貿易の三分の一が杜絶し、特に自給不能なる鉄金属

の七%、非鉄金属五九・二%（内銅三一・二%、ニッケル九七・六%、錫七%、アルミニウム四五%、鉛約九〇%、亜鉛一一・四%、タングステン一六・二%、ゴム九六%、金鋼砂二五%、羊毛二〇%、麻七六%、茶一五%、コア九八%、機械五・六%が、供給不能に陥れり。就中英佛及びその植民地産原料に依存せるソ聯は国防産業に必須な原料供給に於て深刻なる打撃を蒙れり。

第二に白耳義、和蘭、丁抹及び諾威への戦火拡大し、これら地域が独逸の軍政下に置かれ、北海ならびにバルチック海の封鎖と相俟ってソ聯の北欧原料移入困難化す。

而も、白耳義、和蘭の如く従来自由市場として国際的に開放せられ、白領コンゴー或は蘭印産原料の再輸出国としてソ聯の原料供給に重要意義を有せる本国はその植民地との関係切断さる。

のみならずこれら白蘭ならびに丁抹及び諾威の独逸広域経済へと編入せられしことは瑞典のニッケル、諾威の亜鉛及びアルミニウムの利用をも困難ならしむ。

一一九

かくて、ソ聯は戦火の拡大につれ対北欧貿易の維持困難化し、従来輸入に仰げる非鉄金属の二六・五%（内銅二七・九%、錫九二・四%、アンチモニイ一一・六%、アルミニウム三四・三%、亜鉛六二・六%）、キニーネ一〇〇%、皮革一九・六%、麻二一・八%、茶一四・六%の供給が困難或は杜絶するに至れり。

而して、欧洲方面よりの原料供給を困難ならしむるものは、貿易ルートの狭隘化並びに外国船舶傭船の困難性なり。

ソ聯貿易ルートとして戦前バルチック海は全貿易貨物の三七・五%（内輸入五一・四%、輸出二二・七%）、黒海二二・八%（輸入八・四%、輸出三八・四%）、ムルマンスク一一・五%（輸入一八・二%、輸出四・四%）、西欧国境四・一%を占め、残余は東方諸国国境及び極東に占めらる。

然るに今次動乱の結果バルチック海封鎖され、黒海は独伊のバルカン作戦の展開につれ既にその安全性を喪失す。かくて西欧国境が唯一安全ルートと

一二〇

して残されたるも、本ルートは独ソ貨物運搬に・・・過重負担を感じある現状にして、而もムルマンスクは最大積卸能力年百五十万屯程度で全貿易量の十分の一程度を呑吐し得るに過ぎず。

更にソ聯商船隊は貿易貨物の約三四%、海上経由貿易量の五分の二程度しか輸送し得ず、従来残余の貨物はギリシヤ、伊太利、諾威、独逸、英国、瑞典船によりて輸送したり。然るにこれまた西欧諸国の海上船舶は動乱の発展につれ、殆んど利用不能の状態にある。

即ち、ソ聯は戦局の進展に伴ひ、英佛経済関係の断絶、北欧の独逸共栄圏への編入、ムルマンスク、黒海及びバルチック海の安全の喪失ならびに欧洲諸国船傭船の困難化により欧洲方面よりの不足原料の大部分が供給困難となれり。

これが対策として、ソ聯は国内的には国防資源の開発を積極化し、従来の自給自足政策をより大規模に具現すべき産業十五年計画を決定すると共に、第一に国内資源開発のため独逸及びその共栄圏の技術並びに工業生産力の利

一二一

用に主力を傾注す。

二、即ち、第一に先づ独逸との間に動乱直前締結せる通商信用協定を四〇年二月経済協定、四一年一月通商協定により漸次拡大する一方、独逸の共栄圏に帰属せる或はせらるべき他のブルガリア、ユーゴースラビア、芬蘭、洪牙利、瑞典、丁抹、瑞西、チエッコ八国と夫々通商協定或は通商信用協定を締結し、これら諸国の工業製品及び技術とソ聯の原料及び食糧の交換に努む。

此の場合、ソ聯はこれら通商協定を多分に政治目的達成のために利用しつゝあることは言を俟たず。独逸との通商及び経済協定はソ聯の資源開発資材の調達と独逸の対英佛攻撃のため背後地保障てふ一石二鳥の意義を有し、且又その共栄圏内にあるか或は編入せらるべき弱小国との通商協定はソ聯のこれら地域に於ける発言権を保留せんとする政治的意図を示すものなり。

而して、叙上欧洲諸国との経済接近によりソ聯は英佛との間に貿易困難となれる機械設備及び若干原料（皮革、パルプ等）の輸入ならびに原料、食糧の輸出を保障し得べし。と雖も、かゝる交戦国の反対陣営たる独逸及びその共

一二二

栄圏との経済関係の緊密化は英佛或は欧洲より英国に逃亡せる和蘭その他の諸国の反ソ的態度を益々硬化せしめ、ソ聯の原料調達は益々其の困難性を加重するに至るべし。

三、此処に於てか第二の貿易対策としてソ聯は欧洲方面より調達困難となれる或は不能となれる戦略物資を第一に米大陸より直接間接的に輸入する方法を選び、四〇年八月曾て北米合衆国との間に締結せられたる通商協定を再延長し、目下、戦略物資の大量購入に努力中なり。而して、動乱勃発後の十ケ月に於ける米ソ貿易額は計四億五千万留にて、三八年度の貿易額には満たざるも、輸入は三億五千万留にして、特に戦略原料、鉱山用設備の輸入増大しあり、ソ聯の対外依存は独逸に次いて米大陸に対し増大せるものと言ひ得べし。

乍然、米ソ貿易には動乱後ソ聯の波蘭及びバルト三国の侵略、芬蘭の攻略を繞る米国輿論の悪化、ソ聯による輸入物資の対独再輸出の問題、米国自体の対英援助ならびに軍備拡充のための原料需要の増大並びに輸送ルートの混乱等種々の障害存在し、正常なる相互関係の存続は之を期待すること困難なり。

而も米ソ貿易に於てソ聯は常に莫大なる入超を続け、欧洲動乱後の十ケ月に於ても輸入六千九百万弗に対し輸出二千万弗、即ち約五千弗＝二億五千万留の入超なり。かくてソ聯の対米貿易は純経済的に見るならば戦略物資の調達ならびにストック形成のための応急対策としての色彩濃厚にして、その将来性はソ聯のマンガン鉱、無煙炭、プラチナ等と米国のモリブデン、銅、亜鉛等とのバーター貿易に移行すべき必然性を有し、ソ聯の絶対輸入を必要とし其の需要の全部を外国に依存するキニーネ、アンチモニイ、コ、ア、大部分或は一部を輸入に仰ぐ錫、ゴム、タングステン、ニツケル、麻類、茶等は是非とも、残余の地域即ち、南洋及び極東方面よりの輸入に待つの他なし。

四、即ち欧洲動乱の拡大化はソ聯物資需給上極東及び南洋の意義を加重すると言ふ因果関係を鮮明にせり。

従つて、南洋産品のソ聯輸入に占むる比重を見るに、これは前々表「ソ聯戦略物資輸入に占むる各国の比重」に示せる如くキニーネ一〇〇%、ゴム九

八・八%、錫八六・一%、麻類九八・三%、コ、ア九九・八%、ニツケル二三・八%、鉛二二・八%、茶二九・六%を占む。叙上物資は従来和蘭及び英佛本国或は植民地より直接間接輸入せられしものなるか、本国対ソ聯の通商杜絶により再輸入不能に陥れり。

本年二月ソ聯対タイ国通商協定締結を見たるか、叙上の如きソ聯経済の南洋産品への依存性を考慮するならば、その理由は充分理解せらるべし。即ちこれは南洋物産のタイ国よりの直接間接輸入を行はんとする、ソ聯の物資需給対策の積極的あらはれとして、ソ聯の南洋に対する関心の増大せる事実を物語るものなり。

五、次に欧洲動乱後対日協調の態度顕著となり、経済接近につき相互に交渉の開始せられしことも亦ソ聯の欧洲動乱後に於ける対外経済関係を規定する顕著なる特徴なり。既に欧洲動乱直後、ソ聯はノモンハン停戦協定の成立と関聯し、「近頃反ソ関係は幾分改善を見通商交渉に入る可能性の基礎が出来た」と言明し、我国がイニシアチヴをとるならば通商交渉に応ずる用意ある旨

明らかにす。

而して一昨年末我松島公使とソ聯ミコヤン貿易人民委員との間に通商交渉開始せらる。本交渉は我国の対外政策が独伊のみならず、英米との協調の線に沿つて行はれ、而もソ聯の対支援助が我国の基本国策に重大障害をなせる結果、成功を見るに至らずして中断せらる。

然るに四〇年九月日独伊三国同盟成立し、支那事変処理乃至所謂大東亜共栄圏の確立の過程に於て英米及びその勢力圏との協調が漸次困難化せるに及んで、我国の対ソ接近の態度確定し、本年二月に這入つて日ソ両国間に通商交渉再開せらる。

六、第六に欧洲動乱の拡大につれ、ソ聯の東方政策積極的化せられ、東方諸国との経済関係は益々緊密化の傾向を示す。

即ち、四〇年三月にはイランと通商航海協定を、仝七月にはアフガニスタンと通商協定を締結、従来東方諸国の農畜産原料（棉花、羊毛、家畜）とソ聯工業製品交換の原則に基いて維持せられし経済関係より積極化す。

七、右は欧洲動乱後のソ聯対各国通商関係の特徴的傾向なるが、右の他にソ聯は対日接近を策する一方に於て、その当面の敵国たる支那に対しても亦通商接近を策し、援蒋政策を実施しつゝある事実を看過し得ず。日支事変をソ聯が我国の国力消耗と支那に於ける赤化勢力の増強に利用しつゝあるは周知の如くなるも、更にソ聯はその自給不能なる原料、タングステン、アンチモニイに於て奥地支那に依存する程度高く（ソ聯総輸入に占むる支那の比重はアンチモニイ七八・八%、タングステン七九・一%、茶四二・八%）、これが確保が英帝国よりの輸入不能及び中欧よりの調達困難により、絶対必要となれるが故なり。かくてソ聯は一九三八年締結のソ支バーター協定を年々延長し、現に支那の鉱産物と引替に自国軍需品の大量供給を続行中なり。

以上ソ聯の経済的対外依存性の欧洲動乱後に於ける分布傾向につき概説せるが、これを要するに欧洲に於ては機械設備供給地としての独逸及びその支配圏に米大陸に於ては米国の鉱山用機械及び原料への依存性増大せること及び米ソ貿易杜絶の場合に於ける原料調達基地の獲得のため、極東及び南洋への関心増

一二七

増大せること、ならびに之に関聯して現在唯一安全なる通商ルートとしての極東の意義増大し、ソ聯の対日接近に拍車をかけつゝある事実を指摘し得べし。

然らば、具体的にソ聯対各国の通商経済関係は如何に推移しソ聯対各国貿易は單にソ聯の側からのみならず各国通商の側から見て如何なる意義を有するものなるや。

以下国別にその実態を検討せん。

一二八

第二節　対外依存性の国別分析

一、対中欧諸国貿易

(イ) 経済関係の推移　此處に述べる中欧諸国とは独逸及び現在其の共栄圏内に存するチエッコスロバキア、墺太利、並に瑞西の四国を指す。

叙上諸国とソ聯の国交関係は一九二二年五月の独ソラッパロ條約、同年六月のソチエ暫定協定、一九二五年二月のソ墺復交條約成立以来一九三二－三三年頃まで政治的にも経済的にも極めて友好的に発展せり。特に独ソ関係は独逸に於けるナチス勢力の抬頭まで特殊な親交状態を維持せり。即ち、ラッパロ條約成立以来独ソ間には二六年四月友好中立條約、二九年和親條約締結せられ、更に三一年に至りては有効中立條約の延長を見たり。

一方かゝる政治関係の友好的発展に照應し、経済関係も亦両国国交の恢復

一二九

以来急速に緊密の度を加ふ。独ソには一九二二年より一九三三年初めまでに八回の通商條約乃至協定の締結を見てゐるが、其の間、独逸のソ聯に供与せる信用総額は約七億馬克の巨額に達す（註）。

（註）　独ソ通商條約乃至協定とそれに附随せる信用額を示せば、次の如くなり。一九二二年五月－ラッパロ條約（最恵国通商規定並に三千万馬克信用協定）、一九二三年－穀物協定（附随協定として三千万馬克対ソ輸出信用あり）一九二五年十月通商條約（一億馬克短期信用）、一九二六年－取引協定（独ソ貿易額を三億六千万馬克に増加せんことを約す）、一九三〇年－信用協定（三億五千万馬克）、一九三一年四月－信用協定（一億四千万馬克）、同年三月－通商協定三三年二月短期外資据置協定。

かくて、独ソ通商関係は莫大な信用に恵まれつゝ一九三一、三二年に至りて最高潮に達し、ソ聯は当時輸出の一七%を独逸に提供し、輸入の約五〇%を独逸に仰ぎ、此の額は独逸総輸出の一〇%及輸入の六%を占む。

一三〇

而して、右の如き両国政治、経済関係の友好的且つ緊密なる発展の根因は第一に世界大戦後に於ける独ソ両国の国際的地位、第二に独ソ両国の経済的性格にあり。

これにつきては改めて説明を要せざるところにして、特にソ聯がその建国以来英米佛の平和主義ー現状維持陣営の大国より疎外せられつゝ経済建設に邁進せること及び独逸がベルサイユ條約の桎梏下に莫大なる賠償金を支拂ふべく、その財源を専ら貿易に見出さゞるを得ざりしことならびに独逸が重工業国にしてソ聯の必要とせる機械の世界的輸出国たることは両者を接近せしめたる根本要因と云ふべし。

然るにかゝる独ソ関係は一九三二・三三年頃より漸次逆調を示すに至る。ベルサイユ條約の重圧、世界経済恐慌の激化、そして、英米佛の恐慌克服策として採れるブロツキズムの結成と拡張の結果としての独逸市場の狭隘化、これら一聯の経済的圧迫に抗して、独逸は所謂現状打破勢力として擡頭せり。而してナチス政権が国内統一の必要よりして共産党並にユダヤ人に痛烈なる

一三一

弾圧を加へしこと、国際聯盟を脱退して（三三年秋）、軍備の充実に努め、その東西国境を要塞化せることは独ソの従来維持せられし親善関係を切断するに至る。爾来、スペイン戦線に於ける独ソの間接的武力抗争、独の東方進出、日独防共協定の成立（三六年一一月）と之への伊太利の加入（三七年一一月）等により独ソ政治関係悪化の一途を辿る。かゝる政治関係の悪化を反映し独ソ通商関係も亦急速に冷却化せり。試みに、一九二九年以来の独ソ貿易の推移を示せば第三十表の如し。

即ち、ソ聯の対独輸出は三五年より、輸入は三三年より急速に減少、三八年度の独ソ貿易総額は一億五千万留にして、両国通商の最盛をりし三一年の二十三億六千万留に対し六・六%に過ぎず。ソ聯輸入に占める独逸の比重は三二年の四二・五%より三八年四%に低下、一方独逸輸入に占めるソ聯のそれも三二年の五・八%より〇・九%と甚しい減少を示せり。

而してかゝる独ソ貿易衰退の一原因は、叙上の如く、両国政治関係の悪化にあると雖も、更に次の大きい経済的原因も存す。

一三二

第三十表　独ソ貿易の推移　（単位 百万留）

	ソ聯の對独輸出	ソ聯の對独輸入	合計	バランス
一九二九年	九四二・一	八五二・四	一、七九四・五	(+) 八九・七
一九三〇年	九〇一・〇	一、〇九八・五	一、九九九・五	(−) 一八七・五
一九三一年	五六六・三	一、七九八・四	二、三六四・七	(−) 一、二三二・一
一九三二年	四三九・八	一、四三五・三	一、八七五・一	(−) 九九五・五
一九三三年	三七五・四	六四八・二	一、〇二三・六	(−) 二七二・八
一九三四年	四三一・〇	一二五・四	五五六・四	(+) 三〇五・三
一九三五年	二八九・一	九五・一	三八四・二	(+) 一九四・〇
一九三六年	一一六・六	三〇八・五	四二五・一	(−) 一九一・九
一九三七年	一〇七・六	二〇〇・五	三〇八・一	(−) 九二・九
一九三八年	八八・三	六七・二	一五五・五	(+) 二一・一

第一に、ソ聯工業化政策の成功により、工業製品の大量輸入を必要とせざるに至ること〜これに就てはソ聯貿易の動態で参照せられたし〜。

第二に、国際関係を考慮し従来の対独注文を英米に振り向けしこと。

第三に、ソ聯は独逸のクレヂットを利用し、国の工業化に必要なる独逸製機械類の大量輸入を行へる結果一九三二年末一億馬克の外債を負へり。かくて独逸からの輸入を急速に縮少せり。ソ聯の対独輸出が一九二九年に対し三五年三〇・六%なりしにも不拘、輸入が一一・一%に減少せるはその証左なり。独逸はかゝる対輸出貿易の萎縮が国内工業生産に不振を招来することを恐れ、一九三五年四月長期（五ヶ年）信用二億馬克を供与せり。その結果、ソ聯の独逸よりの輸入は若干増加傾向を示せるは、ソ聯は独逸の信用を利用し、現金買ひを縮少す。かくて三六年末対独債務は五千万馬克となれり。

第四に、独逸の原料自給四ヶ年計画実施によるソ聯産食料、穀類、毛皮類の輸入制限。独逸は一九三〇年頃ソ聯より食料約一億五千万留を輸入せるも

一三三

三六年に至りて殆んど之等輸入を停止せり。これに対しソ聯は三六年一月原料の対独禁輸に等しい制限を加へ、両国経済関係は断絶するかに見えたるも三七年三月新通商協定を締結し、辛じて経済断交の危機を切り抜けたり。

かくて、独ソ政治関係は悪化の一途を辿れるが、之と関聯し独逸勢力の進出に脅威せられし独逸接壌国－墺太利、チエッコスロバキア、瑞西とのそれは漸次緊密化せり。

第一にチエッコスロバキアとソ聯の関係は三三年七月の侵略国定義條約、翌年六月の復交條約によりて急速に発展し、遂に三五年五月には相互援助條約によりて急速に発展し、遂に三五年五月には相互援助條約及び航空協定の調印を見せり。一方、瑞西とソ聯の関係を見るに瑞西は一九二九年及び三〇年の英佛を中心とせる反ソ運動に参加して以来ソ聯と国交断絶の状態にありしが、ソ聯の国際聯盟加入（三四年九月）を契機として、対ソ国交の調整を見、ソ墺関係も亦漸次接近の方向を辿れり。

周知の如く、瑞西、チエッコスロバキア及び墺太利は独逸と共に中欧の工

第三十一表　ソ聯對中欧貿易

	九三四年	一九三五年	一九三六年	一九三七年	一九三八年
輸出					
独逸	四三一、一二八	二八九、二七〇	一一六、六二四	一〇七、六五八	八八、三二七
チエッコスロバキア	三、六六六	五、七三三	一〇、二四七	一六、六〇〇	一三、二三一
墺太利	一、七七八	五、二六五	一、一五〇	六、九一九	二、二三六
瑞西	一、七八〇	八、八五〇	四、四四二	五、一九〇	二、一七九
合計	四三九、二九四	三〇九、六九九	一三三、二一六	一三六、五八六	一一六、〇七六
%	二三・九	一九・二	九・八	七・九	八・七
輸入					
独逸	一二五、九六〇	九五、〇五五	三〇八、四六三	二〇〇、五〇一	六七、一九三
チエッコスロバキア	八、五〇二	二五、八六八	四三、二一九	一三、六一一	一九、四二二
墺太利	六、七八五	三、〇四〇	三、三三二	五、七三三	四、五六六
瑞西	九、五六〇	九、二〇〇	一、一〇三	七、二〇八	一、八四六
合計	一五二、三一四	一三六、六四一	三六六、三八四	二二九、五四八	一〇三、〇一七
%	一四・九	一二・九	二六・九	一七・一	七・二

業国として特に瑞西、チエッコスロバキアの重工業は輸出産業として世界的地位を占む。此処に於てソ聯は従来の対独注文をこれら諸国にも振り向けることゝなり、ソ聯対叙上三国の経済関係も亦漸く活気を呈するに至れり。

就中、ソ、チエ両国間には三五年通商航海條約の正式調印が行はれ、更に同年六月にはチエッコスロバキアは二億五千万クローン期限五ヶ年年利六分の信用をソ聯に供与し、両国通商関係は急速に発展せり。試みに一九三四年来のソ聯対叙上三国貿易を独逸のそれと比較表示せば第三十一表の如し。

右表に明らかなる如く、独ソ貿易が減退の一途を辿れるにも不拘、ソ聯及び三国貿易は反対に増加傾向を示せり。

これソ聯が独逸接壌国との緊密なる国交関係を樹立し、その中にファシズムに対する一つの防壁を結成せんとする政治的意図を反映せるものなるべし。

而も、かくの如く、中欧諸国との関係を自国に有利に発展せしめる一方に於ては、独逸の進出に脅威を受けし英佛及び欧洲弱小国との国交関係をも調整し（註）叙上諸国との間に対独包囲陣の結成に努力せるは周知の如くなり。

（註）　三三年のエストニア、ラトビア、波蘭、ルーマニア、リスアニア、白耳義、七ケ国と侵略国定義條約の調印、三四年のエストニア、ラトビア、芬蘭、波蘭との不可侵條約延長、三五年の佛蘭西との相互援助條約及び附属議定書調印、三六年十月の英国との海軍協定等はその端的な表現なり。

かくて、ソ聯対中欧経済関係は独逸勢力の進展が齎らせる欧洲政治情勢に照應し、独ソ離反、ソ聯対チエッコスロバキア、墺太利、瑞西との接近の方向を辿れり。

然らば、此の間に於て貿易の内容は如何に変化せるか。

(ロ)　輸入貿易　既に述べし如く、ソ聯か政治関係を考慮して対独離間政策をとり、その註文を他の工業国へ振り替へし結果、ソ聯の独逸よりの輸入を激減し、一方他の三国よりのそれは増加せるが、先づ、独逸よりの輸入内容をその最大に達せる三一年に対比して示せば第三十二表の如し。

第三十二表　ソ聯の独逸よりの輸入（単位 瓲及千留）

	一九三一年 数量	一九三一年 金額	一九三五年 数量	一九三五年 金額	一九三六年 数量	一九三六年 金額	一九三七年 金額	一九三八年 金額
機械設備			八、五〇五	五二、九〇六	五二、一一五	二五、六九二	一七一、六一九	三四、一〇四
工作機	△二〇一、一二六	△一八四、〇三一	四、三九九	二〇、六三九	二六、六八五	二五、二四六	一〇一、六三一	一五、八一三
電気機械	二一、四四〇	二七、八七二	二七五	一、八七〇	一、四五六	一九、五八四	九、七六〇	二、六五〇
精密機械	九四〇	八、九四九	一三二	五、三八七	七五四	二〇、四七九	一四、二六〇	一〇、四二五
運轉機械	二六、一七二	一五一五〇	三八	六、九一三	一一七	七八九	-	五六九
製紙機械	：	：	二二二	四〇七	三、六二七	九、六四五	一六、六二一	七八五
印刷機械	：	：	五七	五五六	一、〇五〇	五、二七〇		
紡織機械	：	：	八〇	三九九	二、五二九	一〇、二一七	：	：
鉄金属	九〇九、九七二	一二九、六八二	三七、二九五	一四、七八七	四五、一〇〇	三二、四〇一	四八、五四〇	一五、〇九六
化学製品	四二、一〇〇	九、八四〇	九五七	一二、〇四九	三、〇〇四	一三、九五八	一一、五八五	三、〇六三
非鉄金属	二六、三五四	一二、三七九	一、七九六	二、〇八五	一、九五〇	三、三四三	：	：
銅	一四、四八三	五、九八五	五五六	五八七	一、四五五	一、七七四	一、〇二三	一七四
亜鉛	三七一〇	五五七	二二	一〇一	四	一六	：	：
アルミニウム	二、三三七	二、〇五七	九一四	三〇七	四一一	一、一二八	：	：

（註）一九三一年度金額は比較の都合上新留に換算す。
：印は不明、－印は無しの意
一九三七・八年は独逸統計数字を留に換算表示す。

右表によれば、独逸よりソ聯の輸入せる物資は専ら機械設備、金属及び化学製品に占められ、而も三八年に至りて、これら物資の輸入が絶体的に甚だしく減少せることを知り得べし。

而して、三八年度のソ聯輸入に占める独逸の比重について見るに、機械一二・五%、内工作機六・五%、精密機械三二・六%、鉄金属（これは良質鋼、合金鉄、鉄管、針等半製品に占められる）一二・五%、化学製品一〇%弱を占めり。

而して、ソ聯輸入に於て独逸産機械、鉄金属、化学製品の割合が、両国関係の政治的悪化にも不拘、かゝる高率を占めること、而もこれら物資がソ聯の第三次五ケ年計画遂行に絶対不可能なる物資たることは後述する如く、ソ聯の過去十数年に於てその工業化のため輸入せる機械の六〇%が独逸品たることゝ併せ考へるならば、ソ聯は対独包囲陣を強化しこれに経済的圧迫を加重しつゝも尚独逸産工業乃至軍需工業への依存より離脱し得ざりしことを理解し得べし。

一三七

一三八

而して、独逸の輸出市場としてのソ聯の意義について見るならば、ソ聯の独逸輸出に占める比重はその最大に達せる三二年の一〇・九%より三八年〇・六%と著減しあるも、その内容について見るならば、一九三六年度に於て工作機三〇・四%、精密機械一〇・八%、合金鉄一五・七%、その他化学工業品、一般機械の比重も可成り大きい%を占めたり。

特に工作機の如きは、独逸にとりソ聯は主要輸出国にしてその比重は過去に於て五〇－六〇%を占む。

而して、これら工作機と共に、他の一般機械設備、金属の半製品の対ソ輸出は過去に於て莫大な量に達し独逸が欧洲大戦後世界経済恐慌を経て、軍備拡充に移行するまでの十数年間ルール重工業は対ソ輸出によりてその生産力を維持せるなり。

依然、工作機、金属はじめ独逸の対ソ輸出物資は悉く軍需用物資たることは、軍備拡充に着手せる独逸自身にとりて対ソ輸出を増加する場合甚だ障害となり得ることを物語るものにして注目さるべきなり。例へば一九三七年独

第三十三表　チェッコスロヴァキアよりの輸入

	單位	一九三五年	一九三六年	一九三七年一―九月
鉄金属	千瓲	五三四	三〇九	六〇九
一般機械	〃	二、七八〇	一三、二六七	四、一一九
工作機	〃	一、一九〇	三、九〇四	一、〇四七
精密機械	〃	四	六六九	一五
電気機械	〃	一二〇	一、七八六	一九六
運轉機械	〃	二九	一〇二	四七一
アンチモニイ	瓲	七六八	四二一	一〇三

逸の対外工作機械輸出は、減少せるにも不拘、対ソ輸出の増加せるが、これは独逸工業が対外注文を拒否しつゝ、ソ聯の注文遂行に努力せる証左にして、三八年には既にソ聯の注文を受けるに躊躇しつゝありたり。

次にソ聯のチエッコスロバキア、瑞西及び墺太利よりの輸入について見ん。叙上三国も亦工業国にして、特にソ聯はチエッコスロハキアより三五年六月二億五千万クローンの輸入信用を受け、機械　金属（二品目はチエ国の対ソ輸出の九〇%を占む）の輸入を第三十三表の如く増加せり、

尚、チエッコは嘗てソ聯に対するアンチモニイの主要供給国として　三五年ソ聯輸入アンチモニイの三二・三%、三七年一〇%を供給せり。

右の他、ソ聯は墺太利より機械百五十万留、金属九〇万留、瑞西より機械五百万留、化学製品四千万留程度を輸入せしも、これらはソ聯が政策的に行へるものにして、ソ聯の外国産機械設備供給に補助的意義を有するに過ぎず。且つ墺太利、チエッコスロバキア、瑞西の輸出市場としても、三八年ソ聯は夫々一―二%を受け持ち、さして重要なる意義を有せず

一三九

(ハ)　輸出貿易　対中欧輸出貿易も輸入貿易と同様の推移を示せるが、過去に於て特にソ聯の輸出市場として独逸は支配的意義を占めり。独逸は周知の如く、原料及び食糧に於て殆んど自給し得ざる国家にして、その自給率は砂糖、石炭一〇〇%、小麦九四%、石油一〇・三%、鉄鉱三〇・一%、銅一四・五%、燐鉱四九・九%、亜鉛六六・八%、塩九一・六%、羊毛九・八%、硫黄一九・四%、アルミハンド一・五%で而も棉花、茶、マンガン鉱、クロームゴム其の他の軽金属に於てその需要は全く輸入に依存せり（一九三五年）。

然るに、叙上物資の内、ソ聯は石油、棉花、穀物、マンガン鉱初め多くの戦略原料の世界的輸出国にして、その必要とせる機械設備、鉄金属輸入の代償として嘗て多量の対独輸出を行へり。而して、独逸はその自給自足政策施行の結果、食糧及び若干原料（アルミハンド、亜鉛、アルミニユーム）に於てその輸入を削減し得るに至りしことと並にソ聯の国内需要増大による輸出制限及び独ソ政治関係の悪化と関聯し、ソ聯の対独輸出も急速に減少せり。因みに、ソ聯の対独輸出に八〇%を占める物資につき輸出の最大に達せる一九

一四〇

第三十四表　ソ聯の對獨輸出

	一九三五年 数量	一九三五年 金額	一九三六年 数量	一九三六年 金額	一九三七年 数量	一九三七年 金額	一九三八年 数量	一九三八年 金額
木材	一、七四一、三四二	八七、七三一	一、〇八九、六九〇	六二、六三五		五一、九四二		四五三三五
石油・同製品	四八九、二二〇	三六、七一三	三四七、九三七	二四、八一八		三一、七二九		一〇、一四二
亜鉛	一五、七九七	二五、一八一	一、五〇〇	二、三二九		一四、一九二		四、九二五
鉱石	二六五、〇七六	一七、〇七一	一一、七七〇	二、七五七		:		:
マンガン鉱	二三五、八八〇	八、五三二	二、二三二	二七六		六、二三一		六、一三三
石綿	一二、〇一八	五、五四一	二、四五一	七三八				
燐灰石	一一三、七三三	二、六四一	五〇、四七八	一、三五三		三、三二〇		六、六九一
穀物	七四五、四四二	一七、〇五六	三二四	一一		—		—
大麦	一二、〇六九	一、九六七	—	—		—		—
燕麦	四一、五〇四	五、一四七	—	—				
小麦	—	—	—	—				
牛皮皮革	六三一	二七、二〇〇	一〇八	六、九九三		一〇、九五三		八、五〇四
	二、九八一	五、四四九	—	—				
	一一九、三六九	一四、一三四	—	—				
棉花				五〇二		二、九三七		九九七

三〇年と対比してその傾向を示せば第三十四表の如くなり。
一九三六年はソ聯が独逸に対して輸出禁止にも近い制限を行ひし結果、ソ聯の対独輸出は激減せるが、この年に独逸の輸入せる木材の半分以上、石油の約一〇％、毛皮の三〇％はソ聯より輸入せられ、その他、マンガン鉱、燐鉱石、棉花の比重も可成り大なりき。

一方、独逸を除く他の中欧諸国への輸出内容に就いて見るに、チエッコスロバキアに対しては石炭、毛皮、マンガン鉱、石綿、肥料、墺太利へは石炭、銑鉄、瑞西に対しては石炭、石油がその大部分を占むるも、これらは皆上諸国工業への原料供給に補助的意義を持つに過ぎず、ソ聯の輸出市場としての意義も亦、極めて低し。

因みに、ソ聯の総輸出に占める中欧四国の割合は木材一一％、植物一六・一％、石炭六・一％、石油一四・二％、金属鉱物二一％（内満俺鉱九％）、亜麻二七・九％、マグネサイト四〇％を占め（三七年）而もその圧倒的部分は独逸に仕向けらる。

一四一

即ち、ソ聯は独逸と歴史的に緊密関係にあり、政治的考慮よりして、かゝる対独経済関係より離脱せんとせるにも不拘、輸入の必要よりして、それを清算し得ざりしものと言ひ得べし。

(二) 欧洲動乱直前の相互関係　ソ聯対中欧経済関係は、叙上の如く独ソ離反、其の他三国とソ聯との接近の方向を辿りつゝも、尚、独ソ関係が中心をなし、ソ聯も亦これを切断し得ず、独貿易を維持せり。而してかゝる経済関係進展の過程に於て独ソ間には経済関係の調整のため幾多の努力の払はれしことは看過し得ざりし事実なり。

即ち、一九三七年三月及び翌年十二月には三五年締結の独ソ通商協定再延長せられ、而も三八年初めには独逸は両国貿易の頽勢を挽回すべく、二億馬克の新クレヂットをソ聯に供給する旨申し出でたり。当時は「この経済協定の條件に就いて意見の一致を見ざりしため、交渉は沙汰止みとなり、その後三八年末に至りて独逸政府は多くの点で讓歩し、再び経済協定及び二億馬克信用設定に関する問題を提議せり。而して三九年初の独逸は外国貿易人民委

一四二

員部に対し特使シュヌーレ氏を右交渉のためモスクワに派遣したる旨通知せるが、その後交渉はシュヌーレ氏に替ってシュレンブルグ駐ソ独大使とソ聯当局の間に行はれり」（註）。

（註）　モロトフ外相最初の外交演説、イスベスチア三九年四月三十一日所載

而して、遂に三九年八月一八日－偶々英佛ソ三国交渉続行中にして欧洲動乱勃発する直前に、二億馬克の信用を含む、独ソ新通商協定の調印を見る。

この通商信用協定の内容は

(一) 独逸はソ聯に対し工作機、採炭化学、電気諸工業設備及び独逸人技師を供給す。

(二) ソ聯は、木材、原料及び就中石油製品を供給す。

(三) 独逸は現行貿易に追加する目的を以て独逸工業製品購入に充当すべき二億馬克、期限七ケ年、年利五分（従来は五ケ年、年利七分）の信用を供與、

一四三

先づ第一年に一億二千万馬克の発註をなすと云ふにあり

かくて、独逸の対ソ輸出は三八年度の三千百万馬克に更に一億二千万馬克を増加すべきこととなり、此処に独ソ貿易は一九三四・五年の水準にまで大規模に発展すべく豫定せらる。

然らば、政治的に従来反目せる独ソ両国が、経済的にその関係を切断し得ず。而もソ聯に極めて有利な條件に於てかゝる経済接近を実現しえたるは如何なる原因に基くものなりや、その経済的要因は既に前項の説明によりて明らかなるも、更に取纏めて述ぶるならば、次の如し。

第一の理由はソ聯重工業が対独依存により脱却し得ざりし点にあり。

ソ聯は従来独逸の工業、特に自国工業化に必須なる機械工業製品、鉄工業製品ならびに化学工業製品に依存せり。而して、ソ聯の一九二五年工業化政策に乗り出して以来一九三七年末までの一三年間に移入せる機械設備輸入総額は概算して約八十二億八千四百万留に及び、ソ聯は国の工業化に成功し可成り高度に自給自足し得るに至りしが、この間独逸よりの機械設備輸入総額

一四四

はソ聯の機械設備輸入総額の六〇%、即ち五十億千五百万留の巨額に達せるなり。このことはソ聯重工業が独逸重工業の生産力に依存しつゝ建設されし事実を物語るものにして、如何にソ聯の生産技術の完成に努力か拂はれたりとは言へ、その維持発展に必須な技術、設備、部分品はこれを独逸に依存せざるを得さるは言を待たず。而も、ソ聯は対独注文を英佛その他先進工業国に振り向けしとは言へ、独逸よりの機械輸入は三六年二億五千万留、三七年一億五・六千万留の巨額に達しその内容を見るに一九三六年に於てソ聯はその輸入する工作機の五三・四%、精密機械の七一・九%、電機の三三・二%、製紙印刷機械の七五・二%、紡織裁縫機械の六〇・九%を独逸に仰ぎ、この他、鉄製品、化学製品の輸入も巨額に達せり。かくてソ聯は急速に独逸重工業の依存より離脱し得る状態に非ざること。

第二に独逸にとりては亦対ソ輸出の重要地位を占めること。一九三六年の数字について見るに、独逸の機械輸出に占めるソ聯の比重は工作機三〇・四%、精密機械一〇・八%、金属一五%以上を占め、而も過去に於てソ聯は独

逸重工業製品の四一五%を購入しあり。実に独逸ルールの重工業地帯は対ソ輸出によりて、その生産力を維持発展せりと言はる。

第三に独逸がかゝる工業生産力の維持発展に必須な原料に於てソ聯に依存せる程度極めて高かりしこと。一九三六年度はソ聯が輸出禁止にも等しき対独輸出制限を加へたる年なるも、この年に於ける独逸輸入に占めるソ聯の比重はパルプ用材四二・四%、九六・五%、一・一%、木材二八・四%、マンガン一・九%、皮革二八・五%、石油八%に及び、その他軽工業原料食料にも甚たしく依存せり。周知の如く、独逸は食料、軍需原料に於て自給自足の域に達せず、その大部分を輸入に待つの状態なりしが、一方、ソ聯は木材、石油、毛皮、棉花、亜麻、マンガン鉱、石綿、穀物等の世界的輸出国にして、対英佛関係の尖鋭化に対應し、その物資供給地としてソ聯の意義を多大に評價するの必要を有せり。

第四に独逸は為替資金に制約せられ、輸入を保障するために対ソ輸出を増加せざるを得ざりしこと。独逸貿易は一九三五年を底として上昇傾向を示せ

第三十五表

	單位	ソ聯総輸入	中欧より	%
化学製品	千留	二〇、八九六	六、六二二	三一・七
鉄金属	千瓲	一六六	六一	三六・九
機械設備	千留	三四九、八六九	一四五、七三四	四一・七
一般機械	〃	二八〇、五七四	一三四、五八三	四八・〇
工作機	〃	一七八、七九一	七七、二一一	四三・七
精密機械	〃	一五、八八七	二、四〇九	一五・二
電気機械	〃	三五、五二七	七、一四四	二〇・一
運輸材料	〃	一七、八八一	六五七	三・七

るが戦争用ストックの急速なる増加を予定し、その金準備及び外貨資金の大量を消費せり。而も馬克の平價は為替管理によりて辛じて維持せる状態にして対ソ貿易の入超は馬克の安定に大なる影響を齎らせり。これ独逸がクレヂットまでも供與し、対ソ輸出を増加せんとする理由なり。

第四にソ聯の政治的経済的接近を慕せる欧洲弱小国、殊にチエツコ、瑞西、墺太利、洪牙利等が独逸の実質的支配下に置かれ対独協調なしには、紋上諸国との円滑なる通商の行ひ得ざりしこと。チエツコ、瑞西、墺太利に対し、ソ聯が対独註文を振替へ、機械設備、高級金属の補助的輸入を許りしことは既述の如くなるが、これらが、独逸の勢力圏に包含されしこと（後述）によりソ聯輸入に於ける独逸の意義は反つて増大せり。因みに一九三七年一一九月に於ける独逸、チエツコスロバキア、墺太利、瑞西の比重を見るに第三十五表の如くなり。

以上は専ら独ソ接近の経済力理由なるが、更にその成立の時期及び経緯を見ても明らかなる如く、国際政局の変化も亦大なる要因なり。

既に述べしごとく、独逸包囲陣の結成。拡充の結果、ソ聯はその国際的地位を益々昂めたるも、反面独逸に対するソ聯の圧力及び英佛を中心とせる民主主義国のそれは益々加重す。これに対応し、独逸は持たざる国として国内的には第二次四ケ年計画に於て原料自給政策を強行、国際的にはその政治的経済的危局を実力的に解決せんとす。即ちその第一着手はラインランドの進駐と武装化並びに独墺合邦なり。これによりてその準備工作時代を経過せる独逸は更らにチエツコを解体し、ズデーテを併合せり。

就中、ソ聯の與国として相互援助條約までも締結せるチエツコが、ソ聯を除外せる英佛独伊四国ミユンヘン会議（三八年九月）によりて解体せられ、英佛が対伊宥和外交を展開せることは、ソ聯の対英協調外交に大なる修正を余儀なくせしむ。

蓋し、英佛の対独妥協は、ソ聯の対独包囲陣の勢力を脆弱化し、独逸による接壌国への進駐に拍車をかける結果となれるが故なり。即ち、独逸は更に進んでチエコスロバキアを完全に占領化し、北はダンチツヒ、波蘭、東はハンガリイ、ルーマニアへの平和的、武力的進出を行ひ、かくて接壌国のソ聯よりの離反、ソ聯西部国境に於ける独ソ対立の激化等、欧洲政局はソ聯に不利に展開す。のみならず極東に於ては偶々ノモンハン事件あり、国内的には粛正工作の影響によりて国内政治の動揺を見つゝあり。此处に於てソ聯は英佛の宥和外交を轉換せしめ、これと新たなる対独共同戦線を結成するか、或は独逸と接近して英佛と対立するかの二者択一の必要に当面す。

偶々英佛はソ聯に対し軍事同盟の提案あり、ソ聯当局は英佛軍事使節とヴオロシーロフ元帥の間に之が交渉を開始せり。而して右交渉が数次の会談に於て絶えず、双方の主張対立せる事疑なきところにして、独ソ通商協定は此の様な時期に成立せるなり。

而して、その成立の時期及び経緯よりして明らかなる如く、ソ聯は国際政局の変化に照應し、第一に独逸の東進政策を一時緩和すると共に、第二に三国交渉を自国に有利に牽制するの一外交手段として独ソ通商協定を利用せるものと云ひ得べし。

以上は、独ソ通商協定成立の主因なるが、本協定の意義は、経済的にはソ聯がその第三次五ケ年計画に必須な工業製品、特に高級機械、電機、精密機械等と武器（最新型航空機、海軍用機械）を独逸より輸入し、独逸はソ聯より彪大なる再軍備に必要なる鉄鉱、石油その他原料を輸入し、相互の衰退せる経済関係を恢復せしめることゝなれり。

乍然、條約の内容に見られる如く、本條約によりてソ聯はその必要とせる物資は信用によりて大量に輸入を保証し得るに至りしも、独逸にとりては、これら物資は再軍備に必要なる建設資料にして、故に第三国への輸出を縮少して対ソ輸出を増加せる状態にして、全面的な対ソ輸出増加は第三国輸出の犠牲に於て行ふの必要あり。而して、ソ聯より入手し得る原料の内、石油、鉄鉱の如きは、輸入を縮少しソ聯自体増大せる国内需要を充足するの必要上大量の輸出を計り得ない状態なり。

かくて、経済的には、ソ聯にとりて建設資料獲得の上に有利なりとは云へ、独逸にとりては、本協定によりて大量の原料輸入は保障されて居らず、可成り不利なるものたりき。

独逸の目的は本協定を専ら政治的目的に利用せんとする点にありたるものと断定し得べし。

即ち、独逸は対ソ接近により政治的に東方国境の対立を緩和し、これを利用して一挙に東欧問題を解決せんとせるものゝ如く、本協定成立するや、直にリツペントロツプ外相を派して独ソ不可侵條約の調印を行ひ（三九年八月廿三日）旬日を出でずして波蘭進駐を開始す。

これと関聯し三国交渉も全く不調に帰り、此處に欧洲政局は急轉を見て、独伊対英佛陣営の全体的抗争へと発展せんとす。

(ホ)　欧洲動乱後の対中欧経済関係　然らば動乱を契機としてソ聯と中欧の経済関係は如何に進展せるや。具体的にその動態を知るに必要な資料なき故、條約関係よりその推移を見ん。

動乱勃発の当初（三九年九月―四〇年二月）に於ては、ソ聯はその国境防備の強化に主力を傾注す。接壌国国境への増兵と、独逸に相呼應せる波蘭への武力的進駐はその一表現なり。

　而して、欧洲動乱に対しては極力これが拡大化を策し、専ら経済外交を中心として、交戦の圏外に於て、これへのキヤッスティングボートを握らんとす。

　即ち、英国との関係について見ると、既に対英経済関係の項に述べし如く、ソ聯の九月十七日の波蘭進駐に関聯し翌日英ソ通商関係の断絶を傳へられしも、その後十月十一日、ヒットラーの和平要求に英国が解答を躊躇せる際、ソ聯は駐英大使マイスキイをして英ソ通商協定を締結せしめ、対英接近のゼスチュアを示す。

　他方、独逸に対しては九月二十七日波蘭国境劃定を行へる際、八月末の通商協定を更に拡大すべきことを約し、通商取極を行ひ、ソ聯は独逸に対し、対英佛戦争に際しその原料供給地たらんとの取極を行へり。

　かくて、動乱の発生当初に於てはソ聯は、交戦国の双方に対し通商上の公平を期すことによりて、戦乱を拡大化し、且つ戦乱の圏外に立たんとせり。

　因みに、九月二十七日附通商取極めの内容は、モロトフ外務人民委員のりッペントロップ独外相宛文書によれば「両国は独ソ間の貿易額が過去に於いて到達せる最高水準にまで達する可く取計ひ、右に関し可及的速に交渉の成立する様努力せん」と言ふにあり。然れども、波蘭の戦場化、英佛によるバルチック海　北海の封鎖等により独ソ両国通商はさして発展せず、而も、英国がその戦時貿易対策として自国及び植民地の原料禁輸を断行し、且つソ聯の既に注文せる物資の引渡を拒否せり。これに報復的にソ聯も亦臨時貿易措置法を発布、対英禁輸も断行し、遂に英ソ通商の断絶を見る。英ソ通商の断絶はソ聯の自給不能物資の獲得に多大の支障を来せると、ソ聯が動乱の拡大化を希望し、敍上の如き経済外交を行へる限り、ソ聯としても当然かゝる事態は計算に容れしところなるべし。蓋し従来ソ聯の英国より輸入せる物資は専ら植民地産品及び軍需資料にして、戦争拡大せば当然英国よりの輸入杜絶すべきものなるがためなり。ソ聯にとり、純経済的不足物資補充対策の観点より見るならば、動乱に処して英佛植民地原料の移入を計るよりも、寧ろ独逸

技術を移入し、国内開発資源の開発を行ふことが、その不足物資自給上有利たることは言を俟たず。

　かくて戦局の拡大につれて四〇年二月以来英ソ通商の杜絶、独ソ貿易の発展は必至の趨勢となり、ソ聯は独ソ経済関係を全面的に拡大するに至る。

　即ち、その第一着手は三九年九月廿七日附独ソ通商取極に基き、ソ聯に有利にして、独逸の利得するところ尠かりし一九三九年八月協定を修正し、新経済協定に調印せり。その成立の経緯ならびに意義は、ソ聯側の説明に依れは次の如くなり。

　「本年二月十一日締結の独ソ経済協定は経済的には勿論のこと政治的にも大きい意義を持つ。協定の基礎をなすものは両国の相互的利益にして、協定は一九三九年八月締結された通商、信用協定の精神に基き、今後、独ソ両国の政治及び経済的提携を益々強化するであらう。

　昨年成立せる通商、信用協定は当時の両国政治関係の緊張せる雰囲気を緩和し、両国の経済的政治的関係を改善せんがためのであつたが、事実、一九三

九年八月二十三日には通商、信用協定に次いでモスクワに独ソ不可侵條約の調印を見、九月廿八日には友好並に国境劃定協定が結ばれ、独ソ関係は此処に急轉換を示すに至つた。この独ソ不可侵條約の締結と言ふ新事実の前にありては通商、信用協定に規定せられた如き貿易は、相互の経済的利益の観点からして当然不充分なものと考へられるに至つた。

　従つて、両国は一九三九年九月末の政治的交渉の道程に於て相互により緊密な経済提携を行はんとの希望を明らかにし、ソ聯人民委員会議長兼外務人民委員モロトフ氏と独逸外相リッペントロップ氏間の書面交換に於て特に経済交渉を行ふ旨、一九三九年九月廿八日附独ソ友好及び国境劃定協定調印の日に約定された。この書簡は独ソ両国が相互の経済関係の発展に万全の努力をなし、独ソ貿易を過去の最高水準にまで引き上げるため経済交渉をなすことを約したものなるが、この約束を果すため最近数ケ月間独逸経済使節団とソ聯外国貿易人民委員の間に交渉かあり、遂に本年二月十一日独ソ経済協定の成功的締結を見た。

ソ聯は世界最大の原料生産国であり、この原料を独逸は非常に必要としてゐる。一方独逸は高級機械及び設備の供給者として世界的に秀れた国であり、而もこれら機械及び設備輸入の点ではソ聯は国内生産の発展にも不拘、常に非常な関心を抱いてゐる。

かくて、本経済協定により両国は有無相通じ、ソ聯は独逸に対し食料は勿論各種原料を供給することゝなつた。

独逸は英佛聯合国の封鎖を受け非常に原料の入手に苦しんでゐるが、経済協定はこの独逸の現在必要にしてゐる原料をソ聯に於て現在大量に生産されつゝある原料によつて充足せんとしてゐる一方、ソ聯は、対英佛貿易が英佛両国の意思によつて殆んど杜絶状態にあるとは云へ、本協定によりて更に自国貿易を発展し得るであらう。

既に戦争勃発前英佛は、当時ソ聯が両国工場に対して行ひ、現金まで支拂つた大量の注文を取消さしめ、ソ聯との貿易を阻止したのであるが、これは英佛にも大きい損失であつた。何故かなれば、ソ聯は自国の必要とする商品を交換するに非ざれば、英佛に対して自国商品を輸出し得ないからである。特に、一九二七年のかの有名な英吉利の例にならつて、最近パリ駐在ソ聯通商代表に強盗的検察を敢へてした佛蘭西に対し、ソ聯は何うして平常的な通商関係を持続し得ようぞ。

発展せる農工業国たるソ聯は、既に対外的に独立してゐるから、最早や英佛との広汎な通商関係なくとも、対独貿易を輸入することによつて自国経済を充分に発展せしめ得る。

一九三八年八月十九日締結の通商、信用協定が独ソ両国によつて円満に履行され、既に両国経済関係は極めて緊密化して来たが、一九四〇年二月十一日の独ソ経済協定は両国の相互的利益に於て両国貿易を過去の最高水準よりも更に大きく発展せしめ得るであらう」（イズベスチア、四〇年二月十六日）

而して本協定の内容は種々の情報より綜合するに大要次の如きものと判定し得べし。即ち、

(1) 第一年度の取引額は過去（三一年）の最高水準二三億六千万留に達せし

める。

(2) ソ聯は原料（石油一〇〇万瓲、棉花二〇万瓲、鉄鋼二万瓲、穀物一五〇万瓲、大豆或は〆粕五〇万瓲、搾油用種子五〇万瓲）を供給す。

(3) 独逸は工作機、その他機械類を主とし、鉄製品、送油用鉄管、鉱業関係技術及び技術者を提供す。

(4) 本協定に示せる数量は九〇年八月協定に関係なく別個の取引とす。

右協定の大綱は既に三九年一〇月二二日一應決定せられしも、その内容を比較するに、輸送路については別に指定なきも、ソ聯の対独供給量は増加せり。即ち通商取極によれば一ヶ年に石油九〇万瓲、家畜用大麦八〇万瓲、裸麦八〇万瓲、小麦一〇万瓲とあるも、その数量は全面的に増大せらる。而して、四〇年一月二九日はソ聯の占領せるガリシアの石油二〇万瓲を独逸へ提供する協定せられあるも、この供給量の本協定に含まれるや否やは疑問なり。

然らば、独ソ両国が一九三〇－三一年の取引量まで其の物資供給量を相互に増加するとせば幾干となるか？　又、これによりて、相互にその不足を何の程度に供給し得るか？

(1) 独逸原料供給地としてのソ聯の意義

独逸は、既に述べし如く、持たざる国としてその工業生産の維持発展に必要なる原料の大半及び食料の或る部分を外国に依存せるが、国内自給率の両次四年計画に於ける強行と、戦争を豫想せる戦用ストックの蓄積に努めし結果、欧洲動乱発生当時既に相当の原料ストックと生産力を保有せり。

而して、独逸の一九三九年初めの原料ストックと平時一ヶ年の平均消費量とは、ビシネフ著「独逸の戦時経済資源によれば次の如くなり。」

		平時一ヶ年消費量に対する%
石油・同製品	五、〇〇〇	△九〇%
鉄鉱及び満俺鉱	一五、〇〇〇	△七〇%
ボーキサイト	一、〇〇〇	一五〇%
銅、鉛、ニッケル、錫、其の他非鉄金属	五〇〇	△七〇%
棉花	二〇〇	五〇%

		一六〇	
羊毛	一〇〇		五〇%
穀物（商品ストックを含む）	一〇、〇〇〇		五〇%

△印は輸入に対するストックの%

右のストックは両戦後一ヶ年以上を経過せる今日に於ても尚或程度保有せられてゐるものと考へらる。蓋し、戦争中右ストックの補充行はれ、且つ直接的軍需品たる兵器弾薬ストックが主として消費せられつゝある故なり、乍然、何れにしても独逸の平時不足せる戦略原料、食糧は長期戦に耐へるには之を外国より補給せねばならぬ。

然らば独逸の平時不足物資の輸入に於て独逸の敵対陣営と目され得る英米佛は如何なる地位を占めるか輸入杜絶のため他の接壌諸国或は占領地から何の程度の補給が可能なりやと言ふに、先づ独逸輸入に占める英米佛三国の地位を一九三八年につきて見ん（第三十六表）。

右表によれば、独逸の輸入に三国の支配的地位を占めることが知り得る。

此の内、佛蘭西とは一九四〇年六月一七日和平成立せるため、それよりの

第三十六表

独逸の英帝國、佛蘭西、北米合衆國よりの輸入

	英帝國	佛蘭西	北米合衆國	合計	総輸入に對する%
石油・同製品	一八・五	二・五	九八四・〇	一、〇〇五・〇	三〇・四
鉄鉱	一、五九六・〇	六、一三四・〇	—	七、七二〇・〇	三五・〇
マンガン鉱	二八七・〇	一・〇	—	二八八・〇	六七・七
銅鉱	一九三・〇	一五九・〇	—	三五二・〇	五四・〇
屑鉄	一三一・〇	八四・〇	四七〇・〇	六八五・〇	五八・八
銅	一二九・〇	—	九二・〇	二二一・〇	六一・七
棉花	三六・〇	四・〇	八五・〇	一二五・〇	三五・五
羊毛	七三・〇	七・〇	二・〇	八二・〇	五〇・〇
亜麻、ヂュート	一三四・〇	一・〇	—	一三五・〇	五一・五
ゴム	五〇・三	四・九	六・〇	六一・二	五六・四
小麦	三二一・〇	—	二四四・〇	五六五・〇	四四・六
玉蜀黍	四六・〇	—	一、〇九一・〇	一、一三七・〇	六〇・〇
油性植物	六二三・〇	二〇・〇	—	六四三・〇	三四・八
ニッケル鉱	一七・四	—	—	一七・四	五〇・九

（注） "Monatliche Nachweise" Ergänzungsheft 1.1938 の資料にして「独逸経済資源」に記載中のものより採る。

第三十七表　欧洲支配國よりの輸入可能量　（單位千瓲）

	一九三八年度独総輸入量	瑞典・諾威・丁抹・和蘭・ユーゴ・ルーマニア・ブルガリアの最大輸出能力 数量	独の三八年輸入に占める比	独逸の輸入不足部分
鉄鉱	二一、九二八	一五、〇〇〇	六八・二	一六、九二八
マンガン鉱	四二六	―	―	四二六
石油・同製品	四、四二〇	七、〇〇〇	一〇〇以上	―
ボーキサイト	一、一八五	一、〇〇〇	八三・三	一八五
屑鉄	一、〇三八	―	―	一、〇三八
銅	二七二	一一〇	四〇・三	一六一
錫	一二	―	―	一二
ゴム	九二	―	―	九二
石綿	二九	―	―	二九
棉花	三〇〇	―	―	三〇〇
羊毛	一六六	三	〇・二	一六三
毛皮・皮革	八八	三五	三九・五	五三
木材	四、〇〇〇	六、四〇〇	一〇〇以上	―
小麦	一、二六八	二、一〇〇	一〇〇以上	―
玉蜀黍	一、八九五	二、〇〇〇	一〇〇以上	―
油脂	二五四	六〇〇	一〇〇以上	―
搾油種子	一、八四六	四〇	〇・二	一、八〇六

輸入可能と見られると、独逸が佛蘭西より利用し得る物資は穀物、鉄鉱、ボーキサイト、アルミバンドにして、他は大部分その植民地よりの再輸出品なり。かくて、独逸は其の不足原料輸入の約半分が今時動乱の結果英佛米との貿易杜絶に当面せる故に入手困難となるに至るが反面、北欧及び東南欧資本主義国をその支配下に於ける結果、これら諸国の原料を利用することにより何の程度に独逸の不足が充足されうるかと云へは、これは第三十七表によりて大体その全貌が判断し得るであらう。

第三十七表に示せる欧洲諸国の最大輸出能力は夫々国の过去に於ける最大輸出量を採れるものなるが、その後の各国の生産減及び独逸の戦時需要の増大により或る物資に於ては完全に充足し得ることは考へられぬ。免も角、理論的には叙上諸国の第三国輸出は海上封鎖の結果着るしく困難となれる現在に於ては、右の輸入によりボーキサイト、木材、玉蜀黍、小麦、油脂の不足は英米佛の輸入杜絶せりと雖も完全に独逸は之を充足し得る、又完全にではないが大部分充足し得るものに石油及び鉄鉱がある。而然

その他の棉花、銅、皮革、脂肪、マンガン、石綿、ニッケル、錫、屑鉄、ゴムに於ては独逸はその支配圏内よりの補給は殆んど或は全く困難と断定するを得べし。

更にその与国たりし伊太利より補給し得るものと言へは、伊太利は「原料輸入国にして甚たしく外国市場に依存し、ボーキサイト、硫黄、水銀、黄鉄鉱、生糸、大麻、米を若干輸出し得るに過ぎず」（註）反って独逸に依存す。

（註）　ビジネフ資料。

右の諸指標を綜合するに、一九三八年程度の消費が維持され、独支配圏の物資が完全に独逸に利用せらる際に於ける独逸の原料不足量は大要第三十八表の如くなり。

右の内、一般消費用原料の消費は戦時に削減せられるも、他の戦用原料はその需要増大するに想像に難からず。

第三十八表

（単位 千瓲）

	数量		数量
鉄鉱	六九二八 } （一五、〇〇〇）	ゴム	九二
マンガン鉱	四二六 }	石綿	二九
ボーキサイト	一八五 } （一、〇〇〇）	棉花	一二〇（二〇〇）
屑鉄	一、〇三八 }	羊毛	一六三（一〇〇）
銅	一六二 } （五〇〇）	毛皮・皮革	五三
錫	一二 }	搾油種子	一、八〇六
△銅鉱	二五二 }	亜麻、ジュート	一三五
△ニッケル鉱	一四		

（註） △印＝英佛米よりの輸入杜絶量
括弧内は一九三九年一月一日ストック量。

第三十九表

	ソ聯三八年総輸出	對独最大輸出量
鉄鉱	七	二四（三〇年）
マンガン鉱	四四六	九三（〃）
ボーキサイト	ー	ー
屑鉄	△七三	八（〃）
銅、ニッケル、錫、ゴム	ー	ナシ
石綿	一四	一四（〃）
棉花	三四	三（〃）
羊毛	〇・二	六（三一年）
毛皮・皮革	五	一三（〃）
亜麻	二三	一五（二九年）
石油	一、三八八	五三二（三二年）
木材	三、三四五	八六三（三〇年）
穀物	二、〇八一	八五七（〃）
小麦	一、二七六	三六二（〃）
大麦	四〇六	一四二（〃）
玉蜀黍	三八	一二（三二年）

（註） △印＝鉄金屬を含む。

而も、独支配圏の輸出資源も未完全に利用し得るとは断定しえず、従ひて、石油、木材、穀物も亦これが輸入を増加するの必要あり、かくて、右不足分はソ聯よりの輸入により充当せざるを得ず、此處に独逸の原料基地としてのソ聯の意義重大となる。然らば、過去の最高水準にまでソ聯が対独輸出を増大せる場合に於て、右不足の幾%を充足し得るや。

ソ聯輸出貿易は生産の飛躍的発展にも不拘、年々減少しつゝあり。これソ聯生産が国内需要を充足するために行はれつゝある証左にして、ソ聯の三八年輸出量及びソ聯の過去に於ける対独最大輸出量を見れば第三十九表の如くなり。

右表は次の事実を示す。

第一に過去の最大水準にまで対独輸出を増大するには総体的に国内需要を削減せざるを得ないこと。鉄鉱、羊毛、皮革はその著例なり。

第二に粗製金属、マンガン、石綿、棉花、亜麻、石油、木材、穀物に於ては第三国輸出を独逸へ振り向けることにより一九二〇年頃の水準にま

一六三

で輸出を増大し得べし。

第三に、如何に努力せりとも独逸の不足物資たる非鉄金属、ゴム、ボーキサイト等の対独供給は不可能なること。蓋し、これらは羊毛と共にソ聯の不足物資なるが故なり。

依然、ソ聯の一九三八年度の水準の輸出力を以てしては假に第三国輸出の一切を独逸に振り向けても独逸の戦時不足は之を充当するに困難なり。

即ち、ソ聯の鉄鉱及び満俺鉱の輸出は三八年度四四五一瓲にして、独逸不足量七、三五四千瓲に対し十分一しか満し得ず。独逸はそのストックを流用しつゝ、ソ聯よりその補充を行はざるを得ぬ。石綿についても独逸不足二九千瓲に対し、ソ聯三八年輸出力一四千瓲、毛皮、亜麻、羊毛、棉花についても亦同様なり。

而して、ソ聯が無條件に対独輸出を行ひ、独逸の需要を充足し得る物資は木材、穀物のみにして、而も之等は独逸自体、その支配圏よりの輸入によりて充足し得る物資に属す。

一六四

石油に於ては、統計上ではルーマニアその他の石油を輸入せば充足し得るものと見られるも戦時年消費量は　　万瓲と言はれ、その不足分は　　瓲に達するも、ガリシア石油を加算せば一三〇万瓲に過ぎぬ。屑鉄乃至鉄鋼の独逸不足分は百万瓲なるも、これまたソ聯の協定供給量二万瓲にして五分の一程度なり。尚、棉花に於ては対独供給量二〇万瓲と協定されあるも、この量はソ聯の年産高七〇万瓲、輸出が二万瓲に比較せば、莫大なる量に達し、本協定を遂行するにはソ聯は第三国品の再輸出を必要とすること明らかなり。

之を要するに、ソ聯は非鉄金属、ゴムを除く他の原料に於ては独逸の原料基地たり得るも、完全に平時輸出を以て独逸の不足を一支配圏原料の徴用を行へる後のみ充足し得るものは木材、穀物にして、他の戦略原料（鉄鋼、鉄鉱、マンガン鉱、石綿、棉花、羊毛、亜麻、皮革、[illegible]）の独逸不足分（同上）を充足するには、第三国輸出の制限或は禁止、国内ストックの動員、国内資源の[illegible]、第三国品の輸出[illegible]に国内需要の削

一六五

減を必要とすと断定しうべし。

此の意味よりして、独逸の対ソ技術、技術者供給、米棉の再輸出、錫その他非鉄金属の第三国よりの輸入は重大意義を有す。而して、国内ストックの動員、第三国の振替へ、国内需要の削減による対独輸出の増加を一にソ聯の政治的考慮より決定さるべきものにして、此處では只、一九四〇年二月協定により、独逸の不足せる石油、棉花、鉄鋼の補給が決定されてゐると言ひうるに過ぎぬ。

一般にソ聯の対独物資供給により独逸の原料基地確立されりとの見解を持しつゝあるも、四〇年二月協定は未だかゝる断定は早計なりと言はざる可からず。

(2)
ソ聯の機械設備の六〇%が独逸製たりしことは既に述ぶ。而して、今次協定により対独機械輸入を一九三四・五年程度に増加することを約し、而も四〇年二月協定により独逸よりの輸入を一九二〇年頃の水準にまで拡大せんとす。

一六六

かゝる大量の工業製品或は技術、武器の獲得はソ聯の生産力拡充に極めて重要意義を有することは言を待たず。然れども就中高級設備の生産には多くの時間を必要とし、果して第三次五ヶ年計畫の課題完結が右輸入により保障されうるか否かは疑問なり。

一方独逸の側に立ちて見るならば、ソ聯への大量機械提供（一九三一年最大に達し一般機械のみにても七億八千万留 約四億馬克に達す）を実現するには欧洲動乱前の重工業生産力を維持し、その輸出能力の大部分をソ聯に振り向ける必要あり。これ、軍需品生産に主力を傾注せざるを得ぬ独逸にとりて極めて困難と言ふべし。

然らば、独逸は何故に対ソ輸出を増大するの必要ありや。その経済的理由は第一にソ聯原料獲得に必要なる支拂資金の不足なり独逸は動乱前よりバーター協定を建前とし相互的貿易の発展に努めつゝあるが、これ輸入資金を豊富に所有せざる故なり。ビシネフ著「独逸戦時経済資源」によれば外貨準備は戦前二十億乃至二十五億馬克、金準備はチエツコ、墺太利を合

一六七

し四億馬克、外国有價物件に費消せられし対外投資は四十四億乃至四十一億程度、計六十五億－七十三億馬克と見られ、この額は第一次世界大戦当時の輸出を除く他の資金動員額百十億－百六十億馬克に比すれば二分の一に過ぎず。一方に第一次世界大戦当時輸入は二百二十八億馬克に達し、今次動乱に於ては、既に早くより対戰準備を行ひかゝる多額の輸入を必要とせずと雖も、六十億馬克の輸入資金一本建による戦時物資輸入は極力これを回避するの要あり。

第二にソ聯に於ても同様の建前をとり、原料と交換に建設資材の輸入を要求しあり、独逸が原料を要求する限り、ソ聯の必要とせる物資を供給するの余儀なき状態にあり。

然らは、独逸は何の程度にソ聯へ物資を供給し得るや、ソ聯に対し独逸の最も盛んに物資を供給せる一九三〇－三一年の輸出内容を最近（三八年）のソ聯輸入と対比せば第四十表の如し。

右表によりて第一にソ聯の輸入せる記料、農示機械、トラクター、

一六八

第四十表

（單位 千瓲及百万留）

	ソ聯一九三八年輸入 数量	ソ聯一九三八年輸入 價額	一九三〇年独逸よりの輸入 数量	一九三〇年独逸よりの輸入 價額	一九三一年独逸よりの輸入 数量	一九三一年独逸よりの輸入 價額
肉家畜	九九・一	五八・六	三・三		一二・四	
皮革	一八・九	三四・三	三・四		一・九	
化学製品	四・二	一一・八	五八・四		四二・一	
染料	〇・九	七・六	一・八		一・一	
人造肥料	―	―	一八・八		八・四	
鉄金属製品	一四六・三	一〇九・四	一二〇・三		九〇九・九	
金属	六・一	八・六	六九・四		七二一・九	
半製品・製品	一四〇・二	一〇〇・八	六〇・一		一八八・一	
非鉄金属	一四二・四	二五七・二	一二・二		一五・七	
銅			五・六		一四・五	
鉛			一・一		一・七	
アルミニウム			〇・〇		二・三	
亜鉛			四・二	二・九	三・七	二・三
一般機械	七三・一	三八〇・五	九一・四	四六九・九	一八七・〇	七七七・四
農用機械	―	―	二四・七		一四・二	
トラクター	―	―	三・七		〇・二	
運輸設備	三九・九	四四・一	一六・九		二六・一	
自動・自轉車	〇・三	一・九	一・五		四・九	
貨車・機関車	〇・〇	〇・三	〇・四		二・三	
船舶	三五・〇	三七・七	一五・一		一八・八	
精密機械	〇・六	二二・一	〇・九		〇・九	
電気機械	一九・五	六〇・二	一一・九		二一・四	

第四十一表　独逸の輸出力（一九三四年）

	数量	價額（百万馬克）	價額（百万留）
化学製品	二、四一六	六一二	一、二八五・一
染料	一三一	二〇六	四三二・六
金属製品	一、八〇四	七五九	一、五九三・九
鉄管	一七一	三七	七七・七
機械設備	三八八	七八八	一、六五六・七
一般機械	二二一	三五二	七三五・二
機械部分品	六一	八九	一八六・九
運輸機械	二八	五六	一一七・六
電気機械	六三	一九九	四一七・九
精密機械	一五	九二	一九三・二

自動車、貨車、機関車の輸入は殆んど必要なきこと。

第二に三〇―三一年度の水準にまで輸入を引き上げれはソ聯の近年必要とせる機械設備は金属、同製品及び化学製品は独逸よりの輸入によりて充足し得ること、第二に肉、家畜、皮革、非鉄金属は假に三〇・三一年の水準に独逸より輸入を引上げるとしてとこれによりてその不足を充足し得ざること明らかなり。

而も、既に述べし如く皮革、肉類、非鉄金属（アルミニウムを除く）は独逸に於て不足しあり、これら物資の独逸よりの輸入は不可能と看做し得べし。かくて問題は化学製品、鉄金属（鉄管、良質鋼、ブリキ、針金等半製品、製品が主なり）及び機械設備は独逸の輸出力如何に帰着す。

独逸の該上物資輸出力判定に必要なる最新資料は全く不明につき、其の輸出の最も不振たりし一九三四年度について見れば第四十一表の如し。

右の輸出力は独逸輸出の最水準を示せる一九三四年度の輸出にして極めて推定的なものなり。

一六九

一七〇

戰争遂行の過程に於て、その原料の大半を輸入に依存する独逸が果して、該上の輸出を維持し得るや否や疑問なるが故なり。

而して、一應條件的にかゝる輸出が維持され得るものとせは、次の断定は可能なり。第一にソ聯は独逸よりの輸入によりて一九三八年度に必要とせるが如き数量の化学製品、鉄鋼半製品、製品、機械設備は完全に充し得べく、第二に一九三〇、三一年程度の機械設備輸入は不可能なりと。

之を要するに、ソ聯は独逸の重工業及び化学工業を自国の生産の質的技術的整備に必須なる技術及び設備供給地たらしむるの可能性を有す。而して最近年の水準に於けるソ聯の必要は独逸よりの供給によりて充分みたし得ると雖も、ソ聯かこれを更に拡大し、機械設備輸入を一九三七年度の水準（この年の機械設備輸入総額は独逸よりの機械設備輸入の最高水準に一致す）にまで達せしめることは、ソ聯の対独原料供給がより擴張されざれば不可能なり。

而して、四〇年二月協定は総取引額を過去の最高水準にまで増大するこ

第四十二表　ソ聯鐵道の貿易物輸送力（單位千瓲）

	一九三五年	一九三六年	一九三七年	年平均
バルチック沿岸	三、七六六	三、三七五	二、七二〇	
ソ・エ・ラ・波國境	四九一	三五九	五三五	
黒海沿岸	九、五六六	六、一七〇	五、六五四	
合計	一三、八二二	九、九〇四	八、九〇九	一〇、八七九

とを約し、原料及び製品交換の原則を規定せりと雖も、ソ聯の対独原料供給量は独逸需要を充足するに足らず、従ひて独逸の対ソ製品供給もソ聯の需要を満足せしむる程のものたりとは断定し得ざるところなり。蓋し莫大なる消耗を伴ふ近代戦に於て独逸の輸出が重工業製品に占められ、且つ右製品の原料はこれを輸入に依存せる事実は独逸戦時経済の弱点なればなり。

かくて、独ソ両国の物資交換には円滑を缺く点多きことと推定に難からず、独ソ代表数次の経済交渉は右難局打開のための只管なる努力と云ひ得べし。

（3）　輸送ルート及び輸送力の問題、独ソ貿易に利用せらる可き輸送ルートは、(一)波蘭及びハルト三国国境経由鉄道、(二)レニングラード及びハルト三国経由海路、(三)黒海－ダニューブ海路並びに　(四)前二者の補助ルートとしての黒海・タンチツヒ大運河あり。

第一のルートは、三九年十二月廿日附定期航空路開設（翌年一月二一日施行）協定の際、独ソ国境九駅を指定、更にその後の通商、経済交渉に於て右輸送力の増強に努力されつゝあり。

一七一

而して、独ソ貨物の鉄道連絡の障害は鉄道かソ聯側広軌、独逸側標準軌條なるため貨物積換に多大の時間と労働力を必要とせる点及び、波蘭線が戦乱の結果破壊せられ、充分なる輸送力を発揮せざる点なり。これが対策として、独逸技師を派遣ソ聯管下の諸鉄道の整備に努めつゝある。欠然、従来ソ聯鉄道は対外輸出よりは国内配給のため組織せられあり、而も標準軌條の広軌への改修は難事業にして、平時輸送力を凌駕して貨物輸送を増大することと困難なるべし。

第二のルートに於ても同様なり。而して本ルート利用に当り港湾までのソ聯鉄道輸送は平時の貿易貨物輸送の最高水準にまては増加し得べしと雖も、ソ聯商船隊の輸送力貧弱にして、ソ聯以外の商船利用が考慮されざるを得ぬ。

第三ルートについても之と同様のことが言ひ得べし。

然らば平時の輸送力を以て叙上三ルートにより貿易貨物輸送を行ふならば年幾何の貨物輸送可能なりや。

一七二

ソ聯輸送ルートの問題の項に於て述べる如く、バルチツク沿岸、ソ、エ、ラ、波蘭国境及び黒海沿岸までのソ聯貨物輸送量は第四十二表の如し。右表によれば、最近ソ聯鉄道の貿易貨物輸送力は年千百万瓲程度なり。これはソ聯の対独輸出量の最大に達せる一九三一年の二百万瓲弱に対し約五倍にして一九三四年頃のソ聯総輸出量よりも尠きも、三八年度のそれより大なり。

而して、ソ聯より戦時に独逸の輸入を要する物資数量－独支配圏より輸入不能にしてソ聯より輸入可能な物資の数量－は鉄鋼四二六、棉花一二〇、羊毛一六〇、毛皮五三、採油種子一、八〇六（満洲大豆を含む）亜麻一三五、鉄鉱六、九二九千瓲、合計一〇、六六七瓲なり（勿論ソ聯物資バランスより見てかゝる大量の供給困難なるも、若し、この量が供給可能なりとせば）、この量はソ聯鉄道の最近年貿易貨物輸送力と略匹敵しあり。

フオレン・アフエア誌第一八号二巻に於てホツパーはソ聯の対独供給物資石油八百万瓲、マンガン七十二万瓲、満洲大豆二百三十五万瓲、計千百

一七三

万瓲の物資輸送が、独ソ貨物輸送力を以てしては不可能なりと断定しあるも、叙上諸指標よりしてソ聯鉄道に関する限り、その輸送力は充分なりと断定し得べし。

而して、問題は海上或は水上輸送力なるも、ソ・エ・ラ・波国境より年四・五十万瓲輸送されるならば、他の輸送はバルチツク海及び黒海経由を必要とす。

然るに、ソ聯商船の輸出貿易貨物輸送量は「ソ聯貿易貨物輸送力」の項にても述べる如く、バルチツク海一・八－一・〇六百万瓲、黒海（アゾフ海を含む）一・三－一百万瓲（内石油〇・百万瓲）計三・一－二・六百万程度なり。

かくて、ソ聯商船輸送力以外の輸送必要数量－バルチツク海の百数十万瓲及び黒海の三百数十万瓲、計四－五百万瓲は独逸及びその支配圏内の商船を動員することによりて輸送せざるを得ぬ。此処に独ソ輸送問題の重点があり、この問題を如何に解決するかによりて独ソ経済関係の将来が決定

一七四

されるものと断定しうべし。

而して、最近これが解決策として、ソ聯側に於ては国内河川用船舶を利用し、黒海石油補給ルートとして、ドネプル、プリペット、プーグ、ヴィスチユラ河経由大運河による輸送、ブルガリア及び伊太利を利用するブルガリア諸港経由石油輸送、或はドナウ河輸送が考慮されつゝあり。尚、四一年一月ルーマニア政府はドナウ河河口を危険水域と指定し、これによる独ソ貨物輸送に対し防害を加へんとの態度を採りつゝ、あるは注目すべきなり。

而して、海上及び河川経由独ソ貨物連絡の将来はバルチツク及び黒海に現存せる船舶の数量と性質によりて決定せらるべきものにして、これら外国を独ソが如何に徴用するかゞ如何に徴用するかゞ、問題の鍵と言ふべし。

只、一九四〇年二月協定による貿易量の輸送は、ソ波鉄道の整備を見、労働力の利用が充分に行はれ得るならは充分可能なりと断定し得べし。

(4) 四一年一月独ソ協定の意義。本論文執筆中偶々、四一年一月一一日独ソ

一七五

向に新たなる、而も両国供給量を拡大せる経済協定の調節発表さる。新経済協定の内容次の如し。

(一) 今回の新協定は四〇年二月協定を拡大延長し、四二年八月一日まで有効とす。

(二) 貿易量は昨年二月協定に規定せるそれを遥かに凌駕する議定にして、ソ聯は穀物及び軍需原料を著るしく増大せる規模に於て供給し、独逸は一般輸出向け機械製品より遥かに良質且つ最優秀なる機械を供給しソ聯工業建設に援助す。

(三) バルト三国対独逸貿易はソ聯仲介を以て行ふ。

(四) 物資輸送路に就いては独ソ間鉄道の他黒海、ドナウ河を通ずる水路を利用す。

(五) 新協定は清算主義を基調とし、取引は双方とも現金、外国為替を使用せず、専ら物と物、労働と労働交換の原則による。

新協定の内容につきてはこれ以上窺知し得ざるも、その特徴とするところは、協定期限を一年八月にし、長期に亘りて相互の物資交換を大規模に拡張せんとする点に存す。

而して、かゝる協定を成立せしめたる純経済的要因は、直接的には、四〇年協定の具体化に依りて独逸の原料獲得が充分ならず、従つて独逸も亦対ソ機械供給を拡大し得ざりし点にあるものと看做し得べく、間接的にはソ聯が欧洲動乱の進展に伴ひて経済建設の方向を変更せる点にあり。

直接的要因は既に前項に述へたるが、客観的、間接的要因とは次の如し。粛正工作の悪影響（三八年までに及ぶ）、軍動員による労働力の枯渇（カリーニンは四〇年一一月七日プラウダに於て、都市労働余力は吸収し盡され農村よりの流入を縮少せらると述べてゐる）ならびに外国貿易、特に海上経由貿易の甚だしい萎縮（全上）、そして軍備拡充のための工業政策転換の結果、第三次五年計画は各年度未遂行に終れり。即ち、年平均工業増加率一四%に対し、対前年実績増加率は三八年一一・三%、三九年一四・九%（当年計画増加率は二〇%なり）、四〇年一一%なり。

一七七

工業政策転換の方向を見るに、これは今次党会議の報告にも見らるゝ如く、「近代戦は動力機械の戦争にして、技術的優秀機械と石油とがその決定的要素なる故に、四〇年に於てはかゝる方向に工業を発達せしむ可く、生産の質的技術的整備に主力を傾注することゝなれりし。

かくて、経済の国防的役割が加重するにつれて、ソ聯の唯一安全なる技術供給基地としての独逸の役割は必然的に増大し、ソ聯をして新経済協定締結の挙に出でしむるものなり。

本協定が一年八ケ月の長期に亘りて独ソ相互関係を規定しソ聯による対独物資供給量の増大を約せるは、ソ聯のかゝる経済的意図を反映せるものにして、これにより、ソ聯はその工業拡充のために独逸へ決定的に依存することゝなれり。即ち、独逸よりの技術及び設備輸入の将来は、修正せられたるソ聯第三次五ケ年計画の成否を支配する鍵となるに至る。

これと関聯してソ聯の対独原料供給も亦、独逸がその不足を完全に充足し、且つこれを更に加工精製するに足る可き数量にまで増加せざるを得

一七八

ぬ。蓋し、従来のそれは独逸の必要を満し得さるが故なり。而して、かゝる経済的緊密関係を展開するためには、ソ聯は原料の積極的増産と、国内需要の削減と、原料ストックの流用により対独輸出を増加する以外に方法なく、ソ聯原料産業と独逸工業は、欧洲動乱の過程に於て、切断し得ざるまでに密接なる依存関係を形成することゝならん。

而して、かゝる傾向に拍車をかけるものは、ソ聯対独逸支配圏との経済関係の緊密化なり。

ソ聯は、四〇年一二月六日スロバキアと通商航海條約並にこれに附随せる取引総額及び支拂方法に関する協定を締結せり。

本協定はソ聯の工業政策の轉換と関聯し、スロバキア側電線、電動機、鉄管、針金等とソ聯の棉花、穀物、燐酸肥料等の交換を年総額四百八十万米弗（三七年度ソチエ取引額に相当す）にまで増大せんとするものなり。

而して、二月廿四日には瑞西との間に、瑞西の工作機、タービン、発動機、電機とソ聯の棉花、木材、肥料交易を年一億千二百十万瑞法（前年一億五

一七九

千万）とする通商協定成立す。独逸の勢力下にあるスロバキア、瑞西、ソ聯の工業製品及び原料交換は、その條件の如何に不拘、実質的にはソ聯の対独依存を助成すべき性格を有し、かくて、ソ聯自体の国防力強化に必要なる技術及び設備に対する要求と独逸の戦争遂行に必要なる原料基地獲得の要求とは、経済的に益々独ソ関係を緊密化せしむ。

而して、独逸が完全にソ聯の技術原料供給地たるためには、ソ聯の対独物資供給は純然たる平和的通商の範囲を離脱し、ソ聯の政治的対独援助へと発展すべき必然性を有す。現段階に於ける独ソ関係は既にその方向を示しつゝあり、その将来は専ら欧洲大戦の将来と之に対するソ聯の態度如何に懸つてゐるものと断定し得べし。

二、対米大陸貿易（カナダを除く）

(イ)　貿易の推移

ソ聯対米大陸の貿易は専ら北米合衆国を対象として行はれ

一八〇

つゝあり。従来中南米は農業国として西欧及び中欧の重要なる経済的ヒンターランドを形成し、欧洲と密接なる相互依存の関係にありしが、ソ聯との経済関係は全く例外的にして、(1)ソ聯及び中南米の、食糧及び農産物原料の輸出国たり、機械その他完成製品の輸入国たる経済的性格の相似性、(2)中南米市場の資本主義国による占有、(3)地域的遠隔性と商船隊の不足等の故に極めて稀薄たり。

反面　北米合衆国との関係は　一九三五年以来特に急速に発展しつゝあり。

将来ソ聯の輸出品ー石油、木材、小麦等が同じく米国の主要輸出品にして国際市場に於て両国の利害の対立せること、ならびにソ聯が工業製品輸入国にして米国工業家の大得意たりしことの理由により、米国政府部内に於てこの両者の利益を代表する団体の対ソ態度の曖昧なりしが、一九二九ー三〇年頃のソ聯の米国市場に於ける小麦ダンピング、及び欧洲市場に於ける木材廉売、米国労働組合、回教徒団のソ聯商品輸入が失業者を増大せしめるとして米ソ接近に反対せること等の理由により、フーバー大統領をして反ソ政策

一八一

（ソ聯産木材輸入禁止、ソ聯不承認）に出でしめ、ソ聯も亦報復策としては対米註文を打切り、かくて米ソ関係は冷却化し、貿易も亦萎縮せり。

然るに、一九二九年以来の恐慌克服策として対ソ輸出が米国にとり必要なりしこと（一九三〇年米国の輸出貿易は全体として前年に比し二割七分減なりしも、対ソ輸出は三割五分の増加、米国工業設備輸出に占めるソ聯の地位は二八年の第五位より第一位となり、一九三〇年対ソ輸出のため約十万の米国労働者従事せり）、ソ聯は第一次五ケ年計画強行に機械・設備の大量輸入を必要としたこと等の経済的理由により通商接近の気運助長せられたり。一方、かゝる経済的理由と共に米ソ接近を可能ならしめる政治的理由も発生せり。

即ち、一九三一年秋の満洲事変を契機とする極東に於ける米ソの政治的利害の一致、一九三二年度のオツタワ協定による米ソ協調、ならびに進歩主義者と目せられるルーズベルトの大統領就任がそれにして、敍上の諸理由よりして、一九三二年七月対ソ信用を設定し（米国金融会社、ソ聯向輸出棉花

一八二

第四十三表　ソ聯對米大陸貿易（カナダを除く）

	一九三三年	一九三四年	一九三五年	一九三六年	一九三七年	一九三八年
輸出						
北米合衆國	六一、一一六	六二、五三三	一一六、二六二	一三〇、〇九一	九六、七四九	九六、七四九
アルゼンチン	三、八九三	一〇、一一三	九、〇七五	一、五三三	四九九	三一二
ブラジル	－	一七	－	－	－	－
メキシコ	－	一	一七	三一	－	－
パラグアイ	－	－	－	－	－	－
ペルー	－	－	－	－	－	－
キューバ	－	一三一	－	－	－	－
エクアドル	－	－	－	－	－	－
チリー	六五	－	一四一	－	－	－
合計	六五、一二四	七二、七九五	一二五、三六二	一三一、六五五	一三四、九一一	九七、〇六一
％	六・三	三・九	七・七	九・六	七・八	七・三
輸入						
北米合衆國	七六、六二〇	七八、二九二	一二九、一三九	二〇九、〇二五	二四四、三〇五	四〇五、八五八
アルゼンチン	九七六	二、九五二	三、八七一	六、四六七	七、一〇六	四、二二六
ブラジル	七〇	一、〇四二	二、一〇二	五、一〇七	七、九六一	四、一九八
メキシコ	一四	一、〇八一	七、二〇九	一一、四五八	－	－
パラグアイ	－	－	八七	－	－	－
ペルー	－	一八	一四四	一八〇	一	－
キューバ	－	八	三〇	八一	－	－
エクアドル	〇	四	一九三	－	－	－
チリー	五六	－	六、二六三	四、四一〇	－	－
合計	八三、六六六	八三、三九七	一四九、〇三八	二三六、七二八	二五九、三七二	四一四、二八二
％	八・一	八・一	一四・〇	一五・七	一九・三	二九・一

クレヂット三四百万弗供與）、一九三三年一一月一六日復交條約、次いで三五年七月一三日通商協定（期限一ケ年約三千万弗の対ソ信用供與を含む）の締結を見、爾来、通商協定を年々延長しつゝ、通商関係強化されつゝあり。

試みに米大陸対ソ聯貿易の動態を表示せば第四十三表の如くなり。

米ソ貿易は一九三一年対米輸出九九百万留、輸入一、〇〇七百万留、合計一、一〇六百万留を占め、これを頂天として減少傾向にありしが、三五年以来急速に増大し最近年輸出九六・七百万留、輸入四一四・三百万留を占め、反面中南米貿易はアルゼンチン及びブラジルよりの輸入に若干見るべきもの有りとは言へ、その額は一千万留にも満たず。

而して米ソ貿易尻は常にソ聯の不利に展開し、年々莫大なる入超を示しつゝあり。

元来、ソ聯と米国の経済的性格を見るに、米国は世界最大の農業国兼工業国にして、前にも触れし如く、その輸出品はソ聯と競争的立場にあり、而もソ聯品は價格の安價の故に一般業者より歓迎されつゝあるもその大量購入は

一八三

国内の失業問題を発生せしめ且つ中南米の経済的発展を阻止すると言ふ関係を有し、かくて、米国はソ聯品に対し高率関税を課し、輸入を阻止しあり。一方、ソ聯は政治的に米国の国際的ウエイトを重視し且経済的には工業の技術的完成に必須な機械その他原料（非鉄金属、ゴム、棉花）並に高級石油の輸入を必要としあり。これ、ソ聯の対米入超の主因たると同時にソ聯対米国の経済的依存性を規定する基本的要素なり。

而して、米ソ貿易の内容につき之を見るならば次の如くなり。

(ロ)　輸入貿易　　ソ聯の米国より輸入する主要物資は機械類、鉄金属及び非鉄金属、石油にして、之等は最近に於てソ聯の米国よりの輸入総額の九七％強を占めたり。

而して以上米国商品のソ聯輸入に占める比重を一九三七年度（一―九月）につきこれを見るならば第四十四表の如くなり。

右表によれば、ソ聯主要輸入物資たる機械類の四分の一、鉄製品の三分の一、非鉄金属の五分の一、金属鉱石（特にモリブデンがその大部分を占める）

一八四

第四十四表　ソ聯輸入に占める米國の割合

	單位	ソ聯総輸入	米國よりの輸入	米國の割合
機械設備	千留	九九、八六九	八八、三九一	二七・四
工作機械	〃	一〇六、七九一	一九、〇一二	一九・〇
電気機械	〃	三五、五二七	二二、三六三	六二・九
精密機械	〃	一五、八八七	二、五六四	一六・四
運轉機械	〃	一七、八八一	七八八	四・四
鉄金属・同製品	瓲	一六六、六一四	五七、四九三	三四・五
鋼材	〃	二八、一六六	五、八一三	二〇・七
鋼板	〃	一〇二、四〇二	九一三	〇・九
針金	〃	八、五五四	一、一八五	二一・一
鉄管	〃	二〇、四四六	三五四	〇・三
非鉄金属	〃	一〇〇、六五二	一八、八六九	一八・七
銅	〃	五一、一九二	一八、一四三	三五・四
アルミニウム	〃	七〇八	一〇一	一三・六
亜鉛	〃	二、九三九	六一〇	二〇・七
金属鉱物	〃	五、〇六五	二、八三六	五五・九
石油	〃	一〇九、五二九	一〇九、二五九	九九・七
種子	〃	二〇、〇七一	一、四二二	七・〇
総輸入	百万留	一〇一二・七	一〇七・六	一〇・六

第四十五表　米國輸出貿易に占めるソ聯の割合

	單位	米國の総輸出	對ソ輸出	割合（%）
工業用設備	千弗	二四〇、四七〇	一三、六〇五	五・六
内 鉱山用機械	〃	五九、九八九	三、六二三	六・一
電力工作機	〃	五九、五八〇	六、七五九	一一・二
其他工作機	〃	四、四二〇	一九五	四・四
電気機械	〃	一一二、五七五	二、四八三	一・一
内 ラヂオ機械	〃	三二、一〇八	一、三二三	〇・四
鉄鋼半製品	〃	六七、九三六	二、二五五	〇・三
鉄管	千磅	四四二、一五九	九、七一二	二・二
針金	〃	二四九、九五八	六、九〇四	二・〇
高級鋼材	千弗	五二、〇七四	三四九	〇・六
銅	千磅	七〇〇、六三三	四、四〇三	〇・六
石油	千弗	三七六、二三八	三、七二五	〇・一
内 精油	千バレル	九三、四六四	一、五四七	一・六
棉花	千磅	三、〇三四、七七八	三六〇	〇・〇
種子	〃	一七、六五九	二、三〇〇	一三・〇
ゴム・同製品	千弗	三二、〇七九	一三	〇・〇
総輸出高	百万弗	三、二九八・九	四二・八	一・三

の二分の一、石油の大部分は米国品たること明らかなり。即ち、ソ聯はその自給自足の不能な戦略原料と之を開発すべき技術に於て徹底的に米国に依存しあり、その輸入杜絶は現に遂行中の、生産の技術的完成に重点を置く第三次五ケ年計画の達成に大なる支障を来すのみならず、更に不足戦略物資の補充動員も困難化するものと看做し得べし。

特にその輸入モリブデンの五〇%、高級石油の殆んど全部、銅の三分の一以上を米国市場に依存し、之等物質はソ聯需要の夫々五〇－二〇%を占める点から見て、ソ聯の対米関係維持は経済的に重要な意義を有するものと断定し得べし。

然らば、かゝるものとして、米品に依存するソ聯は米国の輸出市場として如何なる意義を有するかと云へば、これは米国輸出貿易に占むるソ聯の割合を見ることにより知り得べし。新しき貿易統計を有しない故に一九三七年度につき示せば第四十五表の如し。

右表によりて明らかなる如く、米国にとりてソ聯は工業用機械の輸出市場

一八五

として比較的主要意義を有し、対ソ輸出の維持は米国重工業界に多大の利害関係を有せるも、総体的には、米国輸出市場としてのソ聯の意義は極めて低く、対ソ輸出の中絶が米国輸出産業を混乱せしめる程の重大意義を持つものと言ひ得ぬ。

尚、米国を除いた中南米諸国とソ聯の貿易はアルゼンチン産穀物及びブラジル産の珈琲輸入に活氣を見せてゐる以外、特筆すべきものなし。

(八) 輸出貿易　ソ聯の対米主要輸出品は毛皮（三七年一－九月対米総輸出高の四七・二%）、マンガン鉱（一七%）、皮革（四%）、魚類（三・五%）、亜麻（四・九%）木材（三・一%）棉花（一・九%）石炭（二・一%）石綿（一・六%）等で、これらはソ聯の対米輸出総額の約九〇%を占める。而して、米国は、叙上の如く、その價格の低廉なる故にこれら物資の対米買付を行ひつゝある結果、米国の輸入に占めるソ聯の比重は総体的に極めて小さきも、米国の物資需給に支配的地位を占めるソ聯商品も亦若干存在す。試みに米国輸入に占めるソ聯の割合を示すならば第四十六表の如くなり。

一八六

第四十六表　米國輸入貿易に占めるソ聯の割合（一九三七年）

	單位	総輸入	ソ聯よりの輸入	割合（%）
バター	千磅	一一、一一〇	二、一一四	一九・〇
漁獲品	〃	三六四、六六八	四、六八二	一・三
毛皮	千弗	八六、一七八	一二、一〇二	一四・〇
皮革	〃	九四、九七八	一九四	〇・二
菸草	千磅	一二六、六七三	一六、六九八	一三・二
亜麻	千弗	三五、四二七	一、二四七	三・五
木材	〃	四二、四二一	九九五	二・四
無煙炭	千砘	三五三	二三八	六七・四
石綿	〃	二七二	七	二・六
マグネサイト	千磅	一一二、〇四〇	二、二〇六	一・九
プラチナ	千弗	五、九〇六	六九五	一一・八
フェノール	千磅	三二	二一・九	六八・四
サントニン	〃	二	一・三	六五・〇
グリセリン	〃	一三、四四一	一、六三四	一二・二
燐	〃	三四	六	一七・六
塩化物	千砘	三七二	九	二・四
総輸入額	百万弗	三、〇〇九・八	二七・二	〇・九

第四十七表　ソ聯輸出貿易に占める米國の意義

	單位	ソ聯総輸出	内米國向	割合（%）
輸出合計	百万留	一、二七八・五	一〇七・六	八・五
毛皮	瓩	一、六一〇	七七五	四八・一
マンガン	〃	七六二、八九三	三七八、五七三	五〇・七
皮革	〃	三、五五四	一、七八三	五〇・一
魚類	〃	九八四	五〇〇	五〇・八
亜麻・同製品	〃	二七、一三〇	二、一四八	七・九
木材（挽材）	千瓩	一、七八三・七	三二・九	一・八
棉花	瓩	三七、〇八一	二、六五二	七・二
石炭（無煙炭）	〃	七〇四、三〇七	六四、九七四	二三・四
石綿	〃	二一、〇七五	六、八八七	三二・七
サントニン	〃	五	〇・五	一〇・〇
バター	〃	一二、九六七	五一	〇・三

即ち、米国の輸入に支配的意義を有するソ聯品としてはバター・毛皮・薬草等の生活必需品、無煙炭・マンガン鉱等の鉱産物、フエノール・サントニン・燐等の化学工業製品の数品目にして、特に米国の自給し得ざるマンガン鉱サントニンの供給に於てソ聯は重要な地位を占む。勿論総体的に見るならば、米国総輸入に占めるソ聯の比重は最近三ケ年に於て〇・九%程度を占むるに過ぎざるも、物資需給の観点よりするならば、戦略原料たるマンガン鉱・サントニン・フエノール・無煙炭に於て米国はソ聯に依存する程度極めて高しと断定し得る。

依然、これらの物資の在米ストック極めて大にして、その多くは米大陸或は南洋よりの輸入により補給可能なり。

然らば、ソ聯の輸出市場としての米国は如何？

ソ聯輸出市場としての米国の意義を見るならば第四十七表の如し。

ソ聯輸出の大宗たる毛皮、マンガン鉱、石炭、石綿、亜麻等の輸出市場として米国の意義は極めて大なり。而して、ソ聯の完全に自給し得ない皮革、

魚類輸出の半分以上が米国市場に仕向けられてゐるは、明らかにソ聯が自国に不利な対米貿易尻の調整に努力しつゝある事実を物語るものなり。

かくの如く、ソ聯の外貨獲得或は輸入資金調達のための輸出市場としても米国は重要意義を有し、ソ聯総輸出に占める米国の比重は一九三三年の二・八%を底として増大傾向にあり、三五年七・二%、三六年九・六%、三七年七・八%、三八年七・二%なり。

以上、米ソ相互の経済的依存関係を観察せるが、米国はソ聯の輸入相手国として、且つ輸出市場として重要意義を有し、ソ聯の対米依存性大なると、米国にとりて、ソ聯は物資供給地或は輸出市場として不可欠の存在ならずと結論し得る。

因みに米ソ経済的依存性を概観すべき指標として、両国貿易の比重を示せる指標を附して置かん（第四十八表）。

(二)　欧洲動乱後の米ソ貿易　然らば斯る関係にある米ソ貿易は欧洲動乱の勃発後如何なる変化を蒙りつゝあるか？

第四十八表　米・ソ貿易に於けるソ・米の比重（%）

	ソ聯貿易に於ける米國の地位		米國貿易に於けるソ聯の地位	
	對米輸出	對米輸入	對ソ輸出	對ソ輸入
一九二九年	四・六	二〇・〇	一・六	〇・五
一九三〇年	三・九	二五・〇	二・九	〇・七
一九三一年	三・八	二〇・八	四・二	〇・六
一九三二年	三・〇	四・五	〇・七	〇・七
一九三三年	二・八	四・八	〇・五	〇・七
一九三四年	三・四	七・七	〇・六	〇・八
一九三五年	七・二	一二・二	一・一	〇・七
一九三六年	九・六	一五・四	一・六	一・一
一九三七年	七・八	一八・二	一・三	一・〇
一九三八年	七・一	二五・〇		〇・八

欧洲動乱の勃発前に、ソ聯は独逸と通商協定及び不可侵條約を締結、次いで欧洲動乱の勃発するや、対独物資供給を行ふ一方に於て、波蘭進駐を開始し、その東半分を領有、更らにバルト三国、芬蘭への武力攻勢をとるに及んで、米国の対ソ輿論は漸次硬化、遂に十二月初旬対ソ道義的禁輸を行ひ、ソの結果ソ聯の希望する物資の輸入は漸次困難化せり。

依然、ソ聯側に於ては次の理由よりして対米接近及び対米貿易の維持は絶対に必要とせり。

(1) 欧洲動乱対策として英佛及びその植民地の採れる戰略物資輸出禁止の結果並びに其の後の英ソ経済断行の結果ソ聯の機械・戰略原料入手が困難化せること（英帝国対ソ聯貿易の項参照）。右打開策としソ聯は対独接近による技術と機械の輸入を強化、国内資源の開発に努力せり。一方、又日本を仲介とする戰略原料の入手を申込めるも（第一次日ソ経済交渉）日本業者の拒否に逢ひて失敗、結局米国市場よりする不足物資補充対策の必要に当面せり。

一八九

(2) 西欧傭船市場の狭隘化により米船利用を必要とせること（後述）。

(3) 右は経済的理由なるが、更に政治的理由として、極東に於ける対日牽制に米国の利用を有利とせること。

以上はソ聯の対米国関係強化を必要ならしめた理由なるも、之に反し、米国の対ソ政策は経済的理由よりも寧ろ政治的理由による点多く、極東に対する日本牽制に対ソ接近を利用せんとする点でソ聯と利害関係一致し、日本の南進を牽制せんがためソ聯との関係を改善する必要あり。

かくて昨四〇年八月六日米ソ間には通商協定の更改を見、ソ聯は最小限二億一千万留の米品購入を約し、此處に両国関係はより緊密化すべき傾向を示すに至れり。

試みに欧洲動乱勃発後昨五月までの両国貿易額を月別に前年に対比しつゝ表示せば第四十九表の如くなり。

ソ聯の輸入は動乱勃発直後激減せるもその後急テンポに膨脹、次いで四〇年四月に至りて再度減少傾向を辿り、輸出も亦同様の推移を示しつゝあり。

一九〇

第四十九表

		八月	九月	一〇月	一一月	一二月	一月	二月	三月	四月	五月	六月	七月	合計
一九三七－三八年	對ソ輸出	四、一二九	二、八八三	三、五六四	五、〇八二	五、九三九	一、七五七	七、三八〇	六、四八九	六、四八七	八、六三四	六、六三〇	五、三八六	六四、三六〇
	對ソ輸入	三、三九〇	二、七五三	三、八〇六	二、八〇五	一、七四二	九九九	一、六一五	九八五	二、七八二	一、五四八	一、〇六四	二、五二七	二六、六一六
一九三八－三九年	對ソ輸出	七、〇二四	五、五九五	三、〇四三	四、〇七一	七、一九六	三、八二〇	二、九九三	六、七九一	三、六〇二	三、六四一	二六二	三、二〇一	五〇、二三九
	對ソ輸入	四、六九八	二、九一七	二、〇九三	一、二七一	一、五一五	一、八七一	二、一二七	一、〇九二	二、一五一	二、六九二	一、〇七三	一、八八三	二五、三九三
一九三九－四〇年	對ソ輸出	三、七一三	一、七八五	八、六二六	七、二八三	一一、九二三	一三、三二〇	七、三二〇	九、〇八九	一、〇八一	四九九			六九、三八二
	對ソ輸入	四、四二一	二、五二〇	一、〇一八	二、二六七	一、九一六	一、九五七	五二〇	七七〇	二、五九五	二、九三三			二〇、九一六

第五十表 米國對ソ輸出

	数量 一九三九年	数量 一九三八年	金額 一九三九年	金額 一九三八年
総額（再輸出を含む）			五六、六三八	六九、六九一
農産物計			一、七五五	五九
内小麦（千ブッシェル）	（三、六〇六）		（一、七一五）	−
非金属鉱計			三、〇二〇	五、八四四
内天然ガソリン（千バレル）		四二六		八四八
発動機ガソリン其他石油	（八八四）	一、一二〇	（一、九五〇）	二、二四七
電極炭素棒（千封度）	（四、五三七）	一三、四三五	六一五	一、八七三
金属同製品計（千封度）	−	−	一七、八六七	一二、二四二
鉄及鋼板	（一、〇六一）	三、四三一	（二八）	一一〇
鋼薄板	（四七、三五〇）	九一、六四三	（一、四六六）	三、〇九〇
鉄及鋼	（一二、七〇八）	二二、一九四	（四二五）	一、〇七一
鉄合金	−	−	六、九八四 （四、七三八）	三、二六八
アルミ及合金	（三、七一七）	一、一二九	（九一〇）	一、一二〇
精銅	（四五、四九六）	一一〇	（五七九一）	一三
機械及車輌計			二八、五〇二	四九、四四二
内燃機械	（五八台）	八三台	（六四三）	七六六
油井用及石油精製用機械	−	−	二四六	五八二
金属加工機			一八、六五五	三五、一六三
航空機用部分品			二、九〇五	五、一七一
化学製品計			二一三	八四三
外国品再輸出計			四、八三〇	八八
原料ゴム	（一一、三八三）千ポンド	−	（三、五二一）	−
精銅・同製品	−	−	（一、一四九）	−
錫	（一、九五七）	−	（一、〇一二）	

（註）括弧内一九三九年九—十二月・同期間の輸出合計は二九、六一六千弗・

而して、三九年八月より四〇年五月に至る間の十ケ月の貿易額は三八年八月より三九年七月に至る十二ケ月間のそれと対比せば輸入は著増、輸出は若干の減少を示せり。

特に米国よりの輸入の著減せるは注目すべきものにして、かゝる対米輸入の増大は第一に英佛及びその植民地よりの輸入を米国に振り替へしこと。第二に将来の輸入困難を予想し、一時に大量の軍需品ストックを計畫し、従来蓄積せる金及び外貨（後述）を一時に動員し対ソ買付増加せることを示すものに他ならず。事実ソ聯の米品買付額を見ると第五十表の如くなり。

右表の括弧内の指標は九—十二月の三ケ月合計にして、顕著な増加を示せるものはアルミニウム、錫、ゴム、モリブデン等の英佛より輸入困難化せる戦略原料、並に従来米国より輸入を継続せるガソリン、鉄鋼板、内燃機関なり。

依然、之等の輸入はソ聯の平時総輸入の十分の一にも満ため。

而して、小麦輸入の増大は明らかに米国農業界に対するソ聯の政策的考慮

一九一

より出でしものにして、対米接近のゼスチアと見られる。

一九二

次に対米輸出の内容なるも、これは資料の関係上明示し得ないが、鉱産原料に於て増加せるも、一般に減少傾向にあるものと推定し得べし。

而して、欧洲動乱の拡大につれ、英米の接近、三国同盟締結後の日本対英米の太平洋海面に於ける対立の激化はソ聯対米大陸の接近を益々強化することゝなれり。即ち、米国は対ソ道義的禁輸を解除し、ソ聯も亦米国よりの輸入を対独援助に利用せざることを約し、相互に正常なる通商の発展に努めつゝあり。

ソ聯の米品購入は、間接的には対独援助を容易ならしめるてふ矛盾を胎み、而も、米国の対英援助の強化及び軍備拡充に関聯し米国内に軍需資材の需要増を招来せる現在に於ては、米国の対ソ再輸出は縮少せられ、貿易は相互に自給可能なる物資—米国の銅、亜鉛、モリブデン、ソ聯のマンガン・プラチナ・無煙炭のバーター制に移行すべく推定せらる。

三、対英帝国貿易（自治領、植民地を含む）

(イ) 貿易の推移　英ソ外交史は資本主義対社会主義の対立と協調の歴史なり。蓋し、英本国の據つて立つアジア植民地・半植民地の保全とその支配せる欧洲資本主義経済体制の擁護のため、社会主義国ソ聯の存在と生長は一大脅威たる故にして、英ソ関係は既にその第一歩を流血と殺戮を以て発足せり。

英国は帝政ロシアの半植民地的経済に独逸と並んで支配的意義を有し(註)、世界大戦後独逸に替りてロシア市場を独占せんと計りたると、十月革命後ソビエート政権が共産主義政策に移行し、旧外債を破棄し、主要生産手段を国有化し、以て外国資本に対する門戸を閉鎖するに及び此処に英国は旧ロシア資本と結合、更に日米を叫合して反革命運動と対ソ武力干渉、経済封鎖の挙に出づるに至る。

（註）帝政ロシアの貿易に於て英国はロシア工業投下資本の三〇％を保有

一九三

し、ロシア原料及び食糧輸出と工業製品輸入に支配的地位を占め、ロシア輸入に於て一九一三年一二・六％、一七年三四・四％、輸出に於て一三年一七・六％一九一七年五一％を占めた事のみならず、ロシア貿易の入超部分は常に外債利子支拂のため英独に引渡されたり。

これ明らかに英国の既存対ロ権益の擁護とソヴエート政権の社会主義的発展を阻止せんかためのものに他ならず。仍然、対ソ干渉軍の協調困難なりしこと、ソ聯とその接壌国間に次々と平和條約締結され、通商恢復されるにつれて経済封鎖の効果喪失せること、世界市場に独占的意義を有せしロシア商品―木材、穀物、石油、亜麻の輸出杜絶により英吉利も亦その必要に当面せること、或は大戦後の経済恐慌克服に対ソ輸出を考慮するの必要なりしこと及びソ聯の新経済政策への移行等により、遂に一九二一年三月通商暫定協定を、次いで翌年七月之をカナダに拡張する通商協定を締結、漸次両国協調の傾向を見せるに至れり。

一九四

仍然、英ソ根本的対立は依然として存在し、英吉利保守党内閣と労働党内閣の更迭の都度両国の関係は悪化し、一九二三年にはカーゾン外相の最後通牒、反ソブロック結成運動あり。とりわけ一九二五年後ソ聯の支那革命運動への援助、英国炭坑夫罷業への援助等は当時の保守党内閣をして英ソ通商條約を破棄（一九二七年五月）せしむるに至る。

かゝる英ソ関係は二九年一〇月の修交條約、翌三〇年四月の第三次暫定通商協定（一億二千七百七十万旧留クレヂット協定を含む）の締結によりて一応緩和されるやに見へたるも、ソ聯の第一次五ケ年計画遂行に必須な機械輸入のための輸入資金調達を目的とせる木材、小麦のダンピングは、英国植民地カナダ、濠洲、ニュージーランドの小麦、木材輸出に影響するところ多く(註)さらに、レナ・ゴールド・フヰールト会社事件、翌年三一年の英人技師裁判事件の発生と相俟つて遂に三三年一〇月英国によりて再度の通商條約廃棄が通告せられたり。

（註）一九三二年七月オツタワに英帝国経済会議開催せられ、カナダ、濠

一九五

洲、ニュージランドの小麦、木材、その他農産物を以て、従来英本国の輸入せるソ聯品に代替、ソ聯を英本国市場よりノックアウトせんと計りたるは明らかにその証據なり。

右の如き英国側の措置に対し、ソ聯も亦その対抗策として、対英註文及び英船チヤーターを禁止せるのみならず、英国諸港の利用を極度に制限し、対英注文を独米に轉嫁せり。

然るに、当時欧洲に於て独伊両国、極東に於て日本の擡頭を見、世界の現状維持を欲する英国とファシズム反対を高唱せるソ聯との接近を促すに至りしこと、第二次世界経済恐慌の深化につれ英国の対外市場の拡張を余儀なくされしこと、ならびに通商條約の廃棄に依りて英国工業界の蒙れる打撃大なること(註)等の理由により、英ソ接近の気運は漸次濃化せり。かくて、当時世界経済会議へ出席のためロンドンへ到着せるリトヴィノフ外務人民委員及び嘗てソ聯を承認せる保守党内閣のマクドナルト首相の間に通商信用協定の

一九六

調印を見るに至れり。

（註） 貿易断絶によりより多く打撃を蒙りしはソ聯より寧ろ英国にして、特に英国輸出業者は大なる影響を蒙りたり。ソ聯への主要輸出は機械及び鉄製品にして、英国機械総輸出の六〇％以上はソ聯に占められ、一九三二年五月のソ聯の注文はロンドンにて百四十四万磅に達せるも翌年は皆無、加ふるにソ聯の安價な原料を入手し得ず、反面ソ聯は対英注文を独米その他に振り替へられ、イタリーの如きは新通商條約を締結し対ソ進出を計れり。

爾来第二次欧洲動乱の勃発までは、一九三四年九月のソ聯の国際聯盟への加入、三六年七月の一千万磅対ソ信用を含む通商協定の締結、三七年の西藏、新疆、外蒙に関する密約、同年七月の英ソ海軍協定の締結あり。此處に英ソ関係は嘗てなき親善、緊密化の傾向を示すに至れり。

而して、此の間に於ける両国貿易の動態は外交上重要事件の推移と対照せ

一九七

しめつゝ表示せば第五十一表の如くなり。

右表は、(1)英ソ貿易は常に英国内の反ソ運動の進展につれ減退せること、即ち、特に英保守党の政権把握と共に英ソ経済関係の発展は阻止せられしこと、(2)英国の対ソ輸出は専ら再輸出品よりなり、而もその比重の増加傾向にあること、(3)かゝる再輸出の増加に不拘、両国貿易は常に英国の不利にして年々英国の入超なることを物語る。

尚、英国貿易は常に入超に終始し、専ら輸入は貿易外収入によりてカバーされつゝある関係上、英ソ貿易の英国に不利なることは敢て異とするに足らぬとは言へ、かゝる連年の入超はソ聯品が地域的に植民地産品よりも安價に購入し得ることならびに英国がソ聯の食糧、原料に依存しつゝ政治的考慮よりして対ソ注文を増加せること並びにソ聯の工業製品輸入削減の結果、特殊植民地原料を除いて増加し得ないこと等の理由によるものなり。

依然、何れにもせよ、従来極めて不円滑たりし、英ソ貿易は、三四年の通商協定締結以来順調を増わり傾向を辿りつゝあることは英ソ関係好轉の反映と

一九八

第五十一表

英ソ貿易の動態（単位 百万磅）

	重要事件	英の對ソ輸出	内再輸出	英のソ聯よりの輸入	合計
一九二二年		九・七		五・九	一五・四
一九二三年	カーゾン最後通牒	四・七		一〇・五	一五・一
一九二四年		一四・八		一九・四	三四・三
一九二四・五年	英のソ聯承認暫定通商協定	二三・五		二七・四	五〇・八
一九二五・六年	キャンベル事件	二〇・二		二二・二	四二・四
一九二六・七年	アルコス・ハウス事件	一四・四	八・五	二四・七	四〇・一
一九二七年	國交断絶	一一・三	六・八	二一・一	三二・四
一九二八年		四・八	二・一	二一・六	二六・四
一九二九年	國交恢復	六・四	二・七	二六・五	三二・九
一九三〇年	暫定通商協定	九・四	二・七	三四・二	四三・六
一九三一年		九・二	一・九	三二・二	四一・七
一九三二年		一〇・五	一・四	一九・七	三〇・二
一九三三年	通商條約破棄	四・三	一・〇	一七・四	二一・七
一九三四年	通商信用暫定協定	七・五	三・九	一七・三	二四・八
一九三五年		九・七	六・二	二一・八	三一・五
一九三六年	通商信用協定	一三・三	九・八	一八・九	三二・二
一九三七年		一九・五	一六・四	二九・一	三八・六
一九三八年	海軍協定	一七・四	一一・六	一九・五	三六・九

第五十二表　英帝國對ソ聯貿易　（單位 千留）

	一九三四年	一九三五年	一九三六年	一九三七年	一九三八年
輸出					
英本國	三〇三、〇一七	三七七、七九六	三六一、六八八	五六六、一四五	三七五、一二四
アイルランド	一六、二四五	二一、四三一	五、五四三	八、九九二	一八
南阿聯邦	一〇、九九一	八、一九〇	六、八二三	一一、五七六	七、五八七
英印・セイロン	一三、一二八	一三、二五三	一三、三四九	八、七一一	三、六二六
濠洲	九二	三九	五二	二九	七
ニュージーランド	六七四	二、二一二	二、六九九	四二	七
カナダ	一、〇二五	一、〇七七	七八三	四、二四〇	一、五四七
其の他植民地	二四五	九	九	八	－
合計	三四四、六四一	四二四、〇〇七	三九〇、九四六	五九九、七四三	三八七、九一六
%	一八・八	二六・三	二八・八	三四・七	二九・一
輸入					
英本國	二〇二、六四一	一九〇、〇一三	二〇四、二六八	一九一、九九二	二四〇、三〇九
アイルランド	一一四	－	－	－	－
南阿聯邦	一、六〇三	六三五	二、一三四	一〇、七七六	五五九
英印・セイロン	二、七五五		－	－	九五六
濠洲	四、六一二	一九、五九二	二四、九六九	三二、三六二	五〇、八五五
ニュージーランド	－	－	－	－	－
カナダ	一、七八三	九、三八二	三、二四三	五四、九三六	三〇、六四九
其の他植民地	一一九	－	－	－	－
合計	二一三、六二七	二一九、六二二	二三四、六一四	二九〇、〇六六	三二三、三二八
%	二一・〇	二〇・八	一七・三	二一・六	二二・七

看做し得べし。

次に、ソ聯対英国植民地及び自治領の通商関係につき之を見るに、大体英ソ関係の推移と平行して展開しつゝあるとは言へ、ソ聯の対植民地直接貿易が、オッタワ協定以後困難化せること及び英植民地の木材、穀物がソ聯のそれと国際市場に於て競争的立場にあることのため、余り発展せず、最近に於ては、濠洲、カナダよりの原料輸入並びに南阿への木材輸出に若干活気を見せつゝある程度に過ぎぬ。

因みに、英帝国対ソ聯貿易の推移をソ聯製統計によりて表示せば第五十二表の如くなり。

即ち、右表によれば、英ソ貿易は三七年まで増加傾向にあり、三八年度に至りてソ聯の対英帝国輸出は三億八千七百万留にして、前年に対し二億留の減少、反面輸入は三億二千万留で前年に対し一億二千万留の増加を示し、輸出減、輸入増の傾向に轉じたり。これは専ら貿易調整を目的として締結されし、一九三四年二月附英ソ通商協定により規定せられたる英ソ両国輸入比率

一九九

二〇〇

ー一九三八年以降ソ聯ー対英本国一・一の比率を遂行せんとする意図の下に両国貿易が調整せられしためなり。

(ロ) 輸入貿易、然らばソ聯は如何なる物資に於て英帝国に依存しあるや。ソ聯の英帝国より輸入せる主なる物資は英本国産の工業製品ー機械設備及び鉄製品、植民地産原料たるゴム、羊毛、麻類、非鉄金属ならびに食糧たるカカオ、茶等にして、叙上商品はソ聯の英帝国よりの総輸入額の九五％以上（一九三七年）を占め、而も、ソ聯の総輸入に占める叙上英帝国産物資の割合は一九三七年一ー九月に於て第五十三表の如くなり。

即ち、ソ聯輸入の一〇％以上を占める物資としては機械設備中の紡織機械、運輸材料、原料たるタングステン、ゴム、羊毛、麻、非鉄金属中の銅、ニッケル、鉛、亜鉛、金剛砂、ならびに茶、ココアなり。右の内機械設備の輸入の比重は近年減少せるも、他の原料は増加傾向にあり、特にソ聯の自給自足不能な戦略原料たるゴムの九六％、麻類の七五・八％、ニッケルの九二・四％、銅の三一％、鉛の二三・九％、タングステンの一一％を英帝国に依存し

第五十三表　ソ聯輸入に占める英帝國の割合（数量単位〃瓩）

	ソ聯総輸入量	英本國より	カナダより	南阿より	印度より	合計	割合（％）
総輸入高（千留）	一,〇一二,七六一	一四五,三二四	二四,〇九九	三八,六九五	一〇,七三一	二一八,八四九	二一・六
茶	一二,九三九	一,九三八				一,九三八	一四・九
ココア	六,六四四	六,五二一				六,五二一	九八・一
金属鉱	五,〇六五	二八二	六六		四	三五二	六・九
タングステン	二,一一五	二七八	六六			三四四	一六・二
ゴム	二一,七四八	二〇,八四三			一〇一	二〇,九四四	九五・三
羊毛	二〇,〇一七	三,一一五	二,八六八			三,九八三	一九・八
麻製品	三四,五一一	二六,一九九				二六,一九九	七五・八
屑類	七,一五三	四,四三一				四,四三一	六一・九
鉄金属	一六六,六一四	三,〇四一				三,〇四一	二・四
非鉄金属	一〇〇,七七六	二,四五四	一八,三二四	一三,九五〇	四,七九九	二九,五二七	二九・三
銅	五〇,七〇六	一,〇九六	一,五一六	八,四二三	四,七九九	一五,八四四	三一・二
ニッケル	六,〇七七	五一五	二〇八	四,八九二		五,六一五	九二・四
△錫	九,三九一	六六二				六六二	七・〇
アンチモニイ	二,三七八	一五				一五	〇・六
アルミニウム	五三八	八				八	一・四
鉛	二九,五六六	一五二	六,六一〇	三〇五		七,〇六七	二三・九
亜鉛	二,九三九			三三〇		三三〇	一一・三
機械設備（千留）	二九九,八六九	一七,四九五				一七,四九九	五・七
工作機械	一〇六,七九一	三,八四一				三,八四一	三・八
電気機械	三五,五二七	二,七五五				二,七五五	七・七
精密機械	一五,八八七	一,五五一				一,五五一	一〇・九
運轉機械	一七,八八一	一,七六七				一,七六七	九・八
紡織機械	九,二六六	三,七三七				三,七三七	四〇・三
金剛砂（千留）	五,五二七				一,三七二	一,三七二	二四・八
皮革	一五,八六三	一五八		一〇五		二六三	二・〇
種子	七,七六八			四八		四八	〇・一

（註）別にことはりなきものは單位瓩、△印＝三五年.

第五十四表　英本國輸出に占めるソ聯の割合（一九三八年）

	單位	英本國総輸出	本國品對ソ輸出	再輸出	合計	割合（％）
羊毛	千磅	六二,二六三	三八九	九九五	一,三八四	二二・〇
化学原料製品	〃	三,六〇八	八六	四	九〇	〇・〇
電機器具	〃	一三,四五〇	四四一	ー	四四一	三・三
機械部分品	〃	五七,八六七	三,三四八	ー	三,三四八	五・七
金属	〃	六三,一六五	一,三八八	七,二五六	八,六四四	一三・六
鉄製品	〃	四一,七六五	三二二	三	三二五	〇・八
鉛	〃	五四〇	ー	三八一	三八一	七〇・五
ニッケル	〃	四,六八四	六三五	二,三三五	二,三三五	四九・五
アンチモニイ	〃	六二	ー	二四	二四	三八・七
錫	〃	三,二七二	五四九	七八五	一,三三四	七〇・七
銅	〃	四,二八〇	ー	三,八三六	三,八三六	八九・〇
船舶・ボート	〃	六,四六一	一一〇	ー	一一〇	〇・一
茶	〃	四,六一九	ー	五三三	五三三	一一・五
タングステン	千瓩	八八八	ー	二五六	二五六	二八・八
生ゴム・ゴム	千磅	三,〇三九	ー	一,二四九	一,二四九	四一・一
麻類	〃	六三	ー	一七	一七	二六・八
輸出総額	千磅	五三二,二七九	六,四六二	一〇,九四五	一七,四〇七	三・三

あることは注目すべきなり。

かくの如くソ聯は英帝国の原料に特に高度に依存しあるが、一方、英帝国輸出市場としてのソ聯の意義を見るに、英本国の対ソ輸出は専ら再輸出に占められ、自治領或は植民地原料の輸出市場としてこそソ聯は重要なるも、英本国工業にとつてはソ聯市場の意義は低下傾向にあり。因みに英帝国全体の輸出内容不明なる故、英本国輸出に占めるソ聯の地位を一九三八年につきて見れば第五十四表の如くなり。

(ハ) 対英帝国輸出貿易　一方ソ聯の英帝国への輸出につき之を見るに、ソ聯の対英主要輸出品は木材・毛皮・穀物、食糧品たる牛酪・筋子・砂糖・石油・棉花・亜麻・鉱物・満俺鉱・石綿・銑鉄・石炭にして（金額の大きさより順次に示す）、これらは年々ソ聯の対英帝国向け輸出の九五%程度を占む。

而して、以上商品輸出市場としての英帝国の地位につきて見るにソ聯の輸出せる木材の四二・五%、穀物の四二・四%、毛皮の三二・六%、牛酪の九三%、石油の一五・六%、棉花二七・一%、亜麻三一・九%、化学製品二四・

二〇一

四%、石炭二〇・七%は（一九三七年一－九月）これら英本国並びに、植民地帯に占められ、その内容は第五十五表の如し。

右表によればソ聯の主要輸出品の大部分の購入国は英本国並びに石炭に於てはカナダなることが知り得る。即ち、過去に於てソ聯主要商品輸出市場として英帝国は支配的地位を占め、日本の生糸に相当せる木材並びに毛皮に於ては特に英本国が日本にとつての米国と同様なる意義を有す（第五十六表）。即ち、英国はソ聯の木材、毛皮、プラチナ、穀物に依存する程度極めて高し。

(ニ) 欧洲動乱勃発後の英ソ貿易　欧洲動乱の勃発を契機として、かゝる緊密関係にある両国貿易は完全に杜絶せり。その経緯次の如し。

欧洲動乱の危険接迫と共にソ聯は独伊の鋭鋒を避けんがため三八年八月独逸との間に不可侵條約を締結し、次いで、三九年八月十九日、即ち欧洲動乱発生の直前二億馬克の信用を含む通商協定を締結、対独接近を計れり。ソ聯か計画的に英仏対独両陣営の武力衝突を策せるものなるや否やは暫く措く

二〇二

第五十五表　ソ聯輸出に占める英帝國の地位（單位　瓲）

	総輸出量	對英本國	濠洲	カナダ	南阿	英帝國計	割合(%)
穀物	四八五、二〇一	二〇五、八〇九				二〇五、八〇九	四二・四
小麦	二六四、八五一	一四一、三六七				一四一、三六七	五三・三
大麦	一四六、九四八	六四、四四二				六四、四四二	四三・八
種子	三九、八〇一	三七、四三三				三七、四三三	九三・九
木材	三、八八八、〇三九	一、五九七、三三七			五七、三六四	一、六五四、七〇一	四二・五
中丸太	八八七、九七二	七八、四八九				七八、四八九	八・八
杭木	七五五、六五四	四七八、六二八				四七八、六二八	六三・三
挽材	一、七八三、六七六	八九六、四七二			五七、一七九	九五三、六四九	五三・四
ベニア板	八七、三六七	六七、四一一			一八七	六七、五九八	七七・三
原木	二六四、三六七	一〇、六七三				一〇、六七三	四・〇
毛皮	一、六一〇	五二四				五二五	三二・六
牛酪	一二、九六七	一二、〇二一				一二、〇二一	九三・一
砂糖	一〇九、二〇七	一一三				五、二七四	四・八
石油	一、四七三、八九八	二三〇、一五二				二三〇、一五二	一五・六
棉花	三七、〇八一	一〇、〇七六				一〇、〇七六	二七・一
亜麻	二七、一三〇	八、六六六				八、六六六	三一・五
化学製品	二四四二〇	五、九五〇			一五	五、九六五	二四・四
マンガン鉱	七六二、八九三					一四、〇七二	一・八
石綿	二一、〇七五					一、二一一	五・四
銑鉄	一一七、一八〇					四、八〇〇	〇・三
肥料	七〇、六七九			七、六九五		七、六九五	一〇・八
石炭（無煙炭）	七〇四、三〇七			一四五、九三一		一四五、九三一	二〇・七
合計（千留）	一、三一八、五四九	三七六、二四〇	一八四、二一六		七、七七一	三八八、二四五	二七・七

（註）肥料－燐灰石を除く、石炭－無煙炭のみ。
%はソ聯総輸出に占める英帝國の百分比。

第五十六表　英國輸入に占めるソ聯の比重

	総輸入額（千磅）	ソ聯よりの輸入（千磅）	割合（%）
合計	九一九、五〇九	一九、四九九	二・一
小麦	三八、六二七	三、〇五六	七・九
大麦	六、八四九	九三〇	一三・五
玉蜀黍	一五、四四五	七四	〇・〇
豌豆・扁豆	一、二三六	一二五	一〇・〇
動物飼料	一、四一九	一五六	一・四
肉・ベーコン	三〇、九二〇	三七	〇・〇
生死鳥	二、〇三七	四〇	〇・二
魚類	一〇、〇九六	一、三九八	一三・五
繰綿	二九五	五	〇・〇
亜麻	四、一二八	三七六	九・一
化学製品	一三、二六八	六一	〇・〇
石油・同製品	四〇、八六五	一、三〇七	三・一
ケロシン	三、〇〇四	一三二	四・四
モーター油	二四、七六五	七四三	三・〇
催滑油	三、九五三	三二〇	九・二
ガス油	二、一二五	三一	〇・一
燃料油	六、五七〇	七八	〇・一
マンガン鉱	九四五	八	〇・〇
石綿	一、一三七	三六	〇・三
毛皮・同製品	三六、九九八	四、二二四	一一・四
木材（丸太）	七三六	三三三	四五・二
木材（挽材）	二五、七三〇	四、六六〇	一八・一
プラチナ	六一〇	五四二	八八・八

もかゝるソ聯の対独接近が独逸をして対英佛戦を決意せしむるに至りしことは明らかなり。

かくて、欧洲動乱は独逸の波蘭進駐を契機として英佛対独伊の全面的―総力戦へ進展せんとするの傾向を示せり。此の時、ソ聯は両交戦国の武力的抗争に拍車をかけ、且つその不足原料の英佛よりの輸入、工業設備の独逸よりの移入を保障せんと意図せるものゝ如く、対独接近と共に対英接近を策す。

即ち、先づ開戦直後英佛両国が外国の対独物資供給を阻止すべく、戦時禁制品を指定し、之が海上輸送を阻止し、本国、自治領及び植民地の軍需品禁輸を断行更にソ聯の波蘭進駐により九月十七日英ソ通商関係を断絶せるに対し、ソ聯は之に対應して、次の如き法令を発布し、以て英吉利を牽制せり。

曰く「(一)戦時情勢に処してソ聯貿易に不利なるが如き法令或は為替統制を行ひてゐる国への輸出、又は既にソヴエートより積出されてかゝる国へ輸送中の物品引渡しを禁止乃至制限し得る。(二)相手国が物資積出し以前に支拂を行はざる場合輸出を禁止し得る」と。

二〇三

右の法令を発布して英佛の禁輸を自国に関する限り緩和せしめんとする。一方、英国も亦ソ聯に対しては、その波蘭進駐にも不拘、ソヴエイト船に対しては中立国扱ひをなす（九月中旬）の提案を行ひ、之に対しソ聯駐英大使マイスキーは九月廿七日本国の訓令に基き英外相ハリファックスに好意的回答を与へたり。

而して右通商交渉は先づ同年一〇月一一日英国のゴム及び錫、ソ聯の木材を交換する英ソバーター協定の締結を見るに至る。此の間の消息につき英外相は十月廿六日議会に於て次の如く説明せり。即ち「ソ聯は交戦国の双方に対し通商上の公平を期し、独ソ貿易状況に関しては独逸との経済的連帯性を宣言（九月廿七日の独ソ親善並びに国境劃定條約に附随せる新通商協定締結方取極めを指す）してゐるけれども、すべて交戦国と公平なる立場に立つて通商を行ふ意向を持つてゐる」と。

かくて、ソ聯はバーター協定を締結し、且つ木材輸送に諾威、瑞典丁抹をチャーターし（十月中旬）対英通商関係の維持に極力努力せるが、独ソが被

二〇四

蘭分割の際の通商取極により翌四〇年二月十一日独ソ通商協定を締結し、以て両国貿易を過去の最高水準にまで発展せしむる目的にてソ聯の対独大量物資供給を約せしこと、英国内に於ける軍需品の需要増大、ソ聯への輸送困難等の理由によりて英国はソ聯の既註物資ー既に代金を支拂ひたる機械、設備及び一般原料の引渡をさへ拒否せり。のみならず「前年十月締結の英ソ、バーター協定が企図せるソ聯木材と英国のゴム、錫の交換も実行されない」（四〇年三月一三日英ダンカン商相声明）状態となるに至る。かくてソ聯も亦報復的に対英輸出を全面的に禁止し、これを独逸に振り向けるに至り、完全に英ソ貿易並びに植民地のそれは杜絶す。

爾来、英ソ間にはマイスキー駐英大使及ハリファックス英外相間に通商再開に関する交渉が屡々（四〇年四月廿三日、廿九日、五月十八日、五月廿二日の英ソ交渉等）五月廿八日英通商特使訪ソ行はあるも、その都度、ソ聯の対独物資供給の問題を繞つて交渉は暗礁に乗り上げ、現在に至る。

勿論、その交渉の過程に於て、漸次双方に歩みよりを見つゝあるは事実に

して、ソ聯は英並びにその他の国より輸入せる物資の対独再輸出を行はざる用意ある旨を声明、且つ英ソ通商協定の一條件として英国は独ソ貿易の現状存続を保留せんとするの態度を示し、漸次通商再開の気運は濃化す。

乍然、相互の物資需給の観点よりするならば、ソ聯の英国よりの輸入を必要とする物資は英国の需給不能にして植民地より移入せる軍需原料にして、戦時需要の増大と、植民地よりの輸送困難性の故に英国の大量の原料供給は不可能と見らるべく、仮りに通商接近実現せられし場合と雖も、従前の如き貿易は期待されざるべし。

四、対北欧貿易（スカンヂナビア、北海沿岸諸国）

此處に述べるスカンヂナビア及び北海沿岸諸国とは芬蘭、瑞典、諾威、丁抹、和蘭、白耳義（ルクセンブルクを含む）の六箇国を指す。

叙上諸国はその地理的位置よりして、英佛或は独逸両武先進資本主義列強及

び社会主義ソ聯の諸勢力交流地帯に属し、従来列国勢力の均衡の上にその生存を維持し来れるが、今次欧洲動乱の勃発を契機として、瑞典及び芬蘭は独ソ勢力の緩衝地帯として辛じてその独立を維持し、他の諾威、丁抹、和蘭、白耳義は独逸を中心とする全体主義共栄圏の一環として現在独逸ライヒ占領地委員会の軍政下に置かれる。

かくて、叙上諸国対ソ聯の政治及び経済関係も亦必然的に再編成の必要に当面しあるが、然らば此の場合、ソ聯と叙上諸国との関係は、特に経済関係は如何なる方向に発展すべきや？ 本調査の目的に顧み、過去の相互的経済依存関係を分析し、その将来性につき若干考察せん。

(イ) 経済関係の推移

スカンヂナビア及び北海沿岸諸国は主義的にはソ聯と全く対立する資本主義国たるも、前にも述べし如く、叙上諸国は欧洲列強勢力の均衡の上にその生存を維持し来れる国家群にして、自ら進んで反ソ運動を展開するの実力を有せず、従来その国内に於けるコミンテルンの問題を除外するならば、ソ聯との間に比較的友好なる国交関係を持続しあり。即ち、

芬蘭は一九二〇年一〇月平和條約を諾威及び丁抹は翌年九月及び一九二三年四月に夫々復交條約をソ聯との間に締結し、更に瑞典も二四年三月同様の協定を結び、爾来国交関係は平和的に、円滑に展開しあり、特に独伊現状打破勢力の抬頭を契機として、芬蘭は三四年四月不可侵條約を締結し、対ソ接近をさへ計れり。一方、和蘭及び白耳義は歴史的に中立政策を堅持し、第三国に侵入の口実を与ふる危険を持つ同盟関係の設定は極力これを回避しつゝあり、ソ聯に対しても同様原則の下に国交関係を持続せり。因みに叙上諸国とソ聯との間に締結せられたる條約を年度別に列挙すれば次の如し。

ソ聯対六国條約年表

一九二〇年一〇月	芬蘭	平和條約
一九二一年 九月	諾威	復交暫定協定
一九二二年一一月	諾威	対ソ借款協定
一九二三年 四月	丁抹	復交通商暫定協定

一九二四年 二月 諾威 復交條約（最恵国待遇規定）
〃 三月 瑞典 復交通商協定
〃 六月 丁抹 復交通商協定
一九二五年一二月 諾威 通商航海協定（特恵関税設定）
一九二七年一〇月 瑞典 通商代表権限の決定
一九二八年 九月 芬蘭 カレリア地峡紛争防止協定
一九 年 四月 芬蘭 不可侵條約
（註） 白耳義、和蘭との間には正式條約の締結を見ず。

右指標は、ソ聯対叙上六国との国交か芬蘭を除き大体に於て円滑に進行しあると共に、経済関係の緊密化に対し積極的努力の拂はれてゐない事実を物語る。

周知の如く、叙上諸国は発達せる工業、農業国にして重要産業は專ら外国市場を対象として、生産を行ひ、而もその原料或は食糧はこれまた外国市場

二〇九

より輸入しあり。かくて、ソ聯対叙上諸国の工業製品交換の建前より大規模に発展すべく豫想されしも、自然地理的條件がソ聯と近似し、或る種原料農産物（木材、畜産品、亜麻）等に於て夫々国際市場に於て競争的立場にありしこと、及びソ聯の食料及び一般軽工業品の輸入制限の結果叙上諸国の工業製品が大規模にソ聯市場に進出不可能なりしことのため相互の経済的紐帯は薄弱たりき。而して叙上諸国が独逸の如くクレヂットを供與してまでも対ソ輸出を増加すべき熱意を有せず、而も対ソ貿易に於て年々入超を維持しあることも右の傾向を促進せり。

尔然、一九二九年以来世界経済恐慌に対應し、叙上諸国が英佛其他の資本主義諸国よりの原料・食料輸入が困難化し、その註文をソ聯に振り向け、ソ聯も亦叙上諸国の機械及び白和両国の植民地産原料の購入を増加せる結果、特にソ聯対和白両国との経済関係は漸次緊密化せり。

即ち、次に示せるソ聯対スカンヂナビア及び北海沿岸諸国貿易の動態を見ても明らかなる如く、ソ聯貿易の総体的減少にも不拘、特に和白両国との経

二一〇

第五十七表 ソ聯對スカンヂナビア北海沿岸諸國貿易 （單位千留）

		一九三四年	一九三五年	一九三六年	一九三七年	一九三八年
輸出	芬蘭	二〇、五九九	一五、五〇一	七、六二四	九、三五七	一〇、八一五
	瑞典	二四、六七七	一九、〇九七	二一、一〇五	一九、四二〇	一三、四五三
	諾威	一三、六九六	一〇、九一九	九、六八五	一七、五八三	二一、六二六
	丁抹	三三、一八三	二八、一七七	一九、八三九	一六、八七九	二七、四三二
	和蘭	九七、三四一	七〇、六三六	五三、八六三	一一一、八八八	九二、八四八
	白耳義	七五、四六七	八九、四五七	八八、二三五	一二九、五七六	一一六、八〇三
	合計	二六四、九六三	二三三、七八七	二〇〇、三五一	三〇四、七一三	二八二、九七七
	%	一四・五	一四・五	一四・七	一七・六	二一・二
輸入	芬蘭	一二、六六七	六、〇四〇	三、六三七	三、八三三	三、四四一
	瑞典	二一、四四〇	一四、〇二九	一七、九八五	一七、四〇八	二七、三九〇
	諾威	一二、七九四	七、九九四	二二、二五七	三、二〇六	九、八八三
	丁抹	六、二九〇	九一五	八、六八〇	一〇三	五、一四三
	和蘭	六八、九八九	八五、五二〇	七二、七二二	一〇五、二九九	一〇二、五三五
	白耳義	三一、六八一	四〇、〇四二	四七、〇五八	六七、三二〇	六四、二四九
	合計	一五三、八六一	一五四、五四〇	一五二、三三九	一九七、一六九	二一三、六四一
	%	一五・一	一四・六	一一・三	一四・七	一四・九

第五十八表　スカンヂナビアおよびバルチック海沿岸諸國よりの輸入（一九三七年一―九月）

	ソ聯全体	芬蘭	瑞典	諾威	丁抹	和蘭	白耳義	合計	％
輸入總額（千留）	一〇一二、七六一	一、九七七	一二、三九〇	二、五三六	九一	七五、六五七	四九、一九一	一四一、七六九	一三・九
鉄金属	一六六、六一四	-	二四八五	-	-	一、〇〇一	一二、六三七	一六、一二三	九・六
非鉄金属	一〇〇、六五二	二六	一二九	一、一五五	-	七、四一三	一八、〇一四	二六、七三七	二六・五
銅	五〇、七〇六						一五、〇七三	一五、〇七三	二七・九
アルミニウム	八〇七			一七七			九六	二七七	三四・三
錫	九、三九一					七、四〇九	一、二七二	八、六八一	九二・四
ニッケル	六、〇七七						一五二	一五二	二・五
鉛	二九、五六六						三〇八	三〇八	〇・一
亜鉛	二、九三九			九七五			八四七	一、八二二	六一・九
アンチモニイ	一、〇九一						一二七	一二七	一一・六
茶	一二、九三九					一、八九二		一、八九二	一四・六
ゴム	二一、七四八					八九四		八九四	四・一
キニーネ	一五					一五		一五	一〇〇・〇
麻製品	三四五一					七、五五六		七、五五六	二一・八
機械（千留）	二九九、八六九	七四一	七〇三四	一四	-	三、七六五	一、四九五	一三、〇四九	四・三
一般機械	二八〇、五七四	七四一	六七三七	一四	-	一八一	一、〇七六	八、七四九	二・九
電気機械	三五五二七	-	一〇八	-	-	五〇	三八〇	五三八	〇・一
精密機械	一五八八七	-	一八八	-	-	七五	三一	二九四	一・九
船舶	一五、七七〇	-	-	-	-	三、四五六	-	三、四五六	二一・七

済関係の緊密化し、貿易の相対的にも絶対的にも増加しつゝあるは注目すべきなり。

　而して、叙上六ヶ国のソ聯貿易に占める比重は輸出に於て一九三四年一四・五％より、一九三八年二一・二％に増加、輸入に於て一五％程度を占む。

　然らば、ソ聯は如何なる物資に於て、何の程度に叙上諸国に依存しあるや？　一九三七年一―九月の資料に基き叙上諸国よりの主要輸出品及び、ソ聯総輸入に占めるその比重を見れば第五十七、第五十八表の如くなり。

　右表に示せる物資はソ聯のスカンヂナビア及び北海沿岸諸国より輸入せる物資の九〇％程度を占め、特に瑞典、諾威、和蘭、白耳義四国よりの金属、機械輸入には注目すべきものあり。即ち、ソ聯輸入に占むる叙上諸国の比重は非鉄金属の二六・五％（内銅二七・九％、アルミ三四・三％、錫九二・四％、亜鉛六一・九％）、船舶二一・七％　キニーネ一〇〇％を占め、ソ聯の自給不能な戦略原料輸入に於ける叙上諸国の意義大なり。

　而して、これをソ聯の重要物資需給バランスの点より一九三七年について

二一一

二一二

見るならば次の如し。

	ソ聯需要量（千瓲）	輸入（千瓲）	％
錫（和、白）	三二・八	一一・六	三五
亜鉛（諾、和、白）	九六・八	六・三	二
キニーネ（和）	△二〇	△二〇	一〇〇

△は瓲、輸入量は一―九月分より一年分を推定す。

即ち、ソ聯は和蘭、白耳義の錫及び和蘭のキニーネに甚だしく依存し、錫消費の三五％、キニーネ消費の一〇〇％をこれらの国に仰ぎつゝあり。キニーネは狩猟用及びマラリア予防剤として不可欠なる物資にして、その輸入杜絶はソ聯の重要輸出品たる毛皮の捕獲及び中央アジアのマラリア予防を甚だしく困難ならしむ。右の他、ソ聯の完全自給し得ざる非鉄金属、機械、設備、同部分品、鉄半製品の輸入も可成り巨額に達し、叙上諸国、就中和蘭白耳義、諾威のソ聯輸入に占める役割も注目すべきなり。

次いで、叙上諸国に対する輸出可否について見るに、叙上諸国は集約農法

第五十九表

スカンヂナビア及びバルチック沿岸諸國への輸出（一九三七年一―九月）

	ソ聯全体	芬蘭	瑞典	諾威	丁抹	和蘭	白耳義	合計	%
總輸出額（千留）	一、二一八、五四九	七、二五六	一三、八六三	六、三九四	六、六六三	七二、〇一八	八二、〇一五	一八八、一七八	一五・四
穀物	四八五、一〇一	一、〇九〇	–	二三、八二〇	一〇、六〇四	五八、九六〇	八九、一二九	一八三、六〇三	三七・八
小麥	二四六、八五一	–	–	二、〇三三	–	二五、五六七	三二、三八五	六〇、四三四	二四・五
大麥	一四六、九四八	–	–	–	–	二七、三四三	五四、七九四	八二、一三七	五五・九
ライ麥	六六、七四五	一、〇九〇	–	二一、七八八	一〇、六〇四	六、〇五〇	一、九五〇	四一、四八二	六二・一
木材	三、八八〇、三九七	七七、八八二	五〇	四、八五四	四、三一九	五六七、一九五	五三九、〇二五	一、一八九、〇〇七	三〇・六
植物油	八、五八四	–	–	–	–	二、七四六	–	六、九六五	八一・八
石炭	一、一五五、九二九	三一四	二四、二一六	一、一〇〇	四三、二〇三	一、八二〇	三〇、四九七	五七、九四七	五・〇
石油	一、四七三、八九八	七、七〇一	六五、一五八	一、四五三	–	五、九五〇	二三、六二三	一四七、〇八七	九・九
マンガン鉱	七六二、八九三	–	一一、四三〇	一八、二七九	–	九一〇	一一三、五二四	一四四、一四三	一八・八
石綿	二一、〇七五	七四	九二八	–	–	五六	二、一六六	三、二二四	一五・三
岩塩	一二二、三〇四	二八、五一八	二七、三三二	二八、四九〇	–	一、五二四	–	八五、八六二	七〇・二
化學製品（千留）	二四、四二〇	二三	一七〇	一一	–	一、四三三	一、九五三	三、七九八	一五・五
肥料	五七〇、一四五	八、三一八	二五、〇二三	六、〇八〇	–	九、九五五	一六九、七五四	二一九、一三四	三八・四
亜麻	二七、一三〇	–	五六	–	–	–	七、五七六	七、六三三	二八・〇
棉花	三七、〇八一	–	–	–	–	一、七〇九	一、二一一	二、九二〇	七・二
鉄	一一七、一八〇	四、六六三	一八、九六五	九九九	一、四一三	二、〇二〇	一八、四六三	四六、五三二	三九・七
機械（千留）	四二、三三九	一三八	四三	九四	六〇	七七五	四七	一、二五七	三・五

を採用し、利益の大なる農産物加工品輸出に努力せる結果、畜産品輸出に於ては世界的地位を占めたるとは言へ、食糧・飼料はその消費を大部分輸入に待つの状態なり。而して石炭・石油等の燃料資源、マンガン鉱、其他重工業原料に於てもソ聯市場に多大の興味を有し、かくて、ソ聯のこれら物資輸出は極めて盛んなり。

　即ち、ソ聯のスカンヂナビア及びバルチック沿岸諸国への主要輸出品は穀物、木材、石炭、石油、満俺鉱、銑鉄その他原料品に占められ、ソ聯輸出市場としての叙上諸国の意義は第五十九表に示す如く可成り大なり。

　ソ聯はその輸出せる穀物の四分の一、木材、肥料、銑鉄、亜麻の三分の一を叙上諸国に仕向け、植物油、岩塩の如きはその圧倒的部分が叙上諸国に輸出されあり。その他、叙上諸国はソ聯産石油、石炭、満俺鉱、石綿等の工業原料の購入者としても大なる意義を有せり。

　翻って、芬蘭、瑞典、諾威、丁抹、和蘭、白耳義経済にとりて対ソ貿易が如何なる意義を有するかについて見るならば次の如くなり。

二一三

二一四

芬蘭の自然地理的諸條件はソ聯のそれと甚だ近似しあり、而も主要産業は国産原料を加工する木材加工業、纖維工業、製紙工業にして、その製品の対ソ輸出は甚だしく困難なり。かく芬蘭の対ソ輸出の内容は極めて限られ、機械、皮革原料、紙、パルプの若干商品の対ソ輸出を見てゐる現状にして、対ソ物資供給の可能性比較的尠し。反面、一般原料、食糧に於ては国内資源乏しく、ソ聯物資に依存し得るの可能性を有しつゝも、芬蘭のソ聯品に依存する程度貧弱なり。

　因みに一九三六年度につき、主要商品の芬蘭輸入に占めるソ聯の比重を見れば次の如くなり。

芬蘭主要輸入に占めるソ聯の割合

	芬蘭総輸入	内ソ聯より	%
石油（千瓩）	一五四・〇	一九・三（九・三%）	一二・五

石炭（〃）	一、七二三・七	〇・四（〇・七％）	〇・〇
鉄鋼（〃）	一一六・九	八・八（八・七％）	七・六
木材	九〇・〇	八七・六（三四・九％）	九七・三
肥料（三五年）	一七二・二	一一・三（一一・四％）	六・五
煙草	三・一	〇・四（八・五％）	一二・六

（註）括弧内の％はソ聯の対芬総輸出に占める比重

これによれば、芬蘭の石油及び木材の供給者としてソ聯の意義大なりと雖も、木材を除き他の物資に於てソ聯に依存する程度少し。

瑞典、瑞典は発達せる農業、工業国にして、特に木材資源、良質の鉄鉱資源（一九三八年産高一三・九百万瓲、内輸出一二〇八百万瓲）、銅、亜鉛、鉛、硫化鉱に富み、諾威と共に北欧の富源として注目されつゝあり、工業も亦これら富源を加工する重工業－冶金業、機械工業、電気機械製作業、木材工業発達せり。かくて、瑞典は工業製品に於て対ソ輸出の可能性を有し、その鉄

二一五

金属、同半製品、機械、同部分品の対ソ輸出に活気を見せつゝあり、因みに一九三六年度につき瑞典輸出に占めるソ聯の比重を見るに次の如し。

瑞典輸出に占めるソ聯の比重

	瑞典輸出	内対ソ輸出	％
電機（百万留）	八一・〇	二・二	〇・二
内燃機関（〃）	四・九	〇・九	一・六
鉄鋼製品（千瓲）	二三二・〇	五・二	二・二
ホールベアリング（〃）	八・七	〇・九	一・山

二一六

反面、瑞典は如何なる物資に於てソ聯に依存しあるかと言ふに、瑞典は重工業に必要な石炭を始め燃料、石綿、ソ聯産石炭、石油、マンガン鉱、石綿、岩塩、肥料、銑鉄を多量に輸入し、その総輸入に占めるソ聯の比重を見れば次の如し。

	瑞典の総輸入	内ソ聯より	％
木材（百万留）		二・六	九・三
石炭（千瓲）	二七・八		
石油（〃）	五六・〇	一二七・三	二二・七
マンガン鉱（〃）	……	六・一	……
岩塩（〃）	……	二三・六	……
石綿（〃）	……	〇・四	……
肥料（〃）	三九・〇	一八・五	四・七
亜麻（〃）	一九・七	〇・五	二・五

瑞典も亦石油を除きソ聯に依存する程度低し。

丁抹、丁抹は農業国にして、その輸出の七〇％は農産物（ベーコン、乳製

二一七

品、鶏卵）に占められ、西欧食料供給地として重要なる地位を占めるも、対ソ輸出はその経済的性格の故に常に不振を極め、最近ではボロ、ニッケル機械合計三万六千　留程度をソ聯に輸出してゐるに過ぎぬ。が反面工業の未発達の故に燃料、肥料、一般工業製品は之を輸入に待ち、而も、此の国は集約農業を営み、採算性の高き農産物の生産に主力を傾注しある結果、小麦、植物油、其の他食飼料の輸入をも必要とせり、而して、ソ聯よりは専ら、石油、小麦、植物油、ソ粕、木材の大量輸入を行ひ、その国内総輸入に占める比重には可成り大なるものあり。

二一八

丁抹輸入に於けるソ聯（三六年）

	丁抹の総輸入	内ソ聯より	％
石油（千瓲）	六九二	六二・五（四九・四％）	九・〇
小麦（〃）	二三五	七・九（三三・九％）	二・八

〃　粕（〃）	六七〇	一二・三（三・二%）	一・八
植物油（〃）	五	△四・二（六・六%）	八四・〇

（註）括弧内は一九三七年度ソ聯丁抹向輸入に占める各物資の割合。

丁抹はソ聯の植物油及び石油に或程度依存するも、その量尠く問題とするに足らず。

諸威は海運国にして船舶所有数に於て世界第四位（四・八百万噸）を占め漁業盛んなるも、更に国内資源にも富み、三八年に於て鉱物原料産高は鉄鉱一、四二二千瓲、黄鉄鉱一、〇三八千瓲、銅及び亜鉛鉱一五・一千瓲、モリブデン及びタングステン〇・八千瓲を産し、木材資源にも富む。かくて、此の国には冶金業を始め、木材、製紙、罐詰工業発展せるも、対ソ輸出は最近年に於てアルミニウム、亜鉛、船舶に於て若干活気を見せてゐるに過ぎぬ。一方、ソ聯よりの輸入は如何かと云ふに、冶金業の副次的原料たるマンガン鉱、石炭はじめ、石油、木材、穀物、岩塩等を輸入し、その総輸入に占めるソ聯の

二一九

比重は次の如くなり。

諸威輸入に占めるソ聯の比重

	諸威の総輸入	内ソ聯より	%
穀物	……	六五・九（七〇・三%）	
小麦	一四〇	五・五	四・二
ライ麦	一二三	五七・四	四六・六
大麦	一五・二	三・〇	一九・〇
木材	一八〇	一〇・七（一一・九%）	三・九
石油	四八三	一七・六（一一・五%）	三・四
石炭	二、二九一	一・三（〇・六%）	〇・〇
△其の他鉱物	六六〇	二三・七（一四・一%）	三・五
化学製品原料	一四六	一・七	一・二

二二〇

（註）△印は三五年、括弧内はソ聯の対諸威総輸出に占むる割合。

即ち、諸威はソ聯の穀物に特に依存しあり。

和蘭貿易に占めるソ聯の地位。和蘭本国は周知の如く高度に発展せる農業及び農産物加工工業を持つ海運国にして、特に集約的畜産業盛んなり。即ち全領域の五〇%は牧草地に占められ、肉、油脂、チーズ、乳製品等の主要輸出国なり。然れども、農業は国内消費を満し得ず（小麦消費の三五%、家畜飼料消費の三〇%を充足し得るに過ぎぬ）従つてその大部分は輸入に依存しあり。

一方、国内には殆んど鉱物資源なく、従つて重工業の発展も微々たるものであるが、その植民地たる蘭印、ダビアーナ等に豊富なる天然資源及び畜産原料を有し、嘗てはこれら植民地原料の再輸出国として世界市場に重要なる地位を占めたるも近年（三六年以来）、国防力の強化を目的とする工業化政策を採用し、植民地原料を加工する冶金業、繊維工業も発展しつゝあり。因み

二二一

に、和蘭及び蘭印の重要生産物及び生産量について見れば次の如くなり。

和蘭及び蘭印資源（生産量）

	蘭印重要産物（千瓲）	和蘭本国重要産物
石油	七九二〇（三九年）	
石炭	一、六六八（三九年）	一三、五〇〇
錫（鉱）	二七・七（三八年）	二七・〇
マンガン鉱	一一・一（〃）	
生ゴム	三〇三・〇（〃）	
硫黄	一二・二（〃）	
砂糖	一、三八〇（〃）	
珈琲	五四（〃）	
茶	五八（〃）	

二二二

キニーネ	四七(〃)	
バラ油	一九九(〃)	
亜鉛	—	二五・三

而して、叙上資源の内、石炭、石油、マンガン、砂糖、バラ油を除く他の諸原料はソ聯の自給し得ざる物資にして、ソ蘭両国間には、ソ聯の木材、食糧と和蘭、蘭印の重要原料との交換を目的とする通商が近年頓に活気を見せつゝあり、このこと既に前項に於て概説せるところなるが、先づ和蘭輸入貿易に占めるソ聯の割合について見るに、和蘭の総輸入額に占めるソ聯の割合は一九二九年の五%より最近は二・二%程度となりたるも、次表の如く穀物に於て全く支配的意義を占む。

二二三

和蘭輸入に占めるソ聯の比重（三六年）

	合計	ソ聯より
△木材（千噸）	一、五〇八	六四九・八（六八%）
穀物（〃）	七八六	二〇・七（一七・二%）
△小麦（〃）	五三〇	四七・〇
植物油（〃）	五七	一・三（二・二%）
石油（〃）	—	一六・五（〇・五%）
石炭	五、七一四	一一・二（〇・一%）

（註）△印は三五年

白耳義貿易に占めるソ聯の地位。白耳義は和蘭と異なり、高度に発展せる工業国にして、その国内資源たる石炭、鉄鉱並びに植民地コンゴー非鉄金属、

二二四

羊毛等に依存して冶金業、機械製作業、繊維工業盛んなるも、他の産業部門は比較的発展せず、国内食料・飼料需要の大部分は輸入に待つ。

而して、白耳義輸入に占めるソ聯の比重は一九二九年の〇・六%より年々増大し、三八年三・四%を占め、その内容を見れば次の如くなり。

白耳義輸入に占めるソ聯の地位（三六年）

	白耳義全体	ソ聯より	%
木材（千噸）	一、四七三	五六〇・四（三五%）	三八・七
穀物（〃）	二、七六八	六九・一（二〇・五%）	二・四
大麦（〃）	四五九	三三・四	七・二
亜麻（〃）	一八〇	一〇・〇（一三・二%）	五・五
マンガン鉱（〃）	五五一	六〇・〇（三・七%）	一〇・九
石油（〃）	一、一七九	六二・三（二・五%）	五・三

二二五

（註）　括弧内はソ聯の対白総輸出に占める比重。

即ち白耳義の輸入にソ聯産木材、マンガン鉱は重要地位を占むるも、他は補助的輸入に過ぎず。一方、ソ聯の白耳義よりの輸入貿易の八〇・三%を占める非鉄金属・一〇・五%を占める鉄金属について、白耳義の輸出市場としてのソ聯の地位を見るに、白耳義の銅輸出総量七九千噸の内、一三・二千噸（一六・七%）、亜鉛総輸出量九六千噸の内一・四千噸はソ聯に仕向けられつゝあり、而かもこれら物資はその外国市場需要年々増大し、独伊等に仕向けられつゝあり、白耳義輸出市場としてのソ聯の意義は比較的小さい。

(二) 欧洲動乱後の貿易。　然らは欧洲動乱後叙上諸国とソ聯との経済関係は如何なる変化をせるや？　具体的にその動態を検討することは資料の不充分なる現在では不可能なるも、叙上の如き、経済関係の実態より若干の推定可能なり。

既に述べしところにして、[illegible]ソ聯は北欧諸国の非鉄金属・麻、麦、キニー

二二六

ネ、船舶に高度に依存し、機械類をも補助的に輸入しつゝあること、和蘭及び白耳義の植民地原料に特に高度に依存せること。(ロ)北欧諸国が独英米佛の経済に依存し、それらの市場に依存せる当然の帰結として、北欧諸国のソ聯経済関係を規定する。

第一に動乱発生と共に、白耳義及び和蘭の如き植民地原料の再輸出国は植民地よりの原料入手困難となり、従って、これが対ソ供給は杜絶すべき筈なり。而もこれら諸国は丁抹、諾威と共に従来自由市場として国際資本に解放せられし国々にして、チエッコ問題以来欧洲戦局の不安抬頭し、外国資本の引揚、資本逃避の傾向強まり、かくてそのストックも多量に存在せりとは考へられず。

而も、四〇年四月北欧に戦火波及し、白蘭占領なるに及んで北欧諸国は殆んど独逸の支配下に置かる。

此処に於てソ聯の原料供給地として北欧の意義は必然的に低下し、ソ聯の自給困難にして、従来北欧諸国より供給を受けし非鉄金属、麻、キニーネ等

の輸入は殆んど不可能となれり。

第二に、北欧の独逸支配圏への輸入と関聯し、従来北欧諸国自体が生産し、輸出せる物資の内独逸に供給する必要なき物資―独逸の自給状態より見て、一般機械類、紙、其の他若干畜産品あり、の英米佛への輸出困難化し、これをその接壌国へ供給し得る可能性が生ぜり、依然、北欧諸国は瑞典の鉄を除けば他の原料はこれを移入に待つ状態に存す。のみならず、彼等はその畜産業に必要とする飼料も亦欧米諸国より輸入不能となるに至る。

右の、欧洲動乱に依る北欧の物資需給関係の変化よりして、必然的にソ聯の原料及び食糧と北欧の機械及び設備の交換が考慮せらる。

事実、ソ聯対北欧諸国の経済関係は此の方向に辿ることゝなり、四〇年六月にはソ芬通商條約、全九月にはソ瑞通商支拂及び信用協定並びにソ丁通商支拂協定調印せられ、ソ聯と、これら諸国の間には、ソ聯原料及び北欧機械設備交換の原則に基いて相互の経済関係は緊密化の傾向を辿れり。而して、これ等協定の内容を示すと次の如し。

ソ芬通商條約及び通商取極（四〇年六月二八日）内容

芬蘭の対ソ供給量（単位千弗）		ソ聯の対芬供給物量（単位千噸）	
船舶	四八（隻）	穀物	七〇
皮革製品	四二五	塩	三〇
紙類	四〇〇	燐灰石	二六
牛酪	一	石油	一五
獸皮	二三五	ベンシン	八
		家畜飼料	七
		ケロシン	六
		棉花	二・三
		煙草	〇・五

（註）　船舶の内、貨船三八隻（建造期間二四ケ月）
　　　　平底船二〇隻（建造期間二〇ケ月）

右取引額は協定第一年度七五〇万弗と決定せらる。

ソ瑞通商支拂及び信用協定（四〇年九月七日）

ソ聯は瑞典との間に四月以来通商交渉を続行、九月七日次の内容を持つ協定に調印せり。

(1) 両国取引高は第一年度七千五百万クローネとす。

(2) 瑞典は車輛、鉄道、工作機械、特殊鋼、ボールベアリングを輸出、ソ聯は石油製品、穀物、油粕、マンガン鉱を供給す。

(3) 瑞典はソ聯に対し一億クローネ（五ケ年期限、利子四・五分）の信用を供へ、ソ聯はこれを追加註文支拂のため二ケ年間使用す。

丁ソ通商支拂協定

ソ聯と丁抹の間には同じく通商協定が四〇年九月一八日調印せられ、その

内容は次の如くなり。

(1) 最初の六ケ月間の貿易額を七百二十万クローネ（邦貨七百二十一万円）とす。

(2) ソ聯は棉花、ケロシン其の他石油製品及び燐灰石を輸出。

(3) 丁抹は船舶用デーゼル機関、電気発動機、圧搾機、機械部分品を供給す。

然らば、これら協定が実現せられし暁には、ソ聯対叙上三国貿易は夫々の協定国にとりて如何なる意義を持つものなりや。

いま、三七・八年度の貿易に於ける協定額の比重を見れば次の如し。

協定国貿易と協定貿易の地位

	協定取引高	協定三国貿易高		ソ聯貨換算協定高	
		総額（百万単位）	%	千留	%
ソ芬貿易	七五〇〇千芬 〇	一三、五九二	二・八	三九七五〇	一・五
ソ瑞貿易	七五〇〇〇千クローネ	三、九二六	一・七	九五、八五〇	三・五
ソ丁貿易	△一四四〇〇 〃	三、一九二	〇・四	二、八八〇	〇・一

（註）△ー六ケ月分協定額を一ケ年分に換算
一弗＝五・三留にて換算
〇＝一九三六年

即ち、本協定が完全に実施せられし際に於ても、最近年に於けるソ聯貿易に於ける比重は芬蘭一・五%、瑞典三・五%、丁抹〇・一%に過ぎず、ソ聯の三国貿易に於ける比重も亦同様なり。かくて、ソ聯にとりては叙上諸国との貿易は欧洲動乱後に於ても尚、第二義的意義、補足的意義を持つものなることを知り得べし。

一方、諾威、白耳義、和蘭との貿易発展については未だ具体的交渉の行はれたる事実を聞かざるも、特に白蘭両国の従来の対ソ輸出が、その植民地原料の三割以上に達しつゝありたる事実を想起せば、植民地原料と、ソ聯産食料及

び飼料の交換について今後何等かの交渉あるべきことが推定し得べし。

尤然、これは英吉利のこれら諸国に対する出方如何に係り現在の所、ソ聯は白蘭貿易の杜絶により、非鉄原料、キニーネ、ズク等の戦略原料に多大の支障を来しつゝあるものと言ひ得べし。

五、東波蘭及びバルト三国併合の経済的意義

(イ) 対ソ貿易の推移　欧洲動乱の勃発するや、ソ聯は直ちに波蘭進駐を開始し、四〇年九月二七日附波蘭分割に関する独ソ協定によりてその東半分を自国領に帰属せしむ。これと併行して、バルト三国に対しても漸次政治的及び軍事的圧力を加重し、遂に四〇年八月上旬之れを自国領化す。然らば、叙上四国の併合はソ聯にとりて如何なる経済的意義を有するや？

(1) 国防経済的意義至大なり。先づ、叙上四国はソ聯の経済的心臓部に接壌すると共に、芬蘭と同じくソ聯のバルト海への出口を扼す。

而して、「エストニアのナルワよりレニングラードまで、またソ聯が昨秋リトワニアに移譲したヴィルノからミンスク（白ロシア共和国首府）までは夫々二百粁以内である。ラトビアは約五百粁の海岸線を有してゐるが、こゝは浅瀬で陸戦隊の上陸には好都合の場所とされてゐる。従つて、仮りにバルト三国が中立的態度を維持してゐても、一度或国がその中立を侵し三国に足をかけたならば、レニングラード、ミンスク、従つてモスクワは攻撃の危険にさらされる」（註）

（註）ソヴエート聯邦事情第十一巻九号「バルト三国のソヴエート化」

波蘭につきても同様の事が言ひ得べし。即ち波蘭首府ワルシヤワは西欧諸国の対ソ侵出の重要拠点に当り、而もそれよりミンスクまで三百粁内外、波蘭の国境よりウクライナ首都キエフまで四百粁程度の距離にして波蘭はソ聯対西欧の交通上の要衝に当る。かくて叙上四国の地理的地位は戦時に於ける一国の恐るべき攻撃拠点たり得べし。

第六十表

	中央工業地帯(1)	レニングラード工業地帯	ウクライナ
機械工業	三五・二	二〇・八	一七・二
化学工業	四〇・五	二一・八	一七・六
基礎化学	二五・九	一三・一	二一・九
アニリン染料	六〇・六	：	三四・四
塗料	四三・五	二六・五	：
合成ゴム	五一・一	四一・四	：
ゴム工業	五四・四	四四・〇	：
製薬化学	七九・二	七・〇	：
セメント	二二・四	：	二二・四
製紙工業	二四・六	：	：
綿布	八〇・五	一四・一	：
粗糖	一七・四	：	七三・九
石炭			六一・〇
鉄鉱			六〇・六
銑鉄			六〇・七
満俺			三四・九
穀物			一九・〇

（註） 満鉄三調々査資料「国防経済地理」による。
(1) 中央工業地帯はモスクワ・イワノフ・ゴリキイ州を指す。

(2)

然るに叙上四国のソ領接壌地帯はレニングラード、白ロシア、並びにウクライナ中央工業及び農業地帯に属し、そのソ聯経済に於ける比重は、第六十表の如くなり。

右の如く、特にソ聯工業に支配的地位を占むる工業地帯に対し、バルト三国及び波蘭極めて接近しあり。

一方、バルト海のソ聯貿易貨物輸出入に占める比重を見るに一九三八年度に於てバルト海経由輸入はソ聯総輸入額の五一・四%、輸出のそれは二二・七%を占む。

かくて、バルト三国及び波蘭はソ聯の経済的心臓部に接近し、それ故に従来反ソ的欧洲諸国の前哨として重要意義を有せるが、ソ聯による叙上四国の併合はソ聯の国防線を著しく前進せしめ、且つバルト海の或る程度の安全と特にソ聯工業地帯の安全を保障し得たる点に於て重要な意義を持つものと言ひうべし。

大量の労働力を吸収し得る。次に注目すべきは叙上四国の労働力を自国

二三五

(3)

の支配下に置き得たる事実なり（第六十一表）。

ソ聯がバルト三国及び東波蘭併合の結果取得せる総人口は合計七百五十二万人（確実なり）にしてこれはソ聯総人口一七〇、四六七、二千人に比すれば四・四%に過ぎざるも、その圧倒的部分が農業、漁業、林業に従事しあり、之等労働力の利用は、自国労働力の調達の限界に達せる現在のソ聯にとりて重要意義を持つものと言ひ得べし。

四国経済資源をその支配下に獲得せること。先づ、バルト三国及び波蘭合併の結果ソ聯の取得せる産業部門の生産力につきこれを見るならば第六十二表の如くなり。

周知の如く、右四国は自然條件に於てソ聯と特質を一にし、農畜産国として特徴づけられ、工業は、輸出工業部門を除きその発展程度低し。このことは人口構成に於て農業人口がエストニア六八・二%（三四年）、リスアニア七九・四%（一九二三年）、ラトビア六九・五%（一九二五年）、波蘭七二・八%（一九三一年）を占め、夫々農産物を輸出し、工業製品を輸入しあ

二三六

第六十一表 バルト三國及び東波蘭の人口とその構成

	エストニア	ラトヴィア	リスアニア	東波蘭	合計
総面積（千立方粁）	四八・〇	六六・〇	五六・〇	一九七・六	三六七・六
総人口（千人）	一、一三一・〇	一、九七一・〇	二、五五〇・〇	一、八七〇・〇	七、五二二・〇
農林漁業人口	四五三・九	七六七・三	一、〇八八・八	一、一三三・三	三、四四三・三
工業、都市人口	一〇五・五	一六六・一	一一九・一	三六二・九	七五三・六
商業、運輸人口	四七・二	八二・〇	四五・五	一八一・四	三五六・一
軍隊兵数	一一・七	一九・〇	二三・一	八八・六	一四二・四
其の他勤務員、自國労働者	三〇・八	四一・四	二一・八	一〇三・九	三一七・四
家内、個人業者	一六・九	二八・九	七三・七		

（註）バルト三國は、ソ聯「世界政治経済」誌附録一九三九年一〇号による。
東波蘭は、全波蘭の人口構成を以て東波蘭人口を割れるものにして推定に過ぎず。且つその軍隊数は一九三七年陸軍兵力二六六千人の三分の一とす。

第六十二表 バルト三國及び東波蘭の生産高（単位千噸、一九三八年度）

		東波蘭（一九三六年）	エストニア	ラトヴィア	リスアニア
農産物（千噸）	ライ麦	二三、九〇〇	一八四・〇	三七八・七	六二六・一
	小麦	一〇、三〇〇	八三・二	一九一・九	二四六・九
	燕麦	一一、五〇〇	一六九・七	四四六・六	四二四・八
	大麦	六、五〇〇	九七・四	二二〇・六	二六八・八
	馬鈴薯	二三二、三〇〇	九四五・一	一、七五一・四	二、〇六八・三
	甜菜	三、六四〇	—	—	—
	亜麻	—	七三	二二・五	二六・二
畜産物（千頭）	馬	一、九〇〇	二一九	四〇〇	五五二
	牛	四、六五〇	六六一	一、二二四	一、一七二
	羊	二、二九〇	六五〇	一、三六〇	六一四
	豚	三、〇三〇	三八五	八一四	一、一九二
魚類		—	一八・〇	一三・八	一・六
鉱業（千噸）	石炭	—			
	亜鉛	—			
	錫	—			
	石油	四一〇			
	岩塩	—			
	加里	五一〇			（一九三七年）四三
	紙		二〇		
	パルプ（一九三七年）		九〇		五九
	セメント		六九		
	泥炭	—	七九	—	一〇〇

（註）東波蘭に関する資料は企画院第一部「ソ聯重要研究資料彙報」第三号による。その他は「世界政治経済」誌一九三九年一号附録による。

（4）

る事実を以てしても明らか参り。

かくて、ソ聯は叙上諸国を併合せることにより、工業資源の点に於ては、さして得るところなきも莫大なる農畜産物資源をその支配下に置くことを得たり。

右の結果ソ聯の農畜産品需要バランスは強化せらる。因みに、叙上四国の対外貿易に於て出超を維持しある物資につきその輸出入数量を示せば次表の如し。

即ち、右の出超部分は最近の四国々民の生活を保障しつゝ国外に移出し得るものにして、これがソ聯の支配下に置かれしことにより、特に完全に自給し得ざりし、パルプ、家畜及び肉類の国内需要が完全に或は大部分充足し得るに至る。即ち、肉類に於ては年需要一、一四一、五千瓲にして内三千瓲程度を外国よりの輸入により充足しつゝありしが（一九三八年）、四国品約二万瓲を利用し右不足をカバーし得べし。パルプにつきても同様にして、特に家畜に於ては年々百万頭程度は之を輸入に依存せるも、叙上四国

二三七

（5）

の家畜輸出資源約二十五万頭を獲得し、従来の輸入を四分の一程度縮少し得る、特にソ聯の家畜輸入は東方諸国より行はれ、多分に政策的意図を持つものなる点を考慮するならば、肉資源の不足問題は此処に殆んど解決されしものと看做し得べし。

叙上の輸出資源獲得の結果、農産物及び食糧バランスに於けるソ聯の比重を強化し得る。波蘭及びバルト三国の一九三六年度輸出構成を見るに農産物及び食糧は夫々国の総輸出額に於てラトビア七五・九％、エストニア五九・九％、リスアニア九六・三％を占む。而してその仕向国は専ら英独両国に占められ、第六十三表の如し。

かくて、従来バルト三国或は波蘭の食糧、農産物購入国たりし国はその必要をソ聯よりの輸入によりて充足せざるを得ない。このことは欧洲の食糧供給地としての従来のソ聯の地位を更に強化し得るものと言ひ得べし。

右の他、ソ聯はバルト諸国の併国により各国の輸出市場を狭隘化せしめ、欧洲の主要輸入国としての役割を強め得ることも推定に難くない。佐

二三八

第六十三表　一九三六年度バルト三國及び波蘭國別輸出

	波蘭(註)	エストニア	ラトヴィア	リスアニア
独逸	二四・一	二二・五	二〇・八	一〇・八
英吉利	一八・二	三六・六	三四・九	四八・四
佛蘭西	三・三	四・七	二・二	四・五

（註）一九三七年。

第六十四表　東波蘭及びバルト三國入超物資（一九三六年、單位千瓲）

	四國輸入量	四國輸出量	入超高
鉄銅・同製品	三八〇・四	四六・九	三三三・五
機械	二四・八	一〇・二	一四・六
化学製品染料	九七・三	ー	九七・三
肥料	一〇八・一	ー	一〇八・一
石油	六〇・六	四二・六	一八・〇
皮革	一四・三	二・四	一一・九
羊毛	七・九	〇・五	七・五
棉花	三九・七		三九・七
ゴム	二・九	〇・三	二・六
砂糖	二九・二	二〇・六	八・二
煙草	三・一	一・〇	二・一
織糸	四・九	三・一	一・八
茶	五・〇		五・〇
魚類	三六・四	五・〇	三一・四

（註）東波蘭につきて出超高を示せる場合と同様の方法により算定す。

然、かゝる経済的利益を齎らせる反面に於て、右併合はソ聯の物資バランスを悪化せしめると言ふ否定的面をも持つものなり。

即ち、第一にソ聯の食糧バランスは強化されたるも、現在ソ聯の絶対必要としある戦略原料に於て得るところ殆んどなく、既存その工業生産力を維持するためには工業資料の供給を本国の負担に於て行ふ必要あり。ソ聯は旧波蘭の木材工業の五〇％、食糧品工業の二〇％、繊維工業及び化学工業の各々一〇％を得たるも、その戦略的に重要なる亜鉛（年産一〇万瓲）錫（一・五万瓲）資源は全部独逸に獲得せらる。更にバルト三国の機械工業、繊維工業等もその原料は外国より移入しある現状にして、之を運転せしむるにはソ聯本国よりの原料供給を必要とし、而も国民の現生活水準を維持せしむるためには、その他の工業製品の供給にも考慮せざるを得ぬ。このことは物資バランス表（第六十四表）が充分に証明し得べし。

右の如く、東欧四国は生産財のみならず、一般消費物資に於ても外国よりの輸入に依存しあり。而して右不足物資の内、機械、金属、羊毛、棉花、

ゴム、皮革、茶等は未だ本国自体輸入を必要としあり、その他の物資も亦国内消費を犠牲にして輸出を行ふ現状にあり。大量の物資供給はソ聯経済に大なる負担と言ひ得べし。此処に於てか、ソ聯の占領地統治工作の一端として最近外国情報の傳ふるところによれば、占領地余剰物資の本国への大量移入を行ふ一方に於て、占領地への物資輸移入を制限し、国民生活のソ聯並の低下を策しつゝあり、かくて生活用工業製品、消費資材の供給に於てはソ聯の負担軽減され得べきも、生産手段、特に工業用原料（金属、羊毛、棉花）及び機械に於ては絶対にソ聯本国より供給せざるを得ぬ。従うて、戦略物資バランスの点に於ては得るところよりも失ふ所大なりと断定し得べし。

之を要するに、ソ聯はその勢力圏の東波蘭及びバルト三国への拡大により、西部工業地帯の防衛強化、労働力と農畜資源吸收を実現し、且つ欧洲食糧バランスに於ける自国の比重を昂揚せしめ得たるも戦略原料、物資需給の点では殆んど得るところなしと言ひ得べし。

第六十五表 ソ聯對波蘭及びバルト三國貿易

	一九三四年	一九三五年	一九三六年	一九三七年	一九三八年
輸出					
ラトヴィア	二、八二五	三、一一一	三、二八〇	六、三七四	八、七九七
エストニア	三、七六七	二、七三三	七、四三〇	七、二六七	七、〇九九
リスアニア	五、二四三	七、三五八	一三、〇二一	一五、八三一	一一、六四六
波蘭	一五、九四八	一四、六九一	一四、五六八	一三、〇四六	七、八二二
合計	二七、七八三	二七、八九三	三八、三九九	四二、五一八	三五、三六四
%				二・五	二・七
輸入					
ラトヴィア	三、二九八	四、五〇七	五、八一三	六、六一九	八、四四〇
エストニア	二、五七五	三、四五六	四、一〇六	五、九五六	七、〇八〇
リスアニア	五、九五七	一一、九〇五	一三、一〇五	一〇、六二四	一二、六九五
波蘭	二二、九九一	一四、四六二	八、六六八	四、四六七	一、四六〇
合計	三四、八二一	三四、三三〇	三一、六九二	二七、六六六	二九、六七五
%					

第六十六表 ソ聯の波蘭及びバルト三國向け輸出（一九三七年一—九月）

	ソ聯全体	ラトヴィア	エストニア	リスアニア	波蘭	合計	%
穀物	四八五、一〇一	-	三〇	-	-	三〇	〇・〇〇六
果實・野菜	一、四八七	一三五		一	-	一五六	一〇・五
木材	三、八八八、〇三九	-	三、四四六	一三三、八四四	-	一三七、二九〇	三・五
毛皮	一、六一〇	一	一	一	一五	一八	一・一
皮革	三、五五四	-		-	四一	四一	一・二
石炭	七〇四、三〇七	-	一六五	四〇、三〇六	四、一一四	四四、五八五	六・三
石油	一、四七三、八九八	一三、五五九	六、四〇二	一九、四一八	-	三九、三七九	〇・三
鑛物（金屬）	九七三、六一五	-		-	一三四、八七四	一三四、八七四	一三・八
マンガン鑛	七六三、八九三	-		-	五四、六八六	五四、六八六	七・二
石綿	二、〇七五	二五五	一	五九	八八二	一、一九六	五・七
化學製品（千留）	二四、四二〇	六	一三四	六四	一三〇	三三四	一・四
肥料	七〇、六七九	四、八〇四	一八、三七五	一六、三六三	四、三五三	一一、七九五	
棉花	三七、〇八一	六		四〇	四一三	四五八	一・二
[illegible]金屬	一九〇、〇八九	四、八四四	八、三七一	八、二〇一	五、六一二	二六、九二八	一四・二
銑鐵	一一七、一八〇	二、〇〇五	一、三五一	三、三六八	五、六一二	一二、三三六	一〇・五
機械（千留）	六一、一二〇	七四八	七〇九	八七六		二、三九三	三・九
砂糖	一〇、九〇七	-	一、二〇〇	-	-	一、二〇〇	一一・〇
衣類（千留）	二一八、五四九	五、三九五	四、三〇〇	一二、〇二一	八、八三五	三〇、四五一	一・五

第六十七表　波蘭およびバルト三國よりの輸入（一九三七年一―九月）

	ソ聯全体	ラトヴィア	リスアニア	エストニア	波蘭	合計	%
総額（千留）		三、四六二	五、五三六	三、七二〇	四、一二二	一六、八四〇	
化学製品（〃）	二〇、八九九	九一二	-	-	-	九一二	四・四
機械（〃）	二九九、八六九	六	-	-	三〇	三六	〇・一
紙	一、一八一	四五六	-	二三三	〇	六八九	五八・三
皮革	五、八六三	四四九	三六九	五二一	-	一、三三九	二二・八
鉄金属・製品	一六六、六一四	-	-	-	一二、一三〇	一二、一三〇	七・三
非鉄金属	一〇〇、六五二	-	-	-	一四六	一四六	〇・一
亜鉛	二、九三九	-	-	-	一二五	一二五	四・三
生畜	三八、九七五	-	四、七二五	一、四二〇	-	六、一四五	一五・八

参考のため、併合前の貿易に関する指標を次に附して置く（第六十五、六十六、六十七表）。

六、対バルカン貿易及び伊太利貿易

(イ) 対バルカン諸国国交関係概観。　此処に述べるバルカン諸国とはルーマニア、ハンガリイ、ブルガリア、ギリシヤ、ユーゴスラビア、アビシニア五箇国を指す。地理的には土耳古を含める可きなるも、土耳古はソ聯対東方諸国の項に述ぶ。

バルカン諸国は従来欧洲の火薬庫たるの名称を冠せられ、列国勢力交錯の地帯に属せり。その理由は大体次の如く説明さる。

第一にバルカン諸国は比較的最近オットマン及びハプスブルグ帝国の継承国として生れた新興国にして、小山脈によりて幾つかの小地域に分割せられ雑多な民族を擁するの結果、その内部的統一の困難たりしこと。

二四一

二四二

第二にその地理的位置が、中央を貫流するダニューブ河と数個の鉄道を通じ、中央より東南欧、欧洲より西部アジアへ進出する際の外部勢力の絶好の通路に相当せること。

第三に叙上諸国が先進工業国に囲繞せられたる農業国にして、その主産物たる穀物、煙草、家畜、木材並びにルーマニアの石油資源は列国の原料及び食料供給上重要意義を有したること。

第四に農業国の常としてその必要とする工業製品は之が需要をバルカン内部に於て充足し得ず、外国工業国よりの輸入に依存せざるを得ざりしこと。

かくて、バルカン自体の内部的不統一と地理的條件並びに経済的性格はバルカンに対する外部よりの政治的及び経済的諸勢力の進出の素因となり、常に外部よりの侵略の脅威下に置かる。

而して常に外部よりの侵略の脅威下にあるバルカンの帰趨はこれと接壌するソ聯にとり、その穀倉たるウクライナの防衛と地中海への唯一且つ最重要なる通路たる黒海及びダーダネルス海峡の安全に重要関係を有し、此の点より見てソ聯のバルカン接近工作は政治的にも経済的にも積極的に行はる可く豫想せられしも、事実は然らず、十月革命を契機として国交断絶を見て以来一九三四年に至るまでソ聯とバルカン諸国は正式に国交回復を見ず、反つて相互に対立関係に存せり。

バルカン諸国中ソ聯と最も早く国交関係を結べるはギリシヤにして、両国は一九二四年三月八日復交條約を、次いで一九二六年六月通商関税協定（期限二年）を締結、政治的にも経済的にも比較的友好関係に存せるも、二八年六月ギリシヤ内閣の更迭以来数年間正式国交の調整行はれず、他の諸国とソ聯も亦最初の十数年を無條約のまゝ経過せり。

ソ聯とバルカン諸国の関係が速急に恢復せられず、反つて対立を見せつゝありし主なる原因は大要次の如く推定し得べし。

第一に「叙上諸国の共産党勢力に対する恐怖、嫌悪並に偏見の強かりしこと」。バルカンの社会構成を見るに、そこには民族の多様性とその対立、農業人口の優位、貴族対中小地主の対立ありて農業革命の温床を形成し、常に

二四三

社会運動盛んなりき。かくてその支配上層部の社会運動に対する恐怖と嫌悪はソ聯に対する感情上の対立となりて現はる。

第二にバルカンに於ける英佛勢力の優位があげ得へし。バルカン諸国は専ら世界大戦後、英佛の援助を得てその領域を拡張せる国々よりなり、かくて英佛を中心とする反ソ陣営の一角を形成す。このことは一九二八年の英吉利対小協商国の軍事密約によりても明かなり。当時密約により小協商国は対ソ戦に於て英国の前衛的役割を演じ、エチプトのサロンカ港よりユーゴスラビア、ルーマニア、ハンガリイ、チエッコを結ぶ諸鉄道をバルカン及び東欧諸国への軍需品供給路たらしめんとせり。而もベッサラビアを繞るソ聯及びルーマニアの歴史的紛争は政治的にソ聯対バルカンの協調をより困難ならしむ。

第三にルーマニアを始めバルカン諸国とソ聯の経済的性格の類似性を指摘し得べし。バルカン諸国は農業国にして、その主要産物たる穀物、木材並びにルーマニア石油等は何れもソ聯の大量輸出可能な物資に属し、欧洲市場に於て相互に競争するの地位にありこそすれ、経済的接近の可能性は殆んど存

第六十八表

ソ聯對バルカン貿易動態　（單位千留）

	ルーマニア	ハンガリイ	ユーゴスラビア	ブルガリア	ギリシャ	計	ソ聯全体	%
輸出								
一九一三年	二、六九二	一	四九三	二、三四三	六、八五九	三〇、八八七	一、五二〇、一三五	二・〇
一九二四五年	五三五	一	一	一	四、九八六	五、五五一	五七七、七六三	〇・九
一九二六七年	八一八	〇	二三	二三	六、七九六	七、六六〇	八〇六、八〇二	〇・九
一九二九年	二一五	三二三	一三一	一三一	五、八〇〇	六、四九九	九二三、七〇一	〇・七
一九三〇年	八六一	八	一二七	一二七	一〇、四七三	一一、五九六	一、〇三六、三七一	一・一
一九三一年	一、三五一	五〇	三四	三四	一〇、〇八一	一一、五五〇	八一一、二一〇	一・四
一九三二年	一、三二七	一一	五	五	九、二〇三	一〇、五五一	五七四、九三八	一・八
一九三三年	九七	七一	七一	三三	六、五四五	六、八一七	四九五、六五八	一・三
輸入								
一九一三年	一	一	二	三二	一、八七九	一、九一三	一、三七四、九八二	〇・一三
一九二四五年	一	六一〇	三	三五	二六二	九一〇	七二三、四〇八	〇・一二
一九二六七年	一	二九〇	一	二〇	四一〇	一、七二一	七一三、五六三	〇・一〇
一九二九年	三七〇	七〇二	三三九	三二	二四二	一、六八五	八八〇、六三二	〇・二
一九三〇年	一一	二七九	二八	一二	八八九	一、二一九	一、〇五八、八三五	〇・一一
一九三一年	三	八四七	二	一	一、〇四五	一、八九七	一、一〇五、〇三四	〇・二
一九三二年	一	一	七七	一	四八一	五五九	七〇四、〇四〇	〇・七九
一九三三年	一	一七三	〇	二	五一七	六九一	三四八、二一六	〇・二

在せず。

事実、ルーマニアの如きは一九三〇年八月ワルソー農業団会議に於て「欧洲工業国は農業国輸出品の優先権を認めよ」と提案し、同年末には国際聯盟に於てソ聯貿易ボイコットを呼んで英佛の反ソ運動に便乗、遂にソ聯品の絶対輸入禁止を断行せり。

而して、ハンガリイの如きも、既に一九二四年九月対ソ復交協定に調印せるも、同国國会はこれが批准を拒否し、成立に至らざりき。

かくて、ギリシヤを除く他のバルカン諸国及びソ聯の関係は政治的にも経済的にも何等進展を見ずして無條約のまゝ最初の十数年を経過せり。

因みに此の間に於けるソ聯対バルカン貿易の動態を見れば第六十八表の如し。

而して、ソ聯の貿易に於けるバルカンの比重は輸出一・二%、輸入一・〇%を占むるに過ぎず、而も極めて偶発的に輸出入を見てゐる。かくの如くソ聯対バルカン関係が総体に稀薄なりしにも不拘、独りギリシヤのみはソ聯

二四五

と比較的友交関係を保持し貿易も亦或程度の進展を見たるは、一つにはギリシヤ内部に於ける共産党勢力の伸長、第二にはギリシヤが土耳古と共にソ聯の地中海に対する唯一且つ最重要なる通路の出口を扼し、且つその商船隊がソ聯輸送力の補充に重要意義を有せること、ならびにギリシヤ経済の後進性と資源の貧弱の故にソ聯輸出品たる木材、石炭、石油等の必要とせることの理由によるものなり。乍然、ソギ関係としても、一九二九年、三〇年ギリシヤが英国の反ソ運動に参加して以来、急速に冷却化しあり。

かくの如く、ソ聯対バルカン関係は極めて稀薄にして、政治的には寧ろ対立しありしも、独伊の抬頭と関聯し、欧洲に於て英佛ソの協調が可能となり且つバルカンに対する現状打破勢力が加重するに至りて漸次かゝる対立は緩和せられ、一九三四年にはソ聯及びバルカン諸国の国交全面的に恢復せらる。

その端緒は一九三二年の佛ソ不可侵條約、三三年七月の欧洲九ケ国対ソ聯の侵略国定義條約の調印によりてソ聯が英佛の対独包囲政策に協調するの態度を示せるにあり。かくて一九三四年二月ハンガリイと、六月ルーマニアと、

二四六

第六十九表　ソ聯對バルカン貿易（單位十新留）

		一九三三年	一九三四年	一九三五年	一九三六年	一九三七年	一九三八年
ブルガリヤ	輸出	一、二一八	五八三	三一一	二四五	—	—
	輸入	八	四	三五	〇	—	—
ギリシヤ	輸出	二八、六六七	一三、六二二	二七、〇五一	一三、一五二	一一、〇五七	一七、三四四
	輸入	二、二六五	三、九九九	三、八八五	二、四四五	二、三九〇	一、四七四
ルーマニア	輸出	四三五	六二二	七六七	二八七	二、八八九	五七七
	輸入	—	〇	一三	一五	一、八一六	一、四七四
ユーゴスラビア	輸出	一四五	二五八	八一〇	四九六	七二九	一〇七
	輸入	—	六七〇	四	—	一、四二八	—
ハンガリイ	輸出	三四一	九四二	五六一	七五三	二一九	一〇三
	輸入	七五三	一、五〇九	三、四七八	三三七	二、四七五	—
合計	輸出	三〇、八〇六	一五、五二七	二九、二二〇	一四、九三三	一四、八九四	一八、一三一
	輸入	三、〇二六	六、一八二	七、三八五	二、七九七	八、一〇九	二、九四八
割合（%）	輸出	一・四	〇・八	〇・八	一・一	〇・八	一・三
	輸入	〇・二	〇・六	〇・七	〇・一	〇・七	〇・一

七月には夫々ブルガリア及びユーゴスラビアと、次いで九月にはアルバニアと復交條約を調印し、正式に国交を恢復せり。

而も、同年九月のソ聯の国際聯盟加入と、ルーマニアの締結国への参加はベッサラビア問題を繞るソ・ル両国の紛争も一時休止状態となり、ソ聯対バルカン外交関係は漸く軌道にのることゝなれり。

(ロ) 国交恢復後の対バルカン通商関係。然らば国交恢復後ソ聯対バルカン経済関係は如何なる推移を辿れるや。一九三三年と対比し、先づ量的に貿易の動態を示せば第六十九表の如し。

右表によれば、減退の一途を辿る貿易が一九三四年を底として若干上昇傾向を示し、その発展過程に於て対ブルガリア、ユーゴースラビア、ハンガリイ貿易杜絶し、対ギリシヤ及びルーマニア貿易のみ進展を見せつゝあることを知り得べし。

これは、独ソ関係の悪化、独逸がバルカン内部の政治対立（一九三七年一月ブユ永久友好條約を締結、バルカン協定参加を拒否す）を利用し、ブユ両

二四七

国の南スラブ・ブロックの結成を計りて事実上これを支配圏となせること、ハンガリイの独伊枢軸への参加を反映せるものなり。

而して、独伊枢軸の強化とバルカンの内部的対立（それは先づハンガリイ及びブルガリア現状打破国と他の現状維持国との対立と在りて現はれ、次いで三八年三月の独墺合併によりて墺太利も亦独逸の支配下に置かる）はギリシア及びルーマニアの英佛依存、次いで対ソ接近を齎らすの結果となれり。即ち、既に一九三六年二月にはソ・ル間に通商協定を見、而もギリシヤも亦その依存せる英佛及びソ聯接近の影響を受け、対ソ関係を調整することゝなれり。

かくて、一九三八年頃に於てはソ聯対ギリシヤ及びルーマニアの通商接近対ハンガリイ、ユーゴスラビア及びブルガリア貿易の杜絶の状態にありたり。

依然、その貿易額から見ても明らかなる如く、ソ聯のバルカンに対する経済的利害関係は殆んど問題とするに足らぬ。比較的通商の盛んなりし一九三八年度について見ても、ソ聯貿易に於けるバルカン諸国の比重は輸出一・三%及び輸入〇・一%に過ぎず、ソ聯のバルカン経済に対する依存性は極めて

第七十表　ソ聯の對ギリシヤ輸出

	一九三〇年	一九三四年	一九三五年	一九三六年	一九三七年
輸出額（千留）	一〇,四七三				
穀物	八三,四一五	二四,二八〇	一二四,九二二	二九,八一五	五,七八〇
木材	六,五〇一	二八,一六七	三一,五二〇	二三,〇三七	九,三七四
魚類	一,三八八	一,六六七	一,四四〇	二,三〇〇	－
セメント	三一,四二八	－	－	－	－
石油	六八,六九八	－	－	－	－
石炭	二三六,七八三	三六五,〇七四	二九一,二三七	二五一,八六九	一一〇,三五五
銑鉄	－	－		一,四一〇	一,二九二

貧弱なり。

先づ、その輸入内容について見るに一九三〇年頃バルカンより毛皮、羊毛、金属、香料、種子、果実、煙草、肥料、タンニン若干量の輸入を見たるも、最近ではギリシヤの煙草一千留程度の輸入を見、他は、ソ聯貿易統計に記載されざる程に貧弱なり。

一方、輸出内容について見るに、これは特にギリシヤが外国の木材、石炭、石油、穀物に高度に依存するの結果、ソ聯の対ギリシヤ輸出のみ可成り発展しあるも、その他のバルカン諸国に対する輸出は一九三〇年頃石油合計二七千留、石炭四千留程度に過ぎず。最近では輸入と同様、ソ聯統計に発展を見ざる程輸出は貧弱なり。

而して、最近数年に於けるソ聯の対ギリシヤ輸出の内容を示せば第七十表の如くなり。

右の対ギリシヤ輸出は、ソ聯にとりてはこれを他の第三国へ自由に振り向け得る物資にしてさして重要ならざるも、ギリシヤにとりては重要意義を有

する。

以上、国交回復後のソ聯対バルカン経済を概観せるか、これを要するに、バルカン諸国は農業国にして経済的性格かソ聯と酷似し、而も各国市場が欧洲工業国に支配せられあるため、相互に有無相通ずる可能性極めて尠く、従ひてソ聯のこれへの経済的依存性も極めて貧弱なり。只ギリシヤのみ、ソ聯の原料及び食糧に依存する程度高く、ソ聯よりの輸入杜絶はギリシヤの石炭、木材、穀物供給に大なる混乱を惹起するの原因たり得ることを指摘し得べし。

而して、この事よりして、ソ聯、バルカン諸国に対する関心は経済的目的より発するものに非ずして、専ら政治的戦略的目的より発するものなりと断言し得べし。即ち、ソ聯の穀倉防衛と地中海への通路たる黒海並びにダーダネルス海峡保全の必要よりして、バルカンに対して重大利害関係を有し、ソ聯のバルカン工作も亦その目的を此処に置くものと言ひ得べし。

(ハ)　欧洲動乱後の対バルカン関係、然らば、欧洲動乱後のソ聯とバルカンの関係は如何に変化せるや？

これを現象的に見るならば、ソ聯対ルーマニア及びギリシヤの離反、対ブルガリア、ユーゴスラビア及びハンガリイ接近と云ふ、動乱前と全く逆の関係を展開しつゝあり。

即ち、ルーマニアとの関係は、ソ聯の聯盟加入によりて一時沈静化せるベツサラビア問題を繞りて再び悪化し、ソ聯は先づベツサラビアに進駐し四〇年六月ルーマニアよりこれをその傘下に収むるに至る。ギリシヤは英吉利海国の支配下にありて一九三八年共産党の大規模の弾圧を行ひ、ソ聯との関係冷却化せんとせるが、ソ聯の対独援助を繞り遂に反ソ的態度を表明せり。

一方、ブルガリアはモスクワに大蔵相ボヂーロフ代表を派して四〇年一月貿易額を七二〇百万レハーに増加する協定を含む通商、航海、支拂協定を締結、対ソ親善の態度を示す。本協定に依れば、ブルガリアは豚、皮革、煙草、バラ油を、ソ聯は農業機械、金属、石油、肥料、セルローズ、棉花を相互に供給することを約せしものにして、九二〇百万レハーと言へば両

二五一

国貿易の最高に達せる一九二九年の二八百万レバーの約三十倍最近の英ブ貿易（約六〇〇百万レバー）より更に大なり。

次いで、ユーゴスラビアも亦、四〇年四月末旧大蔵大臣ヂヨルゼビツチをモスクワに派し、翌五月一一日通商航海條約を締結す。本協定は附属議定書に依れば一九四〇・四一年度に於て、ソ聯は銅、鉛鉱、亜鉛鉱、獣脂を、ユーゴスラビアは農用機械、ケロシン、棉花を輸入し、その取引総額一七六百万デアルに増加する豫定なり。一七六百万デアルと言へば両国取引額の最高に達せる一九三五年の一三百万デアルの一三倍、一九三九年度のユーゴスラビア貿易の二％程度に当る。

而して、ハンガリイも亦四〇年七月よりソ聯と通商豫備交渉を開始し、遂に翌々九月三日、之と通商航海條約ならびにこれに附随する取引協定に調印ソ聯側は即日、ハ国側は十一月二十八日これを批准す。本協定は夫々第一年度取引高を二千万留、即ち平時の二〇倍に増加し、ソ聯は木材、棉花、マンガン鉱、クローム鉱を、ハ国は車輪、車軸、船舶、鉄管、電気モーターを供

二五二

給せんとするものなり。

而して、これら協定が何の程度に具体化せられたるかは、資料の缺如せる現在に於ては全く窺知し得ざると、純経済的に見るならば、その意義は相互の経済に対して、支配的意義を有するものとは断定し得ぬ。このことは協定取引額の相互貿易に於ける比重を見てと説明し得べし。

	協定取引額	三国一九三九年総取引額 百万単位	三国一九三九年総取引額 %
ハンガリイ	七四八五百万ペンゴ	一〇九二	一・七
ユーゴスラビア	一七六百万デアル	一〇二七二	
ブルガリア	七二〇百万レバー	一一二五六	六・四

（註） ハンガリイ貨二四ペンゴ＝一磅＝二八・八四留＝〇・四六弗
一弗＝四・三磅＝一〇三・二ペンゴ

二五三

即ち、ソ聯対バルカン三国が協定取引額を完全に遂行せる場合に於ても、ユーゴスラビアに於けるソ聯比重は一・七％、ブルガリアのそれは六・四％、ハンガリイ％に過ぎず。

勿論、相互の接近を促進すべき経済協定を締結せるのは、動乱の圏内にある英佛にその他欧洲工業国に高度に依存せるバルカン三国がその原料及び商品市場の狭隘化に對應し、新たなる市場を開拓するの必要に迫られしためと、一應は推定し得るも、右表が示す如く、協定の経済的意義はさして重要なるものに非ず。

協定の目的は、明らかにバルカン諸国と親善関係を樹立し、バルカンに対する発言権を設定せんとする政治的ゼスチエアと見なさゞるを得ぬ。

伊ソ経済関係

伊太利は一九三六年十月の日独防共協定への参加迄の過去十数年間政治上反ソ経済上の如何なる反ソ運動にも参加せず、両国間の通商関係も円滑に進められてゐた。ソ聯邦政府との間に正式通商航海條約を最初に締結したのも伊

二五四

太利であり、この一九二四年の條約締結、ソ聯邦への一九三一年の三億五千万リラ、一九三三年五月及び三五年六月の二億リラ信用協定の締結、一九三三年九月の親善不侵略及び中立に関する條約の成立等は伊ソ通商を発展せしめる大きい一要因となつてゐた。

伊太利は穀物、亜鉛、鉄礬土、水銀、硫黄に於て自給自足の域に達してはゐるが、他の石油、木材、石炭、滿俺、棉花、麻等各種原料に於て自給自足し得ず、之等ソ聯邦の重要輸出品の需要者であること、及びソ聯邦が伊太利の機械船舶その他・・・の工業製品の輸入者であることは伊ソ両国の相互的経済関係を発達せしめる重要な前提となつてゐたのであるが、(イ)一九三五年のエチオピア戦争に端を発した聯盟国の一九三六年二月までの対伊経済的圧迫、(ロ)ソ聯邦が三一年末全般的に貿易を縮少し出超政策に出たこと (ハ)伊太利がソ聯邦よりの入超国であり、自国輸入貿易の縮少と貿易の入超を改善すべくソ聯邦に対して一定の割當をなしたこと、(ニ)伊太利がオーストリア、ルーマニア及ハンガリイを引き入れ、オ国の木材、ハ国の小麦、ル国の石油に

二五五

対し特別の優遇を與へんとしたこと、等の理由によつて両国の貿易は減少の一途を辿るに至つた(第七十一表)。

伊ソ貿易はソ聯が工業化を強行した一九三一・二年頃、最高点に達し、ソ聯邦の対伊輸出は一億七千万留、輸入も三一年四月の三億五千万リラ保障信用に恵まれて、一億三千万留程度にまで達したが、爾後一九三五年を境として急テンポに減退し、ソ聯邦の対伊輸出は一九三八年度に至つて皆無、伊太利よりの輸入は一－九月間に僅か九万留で全く両国貿易は杜絶の状態に至つてゐる。

依然、伊ソ両国の経済関係復興の可能性は消滅して了つたわけではない。

前述の如く、伊太利は一九三五年に至つて、自国貿易の入超の激増、対外支拂能力減退の防止、伊貨の対外相場の下落と金の海外流出阻止並に対エチオピア戦に備へての軍拡の必要に迫られて、経済的アウタルキー政策を採り、通商政策に於ても、厳密な相互保障による対外取引の設定、千五百種に及ぶ商品の輸入許可制を実施し、一方国内に於ては生産力の拡充と、原料の自給

二五六

第七十一表 伊ソ貿易の推移 （単位 百万留）

	ソ聯邦の對伊輸出 価額	ソ聯邦の對伊輸出 %	ソ聯邦の伊よりの輸入 価額	ソ聯邦の伊よりの輸入 %	バランス（(+)=ソ聯邦の出超） 価額
一九二九年	一四三・七	一〇〇・〇	三三・三	一〇〇・〇	(+) 一一〇・四
一九三〇年	二七六・四	一九二・三	四六・九	一四〇・八	(+) 二二九・五
一九三一年	一七三・九	一二一・〇	一三〇・一	三九〇・七	(+) 四三・八
一九三二年	一一八・三	八二・三	一一八・七	三五六・四	(−) 〇・四
一九三三年	九七・二	六七・六	七四・〇	二二二・三	(+) 二三・二
一九三四年	八二・八	五七・六	五一・七	一五五・二	(+) 三一・一
一九三五年	五三・〇	三六・九	二四・五	七三・六	(+) 二八・五
一九三六年	四二・〇	二九・二	五・八	一七・四	(+) 三七・二
一九三七年	一六・五	一一・五	四・二	一二・〇	(+) 一四・三
一九三八年	一	一	五・六	〇・〇	(−) 五・六

政策を強行した。

然し乍ら伊太利には、周知の如く、戦時に血の一滴よりも貴いと云はるゝ石油が全然なく、トスカーナ、シシリイ、アルバニアに於ても多額の金を投じ、石油の試掘開発を行つてゐるが、満足な結果を得て居らず、従つて、伊太利はその需要を外国品によつて充すの外はない。三五年の輸入許可制実施に当つて伊太利が石油の輸入に何等の制限をも加へなかつたのもこの必要からであつた。

伊太利は又年々九百－一千万瓲の石炭を輸入してゐるが、これは自国に石炭の埋蔵量少なく、而も炭質が不良で工業炭として使用し得ないからである冶金及び機械工業用の鉄鉱について見ても、これは伊太利にはあるにはあるが、鉄質不良で、而も自国工業の需要を充すに足らない。造船業、採掘業及び製紙業に必要な木材も輸入なしでは活動し得ない状態である。伊太利の高度に発達した織物工業も亦外国棉に依存してゐる。シシリイ島及びその他の植民地に於て伊太利は棉作の発展に努力してゐるが、まだ成功してゐない。

二五七

最後に伊太利は平和時代に於てさへ多くの農業物、特に肉類に不足し、これをバルカン諸国、南米及びソ聯邦から輸入してゐる、而も今日戦争準備のために多量の原料貯蔵の必要に迫られてゐる。

勿論、伊太利のアウタルキイ政策に依り国民の生活は圧迫されはしたが、最近ではその生産方面は著しい進歩の跡が見られる。が何れにしても伊太利の対外依存性は原料に於て甚だしい。然るに、ソ聯邦は石油にしろ、木材にしろ又農産物、鉱産物等の諸原料の輸出国である。一方、ソ聯邦側に就いて見るに、伊太利の造船業、機械工業及び化学工業に対する要求を持つてゐる。従つて、両者の経済的結合の可能性は充分に存在するのである。このことは両国の貿易関係を分析することによつて明らかとなる。

先づソ聯邦の対伊輸出品について見るに、その主なるものは、穀物、石炭、石油、木材、鉱物及び棉花で、これが輸出高はソ聯邦の対伊輸出の九〇%を占め、之等商品の一九三五年のソ聯邦総輸出に於ける割合及び伊太利の総輸入に於ける割合に就いて見ると、第七十二表の如くである。

第七十二表

	伊太利の総輸入	内ソ聯邦より	伊太利輸入に於けるソ聯邦の割合(%)	ソ聯邦輸出に於ける伊太利の割合(%)
石油	一、八八六千瓩	一二三千瓩	六・五	四・六
石炭	九、二六五	四六一	四・九	一五・三
穀物	八四一	三五	四・一	（燕麦）六六・九
木材	五七九	七八	一三・四	一・五
鉄鋼	一一八	八	六・八	一・一
満俺	-	三〇	-	五・〇
燐灰石	-	八二	-	一六・三
棉花				

（註）ソ聯邦輸出に於ける伊太利の割合中、穀物は燕麦、石炭は無煙炭を示す。

右表に依れば、現在伊太利はソ聯邦にとつて主要な燐灰石、燕麦、無煙炭、満俺鉱及び石炭の輸出市場であると同時に、反面、伊太利にとつてはソ聯邦は自国の輸入する石油の六・五%、石炭の四・九%、木材の一三・四%、銑鉄の六・八%、穀物の四・九%を提供して呉れる重要な原料供給国であることが判る。

尚、一九三六年はソ聯邦が聯盟加盟国の一として伊太利に対して経済封鎖を行つた年であつて、実際の両国の需給関係を知るに不適当かも知れないが、両国の政治経済関係が悪化せる最初の年として見るならば、両国々交関係の悪化にも不拘、かゝる貿易関係の維持されたことは大きい意味を持つものと云へる。

伊太利の石油問題について見るに、伊太利の石油消費高は年平均約百九十万瓩に及び、内、ベンヂンは五十万瓩に達するが、一九三三―四年頃に於ては百八十万瓩までは之を外国の輸入に仰ぎ、内、ソ聯邦から全消費高の二〇―二五%を輸入し、他はルーマニア（六十万瓩）、イラン（二十万瓩）、米国

（十八万瓩）、蘭領印度（十八万瓩）から仰いでゐたが、最近ルーマニアへの独逸の勢力が進入するにつれ、ルーマニアの購入が困難となるに及んでソ聯邦への要求が増大したことは注目せねばならぬ。

要するに、ソ聯邦産原料への依存性は最近まで可成り高かつたと云ひ得ると同時に、半面ソ聯邦にとつて、自国市場拡大の可能性から云つて、伊太利との関係は直ちに切断し得るものとは考へられない。

次に最近二・三年間ソ聯邦の伊太利よりの輸入に就いて見る。

ソ聯邦が伊太利より輸入してゐる物資は種子、コルク、機械、有色金属、化学工業製品及び果実であつて、これらはソ聯邦の伊太利よりの輸入の九〇%を占めてゐる。

ソ聯邦が伊太利に輸出してゐる商品が主に原料に占められてゐるに対し、伊太利のそれは工業製品及農産物に占められ、而かもその対ソ輸出は極めて貧弱なものである。これは伊太利の経済建設に必要とする物資の輸出国でないと云ふことに起因し、たゞ最近では船舶の輸入に若干活気を見せてゐるに

過ぎぬ。

而して、一九三六年度について、ソ聯邦の輸入に於ける伊太利の地位及び伊太利の商品市場としてのソ聯邦の地位を見るに次の如くである。

	伊太利の輸出（百万リラ）	ソ聯邦向（百万留）	ソ聯邦の割合	ソ聯邦輸入に於ける伊太利の割合
機械設備	一四五	一九	一三・一	一・〇
果実	五三六千廸	一	〇・一	二・〇

即ち、ソ聯邦は自国に輸入する機械の一%、果実の一%を伊太利より輸入してゐる状態であるが、伊太利にとつては、ソ聯邦は機械販賣市場として重要な地位を占めてゐる。

以上伊ソ輸出入貿易の内容を見て来ると、現在伊太利にとつてソ聯邦は重要な機械販賣市場であると共に、工業用原料及び石油の供給者であるに反し

て、ソ聯邦にとつては伊太利はその技術供給者としての役割を殆んど持たず、商品輸出市場として若干の意義を持つてゐるとのと断定し得る。

要するに伊太利はソ聯邦に対し一方的に依存してゐるものと云はねばならぬ。

以上、独伊対ソ聯邦の経済関係について見て来たが、これよりして、特に注目すべきことは、㈠その註文が近年英米佛に振り替へられつゝあるとは云へ、ソ聯邦の必要とする商品に於ては独伊両国より輸入し得る商品の可成り多いこと。化学工業製品、特殊鋼及び高級機械類がそれである。㈡独伊両国がその国内生産を維持するに必要な原料材、特に軍需材に於て、ソ聯邦はその供給者の立場にあること。これらは、ソ聯邦を独伊に対し、経済的に比較的有利な立場に置くものであつて、独伊に対するソ聯邦の経済的地位は独伊がソ聯邦に対するよりも遥かに支配的である。而して、このことはソ聯邦が対独伊通商問題を單に経済的な意味に於てのみならず、更に政治的な意味に於て大いに利用されてゐる。

即ち対独伊註文の英米佛への振り替、満俺鉱、石油等の軍需材の独伊輸出禁止或は縮少及び機械、技術製品（特殊鋼、鉄製品、化学製品）の輸入縮少とその対英米輸出入の拡大がそれである。

のみならず、ソ聯邦は独伊に対する自国の経済的立場を利用して、独伊両国の離反工作をさへ策することが可能である。現にその一端は最近の石油問題に於て現はれてゐる。本年二月には独ソ間に石油交渉が行はれ、正にその解決を見んとしてゐたが、伊ソ通商協定の締結によつて、ソ聯邦は自国の三九年度輸出豫定量の大部分を伊太利に輸出することゝした。「ソ聯邦は防共協定があるにも拘らず、独伊枢軸の一方か他方を出し抜くことによる辛辣な政策の結果を享楽してゐる」のである。

最近のソ聯邦の通商政策は著しく経済外交の様相を露呈して来てゐる。最近日ソ貿易の極端なる縮少の行はれてゐる一方に於てソ支貿易が発展し、ソ聯邦の支那茶、生絲類の輸入の増加しつゝあるもその一例である。

斯くして、我々はソ聯邦対独伊経済的関係の将来が、経済的な要素よりも、

政治的な要素によつてより強く支配されるであらうことを記憶する必要がある。

七、対西欧貿易

(イ) 対西欧国交関係概観　此処に述べる西欧とは植民地を含む佛蘭西、スペイン及びポルトガルを指す。

佛蘭西は曾て英吉利と共に欧洲に於ける最も反ソ的意向の熾烈なる国家に属し、ソ聯の十月革命に対應して対ソ武力干渉に指導的役割を演じたるも、或は一九二九、三〇年ソ聯ダンピング排撃運動を主導せるも彼にして、ソ佛関係も亦英佛関係と同様に極めてジクザグに進展し、スペイン及びポルトガルのソ聯に対する態度も亦ソ佛関係に左右せられ、迂余曲折せり。

而して、ソ聯対西欧諸国国交関係の対立を助成すべき基本的要因としては次のものが存在せり。

第一にソ聯対西欧の経済的性格の類似性。フランスは資本主義主要国の一にして、工業国たると共に農業国なり。而して欧洲大戦の際国内が戦場化せる結果、その主要生産地帯たる北部地方の諸工業並びに農業は荒廃し、且つ労働力も亦巨大なる損失をこうむる。かくて戦後これが復興に全力を傾注せざるを得ざりし結果、建設資材の大量輸出の如きは殆んど不可能たり。ソ聯も亦同様にして、そこに有無相通ずべき可能性少し、しかのみならず、佛蘭西産業に於て農業は極めて大きい比重を占め（このことは輸出中食糧原料品は三七％程度を占め、農業人口約三五％）国際穀物其の他農産物市場に於てソ聯と競争的地位に存す。このことは更にソ聯の佛蘭西に対するのみならす、佛蘭西の接壌国に対する農産物の輸出をも困難ならしむ。

第二にフランス及びスペインの如き農畜産国の社会運動の優占せる結果、「農村の中間商業と資本家への反感が高潮し」そこに社会運動の発芽すべき要素を伏在せしむ。而して事実社会党、共産党の擡頭あり、必然的に西欧諸国内にはかゝる社会運動を通じてソ聯に対する反感強かりき。

二六五

第三に佛蘭西とソ聯の旧債問題を繞る対立存在。帝政ロシアは英、独両国の他に佛蘭西に対しても莫大なる債務を有せるが、ソ聯はその成立と同時にこれを破棄し、かくて旧債問題を繞りて相互に対立関係に存せり。

事実、之等の諸原因に左右せられ、ソ聯対西欧国交関係は其の第一歩を佛蘭西の対ソ武力干渉と金封鎖を以て発足せり。

而して佛ソ両国は佛蘭西左翼内閣の成立を契機として一九二四年一〇月復交條約を締結、「相互に親交関係を設定し、其の生産力と通商の発展に相互に惜みなく援助を行ひ以て経済分野に緊密関係を樹立すること」を約せり。この場合、経済的にはソ聯の石油、満俺鉱、木材等、ならびに佛蘭西のホイラー、電機、工作機、化学機械等を以て相互にその経済復興を助長せんとし、かくて全年末相互に公使の交換を行ひソ聯の通商代表部も亦佛蘭西に開設せらる。

然るに、佛蘭西政局は戦後の経営困難の故に急速に悪化し、左翼内閣の急速なる後退と、佛蘭西政治経済の中枢を指令する金融資本の利益を代表せる

二六六

保守党内閣の出現あり。これら金融資本は旧ロシア外債の供與者にして又利子生活者に属し、ソヴエート政権の旧債破棄に対し大なる利害関係を有せり、而もその支配圏たる植民地及び東欧、バルカンに於ける共産運動を通じて極度の対ソ嫌悪の念を抱けり。

かくて、新内閣の出現による佛蘭西政局の変化は直接佛ソ関係に反映し、二四年度協定は形式的存在に終り、通商を規定する通商條約も締結を見ざりき。特に通商條約なきためソ聯品は一般関税、最高関税を課せられ、通商の円滑を欠くところ極めて多し。

而も、一九二九年世界経済恐慌の発生とソ聯農産物のダンピングは（佛蘭西農業－小麦耕作に影響するところ大なりき）かゝる両国関係に更に拍車をかけ、遂に一九三〇年十月三日附を以て佛国政府は「ソ聯産木材、亜麻、肉、砂糖の輸入許可制」を施行。

ソ聯又同月二十日外国人民委員部令を発し、佛国品の購入を最少限度に縮少す。

二六七

かくて、経済関係は恐慌の深化につれて悪化し、此の間佛国は積極的に反ソ運動を展開、当時の産業党事件に見られる如く、ルーマニア、波蘭、バルチック沿岸諸国と軍事同盟を結び、或は国際聯盟総会、欧洲経済委員会に於てソ聯に対する経済圧迫を提唱、政治的にもソ佛関係は断絶の危機に直面せり。

世界経済恐慌とソ聯のダンピングはかくてソ佛関係に悪影響を及ぼせるが、一方、恐慌の深刻化につれて佛蘭西内部にも亦対ソ接近を可能ならしむるところの要素も醸成せらる。

佛蘭西は大戦後の創痍を癒す可く大規模の復興計畫を施行、これに厖大なる資金を必要とせるが、その企図するドーズ案（一九二四年九月一日実施せらる、独逸の対ソ輸出による収入を賠償金として独逸より収奪せんとせること其の目的たりし）もさして成功せず、復興資金の大部分を内外債に待てり、このことは必然的に国内に多数の金利生活者の発生と財政経済の悪化を齎らし、恐慌による工業の不振と失業者の氾濫と云ふ悪材料と結合して、遂に一

二六八

九三二年の佛議会選挙に於てエリオ内閣を成立せしむ。

一方、国際的には恐慌の結果、列国の市場争奪を繞る工業国の相互的対立あり。新市場開拓の必要よりして、先づ反ソ運動の強力なる支柱たりし英国が反ソ陣営より離脱してソ聯と接近（一億三千万留信用協定を含む英ソ暫定通商協定締結さる）、独逸も亦、二九年初め和親條約を以てソ聯との従来の親交関係を更に強化することゝなりて、独ソ佛国が反ソ的態度を維持することは困難となれり。

かくて親ソ的エリオ内閣の成立と反ソ陣営よりの英国の離脱、独ソ接近と云ふ内外政局の変化に対応し、佛蘭西をして、従来の対ソ政策を放棄し、対ソ友好関係の結成を行はしむ。即ち一九三二年十一月に不可侵、和親條約に調印、佛蘭西はソ聯に対する如何なる経済的陰謀にも参加せざることを約し、一九三三年末に至りて、通商條約交渉に移り、翌三四年一月には初めて佛ソ通商暫定協定（期限一ヶ年）調印せらる。特に本協定により「旧債問題について は協定の有効期間中相互に紛争せざる」が規定せられ、ソ聯も亦佛蘭西の譲歩

二六九

に対し、対佛註文を約二五〇百万フランに増加することを約す。

本協定は翌年二月通商議定書を以て再延長せられたるが、この議定書に於て更に佛蘭西は將来通商條約の締結される場合にその前提としてソ聯に長期信用を提供することゝなれり。

かくの如く、相互に譲歩によりて年々急速に接近せるソ佛関係は一九三五年五月初めの佛ソ相互援助條約によつて最高潮に達す。相互援助條約の目的は、表面上は国際聯盟規約に定められたる集団安全保障を強化する点にありとは言へ、事実上は欧洲に於ける独伊、極東に於ける我国の実力的進出を阻止せんとするものにして、このことは米ソ通商協定、ソ白通商條約、ソチエ相互援助條約、ソル通商協定の成立を以てしても明らかに説明し得るところなり。而して、一九三六年四－五月の佛総選挙を控えてソ聯は対佛接近を更に強化するの挙に出でたり、ソ聯は三五年度通商議定書調印当時には「長期信用に依らざれば佛産品購入を増加せず」との強硬態度を持したるが、かゝる態度を緩和し、而かも佛蘭西の関税引上げに対しては反ってこれに援助する

二七〇

かの如き態度を示し、三六年一月佛蘭西と新通商協定を締結せり。

本協定は期限を一年とし、貿易を協定関税によらず、最恵国待遇に基いて行ひ、ソ聯の佛品購入は現金を以てすることを約せるものにして、一九三七年一二月三一日若干の修正を加へて再延期せらる。

而して、ソ聯のかゝる対ソ接近工作は佛蘭西の共和党、社会党の地位を昂揚せしめるに可成り有効なりし如く、一九三六年四－五月の総選挙戦に於て人民戰線派は完全に勝利し、ブルム人民戰線内閣の成立せることはソ聯の欧洲に於ける発言権をも増大せり。

佛蘭西に於ける人民戰線派の勝利と前後してスペインに於ても、その左翼共和党、共産党、社会党等の共同戰線派が総選挙（三六年二月）に勝利し、佛国の対ソ接近に相呼應して、スペインも亦ソ聯と初めて国交恢復を行へり（一九三六年八月）。

ソ聯対スペイン及びポルトガルの貿易は交通の不便と正式国交関係の欠如、これら市場の英米佛独伊による占有（一九二九年頃スペイン輸入にこれら四

二七一

国は五五・六％輸出の五〇・四％を占め、ポルトガルの輸入に六六・六％、輸出に五五・五％を占む）スペイン及びポルトガルが原料農畜産品輸出国にして、ソ聯の必要とせる工業製品輸出国ならざりしこと、及びソ聯工業の後進性等に起因し、その初期に於ては殆んど発展を見ず。只佛蘭西駐在のソ聯通商代表部を通じて極々小規模に行はれり。

然るに、其の後一九二九年以来世界経済恐慌の深刻化によつてソ聯不足原料供給地圧縮せられ、特に英佛よりの輸入が彼等の主導せる反ソ運動の影響を受けて困難化するにつれ、スペイン及びポルトガルの鉱業原料（銅、鉛、羊毛、皮革等）の買付を増加することゝなれり。

就中、ソス関係は一九三六年末、即ち両国々交恢復直後に勃発せるスペイン内乱に於て最高潮に達し、直接的にはソ聯のスペイン人民戰線政府に対する物的援助、間接的には英佛共同にする對独伊牽制となつて現はる。

スペイン内乱は、国内的には王党派、貴族、僧侶、資本家等の右翼的特権階級と一般農牧民を背景に持つ左翼的諸党との対立より発し、国際的にはそ

二七二

第七十三表

ソ聯對西欧貿易動態

	佛蘭西 輸出	佛蘭西 輸入	本國 輸出	本國 輸入	アルゼリア 輸出	アルゼリア 輸入	モロッコ 輸出	モロッコ 輸入	其他殖民地 輸出	其他殖民地 輸入	スペイン 輸出	スペイン 輸入	ポルトガル 輸出	ポルトガル 輸入	合計 輸出	合計 輸入	% 輸出	% 輸入
一九二九年	一九一、五三三	一四六、六四六	一八六、三三八	一三八、七四一	三、九八一	一七五	一、〇二九	五六五	一七五	七、一三五	五一、〇〇五	三二、五五五	ー	五、三九二	二四二、五二七	一八四、五九〇		
一九三〇年	一九八、一八二	一三五、四九二	一九三、三五九	一三〇、一二八	一、四八五	二、七五九	一、六七三	五二〇	一、六六四	二、〇八五	五二、八〇九	四五〇二	五四三	三、三三二	二五〇、五三四	一五三、二二六		
一九三一年	二二九、五六九	六六、一二九	二二四、〇八五	六五、六九一	一、六八六	ー	一、三九三	三五	二、四〇五	四〇三	一五、一四五	九、〇六二	ー	二、七六八	一三四、七一四	七七、九五九		
一九三二年	一三四、五二六	一八、〇五四	一二四、九八七	一六、九九〇	五、二二二	ー	二、三五六	七〇	一、九七一	九九四	三五、三八六	六七〇	ー	一三	一六九、九一二	一七、七一一		
一九三三年	一〇七、八〇七	二三、〇四一	一〇〇、二八〇	二二、九三八	三、一四四	ー	三、〇八三	五六	一、三〇〇	三七	三四、八四三	六七〇	ー	五七	一四六、六五〇	二三、七六八	六・七	一・五
一九三四年	一一四、五一七	五〇、九六五	一〇六、一一四	五〇、九六五	四、九四五	ー	二、八二五	〇	六三五	ー	三四、二二六	五、二二一	一三	九二	一三八、七五八	五六、二七八	七・五	五・五
一九三五年	八八、二七七	七七、一七九	七九、〇一九	七七、一七九	五、九一三	ー	二、八一一	ー	五三四	ー	一二、一九八	四七七	二二三	一、二八三	一〇〇、六九八	七八、七三九	六・二	七・五
一九三六年	一〇七、三五〇	四二、一一七	一〇二、九五七	四二、一一七	三、〇二九	ー	一、三六〇	ー	四	ー	二九、九三三	二、八一三	六	二、二二〇	一三七、二八八	四七、一五〇	一〇・一	三・四
一九三七年	八七、八四一	二八、三一一	八七、二五五	二八、三一一					五八六	ー	九二、四四四	二二、七二八	五	五、三三八	一八〇、二九〇	五六、三七七	一〇・〇	四・二
一九三八年	六一、八七一	三九、三九六	五九、七四五	三九、三九六					二、一二六	ー	五二、四五〇	二六、三九七	ー	五、〇三四	一一四、三二一	八〇、八二七	八・〇	五・〇

の動発形成を見たる英佛ソ人民戦線対独伊枢軸の抗争なり。而してこのことはスペイン特権階級と緊密関係に存する英佛の態度を甚だ消極的たらしめ遂に独伊枢軸の援助が奏効し、フランコ政権の勝利を以て内乱は一應沈静せり。

此の頃佛蘭西の人民戦線政府も亦内外政治経済不安に崩壊の過程を辿り、三八年三月中旬成立せる第二次ブルム内閣の短命な退場に次いで、四月右翼的色彩の濃厚なるダラディエ新内閣の成立を見るに至る。

ダラディエ内閣の反人民戦線的政策の施行と右翼的フランコ政権の成立は、西欧の右翼化を物語るものにして、西欧諸国とソ聯の国交関係を甚だ歪曲するの素因となり、此処にソ聯対西欧関係は再び冷却化の傾向を辿るに至る。

然らば、この間、ソ聯対西欧経済関係は如何に変化せるや。一九二九年以後三八年までの動態を表示せば第七十三表の如くなり。

右表によれば、ソ聯対西欧貿易はその国交関係或は西欧の国内政局の推移をそのまゝ反映し一九二九年以後減退の一途を辿り　一九三六年のソス国交

二七三

二七四

恢復並びにソ佛通商協定の調印後再び発展の傾向を辿るに至り、三八年に至りて再度縮少傾向に転ぜりしことが明らかなり。

就中ソス貿易の急速なる発展はスペイン内乱に於けるソ聯の政府軍援助を反映せるものなり。

而して、西欧貿易に於てソ聯の常に出超を維持しあるは、これらの国がソ聯一般生活物資輸入統制の結果全面的に対ソ輸出を増加し得ざるにも不拘、ソ聯の原料に依存せる事実を物語るものなり。この自国に不利なる貿易尻を調整すべく、佛蘭西はソ聯原料に対して高率関税を課しソ聯輸入の抑制に力めつゝあり。政治関係の好轉にも不拘、両国貿易の大規模に発展し得ざりし理由も亦此処に存す。

(ロ)　輸入貿易の内容　　然らばソ聯は西欧諸国より如何なる物質を何の程度に輸入せるや?

ソ聯の佛蘭西よりの輸入物資は化学製品、金属、機械品に限られ、これら工業製品はソ聯の佛蘭西よりの輸入総額の九〇%を占む。而してその輸入の

第七十四表

ソ聯の佛蘭西よりの輸入

	単位	一九二九年	一九三四年	一九三五年	一九三六年	一九三七年(一－九月)
化学工業品	千留	六,九四二	八,四一三	九,三〇三	九,〇四九	五,五四〇
鉄金属	瓩	一六,一三二	四四,六七八	七四,七九八	三一,二九二	四,五五三
非鉄金属	〃	一〇,三八九	三,三一〇	二,六七六	一,一〇八	二,七六二
ニッケル	〃	四六〇	:	一,九〇六	一,〇七二	三一〇
アルミニウム	〃	二,七七五	:	三八一	一	三六〇
鉛	〃	三,八五二	:	一一	一	二,〇三二
機械	千留		七,九九三	二二,八〇二	一三,九五八	二,九二〇
工作機械	〃		五,七八一	四,二六六	二,五六六	四三六
電気機械	〃	四,七五七	一,〇四七	一,七三九	七〇二	三八八
精密機械	〃	二,五〇五	一七四	一,五九九	一,二五六	五五七
コルク	瓩	五四九	五〇〇	七一九	一,〇四四	二五〇

第七十五表

ソ聯の西欧よりの輸入（一九三七年一－九月）

	ソ聯全体	スペインより	佛蘭西より	合計	%
輸入総額(千留)	一,〇一二,七六一	二〇,〇三六	一九,五七九	三九,六一五	三.九
種子・果実	四二,〇〇一	二六,六二三	四八〇	二七,一〇三	六四.五
コルク	五,〇一四		二五〇	二五〇	四九.八
皮革	一五,八六一		二一七	二一七	〇.一
化学製品(千留)		二九	五,五四〇	五,五四〇	
鉄金属	一六六,六一四		五,一四三	五,一四三	三.六
非鉄金属	一〇〇,六五二	一七,三一三	二,七六五	二〇,〇七八	一九.九
ニッケル	六,〇七七		三一〇	三一〇	五.一
アルミニウム	八〇七		三六二	三六二	四四.九
鉛	二九,五六六	一七,三一三	二,〇三二	一九,三四五	六五.四
機械設備(千留)	二九九,八六九		二,九七二	二,九七二	一.〇
一般機械	二八〇,五七四		二,一五五	二,一五五	
電気機械	三五,五二七		二四九	二四九	
精密機械	一五,八八七		五六七	五六七	三.六
運轉資材	一七,八八一		五	五	〇.〇

（註）別に指摘せざる物資の單位＝瓩

動態を表示せば第七十四表の如くなり。

右表の輸入品中には佛蘭西植民地よりの輸入も含まれるも、その量はとるに足らず、大部分は佛蘭西本国製品なり。ソ聯の佛蘭西製品輸入は右表に明らかなる如く、三五年絶体的に増加せるも、その後急速に鉛、ニッケル、アルミニユームの如き、ソ聯の自給不能なる物資のみ増加傾向に存す。而して、ソ聯の佛国よりの輸入極めて減ぜられ、その量の貧弱なるは、佛蘭西工業が第一次世界大戦の影響より急速に離脱し得ず、専ら植民地原料の再輸出を以て対ソ貿易を維持せんとせる故なり。

次いでスペインよりの輸入内容を見るに、過去に於ては羊毛一千瓲、鉛一四・七千瓲、コルク一・五千瓲程度を年々輸入せるが最近に於ては鉛及び果実の二品目の輸入に活気を見せてゐるに過ぎず、又ポルトガルよりはコルク二千瓲、ココア〇・四千瓲程度の輸入を見る。

而して、これら西欧物資のソ聯輸入に占める比重は第七十五表の如く、ソ聯はその輸入する鉛の六五・四%、コルクの約五〇%、アルミニユームの二

二七五

六・七%、果実六四・五%を占め（三七年一―九月）、特に西国の鉛、コルクに依存する程度大なり。

尚、スペインは鉛の世界的輸出国にして、最近では年五万瓲程を輸出し、その三分の一をソ聯に提供しつゝあり。

一方、佛蘭西の輸出に占めるソ聯の比重は一九三七年に於て合金鉄二二%、ニッケル四〇%に相当せり。

(い) 輸出貿易の内容　一方、ソ聯の西欧輸出の内容を見るに佛蘭西に対しては木材、毛皮、石炭、石油、皮革、砂糖、亜麻等を、スペインに対しては右の他に自動車、タイヤ、金属等をも供給しつゝありて、その輸出の動態を表示せば第七十六表の如し。

ソ聯の対佛輸出品増加傾向にあるものは木材、皮革、肥料、石綿、マンガン鉱にして他の石油、石炭と共にこれらは専ら軍需原料なり。かくて佛蘭西の軍備拡充にソ聯原料は重要意義を有する。

佛蘭西帝国の原料自給状態を見るに、過剰原料は鉄、ボーキサイト、石墨、

二七六

第七十六表　ソ聯の対佛輸出

	一九三〇年	一九三五年	一九三六年	一九三七年
総額（千留）		七八、八〇〇	一〇二、九〇〇	五八、八九三
木材	二八五、二四一	二八六、〇二八	三六二、四二一	二七七、七〇八
毛皮	九五	一七二	三七二	一〇三
石炭	一一五、四二二	二六七、九八五	二三七、一〇二	一七五、〇五二
石油	五五〇、九七五	四一三、一四七	三六七、〇〇三	六二、一七五
皮革	一三〇	一、六八〇	一、六三七	一、三四四
砂糖	―	―	―	一九、七七四
亜麻	八二	八、三〇五	一六、八八六	二、二三三
罐詰	六三二	三六〇	五七三	三一
肥料		一九、五一八	六〇、七一二	四六、五一〇
棉花	―	六一五	九〇〇	一、〇〇〇
石綿	―	九四四	一、二九八	一、二四〇
穀物（種子）	八五、一四二	四、〇四七	三、四八二	一、〇二〇
マンガン	一一六、九五一	九七、七六七	一五三、〇〇三	八五、五八三

加里にしてソ聯の自給可能物資に属し、これらは自給自足原料ニッケル、クローム、モリブデン、硝酸塩、植物と共に外国より大量の輸入を必要とせざるも、右の物資を除く他の石炭、木材、石油を初め幾多の重軽工業原料はこれを外国市場に依存す。かくて佛蘭西は該上不足物資供給地としてのソ聯の意義を過少評價し得ざる立場にあり、ソ聯への輸出が困難なるにも不拘、ソ聯物資輸入は大量に行はれたり。

而して、佛蘭西輸入に占めるソ聯の比重は総体的に見れば、国交関係の緊密化せる三六年に於て一・八%にして、可成り小なりと雖もその輸入する木材の二九%、毛皮及び皮革の二五・六%、石炭八%、石油一六%をソ聯より仰げり。

其の後佛蘭西の国防強化政策への移行と関聯し対ソ物資需要は更に増加すべき傾向に存せるも、佛蘭西がソ聯物資に依存し対ソ貿易が年々自国に不利に展開せること、これが佛蘭西財政の悪化に拍車をかけし事ならびに両国政治関係の冷却に原因し、佛蘭西はソ聯品輸入をさして増加し得ず、三七年以

二七七

後減少傾向を辿れり。

スペイン向け輸出は第七十七表の如く三六年に至りて急速且つ全面的に増大せり。これは一時的現象、即ちソ聯のスペイン内乱への積極的援助を反映せるものにして、嘗てソ聯は全く輸出を行はざりし食糧、自動車、タイヤ、金属、棉花等軍需品の大量供給を行へるは注目すべきなり。

ポルトガル向けに対しては一九三〇年木材五九瓲、石炭四、九六〇瓲、石油七、六八七瓲の輸出を見たるも現在では全然輸出行はれず。然らば総体的に見て、ソ聯輸出市場として西欧は如何なる意義を持つものなるや。ソ聯の総輸出に占める西欧の比重を一九三七年一―九月について見れば第七十八表の如くなり。

此の年はソ聯のスペイン政府軍援助のための物資供給と云ふ政治目的のための輸出行はれし結果、平時の依存関係を知るには不充分なるも、左表によればソ聯の魚類、肥料、棉花、自動車、皮革、石炭、砂糖の輸出市場として西欧諸国は重要意義を有することを知るべし。

第七十七表　對スペイン輸出

	一九三〇年	一九三五年	一九三六年	一九三七年（一―九月）
総額（千留）	一二、〇五七	二、七八五		八八、三七一
木材	一、一四二	一五、五〇一		一〇、〇一二
砂糖		-		四五〇九
石炭	八五、八一一	-		一〇五、二八三
石油	三一八、七五〇	一八三、三七七		一六三、八四一
肥料	-	二六〇		三〇、八〇二
穀物	-	-		七四六、六六六
麥粉	-	-		二、九九〇
其他食料	-	-		二、四二〇
自動車（千留）	-	-		一三、六九七
タイヤ	-	-		六六〇
棉花	-	-		一六、六八七
金属	-	-		一九、五〇九

（註）別に指摘せざる物資の単位＝瓲

第七十八表　ソ聯の對西欧輸出（一九三七年一―九月）

	ソ聯全体	對スペイン	對佛蘭西	合計	%
輸出総額（千留）	一、二一八、五四九	八八、三七一	五九、四七九	一四七、八五〇	一二・一
穀物	四八五、一〇一	六四、六六六	-	六四、六六六	一二・三
麥粉	四七、〇八三	二、九九〇	-	二、九九〇	六・四
木材	三、八八、〇三九	一〇、〇一二	二七、七〇八	三七、七二〇	七・五
肉・バター	一六、一三六	一、七七五	-	一、七七五	一〇・一
魚類・イクラ	一、一八三	四〇八	七七	四八五	四〇・九
砂糖	一〇九、二〇七	四、五〇九	一九、七七四	二四、二八三	二二・二
石炭	一、一五五、九二九	一〇五、二八三	一七五、〇五二	二八〇、三三五	二四・二
石油	一、四七三、八九八	一六三、八四一	六二、一七五	二二六、〇一六	一九・〇
化学製品（千留）	二四、四二〇	二二一	一、四四八	一、六六九	六・七
肥料	五七〇、一四五	三〇、八〇二	四六、五一〇	七七、三一二	一三・四
棉花	三七、〇八一	一六、六八七	一、〇〇五	一七、六九三	四九・〇
亜麻	三七、一三〇	-	二、三三三	二、三三三	八・二
鉄金属	一九〇、〇八九	一九、五〇九	二、五七七	二二、〇六六	一一・五
自動車（千留）	一八、〇一八	一三、六九七	-	一三、六九七	七六・〇
毛皮	一、六一〇	-	一〇三	一〇三	六・五
皮革	三、五五四	-	一、三四五	一、三四五	三七・八
マンガン鉱	七六二、八九三	-	八五、五八三	八五、五八三	一一・二
石綿	二一、〇七五	-	一、四四一	一、二四一	五・八

第七十九表　西欧諸國貿易に於けるソ聯及び各國の比重

	一九二九年 佛蘭西	一九二九年 ポルトガル	一九二九年 スペイン	一九三四年 佛蘭西	一九三四年 ポルトガル	一九三四年 スペイン	一九三七年 佛蘭西	一九三七年 ポルトガル	一九三七年 スペイン
輸入									
英吉利	一〇・〇	二六・九	一三・〇	七・一	二二・九	一〇・一	八・〇	二一・一	
米國							九・五		
佛蘭西		九・二	一二・八		四・八	七・八		五・二	
独逸	一一・四	一五・一	一〇・五	九・六	一三・七	一一・五		一三・一	
伊太利	二・六	一・九	三・四	二・一	二・七	二・八		〇・四	
ソ聯	一・四	〇・〇	二・六	二・〇	〇・〇	二・六	一・七	：	
輸出									
英吉利	一五・一	二三・四	一八・九	八・六	二三・八	二三・三	一一・四	二六・六	
米國									
佛蘭西		一一・一	二一・九		九・七	一五・七	六・四	一一・一	
独逸	九・四	一一・〇	七・四	一一・一	一一・七	一一・二		一二・〇	
伊太利	四・四	二・八	四・九	三・一	二・九	四・九		一・二	
ソ聯	〇・五	〇・二	〇・七	〇・六	〇・一	〇・一	〇・五	：	

（註）△印＝一九三六年

乍然、西欧諸国の市場は専ら先進工業国に支配せられ、佛蘭西の如きもその植民地とのブロック経済の拡張に努力しつゝあり、ソ聯との緊密なる経済関係の樹立は困難たりき。

このことは特に西欧諸国に於けるソ聯及び先進工業国の比重を対比せば充分理解し得べし（第七十九表）。

右によれば、佛蘭西は英吉利（英植民地を加算せば佛蘭西輸入に占めるその比重は三七年に於て一七・一%、輸出一四%となる）に最も高度に依存しあり、スペイン及びポルトガルも独伊に対するよりも英佛により高度に依存す。一方ソ聯の如きは佛国の同盟国たりしにも不拘、フランスにとりソ聯の経済的重要性は到底英吉利に及ばず、而もソ聯対西欧貿易ルートはその中間に独伊の勢力介在する結果、不時の場合に於ける両国貿易の円滑なる発展を保障し得ず、かくて、佛蘭西は特に英米との親善関係を樹立するの必要に当面し、ソ聯との貿易はさして発展せざりしなり。

(二)　欧洲動乱後の対西欧貿易　然らば、欧洲動乱後ソ聯対西欧貿易は如何に

二七九

変化せるや？

既に述べし如く、ソ聯対西欧諸国の相互貿易は欧洲動乱の発生前既に減退の傾向を示しつゝありしが、動乱が英佛対独伊の全面的抗争として拡大化するに及んで、此処にソ聯対西欧貿易は全く杜絶を見るに至れり。

動乱の勃発当初に於ては、ソ聯は独逸と政治的及び経済的緊密関係を樹立すると共に反面に於て英吉利とも通商関係の調整に乗り出せるが、佛蘭西との間には表面上何等の處置も講じられず、佛ソ両国の戦時輸出措置令による輸出制限或は禁止、ならびに北海・バルチック海封鎖と地中海の戦場化による貿易ルートの中断とは相互貿易を完全に杜絶せしめたり。

而して、両国貿易の調整に対して何等の措置も講ぜられざりし理由は、第一に相互の経済的紐帯の薄弱なりしことによりて説明し得べし。既に前項に述べしことによりても明らかなる如く、ソ聯対西欧貿易は政治的考慮よりして時には発展せるも、純経済的にはソ聯の西欧への依存性少なかりき。事実、ソ聯は西欧諸国に鉛及びコルクを除いては、さして依存性多からず、而も、そ

二八〇

の輸出品はこれを独逸に提供することにより充分に対西欧輸出による損失を補ひ得べし。

第二に輸送ルートの混乱、仮りに相互間に通商問題調整せられし場合を考慮しても、此の場合、西欧及びソ聯間には独伊が介在し、陸海通商ルートの遮断に逢ふて通商は輸送の面より切断せられること必然なり。

かくてソ聯対西欧諸国間には通商交渉の如くも全く行はれず、欧洲動乱と共に貿易は完全に杜絶せり。而して、これによりて、ソ聯の蒙れる損失は、ソ聯の物資バランスの点より見れば、西欧の鉛二万瓲、コルク三百瓲、アルミニウム三百瓲程度の輸入不足を来せることゝなれり。

電機工作機類については平時の西欧よりの輸入僅少にして、独逸よりの輸入により充分補給し得べし。対西欧輸出も亦第三国へ轉化することによつて充分その発展を期し得べし。

二八一

八、対東方諸国貿易

(イ) ソ聯の対東方政策の基調　此処に述べる東方諸国とはソ聯接壌国たるトルコ、イラン、アフガニスタン、新疆、外蒙、トゥワを指すも、記述の便宜上西部アジアのシリア、イラク、イエーメン、エヂプト等をも併せて触れることゝす。

叙上諸国は非独立的、半植民地乃至植民地的農業国として特徴づけられ、従来資本主義列強の原料基地、商品市場として、或は投資の対象として、将又帝政ロシアの東進乃至南進勢力に対する一緩衝地帯として重要な政治的意義を有せり。

而して、ソ聯は十月革命に成功、政権を樹立するや、帝政ロシアのこれら諸国に於ける権益の一切を発棄（一七年一二月の東方諸国勤労回教徒に対する宣言、一九年六月の対イラン利権無償譲渡に関する声明等）し、積極的革

二八二

命工作を採れり。

即ち、極東方面に於てはウンゲルン将軍の率ひる白衛軍を駆逐して外蒙及びトゥワ人民共和国を独立せしめ、更に新疆、アフガニスタン、イラン方面へと赤化工作を進めり。依然アフガニスタンに於てソヴエート政権の擁立せるアンマヌールーカンの革命勢力が英吉利の支持せる旧勢力と衝突し、東方諸国に於ける英ソの全面的抗争にまで発展せんとせること、ならびにソヴエート政権に対する列国の武力的経済的干渉の結果、急速なる実力による政治革命の政策を休止し、漸進的産業革命の政策に移行す。即ち、これら東方諸国に経済的援助を与へることにより民族資本及び工業を発展せしめ、以て自国の援助下に叙上諸国を外国の経済的支配より離脱せしめ、これを自国の勢力下に置かんとするところの漸進政策がそれなり。蓋しソ聯のかゝる政策を採用せる所以のものは大要次の如くなるべし。

(1) 東方諸国への急速なる政治的武力的進出は先進資本主義的列強の反ソ運動を促進せしむ。特にソ聯の南下は直ちに英吉利の穀倉たる印度及びその

二八三

他アジア植民地を脅威するのみならず、之と英佛諸国との交通連絡を遮断す。此の際英佛に与へる脅威は今日の我大陸進出以上に重大にして英佛の死活問題とも云ふべく、ソ聯はかゝる刺戟を与ふることにより英佛との武力戦を覚悟せざるを得ない。而して、その前例はソ聯の対ア工作に見られるところにして、寧ろソ聯はかゝる政治工作を計る以前に国内経済力の強化を必要とせり。

(2) 更にソ聯のかゝる進出は封建的乃至半封建的諸関係の深く根を張り而かも宗教意識の濃厚なる東方諸国に直ちに民族的反抗を惹起せしむるの危険を有す。就中、当諸国の五〇%は回教徒にしめられ、自国領トゥルケスタンの回教徒対策にさへ失敗せるソ聯としてはその実力的進出と共産主義化は至難たり。

(3) 右の如く政治的進出困難なるも、従前東方諸国よりの対ソ侵略の危険なきこと。十月革命以来の東方諸国対ソ聯の政治関係を見ても明らかなる如く、欧洲諸国はソヴエート政権に対し経済封鎖若くは武力干渉に訴へるの

二八四

危険を有せるも、東方諸国には自ら進んでかゝる挙に出でんとするの危険は存在せざりき。

(4) 東方諸国は、既に述べし如く、半植民地或は植民地的国家にして、先進工業国に依存しあり。而も国内主要金融機関、発芽状態にある幼稚産業は外国市場に占有せらる。従ひて、よりよき條件に於てその輸出畜産品・農産物を購入し、或は民族工業を勃興せしめることは敍上諸国の対ソ依存を醸成し、且つソ聯の発言権を平和的に増大し得る、この点につき嘗てソ聯経済学者チエルゾフは次の如く指摘しあり。「ソ聯と東方諸国との間には利害関係の一致する点多く、ソ聯としては資本主義国の帝国主義的圧迫より解放を冀ふこれら諸国に対し同情を寄するは当然にして、その結果右諸国の経済的発展乃至生産力の増進のために援助なさむ」と。

(5) 右の如き経済的後進性の故に之等諸国工業製品のソ聯への自由なる流入もソ聯工業を脅威するの危険を有せず、而も右諸国の豊富なる原料農畜産物（棉花、羊毛、皮革、家畜、米等）の利用を有利とせること。

二八五

右は主として、社会的要因なると、更にソ聯が敍上諸国に接近を策せざるを得ない自然的條件として次のものが存在する。

(1) 土耳古のダーダネルス海峡はソ聯南方海路黒海の出口を扼し、之との接近が戦略的に重要なること。従来ソ聯輸出貿易貨物の三分の一、輸入貨物の一〇分の一は黒海経由にて呑吐せられ、之が外国の手中に委ねられることはソ聯貿易を危態に頻せしむるのみならず、地中海方面への発言権を完全に喪失せしむ。

(2) イラン、土耳古はソ聯産油の七〇%を占めるソ聯石油生産地バクーに近接せること。従ひてこれが防備上絶対に此の方面の完全と支配を必要とするの要あること。

(3) 地中海封鎖の際、主要不足物資移入路としてイラン、アフガニスタンの鉄道、自動車路を重視せざるを得ないこと（後述す）。

(4) 新疆省も亦、支那本土への進出の重要通路に当れること。このことは既に最近新疆が援蔣赤色ルートとして重視されてゐる事実のみ

二八六

ならず、かのボロジンの支那革命工作の際、ソ聯の対支進出に重要據点たりし事実を以てしても明らかなるべし。

右の諸理由よりして、ソ聯は東方諸国の地理的戦略的位置を重視し、実力によらず、平和的に経済的に緊密関係を樹立し、機会を見て之等を自国の勢力下に包含せんと努む。

而して、その第一着手として先づ東方諸国との国交を平等の原則に基く友好條約の締結によりて調整す。即ち、土耳古に対しては二一年一二月ケマル政府と和親中立條約を締結、三〇年及び三五年は之を延長し、現在修交中立條約に基きて親和関係にあり。イランに対しても同様二一年一月友好條約二七年一〇月中立保障條約を締結せり。又アフガニスタンに対しては一九二一年二月モスクワに於て善隣條約を結び、最恵国約款に基きて親交関係を樹立す。外蒙及びトウワに対しては、特に支那勢力の弱体なるに乗じて、その独立を援助し、年友好條約を締結してその独立を援助し、ア国の対英戦争後二一年二月モス

一九二一年末修交條約に調印して人民共和国の独立を承認し爾来之を完全に

二八七

その支配下に置き、一九三六年三月には外蒙と相互援助條約を締結しあり。一方、新疆省に対しては、之を表面上は支那の一部として承認するとは云へ、一九三二－三四年内乱に盛世才一派を擁立し、彼の独裁下に、新疆懐柔を策しつゝあり。

斯くの如く、政治的には友好善隣関係を設定し、或は相手国の背後勢力の衰退に乗じて之を独立せしめんとの政策をとりつゝあるとは云へ、之ら諸国の急速なる共産主義化は之を極力抑制し、東方政策の重点は専ら敍上諸国の経済的発展を促進せしめんとする点に置かれる。即ち、(イ)敍上植民地乃至半植民地に民族工業を擡頭せしめる、(2)それによりて先進資本主義国への依存より敍上諸国を離脱せしめる、(3)その過程に於て国内の半封建的乃至封建的生産関係を漸進的に改建せしめ、(4)かくて対ソ依存と社会革命の温床を醸成せんとする政策がこれなり。

かくて、ソ聯の対東方通商政策は、他の諸資本主義国に対すると全く趣きを異にし、甚だしく政治的意図を有するものにして、その特質は、貿易の独

二八八

第八十表 ソ聯對近東貿易

	一九三四年	一九三五年	一九三六年	一九三七年	一九三八年
輸出					
土耳古	二三、八一八	三八、七五〇	一九、五七五	三三、八〇九	二二、七四六
イラン	五一、六一八	六八、五九五	六三、三九三	九一、七三〇	五七、九八四
アフガニスタン	一三、五九一	一五、一九四	一六、二七七	一七、〇一七	一四、七六三
新疆	二〇、七一七	二六、四九五	三六、一四五	三四、七五三	四三、三八一
蒙古	四四、三〇六	五〇、九五三	五〇、四三三	六五、八二二	六九、八三八
トウワ	七、〇五一	一一、八三九	六、一七一	六、五〇七	五、八九三
イラク	二、五九三	七四〇	九二〇	一、四三二	－
イエーメン	一、〇四七	一三一	一一九	－	－
シリア	一、九八四	二、七二九	一、三二八	－	－
エジプト	一三、六〇九	一九、九三八	一四、〇二九	一二、三九五	一四、〇七四
計	一七五、七八六	二三五、三六四	二〇八、三九〇	二六三、四六五	二二六、六七九
%	一九・四	一四・六	一五・三	一五・二	一七・〇
輸入					
土耳古	一二、五七六	一八、三四三	一八、〇五九	二八、六三〇	二二、七四〇
イラン	六二、七四八	九〇、六一三	九一、一〇六	八四、七八〇	六三、七七二
アフガニスタン	一二、〇五八	一七、二三一	二二、〇三四	一六、九九五	一三、七一六
新疆	二六、〇三九	一九、九二九	二五、六七一	二五、七七八	三五、一五九
蒙古	二〇、五六一	三四、六五〇	三二、一二〇	三三、六九四	三八、五一〇
トウワ	二、〇一一	五、七四七	五、一九三	三、一五〇	二、六七一
イラク	一、〇一六	二二	一三三	三八〇	－
イエーメン	九	六一	－	－	－
シリア	二、二六五	八三六	四九〇	－	－
エジプト	一	一三	－	－	二七九
計	一三九、二七九	一八七、四四五	一九四、八〇六	一九三、四〇七	一七六、八四七
%	二一・二	一七・七	一四・四	一四・四	一二・四

第八十一表 イラン貿易に於けるソ聯の比重

	一九二八―二九年	一九三二―三三年	一九三四―三五年	一九三五―三六年	一九三六―三七年
ソ聯	三四・八	三八・九	三四・一	二九・五	三五・五
独逸	四・四	七・九	八・九	一七・四	二一・三
英吉利	一四・四	一〇・四	一二・五	一一・五	八・二
北米合衆國	九・二	九・七	一〇・八	九・八	一〇・三
英印	一七・八	一四・七	九・一	七・六	七・五
日本	一・七	二・三	五・五	六・〇	三・一
其の他					

占制を緩和し（特恵関税主義、貨物通過の自由容認、クレヂットの供与、ソ聯産機械類の購入條件の緩和）国別或は取引別ネット・バランス制に基き相互貿易を発展せしめんとする点に帰せられる。

乍然、かゝる対東方通商政策は、ソ聯の政治的意図を多分に反映せるものとは云へ、急速に結実を見しものに非ず。現在尚その遂行過程にあり、その推移の跡を省みれば次の如くなり。

(ロ) 経済関係の推移　国交恢復がソ聯と東方諸国に実現せられし時期に於ては世界大戦と内乱、ならびにソ聯の戦時共産主義政策の影響を蒙り、相方共未だ経済的接近困難たりき。而して、ソ聯が新経済政策に移行せる時期に於て漸く相互的に正式通商発展に対し考慮か拂はれ、二四年七月にはイランとの間に通商協定締結され、他の諸国と共に「ソ聯の貿易統制を侵さゞる範囲内に於ける取引の自由」が認められ、特恵制度―商品の無許可輸入、ソ聯領内に於ける貿易実施のための東方諸国商人に対する特恵待遇、定期市に於ける取引上の特恵、右商人に対する納税上の特典供与―による通商の発展が計られ

二八九

る。

かくて、東方諸国に対し、外国貿易独占を緩和し、例外的事例を認めし結果、(1)東方諸国は特恵制度の利益を享有し、その商人はソ聯全域に於て商品の自由流通を行ひ得たるも、(2)ソ聯は未だ充分工業の発展を見ざる時期にして右市場に於て欧洲諸国との競争に敗れ、(3)而も土耳古を除き一般に他の諸国との貿易に於て入超を示す。

此處に於て二六年末より右の無許可輸入制度を改めんとの気運濃化し、貿易手続を簡易化すると共に之を大部分撤廃し、ネット・バランス制に移行す。即ち、先づ六年外蒙と修交條約に附随せる特恵関税協定を締結する一方、二七年に土耳古及びイランと特恵関税ならびにネット・バランス制を規定する通商條約を締結、他の諸国ともかゝる方針によりて相互的貿易の発展に努む。

特に二七年のソ聯対イラン（一九二九年まで年五千万留の無許可輸入）及び土耳古通商條約はソ聯の砂糖、紡績製品、石油製品その他工業製品の輸出を増加せしめる上に大きい意義を有し、ソ聯品は第三国品を圧迫し、漸次東

二九〇

方市場に進出するに至る。

之と関聯し、ソ聯は従来の特定商品別バランス制度を国別ネット・バランス制に拡大し、以て東方諸国に有利に貿易を発展せんと考慮し、一九三一年イラン及び土耳古との間に新通商協定を締結、更らに他の東方諸国に対しても同様方針を以て通商関係の調整を行へり。

かくして、ソ聯対東方諸国貿易は絶対的にも相対的にも増加の一途を辿れり。

此の間、ソ聯の工業化政策進捗し、工業製品輸出の増加が可能となり、反面叙上諸国の民族工業も亦漸次発展せる結果ソ聯は生産設備を供給し、以て叙上諸国の工業発展を促進し、且つ独占的に叙上諸国産原料の買付を増加するに至る。先づ三四年には土耳古に八百万弗の工業信用（二十ケ年間に償還）を供與し、土耳古の産業五ケ年計畫（一九三三年着手）の遂行に援助せるがこれは一九三二年五月七日ソ聯発表のコンミユニケによりても判る如く、「相互の連携を強化する具体策としてソ聯産新式設備をクレヂットによりて供給

二九一

し、その代償として土耳古産原料をソ聯に供與せん」とするものなり。

次いでイランとの間には一九三一年度通商條約の失効を契機とし、三五年八月新通商航海協定（期限三年）を締結し、「ソ聯はその有効期間イラン政府より棉花、ケナフ、羊毛、米、原料皮革、乾果の購入を約し、イラン政府はその対ソ輸出を年々一〇―一五％増加し、且つソ聯よりの輸入と同額のソ聯産砂糖、綿織物、セメント、鉄金属、農用機械の器具、精米、洗棉工業設備、その他工業用機械設備の輸入を行ふ」こととなれり。

かくて、近年益々ソ聯対東方諸国の通商及び経済関係は緊密化しつゝあり、最近数ケ年に於けるその貿易の動態を概視すれば第八十表の如くなり。

即ち、東方諸国よりの輸入額は一九三四年の一億三千九百万留より年々増加し、一九三八年若干減少せるも一億七千六百万留、輸出も同様の推移を辿り、三四年の一億七千五百万留より一九三八年二億二千六百万留に達す。而して、ソ聯貿易に於ける叙上諸国の比重は最近の三八年に於て輸出の一七％、輸入の一二・四％を占む。而して輸出の輸入に比して多いのは、ソ聯が信用

二九二

を供與し、これら諸国の工業建設に努めつゝあるためなり。右の如く、ソ聯の対東方諸国貿易はソ聯の政治的意図を反映し、発展の趨勢を示しつゝあるが、之と併行的に叙上諸国の貿易に於けるソ聯の意義は漸次増加しつゝあり。

先づ、イラン貿易に於けるソ聯の比重について見るに第八十一表の如し。

上表はイラン市場に於ける英独ソ三国の勢力関係を如実に反映しあり。即ち、ソ聯の勢力は圧倒的にして、増加傾向にあり、之に次いで嘗つて英吉利及び英印が支配的たりしが、最近では英帝国に交替して米国及び独逸の擡頭しつゝあることが知り得べし。英国はイランに対し、棉花、毛織物、機械及び設備を輸出し、羊毛、阿片、絨氈、石油を輸入しあり。然るに独逸はこの英吉利勢力に替り、機械類の輸出に目ざましき発展を示すに至る。独逸は専らイランより米、乾果、扁桃等のイラン産品を輸入し、最近に於ては清算協定を締結、右の輸入償として機械類を供給しつゝある。

米国のイラン貿易に於ける比重も増大しつゝあるが、米国は安價な自動車

二九三

及び家具類（冷藏庫、電気器具）を供給し、最近に独逸についでイラン貿易に第三位を占めり。

次に土耳古貿易に於けるソ聯の地位を概視せん（第八十二表）

土耳古貿易に圧倒的地位を占めるは独逸にして、独逸は土耳古市場より他の資本主義国を圧迫し、土耳古輸入の四二％、輸出の三六％を占む。斯くの如き独逸の進出は、(イ)独逸が軍備拡充を目的とし、その戰時需要を充足すべき原料、食糧供給地の獲得に努力しつゝあること、民主主義国のブロツキズム強化によりブロック外への経済的進出を余儀なくされしこと、そのために土耳古と清算協定を締結し、為替操作によりて土耳古の独逸品購入を増加せることの結果にして、更に土耳古経済――運輸、農業、工業部門にも独資本の多くが投下されつゝあることは周知の如くなり。

かゝる独逸の進出により、土耳古市場より轉落の過程にあるのは英佛なり。之は英佛が土耳古産品にさして関心を有せず、且つ自国植民地との通商増進に専ら意を注げる結果なるも、かゝる独逸の経済的進出に対抗し、進年、英

第八十二表　土耳古貿易に於ける列國の割合　（％）

	輸出貿易				輸入貿易			
	一九三二年	一九三五年	一九三六年	一九三七年	一九三二年	一九三五年	一九三六年	一九三七年
ソ聯	五・三	四・四	三・四	四・七	六・九	四・八	五・四	六・二
独逸	一三・六	四〇・九	五〇・九	三六・五	二三・二	四〇・四	四五・一	四二・二
伊太利	一六・二	一〇・〇	三・七	五・三	一二・九	六・四	二・三	五・三
英吉利	九・八	五・四	五・四	七・一	一二・四	九・九	六・六	六・三
佛蘭西	七・七	三・二	三・二	三・八	八・四	四・[illegible]	二・五	一・一
北米	一一・九	一〇・一	一一・三	一三・九	二・六	六・九	九・七	一五・一
其の他								
合計	一〇〇・〇	一〇〇・〇	一〇〇・〇	一〇〇・〇	一〇〇・〇	一〇〇・〇	一〇〇・〇	一〇〇・〇

吉利は土耳古にクレヂットを供與し（三六年）、或ば自国品の販賣のため一千万磅の輸出信用に政府が保障を行ひ（三八年五月）、又、軍事資材貸付資金として六百万磅の追加信用を與へる等、退勢の挽回につとめつゝあり。

次いでアフガニスタン貿易に於けるソ聯の地位を列国と対比して見ん。アフガニスタンは貿易統計を発表し非ず、詳細は窺知し得ざるも、その地理的位置よりして、従来、英印、ソ聯、イラン、新疆との交易に活気を見せ、ア国貿易総額の八〇％は英印に占められ、ソ聯は七％（一九二三－二四年）－一五％（三四年）を占む。然るに、一九三六年以来、ア国が貿易国家管理制を施行し、ソ聯の対ア通商独占機関「ソフアフガントルク」及びア国国民銀行間にア国産商品（羊毛、棉花、阿片）、ソ聯産商品（棉花、砂糖、石油製品洗棉毛工場設備、自動車、油房設備）ネット・バランス制による交換（一九三六－三九年間）契約成立以来ソア貿易は頓に活気を見せ、ア国貿易に漸次支配的地位を占めつゝあり（後述）。

一方　ア国に於ては他の資本主義国の進出も目覚ましく、ソ聯が三八年クン

ズの洗棉工場設立協力せるに対し、独逸も亦同様の工場を建設、更に米国石油会社は三七年石油採掘利権、石油輸送管敷設権を獲得せり。

かくて、土耳古、イラン、アフガニスタンに於ては資本主義諸国並びにソ聯の通商戦が展開され、列国の対立下に漸次ソ聯の経済的地位は強化の傾向を示しつゝあり。

一方、新疆に於けるソ聯の経済的勢力如何と云ふに、これは外蒙トウワに於けると同様完全に支配的なり。新疆は形式的には支那の一部と認められあるも一九三二－三四年の新疆叛乱に於てソ聯は盛世才一派を擁立し、回教徒独立運動指導者馬仲英を退け、新疆を平定して以来、実質的にはソ聯の支配下にある。一方、支那は右の盛世才の独裁を認めず、飽くまでも新疆を自国の一省として支配せんとし、日支事変勃発前までは新疆問題或は外蒙問題を続ってソ支間に政治的対立が存在せり。然るに日支事変勃発するや、一九三七年九月ソ支秘密協定に於て、ソ聯は「新疆省の中央化を援助し、既往のソ聯の援助により生ぜる一切の権益を無條件にて南京に屬せしめる」ことを

取極め、一應支那辺区に於ける懸案解決せるかに見えたり。依然、新疆が支那への進出の重要據点に当り、而も日本への軍備と云ふ点で外蒙と共に第一線的意義を持つ故に、ソ聯は易々として之を支那に委し得るものに非ず。即ち、日支事変の拡大化するに及んで三八年初め、対支武器輸送路警備を名目に、ソ聯内務人民委員直属の一箇師をこれに派し（三八年六月三日モスクワ電）次いで支那が全面的に敗退するに及んで、三九年十月再度新疆省へ派兵し、同時にソ聯は重慶政府に「新疆省をソ聯の勢力圏とし、同地駐兵権を認めよ」との爆弾的要求を提出せり。このことはソ聯のプラウダ紙上で否定されりとは云へ、その後日本の対支作戦の進捗し、英米佛の対支援助の困難化せるに應じ、四〇年四月重慶をして新疆主席にソ聯代辯者盛世才を承認せしめ此處にソ聯は新疆問題を有利に解決せり。

依然、ソ聯の新疆工作は他の東方諸国に対すると同様漸進的なり。これは三三年成立の新政府が盛世才の独裁下にありて尚民族の平等、信教の自由、文化経済の発展をその施政方針とせるを以てしても明らかにして、特に人口

二九七

の六〇％を占める回紇族、一二％を占める蒙古人に対する信教の自由と部族権との否定は盛世才政権成立当時のスローガンとも背冀し、従ひて、ソ聯も亦事変勃発以来対新疆政策を急轉換することなく、経済的旧い生産関係、收取関係を徐々に改造し、その過程に於て之を自国に依存せしめんとし、政治的には専ら文化工作に重点を置けり。

その着手として北支事変直後より新疆畜産品の張家口方面への流出を禁じ、これを独占的にソ聯に買上げる一方、経済開発三年計畫を強化して経済建設に邁進す。政治、文化、経済軍事建設三年計畫は一九三四年を第一年度とし第二次は三七年着手三九年完了之をなす目的を以て、従来廸化に設立せる通商代表部及びそのカンガール・クリチヤ支部を支那側に承認せしむ（三九年五月）。

ソ聯のかゝる新疆工作は、反面より見れば、極東攻勢への準備活動とも見られる。

かくて、ソ聯と新疆の関係は極めて緊密であり、三二―三四年の内乱の際

二九八

第八十三表　新疆輸出資源（一九三五年）

	單位	生産	國内消費	輸出資源	對ソ輸出
棉花	千瓩	二四・一	四・六	一九・五	一・一
羊毛	〃	一七・六	七・〇	一〇・六	四・八
生糸	〃	〇・四			〇・〇六
山羊保有数	百万頭	一・六	（九九・二千瓩）	：	
緬羊保有数	〃	一一・一	（五六六・一千瓩）	：	一七・四
牛	千頭	一、四四五・〇	（七三六・九千瓩）	：	
皮革　羊	千枚	二二〇〇			
皮革　山羊		三五〇	（九・二千瓩）	：	二・〇
皮革　牛		一七〇			
獸腸	万束	二〇〇	一〇〇		九四瓩

各国商業資本の新疆引揚以来、新疆市場も亦徹底的にソ聯の支配下に置かる。尚、参考のため、一九三五年度の新疆輸出資源と対ソ輸出の関係を示す資料を左に掲げて置かん。左表にても明らかなる如く、新疆特産物たる畜産品、棉花、羊毛、家畜、皮革は相当大きい数字を示し、三五年に於てもその可成りの部分がソ聯に向けられたり。

参考のため新疆の輸出資源とソ聯への仕向高を表示せん（第八十三表）。

(八)　輸入貿易　以上は政治経済面よりソ聯対東方諸国の相互関係を検討せるが、然らば、ソ聯は東方諸国に対して、政治的利益のみよりかゝる政策を遂行しあるかと云へは、然らず。

ソ聯の物資需給に、叙上諸国は可成り重要意義を有す。

ソ聯の東方諸国より輸入せる物資の重なるものは工業原料たる羊毛、棉花、皮革、並びに生畜、及び若干の食糧にして、専ら農畜産品に占めらる。叙上物資は東方諸国よりの総輸入額の八五％を占め、或る物資に於ては、その国の生産を助成するため政策的に輸入せられつゝあるとは云へ、ソ聯輸入に占

二九九

める叙上諸国の割合には可成り大なるものあり。

三〇〇

即ち、第八十四表によりても明かなる如く、東方諸国のソ聯総輸入量に占める割合の五〇%以上に達するものとして生畜（八二%）肉類（八五%）米（九五%）羊毛（六九%）皮革（五一・六%）棉花（一〇〇%）等あり。右の内、羊毛、棉花等は東方諸国の特産品にして、その輸入は多分に政策的意図の下に行はれあるも、生畜米、皮革はソ聯の不足物資に属し、ソ聯の物資需給に大きい意義を有す。

翻って、東方諸国にとり輸出市場としてソ聯が如何なる意義を有するかにつきて之を見るに、蒙古、新疆、トウワは、前の説明にても明らかなる如く、その輸出資源の大部分はソ聯によりて買付けられてゐる現状にして、專ら、ソ聯市場に依存しつゝ、その生産を維持しあるものと断定し得べし。

更にアフガニスタンの輸出に於ては如何と云ふに、アフガニスタンの輸出構成は畜産品七〇%、農産物二二%、手工業品八%（三六・三七年）にして、内カラクリが約半分を占め、年輸出能力百万枚にしてその大部分はソ聯市場

第八十四表

ソ聯輸入に占める東方諸國の割合

	ソ聯全体	土耳古	蒙古	新疆	アフガニスタン	イラン	トウワ	計	%
合計（千留）	一〇一二七六一	一九五七八	一六三四	一七七二八	一〇一四五	五九八三一	-	一三五七五四	一三・三
種子	七七六八	五〇七	-	一一三	-	一八七	-	八一六	一〇・一
豆果実	三四三六三	四六三	-	一九九	-	六一六七	-	六八二九	一九・九
生畜	三八九七五	二八八七	一四三六六	一二〇九九	-	三四四六	三三〇九	三一九〇七	八二・〇
毛皮	五五八	〇・一	一九三	一三	四五	一〇四	一四	四七九・一	八五・八
皮革	一五八六三	二六一	三五五一	二〇一〇	三三六	二一〇六	一〇六	八二六〇	五一・六
羊毛	二〇〇一七	四八二〇	一五三九	二三五三	二七九六	二三八二	六一	一三八四〇	六九・〇
肉鳥	二四九八	-	一六七五	-	-	四五六	五九	二一九〇	八五・〇
毛	六二六	-	三九六	二二五	-	-	五	六二六	一〇〇・〇
ホロ	七一五三		二一八	-	-	-	三三	二五一	三・三
米	三四三九〇	-	-	-	-	三四〇八四	-	三四〇八四	九九・一
魚類	一〇八二二	-	-	-	-	六五四二	三六	六五七八	六〇・〇
棉花	一七九九三	-	-	九四〇	一〇三九	一六〇一四	-	一七九九三	一〇〇・〇
栗腸	二五三	-	二九	一四八	-	六四	-	二四一	九九・六
蚕絹類	二五〇	-	-	一二六	-	一二一	-	二四七	九八・八

（注） 各商品とも単位は千留なり（一九三七年一—九月）。

に向けらる。羊毛は北部アフガニスタンに於て年産一六・五千屯にして、これ又大部分ソ聯に向けらる。次いで棉花・近年米棉種によりその質を改善し年輸出力一・五千屯程度（二七―二八年）なるが、一九三七―三九年同に一二―一四千屯をソ聯に輸出する協定締結されて以来、その殆んど総てがソ聯に買付らる。

尚　家畜は年輸出力十八―二十六万頭と云はれ、三一年七万三千頭の対ソ輸出を見たるも、近年全く輸出を見ず。

イランは専ら棉花、羊毛、原料皮革、絨氈、阿片、乾果を輸出し、その輸出に占めるソ聯の割合は一九三二年―三三年より、三六―三七年に棉花九九九％に、羊毛八九・五％より九六・七％、乾果九・八％より二三・七％、米九三・九％より九四・一％を占め、イラン特産業は殆んどソ聯市場に依存しありと云ふべし。

次に土耳古より輸入せる商品の九一％（三七年）を占める羊毛、家畜、棉花につきその土耳古総輸出に占めるソ聯の比重を見るに、羊毛は一九三五年

三〇一

七二・八％より三六年一九・一％に減少、反面家畜は二九・七％より三九・七％、棉花は一％より三・九％に増加、土耳古の羊毛・家畜市場としてはソ聯は支配的意義を有す。

以上、ソ聯輸入に於ける東方諸国の意義を検討せるが、之を要するにソ聯はこれら諸国の農畜産物、特に家畜、羊毛、棉花に依存する程度高く、又叙上諸国にとりてもその農畜産物輸出市場としてソ聯の支配的意義を有するものと断定し得べし。

(二)

輸出貿易　　翻ってソ聯の対東方輸出貿易の内容を見ん。輸出内容は、叙上諸国が半植民地、植民地的農畜　産　国にして、工業としては専ら手工業、家内工業が発展し、大工業は発芽状態にあること、及びソ聯が工業国に発展し、東方諸国の経済建設に援助せんとする政策的意図を反映し、工業製品―就中軽工業、重工業品に占めらる。

即ち、その内容は第八十五表の如くにして、叙上物資はソ聯の対東方輸出総額の約九〇％を占む。而して、ソ聯輸出総量の九〇％以上を占むる物資と

三〇二

第八十五表

	ソ聯全体	土耳古	イラン	新疆	アフガニスタン	蒙古	トゥワ	計	%
合計（千留）		二四、四三一	七〇、六一四	二五、〇三五	一一、五九七	五〇、四七一	五、七五二	一八七、九〇〇	
機械類	四二、三三九	七、五二三	五、六〇九	三、一七七	三九二	四、七五七	九八四	三二、四二二	五三・〇
汽罐	一六六	一一	三七	四	―	―		一五二	
紡織機	四、二六〇	四、一三五	一〇四	―	―	―		四、二五七	
自動車	一八、〇一八	四	二、六五一	一、〇三一	九七	二、六七三	三一九	六、七七五	二四・〇
綿織物	一五、四五八	一、五九四	七、四九四	一、九五四	一、五八九	二、三二七		一四、九五八	九六・七
鉄金属	一九〇、〇八九	一七、六一九	三五、六七五	二、一五八	四六八	五、五八七	四一一	六一、九一八	三二・五
銑鉄	一一七、〇八九	八、〇七七	―	―	―	―	―	八、〇七七	
鋼材	四五、六六一	六、四三三	一七、一七三	一、六五五	三四二	二、六〇二	二八一	二八、四八六	
レール	一七、二〇〇	―	一五、五五五	二	―	一三〇	一〇	一五、六九七	
鉄管	三、八五〇	二、二五六	九一七	七九	―	二四四	二二	三、五一八	
煙草	二、六九六	三六九	―	一七九	一三	八七一	一三一	一、五六三	
石油	一、四七三、八九八	一八、一四九	二八、七六六	四、五六一	二、四一七	一三、六六二	一、〇三八	六八、五九三	四・六
砂糖	一〇九、二〇七	二、二四九	五五、六四九	二、七七〇	七一五	六、〇一八	四二八	六七、八二九	六二・〇
石炭	二、一五五、九二九	一二、五四五	―	―		二二	―	一二、五六七	一・一
セメント	七一、八六一	一〇、四六九	四八、二一四	七一九	一、〇四九	二、四三九	一〇五	六二、九九五	八七・六
木材	三、八八、〇三九	一、二〇七	二、〇五一	二二三	二四九	五〇一	―	四、三三一	
穀物（千屯）	四八五、一〇〇	―	―	三九四	八七	一、七二六	四九	二、二五六	
麦粉（千屯）	四七、〇八三	―	―	二三	〇	四二、一五五	一、九一三	四四、〇九一	九三・六
化学製品	二四、四二〇	一五四	八八三	八三八	一二九	一、二一二	六四	三、三八〇	
陶磁器	九、七五〇	五六九	二、四九九	四七一	二八四	九九六	一二三	四、九四二	五〇・八
肥料	七〇、六七九	七九五	―	二八四	―	―	―	一、〇七九	
綿糸	四二九	四九	一六七	五六	一三	三一	三	三一九	
菓	四、七六八	―		一、二六五	―	二、七八六	七一六	四、七六七	九九・九
野菜果実	一四、五四二	―	七五七	七五四	―	七五七	―	二、二六八	
牛酪	一二、九六七	―	―	―	―	一二一	二八	一四九	
植物油	八、五八四	―	〇	三八	―	一五三	一八	二〇九	
罐詰	九三三	―	―	四七	〇	三一五	七	三六九	
皮革製品	三二九	―	―	八二	―	二二九	一七	三二八	九九・九
塩	一二二、三〇四	―	―	五七	―	五九九	―	六五六	
紙	二、四〇八	―	一、〇六五	三六七	五	八七三	一〇二	二、四一二	九九・五
、絹麻織物	一、五二三	一三	七三	三	六	一〇六	七	二〇八	

註）別に指摘せざるものは單位＝千留（一九三七年一―九月）

しては機械設備（五三％）、綿織物（九六・七％）、砂糖（六二・一％）、セメント（八七・六％）麦粉（九三・六％）陶磁器（五〇・八％）茶（九九・九％）皮革製品（仝上）、紙（九九・五％）等あり、即ち、これら物資の輸出市場として東方諸国は支配的意義を有し、機械、セメント、鉄金属等の建設資材の之等諸国への供給は、ソ聯の東方政策の方向を明瞭に指示するものなり。

然らば、東方諸国の建設資材或は食糧輸入にソ聯は如何なる意義を有せるや？

先づ、対土輸出について見ん。

土耳古輸入に占めるソ聯の割合（一九三六年）

	土耳古の輸入（千留）	ソ聯より（千留）	％
機械	一七・七	三・三	一八・七
自動車	一〇・六	〇・二	一・九
絹織物、糸製品	一三・四	二・三	一七・一
鉄、銅、同製品	一五三・八	二七・二	一七・七
石炭石油、同製品	一四八・一	三六・〇	二四・三
砂糖	二二・四	七・六	三四・四

右物資はソ聯の対独輸出の八〇％を占め、土耳古は石炭、石油、砂糖、綿製品、機械類に依存し、近来は特に工業建設資材、自動車、石油のソ聯よりの輸入を増大しつゝあるは注目すべきなり

アフガニスタン向輸出に於ても同様の傾向が見られ、機械、石油、砂糖、綿織物、金属等がその大部分を占め、而も、アフガニスタンの輸入に占めるソ聯の比重は六〇－六五％に達する。

特にイラン輸入に於てはソ聯品は支配的役割を演じ、ソ聯品のイラン輸入に占められる比重は、ソ聯の対イラン輸出の七五％を占める綿織物、砂糖、機械設備、石油製品について見れば、次の如くなり。即ち、綿織物のイラン

輸入に占めるソ聯の比重は一九三二・三三年の四二・三％より三六・三七年六四・五％、砂糖のそれは四四・四％より九七・八％、石油製品のそれは三六・六％より七七・八％、機械設備三・四％より四・三％に増大し、特に前三者はイラン輸入に支配的地位を占む。

更に、新疆、外蒙及びトウワに於ては、ソ聯の地位は支配的であり、日支事変以後あらゆる物資に於て、これら三国はソ聯に依存しあり。

尚、右七ヶ国以外の東方諸国とソ聯の関係は殆んど不明にして本論に於てはエヂプトとの間に輸出千二百万留、輸入三十万留程度の取引ある以外、他の諸国との経済関係は殆んど問題とするに足らざるものと看做し得べし。

（ホ）欧洲動乱後の経済関係、然らば、欧洲動乱後のソ聯対東方諸国の経済関係は如何に変化せるや？

具体的検討は困難なるも、叙上の如きソ聯の対東方政策ならびに東方諸国の対ソ依存の度合よりして略その方向は推知し得べし。

既述の如く、ソ聯は黒海と中部石油地帯の防衛と、後進的アジア弱小国に

於ける民族革命の実現を目的として、或はその不足せる畜産原料の調達を目的とし、巧妙なる商業外交を駆使し、東方諸国と政治及び経済上緊密関係を樹立しあり。既に新疆、外蒙及びトウワに於ては実権を把握し、これを極東政策遂行の拠点たらしむ。

而して、他の東方諸国との関係を見るに、特にソ聯の接壌国たるアフガニスタン、イラン、土耳古に対しては、ソ聯がその経済建設に積極的援助を与へつゝあり、ソ聯の政策的な原料買上ならびに工業製品供給を拡張せる結果、これら諸国の対ソ依存性も亦増大せり。

乍然、ソ聯はこれら諸国に於て英佛はもとより独伊とも経済的に競争的立場にあり。特に地中海及び印度洋交通の保全とアジア植民地の防衛を絶対必要とする英佛との間には東方諸国の支配権を繞りて常に対立し、而もこれに商品及び資本市場の開拓を目指して独伊の進出せることは、ソ聯の東方政策遂行を甚だ困難ならしめたり。かくてソ聯は未だ西部アジアに於ては外蒙、トウワ及び新疆に於けるが如くには、政治的にも経済的にも支配的地位を占

むるに至らざりき。

然るに、今次欧州動乱が、英佛対独伊の全面的抗争として発展せることは、ソ聯が交戦国に対してギヤスチグボートを握り得ると同様に、西部アジアに対しても亦ソ聯の発言権を増大し得る点で絶好の機会を提供することゝなれり。

既に最近年に於て英米資本に高度に依存せる土耳古を初め、イラン、アフガニスタンに於ては、これら外国資本の制約より離脱すべく、国家企業、民族工業が勃興発展気運を見せつゝありき。而して、動乱の拡大化による交戦国との通商杜絶或は困難化は、必然的に、発芽状態に存せるこれら民族工業の発展を助成すべし。

此の場合、西部アジアの産業発展は国内畜産業原料加工部門に於て特に顕著なるべく、軽工業建設資材輸入の要求は増大し、ソ聯はこれら建設資材の供給を更に増加し得べし。併然、これら工業建設は急速に実現すべきものに非ず。西部諸国は交戦国との貿易減退による商品輸出入市場の狭隘化に対應

三〇七

し、当面の問題として、建設資材以外の生活用品の輸入農畜産品輸出市場をその接壤国に開拓せざるべからず。而も、西部アジア諸国相互間の通商増大はその経済的性格の類似性大なる故に困難にして、此處にも亦、ソ聯対東方諸国接近の可能性あり。

事実、四〇年三月末にはソ聯イラン間には通商條約調印せられ、次いで七月末には、ソ聯はサヤ外相を首班とせるイラン鉄道代表一行を招き、これと鉄道会議を開催、「イラン及びソ聯間の鉄道問題を始め、ソ聯経由にて行はるるドイツ及び瑞典等との通商関係について討議を行へり」。

更に、これと時を同じうして、ソア両国間には新通商條約（四〇年七月）調印せらる。

而して、土耳古に於ても昨年末のイノニユー大統領声明に見られる如く、同様の協定につき交渉を開始しつゝあり。

これら條約の具体的内容は窺知し得ざるも、右の如き諸事由よりして、これら條約の調印はソ聯の東方政策を更に強化し、東方諸国の対ソ依存を益々

三〇八

増大せしむべし。

尚、かゝる通商外交を基調とする東方政策の遂行に当りて、種々の政治工作がこれと並行的に行はれることは想像に難くない。

蓋し、地中海及びアフリカ、アラビア英陸海軍の燃料基地としてのイラン石油英本国対アジア植民地連絡上に於ける東方諸国の意義等を考慮するならば、英佛の対東方工作は更に強化せらるべし。而して独伊は地中海制海権確保のためには東方に於けるこれら英佛の據点を除去する必要あり。かくて東方諸国はアジアのバルカン的存在となり、ソ聯も亦、接壤アジア地域への戦火波及に対し何等かの備へなかるべからず。併然、これらの問題については此処に触れないことゝす。

三〇九

九　對南洋貿易

(イ)ソ聯対南洋経済関係概観　此處に述べる南洋とはフイリッピン、佛印シヤム、海峡植民地、蘭印を指すも、調査の都合上印度及び濠洲をも含む。

叙上諸地域はゴム、錫、キニーネ、麻類、羊毛を初め、幾多の戦略原料の世界的豊庫にして、ソ聯にとり叙上諸國は、か丶る戦略原料基地として重要意義を有す。蓋し、過去及び現在、ソ聯の自給自足しえざる戦略的重要資源は専ら独占的に叙上諸國に集中されあるが故なり。

乍然、ソ聯が社会主義國として世界市場に第一歩を踏み出せる時期に於て、既に南洋は資本主義的列強の支配下に、再分割され、而も帝政ロシアはその勢力を叙上諸國に及ぼす程度にまで工業的に発展せず、更にソ聯海運の劣勢なりしことの故に、ソ聯は南洋に於て投資は勿論、利権を獲得することさへ不可能な状態に存せり。事実また、ソ聯はその成立と同時に、接壌國に帝政

三一一

ロシアの獲得せる権益の一切を放棄し、國外に利権を持たざるの政策を採れる結果、南洋方面に於ては一個の経済的権益も有せざるなり。

ソ聯対南洋の経済関係は、資本投下の対象としてではなく、原料取得を目的とする通商関係に局限せられ、発展し来れり。

斯くて、ソ聯対南洋の経済関係は通商の面に於て検討すれば可なり。

ソ聯対南洋通商関係の最盛たりしは一九三〇年頃、即ち、列國対植民地の通商が、世界経済恐慌の波を受けて萎縮し、植民地原料の対本國輸出の困難化せる時期に於てなり。

然るに、恐慌克服策として植民地対本國の経済的ブロックの結成と拡張を見、更に列國が軍備拡充を行ふにつれて、ソ聯対植民地の相互的直接貿易は漸次困難化し、ソ聯は之が対策として、直接的、植民地との通商、特に原料輸入の方針を変更し、植民地を領有する本國より間接的に植民地産原料を獲得するの方針に出づ。

而して、欧州動乱勃発までの三、四年間は、か丶る間接的貿易により、ソ

三一二

第八十六表　ソ聯對南洋貿易の動態　（單位 千留）

	一九二九年	一九三〇年	一九三一年	一九三二年	一九三三年	一九三四年	一九三五年	一九三六年	一九三七年	一九三八年
輸入										
総輸入額	五一、二八二	四六、四六〇								
英領植民地	三三、五六六	三五、七七二	一七、一五一	七、二五六	三、〇七二					
海峡植民地	五、三五〇	六、六三九	一、九四七	一、六三三	五一					
印度、セイロン	二八、二一六	一八、三一七	九、一四〇	五、一八四	二、九三五	六二九	'	'		
其の他	'	一〇、八一六	六、〇六四	四三九	八六					
蘭領植民地	二、一六二	七、二四六	一一、五一四	八、三〇三	五、五〇五					
スマトラ	三	'	一九	四	'					
ジヤバ	一、五三五	一、七七一	七四七	一、三四四	五、五〇五					
其他東印度	六二四	四、五七七	一〇、七二四	六、九五五						
其の他	〇	八九八	二四	'	'					
佛領印度	〇	一	一	一〇五	'					
泰國	'	'	'	'	'	'	七	'	'	'
濠洲	一七、四五八	一二、一六五	三、〇六一	五、八六一	一一〇	一、〇五三	四、四七三	二四、九六九		
フイリッピン	九六	一、二七六		八六八	四八					
ソ聯総輸入高にしめる比重										
輸出										
総輸出額										
英領植民地										
海峡植民地	'	'	'	'	〇・五					
印度、セイロン	五、〇九九	六、七七九	一〇、一五二	五、二一九	三、二四一	二、七六九	三、〇二六	一三、三四九	:	:
其の他	六四	六〇	五一	四一	七四					
蘭領植民地	'	'	'	'	三三					
スマトラ					三二					
ジヤバ										
其の他					一					
佛領印度	'	'	'	'	'	'	'			
泰國	'	'	'	'	一二	一二	'	二七四	:	
濠洲	三一	二七七	六	七六	八六七	二一	九	五二	二九	
ソ聯総輸出高にしめる比重										

聯対南洋の経済関係は可成密接に維持せられたり。因みにソ聯対南洋貿易の推移を量的に見れば第八十六表の如くなり。

右表よりして、(1)ソ聯対南洋貿易は一九三〇年の二千四百七十万留を頂天として激減しつゝあること。(2)南洋よりの輸入のみ盛んにして、輸出は全くとるに足らざること。(3)印度のみ例外にして、輸出の盛んなりしことを知りうべし。ソ聯商品が蘭印、海峡植民地はじめ、全南洋に進出しえざりしは、前に述べし如く、従来南洋にソ聯の経済的地盤の缺如せること、および此等諸國がソ聯主要輸出品（石油、穀物、木材、砂糖、毛皮、亜麻、鉱石等）を自ら豊富に所有し、且輸入を必要とせざりしことの故なり。加之、製品に関する限り、高度に工業化せる日本その他植民地本國の進出あり、且つ植民地に民族工業の抬頭をさへ見るに於ては、ソ聯商品の進出極めて困難なり、而も、ソ聯と南洋との地理的遠隔性および海上輸送力の不足は、かゝる困難性をより加重せり。

かくの如き、ソ聯輸出商品と南洋商品との類似性、地理的遠隔性、輸送手段

三一三

の缺如等の故にソ聯対南洋貿易は専らソ聯による不足原料の輸入に限定せられ、世界経済恐慌期に於ては、ソ聯は南洋原料の大量買付を行へり。偶々、此の時期はソ聯の第一次五ヶ年計画期に相當し、重工業原料の多量を必要とせる時期にして、植民地原料の購入は容易に之を行ひ得たり。

然るに、恐慌克服策としての列國対植民地に於けるブロツキズムの抬頭と発展は、そして軍備強化は、ソ聯の南洋よりの原料獲得を困難ならしめ、植民地との直接貿易は減退し、これと併行して、和蘭、佛蘭西、英本國よりの原料輸入が発展の傾向を示せり。特にかゝる直接貿易の発展を規定すべき通商條約は現在に至るまで全く缺如し、相互貿易はソ聯および植民地本國との間に締結せられたる條約により最惠國待遇を適用せられしに過ぎざりき。

次にソ聯貿易が、近年一方的に、ソ聯の対印輸出に於てのみ発展しある原因なるが、ソ聯が従来輸入せる茶、麻、米等の直接輸入が困難となり英本國を通じて、或は第三國より直接輸入することゝなり、反面印度市場に於てソ聯石油、砂糖および茶箱製造用木材が價格の点で歓迎され、ソ聯が此處に政

三一四

治的意図よりして経済的地盤の形成に努めつゝあるためなり。

(ロ) 原料市場としての南洋の意義　ソ聯が過去に於て南洋より直輸入せる物資は南洋の特産品にしてソ聯の國内で全然生産されざるか（キニーネ、マニラ麻、黄麻、ココア、コプラ）或は國内生産により需要の一部しか充足しえざる物資（香料、ゴム、錫、茶、その他非鉄金属）に占められる。特に輸送條件を考慮し、動員せられたる船舶を計画的に合理的に利用する建前よりして、政策的意図に基く物資購入は極力之を回避せることは、甚だしくソ聯輸入物資の内容を極限せり。然らば、南洋諸地域より如何なる物資を輸入せりや。各國統計を手許に有せず、ソ聯統計も不備なるため、詳細なる検討は不可能なるが、先づ現在我々の興味の対象たる蘭領諸植民地よりの輸入に就いて見ん。

ソ聯はスマトラより一九二九年三千留、三一年一九千留、三二年四千留を輸入、その大部分はキニーネに占められたり。

更にジヤワより茶、砂糖、皮革を年百万留、その他東印より年七百万ーー

三一五

千万留のゴム、キニーネ、錫、ココアを輸入しつゝあり、その内容を示せば第八十七表の如くなり。

而して、最近に於てソ聯が蘭印およびその他の蘭領植民地より直接に、或は本國を通じて輸入せる物資にして増加傾向にあるものには、麻類、皮革、錫、ココア、キニーネ、茶、銅があり、これらは、ソ聯の自給不能物資にして、近東支那方面より、補給可能な皮革、茶を除き、他は絶対に熱帯地より輸入せざるを得ぬ物資なり。ゴムはソ聯の人造ゴム生産の発展につれて輸入縮少す。

一九三三年以後ソ聯統計に於て、敍上植民地よりの輸入は和蘭に包含し、発表さる。依然、和蘭に於てはこれら原料は輸出しうるまでに大量の生産されず。従つて和蘭の統計中敍上品目のみは和蘭本國経由、或は直接に敍上植民地より輸入せられしものと推定す。△印は非鉄金属全体。右の傾向にあるも、これとても尚、完全に輸入依存を清算し得ず　その將来は注目すべきなり。砂糖、タンニンは過去に於て相當量の輸入を見しも、右二品目はソ聯國

三一六

第八十七表　ソ聯の蘭印および蘭領植民地よりの輸入　（單位＝瓲）

	一九二九年	一九三〇年	一九三一年	一九三二年	一九三三年	一九三四年	一九三五年	一九三六年	一九三七年
合計									
砂糖	八二五	一、七〇二	一、〇五七	二、二六七		一、一〇一	—	—	—
皮革	一三五	五三	—	—		—	二八五	四八二	一二八
タンニン	一〇一					‥	—	—	—
麻類	—	一〇				二、三二四	六九	—	七、五五六
ゴム	一五三	六、四八六	一九七八五	二七、四〇六		一三、三六五	一〇、三七六	五九一	八九四
錫	二一八	七四	五五五	一七八		四、一八三	四、一三〇	七、四五八	七、四〇九
ココア	—	二四〇	—	—		—	三四	二五	一一六
キニーネ	五	一七	三一	六		‥	七一	一二三	一五
茶	二、〇〇二	二、〇七三	二	五、二六七		一、一六五	二、六六六	二、〇七七	一、八九二
銅						一、一六九	一、一六九	八一八	一、〇〇一

内で、殆ど可能となり、全く輸入停止さる、右よりして、ソ聯は蘭領熱帯地産の戦略原料に多大の関心を有し、近年これが輸入を増加しつゝあることを知りうべし。

次に、英領植民地その他南洋よりの輸入内容について見ん。この場合ソ聯統計は三三年以後紋上諸國よりの輸入は印度をも含め、綜括して英國よりの輸入として記録せる故、印度をも含めて検討するの餘儀なき状態にある。先づ、過去に於ける海峡植民地その他、英領諸地域よりの輸入状況を示す。

海峡植民地よりの直接輸入物資は香料、ココア、コプラ、キニーネ、ゴム、銅、ニッケル、錫、鉛にして、その輸入高は一九三〇年六百六十万留と最大に達せるも、三二年には香料二瓲、錫一・二千瓲にして、他の物資は間接的に英本國を通じて輸入することゝなれり。ジヤマイカより香料六〇瓲＝四万留の輸入を見、其の他の南洋植民地よりの直接輸入を合算せば第八十八表の如くなり。

英領植民地よりの直接輸入は、総体的に減少傾向を示し、三二年度に於て

三一七

第八十八表　海峡植民地、ヂヤマイカ其他英領植民地よりの輸入　（瓲）

	一九二九年	一九三〇年	一九三一年	一九三二年
合計（千留）	八、四五〇	九、九七七	三、三八三	三、〇三〇
香料	一〇七	一四七	一四二	八一
ココア	三、五五五	二、二四四	三、七〇三	三〇八
コプラ	二、九七三	七一四	—	—
キニーネ	一一	六二九	九	—
ゴム	八一二	一、〇〇八	—	—
銅	—	五八四	六〇一	二二九
ニッケル	—	一五二	—	—
錫	二、三四九	三、六〇四	一、八八二	一、六一六
鉛	一六	二、五六六	—	七二一
茶	—	四五	—	—
亜鉛	—	八五九	二〇二	—
サイザル	—	一、二四三	二四	—
ヂュート・ケナフ	八四七	二四九	—	—

は錫、ココア、銅、鉛、香料の四物資、合計三百万留程度が輸入せらる。此の向、麻類を除き、他の物資の英本國よりの輸入はさして減少せず、ゴム、錫、銅、亜鉛の本國経由輸入の如きは反って増加す。これ、英國のブロツキズムの結成の影響と看做しうべし。

次に、印度およびセイロン島よりの輸入について見ん。これまた一九三三年以後の内容不明なるにつき、それ以前の動態のみを見れば、第八十九表の如くなり。

ソ聯の対印輸入の大宗は茶、ゴム、鉛なり。

茶貿易はその大部分が従来英國の茶業者或は茶委托販売者の手によりて行はれしが、印度民族資本はロンドンのソ聯消費組合中央聯事務所（今はアルコス）に包含を通じ、直接取引を行はんとし、一九三〇年頃には印度茶の対ソ輸出は英本國の再輸出一・二千瓲を遥かに凌駕し、一九三二年には再輸出中止され、直接輸出のみ行はれり。乍然、買手としてのソ聯は印度茶より寧ろ支那茶に興味を有し（ソ聯人の嗜好は常に支那茶にあり）、而も、英本國と

三一八

第八十九表　ソ聯の英印およびセイロンよりの輸入（留）

	一九二九年	一九三〇年	一九三一年	一九三二年
セイロンよりの輸入（千留）	四、七一七	四、〇六六	一、五八八	六二七
茶	二、九一一	三、一九一	一、三四五	一、〇六六
コプラ	一、四九七	二八七	-	-
印度よりの輸入（千留）	二八、二一六	一八、三一七	九、一四〇	四、五五七
茶	五、二九二	五、五〇四	二、六七〇	四、一〇〇
キニーネ	三四九	二八五	二二三	二七八
ゴム	七、〇七八	三、九四一	七、五一二	二、七三七
錫	-	-	-	二一九
鉛	三、五三七	四、五一四	三〇五	一、一六八
チュート・サイザル	三七、八一三	二六、八八六	二三、一〇六	四、九六三

の政治的関係の一定せざるにより、近年印度よりの茶輸入は減少傾向を示す。

黄麻、麻袋の対ソ輸出高は年によりて茶のそれを凌駕し、ソ聯にとりて重要意義を有せるも、印度にとりては然らず、例へば一九三一・二年に原料黄麻の対ソ輸出は「印度全原料黄麻輸出の〇・五％、麻袋三％に過ぎず。」（註）。特に日本業者の買付増を反映し、三二・三年に於て著しく対ソ輸出減少せりと云はる。

（註）「ソ聯の対極東及近東貿易」満鉄ソ聯研究資料十九號、

依然、黄麻、茶を初め他の金属原料の輸入依存を離脱しえざるソ聯にとりて、印度はじめ、南洋の英植民地よりの輸入は之を中絶すること困難なる状態にあり、近年では直接或は間接的に印度および南洋産品を英本國より輸入せんとする傾向を示せり。

因みに一九二九年以来印度および南洋英植民産物資の直接的或は間接的輸入の動態を表示せば第九十表の如くなり。

三一九

第九十表　英領印度、海峡植民地その他南洋産品輸入（單位 留）

	一九二九年	一九三〇年	一九三一年	一九三二年	一九三三年	一九三四年	一九三五年	一九三六年	一九三七年
総輸入（千留）	四一、三八三	三二、三六〇	七、六四一	六、〇九四		…	…	…	…
ココア	三、五五五	二、二四四	三、七〇三	三〇八		二四七	三、七二二	六、五三六	六、五二一
キニーネ	三六〇	九一四	二三二	二七八		-	-	-	-
ゴム	七、八九〇	四、九四九	七、五一二	二、七三七		三四、六六五	二七、七六五	二九、七〇六	二〇、八四二
銅	-	五八四	六〇一	二一九			七七	五、三八八	一、〇九六
ニッケル	-	一五二	-	-			一、九二三	五、三五八	五一五
錫	二、三四九	三、六〇四	一、八八二	一、八三五		二五、八三五	一、一七七	二九〇	六六三
鉛	三、五五三	七、〇八〇	三〇五	一、八八九			-	一、九三四	一五三
亜鉛							三五六	〇	-
茶	八、二〇三	八、七四〇	四、二五八	一、三四四		三、四四〇	三、一二六	三、四六〇	一、九三八
麻類	三八、六六〇	二八、三七八	二三、一二五	四九六三		二〇、三八〇	四〇、五〇九	三三、五八九	二六、二〇四
コプラ	四四七〇	一、〇〇一	-	-		-	-	-	-
米	一、〇七六	-	-	-		-	-	八、一九〇	—

次に濠洲よりの輸入内容を見ん（第九十一表）。

ソ聯向には未だ正式通商條約或は協定の如きは締結を見ず、特に地理的遠隔性、濠洲に於ける基本産業の英米による独占、ならびにソ濠主要輸出品の相似性の故に、ソ濠貿易は専らソ聯の戦略原料輸入に於てのみ発展しあり、而して、ソ聯は年々千数百万留に及ぶ輸入超過を示し、これが支拂資金の枯渇の故に、ソ聯の濠洲との輸入は一九三三・三四年頃殆ど杜絶状態にありたるが、近年再び発展傾向を示し、羊毛、鉛等の戦略原料輸入が盛んなり。

此の他、佛印より、コルク、麻類、香料、ココアが年一千留―十万留輸入せられ、フイリツピンよりマニラ麻（一九三〇年および三一年約四千砘）、合計百三十万留（一九三〇年）程度の輸入を見たるも、最近では殆ど杜絶状態にあり、年により間歇的輸入を見るに過ぎぬ。

然らば南洋はソ聯貿易に、従つてソ聯経済バランスに如何なる意義を有するや。

ソ聯貿易に於ける南洋の意義は総体的に見ればさして大きくないかの如く

三二〇

第九十一表　濠洲よりの輸入動態　（單位瓲）

	一九二九年	一九三〇年	一九三一年	一九三二年	一九三三年	一九三四年	一九三五年	一九三六年	一九三七年
総輸入高（千留）	一七、四五八	一二、一六五	三、〇六一	五、八六一	一一〇	一、〇五三	四、四七三	二四、九六九	二四、〇九九
羊毛	五、八五一	四、八一三	一、七四八	三七七		一、五一〇	三、六五二	二、七三三	二、八六八
キニーネ	三三	五四	二四	六三		…	四	ー	ー
錫	一七二	三五〇	ー	二三九			九六	ー	ー
鉛	三、八〇八	九、五一四	一、三八九	七、〇五五		一、三一六（鉛・亜鉛・銅）	七、三七〇	七、八一九	六、六一〇
亜鉛	二、二九七	ー	六九一	二一四			四九		ー
銅	ー	ー	ー	ー			一〇一	四、七二五	一、五一六
タングステン	ー	四	ー	ー		二七	ー	一五	六六
羊	一六二	二二一	ー	ー		ー	ー	ー	ー
穀物	ー	二	ー	五一、六七八		ー	ー	ー	ー

第九十二表　ソ聯輸入に占める南洋の比重　（單位瓲）

	一九三五年 ソ聯総輸入	一九三五年 内南洋より	一九三五年 %	一九三六年 ソ聯総輸入	一九三六年 内南洋より	一九三六年 %	一九三七年（一―九月） ソ聯総輸入	一九三七年（一―九月） 内南洋より	一九三七年（一―九月） %
ゴム	三八、二七一	三八、一四一	九九・六	三一、四九一	三〇、二九七	九六・〇	二一、七四八	二一、五三七	九八・八
キニーネ	一〇一	七一	七〇・二	一二三	一二三	一〇〇・〇	一五	一五	一〇〇・〇
錫	七、四二八	五、四〇三	七二・七	九、八一九	七、七四八	七八・九	九、三七一	八、〇七一	八六・一
銅	二九、五九〇	一、二四六	四・二	四五、二六〇	一〇、九三一	二四・一	五〇、七〇六	三、六一三	七・一
ニッケル	五、五八二	一、九二三	三四・四	七、二一五	五、三五八	七四・二	六、〇七七	一、四五〇	二三・八
鉛	二〇、八九九	七、三七〇	三五・二	二九、六六二	九、七五三	三二・八	二九、五六四	六、七六二	二二・八
亜鉛	一、四七四	四〇五	二七・四	八六	ー		二、八八七	ー	
羊毛	三一、九三九	三、六五二	一一・四	二五、八九五	二、七三三	一〇・五	二〇、〇一七	二、八六八	一四・〇
麻類	四六、八三四	四一、二九四	八八・二	三九、九四九	三、五八九	八四・〇	三四、三六〇	三三、七六〇	九八・二
米	三九、〇四〇	ー		五二、三八〇	八、一九〇	一五・五	三四、三九〇	ー	
茶	二三、六三八	五、八九二	二四・九	一二、二五七	五、五三七	四五・一	一二、九三九	三、八三〇	二九・六
コルク	三、九九二	七一九	一八・〇	六、四二八	一、〇四四	一六・二	五、〇一四	二五〇	四・九
ココア	四六七一	三、七五六	八〇・四	七、一二八	六、五六一	九二・〇	六、六四四	六、六三七	九九・八

第九十三表　ソ聯消費に占める南洋の地位　（一九三七年）

	総消費高	南洋よりの輸入	割合
ゴム(1)	一一五・二千瓩	〇・三千瓩	一〇〇・〇%
キニーネ(2)		二〇瓩	
銅	一六九・一		
錫(3)	三二・八	五・四	一六・四
ニッケル	一四・二		
鉛	九九・〇		
亜鉛	八八・五		
羊毛(4)	一一六・三	二六・〇	二二・三
麻類	一、三五一・一	四三・九	三・三
茶	二七・七	一四・九	一七・六

（註）(1)一九三六年　(2)一九三七年、(3)一九三四・五年、(4)一九三六年．

見られるが然らず、ソ聯輸入貿易に占める南洋の比重は輸入の最盛たりし一九三〇―三一年頃に於て六%程度に過ぎず、一九三二年に於ては〇・五%にも満たぬ。

乍然、その内容を見るに、ゴム、錫、麻をはじめ、輸入物資の大部はソ聯の自給自足しえざる戰略原料にしめらる。このことはソ聯戰略原料輸入に南洋が重要意義を有する事実を物語るものにして特に最近年のソ聯輸入に占める南洋産品の比重は極めて大なり。

即ち第九十二表に明らかなる如く、南洋――蘭印、海峡植民地、印度、セイロン、濠洲等――産物のソ聯輸入に占める比重はゴム九八・八%、キニーネ一〇〇%、錫八六・一%、ニッケル二三・八%、鉛二二・八%、羊毛一四・三%、麻類九八・二%、茶二九・六%、ココア九九・八%（一九三七年一―九月）と圧倒的地位を占む。紋上物資は最近まで原産國或は本國より直接、間接にソ聯邦へと輸入せられしものなるが、これをソ聯の國内消費に対照して見るならば、その意義の大なることが更に判然とすべし（第九十三表）。

三二一

右の内、茶は第一次五ヶ年計画実施以来、栽培面積を三二年三万五千ヘクタール、三七年十万ヘクタールに増加、生産二万七千瓲に達するもこれを以て國内消費の六〇%程度を満すに過ぎぬ　かくて年々大量の輸入を見つゝあり。南洋茶のソ聯消費に占める比重は一七・六%に及ぶ。残餘は支那、日本より輸入せられしも、政治関係の悪化のため、これが買付を支那、南洋に於て行へる結果、日本よりの輸入縮少し、南洋茶への依存性を増大傾向にあり。

特に南洋産物たるキニーネの輸入は注目さる。本品は南洋特産物の一つにしてソ聯より全然生産されず。而して輸入量は最近年百瓲内外に過ぎざるも、ソ聯石油地帯たる中央亜細亜、カザクスタンのマラリア豫防ならびにソ聯特産輸出品にして日本の生糸に匹敵する毛皮採取に不可缺の資料なり。而してこれが輸入杜絶せば狩獵業の不振を招くのみならず、マラリア病の豫防困難となり、バクーを中心とする亜熱帯的沼地帯は甚だしい危険に見舞はる可し。

ゴム、錫、銅、ニツケル、鉛等の重要なるは改めて説明を要せず。濠洲羊毛は近年國内生産増加し、且つ近東、西欧接壤國よりの移入可能なるソ聯に

第九十四表　ソ聯の對印度及び濠洲輸出　（單位　輸出額＝千留．物資＝瓲）

	一九二九年	一九三〇年	一九三一年	一九三二年	一九三三年	一九三四年	一九三五年	一九三六年	一九三七年
對濠輸出額	三一	二七七	六	七六	八六七	二一	九	五二	二九
木材	八二	二一九	三二	三、四三四					－
石油		二、六〇一	－	－					－
その他	一〇	五	－	－					
對印輸出	五、〇九九	六、七九九	一〇、一五二	五、二一九	三、二四一	二、七六九	三、〇二六	一三、三四九	：
木材	－	二、四三九	一四	一三四					
砂糖	－	－	九二、五四四	六、八四三	皆無				
石油	一五〇、〇五六	二〇一、二〇五	一四九、〇八八	一九一、四二五	七六、四二五				
その他	－	五〇	二五	一七八					

とりては補助的輸入としての意義を持つに過ぎず。

斯くて、ソ聯にとり南洋は戦略物資、特にキニーネ、錫、鉛、麻、ならびに茶の供給地として不可缺の意義を有するものと断定しうべし。

(ハ)　輸出市場としての南洋の意義　ソ聯の南洋輸出は第九十四表に見られる如く、印度、濠洲に対して若干行はれつゝあるも、他の蘭印及び海峡植民地に対して殆ど、否全く輸出を見ず。これは度々述べし如く敍上地域及びソ聯の主要輸出品の相似性、製品輸出の困難性に起因するものなり。かくてソ聯の対南洋輸出は殆ど問題とするに足らず。強いて指摘せば印度への石油製品、濠洲への木材輸出の問題なり。

一九一三年に於ける印度のソ聯油輸入は全くとるに足らざりしが、一九三〇年頃には盛んにソ聯油の進出を見、「一九二九―三〇年には印度市場に於てソ聯油は第一位を占め、印度燈油全輸入の三四%、三〇―三一年には全石油製品輸入の一二・五%を占む」（註）。

（註）「ソ聯邦の対極東及び近東貿易」

斯くて、ソ聯油の印度向け輸出が盛んとなるにつれ　一九三二年初め西部印度にソ聯石油配給会社（一九三二年一二月現在資本金五千万ルピー）を全印度にソ聯油を輸入配給する目的を以て設立せらる。同会社は印ソ株式会社にして、ワデラ（ボンベイ）に百万ガロンの貯油能力ある油槽、ワデイ、ブンデルに同一能力ある油槽を建設し、又ボンベイには精油場及び石油罐製造所を有す。更にマドラスに各々百万ガロンの貯油能力あるタンクに、同一能力あるタンクをその事務所及び材料倉庫と共に建設を豫定せらる。又、カルカツタに於ても百万ガロンの能力ある二油槽、十七個の小油槽、チタゴンダに同一能力あるタンク一個を買収せり。この西部印度石油配給会社の活動は印度に於ける油價下落を召来、印度石油價格の吊上げを牽制せり」（註）と云はる。

（註）　同上資料――一九三五年末オツクスフォード大学出版部より公表せられたるコノリイ著 *Soviet trade from the pacific to the Levant* による。

而して、その貯油能力は一千万ガロンに及び、北イランの如き石油原産地に極めて接近せる西印度にソ聯油販売市場は着々と拡大されつゝあり。而して、これをアフガニスタン縦断自動車路（ソ領トウルクシブ鉄道テルメーズよりア國境パタ、ギサル—マザリ、セリフータシクルガン—、ゴリ—カブ—ル—ゼララパードを経て西印度國境駅レンチハ—ネに至る自動車路及びトウルクシブ支線終点クレカ駅よりヘラ—ト—フエラフ—カンダカル経由印度國境チヤマンに至る線）ならびにイラン縦断鉄道（カスピ海沿岸よりテヘラン—クム—イエズド—ケルマン—イランセフ—ヂゼク経由印度ク—ヘクに至る線）等の完成と併せ考へるならば、ソ聯の西印度への進出にソ聯の政治的意図を充分に窺知しうるならん。

尚、アフガニスタンより西印度に通ずる自動車路はア國政府の交通建設にソ聯が資材を供給し、一九三四年完成を見しものにして、ソ聯の南下政策に重要役割を持つことは否定しえず。

石油の他、砂糖の対印輸出は一九三一年及び三二年に九万砘及び六千砘を見たるが、印度の自足政策を反映し、爾来全く見られず。木材も亦嘗て、印度茶貿易用茶箱の製作に當てられる目的にて多量な輸出が行はれしも、現在では、英國、芬蘭、エストニアの木材に圧迫せられ、杜絶状態なり。

周知の如く、ソ聯及び印度の天然資源と産業は多くの類似点を有し、両者とも穀物、木材及び石油の大産出國にして、而も輸送條件悪く、円滑なる通商は全く期待薄なるにも不拘、ソ聯の対印輸出のみ発展しあるは、その額の多少に不拘、ソ聯の政策の一反映として注目さるべきなり。

次に、対濠洲輸出なるが、濠洲へはその鉱業に必要なる木材の輸出が年によりて増減あるも、若干行はれつゝあり。さして問題とするに足らず。

以上、ソ聯の輸出市場としての南洋の地位を綜合するに、ソ聯輸出に占める南洋の割合は年〇・五%—一%程度で殆どとるに足らず。唯、印度への石油輸出の政治的意義のみ高く評價すべきものと断定しうべし。

(二)　欧洲動乱後の対南洋貿易

然らば、右の如く本貿易を以て進展し、ソ聯

の戦略原料供給地として不可缺の役割を演じたる産業産物資の輸入は欧洲動乱後如何に変化せるや。その具体的影響は全く判明せず。只、敍上の如き貿易の実態と（それも極めて概括的にしか検討しえざりしも）動乱後に於ける諸植民地への本國の貿易統制、本國対ソ聯の政治関係ならびに輸送路の混乱状況より推定しうるに過ぎぬ。

前述せるところよりして、ソ聯が特に英和両國或はその植民地のゴム、キニーネ、錫、銅、ニツケル、鉛、亜鉛、茶、麻、濠洲の羊毛ならびに非鉄金属に可成り高度に依存しあることを明らかにせり。

然るに、動乱発生と共に濠洲は國内需要以外の羊毛を全部英國へ引渡すことゝなれり。而して英佛両國は戦時禁制品を指定して之が海上輸送を阻止すると共に植民地産品を含む一切の戦略原料の禁輸を断行せり。

而して、ソ聯は敍上禁制品の輸入を確保する目的を以て、報復的に貿易臨時措置法（三九年九月七日）を発布、かゝる禁止乃至制限を加ふる國への輸出を禁止乃至制限の挙に出づ。

而して、英ソ間には三九年十月十一日英國のゴム及び錫ならびにソ聯木材の交換を目的とするバーター協定の締結を見たるも、英國はソ聯の対物資援助（実際には大規模なものならざるも）に借口して右協定を履行せず、ソ濠関係と共に英ソ関係も杜絶状態に陥り、現在に至れり。

更に、和蘭本國対ソ聯の関係を見るに、和國本土領域は独の白和進駐役、独逸の支配圏内に移され、独ソ関係の現状よりして通商円滑に行ひうるが如く考へられるも事実は然らず。蓋し、和國本土対植民地交通は目下完全に遮断せられ、蘭印の実権は英本土に逃避せる和國政府或は英國の手に握られあるが故なり。

かくて、英和本土対植民地との交通の困難化、英和対ソ聯の通商杜絶はソ聯の不足物資たる熱帯産品の直接或は間接的輸入を全く不可能ならしむ。

ソ聯はこれが対策として、南洋と正常なる通商関係を持続しある第三國経由仲継貿易の発展に努む。

三九年十一月下旬以来我が東郷大使及びソ聯モロトフ外務人民委員間に日

ソ通商條約締結方交渉せられし際、ソ聯側が、南洋産品（主としてゴム、非鉄金屬）の日本による仲継貿易を提案し来れるはその第一の対策なり。此の際、情勢は両國國交調整を可能ならしめるまでに発展し非ず、而も我が貿易業者が英國の感情を刺戟することを恐れ、か丶る仲継貿易を拒否せるために右交渉は中断せらる。

かくて、ソ聯はゴム、錫を初め他の英佛和三國より直接或は間接的に輸入不能となれる戦略原料を米國或は南洋小國を通じて移入するの方針に出づ。

ソ聯の米國よりの輸入は欧洲動乱後急速に増加し（註）、特に過去に於て全く輸入を見ざりし錫、ゴムの輸入が新だに行はれたること、四〇年八月の米ソ通商協定延長により米品の大量購入を約せることはか丶る事情を反映せるものなり。

（註）　ソ聯の米國よりの輸入は三九年九月一・七百万弗、一〇月八・六、一一月七・三、一二月一一・九、翌年一月一三百万弗と増加せり。而して、米國より當て輸入を見ざりし米國再輸出品ゴム一一・四百万封度、錫

三二九

一・九百万封度が三九年一　九月間にソ聯によりて輸入せらる。

これを併行的に、香港通商代表部を新設し、香港を中心として支那茶、鉱石の收集に努め、或は南洋諸地域への進出を計れり。四〇年二月中旬、タングステン、その他鉱石を積載せるソ聯汽船セレク号の英國海軍による抑留は此の間の事情を充分に説明しうべし。

かくて欧洲動乱後、ソ聯の熱帯特産品調達の途は漸次極東方面に轉位しつつあり、ソ聯戦略原料供給に極東の意義増大せり。

特に三國同盟成立後、太平洋の空間に新たなる事態の発生が豫想せらる丶に及んで、ソ聯は右の輸入杜絶によりて蒙る打撃を緩和すべく八方盡力しあるもの丶如く、日ソ通商交渉の再開、ソ支バーター協定の延長、本年二月下旬の泰ソ通商友好條約締結に関する交渉の如きは（勿論、そこに多分の政治的意図を看取しうるとは云へ）明らかにソ聯の戦時不足物資補充対策の一表現と看做しうべし。

三三〇

之を要するに純経済的見地よりするならば、南洋のゴム、錫、キニーネ、その他非鉄金屬は、支那のアンチモニイ、タングステン、茶と共に、ソ聯の経済的戦力形成上極めて大なる意義を有し、支那及び南洋に於ける列國勢力関係の変更は直接或は間接的にソ聯抗戦力に作用しうるもの。

而して、近き將来に於てソ聯が、現在の不足物資対策に成功し、大量の豫備を形成しうるか否かにより、當面のソ聯抗戰力は重大なる影響を受くものと看做しうべし。

三三一

一〇 對日満支貿易

(一) 概観

日満支対ソ聯の経済的紐帯は薄弱にして、常に経済関係はその政治関係の変化に應じて発展乃至萎縮する傾向極めて強し。

満洲事変後に於ては、特に我が國の大陸政策とソ聯の極東政策が、満支大陸に於て極めて尖鋭な形を以て対立せる結果、日満対ソ聯経済関係は萎縮し反対に、ソ支間のそれは発展の傾向を辿れり。此の間ソ聯は工業化政策に成功し、殆ど大部分の物資が國内で自給可能となりし結果、貿易を政治目的に利用し得るの餘裕を生じ我が國並びに満洲國に対しては、極力、物資の輸出入に制限を加へ、一方支那に対しては物資的援助を行ふこととなれり。この事は從来の傾向を更に顕著ならしめ、欧洲動乱直前に於ては、ソ聯対日満貿易は殆ど杜絶状態に陥り一方ソ支貿易は漸次増加の傾向を辿れり。

即ち、満洲事変後の通商関係につきソ聯貿易統計によりて見れば第九十五表の如くなり。

而して、ソ聯の輸入に占める日支両國の比重は最近に於て、合計三・六%、内支那二・三%、日本一・三%に過ぎず。総体的に見れば、ソ聯の日満支経済に対する依存性極めて低し。

然れども、ソ聯の自給不能なる物資の内茶・麻製品・アンチモニイ・タングステン等に於てソ聯は極東に依存する程度重く、その輸入に占める日支の比重は次の如くなり。

	日本(%)	支那(%)	合計(%)
茶	二八・六	四一・八	七〇・四
麻製品	八四・八	—	八四・八
アンチモニイ	—	七八・八	七八・八
タングステン	—	七九・一	七九・一

第九十五表　ソ聯對日満支貿易の動態（単位千留）

		支那 価格	支那 %	日本 価格	日本 %	合計 価格	合計 %
輸出	一九三三年	三一、四〇八千留	一・四	三九、九六三千留	一・八	七一、三七一千留	三・二
	一九三四年	九、〇〇〇	〇・四	二五、三二五	一・四	三四、三二五	一・八
	一九三五年	二、二二九	〇・二	二六、〇三九	一・五	二八、二六八	一・七
	一九三六年	五七三	〇・一	二七、九六八	二・〇	二八、二五二	二・一
	一九三七年	六二三	〇・〇	一一、七四三	〇・七	一二、三六六	〇・七
	一九三八年	七六七	〇・二	六、九八六	〇・四	七、七五三	〇・六
輸入	一九三三年	一一、五五八	〇・七	三二、一八八	二・一	四三、四七六	二・八
	一九三四年	一五、〇六七	一・〇	三〇、二四三	三・一	四五、三一〇	四・一
	一九三五年	一五、五〇〇	一・四	四七、六一四	四・五	六三、一一四	五・九
	一九三六年	一二、七九一	〇・九	六一、九六八	四・六	七四、七五九	五・五
	一九三七年	一四、九五八	〇・八	五四、三七五	四・三	六九、三三三	五・一
	一九三八年	三三、三〇二	二・三	一七、五九七	一・三	五〇、八九九	三・六

而してこれら物資に於て特にソ聯は支那に依存する程度重きため、最近に於ては支那とバーター協定を締結し、自國の軍需品と交換にこれら物資の輸入を行ひつゝあり、從來我が國に發註せる茶の如きも亦、その註文を支那その他南洋に振り替へてゐる状態なり。

一方日満の経済にとりて、從來ソ聯の木材・石炭・石油・石綿・マンガン・サントニン・鐵等重要意義を有し、ソ聯より大量の輸入を見たるも、両國政治関係の悪化に起因して、現在では殆ど輸入を見ず。日満はソ聯品に対する需要の増大せるにも不拘これら入手困難な立場に置かる。

次に項を改め、具体的にソ聯対日満支の経済関係につき検討せん。

(二) 日ソ及び満ソ貿易

(イ) 日ソ貿易の推移と現状

日ソ國交関係と貿易の推移　先づ國交関係を歴史的に見るならば、世界大

戦當時の協調時代、一九一七年より二五年までのソヴエート新政権誕生、尼港事件、日本のシベリヤ出兵及び北樺太保障占領並びに対露舊債権問題を繞る断交の時代、國交恢復を見た一九二五年一月より満洲事変に至る、七ケ年間の日ソ國交好調期、満洲事変以後、日獨防共協定の締結、漁業問題を繞る紛争及び満ソ國境紛争激化等に起因して日ソ國交関係悪化し、欧洲動乱に至るまで及びそれから現在に至るまで、漸移的國交好転の時代の五期に分ち得べし。而してこの國交関係の歴史的推移は両國貿易の発展にそのまゝ反映し、両國政治外交関係の好転或は悪化に平行して両國貿易関係も発展或は萎縮し、極めてジグザグな過程を辿れり。欧洲動乱勃発前に殆ど経済断交に近い状態となれり。

1　世界大戦中の日露貿易

欧洲大戦當時日露両國は獨逸を敵として、英米佛と共に対獨「共同戦線」を結成せる結果、政治関係は甚だしく親和的であり、之を反映して、日露貿易も亦発展せり。

特に獨露の國交断絶により獨逸品の露國への輸出が杜絶せること、大戦中

第九十六表

世界大戦中の日露貿易

	對露輸出			日輸入			バランス (+)日本の出超 (-)日本の入超
	亜露	欧露	合計	亜露	欧露	合計	
大正二年（一九一三年）	四、二七一	四八九七	九、一六八	七五〇	四〇	七九〇	(+) 八、三七八
大正三年（一九一四年）	一〇、四一三	一、九六七	一二、三八〇	一、〇二五	三九	一、〇六四	(+) 一一、三一六
大正四年（一九一五年）	七八、二九九	一一、二三九	八九、五三八	三、五六四	六〇七	四、一七一	(+) 八五、三六七
大正五年（一九一六年）	一一七、六九三	三三、四二一	一五一、一一四	一、七七四	一、一〇四	二、八七八	(+) 一四八、二三六
大正六年（一九一七年）	七四、二三四	一三、五一四	八七、七四八	三、七五四	一、三〇九	五、〇六〇	(+) 八二、六八八

欧米諸國の産業が常なる状態を失ひしこと、露領極東のモスクワよりの孤立、及び日本工業の飛躍的発展等の原因により、日本の対露輸出は露領極東のみでなく、全般的に発展す。當時露國は獨逸よりの輸入に依存し、一九一三年について見るに、露國の貿易に占める獨逸の割合は輸出の二九・八%、輸入の四七・五%で、最近一九三七年の六・二%及び一五%に比較せば、特に輸入に於てロシヤは獨逸に依存する程度大なりしも、これら露國の獨逸よりの輸入が日本に振り向けられし結果日本の対露輸出は急速に発展す。

即ち、大戦中に於ける日露貿易総額は大戦勃発前の九百万円より大戦の第三年目には一億五千餘万円に激増、日本の輸入貿易に占める露國の地位は欧洲大戦前の十一位から一躍第三位に進み、沿海州方面への食料品(砂糖・塩・麦粉・米)、欧露への軍事工業製品及び一般工業製品(軍需品・漁業用設備・金屬製品・薬剤等)の輸出が盛んに行はれ、一方露國のメ粕・毛皮・魚類の対日輸出も之に追随して増加す(第九十六表)。

2　大戦後國交断絶期の日ソ貿易

三三八

然しこれは変態的一時的現象の結果であり、この緊密関係は、ロシヤ革命、次いでソヴエート政権の成立、日本の北樺太保障占領等の政治的事件により両國國交が断絶すると共に冷却化せり。

而も、内乱及び武力干渉の終焉と前後して、一九二二年頃より、西欧洲諸國とソ聯邦との國交関係が恢復し、ソ聯邦の対欧貿易が開始されるに至つて日ソ貿易は殆ど遮絶状態となり、只シベリヤ方面との関係が大戦中の餘勢をかつて若干維持せられし状態なり。

此の間、日本は一九二三年に沿海州より撤兵し、次いで一九二五年北京に會商して、漸くソ聯邦との間に修好並びに承認に関する日ソ基本條約を締結、國交を恢復せるが、日ソ貿易は萎縮の一途を辿れり。

即ち一九一八年の日ソ貿易總額は前年の九千二百万円に対して四千五百万円と半減し、日ソ國交恢復せろ一九二五年には更に半減して、一千八百万円となり、対ソ輸出は三百万円、輸入は千四百万円程度に過ぎざりき。

3　日ソ國交好轉期の日ソ貿易

國交恢復後満洲事変勃発までの日ソ関係は、漁業問題を巡りて一時悪化せりと雖も、一般的には好調を示す。乍然、貿易関係は所期の発展を示さず。時恰も、ソ聯邦にとつては、産業復興に次いで第一次五ケ年計画を実施し、その工業建設に努力せる時代にして、日本の対ソ輸出は激増するかに見えたるも、工業建設が専ら欧露に於て行はれしため、西欧諸國が比較的有利に対ソ貿易を発展せしめたにも不拘、日本は対ソ輸出を発展することを得ず。

而して、その最も大なる原因は、ソ聯邦が當時極端なる物資の缺乏に苦しみつゝも、工業建設を強行せる結果、國の工業化に必要な生産設備及び原料の輸入を第一とし、消費の輸入は之を極力節減せる事、及び日本が當時世界的経済恐慌の餘波を受けて不況に喘いで居り、ソ聯邦にクレヂツトを供與してまでも輸出を計り得ざりしこと等なり。

斯くて対ソ輸出が不振なりし一方、日本は欧露の白金、亜露の木材・石油・毛皮等の輸入を増加せる結果、貿易尻は日本の不利になり、日ソ國交好調期に於ては日ソ貿易総額は一九二六年の二千九百万円から五千万円と二倍の増

三三九

三四〇

加を示すに過ぎざりき（第九十七表）。

尚、此の期間に於て、ソ聯邦は日本に対し、北樺太の石炭及び石油利権を認め、一九二八年に至つて錯雑せる漁業問題に関し協定を締結して、日本の北洋漁業権益を再確認し、西樺太の石炭、東樺太の石油、沿海州の木材、カムチヤツカ及びオホーツク地方の金の利権を日本の会社に許可せる石炭・木材金鉱の利権契約は或は企業着手前に放棄の外なき運命に立ち至り、北樺太石油、北樺太鉱業の二大利権が尼港事件の代償的意味に於て残されたに過ぎず、而もその企業経営は、ソ聯邦の不法圧迫、細目取極の歪曲改訂によつて、始終両國間の親善関係に大きい障害を醸成し、従つて日ソ両國に通商條約も屡々問題となりしが、日ソ復交約十四ケ年を経た今日まだ具体化されない状態なり、これ又、両國の貿易発展を阻止した原因ともなれり。

4　第四期

この期間は満洲事変の発生以後欧洲動乱勃発までの時代なり。而してこの期間に於ては日ソ貿易関係の発展を阻止せる要素と、助長せる要素との二つ

第九十七表　一九二六年―三一年の日ソ貿易　（單位　千円）

	對ソ輸出			對ソ輸入			合計		
	亜ソ	欧ソ	計	亜ソ	欧ソ	計	亜ソ	欧ソ	計
昭和元年（一九二六年）	五、二九九	四	五、三〇三	二三、八八三	七九三	二四、二七六	二九、一八二	七九七	二九、九七九
昭和二年（一九二七年）	七、七七六	八六九	八、六四五	二四、五二六	一、六〇六	二六、一三二	三二、三〇二	二、四七五	三四、七七七
昭和三年（一九二八年）	一一、一九七	一、一九七	一二、三四九	二一、九七一	二、一四一	二四、一一二	三三、一六八	三、三三八	三六、五〇六
昭和四年（一九二九年）	一五、〇三三	二、三〇三	一七、三三六	二二、八七四	三、〇八〇	二五、九五四	三七、九五四	五、三八三	四二、二八九
昭和五年（一九三〇年）	二六、九七三	一、三四五	二八、三一八	三七、二一八	二、五八二	三九、八〇〇	六四、一九一	三、九二七	六八、一一八
昭和六年（一九三一年）	一四、九四一	二、一三四	一七、〇七五	三〇、八八〇	三、七八七	三四、六六七	四五、八二一	五、九二一	五一、七四二

あり、即ち前者は満洲事変を契機とする日本の大陸進出と、日支事変の拡大化、ソ聯邦を目標に置く日獨防共協定の成立並びに日支事変の勃発と満ソ國境紛争にして、後者は北鉄譲渡協定の締結なり。

而して前者は政治的な原因、後者は経済的なるも、この北鉄譲渡協定の成立により、両國の政治的紛争は一時休止状態となり、貿易関係も急速に発展して行つた。

ソ聯邦は右協定により、既に満洲國の成立以来利用價値が減少し、その経営上莫大な負担に苦しめる北鉄を一九三五年三月満洲國に賣却し、その代償價格の三分の二、即ち一九三〇万円を駐日ソ聯邦通商代表部の註文なる日満両國商品によつて受取ることゝなり、これによりて満洲事変以来の日ソ國交関係は一時鎮靜化せるのみならず、凋落気運にありし日ソ貿易も亦、急速に発展傾向を示すに至れり。

因みに北鉄譲渡協定に基くソ聯邦の日満物資注文状況及びそれによる輸入状況を示せば第九十八表の如し。

三四一

第九十八表　北鉄協定による物資注文及引渡状況

物資注文状況（日満の承認総額）		物資引渡状況（一九三七年五月迄）	
品名	價格	品名	價格
機械類	一八、四五二	茶	四、五〇〇
大豆及び大豆油	九、二二四	漁具（網）	一、四〇〇
緑茶	七、八二〇	セメント	四、五〇〇
織物類	五、二三五	金属（錫・銅）	八〇〇
帯鉄及び鉄板	二、七三三	化学製品及染料	九〇〇
人絹	一、八〇五	絹・毛・綿織物	五、八〇〇
船舶	一八、三三四	人絹	五、八〇〇
鋼線	八、五四四	銅糸のケーブル	一、八〇〇
セメント	五九六八	靴底革	八、〇〇〇
ロープ	五、一六七	機械類(1)	一、九〇〇
小麦類その他	九、二三三	船舶(2)	一二、〇〇〇
合計	九二、五七七	合計	五〇、〇〇〇

（註）(1) 機械類の内訳は移動式発電装置、電動機、変圧器、変電機、電気熔接機、電気起重機、コンプレッサー、ディーゼル機関、石油発動機、旋盤、ポンプ等。

(2) 船舶の内訳は、川崎船、蟹漁船、カッター、曳船、スクナー、油槽船、水上移動式起重機等で、之が製造を監督するためソ聯邦は日本に専門家を派す。

この北鉄協定により、一九三一年を頂天として凋落気運にありし対ソ輸出は再び上昇傾向を示し、一方、輸入も北樺太及び松花江一派のソ聯産石油の輸入増加に依り、活気を帯びるに至る。

が、か﹅る日ソ貿易関係は日支事変の勃発及び日獨防共協定の締結による日ソ政治関係の悪化と、一九三八年七月の張鼓峰事件、北洋漁業問題を繞る紛争等に反映して極めて悪化し、その間に於て北鉄譲渡協定による引渡物資の一部の対ソ引渡中止、ソ聯邦の従来日本より輸入せる茶及び生糸の注文の支那への振替へ、対日銑鉄、マンガン、石油輸出禁止等あり、輸出入共殆ど遮絶状態に陥れり。

即ち、満洲事変前と比較して日ソ貿易高をソ聯邦側資料によつて示せば第九十九表の如くなり。

即ち、北鉄譲渡契約に基く、ソ聯邦への物資引渡の終了に伴ひ、日本の対ソ輸出は激減し、一九三八年にはソ聯邦の日本よりの輸入額は一九三七年の五千四百万留より千六百万留となり、一方ソ聯邦の対日輸出は一九三七年の

第九十九表　最近の日ソ貿易　（単位　百万留）

	ソ聯邦の輸出	ソ聯邦の輸入	合計	バランス (+)ソ聯邦の出超
一九二九年	八四・一	三五・九	一二〇・〇	(+) 四八・二
一九三〇年	七〇・一	七三・二	一四三・三	(−) 三・一
一九三一年	八四・五	五五・二	一三九・七	(+) 二九・三
一九三二年	四三・八	二〇・六	六四・四	(+) 二三・二
一九三三年	三九・九	三二・〇	七一・九	(+) 七・九
一九三四年	二五・〇	三〇・二	五五・二	(+) 四・八
一九三五年	二三・五	四七・三	七〇・八	(−) 二三・八
一九三六年	二六・六	六一・九	八九・六	(−) 四五・二
一九三七年	一一・七	五四・三	六六・一	(−) 四二・六
一九三八年(計)	五・八	一六・八	二二・七	(−) 一〇・八

第百表　日ソ両國貿易に於ける相互の割合　（％）

	日本貿易に占めるソ聯邦の割合		ソ聯邦貿易に占める日本の割合	
	ソ聯向輸出	ソ聯邦より輸入	日本向輸出	日本よりの輸入
一九二九年	―	―	二・一	〇・九
一九三〇年	一・九	二・四	一・五	一・六
一九三一年	一・四	二・六	二・四	一・一
一九三二年	一・〇	一・一	一・八	〇・七
一九三三年	〇・七	一・八	一・八	二・一
一九三四年	〇・五	一・七	一・四	三・一
一九三五年	一・一	〇・七	一・五	四・五
一九三六年	一・一	〇・七	二・〇	四・六
一九三七年	〇・八	〇・三	〇・七	四・三
一九三八年	―	―	〇・四	一・三

千百万留より五百万留に減少す。

而して最近日本の貿易に於て占めるソ聯邦の地位及びソ聯邦の貿易に占める日本の地位について見ると第百表の如くなり。

即ち最近の日本のソ聯邦貿易に於ける割合は輸出〇・四％、輸入一・三％で、反面ソ聯邦の日本貿易に於ける割合は輸入〇・三％、輸出〇・八％、総体的に見て日ソ両國の貿易関係は極端に薄弱化してゐる。

主要品目輸出入　次に日ソ向に取引されてゐる物資であるが、本文中にその総てを表すことは煩雑なる故重要なもののみにつきて述べん。

世界大戦中に於ては、さきにも述べたる如く日本より軍需品の輸出が増大し、銅・羅紗・アンチモニイ・其の他の金属・硫黄・樟脳・沃度・加里・藥剤化学用品等が多量に輸出され、反面魚類・皮革・サントニン等がロシヤより輸入せられ、日露貿易は躍進の一途を辿れるも、ソ聯邦の工業化の進展に伴ひ、この輸出及び輸入の内容は変化す。

即ち、「石油・石炭・満俺鉱・石綿・肥料・黒色金属・化学・藥剤工業製品

の如き、それまで日本より輸入せる工業製品が漸次主要な輸出の対象となり、対日輸出の最も盛んなりし一九三〇年にはソ聯邦の対日輸出に占める工業製品の割合は七二・六%、翌々一九三二年度には八六・五%となる。がその後日ソ間の政治的対立の激化に起因して、銑鉄・マンガン等の対日輸出を極力縮少し、これを英米諸國に振向けることゝなれり。」かくて最近では、原木・石炭・石油・石綿・サントニン・化学薬剤工業品・銑鉄・その他若干の機械工業品のみが輸出せられ、而も その輸出は減少傾向に存す。だが、ソ聯邦にとり日本が、その輸出市場としてとるに足らざるものなるかと言へば然らず。

このことは第百一表に依つても明らかなり。

即ちソ聯邦は最近銑鉄の九〇%、サントニンの六〇%、石油の六・五%、石炭の二〇%、原木の約一〇%を日本に供給す。尚、それらの物資は日本側から見れば重要な軍需工業用原料であることは注目すべきなり。

次に日本からのソ聯邦の輸入について見るに、その内容も輸出に於けると同様変化す。ソ聯邦は曾ては日本から各種の金属製品、機械器具、工作機、漁業

第百一表 ソ聯邦の輸出に占める日本の割合

	一九三六年			一九三七年（一―九月）		
	ソ聯邦の総輸出高	内日本向	%	ソ聯邦の総輸出高	内日本向	%
原木	四二七、七四三瓲	三一、五〇〇瓲	七・三	二六四、三六七瓲	二二、九三六	八・六
石炭	八六二、一九三	三四九、三三三	二八・九	四五一、六二二	八四、一五一	一八・六
石油	二、六五三、三八二	二一九、八九八	八・三	一、四七三、八九八	九六、九六二	六・五
石綿	二六、一五五	一、八六九	七・一	二一、〇七五	二、五一〇	一一・九
マンガン鉱	―	一五、三三二	―	七六二、八九三	―	―
サントニン	二	一	五〇・〇	五	三	六〇・〇
機械	二五・一百万留	〇・一百万留	〇・四	四一・三百万留	〇・一百万留	二・四
銑鉄	七一〇、六六一瓲	三六三、八三二瓲	五一・二	一一七、一八〇瓲	一五、九七三瓲	九〇・四

ソ聯邦の主要商品輸入に占める日本の割合

	単位	一九三六年			一九三七年（一―九月）		
		ソ聯邦の輸入	内日本より	%	ソ聯邦の輸入	内日本より	%
穀物	瓲	五九、〇九八	八三二	〇・〇一	三四、四八六	一、三九五	四・一
米	〃	五二、五八〇	五七八	〇・〇一	三四、三九〇	一、〇八二	三・一
麦粉	〃	八、〇九三	七、九一七	九七・八	一、〇八三	三一	二・九
果実	〃	一三、三三三	三五九	〇・〇	三〇、二四三	三四	一・一
野菜	〃	三、七五〇	二、四七五	六五・七	一、四六一	三〇	二・〇
種子	〃	一九、七一七	一四、八九〇	七五・五	七、七六八	二	〇・〇
茶	〃	一二、二五七	二、六四〇	二一・六	一二、八三九	三、六九七	二八・六
木材	〃	九、五一〇	三、三二六	三四・九	七、七六一	二、四九八	三二・一
生畜	〃	一〇三、四一一	三一	〇・〇	三八、八七五	六	〇・〇
植物油	〃	二、三〇四	一、二一九	五二・九	二、四二八	四五	一・九
肉	〃	二、八一二	四七六	一六・九	一、〇九六	三〇六	二七・九
罐詰	〃	六九四	五一四	七四・一	一九一	二八九	九九・三
砂糖	〃	三〇七	三〇六	九九・七	九〇	九〇	一〇〇・〇
皮革（製品）	〃	二、五五六	五八二	二二・八	九一七	一五二	一六・六
塩	〃	六、三三四	六、三三四	一〇〇・〇	二二	二二	一〇〇・〇
セメント	〃	一〇〇、二三三	一〇〇、一八一	九九・八	二一九、七一五	二一九、七一五	一〇〇・〇
陶磁器	〃	一、六一一	九二〇	五七・一	一、[illegible]二七	九五八	八三・三
モリブデン鉱	〃	一、五二三	―	―	二、[illegible]一五	二五	一・二
ゴム製品	〃	二八	一九	六九・九	三四	二一	六一・八
染料	〃	一、三五九	七三	五・四	五八七	九八	一六・七
紙	〃	一、七〇三	一五一	八・九	一、一八二	四二	三・六
麻製品・漁具	〃	三二五	二七二	八三・七	一五一	一二八	八四・八
毛織物	〃	三三一	三一七	九五・八	一一	―	―
衣類	〃	七七五	五九三	七六・五	二五七	二三五	九一・四
黒色金属製品	百万留	一三二・二	五三・七	二二・八	八〇・四	四・七	五・八
鉄鋼材	瓲	六二、七二五	三、三一六	五・一	二八、一六六	一、九一六	六・八
〃	〃	一四六、一八八	一、二六九	〇・九	九七、四五六	一、九〇九	二・〇
ブリキ	〃	一〇、一六〇	四〇九	四・〇	四、九四四	三六一	七・三
針金	〃	一〇、八四九	一、六八一	一五・五	八、五五四	二、五九〇	三〇・三
鉄管	〃	三六、八三三	三、七三五	一〇・一	二〇、四四六	二、五四五	一二・四
レール	〃	四、五九七	三四九	七・六	一、一〇四	一、一〇四	一〇〇・〇
一般機械	千留	四〇二、二二五	八、六七八	二・二	二三〇、五七五	八、八四八	三・八
（工作機）	〃	二一六、〇五六	一、六九二	〇・八	一〇六、七九一	三、五八三	三・四
精密機械	〃	二八、五九〇	二二七	〇・八	一五、八八七	八〇	〇・五
電気機械	〃	五九、〇二二	一一、五六五	一九・六	三五、五二七	二、五四五	七・二
運輸材料	〃	三七、二九二	五、三五五	一四・四	一七、八八一	一〇、九八四	六一・四
船舶	〃	三〇、〇五一	四、九二八	一六・四	一五、一〇八	一〇、六三一	七〇・四

用設備を輸入せるも、國内工業発展と対日輸入を第三國へ振替へたことに起因して、有色金属、化学工業の輸入は減少し、沃度、ゴム製品の輸入は殆ど停止せられ、現在専ら日本から輸入されてゐるのは、極東用の穀物及び同製品、野菜、果実、茶、木材、生畜、罐詰類、砂糖、皮革、セメント、染料、紙、魚網（麻製品）、黒色金属、同製品、機械及び船舶にして、この中には北鉄協定による輸入も可成り含まれてゐるが、日本の主要輸出品たる生糸の如きは全く輸入せられず。

が、ソ聯邦極東にとりて、それが未だ自給自足の域に達せず、而も工業中心地より遠く離れてゐる関係上、日本は重要な物資供給地であることは事実にして、このことはソ聯邦の主要商品輸入に占める日本の割合を見れば明らかなり（第百二表）。

ソ聯の全輸入に於て日本の支配的地位を占めてゐる物資は茶、肉、罐詰、砂糖、皮革製品、塩、陶磁器、ゴム製品、染料、衣類等の軽、食料工業品で、或物資に於てはその殆ど全部が日本品に依つて占めらる。これ、専らソ聯邦の極

三四五

東が自給自足し得ず、その需要を日本品によつて充足しつゝあるためなり。

而して、右軽、食料工業品以外に、工業用機械、鉄製品の輸入も看過しえず。即ち、ソ聯邦の輸入に於て日本産針金及びレール、セメント、運転材料、特に船舶、並びに魚具等の生産及び建築材料は夫々八〇％―一〇〇％を占めて居り、この内には北鉄協定に基く輸入が大量に含まれてゐるとは言へ、特にソ聯邦極東建築に日本の物資を利用しつゝあることが看取される。

而して之等の物資が、特に極東の軍事的防備、北洋漁業に於ける日本との競争とのために利用される関係上、日本側に於ては、政治的考慮よりして、その輸出を制限しつゝあり。而も、建築材料及び軽工業品に於て之を満洲國に振向けねばならない関係上、近年では日本からの之等物資の輸入も殆ど遮絶状態に至れり。

斯くの如く、政治的及び経済的理由よりして、日ソ貿易は萎縮し、ソ聯邦は、嘗て東京に駐日通商代表本部を置き、その支部を大阪、神戸、函館、大連、京城の各地に設置し、日ソ貿易の調整に従事せるにも不拘、近年之等を漸次廃止

三四六

し、現在では駐日通商代表部を東京に置くのみ。日ソ貿易は此處に全面的後退を示しつゝあり。次に満ソ貿易に就いて見よう。

（ロ）満ソ貿易

貿易の推移

ソ聯邦は満洲に於て東支鉄道を対満政策遂行のための政治的経済的據点として利用し来るも、一九三二年満洲國の成立するに及んで、漸次この政策遂行が不可能となり、遂に一九三五年北鉄を満洲國に譲渡して、満洲より撤退せり。

而して、満ソ貿易は如何と言ふに、ソ聯邦の満洲に於ける勢力の衰退と平行して輸出入とも萎縮の一途を辿り、一九三五年に於て北鉄譲渡協定に基き満洲國より輸入が行はれたるにも不拘、さして増加せず、現在では全く日ソ貿易と同様杜絶状態に存す。

今、満洲國との貿易の推移を満洲國外國貿易統計月報によつて示すと第百三表の如くなり。

三四七

第百三表　満ソ貿易の推移

（単位 千円）

	ソ聯邦への輸出	ソ聯邦よりの輸入	合計	バランス
一九三一年	四五、四七六	一四、四七一	五九、九四八	(+)三一、〇〇四
一九三二年	三四、四一一	七、五二二	四一、九三二	(+)二六、八八八
一九三三年	一三、三五九	七、五六七	二〇、九二七	(+)五、七九一
一九三四年	八、四二三	四、八八〇	一三、三〇三	(+)三、五四二
一九三五年	四、六六六	一、一六八	五、八三〇	(+)三、四九三
一九三六年	一、五八五	二六一	一、八四六	(+)一、三二九
一九三七年	一四五	七〇一	八四六	(−)五五六
一九三八年	二九	三二	六一	(−)二

即ち、満ソ貿易高は一九三二年の四千百万円より、年々減少の一途を辿り、一九三八年に至つて六万円と減少し、対ソ輸出は二万九千円、輸入は三万二千円に過ぎぬ。從つて満洲國にとつても、ソ聯邦にとつても、貿易の意義は現在のところ全く問題にならず、満洲國総貿易高の四・四％を占めたるも、一九三三年二・二％、一九三四年一・三％、一九三五年〇・六％、一九三六年〇・四％、一九三七年及び八年〇・〇〇一％と低下す。尚ソ聯邦の貿易統計には全く対満貿易統計は記載されず。

主要商品の對ソ輸出 次の満洲國側の資料によつて先づ対ソ輸出について見るに、一九三二年頃には満洲國には大豆を筆頭として豆粕、豆油、小麦、小麦粉、その他各種農産物、食糧品を多量にソ聯邦へ輸出せるも、之等は何れも減少の一途を辿り、一九三六年に於ては大豆及び植物油の輸出が若干行はれたに過ぎず、一九三七・八年に於ては何が輸出されたか分らない程なり。今、一九三五－六年について満洲國の対ソ輸出状況を示せば第百四表の如くなり。

ソ聯極東地方並びにザバイカルはその農業生産力低く、ために従来長期間に

第百五表　満洲國のソ聯邦よりの輸入　（單位 千円）

	一九三六年	一九三七年
繊維物質及同製品	〇・二	三一・六
鉱物及金属同製品	〇・一	二・一
車輌及船舶	四・八	四・一
水産物	九六・〇	一九四・五
薬剤及香料	四八・四	一・九
煙草	八・〇	四・六
化学製品	二・七	一二六・一
石油同製品	六・〇	二三九・一
畜産物	一・〇	四二・七
皮革	五九・五	二三九・一
建築用木材	〇・七	四五七・一
石炭	二七・六	二〇・六
硝子	〇・一	一・六
雑貨	二六〇・九	一、一六八・二

返つて食料及び穀物等の生活必需品を大量に満洲より輸入せるが、一九三二年以降ソ満國境の不安、之に次ぐ東部線の封鎖、満洲國側の貿易統制その他により対ソ輸出は著しく減少した。

が、ソ領極東は後に述べる如くまだ自給自足の域に達してゐないため、満洲の農産物に負ふところが可なり大なり。

主要商品の対ソ輸入　従来満洲には多数のソ聯人及びロシヤ人が居住し、これらの需要を満たすために各種の物資がソ聯より輸入せられしも、北鉄譲渡以後ソ聯品の常用者の減少せること、及び満洲市場が日本によつて獨占されしこと等により、各品目とも極度の減少を示せり。而してこの傾向に拍車をかけしものはソ満間の政治的対立であることは勿論なり。

今、満洲のソ聯邦より輸入せる商品について示せば第百五表の如くなり。

ソ聯邦よりの満洲國の輸入の著減せるは、前にも述べし如く、ソ聯邦の勢力が満洲より後退し、これに代つて、日本が、満洲市場を独占せるためなるも、特に満洲國が、ソ聯邦と同様経済建設過程にありて、相互に工業用原料及び機

械の輸入を必要とし、相互に、有無相通ずるところの餘裕を持たざりしことが、満洲國の対ソ輸出を萎縮せしめし最大の経済的原因なり。

斯くて、従来哈爾濱を中心として全満各地に設けられたるソ聯邦の通商代表部、石油トラストその他各種の経済機関も漸次廃止され、此處に満ソ貿易は惨憺たる衰頽振りを示すに至れり。

以上日満ソ聯邦貿易の推移及び現状について見たるが、日満対ソ聯邦貿易はその地理的関係からして発展すべき多くの條件を有せるにも不拘、実際には餘り発展せず、最近年には三國通商関係は殆ど断絶の一歩手前にまで進めり。

では何故に、地理的に見て緊密関係にある可き筈のソ聯邦と日満との間の貿易がかくの如く発展せずして、反つて減少しつゝあるや？　これが原因を以上述べ来たつたところよりして大体次の如きものと言ひうべし。

(一)　日満及びソ聯邦相互の國体の主義的、根本的相異に基く政治上及び感情上の対立の存在とその激化。

(二)　日本の大陸進出とソ聯邦の東進政策（或は極東赤化政策）との対立とその激化。

(三)　(一)及び(二)に起因する両國諸懸案、即ち北洋漁業問題、北樺太石油及び石炭利権問題が両國の紛争を激化せしこと。

(四)　以上は政治的原因なるが、経済的には、日本が軽工業製品の輸出國であり、満洲國は農業國に屬し、ソ聯邦は國の工業化政策強行過程にありて、極力大衆の需要を削限し、貿易を國営企業の発展に奉仕せしめてゐる関係上、その軽工業品及び食料の対ソ進出の困難なりしこと。

(五)　工業化過程にありしソ聯邦の輸入必要品は専ら生産財、特に原料及び機械なるも、満洲國は勿論日本も右の輸出を大規模に行ひ得ざりしこと。

(六)　而も日満より輸出可能な商品にありてはソ領欧洲方面の経済建設に利用さる可きものが大部分にして、日本は運賃の関係上イルクーツク以西に輸出し得ざりしこと。

(七)　ソ聯邦の主要輸出品が、専らソ領欧洲に於て生産され、而も國際的商品であつて、日満よりも欧洲へ向けうる可能性の多かりしこと。

即ち、両國の経済的紐帯が極めて薄弱であり、政治関係によつて貿易が左右されうる可能性が大なりしことなり。

(八)　叙上の如き諸原因よりして、未だ両國間に通商関係調整のための法的基礎、即ち通商條約の締結されず。

(九)　貿易組織の相違に起因し、貿易技術上の障害の多かりしこと。即ち、日本の貿易クレヂツト期間の短いこと及びソ聯邦の貿易独占による幾多の障害の存在せること、その他である。

(三)　ソ　支　貿　易

ソ支貿易は之を第一期―一九三二年十二月のソ支國交恢復後一九三七年七月の日支事変勃発までと、第二期―日支事変勃発後最近までの二期に分ちてこれを検討しうべし。

第一期のソ支貿易　第一期は日本の満洲及び北支進出を契機としてソ支両

國の接近を見た時代にして、この時期のソ支関係は政治的には両國國交の恢復（三二年十二月）と國共合作（三七年四月）、経済的にはソ支経済合作（一九三七年四月）によりて特徴づけらる。

而して第二期は日支事変の勃発を契機として、ソ支関係がヨリ緊密化せる時代にして、政治的には不可侵協定の成立（三七年八月）、ソ聯邦の対支軍事顧問の派遣（同十月）、國共合作の強化（三九年十一月）、中共延安会議（四〇年二月）、経済的にはソ支通商協定の締結（三九年六月）、ソ支航空協定締結（三九年十二月）香港へのソ聯邦通商代表の派遣（四〇年一月）及びソ支通商協定の批准（四〇年二月）によつて特徴づけられる。

而して此の向において最も注目さる可きは國共合作とソ支通商協定の成立である。と言ふのは國共合作はソ支関係の政治的基礎となり、ソ支通商協定は両國提携の経済的基礎をなす故なり。

従来、ソ聯邦の対支政策は中國共産黨を通じて支那へその政治的勢力を拡大強化する方向を示し、それはソ支関係を國交断絶といふ最悪の事態にまで悪化

せしめたり。然るに、満洲事変以後ソ聯邦の極東政策と日本の大陸政策が対立し激化するにつれて、ソ聯邦は支那を自己の陣営に引入れる可く、支那の抗日思想を利用し、新しい対支政策の転換を行へり。即ち、従来の支那赤化第一主義より、経済合作を第一主義とする対支政策に移りしことそれにして、「ソ聯邦は支那共産党に対する援助及び一切の赤化宣傳を停止し、積極的に南京政府の統一政策を支持すること及び支那は如何なる國家とも防共に藉口する協定を締結しないこと」の二條件を承認することによりて両國は支那に於て一九三七年國共合作を実現し、同時にソ聯邦は中支大使ボゴモーロフをして王寵恵外交部長との間にソ支経済合作を畫策せしむ。

此のボゴモーロフと王寵恵の間に交渉され、締結された取極めは一般にソ支秘密條約として知られ、同年四月二十一日附上海同盟の報導にも明かなる如く次の如き内容を持つものと言はる。

(一) ソ聯邦は支那に対し石油、重工業機械等の一ヶ年分を前渡しする。

(二) 帝政時代に在つた廣東總領事館の復活及び漢口その他の領事館設置。

(三) 新疆省迪化ー甘粛省蘭洲間鉄道敷設権の獲得

(四) 外蒙ウランバートルより陝西、甘肅、新疆その他を連ねる航空路の新設。

(五) ソ支通商條約に関しては、その締結を急がず、別に交渉を行ひ、その場合には特に重点を邊疆地方に置き、日本の北支、蒙疆への侵出を阻止すべく、ソ聯邦のその方面に於ける勢力の拡大及び通商の独占を計る。

この取極めは日支事変前日本の北支進出が積極的でありしことに関聯して、蒙疆地区及び北支方面への日本の進出をソ支協同にて阻止せんとする政治的意図を多分に含んでゐると共にソ聯邦が支那に対し最大限の好條件を附與しつゝ、邊区地方に於ける自國の経済的地盤の強化を計らんとした点に大きい特徴を持つ。

之を要するに第一期に於けるソ聯邦の対支政策は専ら政治関係の調整に重点が置かれ、経済関係の積極的改善は特にその末期、特に北支事変の勃発直前に計画されたものと言ふ可く、このことはソ支貿易に次の如く反映す（第百六表）。

即ち、ソ支貿易は不振の一途を辿り、一九三七年に至りて漸く復興の気運を

第百六表　ソ支貿易の推移（單位千留・一留＝六五錢）

	對支輸出	支那よりの輸入	バランス
一九三二年	三四、四一九	二五、七八九	(+) 八、六二八
一九三三年	三一、四〇九	一一、五五九	(+) 一九、八五〇
一九三四年	九、〇〇一	一五、〇六七	(−) 六、〇五六
一九三五年	二、二二九	一五、五〇一	(−) 一三、二七三
一九三六年	五七三	一二、七九一	(−) 一二、二一八
一九三七年	六二三	一四、九五八	(−) 一四、三三五

見せつゝあるに過ぎぬ。

而して一九三七年においてソ聯邦貿易に占むる支那の地位は輸出〇・〇五%、輸入一・〇%、支那貿易に占むるソ聯邦のそれは輸出〇・六%、輸入〇・一%なり。

では、ソ支貿易は何故に斯様に不振なりしや、その原因は叙上の如く、ソ聯邦の対支貿易政策の消極性と言ふ一点に帰せられるが、これを更に分析すると次の如くなり。

(一) 此の時期が國の工業化を目的とするソ聯邦の第二次五ヶ年計画期に相當し、ソ聯邦貿易の重点が生産手段——機械及び設備の輸入に置かれしこと、従って支那の主要輸出農産物及び消費品の対支輸出が困難なること。

(二) 支那市場が資本主義諸國の資本に支配せられソ聯邦の対支輸出が困難なりしこと。因みに支那の輸入貿易に占める資本主義諸國の割合は一九三四年において米國二六・三%、日本一二・三%、英國一二%、獨逸九%、英印四%、蘭印六%、一九三六年において夫々一九・六%、一六・三%、一一・七%、一五・九%、二・六%、七・九%なり。

第百七表　ソ聯邦の主要商品輸入に占める支那の比重

	單位	一九三五年			一九三六年			一九三七年(一―九月)		
		ソ聯邦の總輸入	内支那より	支那の割合	ソ聯邦の總輸入	内支那より	支那の割合	ソ聯邦の總輸入	内支那より	支那の割合
アンチモニイ	瓲	二、三七八	一、二一九	五一・二	二、三七五	一、〇九一	七五・六	一、〇九一	八六〇	七八・八
タングステン鉱	〃	一、〇五六	七三九	六九・九	一、五二三	一、三三九	八七・五	二、一一五	一、六七五	七九・一
茶	〃	二三、六三八	一一、八八八	五〇・三	一二、二五七	四、〇七九	三三・二	一二、九三九	五、四一三	四一・八
植物油	〃	一一、三三五	二七三	二・四	二、三〇四	三四三	一七・〇	二、四二八	三七七	一五・五
錫	〃	七、四二八	―	―	九、八一九	一四三	一・四	九、三九一	五一	〇・七
銅	〃	二九、五九〇	―	―	四五、二六〇	七六二	一・七	五〇、七〇六	六	〇・〇

(三) 満洲國の分離によりソ支貿易の大部分を占めしソ満國境通過貿易がソ支貿易たるの地位を失ひしこと。

(四) 支那本部市場に対する準備の缺如せること、及びソ聯邦の対支歴史的貿易ルート北支の封鎖。

(五) 以上は経済的理由なるが更に一九三三年にソ聯邦が満洲國へ支那の諒解なく東支鉄道を譲渡せることもソ支貿易に対する支那側の熱意を低下せしめた点で大きい意義を持つ。

乍然、それだからと言ってソ聯邦貿易における支那の意義を否定することは大きい誤りなり。

周知の如く、支那は茶、桐油、タングステン鉱、アンチモニイの世界的産出國にして、ソ聯邦は亦之等物資及び他の非鉄金属に於て未だ自給自足の域に達せず、ソ聯邦の之等物資の輸入に於ける支那の地位は決定的なり。即ち一九三五年、三六年及び三七年の三ヶ年におけるソ聯邦主要輸入品に占める支那の地位を示せば第百七表の如くなり。

ソ聯邦は、アンチモニイ及びタングステンにおいて全く自給自足して居らず、更に茶の自給率は六〇・六%、植物油一〇〇・二%、錫八二%、銅六八・四%(何れも一九三七年)であるが、これら物資においてソ聯邦は支那に依存する程度が極めて大なり。特にソ聯邦はその必要とするアンチモニイの七八・八%、タングステン鉱の七九・一%、茶の四一・八%、植物油の一五・五%を支那の輸入に仰ぐ。このことは米國が南洋諸國の錫及びゴムに絶対的に依存してゐると同様、特にそれらが戦略的物資である点からして支那がソ聯邦の輸入によって重大な意義を持つてゐることを物語る。

ソ聯邦の対支輸出が不振を極め、三七年度において殆ど杜絶状態になってゐるにも不拘、輸入がさして減少せず反って増加傾向さへ示してゐるのも、かゝる戦略物資においてソ聯邦が支那に依存せる故なり。

第二期のソ支貿易　第二期は日支事変勃発後最近までを指し、この時期は前にも述べた如く、ソ支関係が政治的にも経済的にもより緊密化せる時代にして、國共合作を土台として経済合作(それも支那辺区に重点を置く)を計画せるソ聯邦の対支政策は、支那の長期抗日を援助する所謂援蔣政策へと移行した点にその特徴を持つ。

蓋し日支の武力衝突が全面的に拡大すればする程、ソ聯邦の極東に於ける唯一の対立勢力たる日本の國力をより多く消耗せしむるが故にして、此の意味におけるソ聯邦の対支援助は政治的には不可侵協定の締結或は軍事顧問の派遣、経済的にはソ支バーター協定或は通商協定の成立又は武器の対支供給によつても判る如く、漸次積極化せり。

因みに、日支事変勃発後のソ支関係に関する指標を左に表示して見よう。

(一) ソ支不可侵協定の成立　一九三七年八月
(二) 聯盟理事會に於けるソ支代表の暗躍　一九三八年二月
(三) 孫科のモスクワ到着とソ支協定説　同　同
(四) ソ支新鉄道建設へ着手　同　同
(五) ソ支バーター協定の成立（年々更新現在に至る）　同　四月
(六) ソ支通商協定の成立　一九三九年六月

三五九

(七) ソ聯邦軍事顧問の派遣　一九三九年十月
(八) ソ支航空協定締結　同　十二月
(九) 香港へソ聯邦通商代表派遣　一九四〇年一月
(一〇) ソ支通商協定の批准（ソ聯邦側）　同　二月
(一一) 中共延安会議　同　同

右指標によればソ支外交関係は日支事変以後頓に緊密化し、援蔣政策が漸次積極化しつゝあることを充分に理解しうべし、乍然そのことによつてソ聯邦の援蔣政策が極めて積極的且つ大々的なものたりとは断言しえず。と言ふのは対支援助の最も積極的形態である軍事同盟或は大量のクレヂツトの供與のごときはなされてゐない故なり。

而して我々は右指標の中に、ソ聯邦の対支援助が政治的面においてよりも経済的面においてヨリ強調されてゐることを発見し得べし。

勿論、一九三八年八月の張鼓峰事件、一九三九年のノモンハン事件及びその後におけるソ満国境の日ソ對立の如きは間接的にはソ聯邦の対支援助を意味す

三六〇

るが、これらはソ支軍事同盟の形式においてなされたものではなく、又、彼の汪兆銘の重慶脱出後中国共産党の勢力が非常に強化されたにも拘らず、その幹部は努めて政府の表面に出されない事実を想起しても判る如く、ソ聯邦の対支政治活動は極めて消極的なり。

そして、その反面において、ソ支間の経済合作の傾向がより顕著となれり。

然らば何故ソ聯邦がかゝる政策をとり来れるや、その政治的理由は、端的に言へば、(一)ソ聯邦自体が欧洲情勢に――勿論その形態は変化してはゐるが、牽制されて大々的に対支援助を行ひ得ざりしこと、(二)極東に於て英米佛の反感を買ひ、政治的孤立に陥る危険のありしことのためにして、これは又ソ聯邦の対支援助の政治的限界でもある。そしてこの政治的諸條件は支那に於けるソ聯邦の経済活動をも規定する点において大きい意義を持つ。

乍然、前に第一期に於けるソ支貿易の項においても述べし如く、ソ聯邦はその自給自足の不可能な戦略的物資、特にタングステン鉱、アンチモニイ及び茶に於いて支那に絶対的に依存して居り、これが確保のため、飽く迄もソ支経済

三六一

関係を維持せねばならぬ立場にある。此處においてソ聯邦は援蔣政策の重点を経済関係の強化に置き、経済合作の方針を取れり。

而して、ソ聯邦のかゝる意図を反映せるものは一九三八年四月及び三九年六月のソ支バーター協定及びソ支通商協定並びにソ支鉄道敷設協定であつて、前二者はソ支貿易を規定し、後者はソ支輸送問題を解決する点で極めて重要な意義を持つ。

尚、ソ支バーター協定は秘密協定に属し、詳細を知悉し得ないが、その内容はソ支通商協定において正文化されてゐるから次に後者についてその内容を示して置く。曰く、

(一) 最恵國約款、通商代表の外交官たるの権限の承認
(二) 武器弾薬を支那に供給し、その支拂は現金或はクレヂツト拂とする――
(三) 支那茶、タングステン、桐油、豚毛及びアンチモニイの供給
(四) ソ聯邦は支那全省の商工権を掌握する特殊會社の手を経てソ支貿易振興基金として五千万弗（二千五百万留――約六百万円）を提供す。

三六二

第百八表

日支事変勃発後のソ支貿易の推移　（単位千留）

	對支輸出	支那よりの輸入	バランス
一九三七年全体	六、二二三	一四、九五八	(-)一四、三三五
内　七月	一二二	八六九	—
八月	三一	二、八〇八	—
九月	—	—	—
十月	—	—	—
十一月	—	一、三六七	—
十二月	六一	一、五八五	—
一九三八年全体	七六七	三三、三〇二	(-)三二、五三五
内　一月	—	九六	—
二月	—	八四八	—
三月	—	一、四三四	—
四月	八七	四、二九五	—
五月	—	二、五七五	—
六月	一五〇	三、三一三	—
七月	二二	五七三	—
八月	一八四	三、三七八	—
九月	—	三四九	—
十月	二〇六	二、七五九	—
十一月	八七	—	—
十二月	三一	一三、六八二	—
合計	九八一	三九、九二九	(-)三八、九四八

(五)　経済は総て両國の正貨を以てす、

本協定は一般にクレヂツト及びソ支バーター協定として知られ、ソ聯邦の直接的軍需品と支那の原料との交換を原則とした点及び二千五百万留のクレヂツトを貿易基金とした点に特徴を持ち、此の協定及びソ支鉄道敷設協定は本年二月二十九日の延安緊急会議によつてもその眞実性を裏書きさる、即ち、右会議の決議事項の　(一)には西北特区銀行を組織しソ聯邦より借用せる二千五百万留をその資本とする事。(二)には西蘭鉄道は中共とソ聯との連絡要路なるを以て陝、甘、寧、新四省特区首領を積極的に督促し、必ず本年六月以前に完成する云々とあるからである。

従つて、右協定の内容から見て、我々はソ支貿易の推移の中にソ聯邦の武器による対支援助の現状を或程度推知しうるとの結論に達する。では、日支事変以来ソ支貿易はどの様な変化を辿れるや?（第百八表）。

三七年七月以降三八年末までのソ聯邦の対支輸出は九十八万留、これに対して輸入は三千九百九十三万留、ソ聯邦の入超額は三千八百九十五万留、邦貨に

換算して約二千五百万圓なり。一方クレヂツトによる対支武器供給額は幾千に達するや、その見通しは極めて困難なるも、特にソ聯邦の対支輸入が増加傾向にある点より見て、三九年においてもこれと同額の輸入が行はれえたものと推定すれば、恐らく、日支事変後三九年末までのソ聯邦の対支武器供給額は尠くとも、右の入超額の合計に匹敵する数字、即ち五千万円を下らないものと看做しうべし。

尚、ソ聯邦の三八年度に於ける対支貿易の内容は支那海関統計によれば茶、綿製品及び雑品が主位を占めてゐるとは云へ、之は決してソ聯邦への戦略原料——アンチモニイ、モリブデン、桐油、豚毛等の対ソ輸出が香港を中心として近年頻に活撥となりつゝある事実によつても裏書せらるべし。

之を要するに第二期に於けるソ支貿易は政治的には日本の國力の削減、経済的には支那の原料取得を主目的とするソ聯邦の援蔣政策を反映し、徐々にではあるが発展傾向を示しつゝあるものというべし。

(四) 欧洲動乱後の推移

然らば欧洲動乱後ソ聯対日満支通商関係は如何に変化せるや。勿論具体的には検討困難なるも、叙上の如き相互関係ならびに夫々の國の國際的地位よりして自らその方向は判断しうべし。

既に述べし如く、日支事変の道程に於て、政治的には日本の國力消耗と支那赤化、経済的には支那の原料取得を主目的とせるソ聯の援蔣政策を反映し、ソ支貿易は漸次発展の傾向を示し一方、日満対ソ聯貿易は急速に萎縮し、殆ど杜絶状態となれり。

而して、欧洲動乱後に於ては、ソ聯は支那に対しては従来の援蔣政策はこれを続行すると共に、我が國に対しては従来の態度を宥和し、我が國とも通商関係を調整せんとするの態度を明らかにせり。

即ち、支那との間には一九三八年成立せるソ支バーター協定を年々更新し、四〇年十二月に至りて再びこれを延長せり。

三六五

四〇年末のソ支バーター協定は、重慶軍事機関紙掃蕩報の記事としてローター電の報ずるところによれば次の如し。

(一) ソ聯は支那より一億元の茶を購入し右額に相當する物資を支那に輸出する。

(二) ソ聯は支那より羊毛を購入し之に対し同額の交額物資を支那に輸出する。

(三) ソ聯は支那より鉱産物を購入し、これと同額の機械類並びに軍需品を支那に輸出す。

右バーター物資の総額は数億元に上り、四一年度中に双方交換を完了するものと言はる。

而して、動乱後のバーター協定遂行状態について見るに、支那およびソ聯貿易は西北ルートによるもの以外香港を據点として浦塩との間に可成り大規模に行はれ、後者は最近漸増傾向を示しつゝあり。

即ち、四〇年一月ー八月の香港対ソ聯貿易額は香銀五三・三百万元、三九年同期に比して一倍強の増加、又三八年六百万元に比すれば莫大なる激増振りなり。

而して、対ソ輸出は殆ど支那特産品にして、茶葉を大宗とし、一四・七百万元

三六六

（三九年に比し百万元増）、他の砿砂一七・八百万元、桐油二・六百万元、豚毛・羊牛皮二・三百万元に及び、輸入は四・七百万元に過ぎず、その差額約二千数百万元は軍需品に占められしものと推定しうべし。

一方、西北ルートによる対ソ輸出は主として、羊毛、駱駝毛、毛皮、獣皮、絲茶で、取引は支那財政部直属の中國貿易委員会の中によりて行はれ、蘭州よりの対ソ輸出は一九三九年一千万元と言はれ、この額はソ支通商協定基準價格百元＝米弗二九・五の公定相場に換算せば米貨三百万弗、ソ貨千五百万留に及ぶ。

而もソ聯の支那よりの輸入物資については、その輸送費ソ聯側にて負担しあり。

ソ聯側はこれら輸入の代償として、支那側に西北ルートを通じて、軍需品、トラック、タイヤ、石油等を供給しつゝあると言はる。

かくの如く、欧洲動乱後に於ても、香港および西北ルートを通ずるソ支貿易は活況を呈しつゝあり、四一年度に於てもバーター協定の成立により、ソ支通商は更に発展の傾向を示す。

尚、此の間、國共の対立は武力紛争にまで発展し、國共分裂の危機が傳へら

三六七

れ、而も我が北海作戦の展開せらるゝに於てはこれが、今後のソ支貿易に影響するところ大なることは想像しうべきも、目下のところ表面上は叙上の如く、ソ聯の援蔣政策続行されつゝあり。

叙上の如く、ソ支経済関係が緊密化の傾向を示しつゝある一方に於て、我が國とソ聯のそれも、ノモンハン停戦協定の成立と欧洲動乱の勃発を一転期として、漸次恢復の氣運を見せるに至る。

即ち、三九年十月にはソ聯モロトフ外相は「近頃日ソ関係は幾分改善を見たから、通商交渉に入る可能性の基礎は出来た」と言明し、日本側がイニシアチブをとるならば、通商交渉に應ずる用意あるを言明せり。

而して、通商発展の試みは既に三九年末より翌年はじめにかけて行はれたり。

本交渉は円満解決を見ざりしも、四〇年九月三國同盟の成立により、我が國の対ソ協調の態度が明らかにせらるゝに及んで、再度通商交渉開始せられ、目下続行中なり。

而して、本交渉の将来を案ずるに、純経済的に見て、相方ともその成立を可

三六八

能ならしむる次の如き要因を有す。

ソ聯側は　(一)欧洲動乱の拡大化につれ、その自給不能な戦略原料の西欧よりの入手困難化し、これが新市場を米大陸、南洋、アジア方面に開拓するの必要生ぜること。(二)貿易ルートの狭隘化により対欧輸出の困難化せること。(三)西欧諸國船チヤーターの困難化。　(四)極東の経済建設に我が國の物資利用するを有利とすること、それなり。

一方我が國も、英米との対立激化せる結果、その重慶及び対英米依存を清算すべき立場に置かれ、ソ聯の原料提供ならびに我が國の仲継対ソ輸出貿易或は工業製品輸出の原則に基く、通商発展の可能性あり。

而して、現在ソ聯邦の最も輸入困難な立場にある非鉄金属、ゴム、キニーネ、コルー等が専ら南洋に集中せられある事実を考慮するならば、我が南進によりてこれら南洋資源を支配することはソ聯に対し経済外交を行ひうる上に極めて有利にして、日ソ相互の経済的依存性の問題は、我が南進政策の遂行如何によりて、再検討の必要を生ずべし。

三六九

之を要するに、ソ聯の対外依存の点よりするならば、ソ聯は支那のアンチモニイ、タングステンおよび茶に重慶に依存しこれが取得のため軍需品を供給し、そこに緊密な経済関係を樹立しあるも、我が國との間には現在のところ経済的依存性極めて貧弱にして、その将来は一に我が南進政策と、通商交渉の成果如何に係るものと言ひうべし。

三七〇

第三節　對外依存性のルート別分布

一　ソ聯の主要貿易ルート

(イ)　陸海路別貿易

ソ聯貿易貨物は如何なる地域を経由して輸出入されつゝあるやと言ふに、これは後に「ソ聯商船隊の輸送力と傭船問題」の項に詳述する如く、専ら海上経由なり。即ち、全貿易貨物の八五・八%—絶対量(一九三八年)は海上経由にして而も海上経由輸出入貨物の陸上経由のそれに比し相対的にも絶対的にも増大しつゝあり。これは、(1)貿易相手國が専ら海洋を隔てた諸國或は貿易貨物の海上輸送を有利とする國によりて占められ、(2)貨物の大部分が大量或は重要貨物なるためにして(これについては後述する)その動態を表示せば第百九表の如くなり。

三七一

右表によれば、最近年ソ聯の貿易量は輸出千二—四百万瓲、輸入はその十分の一程度にして、合計千四、五百万瓲に達し、日本内地の昭和十年度の貿易量に匹敵せるが、之を陸海路別に見るならば、總貿易量の九〇%以上、總貿易額の八五%は海路経由にして、内、輸出に於ける海路経由貨物の割合は八〇—九〇%、輸入八〇—八五%なり。即ち、ソ聯は不足物資輸送ルートとして海上運輸に徹底的に依存しあり。

(ロ)　國境税関區別貿易分布

他方之を國境別に見るならば、貨物輸出入の最も盛んなるはバルチック沿岸(レニングラード港)及び黒海沿岸(ポチ、バツム、オデツサ、ニコラエフスク、フエオドシア、ケルチ、ノウオロシイスク港)にして其の總貿易高十八億五千五百万馬克に達し、前者は總輸出高の四分の一、總輸入高の二分の一を占め、後者は輸出三〇%輸入一〇%内外を占める。右に次ぎ、貨物輸出入の盛んなのは白海沿岸(アルハンゲルスク、メゼン、オネガ、ムルマンスク港)にして之等は夫々總貿易貨物の八〇%程度を呑吐す。

三七二

國境經由國別輸出入數量

	一九三五年 數量	一九三五年 價格	一九三六年 數量	一九三六年 價格	一九三七年 數量	一九三七年 價格	一九三七年 %	一九三八年 價格	一九三八年 %
輸入									
白海沿岸	一（千瓲）	一（百万留）	四（千瓲）	七（百万留）	一（千瓲）	一四（百万留）	〇・一	八（百万留）	〇・六
ムルマンスク沿岸	七五	二三	九四	一三九	一〇七	一八八	一四・〇	二五九	一八・三
ソ・芬國境	九	二	一六	二七	二八	三七	二・八	一七	一・二
バルチック沿岸	四四四	一二三	三六六	七〇六	三三六	六九一	五一・〇	七三三	五一・四
ソ・エ・ラ・波國境	一一四	一五	九九	八三	四九	五一	三・六	四三	三・〇
黒海沿岸	一〇七	三三	一三七	一三一	一四一	一二七	九・三	一一九	八・四
ソ・ルーマニア國境	一	一	〇	〇	三	五	〇・四	二	〇・一
ソ・土國境	一七	二	一六	九	一一	六	〇・五	六	〇・四
ソ・イラン國境	四一	六	三八	三三	二〇	二七	一・九	二四	一・七
カスピ海沿岸	七一	一四	七二	五八	六二	五五	四・一	三八	二・六
ソ・アフガニ國境	五	四	六	二二	七	一七	一・三	一四	一・〇
ソ・新疆國境	二七	五	二九	二六	二九	二六	一・九	三五	二・五
ソ・蒙國境	四五	一〇	四五	三七	四九	三七	二・七	四一	二・九
沿海州	二八三	一二	二〇四	六五	四〇四	六三	四・七	八三	五・八
樺太・カムチャツカ	一八	二	三四	一〇	三五	一三	〇・九	三	〇・一
カラ海	-	-	-	-	-	-	-	-	-
合計	一、三五九	二四一	一、一五五	一、三五二	一、二八六	一、三四一	一〇〇・〇	一、四三三	一〇〇・〇
輸出									
白海沿岸	二、三五二	三二	二、四八九	一六九	二、四二五	二四六	一四・三	一四九	一一・一
ムルマンスク沿岸	五七四	二一	六三六	六三	七五六	六四	三・六	五八	四・四
ソ・芬國境	四九七	六	一八三	一六	一五八	一二	〇・六	一一	〇・八
バルチック沿岸	三、七六六	一〇三	三、三七五	四一九	二、七二〇	四四五	二五・七	三〇二	二二・七
ソ・エ・ラ・波國境	四九一	一九	三五九	九五	五三五	七三	五・二	七三	五・五
黒海沿岸	九、五六六	一四〇	六、一七〇	三九一	五、六五四	六一四	三五・四	五一一	三八・四
ソ・ルーマニア國境	七	〇・一	五	〇・三	二	一	〇・〇	一	〇・〇
ソ・土國境	六	一	一二	五	二九	八	〇・四	三	〇・二
ソ・イラン國境	五一	四	四四	一四	四〇	一七	〇・九	一二	〇・九
カスピ海沿岸	一五九	一一	一五八	四二	一九〇	七一	四・〇	四二	三・二
ソ・アフガニ國境	一三	四	一六	一六	二〇	一七	〇・九	一五	一・一
ソ・新疆國境	二〇	六	二八	三六	二六	三五	二・〇	四四	三・三
ソ・蒙・トゥワ國境	八六	一四	一一三	五七	一三一	七二	四・一	七三	五・五
沿海州	一一	二	一六	一六	一一	一六	〇・九	一六	一・二
樺太・カムチャツカ	四六九	二	四七八	一〇	二一六	六	〇・三	六	〇・五
カラ海	一二七	二	一二七	一〇	五八	一一	〇・六	一五	一・一
合計	一七、一九一	三六七	一四、二〇四	一、三五九	一二、九六九	一、七二九	一〇〇・〇	一、三三二	一〇〇・〇

第百九表

ソ聯貿易の陸海路分布

	輸出貿易 海上經由貨物 數量（千瓲）	輸出貿易 海上經由貨物 價格（百万留）	輸出貿易 海上經由貨物 %	輸出貿易 陸上經由貨物 數量（千瓲）	輸出貿易 陸上經由貨物 價格（百万留）	輸出貿易 陸上經由貨物 %	輸入貿易 海上經由貨物 數量（千瓲）	輸入貿易 海上經由貨物 價格（百万留）	輸入貿易 海上經由貨物 %	輸入貿易 陸上經由貨物 數量（千瓲）	輸入貿易 陸上經由貨物 價格（百万留）	輸入貿易 陸上經由貨物 %
一九〇九―一三年平均	一八、八五一	一、一一三	七四・一	五、七三八	三八八	二五・九	六、七七五	五六三	四九・三	四、四六六	五七八	五〇・七
一九二三―二四年	五、七八三	二八九	七七・五	九五三	八三	二二・五	七八一	一七四	七四・三	一九九	五九	二五・七
一九二六・二七年	七、九九三	五七三	七一・〇	一、五七九	二三四	二九・〇	一、一〇二	四八五	六八・〇	七四五	二二八	三二・〇
一九二九年	一一、九三八	五八一	六二・九	二、二〇七	三九三	三七・一	一、二一二	五六五	六四・二	七二四	三一六	三五・九
一九三〇年	一九、〇一一	八〇四		二、四七六	二三二		一、七一七	七五〇		一、一三八	三〇九	
一九三一年	一九、一八八	六一八	七六・二	二、五九一	一九三	二三・八	二、一四六	七九三	七一・七	一、四一八	三一二	二八・三
一九三二年	一六、八八四	四一七		一、九八三	一五六		一、九一二	五六六		四〇八	一三八	
一九三三年	一七、二四一	三九一	七八・九	六七五	一〇四	二一・一	八六三	二六八	七七・二	三七四	七九	二二・九
一九三四年	一六、三四三	三二五		九九六	九三		七九八	一七八		二二七	五五	
一九三五年	一六、三八七	三一四	八五・六	八〇二	五三	一四・四	一、〇〇〇	一九八	八一・九	二五九	四四	一八・一
一九三六年	一三、五三六	一、一二二	八二・六	六六八	二三七	一七・四	九〇一	一、一一六	八二・五	二五四	二三六	一七・九
一九三七年	一二、一〇七	一、四七七	八五・五	八六一	二五二	一四・五	一、〇八八	一、一三六	八四・七	一九七	二〇五	一五・三
一九三八年												

而して残餘の二〇％は隣接西欧諸國及び近東諸國を経て輸出入され、その内容を最近につき表示せば第百十表の如くなり。

右表は明かに、ソ聯貿易貨物の輸送ルートとして黒海、バルチツク海、白海、バレンツオフ海が支配的意義を有する事実を物語るものなり。

特に、右諸地域の貨物輸送上に於て如何に重要意義を持つものなるやはソ聯主要貿易貨物の輸送を見ても充分に理解されうる。

二　主要貿易貨物別輸送ルート

(イ) 輸出貨物輸送ルート

現在ソ聯總輸出の八〇％を占める主要輸出物資は木材、石油、石炭、植物繊維たる綿花、亜麻ならびに穀物なるが、その國境輸送経路につき、新しき資料なきため、一九三五年度の指標に基き之を見れば次の如くなり。

(1) 穀物

三七三

穀物總輸出量は年々二百万—千数百万瓲に達し、一九三七年に於て總貿易額の一四・九％を占めるが、その國境別輸出経路を示せば次の如し（一九三五年）。

	数量（千瓲）	割合（％）
穀物總輸出量	一、五二〇・〇	
陸上経由	不明なり	
港湾経由	一、七八七・一	一〇〇・〇
内、バレンツオフ海、白海	三・九	〇・二
黒海	一、二九八・五	七二・六
カスピ海	〇・五	〇・〇
太平洋	六二・三	三・七
バルチツク海	三〇六・四	一七・一
アゾフ海	一一五・五	六・四

三七四

總輸出量はソ聯貿易統計、港湾経由輸出量はソ聯海運統計一九三七年版に依つて示せるものなるが、右によれば穀物輸出の壓倒的部分が港湾経由と見られ（但し總輸出量と港湾経由量と合致せざるは実際輸送と関税統計に記録されし時の輸出量との統計上の差違ならん）、その主要輸出港は黒海とバルチツク海にして、穀物輸出量の約七〇％は黒海、約二〇％はバルチツク海より輸出される。

(2) 木材

木材輸出の四分の一強を占め、その輸送経路は次の如し（一九三五年）。

	数量（千瓲）	割合（％）
木材總輸出量	六、七七四・九	一〇〇・〇
陸上経由	六七九・五	一〇・〇
海上経由	六、〇七八・七	九〇・〇
内、カラ海	九五・六	一・四
バレンツオフ海	一二六・三	一・八
白海	二、三七二・九	三五・〇
バルチツク海	三、〇〇五・六	四四・四
黒海	四六七・四	六・九
アゾフ海	—	—
カスピ海	九・八	〇・〇
太平洋	〇・一	〇・〇

三七五

木材は、その産地北方に偏すため、専ら北方ムルマンスク港及びレニングラード港を経由輸出せられ、全輸出の八〇％は此の方向のルートを経由してなさる。

(3) 石油

	数量（千瓲）	割合（％）
石油總輸出量	三、三六八・二	一〇〇・〇

三七六

	数量（千瓲）	割合（%）
陸上経由	六九七・七	二〇・七
海上経由	二、六七〇・五	七九・三
内 太平洋	〇・一	〇・〇
バルチック海	二・三	〇・〇
黒海	二、六四三・八	七八・六
アゾフ海	〇・六	〇・〇
カスピ海	二三・六	〇・七

石油はソ領南部に偏在し、カスピ海バクー方面より大部分は黒海に搬出せられ、一部は陸上経由接壌國に移出せらる。即ち陸上経由二一―海上経由八の割合にして、黒海より全石油の約八〇%移出せらる。

(4) 石炭

	数量（千瓲）	割合（%）
石炭總輸出量	二、二四八・四	一〇〇・〇
陸上経由	六一・九	四・四
海上経由	二、一八六・五	九五・六
内、白海	八・九	〇・四
バルチック海	三〇・〇	一・〇
黒海	七四二・八	三三・〇
アゾフ海	一、一六三・八	五一・七
カスピ海	―	―
太平洋	二一五・三	九・五

三七七

石炭も石油と同様、中央アジア及びウクライナに偏在し、陸上経由輸出僅少にして、專ら黒海経由輸出せられ、黒海ルートの（アゾフ海を含む）の石炭輸出に占める比重八五%弱なり。尚、太平洋方面への輸出は北樺太石炭の日本への移出を示す。

(5) 鑛石

三七八

	数量（千瓲）	割合（%）
鑛石總輸出量	九三七・四	一〇〇・〇
陸上経由	五八・八	六・八
海上経由	八七八・六	九三・二
内、カスピ海	―	―
黒海	七九一・九	八四・四
アゾフ海	七・五	〇・八
バルチック海	七四・九	七・九
白海、バレンツオフ海	〇・八	〇・一

鑛石も亦同様にして、黒海の比重圧倒的に大きく、満俺鉱、鉄鉱は此の方面より世界各國に出荷せらる。これはソ聯全生産鉄鉱の六〇%強、満俺鉱の四〇%弱はウクライナに占められし必然の結果と言ひうべし。

(6) 植物性纖維

三七九

	数量（千瓲）	割合（%）
植物性纖維総輸出量	一二一・五	一〇〇・〇
陸上経由	四一・五	三四・三
海上経由	七〇・〇	六五・七
内、白海、バレンツオフ海	三六・五	三〇・〇
バルチック海	二八・七	二三・六
黒海	四・八	三・九
太平洋	一〇・〇	八・二

植物纖維たる亜麻、棉花は中央アジアを中心として生産せられ、白、英、獨にその八〇%が仕向けられ、これらは專らムルマンスク、レニングラード港および西欧國境経由移出せらる。

(ロ) 輸入貨物輸送ルート

次に輸入貨物であるが、ソ聯輸入貨物の内機械三五%、金属二五%強、計

三八〇

六〇％を含む。而してこれら物資の輸送ルートは次の如し、

(1) 機械設備

機械設備總輸出量	数量（千瓲）	割合（％）
機械設備總輸出量	七一・七	
陸上経由		
海上経由	九九・一	一〇〇・〇
内、白海バレンツオフ海	五・七	五・七
バルチック海	七〇・〇	七〇・六
黒海	二二・九	二三・一
アゾフ海	〇・三	〇・三
カスピ海	ー	ー
太平洋	〇・三	〇・三

機械設備の八五％までは米、獨、英三國より移入せられ、これらは専ら

欧洲方向の海上を経由してソ聯に供給せらる。而して、海上ルートの内バルチック海及び黒海は圧倒的地位を占む。

(2) 金属・半製品

	金属原料	半製品	合計	割合（％）
金属・半製品輸入合計	…	…	四六九・九	一〇〇・〇
陸上経由	…	…	七二・二	一五・六
海上経由	二五五・六	一一八・八	三九七・六	八四・四
内、白海バレンツオフ海	三二・三	七・二	三九・五	八・四
バルチック海	一八八・五	七二・二	二六〇・七	五五・四
黒海	四六・九	三一・一	七八・〇	一六・六
アゾフ海	ー	ー	ー	ー
カスピ海	ー	ー	ー	ー
太平洋	一一・〇	八・二	一九・二	四・〇

金属の内特に非鉄金属及び高級鉄製品は機械と共にソ聯の現在尚、自給しえざる物資にして、鉄金属の七〇ー八〇％は米獨より、非鉄金属の九五％強は和、白、佛、英四國或はその植民地より直接間接的に移入せらる。此の傾向は欧洲動乱前まで維持せられしが、供給國がかくの如く欧洲諸國に阻止せられたる結果、金属の輸入ルートとしては専ら海上、特にバルチック海、黒海の諸港が利用せられ、その輸入に占むる比重は前者五〇ー六〇％、後者一〇ー二〇％に當り、これに次いで、北方諸港、太平洋岸諸港が重要地を占む。

三　欧洲動乱後の貿易ルートの變化

欧洲動乱後貿易狀態が具体的に知り得ない現狀に於ては、動乱後の貿易貨物輸送ルートの変化はこれを具体的に檢討し得ず、從って右の変化は、ソ聯対列國の國交関係の変化、欧洲動乱の進展に伴ひて生ぜる陸海面の混乱ならびに備

船狀態より推定しうるに過ぎぬ。而して先づ、結論より先に述べるならば、

(イ) バルチック海及び黒海の地位の低下。
(ロ) 太平洋経由海上ルートの地位の増大
(ハ) 東方諸國境経由陸上ルートの意義の増大を指摘しうべし。

その理由としては第一にソ聯対列國國交関係の変化をあげうる。既に「ソ聯對外依存性の國別分布」の項に述べし如く、欧洲動乱後ソ聯対獨伊陣営の経済的接近、英佛陣営対ソ聯の離反の傾向を露呈す。

而して、此の傾向はソ聯の通商外交の強化につれて益々促進せられ、かくて英佛対ソ聯の経済関係は断絶せり。このことは動乱直後英佛の発令せる軍需の海上輸送阻止令がソ聯物資に対して全面的に適用せられる可きことを意味する。蓋し、ソ聯の輸入を必要とせる物資は殆んど總て軍需関係の物資なればなり。のみならず、英吉利の軍需品輸送阻止は、白耳義、和蘭に対しても行はるの結果、両國のソ聯に供給しありし、その植民地原料の輸移出も亦困難化し、ソ聯への原料供給も杜絶しうべし。

第二に輸送路の直接的混乱、右は英佛対ソ聯國交関係が貿易貨物輸送上に及ぼせる間接的影響なるが、次に輸送路の直接的混乱を指摘しうべし。

欧洲動乱の結果先づ、獨逸によりてバルチック海封鎖せられ、一方スペイン及び佛蘭西等西欧より獨逸を通過せる陸路は使用不能に陥り、動乱直後に於ては黒海、白海、太平洋、及び東方諸國國境が利用せらる。然るに、伊太利の参戦（一九四〇年六月）により地中海の交通甚だしく危険となり、伊太利のギリシヤ攻撃により黒海の出口は戦場化せり。

かくて、黒海及びバルチック海は既に出口を封鎖せられた内海の如き存在となり、これに臨むバルカン及びスカンヂナビア、獨逸諸國との通商に利用しうるに過ぎぬ。

而して、欧洲海面に於ける唯一の残されたルート——白海及びバレンツオフ海も亦、対米貿易及び対スカンヂナビア貿易に利用されるとは言へ、これまた英國の地方海上封鎖の強化につれ、その安全性を喪失せり。

第三に傭船の困難化、「ソ聯商船隊輸送能力と傭船問題」の項に述べる如く

ソ聯商船隊は貿易貨物の五分の一程度しか輸送しえぬ。然るに貿易貨物輸送経路を陸海上別に見れば、海上輸送せられる貨物量は全貿易量の九〇％に及び、ソ聯は年々一千万瓲（海上経由貨物量の四分の三）に達する貿易貨物を外國船によりて輸送しあり。ソ聯の海上経由貨物輸送量の内、輸出に於て英國は一四・三％、ギリシヤ一五・七％、獨逸八・七％、諾威八・八％、伊太利七・二％、合計四〇・四％、残餘は和蘭、白耳義、土耳古船によりて輸送せられ、一方輸入貨物のそれは英吉利三〇・六％、諾威四・一％、ギリシヤ一・五％なり（三五年）。右よりして、ソ聯の貿易貨物特に輸出貨物輸送に交戦國の演ずる役割の極めて大なることを知りうべし。從つて、輸入貨物輸送に於ては大体外國船を利用し、最近の貿易量程度の輸送可能と見られるも、輸出に於ては貿易貨物の四分の一弱の輸送が交戦國船利用不能に起因して輸送困難となり、外貨獲得のための輸出貿易は大きい影響を蒙る。

以上の貿易貨物輸送上の障害に起因し、バルチック海、黒海、ムルマンスク港等は従来の主要貿易ルートたるの地位より転落その沿岸諸國との貿易ルートと

しての役割を果すに過ぎないことゝなれり。

これと関聯し、イラン、アフガニスタン及び土耳古國境ルート及び太平洋の海上ルートの比重増大するは必至なりと断定しうべし。

第五章　ソ聯商船隊の輸送力と傭船問題

第一節　貿易貨物輸送に於ける海運の役割

ソ聯貿易貨物輸送に海運が如何なる意義を有するかは、その國境の四分の三が海洋に囲繞され、(a)貿易相手國が専ら海洋を隔てたる諸國或は貿易貨物の海上経由輸送を有利とする國によりて占められ、(b)貨物の大部分が大量或は重量貨物なる点、ならびに(c)貿易貨物の九〇％迄が海路経由輸出入されてゐる点によりて明らかなり。

(a)の説明　ソ聯貿易を國別に見れば、輸出入總量に占める欧洲およびアジア接壤國の割合は第百十一表の如くなり。

ソ聯貿易量に占める接壤國の比重は近年増加傾向にありとは言へ一二％内外

に過ぎず、残餘の八八％近くは總て海洋を隔てたる諸國、或は貿易貨物の海路輸送を有利とする國に占めらる。

(b)の説明　更に貿易貨物の内容を見るに、輸出は農産物より工業製品へ、輸入は原料・半製品より完製品への質的変化を示しつゝありと雖も、常にその七〇―七五％は運賃低廉、大量輸送可能なる船舶の利用を有利とする重量或は大量貨物なり。即ち、第百十二表の如し。

右比重は金額を以て算定せるが、数量を以てせば更に大となり八〇―九〇％を占む。

(c)の説明　而してソ聯貿易貨物の陸海路別輸送状況を見るに貿易の最盛たりし一九三一年度に於ける海上経由貨物輸送量は總貿易量の八四％、内輸出八八％、輸入六〇％、最近に於ては更に増大し、三五年九四％、三七年九二％(以上量)・三八年八五・八％なり。即ち、海上経由貨物輸送が圧倒的部分を占め、而もその比重は増加傾向にあり。これを具体的に表示せば第百十三表の如し。

之を要するに、ソ聯の海上運輸は貿易の補助機関として重要の役割を果しつ

第百十一表

ソ聯對接壤國貿易

	輸出		輸入		合計	
	数量	%	数量	%	数量	%
一九三一年	一、六四七・五 千瓲	七・五	一、一二〇・七 千瓲	三一・四	一、七六八・二 千瓲	六・九
一九三六年	一、〇一九・八	七・二	三〇〇・一	二五・九	一、三一九・九	八・五
一九三七年	一、四一〇・四	一〇・九	二二九・八	一七・九	一、六四〇・二	一一・五
一九三八年	一、〇四六・二	一〇・八	二三一・三	二〇・五	一、二七七・五	一一・八

（註）　接壤國とは芬蘭・ラトヴィア・エストニア、波蘭・チエッコ・ルーマニア、土耳古、イラン、イラク、アフガニスタン、新疆・蒙古、トウワを指す、

第百十二表　ソ聯貿易の品目別構成　（%）

	一九〇九―一三年	一九三一年	一九三八年
輸出			
木材	二一・一	一六・四	二一・二
石油	五・一	一五・一	七・九
毛皮	一一・六	七・四	九・九
亜麻	六・四	三・三	一・九
鉱石	―	一・七	二・三
穀物	二二・四	一九・九	二一・九
金属	二・五	一・〇	一・七
石炭	〇・〇	―	〇・九
棉花	〇・〇	五・二	五・三
計	六九・一	七〇・〇	七三・六
輸入			
機械	一四・九	四七・二	三四・八
金属	三・四	二五・三	二五・四
羊毛	四・六	二・九	五・三
棉花	九・五	三・六	二・二
生畜	〇・二	二・三	三・七
皮革	三・〇	一・二	二・三
黄麻	〇・九	〇・四	一・五
魚類	〇・三	〇・三	〇・二
計	三五・八	八三・二	七五・四

第百十三表　海陸別貿易分布　（%）

	ソ聯の輸出				ソ聯への輸入				輸出入合計			
	海上経由		陸上経由		海上経由		陸上経由		海上経由		陸上経由	
	数量	金額	数量	金額	数量	金額	数量	金額	数量	金額	数量	金額
一九二六年	八四・四	六二・九	一五・六	三七・一	六二・六	六四・一	三七・四	三五・九	八一・八	五七・九	一三・二	四三・一
一九三一年	八八・二	九六・二	一一・九	二三・八	六〇・二	七一・七	三九・八	二八・三	八四・二	七三・六	一五・八	二六・四
一九三三年	九六・二	七八・九	三・八	二一・一	六九・七	七七・一	三〇・三	三二・九	九四・五	七八・二	五・五	二一・八
一九三五年	九五・三	八五・六	四・七	一四・四	七九・四	八一・九	二〇・六	一八・一	九四・二	八四・二	五・八	一五・九
一九三六年	九五・三	八二・六	四・七	一七・四	七八・〇	八二・五	二二・〇	一七・五	八七・五	八二・五	一二・五	一七・五
一九三七年	九三・三	八五・五	六・七	一四・五	八四・六	八二・七	一五・四	一五・四	九二・六	八五・一	七・四	一四・九
一九三八年	―	八二・七	―	一七・三	―	八八・九	―	一一・一	―	八五・八	―	一四・二

つあり。その停止はソ聯貿易の大半を消滅せしむるものなりと言ひう可し。

三九一

三九二

第二節　ソ聯商船隊の貿易貨物輸送状態

一　ソヴエート商船隊

海運が國際貿易の幇助機関として不可缺な役割を演じうべきは右の指標により明らかなり。然らば、ソ聯海運の現勢は如何？　ソ聯の船舶所有数およびその構成に関する資料は殆んど発表されず、これを完全に知ること不可能なるも、ロイド船名録、日本郵船およびソ聯水運局発表資料を綜合せば、第百十四表の如し。

船舶所有数は一九三〇年頃を底として可成り急テンポに増加し、一九三八年度六八〇隻、一、二七二・九千噸、一九三九年度六九八隻、総噸数一、三〇五・九千噸隻数に於て戦前の水準に達せざるも、総噸数に於ては追越してゐる。

而して、最近三ヶ年に於けるソ聯所有船舶を主要海運國のそれと対比せば、

第百十四表　ソ聯船舶所有量

	英國海運統計(1) 隻数	英國海運統計(1) 総噸数	ロイド船名録(2) 隻数	ロイド船名録(2) 総噸数	ソ聯海運統計(3) 隻数	ソ聯海運統計(3) 総噸数	日本郵船調査(4) 隻数	日本郵船調査(4) 総噸数
		千噸		千噸		千噸		千噸
一九一四年	一、二五四	一、〇五三・八	七四七	八五一・九	―	―		
一九二九年	三七九	四四〇・五	―	―	二三三	三六二・六		
一九三〇年	三四七	五三二・〇	三七三	四三七・〇	二八〇	五二九・五		
一九三一年	三八六	六〇三・八	三四四	五二九・〇	三〇一	六〇七・六		
一九三二年	四四九	六八五・一	三八三	六〇一・〇	三四〇	七七二・六		
一九三三年	四四三	八四三・二	四四六	六八二・〇	三五三	八六七・五		
一九三四年	四九一	九四二・三	四八九	九三九・〇	三七〇	九九三・九		
一九三五年	五七七	一、一一三・八	五七五	一、一一〇・八	―	―	五七五	一、一一〇・八
一九三六年	六五一	一、二一七・九	六四九	一、二一四・九	六二五	一、二一九・二	六四九	一、二一四・九
一九三七年							六六七	一、二五三・八
一九三八年							六八〇	一、二七二・九
一九三九年							△六九八	一、三〇五・九

（註）(1) 各年度六月末現在、総噸数百噸以上の汽船、機船および帆船．
(2) 〃　帆船を含まず、百噸以上の海上河川用汽機船．
(3) 各年度末現在、海上汽機船、総噸数は純積載量を以て示す．
△印＝概数

第百十五表　ソ聯海上汽船及び内燃機船(1)

	船舶総数		汽船		内燃機船	
	隻数	総噸数	隻数	総噸数	隻数	総噸数
一九二九年	二三三	三六二・六千噸	一九八	三〇七・六千噸	三五	五五・〇千噸
一九三〇年	二八〇	五二九・五	二二四	三八五・八	五六	一四三・七
一九三一年	三〇一	六〇七・六	二三二	四一五・〇	六九	一九二・六
一九三二年	三四〇	七七二・六	二五七	五一四・八	八三	二五七・八
一九三三年	三五二	八六七・五	二五八	五三七・三	九四	三三〇・二
一九三四年	三七〇	九九三・六	二六八	五九〇・八	一〇四	四〇三・一
一九三五年	五七五	一、一一〇・八	四五九	七九四・七	一一六	三一六・一
一九三六年	六四九	一、二一四・九	五三三	八九七・一	一一六	三一七・八
	(六二五)	(一、二一九・三)	(四九〇)	(八五九・二)	(一三八)	(三五三・三)
一九三七年	六六七	一、二五三・八	五四六	九二六・八	一二一	三二七・五
一九三八年	六八〇	一、二七二・九	五五四	九四二・八	一二六	三三〇・一
一九三九年	六九八	一、三〇五・九	五七八	九三四・六(3)	一二〇	三七一・三(3)

(註)(1) 何れも帆船を含まず、一〇〇噸以上の船舶(油槽船をも含む)、
(2) 括弧内はソ聯側発表、
(3) 一九三九年に於ては日本海事年鑑昭和十四、十五年版一九四頁にモーター船一二〇隻九三四六千噸とあるも噸数は汽船の間違ひならん。
尚、一九三五年及びそれ以降の数字は海事年鑑、それ以前はソ聯海運統計によるものにして、後者の総噸数は純積載噸数なり。

総噸数に於て日本の七分の一、英國の十五分の一、獨逸の六分の一程度に過ぎず、世界に於けるソ聯の地位はギリシヤに次いで第十一位、比重一・九%に當れり。

次いで、右船舶を海上汽船、および機船別に見るならば、一九二九年には總隻数の一四%、總噸数の一五%は之を内燃機船に占められしも、爾後汽船の比重低下、機船のそれの上昇傾向を示し、最近内燃機船は總所有数の二八%、總噸数の四〇%を占め(三四年)、三七年六月現在一七・二%および二〇・八%を占めたり。即ち実数を汽機船別に表示せば第百十五表の如し。

而して、右船舶總数の内、油槽船は一千噸以上のもの、

	隻数	噸数(千噸)
一九三六年	二一	一一〇・九
一九三七年	二四	一一九・三
一九三八年	二七	一二三・二

一九三九年	二八	一三二・八

(註) ロイド船名錄による。

と見らる。

尚、ソ聯商船隊の年齢別、船型別構成は資料なきため明示し得ざるも、速力の点に於て時速一二浬以上の汽機船六〇隻(三六年)全所有噸数の一四・七%(日本二九・九%)に當り、而も時速二〇浬以上の優秀船は存在せず(ロイド船名錄)。

右は明らかに、ソ聯商船隊の主要海運國に比して著しく劣り、而も海上船舶に優秀船の缺如せる事実を物語るものなり。而して、かゝる海運の基本的勢力の後進性は専ら造船業の未発達に起因するものにして(これについては後述す)、商船隊擴充は輸入に俟つの現状なり。試みに、ソ聯船舶輸入状況を伺ふに、一九三〇―三七年計一二〇隻、一方同期間に於ける商船隊増加数は三八七隻(帆船を除く)にして、増加数の三分の一は輸入船に依るものなりと言ふ可し。又、

右新造船および輸入船を控除せば残餘の約二三〇隻——三分の一は年齢十年以上の船舶なりと推定し得。

之を要するに、ソ聯商船隊は總噸数に於て戰前の水準を二〇%方上廻れるも、世界總船舶の一・九%程度、日本の七分の一、英國の一五分の一を占むるに過ぎず、而も年齢古くして、優秀船に缺け、その補充は専ら輸入に依存しありと言ふ可し。

二　ソ聯商船隊の運用状態

然らば、ソ聯商船隊の幾割が外國貿易貨物の輸送に動員されつゝありや。三五年度以降は全然之に関する資料を有せず、その判定は困難なる故、三四年度ソ聯海運統計発表の諸指標と、その後の商船隊増加テムポとを対照せしめつゝ、概略的に考察せん。先づ、商船隊輸送力を貨物船、客船、油槽船別、ならびにその近海、遠洋および外國航路別分布を見れば第百十六表の如し。

三九五

第百十六表

商船隊輸送能力（一九三四年度）

	単位	貨物船 全船舶	貨物船 近海航路	貨物船 遠洋航路	貨物船 外國航路	客船 全船舶	油槽船 全船舶	油槽船 近海航路	油槽船 遠洋航路	油槽船 外國航路
総輸送量	千瓲	七、二〇八・四	四、二四三・九	二三・九	二、八七一		一四、四七八・五	一三、九一八・六	一八七・一	二八三・四
瓲當り走行哩	哩	六五六	四〇二	八、九三三	一、九七一		四五六	三一一	四、九八二	四、一六四
実輸送量	百万瓲哩	七、六三一・二	一、七一〇・九	二一三・七	五、六五九・七	二五・二(1)	六、四〇四・三	四、四七四・五	九三一・三	一、一七五・七
積載力利用率	%	五〇・〇	四九・〇	八〇・〇	五〇・〇	八四・〇	五一・〇	五一・〇	五三・〇	五一・〇
年平均作業率	%	三七・七	三五・三	四五・九	四六・三	三七・七	七〇・六	六七・四	八七・五	七六・八
全輸送力	百万瓲哩	六三、七八四・六	九、八九一・二	五八一・九	二四、六七〇・四	九、九九六・五	一七、八四一・〇(2)	一三、六三二	二、〇一〇	三、〇〇一

（註）(1) 旅客輸送量は水運統計一九三六年版九六—九七頁より算出。但し一人當り平均重量を六〇瓩とす。

(2) 資料は右海運統計一〇三頁。油槽船輸送力は航路別に見る場合、その最大輸送力合計より八〇三百万瓲哩だけ小なるも、之は計算技術上の差と見らる。

右は、各航路の貨物船、客船、ならびに油槽船のフルに運用されし場合の夫々の最大限輸送能力を示すものなるが、これを綜合し、貨物船、客船および油槽船の輸送力、その海上運輸に占める比重並に輸送力利用率を表示せば第百十七表の如し。

右は一九三四年度の状態にして、客船の比重可成り大なるも、これは客船中に油槽船および貨物船以外の雑船の輸送力の含まれるためならん。何れにせよ、右表よりして、ソ聯商船隊の構成は貨物船五五・一%、客船一五・七%、油槽船二九・二%にして、内、外國航路に貨物船の二五・三%、油槽船の一六・一%が就航しあるものと推定しうる。

尚、最近の配船状況は、前にも述べし如く、資料なきため全然不明なるも、右の配船率が大体に変化なきものと假定し、之と商船隊の補充テムポを対照せしめるならば、船腹配分状況は概略第百十八表の如きものと推知しうる。

右表は推定数字を示せるものなるが、ソ聯は外國航路に貨物船約五〇万噸、油槽船六万噸程度を配し、外國貿易貨物の輸送に従事しあるものと見うる。

三九六

第百十八表　一九三四年ソ聯海上船舶輸送力分布

	最大輸送力（A） 輸送力	最大輸送力（A） 輸送力分布	最大輸送力（A） 航路別分布	実際輸送量（E） 輸送力	実際輸送量（E） 航路別分布	輸送力の利用率（E對A）
合計	六三、七八四・六	一〇〇・〇				
内貨物船	三五、一四三・五	五五・一	一〇〇・〇	七、六三二・二	一〇〇・〇	二一・七
沿岸航路	九、八九一・二	一五・五	二五・三	一、七一〇・九	二二・四	一七・三
遠洋航路	五八一・九	〇・九	四・五	二一三・七	二・八	三六・七
外國航路	二四、六七〇・四	三八・七	七〇・二	五、六五九・七	七四・八	二二・九
客船	九、九六六・五	一五・六				
油槽船	一八、六四四・六	二九・二	一〇〇・〇	六、六〇四・三	一〇〇・〇	三五・四
沿岸航路	一三、六三二・六	二一・三	七三・一	四、四七四・五	六七・八	三二・八
遠洋航路	二、〇一〇・三	三・二	一〇・八	九二二・三	一四・四	四六・三
外國航路	三、〇〇一・七	四・七	一六・一	一、一七五・七	一七・八	三九・一

第百十八表　ソ聯海上船腹配分実数　（單位　総噸数　千噸）

	一九三四年	一九三五年	一九三六年	一九三七年	一九三八年	一九三九年
総噸数	九三九・〇	一、一一〇・八	一、二一四・九	一、二五三・八	一、二七二・九	一、三〇五・九
内貨物船	五〇六・四	六一二・一	六六九・五	六八九・八	七〇一・四	七一九・五
沿岸航路	一二八・一	一五四・八	一六九・四	一七四・五	一七七・一	一八二・〇
遠洋航路	一二・八	二七・五	三〇・一	三一・〇	三一・六	三二・四
外國航路	三六五・五	四二九・七	四六九・九	四八三・三	四九二・四	五〇五・一
油槽船	二七四・二	三二四・四	三五四・七	三六六・一	三七一・七	三八一・三
沿岸航路	二〇〇・四	二三七・一	二五九・二	二六七・六	二七一・七	二七八・七
遠洋航路	二一・六	三五・〇	三八・三	三九・五	四〇・一	三〇・九
外國航路	四四・〇	五二・二	五七・一	五八・九	五九・八	六一・三
客船	一五八・四	一七三・四	一八八・七	一七六・九	一六九・九	二〇五・〇

第百十九表　ソ聯海上船舶による貨物輸送量　（單位　千瓲）

	総輸送量	内沿岸航路	遠洋航路	輸出	輸入	外國港間
一九二九年	八、八三九・〇	七、三五三・〇	一一九・〇	七四〇・〇	五一八・〇	一〇五・〇
一九三〇年	一一、二六三・九	九、六一五・二	一四三・三	九〇三・二	七四六・〇	:
一九三一年	一四、六二七・〇	一二、二八三・〇	二三一・〇	八七六・〇	七七一・〇	八四・〇
一九三二年	一四、八二八・二	一二、九二六・六	三八〇・四	八七四・〇	七六九・〇	:
一九三三年	一五、八六五・〇	一二、九五〇・〇	二六四・〇	一、七六〇・〇	七六八・〇	八七・〇
一九三四年	二二、一八五・〇	一八、五二〇・〇	二二八・〇	二、六七九・〇	六五二・〇	一〇三・〇
一九三五年	二六、一〇二・〇	一九、八一二・〇	一二二・〇	三、八三四・〇	七三九・〇	六〇三・〇
一九三六年	三〇、七〇一・〇	二二、六四三・〇	四六・〇	四、三五六・〇	八六五・〇	六九八・〇
一九三七年	三五、四六六・〇	二六、五八三・〇	二・七	五、六一〇・〇	七四〇・〇	六五〇・〇

三　商船隊の海上貨物輸送

前述せるところよりして、商船隊の約五五％が貨物船、約三〇％が油槽船、その内沿岸航路に前者約一六％および後者約二一％、合計三七％（之に沿岸航路へ就航せる客船一六％を加算せば約五三％——ソ聯側発表の断片的資料は一九三六年約六〇％弱）が従事、遠洋航路約四％弱、最後に外國航路に貨物船の七〇・二％（全商船隊の約四〇％弱）油槽船の一六％（全商船隊の五％）計四五％弱が従事し、その外國航路への就航噸数約五六万噸なることが明らかなり。

然らば、実際に之等船舶は各航路に於て幾何の貨物を輸送しあるや。ソ聯全商船隊の活動状況を見るに、その總輸送量は一九二九年八八三万瓲より年々加速度に増加、一九三四年二、二一八万瓲と三倍に、一九三七年度三、五四六万噸と約四倍に増加し、その内容は第百十九表の如くなり。

而して、ソ聯船による海上輸送に占める貿易貨物の割合は一九三一年の一一・

一%より漸増し、近年一七―一八%を占む。

四　自國船による貿易貨物輸送

ソ聯船による貿易貨物輸送は量的にも貨的にも漸次増加傾向にあり。これソ聯の自國貨自國船政策の結果と見る可く、貿易貨物輸送状量を輸出入別に全貿易量および海上経由輸送量と対比し、量的に見れば第百二十表の如くにして、ソ聯船の貿易貨物輸送量は一九二九年度一、二五八千瓲（内輸出七四〇千瓲、五一八千瓲）より三六年度四倍増、五、二二一千瓲（内輸出四、三五六千瓲、輸入八六五千瓲）に達せり。

海上経由貿易貨物の自國船積および外國船積割合は、貿易の最も盛んなりし一九三一年度を頂天として前者の側に増大し、一九三六年度に至りては既に海上経由輸出の三三・一%、同輸入の七三%、即ち海上経由貿易量の三六・一%は自國船によりて輸送されつゝあり（第百二十一表）。

第百二十表

自國船による貿易貨物輸送量　（單位千瓲）

	輸出貿易			輸入貿易			総貿易		
	総量	内海上経由	自國船積	総量	内海上経由	自國船積	総量	内海上経由	自國船積
一九二九年	一四、一四五・〇	一一、九三七・六	七四〇・〇	一、九三六・七	一、二一二・二	五一八・〇	一六、〇八一・七	一三、一四九・八	一、二五八・〇
一九三〇年	二一、四八六・四	一九、〇一〇・八	九〇三・三	二、八五五・九	一、七一七・六	七四六・〇	二四、三四二・三	二〇、九二八・四	一、六四九・三
一九三一年	二一、七七八・九	一九、一八八・二	八七六・〇	三、五六四・四	三、一四六・三	七七一・〇	二五、三四三・三	二一、三三四・四	一、六四七・〇
一九三二年	一七、九六七・九	一六、八八四・六	八七四・〇	三、三二一・一	一、九一三・四	七六九・〇	二〇、二九〇・〇	一八、七九七・〇	一、六四三・〇
一九三三年	一七、九一六・三	一七、二四一・〇	一、七六〇・〇	一、三三六・一	八六二・六	七六八・〇	一九、一五二・四	一八、一〇三・六	二、五二八・〇
一九三四年	一七、三四〇・二	一六、三四三・九	二、六七九・〇	一、〇二五・二	七九八・一	六八二・〇	一八、三六五・四	一七、一四二・〇	三、三六一・〇
一九三五年	一七、一九〇・四	一六、三八七・六	三、八三四・九	一、二五九・一	一、〇〇〇・一	七一五・〇	一八、四四九・五	一七、三八七・〇	四、五六〇・三
一九三六年	一四、二〇四・〇	一三、五三六・五	四、三五六・〇	一、一五五・三	九〇一・四	八六五・〇	一五、三五九・三	一四、四三八・〇	五、二二一・〇
一九三七年	一二、六六九・四	一二、一〇七・四	△五、六一〇・〇	一、二八五・八	一、〇八八・三	七四〇・〇	一四、二五五・二	一三、一九五・七	△六、三五〇・〇

（註）△印＝計画、貿易統計、海運統計、ソ聯事情八巻二号

第百三十一表　海上経由貿易における外國船及び自國船（%）

	輸出		輸入		全海上貿易	
	自國船	外國船	自國船	外國船	自國船	外國船
一九一三年	七・七	九二・三	一五・九	八四・一	九・八	九〇・二
一九二九年	七・四	九二・六	四一・二	五八・八	一〇・三	八九・七
一九三〇年	四・七	九五・三	四四・三	五五・七	八・〇	九二・〇
一九三一年	四・一	九五・八	三五・二	六四・八	七・二	九二・八
一九三二年	五・一	九四・九	四一・六	五八・四	八・八	九一・二
一九三三年	一〇・四	八九・六	八八・六	一一・四	一四・一	八五・九
一九三四年	一六・六	八三・四	八二・九	一七・一	一九・八	八〇・五
一九三五年	二四・三	七五・七	六七・四	三二・六	二六・七	七三・三
一九三六年	三三・一	六六・九	七三・〇	二七・〇	三六・一	六三・九
一九三七年						

然し乍ら、最近年貿易貨物の自國船積割合が一九一三年乃至二九年に比し二倍近く増加せりとは言へ、海上經由貿易總量に占める自國船積割合は三五年度二六・九%、三六年度三六%程度にして、残餘の七〇ー六〇%は依然外國船によりて輸送されつゝあり。即ち、現在に於ても尚、ソ聯の海上貿易貨物輸送に占める内外船利用率は三対七ー四対六にして、日本或は英國の如き先進海運國と全く逆の比率を示しつゝあり。

即ち、ソ聯海運は貿易貨物輸送の点に於て甚だしく外國海運業に依存しありと言ひうる。

かくて、貿易貨物輸送の現態よりして、「現在、ソ聯商船隊の四五%、約二分の一が貿易貨物輸送に従事し、貿易高の三四%程度、海上経由貿易貨物の五分の一程度しか輸送しえず、貿易貨物輸送に於て外國海運に依存しあり」と言ひうべし。

第三節　傭船問題

然らばソ聯海上貿易に外國船は如何に活動しつゝありや。貿易上の傭船問題に觸れる前に、ソ聯海運全体に於ける外國船の意義につき之を見ん。

一　海上運輸に於ける外國船

ソ聯海運の貿易貨物輸送に於て外國船に依存せる事実は既述の如くなるも、単にそれのみならず、沿岸及び遠洋航海に於ける國内配給物資の輸送に於ても亦外國海運業に依存しあり。試みに三六年版ソ聯海運統計につき海上運輸に於ける内外船の活動状況を見ん。

第百二十二表によれば、ソ聯海上總輸送量に占める外國船の比重は一九二九年ー三一年頃六〇%、近年低下の傾向にありとは言へ、尚四〇%に當り、実数

第百二十二表　ソ聯海上貨物輸送量と内外船　（單位 千瓲）

	一九二九年	一九三一年	一九三三年	一九三四年	一九三五年
海上総輸送量	二三、四一三	三六、九〇三	三三、一〇二	三八、七五二	四〇、六三八
自國船積	八、八三九	一四、六二七	一五、八六八	二二、一八五	二三、五三五
外國船積	一四、六七四	二二、二七六	一七、二三四	一六、五六七	一七、一〇三
%	六二・五	六〇・四	五二・一	四五・八	四二・一
内 沿岸航路	八、七三七	一三、六四四	一四、八九一	二〇、四四三	二二、八四四
自國船積	七、三五三	一二、二八三	一二、九五一	一八、五二〇	二〇、〇五七
外國船積	一、五八四	一、三六一	一、九四〇	一、九二三	二、七八七
%	一七・七	一〇・〇	一三・〇	九・四	一二・二
遠洋航路	二九八	三三四	六四六	一、三五九	八六〇
自國船積	一一九	二三一	二六四	二二八	一二二
外國船積	一七九	一〇三	三八二	一、一三一	七三八
%	六〇・〇	三〇・九	五九・〇	八三・〇	八五・八
外國航路	一四、三七八	二、九二五	一七、五六二	一六、九五〇	一六、四三四
自國船積	一、二五八	一、六四七	二、五二八	三、三三一	五、二二一
外國船積	一三、〇二〇	一、二七八	一五、〇二四	一三、六一九	一一、二一三
%	九一・二	九二・九	八五・七	八〇・四	△ 六八・一

（註）　%は各航路に於ける外國船の利用割合。
△印は前表の比重と異なるも資料の関係上そのまゝとす。

に於て千数百万瓲の貨物は外國船により輸送さる。

更に右の内容を見るに、大部分の外國船は貿易貨物の輸送に動員されつゝありとは言へ、沿岸航路および外國航路の自國貨輸送にも外國船参加し、その比重は前者に於て約一〇%、後者に於て約八〇%を占む。これ、「ソ聯商船隊の輸送力を以てしては國内輸送にさへ外國海運を必要とせる」事実を示すものなり。

尚、外國船の貿易貨物輸送の実態につきては、　頁および　頁の表によりても明らかなる所にして、三六年度海上経由輸出中九百万瓲、同輸入三万瓲、計九百数十万瓲は外國船によりて輸送せられ、相対的にも絶対的にも減退の傾向を示しつゝあるも、現在尚、貿易貨物の五分の三は外國船により輸送されつゝあり。

四〇一

二　ソ聯傭船の現態

叙上の如く、ソ聯は年々千数百万瓲の貨物を外國船に依りて輸送されつゝあり。海上輸送に於ける傭船の意義は可成り重要なり。而して、最近年の傭船状況は如何と言ふに、之は第百二十三表により大要を窺知しうる。

傭船瓲数は一九三一年度の千六百万瓲より減少の一途を辿り、三五年八百万瓲、三六年五百万瓲にして、第一次五ケ年計画実施以来一九三四年末に至る傭船料支拂額は合計四千八百九十万磅、九億六千二百万留（外國貿易誌三七年九一一〇号）に及び、最近年に於て年一千万留、此の額は日本の傭船料の二倍なり。尚、ソ聯傭船瓲数は前表の外國船による輸送量と大きい開きを有するも、これは前者がソ聯港湾渡しによる外國船積み貿易貨物を含まざるためなり。

因みにソ聯港湾渡し契約による非チヤーター外國船のソ聯貨物輸送量は、年年七—八百万瓲に及び、而も増加傾向にあり。その実数および、海上経由外國

四〇二

第百二十三表

傭船量及び傭船料

	航海回数	傭船噸数（千噸）	傭船料（百万留）
一九三一年	四、〇四五	一六、〇二〇・五	二八・八
一九三二年	三、四五四	一二、〇八九・八	一七・五
一九三三年	三、〇〇一	一一、〇一〇・〇	一六・三
一九三四年	二、四三七	九、二五三・三	一四・五
一九三五年	二、二七二	八、四五六・〇	一三・九
一九三六年	一、四六七	五、五七二・〇	九・〇

（註） 水運誌三七年版一一号．

第百二十四表

非傭船外國船の輸送量 （千噸）

	非傭船外國船積(1)	海上経由貿易貨物	%
一九二九年	七、六七九	一三、一四九・八	
一九三〇年	九、一七六	二〇、九二八・四	
一九三一年	六、二五六	二一、三三四・四	
一九三二年	七、四四〇	二八、七九七・〇	
一九三三年	五、二二四	一八、一〇三・六	
一九三四年	七、三一四	一七、一四二・〇	四二・六
一九三五年	八、六四七	一七、三八七・〇	四八・一
一九三六年	不明		

（註） (1) 外國船積輸送量より傭船輸送量を控除せるものなり．

第百二十五表

一九三二－三五年海上経由貿易に於ける各國船輸送量 （単位 千噸）

	輸出貿易 量（千噸）	輸出貿易 %	輸入貿易 量（千噸）	輸入貿易 %	総貿易 量（千噸）	総貿易 %
海上経由合計	六五、八九六	一〇〇・〇	四、六八一	一〇〇・〇	七〇、五七七	一〇〇・〇
ソ聯	九、一五二		二、九五七		一二、一〇九	
英國	八、三二一		五一九		八、八四〇	
白耳義	八九一		一		八九一	
独逸	八、〇〇〇		三三五		八、三三五	
和蘭	一、八三八		二七		一、八六五	
ギリシヤ	九、四六五		三〇		九、四九五	
丁抹	二、七〇九		一〇九		二、八一八	
伊太利	八、三四三		一六		八、三五九	
諾威	七、九五五		二二九		八、一八四	
米國	七九		五五		一三四	
土耳古	四七一		一		四七二	
芬蘭	一、二二七		一二六		一、三五三	
佛蘭西	一、八六三		六		一、八六九	
瑞典	二、五二二		二七		二、五四九	
日本	一、四七七		三八		一、五一五	
その他	二、七六一		九〇		二、八五一	

貿易輸送に占める割合を示すならば第百二十四表の如くなり。

即ち、ソ聯は最近に於て尚、海上経由貿易貨物の七〇%、千数百万瓲を外國船にて輸送し、内二分の一程度を傭船により、残餘をその他の外國船により輸送する現状にして、貿易貨物の輸送に於てソ聯の外國への依存性著しく大なりと断定し得。

三　貿易貨物輸送に於ける各國の意義

然らば、ソ聯貿易貨物輸送に各國は如何に参加しつゝあるや。此れに就いては新しき資料全くなく、一九三二―三五年の四ケ年の状態のみ窺知しうるに過ぎぬ。

今、ソ聯海運統計よりして、海上経由貿易に於ける各國船舶の参加状況を右四ケ年間につき之を見るならば第百二十五表の如くなり。

右表は一九三二―三五年間に於ける外國船のソ聯貿易貨物輸送状態を示すもの

四〇三

のにして、

(イ) 海上輸出貨物の輸送に最も大きい役割を演じたるは獨伊(海上経由輸出貨物の二一・八%)、英佛(一五・四%)、スカンヂナビアおよびバルト諸國(二五・一%)、これに次いで土耳古およびギリシヤ(一五%)、日本(二・二%)なり。

(ロ) 他面輸入貿易に於て重要なるは、英國(海上経由輸入貨物の一〇・九%)、獨伊(同一一・九%)、これに次ぎ、スカンヂナビアおよびバルト諸國(一〇・八%)、ギリシヤ(〇・六%)、日本(〇・八%)なり。

(ハ) 而して、海上貿易全体より見るならば、ソ聯は外國貿易貨物輸送に於て、ギリシヤ(全海上経由貿易量の一三・四%)、伊太利(一一・九%)、諾威(一一・五%)、獨逸(九%)、英國(五・四%)、瑞典(三・六%)に最も多く依存し、之等欧洲諸國はソ聯海上経由貨物の五四・八%、総貿易高の約五〇%を輸送しつゝある。

四〇四

第四節　ソ聯海運不振の原因

以上、平時に於けるソ聯商船隊の構成、その活動状況、貿易貨物輸送の実態ならびに傭船問題につき通観せるが、之を要するに

(イ) ソ聯商船隊の現有量は日本の七分の一程度――一、三〇五・九千瓲、六八〇隻

(ロ) 内、沿岸航路に約一六%の貨物船、同率の客船、三〇%の油槽船、計約五〇%を配船。

(ハ) 遠洋航路に二〇分の一の船腹を配備。

(ニ) 残餘の部分――四〇数%(総噸数は貨物船五〇五・一千噸、油槽船六一・三千噸を配分し(三九年)

(ホ) 海上経由貨物輸出量の三分の一――四百万瓲強

輸入量の五分の三――八―九十万瓲

貿易量の三分の一強――五百万瓲程度を輸送

四〇五

(ヘ) 残餘の部分たる三分の二程度は外國船に依存しつゝ貿易貨物を輸送し、

(ト) 就中、欧洲諸國の商船に高度に依存しありと言ひうる。

而して、かゝるソ聯商船業の対外依存の高度なること、換言せば、海運不振の原因は大要次の如く説明するを得べし。

(イ) 造船業の不振　「ソ聯水運に於ける海上および河川船隊の研究」(満鉄研究資料十五年八月版)によれば、第一次五ケ年計画期海洋船造船実績八二二隻――二五万噸、第二次五ケ年計画期運送船三一九隻――一七三万噸(河川および水上用を含む)とあるも、「水運管下の工場は修理に追はれて造船の餘裕は工場能力の一五%に過ぎず、大部分が重工業に依存し、一方重工業工場の造船実績も甚だしく不振を極む」(同上資料)現状なり。

而して、造船業の不振は商船隊拡充を専ら輸入によらしめてゐる状態なり。

(ロ) 右に起因する船腹の不足　商船隊の大半(約六〇%)は沿岸航路の貨客輸送に動員され、年々増加する石油、石炭、鑛石等の工業製品および原料、穀物、魚類、砂糖等の生活必需品輸送に従事しあるも、商船隊拡充テムポは

四〇六

貨物輸送量の増加テムポに追随しえず（一九二九年を一〇〇とせば、増加テムポは三五年に於て船舶二五三、河岸航路貨物二五五）、河岸の國内物資配給に外國船の傭船さへ必要とする（傭船問題の項参照）現状にして、而も尚、年々輸送計画は未遂行なり。

（ハ）ソ聯貿易の季節性　ソ聯貿易港はムルマンスクを除き冬季に大部分が結氷し、冬季輸送は停頓、晩春より夏季にかけて大量出荷を見る。かくて一時に多量の船腹需要を召来す。而して、之等需要を充足するに多数船腹を待機せしめるため船腹の運用率を甚だしく低下せしめる。沿岸及び遠洋航路につきても同様なり。

（ニ）輸出入数量の著しき不均衡　海上貿易貨物輸出量は輸入量の十倍に達する。從つて輸出量に相當する積載能力ある船腹を外國航路に配分するならば、必然的に、往路に満載せる貨物は復路大半は空荷にて帰航せざるを得ず。就中、ソ聯商船隊の質的劣勢は世界傭船市場に於ける商船國との競爭困難にして、かくて、著しく船隊の利用率を低下せしめるなり。

四〇七

以上は、ソ聯海上運輸の対外依存を必要とする主因なり。

四〇八

調査擔當者

平　館　利　雄

第五編　政　治　組　織

目次

一

二

三

要旨

第一 ソ聯政治組織の特質

ソ聯邦の政治は政務執行機関としての國家と政治指導力としての共産党と世界政策の推進力としてのコミンテルンの三位一体的結合関係の基礎の上に運用せらる。而してこの三者の中共産党の発言権が最も強大なる点は、ソ聯政治組織に於ける一大特色なり。而して

(イ) 共産党・國家及びコミンテルンは機構的にも人的にも極めて強固且巧妙なる結合関係に在る。

(ロ) 共産党はスターリンを中心として結束力極めて堅固なり。

(ハ) 國家機構は一應民主主義的形態を取れるも、實質的には依然として共産党による一党專制なり。

(ニ) コミンテルンは全聯邦共産党によってその世界政策実現のための推進機

一

関として利用せらる。現段階に於てはソ聯政府の公式的外交政策とコミンテルンの世界政策とは部分的に矛盾を来せるも、次の段階に於てはより高次の立場に於て統合さるべし。

第二　社會経済的構成上に於ける弱点

ソ聯邦の社會経済的構成に就ては次の如く弱点を指摘することを得べし。

(イ) ソ聯一般民衆の物質的並に精神的生活の相對的低位性は現在の所未だ克服せらるゝに至らず、経済國力増強上最大の弱点を構成す。

(ロ) 農業に於ける企業組織（コルホーズ農業）及びその所有形態と工業に於ける企業組織（國営企業）及びその所有形態との社會主義的発展段階に於ける不均衡性乃至跛行性は、労働者と農民の階級的差別を激化しつゝあり、國内統治上軽視すべからざる弱点を構成す。

(ハ) 工業に於ける労働熟練性の相對的低位性は、ソ聯経済発展の制約的條件をなし、國防費の増大傾向と相俟つて、國民生活の向上を長期的に阻止する危険性を免れず。

二

第三　ソ聯國家の全体的構造的弱点

政治的上部構造に對する全体としての経済的下部構造の発展の立遅れより、次の如き全國家的構造に於ける弱点が暴露せらる。

(イ) 國家機構に於ける民主主義性は名目に留まり、実際に於ては一種の官僚主義が濃化しつゝあり。

(ロ) 共産党の独裁は全体的構造の立場より見れば、國家的強点に非ずして寧ろ弱点なり。蓋し共産党の強大なる権力は、民衆の政治的・経済的・文化的水準の低位性の反映に外ならざればなり。

(ハ) 社會的経済的下部構造が戰時的圧力によつて如何なる変動を蒙るか、その変動の程度に應じて政治的上部構造の変動乃至崩壊が條件附けらる。従つて戰時に於ける下部構造の変化こそソ聯抗戰力の限界を律する最大の要素なりと謂ふべし。

三

第一章　社會主義國家の基礎條件（國家的構成）

第一節　地理的條件

省略

四

第二節　歴史的條件（社會主義発展の歴史的特殊性）

一つの新たな社會構成が出現する場合、それは天から降つて来るのではなく、旧社會から徐々に成長するものであることは言ふまでもない。たとへ或る瞬間には革命といふ一大政治経済的変化と飛躍の過程があるにしても、それは完全

五

に過去の社會の凡ゆるモーメントを打破し得るものでなく、寧ろ基本的には旧社會内で圧迫され沈澱されてゐた諸要素の上に新社會が形成されるものであるに過ぎぬ。この意味で、新社會は必ず旧社會の母斑を帯びてゐると言はねばならぬ。かくて、歴史は如何に飛躍的に発展するかに見えても、それは、仔細に觀察すれば有機的関聯に於て発達してゐるのである。

マルクスはその所謂唯物史觀の公式のなかで次の如く言つてゐる。

「一つの社會構成は、そこに発展する余地あるすべての生産諸力が発展してゐないうちに破滅することは決してなく、また新らしい一層高度な生産諸関係は、それにとつての物質的な生存條件が旧社會それ自体の胎内に孕まれないうちに、出現することは決してない。さればこそ人類はいつも自分で解決し得る問題のみを提起する」

この公式をロシヤに適用して見るに、ロシヤの一つの社會構成即ち資本主義は、そこに発展する余地あるすべての生産諸力が発展したために破滅して、社會主義的社會構成に席を譲ったのであらうか？

六

否と言はざるを得ない。ツァー時代のロシヤ資本主義は僅かにヨーロッパ第四、世界第五の資本主義であつて、あの尨大な人口と無限の資源を以つてすれば、なほ英佛独などの資本主義より発展の余地があり、存続の可能性があつたわけである。しかるになぜ、ロシヤ資本主義は崩壊せねばならなかつたか？

この秘密はロシヤ資本主義の基底をなす半封建的な農業及び農民問題に存する。こゝでは、ロシヤの農業及び農民問題を詳述する餘裕がないから省略するが、要するに、ロシヤの半封建的な農業に於ける資本主義の発達が、半封建的な地主に對する農民の澎湃たるブルジョア民主主義運動となり、封建的遺制が強固であるだけに、それに正比例して民主主義の運動も強烈となり、これが第一、第二の革命を経て、一九一七年十月には、所謂民主主義革命を社會主義革命へ転化する機會を狙つてゐた共産党を指導者とするロシヤ・プロレタリアートの政治的ヘゲモニーの下に、十月革命が遂行されたのであつた。だから、ロシヤ革命の根本的動力は、社會的性質に於てブルジョア民主主義革命であつて、ノルマルな政治的過程であれば、民主主義革命の結果、資本主義の発展が担々

七

たる大道につき、その爛熟期を経て、はじめて社會主義革命の歴史的日程が上されるのであるが、ロシヤはその資本主義の成熟過程を経ず、僅かに幼年期から、直ちに社會主義社會に飛躍したのである。換言すれば、ソ聯にとつて「一層高級な生産諸関係は、それにとつての物質的生産條件が旧社會それ自体の胎内に孕れ」てゐたにはゐたが、それがまだ充分に成熟しないうちに、胎内から飛び出してしまつたのである。

この点は、ソ聯社會主義の成立の特殊的條件として、その後の社會主義の全発展過程を制約するところの諸モーメントとして特に注意されねばならない。例へば、假りにアメリカ資本主義が社會主義に転化した場合、アメリカは相當成熟した資本主義時代を経過したが故に、社會主義社會になつても、それはソ聯とは比べものにならぬほどスムースな発展過程を辿るであらう。その最大の指標は、アメリカ農業の高度の資本主義的発展である。この高度の資本主義的発展の故に、農業の社會主義化は、ソ聯が現在なめてゐるコルホーズ化運動の苦い経驗は全くないか、あつても大いに軽いものであり、それに照應して工業

八

生産力の増大も現在ソ聯が誇るテンポよりも幾層倍も大であらう。

極言すれば、ソ聯は封建社會から、社會構成の継起的な歴史的発展の次の段階たる資本主義社會を経ずして、社會主義社會に突入したとも言へる。従つて、制度的には封建制度は拂拭されたにも拘はらず、封建的に低度な、しかも資本主義的訓練の未熟なといふ二重の制約條件の下にある民衆を人的素材として、社會主義建設が行はれたのである。いかに民衆が封建的に低度な教養を持つてゐたかは、革命前のロシヤ人の八〇％が文盲であつたといふ一事が集約的にこれを表現してゐる。また資本主義的訓練がいかに未熟であつたかは、ロシヤ資本主義に於ける独占形成がいかに低度であつたかが雄辯にこれを物語つてゐる。社會主義的経済のノルマルな発展は、資本主義制度下で生長発展せる生産の集中並びに独占形態を基礎としてはじめて可能であることは言ふまでもない。

かゝる低度な教養を持つ人的素材はこれを社會主義にまで引上げることに多大の困難を生ずるばかりでなく、社會主義的政治経済体制への適應そのものにも大なる困惑があるわけである。一九三二年に暴風の如く巻き起つたコルホー

九

ず運動がいかに多大の犠牲を拂はねばならなかつたか　このことは、ロシヤ民衆を社會主義に引き上げるための困難性を物語る。また、ソ聯當局がいかに誇稱しようともいまだソ聯勞働者が最新の近代機械を完全に運用することが不可能なことは蔽ふべからざる事實であるが、これはソ聯民衆が社會主義的生産へ適應することの困難性を物語るものである。

勿論、社會主義の發展過程を制約するこれらの諸條件が永久にソ聯につきまとふものであるとは考へられない。反對に、ソ聯當局はこの制約條件の撤廢に全力を擧げて努力をしてをり(註)、またその成果も相當擧げてゐるのであるから、これは早晩撤廢されるものと考へる。しかし乍ら、後述する如くソ聯の經濟發展の現段階は社會主義から共産主義への移行過程にあり乍ら、しかもなほ右の制約條件は月の暈の如く殘存するのを見るのである。かくて、ソ聯の社會主義發展の歴史的特殊性が正にソ聯政治經濟體制全體を制約する惡材料として今なほ存續してゐるのである。

(註)　ソ聯當局がかゝる制約條件を撤廢するために取つた方策は二つある。

（一九三九年）

民族	人口数	比率
ロシヤ人	九九、〇一九、九二九	五八・四一
ウクライナ人	二八、〇七〇、四〇四	一六・五六
白ロシヤ人	五、二六七、四三一	三・一一
ウズベック人	四、八四四、〇二一	二・八六
タタール人	四、三〇〇、三三六	二・五四
カザック人	三、〇九八、七六四	一・八三
ユダヤ人	三、〇二〇、一四一	一・七八
アゼルバイジャン人	二、二七四、八〇五	一・三四
グルジヤ人	二、二四八、五六六	一・三三
アルメニヤ人	二、一五一、八八四	一・二七
モルドワ人	一、四五一、四二九	〇・八六
ドイツ人	一、四二三、五三四	〇・八四
チュワシ人	一、三六七、九三〇	〇・八一
タヂック人	一、二二八、九六四	〇・七二
キルギース人	八八四、三〇六	〇・五二
ダゲスタン諸民族	八五七、三七一	〇・五〇
バシキール人	八四二、九二五	〇・五〇
トウルクメン人	八一一、七六九	〇・四八
ポーランド人	六二六、九〇五	〇・三七
ウドウムルト人	六〇五、六七三	〇・三六
アリイ人	四八一、二六二	〇・二八
コミ人	四〇八、七二四	〇・二四
チェチェン人	四〇七、六九〇	〇・二四
オセチン人	三五四、五四七	〇・二一
ギリシヤ人	二八五、八九六	〇・一七
モルダヴィヤ人	二六〇、〇二三	〇・一五
カレリヤ人	二五二、五五九	〇・一五
カラ・カルパク人	一八五、七七五	〇・一一
朝鮮人	一八〇、四一二	〇・一一
カバルヂン人	一六四、一〇六	〇・一〇
フイン人	一四三、〇七四	〇・〇八
エストニヤ人	一四二、四六五	〇・〇八
カルムイク人	一二四、三二七	〇・〇八
ラトヴィヤ人及ラトガル人	一二六、九〇〇	〇・〇七
ブルガリヤ人	一一三、四七九	〇・〇七

一つは、一般的な教育＝文化政策であり、特殊的には技術教育政策である。この点についてソ聯當局がいかに力瘤を入れてゐるかは「社會及文化生活」の項を参照されたい。他の政策は、所謂肅正工作であつた。ソ聯當局は社會主義への適應性に富んだものは所謂スターリン青年であると考へ、それ以前の人間は大部分が適應出來るどころか寧ろ妨害阻止する分子であるとして肅正したのである。

第三節　民族的構成

ソ聯は百八十五種の大小民族及び種族を擁してゐると言はれる。十万以上の民族を取つて見ても、三十五種の多きに達する。それが全人口構成に占める比重及び絶對数は別表の如くである。

かゝる雑多な民族構成を持つた旧帝政ロシヤはどんな民族政策を取つたかと言へば、所謂東洋的専制主義の名にふさはしく、全くの彈圧と迫害と無権利状

一一

態とであり、人はこれを「ロシヤは民族の牢獄である」とさへ言つたのであつた。ロシヤ語以外の民族語の禁止、民族文化の蹂躙、政治的無権利、ポグロムによる民族的絞殺、農奴及び奴隷的搾取――これが帝政時代下におかれた諸民族の運命であつた。他方に於て、専制政府は諸民族間の民族的偏見を使嗾し、相互に軋轢抗争を激発させることによつて、民族支配の基石となしたのである。諸民族は帝政政府のかゝる術中に陥り、有害無益な民族的反感から幾多血醒い不詳事件・衝突事件を惹き起した。ツアー政府はその度毎に大いにほくそ笑んだものである。

十月革命はロマノフ専制政治を打倒したが、彼等共産主義革命家のイデオロギー中に於て民族問題が如何なる地位を占めるかと云へば「民族的利害は階級的利害に従属する」といふ一点に表現される。具体的に云へば、プロレタリアートの階級的利益即ち現段階について云へば一國社會主義の建設のため民族的利益は従属すべきものであるといふのである。だから諸民族の狭い民族的見地からは或は不利益であり無理であつたかも知れない工業建設・コルホーズ化運

一二

動等々を先づ最大の問題として強行したのであつた。だが共産主義は民族問題を無視するものではなく、寧ろ他の場合とは違つた方法でこれを解決し、止揚しやうとするものである。スターリンの「レーニン主義の諸問題」中で民族問題は最も光彩陸離たる部分の一つである如く、ソ聯の政治的・社會的革命の諸領域中で民族的革命（少しおかしい言葉だが）はまた輝かしい勝利の一つなのである。

ロシヤ共産党、従つてまたソ聯政府は

第一に、各民族の平等を宣布した。即ち、いかなる民族もまたその民族語も他に優越した地位や特権を持ち得ないとされたのである（民族の平等が政治機構にいかに反映してゐるかは後述の通りである）

第二に、民族自決権の確認。これは単に自決権だけでなく、分離独立の権利をも含める。

第三に、民族及び民族文化の自由なる発達

だから今日のソ聯の諸民族は全く平等であつて、いかなる民族的特権も制限

一三

もなく、また必要とあらば、何時でもソ聯から分離して独立した國家を形成することが出來、且つ民族文化は自由な発達が保障されてゐる。今日ウクライナ共和國がソ聯から分離し独立しないのは、たゞ共通の利害によつて結びつけられて、分離することが不利であるためである。今日、ソ聯の重要な刊行物・新聞雑誌は殆んど各民族語で出版されて居り、民族語によるラヂオ放送あり、また各民族の工藝・美術・音楽・演藝が自由に発達し、尊重されてゐる。かくて、民族的発展は諸民族間の混交となり、民族的区別が生理的にも消れ行く傾向を持つてゐる。曽ての「民族の牢獄」は「民族混交の一大坩堝」に転化されつゝある。

かくて、ソ聯に於て本来の意味の民族問題は成功的に解決されつゝあるが、他面に於て、別種な困難がなほ存在することを指摘せねばならぬ。それは一般に、ソ聯社會主義の特殊な成立條件に基因するものであるが、特殊的には諸民族の発展段階の相異、その一般的低位による社會主義建設への適應が困難であるといふことである。

一四

例へば、ソ聯ではこれら諸民族を経済的発展段階に従つて次の四グループに区別してゐる。

第一群――産業資本主義に入つた民族、即ちロシヤ、ウクライナ、白ロシヤ、アゼルバイヂヤン、アルメニヤ等約一億五千万人。

第二群――全然産業資本主義に入つて居らず、單に商業資本の形態に於ける資本主義の端緒が存在してゐた所の民族、ウズベク、アゼルバイヂヤン等々の民族、二千万乃至二千五百万人。

第三群――農耕の初歩にあり、遊牧狀態から定着への転換期にあつた民族、キルギス以下約一千万人。

第四群――北部シベリヤ種族の如き極めて低い発展段階にあつた民族。

即ち問題は第二・第三・第四群の民族、数にして三千五百万乃至四千万の低度な発展段階にある民族の社會主義建設への参加であつた。吾々はこゝで、コルホーズ運動の強行に伴ふ富農層の反抗運動と民族運動の関聯、粛正工作によつて曝露された民族独立運動等を想起したい。これらはいづれも遅れた民族の

一五

社會主義建設への参加がいかに困難であつたかを物語るものである。また、昨日まで遊牧の民であり、機械といふ名のつくものは何一つ見たことも聞いたこともない民族が一夜にして工場に投げ込まれ、近代的機械の前にいかに周章狼狽したか、いかに機械を破壊破損し、また不合格品の生産に役立つたか、などといふ困難性も同時に想起される。

今は、かゝる困難性は大いに克服されはしたが、絶無となつたとは言へないであらう。世界大戰を前にして、ソ聯は大ロシヤ人の民族主義宣揚に努めてゐると言はれてゐるが、勿論それは民族主義と名付けるものではない。しかし、ロシヤ人・ウクライナ人を中心として弱小諸民族の結束、ひいてはソ聯全体の結束をはかるために、これら指導的諸民族の拡大強化を計りつゝあることは當然であらう。

第四節　社會経済的構成

一六

一、　社會主義的経済発展の現段階

ソ聯の社會主義的経済は次の如き発展段階を経た。

1. 政権確立時代（一九一七－一八年）
2. 戰時共産主義時代（一九一八－二一年）
3. 新経済政策時代
   復興期（一九二一－二六年）
   再建期（一九二六－二八年）
4. 第一次五ケ年計畫時代（一九二八－三二年）
5. 第二次五ケ年計畫時代（一九三三－三七年）
6. 第三次五ケ年計畫時代（一九三八－四二年）

(一)　社會体制の現発展段階

本年、即ち一九四〇年は第三次五ケ年計畫の第三年目であるが、第三次五ケ

一七

年計画が目指す目標は、社會体制的には、次の如く表現されて居る。

「第二次五ケ年計画の遂行と社會主義の成功に基き、第三次五ケ年計画に於て、新たな発展の過程、即ち階級なき社會主義社會の完成と、社會主義から共産主義への漸進の段階へ入つた」

つまり、ソヴエート政権樹立後今日に至る迄の段階は、共産主義の第一階梯である社會主義の時代であり、第三次五ケ年計画時代からはその第二の階梯、即ち本来の意味に於ける共産主義の段階へ漸次的に移行すべき過渡的段階であると規定されてゐる。

(二)　工業生産力の発展

かゝる社會体制の発展はその経済的・物質的基礎に照應するものであるが、五ケ年計画こそは経済的・物質的基礎の計画的・意識的建設に外ならない。ソ聯計画経済は両次の五ケ年計画を通じて次の如く工業生産力を増大し、第三次に於てはまた次の如く増大すべく豫定されて居る。

一八

各五ヶ年計畫に於ける工業生産増加率

第一次五ヶ年計画	第二次五ヶ年計画	第三次五ヶ年計画
二三二・七	二二〇・六	一九二

工業生産力に於て五ヶ年計画は大体生産の倍加計画であり、しかもこの目的は両次の五ヶ年計画に於て重大な喰ひ違ひなくほゞ完遂されたと云つてよい。その結果、工業生産高の点に於てソ聯は第二次五ヶ年計画の最終年度たる一九三七年に早くもイギリス及びドイツの最高生産年度たる一九二九年の工業生産高を追ひ越して、ヨーロッパ第一の工業國となり、今日では資本主義國としてはアメリカ合衆國に一籌を輸するつみとなした。しかも第三次五ヶ年計画に依ればこの両者の開きは愈々小となり、合衆國に追ひ付き追ひ越す日も決してあまり遠くないことを思はせるのである。次表は第二次五ヶ年計画末に於けるア

一九

メリカとの開きと、第三次五ヶ年計画末に於けるその開きの縮少を各生産部門につき示したものである。

次表によれば、ソ聯の一九三七年に於ける工業生産高は、アメリカの一九二九年に比べて僅か三分の一にしか當らぬのであるが、一九四二年即ち第三次五ヶ年計画の最終年度には約三分の二にまで追ひ付く筈である。

ソ聯及合衆國の工業生産高

生産部門	單位	ソ聯 一九三七年	ソ聯 一九四二年	合衆國 一九二九年	合衆國 一九三七年
大工業生産高	十億留	九〇・二	一八四・〇	二七〇・二	二四九・五〇
電力	十億キロワット時	三六・四	七五・〇	一二〇・〇	一五〇・〇〇
石炭	百万瓲	一二七・一	二四二・〇	五四九・五	四四二・三〇
原油	〃	三〇・六	五四・〇	一三八・〇	一七二・九六
鉄鋼	〃	一七・七	二八・〇	五七・三	五〇・八〇
機械製作	十億留	二二・一	五〇・八	四八・六	五八・三〇
自動車	千台	二〇〇・〇	四〇〇・〇	五三六・七	四八〇八・〇〇
トラクター	〃	一七六・四	―	二二三・三	二七一・八〇
コムバイン	〃	四五・七	―	三七・〇	―
硫酸	千瓩	一六六六・〇	―	四八一五・〇	四九四九・〇〇
棉花消費高	〃	七二一・〇	―	一六一五・〇	一六四七・〇〇
靴	百万足	一六四・五	二五八・〇	三六一・四	三二八・七〇
砂糖	千瓩	二四二一・〇	三五〇〇・〇	一一五四・〇	一六〇九・〇〇
漁獲高	〃	一六〇九・〇	―	一二三六・〇	―

二〇

(三) 農業生産力の発展

農業部門に於ては様相が些か異る。こゝでは生産力の倍化計畫などといふ派

二一

手なものは見られない。寧ろ嵐の如き変革、陰鬱な反革命を通じて農業生産力の徐々たる増大を見るのである。吾々はこゝに前々節で述べたソ聯社會主義発展の歴史的特殊性としての制約條件が集中的に表現されて居るのを見る。しかし、國民経済的立場から云へば、農業こそはソ聯工業化の槓杆としての輝かしい栄誉を荷ふものであつた。農業は五ヶ年計画當初に於ては農産物輸出による外貨獲得の唯一の源泉であり、自國工業からの供給を全く期待出来なかつた當時には、専らこの外貨に依つて工業生産力拡充資材を海外から輸入したのであつた。他面、農業は生産力拡充に要する人的資源の唯一の供給部門でもあつた。そこで、農業の内部的條件から見て、即ち重々しき制約條件は残存するにも拘はらず、所謂コルホーズ運動を強行し、過剰人口を工業の建設に送つたのである。このコルホーズ化過程――農業再編成過程に伴ふ犠牲は牧畜部面に最も鋭く現れ、家畜頭数はこの期間に半減したほどである。だが嵐の如きコルホーズ運動も一應の成功をかち得た後は、農作にしろ、牧畜にしろ再びノルマルな発展過程の軌道に乗り始めたらしく、逐年増加の傾向にある。次の如くである。

二二

農業生産高　（單位百万留、一九二六－七年價格）

	一九二九年	一九三〇年	一九三三年	一九三四年	一九三五年	一九三七年	一九四二年（豫定）
農作物	九、〇五八・九	九、七七九・二	一一、〇五四・二	一一、三〇七・七	一二、一九四・一	一四、七二三・一	―
牧畜	五、六八五・七	三、二九二・六	二、九六二・四	三、二八三・三	三、九〇三・一	五、〇三五・五	―
計	一四、七四四・〇	一三、〇七一・八	一四、〇一六・六	一四、五九一・〇	一六、〇九七・二	一九、七五八・六	三〇、五〇〇・〇

かくてソ聯は農業生産高に於ては既に現在に於て合衆國・カナダを凌駕して世界の首位を占める。

(四)　技術的・経済的独立性

工業生産力の増大は國の技術的独立性を高めた。ソ聯経済は現在のところ最も高度に発達したアウタルキー経済と云ふことが出来る。このことは、世界戰

二三

爭の現時期に於て最も注目すべき点である。

ソ聯の輸入額は工業生産高の僅か一%に當るに過ぎない（輸入額一九三八年十四億二千万留）。尤も金額こそ少いが、この輸入品は全く不可缺のもので、主として非鉄金屬・ゴム・機械設備である。機械設備の多くは、先進諸國の尖端的な技術を試驗的に輸入するためであって、必ずしも生産力擴充の重点がこゝに置かれてゐるわけではない。ゴムは一九三二年迄は全然自給出來なかったのであるが、その後國内の人造ゴム製造に成功し、今では七五%（一九三七年）まで自給し得る状態となった。非鉄金屬のうち、最も自給率の高いのは鉛（六〇・三%）であり、銅・亞鉛・マグネシユーム・錫・ニツケル・ウオルフラム・モリブデンは一部を輸入に俟つと発表されてゐるだけで詳細は判らない。全く自給不可能なものは麻類だけであると云はれてゐる。この自給状況はアメリカ合衆國や英帝國をも凌いで良好である。

(五)　ソ聯経済の諸困難

二四

A.　労働熟練性の低位

しかし、ソ聯経済にも幾多の缺点と諸困難がある。先づ前述の如くソ聯社會主義の歴史的な制約條件が労働生産性の低位、労働熟練性の未発展といふ点に如實に表現され、これが次項で述べる如き人的資源の不足として現段階のソ聯経済を惱ましてゐるのである。

ソ聯労働者の生産性が如何に低位にあるかは、次の表によってアメリカのそれと對比されて一目瞭然である。

工業部門別ソ聯邦労働者一人當り年生産水準の一九二九年合衆國及ドイツの水準に對する百分率

（一九三六年）

	一九二九年合衆國の水準に對し	九二九年ドイツの水準に對し
全工業	三七	一〇四
石炭採掘	三八・八	一〇一・三
銑鉄精錬	三七・〇	一〇四・五
機械製作	四一・四	一〇七・五
綿織物生産	三七・三	―

二五

これは、一九三六年の比較で、今日までには熟練性も飛躍的向上をもたらしてゐるであらうが、未だ先進國に追ひ付き得たとは考へられない。この労動熟練性の低位と人的資源の關係は次項で見るとして、この結果、ソ聯國民一人當り工業生産高が非常に低いことをこゝで指摘しよう。

國民一人當り生産高がいかに低いかは、第三次五ケ年計画に關する報告のなかでモロトフ首相自らが次の如く確認して居る。

「國民一人當り生産高より見たるソ聯の工業発達水準は現在でも、技術並びに経済的方面に於て最も発達せる歐米の資本主義諸國よりは未だ相當低く、ソ聯の國民一人當りの工業生産高が北米合衆國、イギリス、ドイツ、フラン

二六

米の諸國より可成り低い。例へば第二次五ケ年計画の末期に於てはソ聯邦の國民一人當り生産高は次の通りである。即ち電力に於てフランスは二倍以上、イギリスは殆んど三倍、ドイツは三倍半、アメリカは五倍半。銑鉄に於ては英・佛両國は二倍以上、ドイツは二倍半、アメリカは三倍となつてゐる。鋼鉄に於てはフランスは殆んど二倍、英及び独は殆んど三倍、アメリカは殆んど四倍。更にソ聯邦國民一人當りの石炭はフランスより遙かに少く、アメリカ・イギリス及びドイツよりは可成り少いのである」

かゝる國民一人當り工業生産高の低位は、一般的にはソ聯國民生活の低位を規定するものであるが、この詳細は「國民生活」の項で觸れることにする。第三次五ケ年計画はこの克服を課題としてゐる。共産主義社會への移行には巨大な生産力の発展を前提條件とするが、この生産力は國の総生産力より寧ろ國民一人當りの生産力によつてより適切に表現されるだらう。先進諸國よりいづれも二倍以上六倍以下の開きの克服は困難且つ多年を要する課題である。

二七

B. 労働力（人的資源）の不足

ソ聯労働者の労働熟練性の低位は、経済発展の現段階に於ては、人的資源の不足として表現されてゐる。元来、ソ聯の生産力は物質方面では主として外國の援助に依り、人的方面では専ら國民再編成によつて擴充されて来たのであるが、かゝる方途は一應行詰りの状態に達したのである。海外援助の行詰りは、一つは國民生活向上の為、曾ての饑餓的輸出を停止しなければならなくなり、従つてその代償としての輸入も出来なくなつたためであり、また一つは今次の欧洲大戦を契機とする世界経済のブロツク化、戦時経済体制への移行のためである。だが更に決定的なのは、國民再編成による人的資源の拡充といふ方途の行詰りであつて、労働力の不足とその対策こそは、今後ソ聯経済の動向を見定める上に重要なキーポイントをなすのである。

従来、ソ聯工業は前述せる如く、農業再編成によつて農業部面に於て過剰となつた人口を吸收することによつて拡充を遂げて来た。ところが農業再編

二八

成過程が一巡した今日、もはや急増する労働需要を農業部面で充足することが出来ない。といつて総人口の自然的増加は微々たるものであり、これを待つては日暮れて道遠しの感がある。そこでソ聯當局は、労働熟練性の向上のため、例のスタハノフ運動を極力奨励し来つたが、それだけでは足りなくなり、労働力動員のため最近では種々なる方策を採つてゐる。結婚法改正による自然増殖の促進、婦人小児労働の動員、労働力管理養成令の発令、等々により労働力造出過程を強力的に押し進めて居る。また労働日制を英断的に改正して、一週七日、一日八時間制を採用した。果してかゝる諸方策によりて所期の目的を達し得るかどうかは甚だ疑問であるが、ソ聯経済の弱点が現在この点に集約的に表現されてゐることには間違ひがなからう。

C. 軍事費の増大

ソ聯の國防費は幾何級数的に増大してゐる。一九三三年を一〇〇とすれば（絶対額十四億二千万留）、本年、即ち一九四〇年には四、〇〇〇となつてゐる。（絶対額五百四十億留）。つまり八年間に四十倍の増大である。云ふまでもなく、軍需生産物は再生産過程から一回限りに脱落する價値部分であり、それだけ民需品なり、生産力拡充資材なりの減少を意味するものであつて、純経済的観点からみれば非生産的なものである。欧洲大戦の勃発・世界戦争への発展の見透しと云ふ現下の國際情勢に於て、ソ聯の國防費は今後益々増加するとも減少はしないであらうから、この方面から来る生産力増大への阻止的影響は今後共強く作用するであらう。つまり、それだけ共産主義社會への移行過程が遅延することゝなるのである。

二九

ソ聯の巨大軍事豫算が如何に消化されてゐるか、更にソ聯の軍事生産部面の現況、今後の見透し等は重要な問題であるが、他の研究者が担當してゐるからこゝでは割愛し、こゝではたゞ社會体制の発展といふ観点からソ聯経済の現段階を分析したのである。

二、階級構成及び國民生活

(一) 階級構成

三〇

前項の如き経済的発展はソ聯社會の階級構成に次の如き変化を招来した。

ソ聯人口の階級的構成（％）

	一九一三年	一九二八年	一九三四年	一九三七年
1. 労働者及び勤務員	一六・七	一七・三	二八・一	三四・七
ソホーズ及エム・テー・エスの労働者及勤務員	ー	一・五	三・二	三・二
2. コルホーズ農民及び協同組合加入手工業者	ー	二・九	四五・九	五五・五
3. 個人農（富農を除く）及び協同組合外手工業者	六五・一	七二・九	二二・五	五・六
4. 有産階級（地主・商人・富農・都市有産階級）	一五・九	四・五	〇・一	ー
富農	一二・三	三・七	〇・〇九	ー
5. 其の他（学生・年金生活者・ピオニール・軍人等）	二・三	二・四	三・四	四・二
合計	一〇〇・〇	一〇〇・〇	一〇〇・〇	一〇〇・〇

三一

即ち一九一三年には労働者及び勤務員と匹敵するほどの比重を占めてゐた有産階級は、革命及び両次の五ケ年計畫によつて全く絶滅され、また人口の圧倒的部分を占めてゐた個人農は一九三七年には僅か五・五％の比重にまで圧縮されて、僅かに前時代的遺物として残存したに過ぎない。この多くの部分は第一次五ケ年計画と共に開始されたコルホーズ運動の結果、コルホーズ農民として再編成されたことは云ふまでもない。今日ソ聯社會は、労働者及び勤務者とコルホーズ農民との二階級によつて構成され、一は百パーセントに社會主義的所有形態である國営企業の従業者であり、他はソヴエート憲法によつて社會主義的所有のもう一つの形態（第五條）として規定されてゐるコルホーズの従業者である。かくて階級の単一化、従つてまた階級それ自体の揚棄、無階級社會の実現が共産主義の最終の目的であるが、現在の所、たゞ労働者及び勤務員、コルホーズ農民の二つに単純化されはしたが、この二つの階級的範疇には依然として厳然たる区別がありこの区別の撤去は相當長年月を要するであらう。この区別の撤去は、要するに農業のコルホーズ形態からコンミユーン形態へ完全

三二

に移行させ、コルホーズ農民をコンミユーン農民へ轉化させることに外ならぬ。しかし農業のコルホーズ形態からコンミユーン形態への轉化はコルホーズ化運動よりも一層慎重な考慮を要し、現下ソ聯の農業政策はコルホーズ化運動の一應の成功の後をうけて、その安定化に集中され、未だ積極的にコンミユーン化政策へは乗り出して居ないやうである。詳細は農業担當者の報告に譲るが、いづれにせよソ聯社會の階級構成が二つに単純化されゝばさるゝほど、この二つの階級の差別が益々明瞭に前面に現れつゝあるのが現在の状態であらう。そして當分かゝる差別が存在する以上、それはソ聯の階級構成上の弱点として残らざるを得ない。

更に、こゝで指摘しなければならないのは、前述の政治経済的発展の制約條件として現れてゐる所のソ聯社會主義の史的特殊性から来る統治者と被統治者との間のイデオロギー的（廣義の）對立である。これは今の所統治者の官僚主義と在つて被統治者の目に映じてゐる。およそいづれの社會でも官僚主義が存在する余地があるとすれば、そこには統治者と被統治者との間に何等かのギヤ

三三

ップが存在するからである。だがソ聯の官僚主義の特殊性は、優れた統治者とおくれた被治者との間に當然存在するギヤップから被統治者にはそれが一種の官僚主義として感ずる外見的な官僚主義とも言ふべきものであつて、支配及び被支配階級間に、若くは搾取及び被搾取階級間に存在する本質的な官僚主義ではないといふ点である。しかしこの外見的官僚主義が政治経済体制に於ける一つの弱点である点は実質的官僚主義の場合と毫も変らない。いづれ、民衆の政治経済的教養の度が高まるに従つて、この官僚主義は必然的に消滅すべきものであるが、現在の所、依然として存在することは明瞭である。正直に言つて、ソ聯の民衆は政府の政策をどの程度まで理解してゐるであらうか、労働者の集會やコルホーズ員の會合で一應政策の説明は扇動員によつて試みられてはゐるが、恐らく大部分の民衆は政策に盲従してゐるのではあるまいか。この点の断定は甚だ困難且つ危険ではあるが、全幅的な理解による服従にまで到達してゐないことは断言出来やう。

三四

四 國民生活

2. 労働者の生活

一般的には前項で述べた如き國民一人當り工業生産高の低位に表現された労働生産性の未発達、特殊的には重工業偏重の工業政策及び國際政局に對処すべき軍需生産部門の繁栄は、必然的にソ聯國民生活の低位を規定するのであるが、これが実際上いかに労働者生活の上に反映してゐるかがこの次の課題である。ソ聯労働者の生活状態には次の公式統計がある。

労働者階級の物質的状態

	単位	一九一三年	一九二八年	一九三二年	一九三六年	一九三七年
労働者及勤務員総数	百万人	一一・二	一一・六	二二・九	二五・八	二七・〇
失業者数		―	一・六		消滅	
年労働賃銀基金	十億留	―	八・二	三二・七	七一・七	八二・二

三五

三六

國民経済に於ける年平均賃銀	留	二七〇	七〇八	一四二七	二七七六	三〇九三
一日労働時間	時	九・九	七・八	六・九	―	―
文化生活施設基金	十億留	―	一・六	六・三	一五・四	一九・一
社會保険及社會保証支出	〃	―	一・一	四・四	九・五	一〇・二
住宅建設に對する資金投下	〃	―	〇・三	一・六	二・四	二・四
都市貯金金庫の預金額	〃	―	〇・二	〇・六	二・一	五・〇
水道を有する都市数	都市数	二二二	二九〇	三三七	三九九	四一六
下水設備を有する都市数	〃	二三	四二	五三	八五	一〇一
電車を有する都市数	〃	三四	四一	五一	六八	七四
全聯邦労働組合中央評議會サナトリー及休息の家に於ける保養者数	千人	―	五一一	一六五〇	二二七五	二三九六
都市托児所に於ける幼児数	〃	〇・五	五二・四	二六二・七	三三九	四五七
都市幼稚園に於ける児童数	〃	―	一〇四・四	八〇九・九	一〇二九・七	一二九一・八

先づ労働者收入の基本的部分である賃銀を見るに、第一次五ヶ年計畫末（一九三二年）から第二次五ヶ年計畫末（一九三七年）までに年平均賃銀が千四百二十七留から三千九十三留と二倍強の増加を見てゐる。また一九二八年即ち第一次五ヶ年計画の初期に比べれば四倍強の増大である。しかるに、工業品の小賣物價指数は次の如く上昇したと云はれてゐる。

新経済政策中期を一〇〇とする最近の農産物收買價格と工業品小賣價格指数

農産物收買價格		工業品小賣價格	
小麦	二四一	更紗	三七〇―五六〇
燕麦	一七六	革長靴	四〇〇―一五〇〇
向日葵	三〇三	砂糖	五五〇―八〇〇
亜麻繊維	三六三	マホールカ	五〇〇―五五〇
		塩	二〇〇以上
		燐寸	二〇〇以上
		オーバシエース	四七〇

三七

三八

此工業品の小売物價は、右表に掲げられた品名に関する限り平均四倍の値上りを見てゐる。労働者の貨幣的收入の増加が一九二八年から一九三七年にかけて四倍強増加したが、工業商品の小賣物價も亦、新経済政策の中期から最近にかけて四倍の上昇となつてゐるから、その実質賃銀は當時と同然といふことになる。尤も新経済政策の中期と云へば一九二五―六年頃であるから、其頃から一九二八年迄の賃銀の騰貴分だけ実質賃銀は増加してゐる。だがその計数が無いから、正確には算出し得ない。要するに新経済政策の中期よりも現在の労働者実質賃銀の状況が僅かに良好であると言へる。

同様に、一九一三年即ち革命及び世界大戦前の賃銀と比較して見ると、貨幣賃銀は二・五倍に増加した。しかるに、これら工業品の小賣物價は次の如き騰貴振りである。

一九一三年を一〇〇とする工業品物價指数

更紗	一、一〇〇－一、七〇〇
羅紗	一、五〇〇－二、四五〇
革長靴	一、三〇〇－四、六〇〇
砂糖	九〇〇－一、三〇〇
紅茶	二、〇〇〇以上
向日葵油	四、一〇〇
洗濯石鹸	二九〇

之を以てみれば、工業商品物價はいづれも十倍以上四十倍の騰貴である。從って実質賃銀は現在は一九一三年よりも遥かに下廻ってゐるやうである。之を我が日本の金額に換算して見れば、ソ聯の日常生活品の一留は大体我日本の十五乃至二十銭に相當してゐるやうである。從って、一九三七年の賃

三九

常賃銀一ヶ月分は二五八留であり、三十八円七十銭乃至五十一円六十銭に相當する。日本の労働者一人當り平均賃銀は月五十四円九十銭（昭和十一年）である。これで見れば、ソ聯労働者の賃銀は吾が日本のそれと大差ないやうである。

しかし、ソ聯労働者の生活状態は、賃銀收入にのみによって判定することは出來ないことは勿論であって、寧ろその建國の精神から云ってその他の方法による労働者の優遇が幾多試みられて居る。例へば、文化生活施設であるが、労働者クラブとか、休息の家とか、サナトリウム等、労働者の文化的福利施備に對する國家の支出は飛躍的に高まってゐる。即ちこれらの建設維持のため政府は一九二八年には十六億留支出したが、一九三七年には実に百九十一億留の巨額を支出して居る。從って、これら施設の利用者も加速度的に年々増大し、サナトリウム及び休息の家利用者は一九三七年に二百四十万人、托児所の幼児数は四十六万人、幼稚園の児童は百二十九万人の多数に上ってゐた。

四〇

また労働者住宅の建設にも大いに努力が拂はれてゐる。その住宅料の如きも、社會施設的意味から極めて低廉なもので、労働者の家計を非常に軽減してゐると聞く。

現在、世界大戦への見透の下で、ソ聯労働者の生活状態はどうであるか。消費資料生産部門は、依然重工業の生産テンポには遅れ、また総生産物に於ける比重も不利な不均衡を保ち乍ら、しかも尚徐々に増大してゐるやうである。勿論この増大部分が悉く民需に廻るのではなく、一部はストックに、その残りが初めて民需となるのであって、恐らく今後生活資料のうち現実に民需に廻はされるものは極めて僅かな増大を見るに過ぎないであらう。從って、まだ、軍需輸送などに交通機関が繁忙となれば、本年初頭の如く局部的には食料の不足が生じ、昔の行列が復活するのである。とは云へ、今の所、労働者が生活窮乏に陥るなどと考へることは早計であって、ソ聯が戰争に捲き込まれない限り、生活的不安はないと云って差支ないであらう。

四一

b. 農民の生活状態

コルホーズ農民の年收支は次の如くである。

年度別コルホーズ農家一戸當り金銭收支平均年額

年度	收入金額(留)	支出金額(留)	備考
一九三四年	？	九四五・五	八地方の調査による
一九三五年	？	一、〇四三・五	一三地方 〃
一九三六年	一、四六四・〇	一、二八七・七	一三地方 〃
一九三七年	？	一、六一二・二	一二地方 〃
一九三八年	一八〇六・六	一、七六八・一	二八地方 〃

コルホーズ農家一戸當り年收入千八百留（一九三七年）は、勿論労働者一人當り年賃銀三千百留とは直接比較することは出來ない。いふまでもなく、

四二

農民はその他に実物收入があるからである。例へば、飯米・蔬菜・牛乳・肉類・毛皮等々の收入がある。しかも、全收入のうち現物收入の比重は相當大であるやうに考へる。それにしても、農家一戸年貨幣收入千八百留、支出がまた千七百留では残る所は殆んどないやうである。支出項目並に金額は次の如くである。

コルホーズ農家の一九三七年金錢支出平均内容

支出項目	支出額	
	金額（留）	項目別比率（%）
工業品購入費	六七九・〇	三八・四
農産物購入費	四八六・二	二七・五
家畜家禽購入費	一七八・六	一〇・一
その他の購入費	六五・四	三・七
税公課・保険・公債等	一〇二・五	五・八
文化生活費	七二・五	四・一
生産的支出	三一・八	一・八
その他	一五二・〇	八・六
合計	一七六八・一	一〇〇・〇

労働者の賃銀の場合と同じく、留を円に換算すれば（一留＝二十錢）、收入三百六十一円、支出三百五十三円となる。月三十円余の收支である。

これを日本の農家收支と比較して見るに、日本に於ては昭和十三年に於ける自作・自小作・小作三者平均一戸當り総收入は千四百五十八円（うち現金收入八百三十円）、総支出千四百三十四円（うち現金支出八百十二円）である。月收入（貨幣）六十九円、支出六十八円となる。これをソ聯のコルホーズ農民の收支と比較する場合、先づ日本農民の支出から経営費を差引かねばならぬ。蓋し、ソ聯農民の支出とは経営費が入ってゐないからである。即ち経営費はコルホーズ自体の計算に屬し、農民の支出はたゞ生活費として現れるに過ぎぬ（この場合、農家附屬地の経営費を考慮せねばならぬが、それは少額であらうから無視する）。そこで日本農家の経営費（貨幣的）は同年三百三十八円であった。これを現金支出から差引けば、四百七十五円の純生活費となる。月額四十円弱となる。

従って、貨幣的收支の点だけから見ると日本農民の生活状態はソ聯農民よりやゝ上と云はねばならぬ。

現物收支の点になると資料不足のため比較出来ないが、少くとも次のことだけは云へると思ふ。即ちソ聯コルホーズ農民の現物経済性は家計面に現はれる点では日本農民より濃厚である。蓋しソ聯農民は特に私営地を持ち、生活に必要な農産物を專らこの部分から得てゐるからである。

第五節　社會及び文化生活

一　宗教及び反宗教・道徳・風俗習慣趣味

省略

二　教育及び學術（特に科學）

先にソ聯社會主義建設の歴史的制約諸條件を論じた場合に指摘した如く、一般民衆の知的レベルの低位（一九二二年には総人口の六五%が文盲であった）は、社會主義建設を制約する最大の條件であり、この排除なくしては建設の前途が危まれる点を深く認識するソ聯邦當局が、先づ民衆の知的水準の向上、教育の普及発達に努力したことは當然である。この最も端的な表現は、ソ聯國家豫算に占める所謂社會文化費の比重である。一九四〇年度の國家豫算は歳出として次の如く豫定してゐる。

（單位 百万留）

總額	一七九、七一〇・九
内譯	
國民經濟費	五七、一一七・五
社會文化費	四二、八七五・四
國防費	五七、〇六六・二

即ちソ聯の國家歳出豫算は大体に於てこれら三つの支出項目と三分され、しかもいづれも額に於ても同等を示してゐる。恐らく世界各國の豫算のうちで、文化費が軍事費と比肩し得るほどの地位を占める所はなかるべく、たとへソ聯が現在迄直接戰爭に參加しないため軍事費が割合に僅少であるとは云へ、なほ準戰時体制にあることは疑ひなく、正に社會文化費もソ聯に於ては常々準戰時体制的な緊張振りを示してゐるのである。

四七

一九三九年に於ける社會文化費の内容は次の如くである。

（單位百万留）

總額	三八、五六四
内譯	
教育	二一、〇五一
保險	八、八一二
体育	八一
社會保障	二、三四二
多産婦への國家扶助費	一、〇〇〇

四八

ソ聯の教育制度については割愛する。

ソ聯教育の特異な点は、職場と學校とが有機的な関聯におかれてゐることであり、従って、教育内容に於て技術に重点が置かれてゐることである。これは、經濟建設に主力が注がれてゐる現段階にとって當然なことであるが、同時に社會科學の教育を閉却されてゐるわけではなく、最近は共産党史の制定を強調して、イデオロギー的教育にも決して怠らないことを示した。世界政治の急轉回を間近かに控へ、ソ聯の國際的地位が益々向上しつゝある今日、その方面の教育もいよいよ強化さるゝに違ひない。

第六節 結論（基礎的諸條件の戰時再編成を併せて論ず）

ソ聯社會の政治經濟的發展は、一般的にソ聯社會主義の成立諸條件の特殊性によって制約され、そこになほ舊社會の母斑を止めてゐる。この舊社會の母斑の拂拭は永い歷史的發展過程に行はれるものであり、「社會主義から共産主義への漸次的移行の段階」にある今日と雖もまだ殘存する。この顯現状態としては、

(一) 民族問題に於ては本來の意味の民族問題は解決されたが、種々なる發展段

四九

階にある民族間の相違は未だ克服されず、

(二) 社會構成の領域では、未だに百パーセントの社會主義的所有形態ではないコルホーズ的所有形態が存在するが故に、勞働者・農民間の區別が撤廢されず、また勞働者農民を含めた一般國民生活の低位が規定され、

(三) 社會的文化生活 領域に於ては、ソ聯當局の懸命な努力にも拘はらず、いまだ國民の知的水準が低く、高度の社會主義的政治經濟機構への適應能力が全幅的に養成されてゐない。

とは言へ、今後重大な過失なき限り、これらの制約條件はその諸顯現形態と共に克服さるべき見透しの下にあることは勿論である。

これら基礎諸條件がいかなる戰時再編成を遂げるかは自ら明かであって、先づ戰爭は前述の制約條件を反對に強化し、社會主義的發展の阻止的モーメントとして作用するに違ひない。

社會文化費の削減は知的發展を阻止し、同時に國民生活を低下し、こゝに階級構成上の弱点が曝露され、延ては民族問題まで尖鋭化するであらう。しかし、

五〇

その程度は戦争の規模如何によること勿論である。

第二章　社會主義國家の政治的構造

第一節　プロレタリア独裁の執行機關としての國家機構

一、國家機構の史的発展

一九一七年十月、所謂十月革命に成功するや、ボルシエヴィキ政權はあらゆる舊國家機構を破壊してプロレタリア独裁の社會主義的國家機構を骨組だけ作り上げた。蓋しまだ革命後の混乱と干歩戦のため本格的な國家的構造を造ることが出來なかつたからである。尤も既に一九一八年一月に、ロシヤ共和國憲法がソヴエート大會で採擇され、これが後年全聯邦憲法の雛型たる役割を演じた。即ち内乱と干歩戦とが一應終末に近づいた一九二三年、ソ聯憲法、所謂レーニ

ン憲法が制定され、こゝに始めてソ聯社會主義の政治的上部構造が法制的に確立されたのである。

しかるに、前章で述べた如く、その後の政治経済的発展はソ聯の階級構成・民族的構成等社會万般の大変革を招來し、この政治的反映としてレーニン憲法の改訂が必至の勢となり、遂に一九三七年一月、劃期的な憲法改正が行はれ、所謂スターリン新憲法として今日通用してゐる所の憲法が誕生するに至つたのである。舊憲法と新憲法とはプロレタリア独裁下の國家機構の法的表現である点に変りがないが、ソ聯民衆の政治的参加權が拡大され、民族の權利が高く評價されるなど、種々なる点で民主主義的色彩が濃く、ソ聯當局はこれを民主主義的憲法として世界に誇稱したことはまだ記憶に新たな所である。なるほど、憲法それ自体は甚だ民主主義的に出來てゐるが、憲法によつて規定される國家機構の実際の運営はソ聯の全政治的構造から見れば、今の所、従属的な役割しか果してゐないといふのが筆者の考へである。共産党といふものがあるからである。共産党と國家機構との関係については當該箇所で詳述する。

二、國家機構の現態

1、全体的構造（附録図表一参照）

ソ聯邦即ちソヴエート社會主義共和國は十一の共和國より成る。ロシヤ・ウクライナ・白ロシヤ・アゼルバイジヤン・グルジヤ・アルメニヤ・トルクメン・ウズベツク・タヂツク・キルギス・カザツク共和國これである。舊憲法に於ては七ケ國であつたが、新憲法により十一ケ國となつた。増加した諸共和國はいづれも辺境諸小数民族の國家であり、ソ聯の最近の民族政策が一段と昂揚された結果、特に独立國と認められたのは云ふまでもない。その他の点に就ては附録の図表を参照されたい。

先づ立法府たるソ聯邦最高會議は聯邦及び民族會議の二院より成り、こゝで法律の制定・豫算及び外交が審議決定される。こゝで決定された國家の最高方針が実行に移される機關即ち行政機關・普通政府若くは内閣と云はれてゐるものが、ソ聯に於てはソ聯邦人民委員會議である。人民委員會議は最高會議両院

合同會議に於て組織される。ソ聯邦人民委員會議は各人民委員部より成り、人民委員部は各省に相當する。現在、ソ聯には人民委員部が経済的なもの三十三、その他が六、総計三十九ある。経済関係の人民委員部が三十三も創設されたのは最近のことであるが、あまりに分散せるため、この統一的な機関として経済會議が設置された。この経済會議の中には今のところ六つの會議がある。この六つの會議で経済的方面の行政事務を統轄しようといふわけである。

その他、聯邦最高會議の休會中、これに代るべきものとして最高會議幹部會があるが、この事実上の役割は、一國の元首にもたとへ得べく、専ら党によつて決定された人事任免・勲章授與・條約の批准等の閑仕事をやつてゐる。ソ聯の計畫経済の樹立機関である國家計画委員會が人民委員會議に直屬してゐる。

人民委員會議にはなほ、國防（陸軍）及び海軍人民委員部の統合機関たる國防委員會が附屬してゐる。

これがソ聯邦の中央立法・行政最大権力機関の概貌である。

五五

次にこれら諸機関について説明する。

2. 國家諸機関

(イ) ソ聯邦最高會議

舊憲法に於ける全聯邦ソヴエート大會に代るべきもので、人民の総意がこゝに表現され、最高國策が決定されるには変りがない。またソヴエート大會選挙と異り、最高會議代議員の選挙は労働者・農民の区別なく、三十万人に一人選出される。曾て労働者に有利な、農民に不利な選挙法が改正されたのであるが、こゝにスターリン憲法の画期的な民主主義的性格が全面的に現れてゐると言はれる。

最高會議は聯邦會議及び民族會議の二院制度を採つてゐる。舊憲法に於て民族會議はソヴエート大會のなかにはなく、中央執行委員會内の一會議として存在したに過ぎないのに比べて一大変革と言つてよい。繰返して云ふが、スターリンの民族政策の真面目がこゝに表現されてゐる。

五六

だが、諸外國の二院制度と異り、聯邦最高會議の二院は同等の権利と同等の立法権を持つてゐる。

現在聯邦會議は五六九名、民族會議は五七四名の代議員を有し、ほゞその数は同等である。

代議員の任期は四ケ年。

民族會議の選挙について一言。聯邦會議とは異り民族會議の代議員は、各聯邦共和國から二十五名づゝ、各自治共和國から十一名宛、各自治州から五名宛、各民族管区から一名宛、選出される。こゝでは夫々の國家的範疇によつて區別をつけ、中央統制の政策が強く現れて居ること、従前よりも少数民族の権利が伸張されてゐることが注意される。

(ロ) 聯邦最高會議幹部會

聯邦最高會議が閉會中これと代るべきものである。聯邦會議及び民族會議の合同會議によつて選出された議長一名、副議長二名、書記長一名、會員二十五名より成る。現在議長はカリーニン、書記長はゴルキンである。

五七

職能は、議會の召集・解散、人民委員の任免、勲章の授與、赦免権の行使、宣戦布告、條約の批准、外國使臣の信任状受理等であるが、實質的な職能は殆んどなく、日本ならば差しづめ宮廷と賞勲局とを一つにしたやうなものであらう。

(ハ) 行政機関

a. 中央行政機関 ― 全聯邦人民委員會議

全聯邦人民委員會議は最高會議に對應する中央行政機関であり、各門の内閣に相當する。人民委員會議を形成するのは各人民委員部である。會議長は首相に、人民委員は大臣に相當する。

現在ソ聯の人民委員部は分散主義を取り、合計三十九の多数に上る。これは、主として経済人民委員部の増加によるもので、それ自体ソ聯社會主義経済の発展を物語るものであるが、同時に各人民委員部間の意志疎通不円滑を免れず、そこで去る四月、経済人民委員部を統合して、その上に冶金及化学會議、機械製造會議、國防工業會議、燃料及電力會議、一般民需

五八

臣會議、農業及び調達會議の六つの經濟會議を作った。

同様に、國防及び海軍人民委員部に分割された今日、國防委員會が設置されて、両人民委員部間の関係緊密化を計り、軍の統帥權が一元化された。

人民委員部には二種類ある。一は全聯邦人民委員會議にのみあるもの、他は全聯邦人民委員會議にも、各共和國人民委員會議にもあるもの、これである。前者を単一人民委員部といひ、後者を複合人民委員部と云ふ（その外共和國にのみある人民委員部あり）。

聯邦人民委員會議の職能は左の如し。

(一) 全聯邦人民委員部、聯邦共和國各人民委員部の事業並にその統制下にある各種經濟及び文化諸機関の事業を統一指導す。

(二) 國民經濟計画、國家豫算を実現し、且つ信用貨幣制度を強化する方策を講ず。

(三) 公安を維持し、國家の權益を擁護し、市民の權利を保護する方策を講ず。

五九

(四) 對外関係に於て一般的指導をなす。

(五) 毎年兵役に召集さるべき市民数を決定、全國軍の一般的建設を指導す。

(六) 必要の場合、經濟・文化及び國防の建設事業に對し、ソ聯邦人民委員會議の下に特別委員會並に管理本部を構成す。

その他の機関については省略す。

以上は全聯邦並びに加盟共和國の政治機関であるが次に地方行政機関について述べる。

b. 地方行政機関

各共和國は、地方行政単位として次の如き組織を有す。

自治共和國・地方及び州・管区並に区・農村及び都市。

これらの説明は附録の図表を以て之に代ふ。

(三) 司法検察機関

ソ聯最高司法機関は聯邦最高裁判所である。以下、共和國・地方・州・自治共和國・自治州・管区裁判所があり、最下級機関として人民裁判所がある。

六〇

建國・内乱・干渉戦・党内闘争・反革命運動・妨害運動・粛正事件等々、相次ぐ國内の革命及び反革命事件に對し、常に國家を安全ならしめた所謂ゲ・ペ・ウはその歴史的役割を果して、今日では聯邦検事局として再編成されたことは周知の通りである。且つ新憲法は、従来法律以外の革命精神と言ったものによってやゝもすれば左右されがちの司法權並に司法官の地位が、法文以外のものによって支配されずといふ規定によって独立性が強化されたことは注意すべきであらう。

三、結論

ソ聯の國家機構はスターリン憲法によって下部構造の現発展段階に適應させられ、それは著しく民主主義的なるを特徴とする。(一)分離独立權を有する民族國家がそれぞれ独立た共和國として待遇されてゐるし、(二)また最高會議には民族會議として小数民族の民族的発言權・政治的参加權が認められた。(三)労働者農民の区別なく、とにかく一定数の人民は一人の代議員を聯邦議會に送ること

六一

が出來る。(四)最高會議の立法權は尊重され、整然たる行政機関がその下で手足の如く動く。(五)司法權は確立されて、三權分立の理論は貫徹されてゐる。この國家機構の全体的構造だけを見れば、民主主義は躍如として表現されてゐるが、実の所、これはソ聯政治機構の表看板を示すに過ぎず、実際の運営は今日でもなほ共産党の手に握られてゐる。その理論的・実際的根據については次章で詳述するだらう。

第二節　プロレタリア独裁の政治指導力としての共産党

現段階に於ては民主主義的なスターリン憲法にも拘らず、共産党独裁の力が依然として強固である。本來の共産主義社會には恐らく共産党の存在の余地はなく、所謂プロレタリア民主主義に基く政治機構のみが存在し、これが政治の指導力であると同時に執行機関となるであらう。しからば、現在、共産党の存

六二

在する所以は、かゝる高度の共産主義の段階までには運せず、依然としてプロレタリア独裁の時期にある点に求めねばならぬ。プロレタリア独裁期にはブルジョア民主主義の残存物あるを免れないのであつて、正にスターリン憲法はその誇るべき民主主義が必ずしもプロレタリア的なものでなく、大いにブルジョア的なものに感染してゐるものであると考へる。

他面に於て、現在のソ聯社會は、累説する如く、歴史的制約條件に依然として支配されてゐる。この場合、遅れた民衆及び民族を引上げて、これを社會主義体制に適應させるためには、非常に優れた指導者の強固な団体があつて始めて可能であり、これを枢軸として民衆が大旋回・再編成を遂げるのである。正にかゝる諸條件下にあつたソ聯では、遅れた大多数の民衆と優れた少数の指導者が社會主義的変革を遂げたのであつて、この点では両者の懸隔があまりにも大きかつたことは周知の通りである。この懸隔がなくなつた時、本来の意味の共産主義は実現され、共産党は消滅し、プロレタリア民主主義は宣揚されるであらう。今日ソ聯當局がいかに強辯しようとも、民衆的政治組織であるソ聯國

六三

家機構は単に民衆の手にのみ委ねることが出来ず、依然として共産党の指導と庇護とが必要であり、かゝる意味では民主主義ではないのである。

たゞ、スターリン憲法並にそれに基く國家機構は、一つは民衆の政治的意識をその限界まで引上げることによつて経済的・社會的発展を遂げようといふ國内的目的より、二つにはソ聯の國際的地位の向上に伴ひ、先進諸國と對等な面目を保たんとする國際的目的より制定されたものである。従つて、その完全な運用は遠い将来に俟つべきであつて、今は直ちにそれが実現されるべき性質のものでなく、実現されないから民衆欺瞞であるといふ批判も些か性急の譏りを免れないだらう。

かくて、共産党の役割はスターリン憲法の存在によつて些かも弱められず、寧ろ最近の如き國際政治の危機に面して、一層強められつゝあるといふのが眞相であらう。

しかし、ソ聯共産党が今日の如く強大な組織を持つには過去に於て幾多の困難な試錬を経ねばならなかつた。次にその党史、特に党内闘争史について述べる。

六四

一　共産党史（特に党内相剋史）

ロシヤ共産党は闘争の産物であり、その歴史は闘争の連續であつた。正確に言へば、党内外の闘争である。党外の闘争とは何よりも先づ、ツアー政権の顚覆、十月革命のための闘争であり、政権獲得後は、社會主義建設のため、妨害分子、反革命分子に對する闘争であつた。だが、こゝでは専ら党内の闘争について述べる。

(一)　創立以来政権獲得まで

今日の全聯邦共産党は「ВКП(б)」一八九八年「ロシヤ社會民主労働党」として呱々の聲をあげた。當時、思想界の混乱時代を反映して、共産党は幾多の社會思想諸流派と理論闘争をせねばならなかつたが、そのうちで最大な敵手は小ブルジョア・イデオロギーであるナロードニキの一派であつた。しかし、

六五

ナロードニキに對する論争に於て社會民主党が勝利を占め、社會運動の理論的指導権を漸次把握するに至るや、党内にボルシエヴイキとメンシエヴイキの有名な對立が発生した。一九〇三年の第二回党大會に於てはこの二派が正面衝突し、遂にメンシエヴイキは離党した。このメンシエヴイキの中には後年極左及び極右的偏向と呼ばれる両極端派が雑居してゐたことは注目を要する。要するに當時すでに後年全相剋史の舞台に上るべき全人物と全流派とが胚胎してゐたことは面白き現象と云はねばならぬ。

(二)　政権獲得後新経済政策時代まで

革命と内乱時代には専ら外敵との闘争に忙しく、党内の結束は自ら強かつたが、内乱時代が過ぎ、新経済政策への移行に當つて、こゝにトロツキーの永久革命論に對するレーニン、その歿後はスターリンの一國社會主義建設可能論との深刻な党内闘争が開始された。しかし、世界大戦後の世界的規模に於ける革命的気運の昂揚、赤色政権の樹立などを背景とする極左小児病的永久革命論は、

六六

民衆の支持を得ることが出来ず、スターリン一派の所謂幹部派の前に革命の元勲トロツキーは一敗地に塗れてしまつた。

次で新経済政策時代の末期、第一次五ケ年計画への移行を気構へて、コルホーズ運動強化方針をとつたスターリン一派の幹部派に對し右翼的理論を以てブハーリンが對峙した。カメーネフ・ジノヴイエフに対してスターリンと共同戦線を張つたブハーリンが、今度はスターリンに粛正される運命となつた。結局、ブハーリンはルイコフやトムスキーと共に失脚した（一九二九年）。かくて、スターリン一派は革命の元勲を殆んど全部政治舞台から蹴落して、宿望の独裁権を確立したかに見えたのである。

㈢　五ケ年計畫時代

しかし、それが單に外見だけに過ぎなかつたことは、一九三四年の所謂キーロフ事件がこれを示した。キーロフ事件を契機として、ソ聯政治の裏面が白日の下に暴露された。ジノヴイエフ、カメーネフの合同本部事件、ピヤタコフ、

六七

ソコルニコフ、ラデツクの併行本部事件、ブハーリン、ルイコフ等の右翼＝トロツキスト・ブロツク事件、トハチエフスキー事件等の大陰謀事件が次々と暴露され、スターリン政権の基礎が震撼されんとした。一聯のかゝる粛正工作は、第二の革命と云はれるほど大きい政治的・経済的影響を與へねばならなかつた。このために、政務は澁滞し、経済活動は振はず、民衆は動揺した。しかしソ聯政治に最後まで残つた癌を強行的に切開したといふ意味で、たとへ一時的には弱まつても、やがては再び健全な鼓動を搏ち始めるだらうと豫想されてゐたが、今の所この豫想は裏切られてゐない。寧ろ数百万の政治・経済的指導者が新舊更代したゝめ、スターリン政権は安固となり、國家機關は新鮮味を帯び、溌剌たる脈動を開始したやうである。果して、今後陰謀事件が起る可能性なきや。トロツキー亡き今日、國外から糸をひく有力人物はなく、あれば國内からであらうが、もはや集団的な有力な反革命分子は出ることはないであらう。スターリン政権は旭日昇天の感がある。但しスターリン亡き後には多少悶着が起るだらうことが豫想される。

六八

二　共産党の現勢

昨年（一九三九年）三月第十八回党大會に於て採擇された新党規約は次の如き綱領を挙げてゐる。

「共産主義インターナショナル支部たる全聯邦共産党はソ聯邦の労働者階級の階級的組織の最高形態なり。党はその活動をマルクス主義・レーニン主義の理論を以て指導す。

党は労働者階級独裁の強化、社會主義制度の強化発展、即ち共産主義の勝利のためになす闘争に於て労働者階級、農民層、インテリゲンチヤ――全ソヴエート國民を指導するものなり。

党は社會的並に國家的――一切の勤労者組織の指導的中核にして、共産主義社會の成功的建設を保障するものなり」

現在（一九三九年三月一日）党員数は一、五八八、八五二名、党員候補者八八八、八一四名、合計二、四七七、六六六名である。これは第十七回党大會即ち一九三四

六九

年に於ける党員数に比べて二十八万七千人の減少、候補者数に於て四万六千人の減少である。この減少は粛正工作の影響による。

党員の構成はこれを大會代表者の職業別構成から見ると次の如くである。

	十八回大會當時		十七回大會當時（%）
	員数	%	
党機関勤務員	六五九	四一	四〇
コムソモール勤務員	二七		
軍事機関勤務員	二八三	一八	七・三
農業勤務員	六三	四	一〇
運輸勤務員	一一〇	七	六

これを見るに、軍事機関勤務員が漸増し、農業勤務員が漸減の傾向にあるが、

七〇

時局柄面白き現象と云はねばならぬ。

またこれを組織程度で区別すれば次の如くである。

	高等教育修了者	中等教育修了者
第十六回大會當時	四・四％	一五・七％
第十七回　〃	一〇・〇〃	三一・〇〃
第十八回　〃	二六・五〃	二二・五〃

即ち高等教育を受けた党員の数が飛躍的に増大してゐる。ソヴエートの新しき型のインテリゲンチヤの進出は、社會主義建設の現段階を示すものとして象徴的である。蓋し革命以来、舊型インテリゲンチヤのサボタージユ的態度にいかにソ聯當局が手を焼いたかを知る者にはそれがうなづけるのである。

七一

三、共産党の組織（附録圖表参照）

党組織は図表の如くであって、これが実際の運営は次節の「政治指導のメカニズム」中で逐次説明されるだらう。

第三節　政治指導のメカニズム

一　共産党の國家に對する指導

前述の如く、ソ聯の全政治機構に於て全聯邦共産党は依然として指導的立場にあり、國家機構は全体として単なる行政機関に過ぎない。元来、立法府たる最高會議が指導的立場に立たねばならぬに拘らず、今日ではその実質的部分が共産党の手に握られてゐる。そこで共産党と國家機構とは最も密接な関係に立たねばならぬのであるが、それは組織的に、人的に、両方の側から行はれてゐ

七二

る。

㈠　党と國家機構との組織的結合

1. 党の上下構成が國家機関の上下構成と相對應してゐること。國家機構が全聯邦人民委員會議、加盟共和國人民委員會議、自治共和國人民委員會議、州及地方執行委員會議、市及び区執行委員會と組織されてゐるに對應して、党機関は全聯邦委員會、加盟國中央委員會、自治共和國中央委員會、州及び地方中央委員會、市及び区党委員會となってゐる。これによって党機関と國家機関との表裏一体関係が実現され、党指導が円滑に行くやうに組織されてゐる。

2. 党人事局が國家及び党の人事一切を掌握してゐる。諸政治機構の運営は人間によってどうにもなるものであって、例へ巧妙な組織であっても、これを運用する人間が劣悪ではどうにもならぬし、また例へ拙劣な組織でも人間が優秀ならば、巧妙に運用するものであって、万事は人間が決定するであらう。

七三

そこで、ソ聯當局は、人事関係を極めて高く評價して、政府及び党の人事を一元的に党人事局が統制することになってゐる。かくて後述する如く、人的結合は組織上の國家及び党の表裏一体的関係を更に実質的なものとしてゐる。

3. 人民委員會議と党書記局との一体化。一方は國家機関の中枢部、一方は党機関の中枢部――これが一体の関係にある。例へば、最重要な法令には人民委員會議長（モロトフ）と党中央委員會書記長（スターリン）が共同署名をする。

4. 赤軍政治局、海軍政治局と國防委員會、國防人民委員部、海軍人民委員部との関係。軍統帥権の一元化が行はれてゐる。

5. 政治局が重要政治問題の指導を、組織局が國家及党組織の指導に當る。

㈡　人的結合

この点で、党と國家機関との一体的関聯は最も明瞭に示されてゐる。國家機関の重要ポストにある人間は必ず党組織の重要ポストにあり、反對も亦さうで

七四

ある。例へば次の如し。

人名	党機関	政府機関
1. モロトフ	政治局員	人民委員會議長兼外務人民委員
2. カリーニン		最高會議幹部會議長
3. カガノーヴィッチ(エル)	政治局員、組織局員	交通人民委員
4. ウオロシーロフ	政治局員	國防委員會議長
5. アンドレーフ	書記局員、政治局員、組織局員	聯邦會議議長
6. ジダーノフ	書記局員、政治局員、組織局員	
7. フルンチヨフ	政治局員	
8. ミコヤン	政治局員	外國貿易人民委員
9. マーレンコフ	書記局員	

七五

二、結論

打続く血の粛正工作により、反スターリン分子は悉く党外に放逐され、今や共産党はスターリン一色で塗りつぶされてゐる。たゞこの点で問題となるのはかくもプロレタリア独裁が個人的色彩を濃厚にする場合、この個人が亡き後はどうなるかといふことである（スターリンは本年日本流で言へば六十二歳である）。レーニン死後如何に党内が紛糾したかは前述の通りであるが、これが繰返されるやうでは困るでもあらう。しかし、国内の政治・経済状態が一應発展の緒につき、安定を得た今日、たとへスターリンが亡くなってもそれほど混乱は生じないやうに思ふ。しかし、ソ聯が世界戦争にでも捲き込まれ、多少とも形勢が悪くするやうな場合ともなれば、必ずしも楽観出来ないであらう。勿論、その場合にはスターリン個人よりもソ聯全体が問題となるであらうが。

七六

共産党の政治指導のメカニズムは相當巧妙であり、その実際の運営も良好である。今後多少の変更があるかも知れぬが、現状は維持されるだらう。

この政治指導のメカニズムは既に戦時体制であって、戦時と雖も重大変化は無いと考へる。

七七

第三章　政治機構の一部としてのコミンテルン

第一節　コミンテルンの史的発展

ドイツのカウツキー、オーストリヤのヒルファーディング、及びバウエルを中心とする第二インターナショナルは、一九一四—一八年の世界大戦前、既にその裏切的行動と日和見主義的性格を暴露して、国際労働運動から擯斥されてゐたが、世界大戦の勃発はその完全な破産を宣告された。労働者階級の擁護と称して、実はその祖國主義のかげで資本主義の崩壊を喰ひ止めることに専念してゐたといはれ、これに対してロシヤ共産党並にレーニンが徹底的批判を浴せたことはあまりにも有名な事実である。

一九一七年十月の革命に赫々たる勝利を得たロシヤ共産党は、曽てマルクス・エンゲルスによって指導された第一インターナショナルの傳統を何等かの形で

七八

復活し、世界労働運動のヘゲモニーを握らんとしたのは蓋し當然である。かくて、内乱と干渉戦の眞只中、一九一九年三月、レーニンの提唱により第三インターナショナル即ちコミンテルンは創設された。

(一)　内乱及び干渉戦時代のコミンテルン

内乱及び干渉戦に悩むソ聯政府はコミンテルンを通じて世界各地に社會革命及び労働者暴動を使嗾して、以て干渉列國を内部的破壊し、若しくは國力を弱めることによつて、干渉の餘力なくするために努力した。それでなくてさへ、戦後の経済的疲弊と社會不安はヨーロッパの一般民衆を爆発点にまで推しやつてゐたのであるが、十月革命の成功と、ソ聯政府の煽動とはこれに油を注いだ形となり、各地に革命と暴動とが頻発した。「世界資本主義全体の巨大な震撼、階級闘争の尖鋭化及びプロレタリア十月革命の直接的な影響は、ヨーロッパに於ても、植民地及び半植民地に於ても、一聯の革命及び革命的行動を喚起した。即ち一九一八年一月にはフィンランドに於ける労働者革命、一九一八年には日

本に於ける「米騒動」、一九一八年十一月には半封建的君主制を顛覆したオーストリヤ及びドイツに於けるプロレタリア革命、朝鮮に於ける暴動、一九一九年四月にはバイエルンに於けるソヴエート政権樹立」（コミンテルン綱領）。コミンテルン成立後も、一九二〇年に於けるトルコの民族革命、同年十一月に於ける北イタリヤの労働者の工場占領、一九二一年に於けるドイツ労働者の暴動、等々。

しかし、これらの諸事実に牽制されたとも云へるが、主として干渉列強間の利害対立からソ聯領土からすべての外國軍隊は撤退することゝなつたが、一方、各地の社會革命及び暴動も悉く失敗に帰した。欧洲新経済秩序もアメリカの活入れで再びノルマルな恢復過程に入り、世界資本主義は所謂その安定期に入つたのである。革命的昂揚の時代は過ぎた。コミンテルンは他の方法を取らねばならなかつた。

(二)　資本主義安定期のコミンテルン

資本主義安定期に於けるコミンテルンの活動方針は、各國共産党の拡大強化と植民地民族の煽動と端緒的形態に於ける反ファシズム闘争であつた。

しかし、この時期に於ける最大の問題はソ聯社會主義建設とコミンテルンの関係であつて、それは、さきに党内闘争を論じた場合に指摘した如く、トロツキーの永久革命論とスターリンの一國社會主義建設論の二つの対立として表現された。トロツキーは曰く、資本主義世界に囲繞されては、ソ聯の社會主義建設は不可能であり、社會主義を建設せんとせば、世界資本主義を打倒せねばならぬ。世界革命の遂行、しかも長期に亘る世界革命の遂行が始めて社會主義建設を可能ならしめると。この場合、コミンテルンは世界革命の城砦として最大限度に利用され、ソ聯社會主義建設は第二義的なものとなる。これに対し、スターリンは、資本主義社會が必ずしも足並を揃へてソ聯に打ちかゝらぬこと、その間に社會主義を建設し得ること、社會主義が確立した後始めて世界革命に乗り出すべきこと等を主張し、遂に多数の支持を得てトロツキーを失脚せしめたことは前述の通りである。惟ふに、トロツキーの理論は、戦後資本主義諸國

に彭湃として起つた革命の波を利用してたものであつて、當時は世界革命の可能性がないでもなかつたが、資本主義安定期には通用しない冒険的方法であつた。コミンテルンが戦後世界各國の革命運動を指導したのは、寧ろ先にも述べた如く、外國干渉戦を排撃する手段として行はれたもので、やはりソ聯社會主義建設のためであつた。社會主義建設のために、またその限度に於てコミンテルンを利用するのであつて、コミンテルンの活動のために社會主義建設を犠牲に供するといふことは、許されなかつた。かゝる社會主義建設とコミンテルンの関係は爾後、欧洲戦争勃発の今日と雖もソ聯當局によつて一貫して堅持されてゐる方針であつて、たゞ相違は、今日では社會主義建設が一應成功したゝめ、その擁護に変つた点であらう。しかし戦争の進展如何によつては一大変化を来すであらうことは疑ひなく、その点については後述する。

(三)　資本主義安定崩壊期とコミンテルン

一九二九年の史上未曾有の世界経済恐慌こそは資本主義安定期の終焉を告げ

る弔鐘であったのであるが、その後の世界政治に於ける諸変化に對してコミンテルンは新たな方針を樹立した。それは一九三二年に於けるドイツ・ナチスの政權掌握以來、世界各國に昂揚するファシズムに対する反ファシズム闘爭と人民戰線戰術であった。ソ聯はドイツ・ナチズムの直接の脅威下に置かれてゐたため、これを挾擊せんとフランスと不可侵條約を締結したが、これに相呼應してフランス國内ではコミンテルンを通じてフランス共產党に人民戰線結成を強行させた。またスペインには人民戰線内閣をすら出現せしめ、これを契機として人民戰線内閣と反政府軍との國内戰爭を誘発せしめたことはあまりにも有名な事実である。また、支那に於ては、日本の進出に対應するため年來の國民党と共產党の對立を克服して、國共合作、抗日人民戰線政府を樹立し、遂に今日の支那事変を勃発させたことも周知の通りである。

しかし、かゝる人民戰線戰術も一應の成功を見たが、この援助の深入りのあまり累がソ聯に及ばんとするや、援助を停止し、遂に運動の崩壊を招いたことは注意すべきである（支那を除く）。前述の如く、ソ聯社會主義を犠牲として

八三

までこれらの運動を援助せず、寧ろ反対にソ聯を援助するための援助であり、必要とあらば見殺しにもするといふ基本的方針の貫徹である。ドイツ共產党の没落からしてこの見殺しの好い例である。

四　欧洲大戰とコミンテルン

独ソ協定と云ふ劃期的な外交方針の轉換は、直接今次の欧洲大戰を勃発させたが、同時にコミンテルンの方針にも一大轉換を餘儀なくされた。今までの反ファシズム・人民戰線戰術は一掃されて、交戰諸國に於ける反戰闘爭、弱小民族の民族解放運動への援助が主たる方針となった。これらの事實に就いては、「各國共產党の運動」の項で述べる豫定であるが、これはコミンテルンの戰時体制であり、遂にはソ聯を物質的な基礎としてその武力的背景の下に本來の世界赤色革命を実現すべきチャンスを狙ってゐるのである。戰爭がソ聯の思惑通り、両交戰陣営の共倒れにでもなれば、その絶好のチャンスであらうし、それでなくても、戰勝國・戰敗國を問はず戰後の經濟的疲弊はコミンテルン活動の

八四

恰適な舞台を提供するであらう。

第二節　コミンテルンの現勢

一、組織及び機構

コミンテルンは民主主義的中央集權主義と絶對的國際的規律を原則として組織されてゐる。その加盟各國共產党は一國一党を原則として「コミンテルン支部」と名付ける規定になってゐる。コミンテルンの機構は附圖（別紙）の如くである。

世界大戰は今日まで七回開催され、最近の第七回大會は一九三五年七月に開催された。書記長はデミトロフ。

八五

二、現段階に於けるソ聯國内政治とコミンテルンの関係

この点については、前節コミンテルン史のなかで説明したが、要するに國内政治機構の一補助機関として作用して居り、戰爭進展過程に於て或ひはこの関係が逆となる可能性もあるわけである。この具体的な関係は次に述べる。

三、ソ聯外交政策とコミンテルンの関係

一國社會主義建設を主軸としてソ聯政府の外交政策とコミンテルンの政策が表裏一体をなして居たことはさきにも少し述べた通りであるが、このことは戰前に就てのみ云へるのである。

例へば、ファシズム・ドイツに對しては独ソ國交の險悪化に對應して、ドイツ共產党の地下工作を援助した。フランスとは不可侵條約を結ぶと同時にコミンテルンは人民戰線戰術に出て、政府の方針に相呼應した。支那に於ては、ソ

八六

聯政府は國民党政府と友好関係を持続すると同時に、コミンテルンは中國共産党を援助して、抗日人民戰線を結成した。ソ聯政府は公式的に、コミンテルンは非公式的に、同一政策を遂行した。この表裏一体関係はいとも功妙に行はれ、ソ聯外交政策成功の一助となつてゐることは疑もないことである。

しかし、欧洲戰爭の勃発・世界大戰への発展の見透しの下で、この表裏一体関係は破壊されたやうである。

例へば、ドイツとソ聯の間に独ソ協定あり、友好関係もあり乍ら、共産党地下工作は依然として跡を絶たない所を見れば、コミンテルンの指導は継続してゐると見ねばならぬ。また、ソ聯の政策としてあまり勝ちすぎたドイツに対しイギリスを盛り立てる必要のある時、イギリス内部の共産党反戰運動は続行されてゐる。ソ聯政府の外交政策とコミンテルンの戰時方針とは矛盾があるやうである。

だが、この矛盾は大きい統一へ、より高き表裏一体関係への発展のための矛盾である。といふのは、交戰國内の反戰運動は労働者獲得の、共産党に対する

労働者の信頼を高めるための手段であつて、漸次この目的を達した後、機會を狙つて、最後の目標を実現せんとする。この時ソ聯政府は公然と各國共産党を物質的・精神的に援助するであらう。世界大戰の終末、交戰諸國の共倒れ、若しくは消耗疲弊の場合がさうであつて、この時こそは、より高き段階に於けるソ聯政府外交方針とコミンテルンの方針の表裏一体関係が実現され、ソ聯の武力を背景とするコミンテルンの世界赤色運動が活溌に行はれるであらう。さうした段階への一歩手前として、現在コミンテルンの政策は必ずしもソ聯政府の政策とは一致しないのである。

四、各國共産党の状態

コミンテルンの現勢力の世界的分布状態は次の如くであると言はれてゐる。

國別	一九三四年三月現在	一九三九年三月現在
イギリス	六、〇〇〇	一八、〇〇〇
フランス	四〇、〇〇〇	二七〇、〇〇〇
アメリカ合衆國	二〇、〇〇〇	九〇、〇〇〇
カナダ	八、〇〇〇	一八、〇〇〇
支那	不明	一四八、〇〇〇
スペイン	（一九三二年）八〇〇	（崩壊前）三〇、〇〇〇
チエコ・スロヴアキア	（崩壊前）六〇、〇〇〇	不明
スイス	八、〇〇〇	一九、〇〇〇
デンマーク	三、〇〇〇	九、〇〇〇
キューバ	三、〇〇〇	三三、〇〇〇
メキシコ	二、〇〇〇	三〇、〇〇〇

一九三四年から一九三九年にかけて、フランス・支那・アメリカ合衆國及びラテン・アメリカに於ける共産党の発展は著しい。尤も現在、フランス・スペイン・チエコ・デンマークの共産党は彈圧され、地下にもぐつた。今日最大の共産党は、ソ聯を除いて、支那共産党である（各國共産党の活動は省略）。

五、結論

コミンテルンの活動は戰爭勃発と共にかつての華やかさを失ひ、各國共産党の党員も減少し、甚しきは党自身が壊滅し、若しくは地下に追ひ込まれた。しかし戰爭の進展過程に於て、共産党進出の可能性は、大いに増大し、何時いかなる間隙を縫ふて電撃的発展を示すとも限らぬ。今の所、コミンテルンはソ聯政府の公式的外交の線に添ふてゐないが、隠然として一方から睨みを利かしてゐることは蔽ふべくもない事実であらう。若しそれ絶好の機會をとつて、コミンテルンが政府の外交の線に沿ふやうになれば、補助的政治外交機関として の役割は相當大であらうし、更に臆測を逞しくすれば、ある瞬間には、現在の

コミンテルンの関係が主客を顛倒してコミンテルン――政府といはかれないとも限らぬ。その時が世界革命の時期である。

經研資料調第七四號

ソ聯農産資源の地理的分布の調査

昭和十七年五月
陸軍省主計課別班

目次

ソ聯農産資源の地理的分布の調査

要旨

ソ聯農産資源中食糧穀物は小麦ライ麦を主とし其の生産地帯はウクライナのキエフと東部シベリヤのクラスノヤルスクを結ぶ線を中心とする幅五〇〇－八〇〇粁の大帯状地である。

工業原料作物については砂糖用甜菜、纖維用亜麻棉花、向日葵等を主とす、砂糖用甜菜はウクライナのキエフを中心とするウクライナの西北部を、亜麻は白ロシヤ共和國及び歐露西北部（レニングラード州、スモレンスク州等）を主とし、又棉花は専ら中央亜細亜であると言ひ得。向日葵のみは稍廣く栽培せられるが、それでも北カフカズ、ウクライナ、歐露中央黒土地帯、沿ヴォルガ等に集中してゐる。

以上によつて明かなる如く是等のものはソ聯の自然的及び歴史的條件により今猶生産の偏在は免れないのであつてソ聯政府による偏在解消の努力は未だ僅かしか酬ひられてゐないのである。

一、ソ聯邦の重要農作物

（食料及び工業原料）は次の如きである。

(イ) 食料作物

(1) 小麥、ライ麥

ソ聯統計上主たる食用穀物どして取扱はれ、又生産高の點に於ても主要なものは右二者である。併し比較的量の少いものとして米、ソバ等がある。黍も亦屢〻食料穀物の中に數へられる樣に成つたが其量は餘り多くない。

大麥、燕麥、玉蜀黍等は何れも飼料穀物であることは他國の場合と同同樣であるが、それが時として食料に供せられることは絶無ではない。

副食物用として特に重要視せられるものは蔬菜と馬鈴薯である。此兩者は第三次五ケ年計畫に入り大規模の増産計畫が樹立せられ、着々成功を收めてゐるものゝやうである。殊に輸送力輕減の爲に各地夫々の自給自足を目標として居り、それが爲に全國的生産高の配置は此處二・三年間に著しく變化しつゝある。又馬鈴薯は飼料用及び工業原料用としても栽培せられるが、其の量的區分は必ずしも明瞭にすることは出來ない。

更に食用植物油脂作物卽ち油脂用亞麻（短纖維亞麻）及び向日葵等並に砂糖用甜菜はソ聯農業統計上は工業作物として取扱はれてゐる。甜菜は一部は飼料用としても栽培せられてゐる。猶之と同樣なことは釀造用の大麥に就いても言へる。卽ち之は飼料用及び釀造用を區別することなしに穀物の中に取扱はれてゐる。

(ロ) 工業原料作物

工業原料作物の最も主要なものは次の四者である。(1)棉花、(2)亞麻（纖維用及び油脂用）、(3)砂糖用甜菜、及び(4)油脂用作物卽ち向日葵。棉花は纖維用を主とし、棉實油の搾油は近年迄余り行はれてゐない。それは他に相當の油脂原料があつたからである。第三次五年計畫に入り之を補ふ大規模に問題とし始めたものゝ樣であるが、猶其の生産は著しくない。

右の外に大麻、荏胡麻、大豆、菜種、煙草等が統計上工業原料作物とせられてゐるが、其の作付面積は全体の上からみると僅少である。尤も生産物の重要性はそれとは全然別であるが。

二、重要食料及び工業原料作物

重要食料及び工業原料作物の作付面積及び其の比率（但し一九三九年秋迄の領土に於けるものとす）。

	作付面積（單位千ヘクタール）	%
(一)總作付面積	一、三六九四三・一	一〇〇%
(二)穀物	一、〇二四一一・〇	七一%
(イ)食料穀物	六九一三四・七	五〇%
小麥	四一五一一・八	三〇%
ライ麥	二一四五〇・五	一六%
黍	三九二四・一	三%
ソバ	二〇八四・七	二%
米	一六三・六	〇・一%
(ロ)飼料穀物	二九七〇三・六	二二%
大麥	九二一二・七	七%
燕麥	一七八八二・一	一三%
玉蜀黍	二六〇八・八	二%
(三)工業作物	一〇九五九・五	八%
棉花	二〇八二・九	二%
亞麻	二二三四・一	二%

大麻	六五四・四	〇・四%
向日葵	三一四四・五	二%
甜菜	一一八〇・三	〇・八%
(四)蔬菜及び馬鈴薯	九三八五・四	七%
馬鈴薯	七三六五・〇	五%

三、ソ聯農業地帯

（但し使用統計の關係上一九三九年九月以前の行政區畫に依る）

(一) ロシヤ共和國

(1) 歐露北部地方
アルハンゲスク州、ヴォロゴド州、ムルマンスク州、カレリヤ自治共和國、コミ自治共和國、

(2) 北西部地方
レニングラード州、カリニン州、スモレンスク州、

(3) 中央非黒土地方
モスクワ州、イワノフ州、ヤロスラウリ州、ゴリキー州、ツーラ州、リヤザン州、

(4) 中央黒土地方
アリヨール州、クール州、ヴォロネージ州、タムボフ州、モルドフ自治共和國。

(5) ヴォルガ上流地方
キーロフ州、ウドムルト自治共和國、マリー自治共和國、チユワーシ自治共和國、タ、ール自治共和國、

(6) ヴォルガ中、下流地方
クイブイシエフ州、サラトフ州、スタリングラード州、カルムイック自治共和國、沿ヴォルガ獨逸人自治共和國、

(7) 北カフカス及びクリミヤ地方
ロストフ州、クラスノダル地方、オルヂヨニキッゼ地方、ダゲスタン自治共和國、チエチエノ・イングーシユク自治共和國、北オセチヤ自治共和國、カバルヂノ・バルカリ自治共和國、クルイム自治共和國。

(8) ウラル地方
スヴエルドロフスク州、ペルミ州（現モロトフ州）、チエリヤビンスク州、チカロフ州、バンキール自治共和國

(9) 西部シベリヤ地方
ノヴオシビリスク州、オムスク州、アルタイ地方。

(10) 東部シベリヤ地方、クラスノヤルスク地方、イルークツク州、ブリヤートー蒙古自治共和國、チタ州、ヤクーツク自治共和國。

(11) 極東地方

(一) ハバロフスク地方、沿海地方、
(二) ウクライナ共和國
(三) 白ロシヤ共和國
(四) アゼルバイヂヤン共和國
(五) グルージヤ共和國
(六) アルメニヤ共和國
(七) トルクメン共和國
(八) ウズベツク共和國
(九) タヂク共和國
(十) カザフ共和國
(十一) キルギーズ共和國

四、主要農作物の地理的分布

ソ聯の農業生産の分布は其の氣候、地勢等の條件が示すところによつて知られる樣に極めて變化に富む。剰へ民族の相異、文化程度の不同等も加はつて作物の種類、作付面積等何れも一樣でない。

簡單に言へば、穀物、棉花、亞麻、甜菜等が何れも各々の主要栽培地帯に大部分配置せられてゐる。更に穀物のみについても小麥地帯と

ライ麥地帶とを異にし、小麥も亦春播小麥地帶と秋播小麥地帶と異る。

ソ聯當局は此の偏重を出來るだけ緩和せんとした。それが爲に例へば棉花栽培を中央アジヤ及び高架索以外にウクライナ方面に擴張スル等の如くして、若干部面に於てはそれに成功したとみられないではないが、併し未だ偏在の程度は極めて著しい。

次に各作物に就き其の重要生産地帶を説明するに當り、各々の作付面積によつて之を比較す。而して全國に於ける各作物別生産の比較のみならず、夫々の地帶に於ける各作物の重要性の程度も亦檢討することが必要である。從つて此處では以上の兩方面より説明する。

(一) 穀物

地帶別に最も穀物生産の多いところを表記すれば左の通りである（比率は對全國總面積―以下同じ）

(1) ウクライナ	一八%
(2) ウラル	一一%
(3) ヴォルガ中下流	一一%
(4) 中央黑土	一〇%
(5) 北カフカス、クリミヤ	九%
(6) 西シベリヤ	九%
(7) ヴォルガ上流	六%
(8) 中央非黑土	六%

卽ちソ聯の穀物生産地帶は略北緯五〇度の線を中心とする幅五〇〇―八〇〇粁の大帶狀地をなして擴り、西は東經二七度附近の波蘭及び羅馬尼國境より、東は東經九五度卽ちクラスノヤルスク地方に達してゐる。（但し西方にては北緯五〇度よりも南方に多く、東に進むに從ひ漸次北方に偏し、東の端に於ては北緯五三度の線を中心とす。）而して右大帶狀地は概ね有名な黑土地帶に屬してゐるのである。

更に夫々の地域の總作付面積中穀物が八〇%以上を占めてゐるのは前記穀作大帶狀地域中ヴォルガ沿岸より東方のみである。又其の六五%を超へる地域をとるに、右帶狀地の全てが之に相當し、他の若干の地域も亦之に加へられる。（例へばヴォロゴド州アルハンゲリスク州後高架索の三共和國、及び中央アジヤの一部等がそれである。併し何れも穀物栽培地としては重要性を有しない。

(二) 小麥、及びライ麥（主要食料穀物）

次に小麥及びライ麥の合計に就いてみるに、食料穀物移出地帶に於ては（對全國）

(1) ウクライナ	二四%
(2) ヴォルガ中下流	一七%
(3) ウラル	一七%
(4) 西シベリヤ	一三%
(5) 中央黑土	一三%
(6) 北カフカス、クリミヤ	一三%
(7) カザフ	八%
(8) ヴォルガ上流	八%
更に食料不足地帶では	
(9) 中央非黑土	八%
(10) 東シベリヤ	五%
(11) 白ロシヤ	三%

（以下略）

卽ちウクライナは食料穀物生産地帶として斷然他に抽んでゐるが、他の穀物移出地帶の順序及び其の占める比率に就いては總穀物の場合と小麥及びライ麥の場合との間に若干の相異がある。是は一般には是等の地方が何れも小麥及びライ麥を他の飼料穀物よりも多量に作付してゐる事を示し、又其の程度が地域によつて幾分異る爲に順序にも相異が發見せられる。

次に食料不足地帯の中、中央非黒土地帯は可成り多くの比率を占めてゐるにも拘らず人口稠密な爲に食料不足し又東部シベリヤは人口稀薄ではあるが、未だ穀物生産が充分に開發せられてゐない爲に食料不足地帯に屬す。

猶各々の地域は食料穀物の主位を占める小麥及びライ麥の生産に於て若干特色を有し、更に春播及び秋播による相異がある。今各地帯に於けるライ麥と小麥の合計を一〇〇とし各々の比重を表示すれば次の通りである。

	小麥	ライ麥
(1) ウクライナ	七一%	二九%
(2) ヴォルガ中下流	六八%	三二%
(3) ウラル	六七%	三三%
(4) 西シベリヤ	八六%	一四%
(5) 中央黒土	四一%	五九%
(6) 北カフカス、クリミヤ	九一%	九%
(7) カザフ	九四%	六%
(8) ヴォルガ上流	二七%	七三%
(9) 中央非黒土	三四%	六六%
(10) 東部シベリヤ	七一%	二九%
(11) 白ロシヤ	二〇%	八〇%
全國合計	六六%	三四%

即ちライ麥が比較的に多いのは白ロシヤ、ヴォルガ上流、歐露中部（黒土及び非黒土）であつて、露西亞の舊農業地帯である。換言すれば穀物生産地帯をなす前述の大帶狀地の西北部分に當つてゐる。

次に小麥及びライ麥の夫々の生産分布に就いては次項以下に詳述す。

(イ) 小麥

小麥生産分布は次の通りである。（對全國）

(1) ウクライナ	一八%
(2) ヴォルガ中、下流	一二%
(3) 西シベリヤ	一二%
(4) 北カフカス、クリミヤ	一二%
(5) ウラル	一二%
(6) カザフ	八%
(7) 中央黒土	六%
(8) ヴォルガ上流	二%

即ち小麥の栽培は主として穀物生産地帯をなす大帶狀地の比較的南半分に集中せられる。故に其の北限に近い中央黒土地方及びヴォルガ河上流地方は極めて少く、特に後者に至つては次の如く穀物移入地帯に屬する非黒土地帯及び東部シベリヤよりも少い。それは此の地方（

(9) 東部シベリヤ	三%
(10) 中央非黒土	三%

ヴォルガ河上流地方）がライ麥を主とするからである。

更に同じく小麥地帯であり乍ら次表の如く春播小麥地帯はヴォルガ沿岸より東の方であり秋播小麥は其の西の方特にウクライナ及び北カフカス、クリミヤを中心としてゐる。

（單位千ヘクタール）

	春播小麥 (イ)	(ロ)	秋播小麥 (イ)	(ロ)
ウクライナ	一〇〇六一（四%）	一四%	六四四〇九（四四%）	八六%
ヴォルガ中下流	四八九九五（一八%）	九五%	二五一〇（－%）	五%
西シベリヤ	五一二五七（一九%）	九二%	二四七（－%）	八%
北カフカス、クリミヤ	一一七一五（四%）	一九%	四九八四四（三四%）	八一%
ウラル	五〇三〇四（一九%）	九九%	二四九（－%）	一%
カザフ	三二五三二（一二%）	九五%	一五五二（－%）	五%
中央黒土	一二七四五（五%）	五三%	一一五七（八%）	四七%

ヴォルガ上流	九〇六三（三%）	九五%	四五〇（一%）	五%
全國合計	二六九二七五（100%）	六二%	一四五八四三（100%）	三八%

（註）(イ)各地域が全國總計中に占める割合。(ロ)各地域の春播と秋播の割合。

(ロ)　ライ麥

ライ麥は比較的に廣範圍に栽培せられる。それは古來ロシヤ農民が特に多く之を作付してゐたこと、及び比較的にその栽培方法が容易であることによるのである。從つて其の栽培北限は小麥よりも稍北方に及んでゐる。

食料穀物移出地帶

(1)中央黑土	二〇%
(2)ウクライナ	一八%
(3)ヴォルガ上流	一五%
(4)ヴォルガ中下流	一四%
(5)ウラル	一四%
(6)西シベリヤ	五%
(7)北カフカス、クリミヤ	三%
(8)カザフ	一%

食料穀物移入地帶

(9)中央非黑土	一三%
(10)白ロシヤ	五%
(11)東部シベリヤ	三%
(12)北西部	三%

以上によつてライ麥が帝政時代の本國たる歐露に多く、其他の地帶は比較的に少く西シベリヤすら中央非黑土地帶の半にも適してゐないこと、從つて既述の如く前者が今日小麥生產地として開發せられ、後者が舊來のライ麥生產地たる姿を猶保持してゐることが知られるのである。

(三)　工業作物の生產分布

ソ聯に於ては工業原料作物が穀物生產と混在してゐるものと、殆んど完全な專門化に近いものとの二つに分れる。前者に屬するものは亞麻、甜菜等であり、後者に屬するものは棉花である。今是等の各々に就いて說明す。

(イ)　棉花

棉花は元來中央亞細亞を第一とし、其の外には僅かにコーカサスに若干見られたに過ぎなかつたが、ソ聯政府は之をウクライナ及び北コーカサス、クリミヤ半島にも漸次擴張することに努力してきたが、未だ其の量は多くない。卽ち

中央アジヤ	一三五五七	六五%（單位千ヘクタール）
內譯		
ウズベック共和國	九一七二	四四%
トルクメン〃	一五四〇	七%
タヂク〃	一一〇三	五%
カザフ〃	一一〇二	五%
キルギーズ〃	六四〇	三%
後高架索	二一四五	一〇%
內譯		
アルゼルバイヂャン共和國	一九五三	九%
アルメニヤ〃	一七一	一%
グルーヂヤ〃	二一	―
ウクライナ〃	二二八五	一一%
北カフカース及クリミヤ	二六二二	一三%
ヴォルガ下流	二三〇	一%
總計	二〇八二九	一〇〇%

(ロ)　纖維用亞麻

亞麻は元來歐露北西部地方一帶に多い。最近其の栽培を東方及び南方に擴張し來つたが、未だ其の偏在性は完全には解消してゐない。

(單位千ヘクタール)

地域	面積	%
(1) 北西部	七〇〇、六	四四%
内譯		
カリーニン州	三〇四、八	二〇%
スモーレンスク州	二三三、九	一六%
レニングラード州	一四三、九	九%
(2) 中央非黑土	二九四、二	一八%
内譯		
ヤロスラウリ州	一三〇、二	八%
イワノフ州	五七、一	四%
ゴリキー州	五三、一	三%
(3) ヴォルガ上流	二四〇、二	一五%
内譯		
キーロフ州	一三九、三	九%
ウドムルト自治共和國	六六、二	四%
(4) 白ロシヤ共和國	二一〇、六	一四%
(5) 歐露北部	一一七、八	八%
内譯		
ヴォロゴド州	八七、五	五%
(6) ウクライナ共和國	一一三、六	八%
(7) 西シベリヤ	一〇七、四	七%
全國總計	一五五八、七	一〇〇%

(ハ) 向日葵

向日葵の主要作付地帶は穀物の主要作付地帶と略々一致す

(單位千ヘクタール)

12

地域	面積	%
(1) 北カフカス、クリミヤ	七四三、九	三二%
(2) ウクライナ	六六八、四	二九%
(3) ヴォルガ中下流	六二五、五	二七%
(4) 中央黑土	四七八、二	二一%
(5) ウラル	二八一、三	一二%
(6) 西シベリヤ	一三六、一	六%
全國總計	二三〇一、六	一〇〇%

(ニ) 砂糖用甜菜

是も亦偏在の極めて著しいものであり、而も此の偏在を調整せんとして各種の努力が行はれてゐるが、今日に於ては結局新栽培地に於ても生産が可能であることを明かにし得たのみであると言へる。即ち

(單位千ヘクタール)

地域	面積	%
(1) ウクライナ	八〇五、七	六八%
(2) 中央黑土	二七三、五	二三%
(3) 西シベリヤ	二六、九	二%
(4) 北カフカス、クリミヤ	一八、二	二%
全國總計	一一八〇、三	一〇〇%

即ちウクライナ及びそれに續いてゐる中央黑土地方が九一%に達してゐる。而して全ウクライナの中甜菜栽培の最も多いのは、西方の西部國境に於て北緯四八度ドニエストル河の北岸と同五〇度即ちプリピャチの大濕地帶の南端にして森林草原地帶の南限たる線の間に挾まれた地帶に始まり稍斜め東に伸びハリコフ州に及び更に之に隣する中央黑土地帶のクールスク及びヴォロネージ兩州に至る極めて狹少な地帶に過ぎない。

(四) 蔬菜及び馬鈴薯

此の兩者は概して全國的に廣く生産せられてゐるのではあるが、それでも猶地域による生産の相違は著しい。併し此の場合には穀物の場

13

含の様に移出、移入の地帯區分を簡單に行ふことは出來ない。

生産の規模によつて順次表示すれば次の通りである。（單位千ヘクタール）

	蔬菜及馬鈴薯	馬鈴薯
(1) ウクライナ	二一〇二、三（二二%）	一四八九、六（二〇%）
(2) 中央非黒土	一三二二、一（一四%）	一〇五〇、三（一四%）
(3) 中央黒土	一二四六、〇（一三%）	一一〇三、二（一四%）
(4) 白ロシヤ	六六九、五（七%）	六三二、六（九%）
(5) ウラル	五五一、八（六%）	四四八、〇（六%）
(6) 北カフカス、クリミヤ	五三三、五（六%）	二〇五、二（三%）
(7) ヴォルガ上流	四七七、七（五%）	四三八、八（六%）
(8) 西シベリヤ	四〇九、九（四%）	三五二、八（五%）
以上略		
全國總計	九三八五、四（一〇〇%）	七三六五、〇（一〇〇%）

穀物生産の多い地帯に馬鈴薯の生産が寧ろ之と並行せず、其の少い地帯に（中央非黒土白ロシヤの如く）比較的に多いこと及び人口の比較的に稠密な地帯に蔬菜、馬鈴薯何れも多いことが注目せられる。又馬鈴薯は飼料或ひは工業原料としての消費も漸次増加してゐる。中央黒土地帯及び白ロシヤ等の生産の多いのには此の意味がある。猶前に述べた様に最近數年（一九三八年以降）大都市及び大工場近郊並に極東方面等に於て蔬菜、馬鈴薯就中後者の増産が行はれ、鐵道による州外輸送が禁止せられ（一九三九年秋以降）着々實績をあげてゐるもののやうであるから、本表の比率には相當の變化があるものとみねばならない。

五、主要農作物生産高

（行政區劃別及び地帯別）

別表參照

註一、小麥及びライ麥生産高は何れも第二次五年計畫（一九三三―三七年）の平均收穫率を各州、地方等別に求め、當該州、地方等の一九三八年度作付面積との相乘積である。從つて本表の數字は第三次五ケ年計畫前半に於ける生産力を示すものとみることが出來、又一九三八、三九、四〇年の平均とも略等しいと推定せられ得る。

註二、人口は一九三九年一月國勢調査の結果である。

註三、棉花、亞麻纖維、甜菜は資料の關係上夫々一九三七及び三八年の實績によつて計算す。但し各共和國別收穫率によつたが故に各州、地方等の場合若干の増加なきを保し得ない。例へばヴォロネージ州の甜菜生産高は本表よりも若干増加し、極東は若干少い。

ソ聯行政区劃別重要農産物生産高

	小麦	ライ麦	合計	人口	一人当生産	棉花	亜麻繊維	甜菜
	千瓲	千瓲	千瓲	(1939年口勢調査)単位千人	(單位ノエントネル)※	千瓲	千瓲	千瓲
全聯邦	38219.47	20921.52	58509.58	170467.2	34.3	2580.38	504.52	21616.05
ロシヤ共和國	24031.54	16890.71	40290.84	109278.6	36.9	121.18	395.60	6488.74
欧露北部	158.36	420.72	579.08	3940.8	14.7	—	25.16	—
アルハンゲリスク州	40.80	111.48	152.28	1199.2	12.7	—	0.66	—
ムルマンスク州				291.2	0.0	—	—	—
カレリヤ自治共和國	3.97	15.78	19.75	469.1	42.1	—	0.05	—
コシ自治共和國	4.70	23.69	28.39	319.0	89.0	—	1.35	—
ヴォロゴド州	108.89	269.77	378.66	1662.3	22.8	—	23.10	—
北西部	435.72	1222.05	1657.77	12337.3	13.6	—	184.99	—
レニングラード州	133.53	249.22	482.75	6435.1	7.5	—	37.73	—
カリーニン州	163.98	486.01	649.99	3211.4	20.2	—	80.49	—
スモレンスク州	138.21	486.82	625.03	2690.8	23.6	—	66.77	—
中央非黒土	1232.84	2531.40	3774.24	22032.3	17.1	—	67.66	169.95
モスクワ州	135.32	176.49	311.81	8918.4	3.5	—	8.76	—
イワノフ州	142.57	271.55	414.12	2650.4	15.6	—	15.07	—
ヤロスラウリ州	159.15	280.60	439.75	2271.3	19.4	—	24.37	—
ゴリキー州	291.66	686.14	977.80	3876.3	24.7	—	13.75	—
ツーラ州	232.67	426.97	659.64	2050.0	32.2	—	3.70	92.53
リャザン州	271.47	684.65	956.12	2265.9	42.3	—	2.01	77.42
中央黒土	2190.55	3524.32	5714.87	13300.9	43.0	0.04	8.16	5217.75
オリョール州	272.64	821.95	1094.59	3482.4	31.4	—	8.00	253.05
クール州	577.92	704.64	1282.56	3196.8	40.1	—	—	2983.77
ヴォロネージ州	796.30	933.33	1729.63	3551.0	48.7	0.04	0.03	1710.89
タムボフ州	394.72	760.66	1155.38	1882.1	61.4	—	0.13	290.04
モルドフ州	148.97	303.74	452.71	1188.6	37.9	—	—	—
ヴォルガ上流	898.11	2784.25	3682.36	8022.6	50.9	—	63.69	—
キーロフ州	113.60	858.39	971.99	2226.1	43.7	—	36.78	—
ウドムルト自治共和國	125.00	391.46	516.46	1220.0	42.3	—	17.48	—
マリー自治共和國	31.68	195.46	227.14	579.5	39.2	—	4.33	—
チュワーシ自治共和國	77.99	256.91	334.90	1077.6	31.1	—	0.82	—
タタール自治共和國	549.84	1081.52	1630.36	2919.4	55.8	—	4.28	—
ヴォルガ中下流	3011.26	2089.83	5101.09	7681.6	66.4	9.38	—	139.74
クイブィシェフ州	1073.04	770.26	1843.30	2767.6	66.6	—	—	—
サラトフ州	911.13	545.39	1456.52	1798.8	81.0	—	—	139.74
スターリングラード州	944.84	536.12	1500.96	2284.0	65.7	8.53	—	—
カルムイツク自治共和國	40.95	24.70	65.65	220.7	29.7	0.85	—	—
沿ヴォルガドイツ人自治共和國	41.30	183.36	224.66	605.5	37.1	—	—	—

※種子ヲ控除スルトキ
一人当純生産高ヲ得但シ種子量ハ此場合作付面積及ビ
一ヘクター当リ収量ノ如何ニヨリ控除量ヲ差別セネバナラナイ故ニ一率ニ言フコトハ出来ナイガ略各一人当リ
30.0−35.0ツエントネルヨリテ生産地帯ト消費地帯ヲ区別シ得ベシ

15

北カフカス・クリミヤ	5179.84	414.32	5594.16	11432.0	48.9	116.76	—	343.79
ロストフ州	1361.17	380.61	1741.48	2894.0	60.1	6.18	—	—
クラスノダル地方	1840.87	5.72	1846.59	3172.9	58.2	21.88	—	343.79
オルヂョニキッゼ地方	1080.27	13.16	1093.43	1949.3	56.1	53.53	—	—
ダゲスタン自治共和国	133.24	8.26	141.50	903.5	15.7	4.90	—	—
チェチェノ・イングーシュ自治共和国	91.84	1.06	92.90	697.4	13.3	2.90	—	—
北オセチヤ自治共和国	31.08	0.88	31.96	328.9	9.9	—	—	—
カバルヂノ・バルカリ自治共和国	85.03	1.17	86.30	359.2	24.0	—	—	—
クリミヤ自治共和国	556.34	3.46	559.80	1126.8	49.8	21.37	—	—
ウラル	4170.03	2244.52	6414.55	12219.0	52.5	—	12.96	28.33
スヴェルドロフスク州	319.24	243.60	562.84	2512.2	22.4	—	0.63	—
ペルミ州	200.25	431.42	631.67	2082.2	30.3	—	9.27	—
チェリャビンスク州	1283.08	385.28	1668.36	2802.9	59.5	—	0.84	—
チカロフ州	1341.62	452.96	1794.58	1677.0	107.0	—	—	—
バシキール自治共和国	1025.84	731.26	1757.10	3144.7		—	2.22	28.33
西シベリヤ	4971.19	1032.19	6003.38	8909.4	55.8	—	28.36	504.20
ノヴォシビリスク州	1349.52	564.61	1914.13	4022.7	45.6	—	10.88	11.33
オムスク州	1492.74	354.36	1847.10	2366.6	78.1	—	11.75	—
アルタイ州	2128.93	113.22	2242.15	2520.1	89.0	—	5.73	492.87
東シベリヤ	1507.97	620.39	2128.36	5328.9	40.0	—	4.49	—
クラスノヤルスク地方	907.83	251.96	1159.79	1940.0	60.2	—	4.12	—
イルクーツク州	188.26	209.56	397.82	1286.7	30.9	—	0.34	—
ブリヤート蒙古自治共和国	127.57	102.86	230.43	542.2	42.5	—	—	—
チタ州	264.34	46.56	310.90	1159.5	26.4	—	0.03	—
ヤクーツク自治共和国	19.93	1.39	21.32	400.5	5.3		—	—
極東	275.57	6.72	282.29	2338.1	12.1	—	0.13	84.98
ハバロフスク地方	208.46	1.06	209.52	1430.9	14.6	—	0.05	—
沿海地方	67.11	5.66	72.77	907.2	8.0	—	0.08	84.98
ウクライナ共和国	8768.86	3141.82	11910.68	30960.2	38.5	113.09	37.49	14429.07
ヴィンニッツア州	492.50	250.10	742.60	----	----	—	—	2993.98
ヴォロシーロフ州	459.43	91.73	551.16	----	----	—	—	35.35
ドネプロペトロフスク州	1906.17	204.85	2111.02	----	----	38.14	—	44.19
ジトミール州	165.55	247.85	413.40	----	----	—	21.42	678.68
カメネッツ・ポドリスク州	302.80	240.82	543.62	----	----	—	—	1542.94
キエフ州	551.70	389.34	941.04	----	----	—	5.48	3112.39
ニコラエフ州	1308.42	102.86	1411.28	----	----	72.75	—	286.32
オデッサ州	1106.74	94.23	1200.97	----	----	2.15	—	744.08
ポルタワ州	711.45	478.85	1190.30	----	----	—	—	1728.52
スタリノ州	585.52	74.30	659.82	----	----	0.05	—	—
ハリコフ州	744.02	376.56	1120.58	----	----	—	—	2149.16
チェルニゴフ州	184.92	560.54	755.46	----	----	~~10.~~—	10.59	915.51
モルダヴィヤ自治共和国	249.64	29.79	279.43	----	----	—	—	162.60

16